DATAEDU PT
자격증 공부를 위한 모바일 문제풀이 솔루션

데이터에듀PT앱 다운로드

ADsP, 한번에 끝내고 싶다면 **끝장패키지**로 !!

① 족집게 시험지
최근 11회분 기출 분석
—
이번 시험만을 공략한 족집게 문제 !

② 최다 빈출 문제
누적 15회분 기출 분석
—
가장 자주 나온 문제 110제

③ 오답 킬러 문제
정답률 13~45%인 문제 130제 선별
—
선지 통계 제공

④ 매회 기출 복원
도서엔 없는 최신 기출 !
—
기출 복원 시험지에 기출 변형 모의고사까지

⑤ 문제 추천 서비스
나의 합격을 위한 맞춤 문제 추천
—
학습목표별 이해도 분석

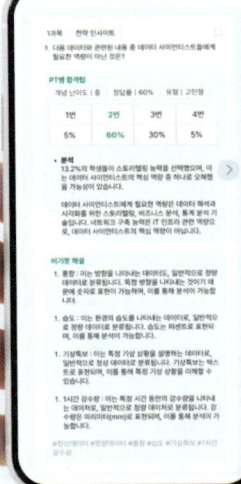

기본도! 풍부하게!

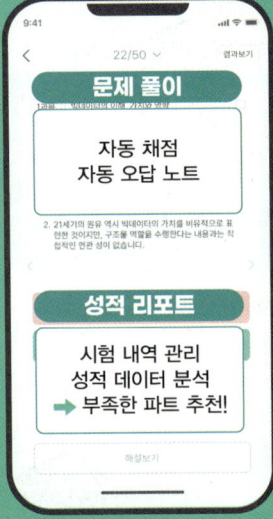
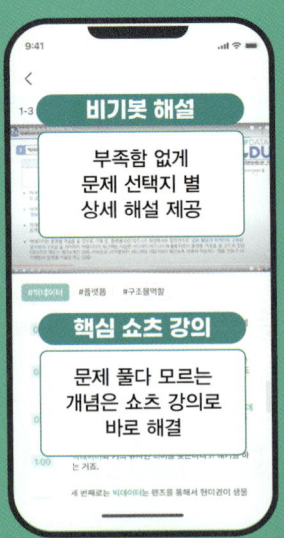

문제 풀이
자동 채점
자동 오답 노트

성적 리포트
시험 내역 관리
성적 데이터 분석
➡ 부족한 파트 추천!

비기봇 해설
부족함 없게 문제 선택지 별 상세 해설 제공

핵심 쇼츠 강의
문제 풀다 모르는 개념은 쇼츠 강의로 바로 해결

eBook으로 더 편하게!

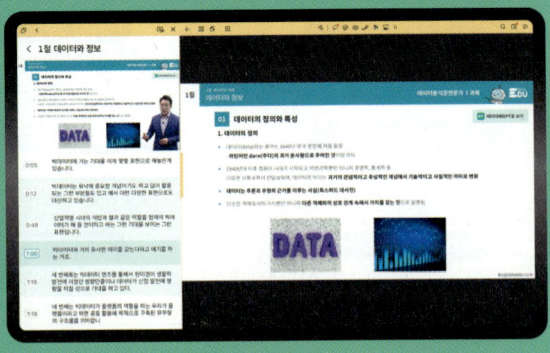

DATAEDU PT With **SCONN** 북카페

- 데이터에듀PT와 eBook이 만났습니다!
- 문제 풀다 이론이 궁금할 때! 강의 듣다 책이랑 같이 보고 싶을 때!
- 태블릿 하나로 SIMPLE하게!

ADsP
합격 마법노트
D-7

비기의 핵심 요약 노트

최근 18회차(30회~47회)의 기출 경향을 분석하여
3회 이상 출제된 개념의 핵심만을 정리한 요약 노트입니다.

공부 방법

출제 빈도의 별이 많은 순으로
난이도의 별이 적은 순으로 공부하기

레벨별 학습 시기

기초 : 1회독 공부 후 시험 D-7(36일차)
초급 : 1회독 공부 후 시험 D-7(22일차)
중급 : 1회독 공부 후 시험 D-7(8일차)
고급 : 시험 D-7(1일차)

비기의 핵심 요약 노트

1과목

장	절	세부 학습 내용	출제 빈도	난이도
1장	데이터의 이해	데이터와 정보	★★★★★	★★☆☆☆
		데이터베이스 정의와 특징	★★★★★	★★☆☆☆
		데이터베이스 활용	★★★★★	★★☆☆☆
2장	데이터의 가치와 미래	빅데이터의 이해	★★★★★	★★☆☆☆
		빅데이터의 가치와 영향	★★★★★	★★☆☆☆
		비즈니스 모델	★★★★★	★☆☆☆☆
		위기 요인과 통제 방안	★★★★★	★★☆☆☆
		미래의 빅데이터	★★★★★	★★☆☆☆
3장	가치 창조를 위한 데이터 사이언스와 전략 인사이트	빅데이터 분석과 전략 인사이트	★★★★★	★☆☆☆☆
		전략 인사이트 도출을 위한 필요 역량	★★★★★	★★★☆☆
		빅데이터 그리고 데이터 사이언스의 미래	★★★★★	★☆☆☆☆

2과목

장	절	세부 학습 내용	출제 빈도	난이도
1장	데이터 분석 기획의 이해	분석 기획 방향성 도출	★★★★★	★★☆☆☆
		분석 방법론	★★★★★	★★★★☆
		분석 과제 발굴	★★★★★	★★★☆☆
		분석 프로젝트 관리 방안	★★★★★	★★☆☆☆
2장	분석 마스터 플랜	마스터 플랜 수립 프레임 워크	★★★★★	★★★★☆
		분석 거버넌스 체계 수립	★★★★★	★★★★★

3과목

장	절	세부 학습 내용	출제 빈도	난이도
1장	데이터 분석 개요	데이터 분석 기법의 이해	★★★★★	★★☆☆☆
2장	R프로그래밍	R 기초	★★★★★	★☆☆☆☆
		입력과 출력	★★★★★	★★☆☆☆
		데이터 타입과 구조	★★★★★	★★★☆☆
3장	데이터 마트	데이터 변경 및 요약	★★★★★	★★★☆☆
		데이터 탐색	★★★★★	★★★☆☆
4장	통계 분석	통계 분석의 이해	★★★★★	★★★☆☆
		기초 통계 분석	★★★★★	★★★☆☆
		회귀 분석	★★★★★	★★★★★
		시계열 분석	★★★★★	★★★★★
		다차원 척도법	★★★★★	★★☆☆☆
		주성분 분석	★★★★★	★★★★☆
5장	정형 데이터 마이닝	데이터 마이닝의 개요	★★★★★	★★★★☆
		분류 분석	★★★★★	★★★★☆
		의사결정나무 분석	★★★★★	★★★★☆
		앙상블 분석	★★★★★	★★★★☆
		인공신경망 분석	★★★★★	★★★★★
		군집 분석	★★★★★	★★★★★
		연관 분석	★★★★★	★★★★☆

1과목_1장_1절

데이터와 정보

1. 데이터의 유형 출★★★★★ 난★★☆☆☆
- 정성적 데이터 : 저장·검색·분석에 많은 비용이 소모되는 언어, 문자 형태의 데이터(예 : 회사 매출이 증가함 등)
- 정량적 데이터 : 정형화된 데이터로 수치, 도형, 기호 등의 형태를 가진 데이터(예 : 나이, 몸무게, 주가 등)

2. 지식경영의 핵심 이슈 출★★★★★ 난★★☆☆☆

- 암묵지와 형식지

구분	의미	특징	상호작용
암묵지	학습과 경험을 통해 개인에게 체화되어 있지만 겉으로 드러나지 않는 지식 (예 : 김장김치 담그기, 자전거 타기)	사회적으로 중요하지만 공유되기 어려움	공통화, 내면화
형식지	문서나 매뉴얼처럼 형상화된 지식(예 : 교과서, 비디오, DB)	전달과 공유가 용이함	표출화, 연결화

- 암묵지와 형식지의 4단계 지식 전환 모드

상호작용	의미
[1단계] 공통화 (암묵지 – 암묵지)	암묵적 지식을 다른 사람에게 알려주는 것
[2단계] 표출화 (암묵지 – 형식지)	암묵적 지식을 책이나 교본으로 만드는 것
[3단계] 연결화 (형식지 – 형식지)	책이나 교본에 자신이 알고 있는 새로운 지식을 추가하는 것
[4단계] 내면화 (형식지 – 암묵지)	만들어진 책이나 교본을 보고 다른 직원들이 암묵적 지식을 습득하는 것

- 암묵지와 형식지의 상호작용

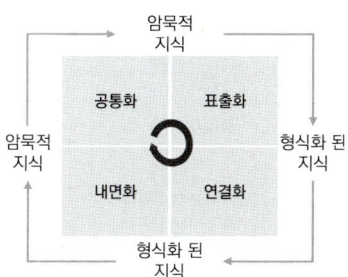

3. DIKW의 정의 출★★★★★ 난★★☆☆☆

데이터 (Data)	개별 데이터 자체로는 의미가 중요하지 않은 객관적인 사실
정보 (Information)	데이터의 가공, 처리와 데이터 간 연관관계 속에서 의미가 도출된 것
지식 (Knowledge)	데이터를 통해 도출된 다양한 정보를 구조화하여 유의미한 정보를 분류하고 개인적인 경험을 결합시켜 고유의 지식으로 내재화된 것
지혜 (Wisdom)	지식의 축적과 아이디어가 결합된 창의적인 산물

4. DIKW 피라미드 출★★★★★ 난★★☆☆☆

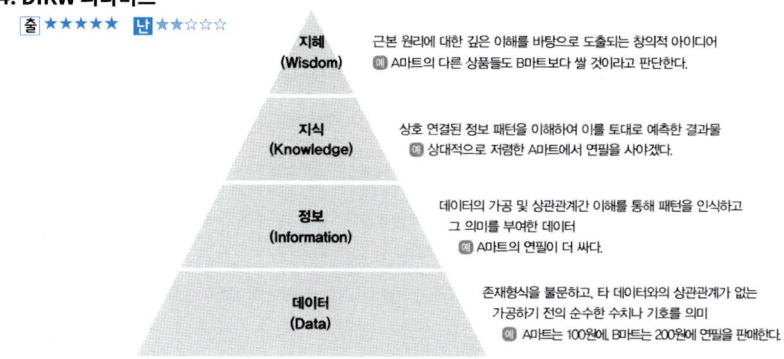

비기의 핵심 요약 노트

1과목_1장_2절

데이터베이스 정의와 특징

1. 데이터베이스 정의 출★★★★☆ 난★★☆☆☆

1차 개념확대 정형데이터 관리	EU	체계적이거나 조직적으로 정리되고 전자식 또는 기타 수단으로 개별적으로 접근할 수 있는 독립된 저작물, 데이터 또는 기타 소재의 수집물
	국내 저작권법	소재를 체계적으로 배열 또는 구성한 편집물로 개별적으로 그 소재에 접근하거나 그 소재를 검색할 수 있도록 한 것
2차 개념확대 빅데이터의 출현으로 비정형데이터 포함	국내 컴퓨터 용어사전	동시의 복수의 적용 업무를 지원할 수 있도록 복수 이용자의 요구에 대응해서 데이터를 받아들이고 저장, 공급하기 위하여 일정한 구조에 따라서 편성된 데이터의 집합
	국내 데이터분석 전문가 가이드	문자, 기호, 음성, 화상, 영상 등 상호 관련된 다수의 콘텐츠를 정보 처리 및 정보통신 기기에 의하여 체계적으로 수집·축적하여 다양한 용도와 방법으로 이용할 수 있도록 정리한 정보의 집합체

2. 데이터베이스 특징 출★★★★★ 난★★★☆☆

통합된 데이터 (Integrated Data)	동일한 내용의 데이터가 중복되어 있지 않다는 것을 의미 데이터 중복은 관리상의 복잡한 부작용을 초래
저장된 데이터 (Stored Data)	자기 디스크나 자기 테이프 등과 같이 컴퓨터가 접근할 수 있는 저장 매체에 저장되는 것을 의미 데이터베이스는 기본적으로 컴퓨터 기술을 바탕으로 한 것
공용 데이터 (Shared Data)	여러 사용자가 서로 다른 목적으로 데이터를 공동으로 이용한다는 것을 의미 대용량화되고 구조가 복잡한 것이 보통
변화되는 데이터 (Changeable Data)	데이터베이스에 저장된 내용은 곧 데이터베이스의 현 시점에서의 상태를 나타냄 다만 이 상태는 새로운 데이터의 삽입, 기존 데이터의 삭제, 갱신으로 항상 변화하면서도 항상 현재의 정확한 데이터를 유지해야 함

3. 데이터베이스의 설계 절차 출★★★★☆ 난★★☆☆☆

- 요구사항 분석 → 개념적 설계 → 논리적 설계 → 물리적 설계 → 구현

1과목_1장_3절

데이터베이스 활용

1. 기업 내부 데이터베이스 출★★★★★ 난★★☆☆☆

1) 시대별 기업 내부 데이터베이스 솔루션

구분	솔루션	설명
1980년대	OLTP	• On-Line Transaction Processing, '온라인 거래 처리', 예) 주문입력시스템, 재고관리시스템 • 여러 단말에서 보내온 메시지에 따라 호스트 컴퓨터가 데이터베이스를 액세스하고, 바로 처리 결과를 돌려보내는 형태
	OLAP	• On-Line Analytical Processing, '온라인 분석 처리', 예) 제품 판매 추이, 구매 성향 파악, 재무 회계 분석 • 다양한 비즈니스 관점에서 쉽고 빠르게 다차원적인 데이터에 접근하여 의사 결정에 활용할 수 있는 정보를 얻을 수 있게 해주는 기술
2000년대	CRM	• Customer Relationship Management, '고객 관계 관리', • 고객 관련 데이터를 분석·통합해 고객 중심 자원 극대화하고, 이를 토대로 고객 특성에 맞게 마케팅 활동을 계획·지원·평가 하는 과정
	SCM	• Supply Chain Management, '공급망 관리', • 기업에서 원재료의 생산·유통 등 모든 공급망 단계를 최적화해 수요자가 원하는 제품을 원하는 시간과 장소에 제공하는 것

1과목_1장_3절

데이터베이스 활용

2) 분야별 기업 내부 데이터베이스 솔루션 - 제조부문

솔루션	설명
데이터 웨어하우스 (Data Warehouse)	• 사용자의 의사결정을 위한, 조직 내에서 분산 운영되는 각각의 데이터 베이스 관리 시스템들을 효율적으로 통합하여 조정·관리하는 읽기 전용의 통합된 저장 공간 • ETL : 추출, 변환, 적재 (Extract, Transform, Load) • DW의 4대 특징 → 주체 지향성, 통합성, 시계열성, 비휘발성
ERP (Enterprise Resource Planning)	• 인사·재무·생산 등 각종 관리시스템의 경영자원을 하나의 통합 시스템으로 재구축함으로써 생산성을 극대화하려는 경영혁신 기법
BI (Business Intelligence)	• 기업이 보유하고 있는 수많은 데이터를 정리하고 분석해 기업의 의사결정에 활용하는 일련의 프로세스

3) 분야별 기업 내부 데이터베이스 솔루션 - 금융부문

솔루션	설명
블록체인 (Block Chain)	• 기존 금융회사의 중앙 집중형 서버에 거래 기록을 보관하는 방식에서 벗어나 거래에 참여하는 모든 사용자에게 거래 내역을 보내주며 거래 때마다 이를 대조하는 데이터 위조 방지 기술
그 외에 EAI, EDW 등이 있음	

4) 분야별 기업 내부 데이터베이스 솔루션 - 유통부문

솔루션	설명
KMS	• Knowledge Management System, 지식관리시스템 • 산업사회에서 지식사회로 급격히 이동한 기업환경으로, 기업 경영을 지식 관점에서 새롭게 조명하는 접근방식
RFID	• Radio Frequency, RF • 주파수를 이용해 ID를 식별하는 시스템

1과목_2장_1절

빅데이터의 이해

1. 빅데이터의 정의 출★★★★★ 난★☆☆☆☆

1) 관점에 따른 정의

Mckinsey(2011)	IDC(2011)	가트너 그룹(Gartner Group) 더그 래니(Doug Laney)의 3V
일반적인 데이터베이스 소프트웨어로 저장, 관리, 분석할 수 있는 범위를 초과하는 규모의 데이터	다양한 종류의 대규모 데이터로부터 저렴한 비용으로 가치를 추출하고, 데이터의 초고속 수집·발굴·분석을 지원하도록 고안된 차세대 기술 및 아키텍처	• Volume : 데이터의 규모 측면 • Variety : 데이터의 유형과 소스 측면 • Velocity : 데이터의 수집과 처리 측면
데이터 규모에 중점을 둔 정의	분석 비용 및 기술에 초점을 둔 정의	

2) 빅데이터 정의의 범주 및 효과

데이터 변화	→	기술 변화	→	인재, 조직 변화
• 규모 (Volume) • 형태 (Variety) • 속도 (Velocity)		• 데이터 처리, 저장, 분석 기술 및 아키텍처 • 클라우드 컴퓨팅 활용		• Data Scientist같은 새로운 인재 필요 • 데이터 중심 조직

"기존 방식으로는 얻을 수 없는 통찰 및 가치 창출. 사업방식, 시장, 사회, 정부 등에서 변화와 혁신 주도."

2. 출현 배경과 변화 출★★★★★ 난★☆☆☆☆
- 산업계의 출현배경 : 고객 데이터 축적, 보유를 통해 데이터에 숨어있는 가치를 발굴
- 학계의 출현배경 : 거대 데이터를 다루는 학문 분야가 늘어나면서 필요한 기술 아키텍처 및 통계 도구의 발전
- 기술발전으로 인한 출현 배경 : 관련기술(저장 기술, 인터넷 보급, 클라우드 컴퓨팅, 모바일 혁명)의 발달

3. 빅데이터에 거는 기대의 비유적 표현 출★★★★★ 난★★☆☆☆
- 산업혁명의 석탄과 철, 21세기의 원유, 렌즈, 플랫폼

4. 빅데이터가 만들어 내는 본질적인 변화 출★★★★★ 난★☆☆☆☆
- 사전처리 → 사후처리, 표본조사 → 전수조사, 질 → 양, 인과관계 → 상관관계

비기의 핵심 요약 노트

1과목_2장_2절

🔍 빅데이터의 가치와 영향

1. 빅데이터의 가치 산정이 어려운 이유 출★★★☆☆ 난★★☆☆☆
- 데이터 활용방식
- 새로운 가치 창출
- 분석 기술 발전

2. 빅데이터의 영향 출★★★★★ 난★☆☆☆☆

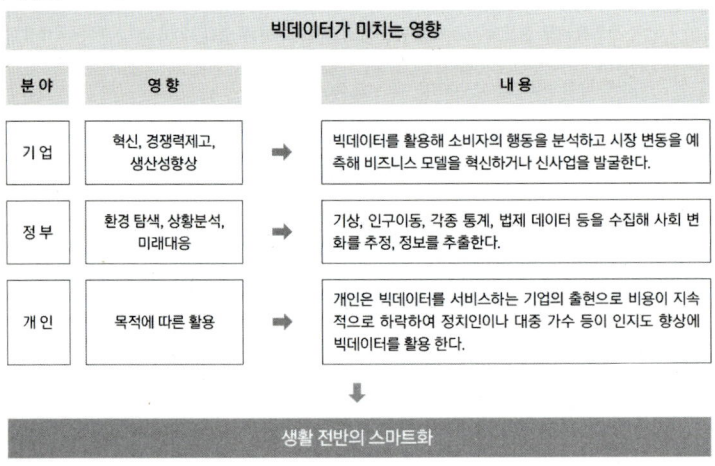

1과목_2장_3절

🔍 비즈니스 모델

1. 빅데이터 활용사례 출★★★★★ 난★☆☆☆☆

   1) 관점에 따른 정의
   - 구글 : 사용자의 로그 데이터를 활용한 검색엔진 개발, 기존 페이지랭크 알고리즘 혁신
   - 월마트 : 고객의 구매패턴을 분석해 상품 진열에 활용

   2) 정부
   - 실시간 교통정보 수집, 기후 정보, 소방 서비스 등을 위해 실시간 모니터링을 실시하여 국가 안전 확보에 활용

   3) 개인
   - 정치인 : 선거 승리를 위해 사회관계망 분석을 활용해 유세 지역 선거
   - 가수 : 팬들의 음악 청취 기록을 분석해 공연 시 노래 순서 선정

2. 빅데이터 활용 기본 테크닉 출★★★★★ 난★★★★☆

테크닉	예시
연관규칙학습	커피를 구매하는 사람이 탄산음료를 더 많이 사는가?
유형분석	이 사용자는 어떤 특성을 가진 집단에 속하는가?
유전자 알고리즘	최대의 시청률을 얻으려면 어떤 프로그램을 어떤 시간대에 방송해야 하는가?
기계학습	기존의 시청 기록을 바탕으로 시청자가 현재 보유한 영화 중에서 어떤 것을 가장 보고 싶어할까?
회귀분석	구매자의 나이가 구매 차량의 타입에 어떤 영향을 미치는가?
감정분석	새로운 환불 정책에 대한 고객의 평가는 어떤가?
소셜네트워크분석 (=사회관계망분석)	고객들 간 관계망은 어떻게 구성되어 있나?

1과목_2장_4절

🔍 위기 요인과 통제 방안

1. 위기 요인에 따른 통제 방안 출★★★★★ 난★☆☆☆☆
- 사생활 침해 → 동의에서 책임으로
- 책임 원칙 훼손 → 결과 기반 책임 원칙 고수
- 데이터 오용 → 알고리즘 접근 허용

2. 개인정보 비식별 기술 출★★★★★ 난★★☆☆☆
- 데이터 셋에서 개인을 식별할 수 있는 요소를 전부 또는 일부를 삭제하거나 다른 값으로 대체하는 등의 방법으로 개인을 알아볼 수 없도록 하는 기술
- 데이터 마스킹, 가명처리, 총계처리, 데이터값 삭제, 데이터 범주화

1과목_2장_5절

🔍 미래의 빅데이터

1. 빅데이터 활용의 3요소 출★★★★★ 난★★☆☆☆
- 데이터 : 모든 것의 데이터화(Datafication)
- 기 술 : 진화하는 알고리즘, 인공지능
- 인 력 : 데이터 사이언티스트, 알고리즈미스트

> **모든 것의 데이터화** (Datafication)
> 사물인터넷(Internet of Things, IoT) 시대에 웨어러블(Wearble) 단말의 발전으로
> 대화 기록, 음성 청취 기록 등이 저장되어 사물인터넷 시대가 되어 훨씬 더 많은 정보가 생산, 공유됨

1과목_3장_1절

🔍 빅데이터 분석과 전략 인사이트

1. 빅데이터 회의론의 원인 출★★★★★ 난★☆☆☆☆
- 부정적 학습효과 → 과거의 고객관계관리(CRM) : 공포 마케팅, 투자대비 효과 미흡
- 부적절한 성공사례 → 빅데이터가 필요 없는 분석사례, 기존 CRM의 분석 성과를 빅데이터 분석 성과로 과대 포장
  ⇒ 단순히 빅데이터에 포커스를 두지 말고, 분석을 통해 가치를 만드는 것에 집중해야 함

2. 일차원적인 분석 vs 전략 도출을 위한 가치 기반 분석 출★★★★★ 난★★★★☆

1) 산업별 분석 애플리케이션

산업	일차원적 분석 애플리케이션
금융 서비스	신용점수 산정, 사기 탐지, 가격 책정, 프로그램 트레이딩, 클레임 분석, 고객 수익성분석
병원	가격 책정, 고객 로열티, 수익 관리
에너지	트레이딩, 공급/수요 예측
정부	사기 탐지, 사례관리, 범죄 방지, 수익 최적화

2) 전략 도출 가치 기반 분석
- 전략적 통찰력의 창출에 포커스 → 해당 사업에 중요한 기회를 발굴, 주요 경영진의 지원을 얻게 됨
- 분석의 활용 범위를 더 넓고 전략적으로 변화 시키고, 전략적 인사이트를 주는 가치 기반의 분석 단계로 나아가야 함

비기의 핵심 요약 노트

1과목_3장_2절

🔍 전략 인사이트 도출을 위한 필요 역량

1. 데이터 사이언스의 의미 출★★★★★ 난★★★☆☆
- 데이터 사이언스란 데이터 공학, 수학, 통계학, 컴퓨터공학, 시각화, 해커의 사고방식, 해당 분야의 전문 지식을 종합한 학문

2. 데이터 사이언스의 구성요소 출★★★★★ 난★★★☆☆

1) 데이터 사이언스의 영역

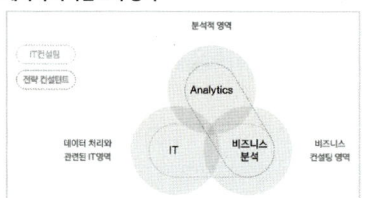

2) 데이터 사이언티스트의 요구 역량

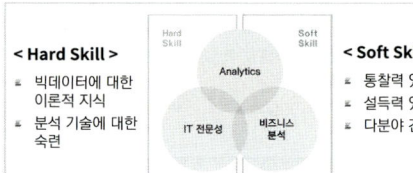

< Hard Skill >
- 빅데이터에 대한 이론적 지식
- 분석 기술에 대한 숙련

< Soft Skill >
- 통찰력 있는 분석
- 설득력 있는 전달
- 다분야 간 협력

3. 데이터 사이언스 : 과학과 인문의 교차로 출★★★★★ 난★☆☆☆☆
- 분석 기술보다 더 중요한 것은 소프트 스킬로 전략적 통찰을 주는 분석은 단순 통계 및 데이터 처리 능력보다 스토리텔링, 커뮤니케이션, 창의력, 열정, 직관력, 비판적 시각, 대화 능력 등의 인문학적 요소가 필요함

4. 전략적 통찰력과 인문학의 부활 출★★★★★ 난★★★☆☆

외부 환경적 측면에서 본 인문학 열풍의 이유		
외부환경의 변화	내용	예시
컨버전스 → 디버전스	단순 세계화에서 복잡한 세계화로의 변화	규모의 경제, 세계화, 표준화, 이성화 → 복잡한 세계, 다양성, 관계, 연결성, 창조성
생산 → 서비스	비즈니스 중심이 제품생산에서 서비스로 이동	고장 나지 않는 제품의 생산 → 뛰어난 서비스로 응대
생산 → 시장창조	공급자 중심의 기술경쟁에서 무형자산의 경쟁으로 변화	생산에 관련된 기술 중심, 기술 중심의 대규모 투자 → 현재 패러다임에 근거한 시장 창조 현지 사회와 문화에 관한 지식

1과목_3장_3절

🔍 빅데이터 그리고 데이터 사이언스의 미래

1. 빅데이터의 시대 출★★★★★ 난★☆☆☆☆
- 빅데이터 분석은 선거결과에 결정적인 영향을 미칠 수도 있고, 기업들에게 비용절감, 시간 절약, 매출증대, 고객서비스 향상, 신규 비즈니스 창출, 내부 의사결정 지원 등에 있어 상당한 가치를 발휘하고 있음

2. 빅데이터 회의론을 넘어 가치 패러다임의 변화 출★★★★★ 난★★☆☆☆

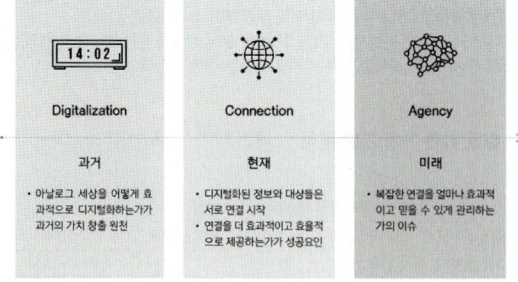

Digitalization	Connection	Agency
과거	현재	미래
• 아날로그 세상을 어떻게 효과적으로 디지털화하는가가 과거의 가치 창출 원천	• 디지털화된 정보와 대상들은 서로 연결 시작 • 연결을 더 효과적이고 효율적으로 제공하는가가 성공요인	• 복잡한 연결을 얼마나 효과적이고 믿을 수 있게 관리하는가의 이슈

3. 데이터 사이언스의 한계와 인문학 출★★★★★ 난★☆☆☆☆

1) 데이터 사이언스의 한계
- 분석과정에서는 가정 등 인간의 해석이 개입되는 단계를 반드시 거침
- 분석결과가 의미하는 바는 사람에 따라 전혀 다른 해석과 결론을 내릴 수 있음
- 아무리 정량적인 분석이라도 모든 분석은 가정에 근거함

2) 데이터 사이언스와 인문학
- 인문학을 이용하여 빅데이터와 데이터 사이언스가 데이터에 묻혀 있는 잠재력을 풀어냄
- 새로운 기회를 찾고, 누구도 보지 못한 창조의 밑그림을 그릴 수 있는 힘을 발휘하게 될 것

2과목_1장_1절

분석 기획 방향성 도출

1. 분석 기획의 특징 출★★★★★ 난★☆☆☆☆
  1) 분석 기획 : 실제 분석을 수행하기에 앞서 분석을 수행할 과제를 정의하고, 의도했던 결과를 도출할 수 있도록 이를 적절하게 관리할 수 있는 방안을 사전에 계획하는 일련의 작업
  2) 데이터 사이언티스트의 역량 : 수학/ 통계학적 지식, 정보기술(IT기술, 해킹 기술, 통신기술 등), 비즈니스에 대한 이해와 전문성

2. 분석 대상과 방법 : 분석은 분석의 대상(What)과 분석의 방법(How)에 따라서 4가지로 분류할 수 있음   출★★★★★ 난★★☆☆☆

3. 목표 시점별 분석 기획 방안 출★★★★★ 난★★☆☆☆

4. 분석 기획 시 고려사항 출★★★★★ 난★★☆☆☆
  - 분석의 기본인 가용 데이터(Available Data)에 대한 고려가 필요
  - 분석을 통해 가치가 창출될 수 있는 적절한 활용방안과 유즈케이스(Proper Business Use Case) 탐색이 필요
  - 분석 수행시 발생하는 장애요소들에 대한 사전계획 수립이 필요(Low Barrier Of Execution)

2과목_1장_2절

분석 방법론

1. 분석 방법론 개요
  1) 기업의 합리적 의사결정을 가로막는 장애요소 출★★★★★ 난★★★☆☆
    - 고정 관념(Stereotype), 편향된 생각(Bias), 프레이밍 효과(Framing Effect)
  2) 방법론의 적용 업무의 특성에 따른 모델 출★★★★★ 난★★★☆☆
    - 폭포수 모델(Waterfall Model) : 단계를 순차적으로 진행하는 방법
    - 프로토타입 모델(Prototype Model) : 일부 우선 개발 후 사용자 요구 분석 후 시스템을 개선하는 방법
    - 나선형 모델(Spiral Model) : 반복을 통해 점진적으로 개발하는 방법

2. KDD 분석 방법론 출★★★★★ 난★★★☆☆
  - 데이터셋 선택(Selection)
  - 데이터 전처리(Preprocessing)
  - 데이터 변환(Transformation)
  - 데이터 마이닝(Data Mining)
  - 결과 평가(Interpretation/Evaluation)

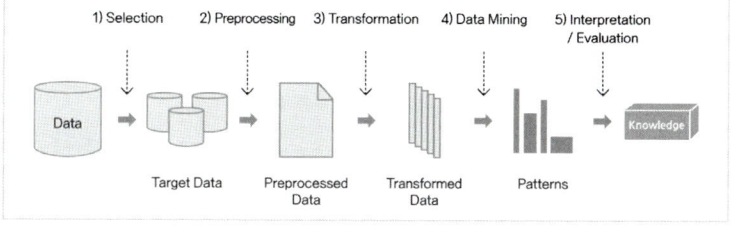

비기의 핵심 요약 노트

2과목_1장_2절

분석 방법론

3. CRISP-DM 분석 방법론 출★★★★☆ 난★★★★☆
- 업무 이해(Business Understanding)
- 데이터 이해(Data Understanding)
- 데이터 준비(Data Preparation) : 분석용 데이터셋 선택 → 데이터 정제 → 분석용 데이터셋 편성 → 데이터 통합 → 데이터 포맷팅
- 모델링(Modeling) : 모델링 기법 선택 → 모델 테스트 계획 설계 → 모델 작성 → 모델 평가
- 평가(Evaluation) : 분석결과 평가 → 모델링 과정 평가 → 모델 적용성 평가
- 전개(Deployment)

4. 빅데이터 분석 방법론 출★★★★★ 난★★★★★

1) 빅데이터 분석의 계층적 프로세스

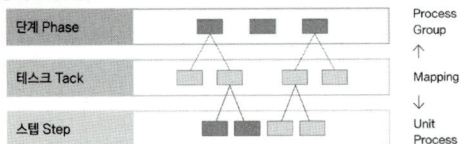

2) 빅데이터 분석 방법론의 5단계

분석 기획	데이터 준비	데이터 분석	시스템 구현	평가 및 전개
• 비즈니스 이해 및 범위 설정 • 프로젝트 정의 및 계획 수립 • 프로젝트 위험 계획 수립	• 필요 데이터 정의 • 데이터 스토어 설계 • 데이터 수집 및 정합성 점검	• 분석용 데이터 준비 • 텍스트 분석 • 탐색적 분석 • 모델링 • 모델 평가 및 검증 • 모델 적용 및 운영방안 수립	• 설계 및 구현 • 시스템 테스트 및 운영	• 모델 발전계획 수립 • 프로젝트 평가 및 보고

2과목_1장_3절

분석 과제 발굴

1. 분석과제 발굴 방법론 출★★★★★ 난★★★☆☆

하향식 접근 방식 (Top Down Approach)	분석 과제가 주어지고 이에 대한 해법을 찾기 위하여 각 과정이 체계적으로 단계화되어 수행하는 방식
상향식 접근 방식 (Bottom Up Approach)	문제의 정의 자체가 어려운 경우 데이터를 기반으로 문제를 지속적으로 개선하는 방식

2. 하향식 접근 방식(Top Down Approach) 출★★★★★ 난★★★☆☆
- 하향식 접근법은 문제 탐색(Problem Discovery) → 문제 정의(Problem Definition) → 해결방안 탐색(Solution Search) → 타당성 검토(Feasibility Study)의 과정으로 이루어짐.

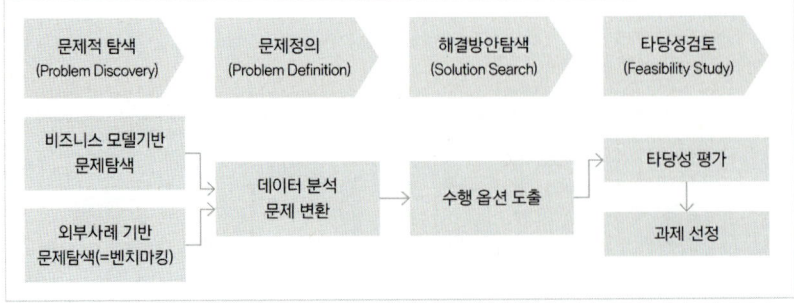

2과목_1장_3절

분석 과제 발굴

3. 하향식 접근 방식(Top Down Approach)의 과정 출★★★★★ 난★★★★★

1) 문제 탐색(Problem Discovery)
- 비즈니스 모델 기반 문제 탐색: 업무(Operation), 제품(Product), 고객(Customer), 규제와 감사(Regulation & Audit), 지원 인프라(IT & Human Resource) 등 5가지 영역으로 기업의 비즈니스를 분석
- 분석 기회 발굴의 범위 확장

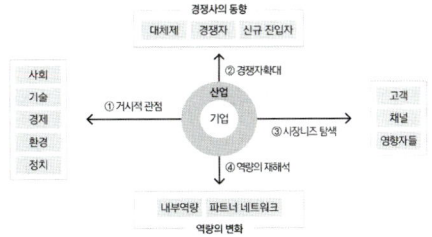

- 외부 참조 모델 기반의 문제 탐색 : 유사, 동종 사례를 벤치마킹을 통해 분석 기회를 발굴
- 분석 유즈 케이스(Analytics Use Case) 정의

2) 문제 정의(Problem Definition) : 비즈니스 문제를 데이터의 문제로 변환하여 정의하는 단계
3) 해결방안 탐색(Solution Search) : 분석역량(Who), 분석기법 및 시스템(How)으로 해결 방안 탐색
4) 타당성 검토(Feasibility Study) : 경제적 타당성, 데이터 및 기술적 타당성 검토 : 분석역량

4. 상향식 접근 방식(Bottom Up Approach) 출★★★★★ 난★★★☆☆

1) 정의
- 기업이 보유하고 있는 다양한 원천 데이터로부터 분석을 통하여 통찰력과 지식을 얻는 접근방법
- 다양한 원천 데이터를 대상으로 분석을 수행하여 가치 있는 모든 문제를 도출하는 일련의 과정

2) 상향식 접근법의 특징
- 하향식 접근법은 논리적 단계별 접근법으로 최근의 복잡하고 다양한 환경에서 발생하는 문제를 해결하기 어렵기 때문에 디자인적 사고(Design Thinking) 접근법을 통해 WHY→ WHAT 관점으로 존재하는 데이터 그 자체를 객관적으로 관찰하여 문제를 해결하려는 접근법을 사용
- 상향식 접근법은 비지도 학습 방법으로 수행되며, 데이터 자체의 결합, 연관성, 유사성을 중심으로 접근
- 시행착오를 통한 문제 해결 : 프로토타이핑 접근법

5. 분석과제 정의 출★★★★★ 난★★☆☆☆
- 분석 과제 정의서를 통해 분석별 필요 소스 데이터, 분석 방법, 데이터 입수 및 분석의 난이도, 분석 수행주기, 검증 오너십, 상세 분석 과정 등을 정의

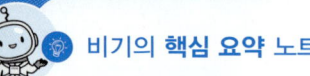

2과목_1장_4절

분석 프로젝트 관리 방안

1. 분석과제 관리를 위한 5가지 주요 영역 출★★★★☆ 난★★☆☆☆

- 분석프로젝트는 범위, 일정, 품질, 리스크, 의사소통 등 영역별 관리가 수행되어야 할 뿐 아니라 데이터에 기반한 분석 기법을 적용한다는 특성 때문에 아래와 같은 5가지의 주요 속성을 고려하여 추가적인 관리가 필요

2. 분석 프로젝트의 특성 출★★★★★ 난★★☆☆☆

- 분석가의 목표 : 개별적인 분석업무 수행 뿐만 아니라 전반적인 프로젝트 관리 또한 중요
- 분석가의 입장 : 데이터 영역과 비즈니스 영역의 현황을 이해하고, 프로젝트의 목표인 분석의 정확도 달성과 결과에 대한 가치 이해를 전달하는 조정자로서의 분석가 역할이 중요
- 분석 프로젝트는 도출된 결과의 재해석을 통한 지속적인 반복 및 정교화가 수행되는 경우가 대부분이므로 프로토타이핑 방식의 애자일(Agile) 프로젝트 관리방식에 대한 고려도 필요

2과목_2장_1절

마스터 플랜 수립 프레임 워크

1. 마스터 플랜 수립 프레임 워크 출★★★★★ 난★★★★☆

- 분석 과제를 대상으로 다양한 기준을 고려해 적용 우선순위를 설정하고, 데이터 분석 구현을 위한 로드맵을 수립

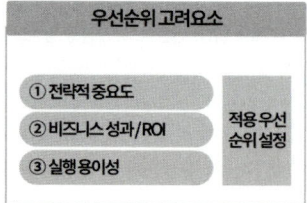
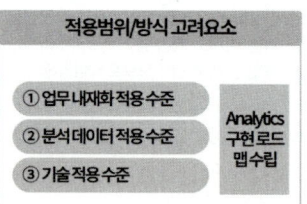

2. 우선순위 평가에 활용하기 위한 ROI 관점에서 빅데이터의 핵심 특징 출★★★★★ 난★★★★☆

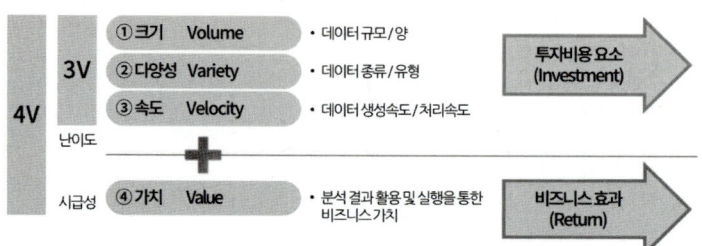

2과목_2장_1절

🔍 마스터 플랜 수립 프레임 워크

3. 데이터 분석 과제 우선순위 선정 기법 출★★★★☆ 난★★★★☆
- 포트폴리오 사분면 분석을 통한 과제 우선순위 선정

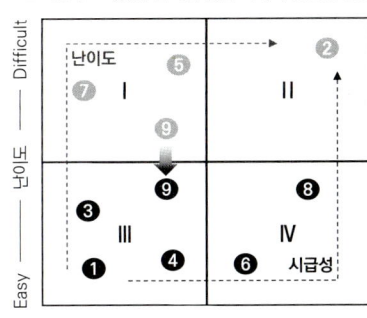

- 가장 우선적인 분석 과제 적용이 필요한 영역 → **3사분면**
- 전략적 중요도가 현재 시점에는 낮은 편이지만 중장기적으로는 경영에 미치는 영향도가 높고, 분석과제를 바로 적용하기 어려워 우선순위가 낮은 영역 → **2사분면**

우선순위 기준	의사결정 순서
시급성	Ⅲ → Ⅳ → Ⅱ
난이도	Ⅲ → Ⅰ → Ⅱ

- 시급성이 높고 난이도가 높은 영역 (**1사분면**)은 경영진 또는 실무 담당자의 의사결정에 따라 적용 우선순위 조정 가능

4. 이행계획 수립 출★☆☆☆☆ 난★★★★☆
1) 로드맵 수립
- 포트폴리오 사분면(Quadrant) 분석을 통해 결정된 과제의 우선순위를 토대로 분석 과제별 적용범위 및 방식을 고려하여 최종적인 실행 우선순위를 결정한 후 단계적 구현 로드맵 수립

2) 세부 이행계획 수립
- 반복적인 정렬 과정을 통해 프로젝트의 완성도를 높이는 방식을 주로 사용
- 모든 단계를 반복하기보다 데이터 수집 및 확보와 분석데이터를 준비하는 단계를 순차적으로 진행하고, 모델링 단계는 반복적으로 수행하는 혼합형을 많이 적용

2과목_2장_2절

🔍 분석 거버넌스 체계 수립

1. 분석 거버넌스 체계 구성요소
출★★★☆☆ 난★★★★☆

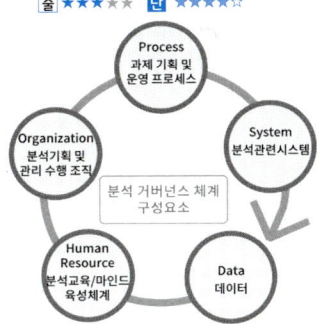

2. 데이터 분석 수준진단 출★★★★★ 난★★★★★

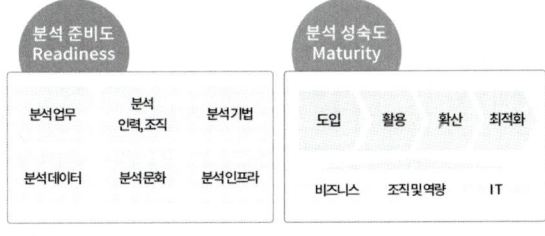

- 조직의 성숙도 평가도구 : CMMI(Capability Maturity Model Integration)
- 분석 수준 진단 결과 : 정착형, 확산형, 준비형, 도입형

3. 데이터 거버넌스 체계 수립
1) 데이터 거버넌스 개요 출★★★★☆ 난★★★★★
- 전사 차원의 모든 데이터에 대하여 정책 및 지침, 표준화, 운영조직 및 책임 등의 표준화 된 관리 체계를 수립하고 운영을 위한 프레임워크(Framework) 및 저장소(Repository)를 구축하는 것을 말함
- 마스터 데이터(Master Data), 메타 데이터(Meta Data), 데이터 사전(Data Dictionary)은 데이터 거버넌스의 중요한 관리 대상

2과목_2장_2절

🔍 분석 거버넌스 체계 수립

2) 데이터 거버넌스 구성요소 출★★★★☆ 난★★★★★
- 원칙(Principle), 조직(Organization), 프로세스(Process)

3) 데이터 거버넌스 체계 출★★★☆☆ 난★★★★★
- 데이터 표준화, 데이터 관리 체계, 데이터 저장소 관리(Repository), 표준화 활동

4. 데이터 분석을 위한 3가지 조직 구조 : 집중구조, 기능구조, 분산구조 출★★★★★ 난★★★★☆

5. 분석과제 관리 프로세스 출★★★★★ 난★★★☆☆

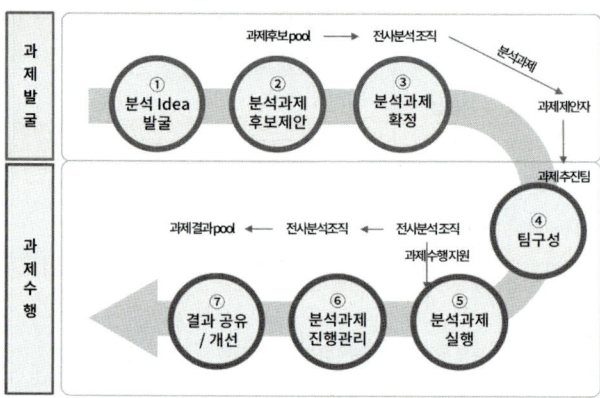

3과목_1장_1절

🔍 데이터 분석 기법의 이해

출★★★★★ 난★★☆☆☆

1. 데이터 처리 과정	• 데이터 분석을 위해서는 데이터웨어하우스(DW)나 데이터마트(DM)를 통해 분석데이터를 구성 • 신규 데이터나 DW에 없는 데이터는 기존 운영시스템(Legacy)에서 직접 가져오거나 운영데이터저장소(ODS)에서 정제된 데이터를 가져와서 DW의 데이터와 결합하여 활용
2. 시각화 기법	• 가장 낮은 수준의 분석이지만 잘 사용하면 복잡한 분석보다 더 효율적이며, 대용량 데이터를 다룰 때와 탐색적 분석을 할 때 시각화는 필수
3. 공간분석	• 공간적 차원과 관련된 속성들을 시각화하는 분석으로 지도 위에 관련된 속성들을 생성하고 크기, 모양, 선 굵기 등을 구분하여 인사이트를 얻음
4. 탐색적 자료분석 (EDA)	• 다양한 차원과 값을 조합해 가며 특이점이나 의미있는 사실을 도출하고 분석의 최종 목적을 달성해가는 과정 • EDA의 4가지 주제 : 저항성의 강조, 잔차 계산, 자료변수의 재표현, 그래프를 통한 현시성
5. 통계분석	• 어떤 현상을 종합적으로 한눈에 알아보기 쉽게 일정한 체계에 따라 숫자와 표, 그림의 형태로 나타내는 것
6. 데이터 마이닝	• 대용량의 자료로부터 정보를 요약하고 미래에 대한 예측을 목표로 자료에 존재하는 관계, 패턴, 규칙 등을 탐색하고 이를 모형화함으로써 이전에 알지 못한 유용한 지식을 추출하는 분석 방법 • 방법론 : 기계학습(인공신경망, 의사결정나무, 클러스터링, SVM), 패턴인식(연관규칙, 장바구니분석) 등

3과목_2장_1절

R 기초

1. R 소개 출★★★★★ 난★☆☆☆☆

- R은 오픈소스 프로그램으로 통계·데이터마이닝과 그래프를 위한 언어이다.
- 다양한 최신 통계분석과 마이닝 기능을 제공하며, 다양한 기능을 지원하는 많은 패키지가 수시로 업데이트 된다.

구분	SAS	SPSS	R	Python
프로그램 비용	유료, 고가	유료, 고가	오픈소스	오픈소스
설치용량	대용량	대용량	모듈화로 간단	모듈화로 간단
다양한 모듈 지원 및 비용	별도구매	별도구매	오픈소스	오픈소스
최근 알고리즘 및 기술반영	느림	다소 느림	빠름	매우 빠름
학습자료 입수의 편의성	유료 도서 위주	유료 도서 위주	공개 논문 및 자료 많음	공개 논문 및 자료 매우 많음
질의를 위한 공개 커뮤니티	없음	없음	활발	매우 활발

2. R 사용법

1) 패키지 사용하기
- 패키지 : R 함수, 데이터 및 컴파일 코드의 모임
- 패키지 자동설치 : install.packages("패키지명")

2) 스크립트 다루기
- 한줄 실행 : Ctrl + R
- 여러줄 실행 : 드래그 후 Ctrl + R
- 주석처리 : #

3) 편리한 기능
- 현재 작업 중인 폴더의 경로(주소) 산출 : getwd()
- 작업 폴더를 새로 지정 : setwd("사용자 지정 작업 디렉토리")
- 메모리의 모든 객체 삭제 : rm(list=ls())
- 종료 : q()

4) 변수 생성
- R에서는 변수명만 선언하고 값을 할당하면 자료형태를 스스로 인식하고 선언함
- 변수에 값을 할당할 때는 대입연산자(<-, <<-, =, ->, ->>)를 사용할 수 있으나 <-를 추천함

5) 기초 연산자 출★★★★★ 난★☆☆☆☆

연산자 우선순위	뜻	사용 예시
[[[	인덱스	a[1]
$	요소 뽑아내기, 슬롯 뽑아내기	a$coef
^	지수	5^2
- +	단항 마이너스와 플러스 부호	-3, +5
:	수열 생성	1:10
%any%	특수 연산자	%/% 나눗셈 몫, %% 나눗셈 나머지, %*% 행렬의 곱
* /	곱하기, 나누기	3*5
+ -	더하기, 빼기	3+5
== != <> <= >=	비교	3==5
!	논리 부정	
&	논리 "and", 단축(short-circuit) "and"	TRUE & TRUE
|	논리 "or", 단축(short-circuit) "or"	TRUE | TRUE
~	식(formula)	lm(log(brain)~log(body),data=Animals)
-> ->>	대입(왼쪽을 오른쪽으로)	3->a
=	대입(오른쪽을 왼쪽으로)	a=3
<- <<-	대입(오른쪽을 왼쪽으로)	a<-3
?	도움말	?lm

6) R을 활용한 기초 통계량 계산

기능	함수	기능	함수
평균	mean( )	중앙값	median( )
표준편차	sd( )	분산	var( )
공분산	cov( )	상관계수	cor( )

비기의 핵심 요약 노트

3과목_2장_2절

🔍 입력과 출력

1. 데이터 불러오기 출★★★★★ 난★★☆☆☆

csv 파일 읽기	read.csv("파일명", header=FALSE, sep="구분자", stringsAsFactors=TRUE, …)
txt 파일 테이블형태로 읽기	read.table("파일명", header=FALSE, sep="구분자", stringsAsFactors=TRUE, …)
txt 파일 한줄씩 읽기	readLines("파일명", …)

2. 데이터 저장하기

csv 파일 저장	write.csv(저장할 데이터, file = "파일경로/파일명.csv", sep = "구분자", row.names=TRUE, …)
txt 파일 테이블형태로 저장	write.table(저장할 데이터, file = "파일경로/파일명.txt", sep = "구분자", row.names=TRUE, …)

3과목_2장_3절

🔍 데이터 타입과 구조

1. 데이터 타입 출★★★★★ 난★★★☆☆

숫자형(numeric)	정수, 실수, 복소수 등 숫자 데이터, 수학적 연산 및 통계적 계산이 가능
문자형(character)	문자 혹은 단어 등으로 구성된 문자들의 집합, 사칙 연산 불가
논리형(logical)	TRUE(T와 동일)는 참, FALSE(F와 동일)는 거짓, 각 1과 0으로 인식됨
팩터형(factor)	범주형 자료를 표현하기 위한 타입. factor함수로 생성
NA/NULL/NAN/INF	NA는 결측, NULL은 정의되지 않음, NAN은 수학적으로 계산 불가능한 값, INF는 무한대를 의미

2. 데이터 구조

1) 패키지 사용하기
- R프로그래밍의 기본적인 데이터 단위
- 1차원으로 하나의 벡터의 모든 요소는 동일한 데이터 타입을 가짐
- 인덱싱(원소 선택) : v[n], v[-n], v[start:end]

2) 행렬
- 행(로우)과 열(컬럼)의 수가 지정된 구조의 데이터 타입
- 2차원이지만 모든 요소는 동일한 데이터 타입을 가짐
- 행과 열 이름 붙이기 : rownames(mtrx) <- c("lowname1", "lowname2", …)
  colnames(mtrx) <- c("colname1", "colname2", …)

3) 데이터프레임
- 벡터들의 모임이며, 데이터프레임에 속한 벡터들은 서로 다른 데이터 타입을 가질 수 있음
- 인덱싱(원소 선택) : df[행번호, 열번호], df$변수명
- 구조 확인 : str(df)
- 상위, 하위 행 확인 : head(df), tail(df)

4) 그 외
- 스칼라(scalar) : 길이가 1인 벡터. '가', '나', '다' 와 같은 단일 값
- 배열(array) : 3차원 또는 n차원까지 확장된 형태의 다차원 데이터 구조
- 리스트(list) : R의 모든 객체를 담을 수 있는 최상위 데이터 구조

3과목_2장_3절

데이터 타입과 구조

3. 문자열/날짜형 데이터 핸들링 출★★★★☆ 난★★☆☆☆

1) 문자열 다루기

문자열 길이	nchar("문자열")
문자열 연결하기	paste("문자열1", "문자열2", ... , sep=" ")
하위 문자열 추출하기	substr("문자열", 시작번호, 끝번호)
구분자로 문자열 추출하기	strsplit("문자열", 구분자)
문자열 대체하기	sub("대상문자열", "변경문자열", str), gsub("대상문자열", "변경문자열", str)

2) 날짜 다루기

- 문자열 → 날짜 : as.Date("2014-12-25")
  as.Date("12/25/2014", format="%m/%d/%Y")
- 날짜 → 문자열 : format(Sys.Date( ), format ="%m/%d/%Y")
- format 인자값

R 표현	표시 형태	R 표현	표시 형태
%b	축약된 월 이름("Jan")	%B	전체 월 이름("January")
%d	두 자리 숫자로 된 일("31")	%m	두 자리 숫자로 된 월("12")
%y	두 자리 숫자로 된 년("14")	%Y	네 자리 숫자로 된 년("2014")

3과목_3장_1절

데이터 변경 및 요약

1. 데이터 마트 출★★★★★ 난★★★☆☆

- 데이터 웨어하우스와 사용자 사이의 중간층에 위치한 것으로, 하나의 주제 또는 하나의 부서 중심의 데이터 웨어하우스라고 할 수 있음

2. 파생변수와 요약변수 출★★★★★ 난★★★☆☆

	요약변수	파생변수
정의	- 수집된 정보를 분석에 맞게 종합한 변수로 데이터 마트에서 가장 기본적인 변수 - 많은 모델이 공통으로 사용할 수 있어 재활용성 높음	- 사용자(분석가)가 특정 조건을 만족하거나 특정 함수에 의해 값을 만들어 의미를 부여한 변수 - 매우 주관적일 수 있으므로 논리적 타당성을 갖출 필요가 있음
예시	기간별 구매 금액, 횟수, 여부 / 위클리 쇼퍼 / 상품별 구매 금액, 횟수, 여부 / 상품별 구매 순서 / 유통 채널별 구매 금액 / 단어 빈도 / 초기 행동변수 / 트랜드 변수 / 결측값과 이상값 처리 / 연속형 변수의 구간화	근무시간 구매지수 / 주 구매 매장 변수 / 주 활동 지역 변수 / 주 구매 상품 변수 / 구매상품 다양성 변수 / 선호하는 가격대 변수 / 시즌 선호 고객 변수 / 라이프 스테이지 변수 / 라이프스타일 변수 / 휴면가망 변수 / 최대가치 변수 / 최적 통화시간 등

데이터 변경 및 요약

3. R 패키지를 활용한 데이터 마트 개발 출★★★★☆ 난★★★☆☆

1) reshape

- 2개의 핵심적인 함수로 구성

melt()	쉬운 casting을 위해 데이터를 적당한 형태로 만들어주는 함수
cast()	데이터를 원하는 형태로 계산 또는 변형시켜주는 함수

- 변수를 조합해 변수명을 만들고 변수들을 시간, 상품 등의 차원에 결합해 다양한 요약변수와 파생변수를 쉽게 생성하여 데이터 마트를 구성할 수 있게 해주는 패키지임

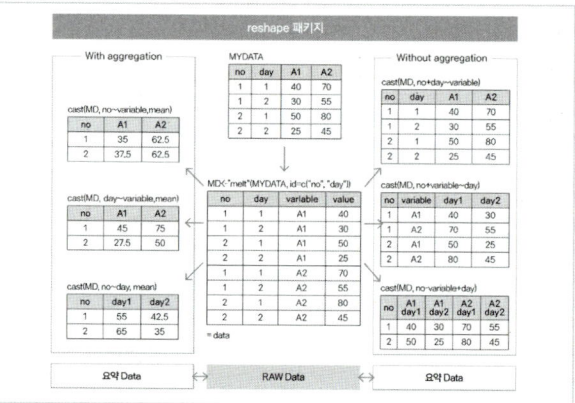

2) sqldf 출★★★★★ 난★★★☆☆

- R에서 sql 명령어를 사용 가능하게 해주는 패키지로 SAS의 proc sql 과 같은 기능
- head([df]) → sqldf("select * from [df] limit 6")
- subset([df], [col] %in% c("BF", "HF")) → sqldf("select * from [df] where [col] in('BF', 'HF')")
- merge([df1], [df2]) → sqldf("select * from [df1], [df2]")

3) plyr 출★★★★☆ 난★★★☆☆

- apply 함수를 기반으로 데이터와 출력변수를 동시에 배열로 치환하여 처리하는 패키지
- split-apply-combine 방식으로 데이터를 분리하고 처리한 다음, 다시 결합하는 등 필수적인 데이터

	array	data frame	list	nothing
array	aaply	adply	alply	a_ply
data frame	daply	ddply	dlply	d_ply
list	laply	ldply	llply	l_ply
n replicates	raply	rdply	rlply	r_ply
function arguments	maply	mdply	mlply	m_ply

4) data.table 출★☆☆☆☆ 난★★☆☆☆

- 연산속도가 매우 빨라 크기가 큰 데이터를 처리하거나 탐색하는데 유용해 자주 사용되는 패키지
- 데이터 프레임과 동일하게 취급되므로 데이터프레임에 적용가능한 함수는 동일하게 적용할 수도 있음

3과목_3장_2절

데이터 탐색

1. 결측값 출★★★★☆ 난★★★☆☆
1) 변수에 데이터가 비어 있는 경우 : NA, ., 99999999, Unknown, Not Answer 등으로 표현
2) **단순 대치법 (Single Imputation)**
   가) Completes Analysis : 결측값의 레코드를 삭제
   나) 평균대치법 : 관측 및 실험을 통해 얻어진 데이터의 평균으로 대치
   - 비조건부 평균 대치법 : 관측 데이터의 평균으로 대치
   - 조건부 평균 대치법 : 회귀분석을 통해 데이터를 대치
   다) 단순 확률 대치법 : 평균대치법에서 추정량 표준 오차의 과소 추정문제를 보완한 방법으로 Hot-Deck 방법, Nearest Neighbor 방법이 있음
3) **다중 대치법 (Multiple Imputation)** : 단순 대치법을 m번 실시하여, m개의 가상적 자료를 만들어 대치하는 방법있음
4) **결측값 처리 R 함수**

complete.cases( )	데이터 내 레코드에 결측값이 있으면 FALSE, 없으면 TRUE 반환
is.na( )	결측값이 NA인지의 여부를 TRUE/FALSE로 반환

2. 이상값 출★★★★☆ 난★★★☆☆
1) **이상값**
   - 의도하지 않은 현상으로 입력된 값 or 의도된 극단값 → 활용할 수 있음
   - 잘못 입력된 값 or 의도하지 않은 현상으로 입력된 값이지만 분석 목적에 부합되지 않는 값 → Bad Data이므로 제거
2) **인식**
   - Q1 – 1.5×IQR 〈 data 〈 Q3 + 1.5 × IQR을 벗어나는 데이터(IQR = Q3 – Q1)
   - ESD(Extreme Studentized Deviation) : 평균으로부터 3표준편차 떨어진 값

3. 구간화 출★★★★★ 난★★☆☆☆
- 신용평가모형, 고객 세분화 등의 시스템으로 모형을 적용하기 위해서 각 변수들을 구간화하여 점수를 적용하는 방식이 활용
- 변수의 구간화를 위한 rule이 존재함
  (※ 10진수 단위로 구간화하고, 구간을 5개로 나누는 것이 보통이며, 7개 이상의 구간을 잘 만들지 않음)

3과목_4장_1절

통계 분석의 이해

1. 통계 출★★★★★ 난★☆☆☆☆

통계	특정집단을 대상으로 수행한 조사나 실험을 통해 나온 결과에 대한 요약된 형태의 표현
통계자료의 획득 방법	총 조사(Census)와 표본조사(Sampling)
표본 추출 방법	단순랜덤추출(Simple Random Sampling), 계통추출법(Systematic Sampling) 집락추출법(Cluster Sampling), 층화추출법(Stratified Random Sampling)
자료의 측정 방법	데이터 / 자료 ─ 질적척도 ─ 명목척도 / 순서척도 ─ 양적척도 ─ 구간척도(등간척도) / 비율척도 명목척도 : 서열 X, 절대적 기준 X, 간격 의미 X, 연산 X · 성별, 출생지 순서척도 : 서열 O, 절대적 기준 X, 간격 의미 X, 연산 X · 만족도, 선호도, 학년, 신용등급 구간척도(등간척도) : 서열 O, 절대적 기준 X, 간격 의미 O, 연산 O · 온도, 지수 비율척도 : 서열 O, 절대적 기준 O, 간격 의미 O, 연산 O · 무게, 나이, 시간, 거리

2. 통계분석 출★★★☆☆ 난★★☆☆☆

기술통계 (Descriptive Statistic)	평균, 표준편차, 중위수, 최빈값, 그래프
통계적 추론 (Statistical Inference)	모수추정, 가설검정, 예측

비기의 핵심 요약 노트

3과목_4장_1절

🔍 통계 분석의 이해

3. 확률 및 확률 분포 출★★★★ 난★★★★☆

- 표본공간(Sample Space, Ω) : 어떤 실험을 실시할 때 나타날 수 있는 모든 결과들의 집합
- 사건(Event): 관찰자가 관심이 있는 사건으로 표본공간의 부분집합

독립사건	사건 A의 발생이 사건 B가 발생할 확률을 바꾸지 않는 사건 두 사건 A, B가 독립이면 • $P(A\|B) = P(A),\ P(B\|A) = P(B),\ P(A \cap B) = P(A) \cdot P(B)$ • $P(A \cup B) = P(A) + P(B) - P(A \cap B) = P(A) + P(B) - P(A) \cap P(B)$
배반사건	교집합이 공집합인 사건, 한쪽이 일어나면 다른 쪽이 일어나지 않을 때의 두 사건 • $P(A \cap B) = 0,\ P(A \cup B) = P(A) + P(B)$
종속사건	두 사건 A와 B에서 한 사건의 결과가 다른 사건에 영향을 주는 사건 • $P(A \cap B) = P(A\|B) \cdot P(B)$

- 조건부 확률

조건부 확률	사건 B가 발생했다는 조건이 있을 때 사건 A가 발생할 조건부 확률 $P(A\|B) = \dfrac{P(A \cap B)}{P(B)}$ (단, $P(B) > 0$)

- 확률 변수(Random Variable) : 특정 값이 나타날 가능성이 확률적으로 주어지는 변수

이산형 확률분포 (Discrete Distribution)	베르누이분포, 이항분포, 기하분포, 다항분포, 포아송분포
연속형 확률분포 (Continuous Distribution)	균일분포, 정규분포, 지수분포, t분포, F분포, χ^2분포

3과목_4장_2절

🔍 기초 통계 분석

1. 기술 통계 출★★★★★ 난★★★☆☆

- 기술 통계(Descriptive Statistic) : 자료의 특성을 표, 그림, 통계량 등을 사용해 쉽게 파악할 수 있도록 정리/요약하는 것

1) 통계량에 의한 자료 정리
- 중심 위치의 측도 : 평균, 중앙값, 최빈값
- 산포의 측도 : 분산, 표준편차, 범위, 사분위수범위, 변동계수, 표준오차
- 분포의 형태 : 왜도, 첨도

2) 그래프를 통한 자료 정리
- 범주형 자료 : 막대그래프, 파이차트, 모자이크 플랏 등
- 연속형 자료 : 히스토그램, 줄기-잎 그림, 상자그림 등

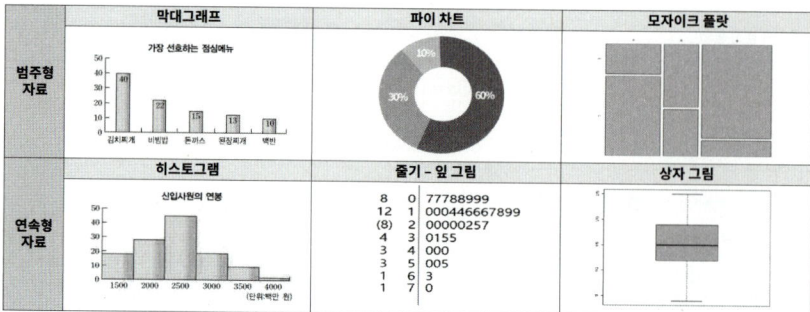

기초 통계 분석

2. 추정과 가설검정 출★★★★☆ 난★★★★☆

- 추정 : 표본으로부터 미지의 모수를 추측하는 것

점추정 (Point Estimation)	'모수가 특정한 값일 것'이라고 추정하는 것, 평균, 표준편차, 중앙값 등을 추정 점추정 조건 : 불편성(Unbiasedness), 효율성(Efficiency), 일치성(Consistency), 충족성(Sufficient)
구간추정 (Interval Estimation)	점추정을 보완하기 위해 모수가 특정 구간에 있을 것이라고 추정하는 것. 모분산을 알거나 대표본의 경우 표준정규분포 활용, 모분산을 모르거나 소표본의 경우 t분포 활용

- 가설검정(Statisical Hypothesis Testing) : 모집단에 대한 가설을 설정한 뒤, 그 가설을 채택여부를 결정하는 방법

귀무가설 (Null Hypothesis, H_0)	'비교하는 값과 차이가 없다, 동일하다'를 기본개념으로 하는 가설
대립가설 (Alternative Hypothesis, H_1)	뚜렷한 증거가 있을 때 주장하는 가설
검정통계량 (Test Statistic)	관찰된 표본으로부터 구하는 통계량, 검정 시 가설의 진위를 판단하는 기준
유의수준 (Significance Level, α)	귀무가설을 기각하게 되는 확률의 크기
기각역 (Critical Region, C)	귀무가설이 옳다는 전제 하에서 구한 검정통계량의 분포에서 확률이 유의수준 α인 부분

- 제1종 오류와 제2종 오류 출★★★★☆ 난★★★★☆
  - 귀무가설(Null Hypothesis, H_0) vs 대립가설(Alternative Hypothesis, H_1)
  - 1종 오류(Type I Error) : 귀무가설 H_0가 옳은데도 귀무가설을 기각하게 되는 오류
  - 2종 오류(Type II Error) : 귀무가설 H_0가 옳지 않은데도 귀무가설을 채택하게 되는 오류

가설검정결과 정확한 사실	H_0가 사실이라고 판정	H_0가 사실이 아니라고 판정
H_0가 사실임	옳은 결정	제 1종 오류(α)
H_0가 사실이 아님	제 2종 오류(β)	옳은 결정

  - 1종 오류의 크기를 0.1, 0.05, 0.01로 고정시키고 2종 오류가 최소가 되도록 기각역 설정

- 가설검정 프로세스

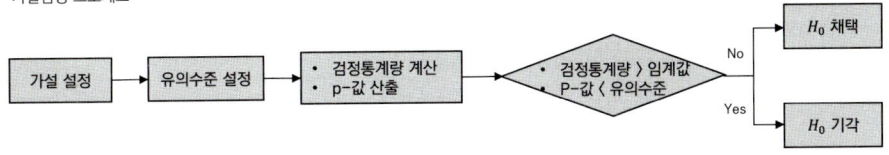

3. 비모수 검정 출★★★★☆ 난★★★★☆

- 비모수 검정 : 모집단의 분포에 대한 아무 제약을 가하지 않고 검정을 실시
- 가설 설정 방법 : '분포의 형태가 동일하다', '분포의 형태가 동일하지 않다' 라는 식으로 가설을 설정
- 검정 방법 : 순위나 두 관측값 차이의 부호를 이용해 검정
  - 종류
    : 부호검정(Sign Test), 윌콕슨의 순위합 검정(Wilcoxon's Rank Sum Test), 윌콕슨의 부호 순위 검정(Wilcoxon's Signed Rank Test), 맨-휘트니의 U검정(Mann-Whitney U test), 런 검정(Run Test), 스피어만의 순위상관계수(Spearman's rank correlation analysis)

3과목_4장_2절

기초 통계 분석

4. 상관분석(Correlation Analysis) 출★★☆☆☆ 난★★★★☆

1) 인과관계의 이해

가) 용어
- 종속변수(반응변수, y), 독립변수(설명변수, x), 산점도(Scatter Plot)
- 산점도에서 확인 확인할 수 있는 것
  - 두 변수 사이의 선형관계가 성립하는가?
  - 두 변수 사이의 함수관계가 성립하는가?
  - 이상값의 존재 여부와 몇 개의 집단으로 구분되는지를 확인

나) 공분산(Covariance)
- 두 변수간의 상관 정도를 상관계수를 통해 확인할 수 있음

$$Cov(X, Y) = E[(X - \mu_x)(Y - \mu_y)]$$

2) 정의와 특성
- 상관분석 : 두 변수 간의 관계를 상관계수를 이용하여 알아보는 분석 방법
- 상관계수가 1에 가까울수록 강한 양의 상관관계, 상관계수가 −1에 가까울수록 강한 음의 상관관계를 가짐
- 상관계수가 0인 경우 데이터 간의 상관이 없음

3) 유형

구분	피어슨	스피어만
개념	등간척도 이상으로 측정된 두 변수의 상관관계 측정	순서, 서열 척도인 두 변수들 간의 상관관계를 측정
특징	연속형 변수, 정규성 가정	순서형 변수, 비모수적 방법
상관계수	피어슨 γ(적률상관계수)	순위상관계수 ρ(로우)
R 코드	cor(x, y, method=c("pearson", "kendall", "spearman"))	

3과목_4장_3절

회귀 분석

1. 회귀분석의 개요 출★★★★☆ 난★★★★☆

1) 정의
- 하나 또는 그 이상의 독립변수들이 종속변수에 미치는 영향을 추정할 수 있는 통계 기법
- $y_i = \beta_0 + \beta_i x_i + \epsilon_i, i = 1, 2, \dots, n, \epsilon_i \sim N(0, \sigma^2)$, y : 종속변수, x : 독립변수
- 독립 변수가 1개 : 단순선형회귀분석, 독립 변수가 2개 이상 : 다중선형회귀분석
- 최소제곱법 : 측정값을 기초로 제곱합을 만들고 그것의 최소인 값을 구하여 처리하는 방법, 잔차제곱합이 가장 작은 선을 선택

2) 선형회귀분석
- 가정

선형성	입력변수와 출력변수의 관계가 선형
독립성	잔차와 독립변인은 관련이 없음
등분산성	독립변인의 모든 값에 대한 오차들의 분산이 일정
비상관성	관측치들의 잔차들끼리 상관이 없어야 함
정상성(정규성)	잔차항이 정규분포를 이뤄야 함

2. 단순선형 회귀분석 출★★★★★ 난★★★★☆

1) 회귀계수의 검정
- 회귀식(모형)에 대한 검증 : F-검정
- 회귀계수들에 대한 검증 : t-검정
- 모형의 설명력은 결정계수(R^2)으로 알 수 있다.

$$R^2 = \frac{회귀제곱합}{전체제곱합} = \frac{SSR}{SST}, 0 \leq R^2 \leq 1$$

- 단순회귀분석의 결정계수는 상관계수 값의 제곱과 같음

3과목_4장_3절

회귀 분석

3. 다중선형 회귀분석 출★★★★★ 난★★★★☆

1) 다중공선성
- 다중회귀분석에서 설명변수들 사이에 강한 선형관계가 존재하면 회귀계수의 정확한 추정이 곤란
- 다중공선성 검사 방법
  - 분산팽창요인(VIF) : 10보다 크면 심각한 문제
  - 상태지수 : 10이상이면 문제가 있다고 보고, 30보다 크면 심각, 선형관계가 강한 변수는 제거

4. 변수 선택 출★★★★★ 난★★★★☆

- 모든 가능한 조합 : 모든 가능한 독립변수들의 조합에 대한 회귀모형을 분석해 가장 적합한 모형 선택

전진선택법 (Forward Selection)	절편만 있는 상수모형으로부터 시작해 중요하다고 생각되는 설명변수부터 차례로 모형에 추가 → 이해 쉬움, 많은 변수에서 활용 가능, 변수 값의 작은 변동에 결과가 달라져 안정성이 부족
후진제거법 (Backward Selection)	독립변수 후보 모두를 포함한 모형에서 가장 적은 영향을 주는 변수부터 하나씩 제거 → 전체 변수들의 정보를 이용 가능, 변수가 많은 경우 활용이 어려움, 안정성 부족
단계별 방법 (Stepwise Method)	전진선택법에 의해 변수를 추가하면서 새롭게 추가된 변수에 기인해 기존 변수의 중요도가 약화되면 해당 변수를 제거하는 등 단계별로 추가 또는 삭제되는 변수를 검토해 더 이상 없을 때 중단

- 변수 선택의 기준으로 방법 : AIC, BIC, 수정된 결정계수, Mallow's Cp

5. 정규화 회귀 출★★★★★ 난★★★★★

- 선형회귀 계수에 대한 제약 조건을 추가하여 모델이 과도 하게 최적화되는 현상(과적합, Overfitting)을 막는 방법

릿지 회귀 (Ridge Regression)	가중치들의 제곱합을 최소화 하는 것을 제약조건으로 추가(L2 규제)
라쏘 회귀 (LASSO Regression)	가중치들의 절대값의 합을 최소화 하는 것을 제약조건으로 추가(L1 규제)

6. 연속형 모델의 성능평가 출★★★★★ 난★★★★★

평가지표	계산식	지표 의미
SSE	$\sum_{i=1}^{n}(y_i - \hat{y})^2$	- 오차제곱합(Error Sum of Square) - 예측값과 실제값의 차이(오차)의 제곱합 - 회귀모형 평가에서 많이 사용되는 지표
AE	$\frac{1}{n}\sum_{i=1}^{n}(y_i - \hat{y})$	- 평균 오차(Average Error) - 예측한 결과값들의 평균 오류 - 예측값들이 평균적으로 미달하는지 초과하는지 확인
MSE	$\frac{1}{n}\sum_{i=1}^{n}(y_i - \hat{y})^2$	- 평균제곱오차(Mean Squared Error) - 예측오차 제곱합들의 평균 - 큰 오차는 더욱 크게, 작은 오차는 상대적으로 작게 반영
RMSE	$\sqrt{\frac{1}{n}\sum_{i=1}^{n}(y_i - \hat{y})^2}$	- 평균제곱근오차(Root Mean Squared Error) - MSE로 평가시 수치가 커지는 것을 제곱근을 취하여 보정 - 종속변수와 동일한 단위로 설명하기 쉬움 - 표준편차처럼 예측이 얼마나 벗어났는지에 대한 정보 제공 - 가장 일반적으로 이용
MAE	$\frac{1}{n}\sum_{i=1}^{n}|y_i - \hat{y}|$	- 평균절대오차(Mean Absolute Error) - 예측오차 절댓값들의 평균 - 절댓값 사용으로 오차간 상쇄효과 예방 - 계산이 쉽고 이해가 용이
MAPE	$\frac{100}{n}\sum_{i=1}^{n}\left|\frac{y_i - \hat{y}}{y_i}\right|$	- 평균절대백분율오차(Mean Absolute Percentage Error) - 실제값에 대한 오차의 백분율 - 오차평균의 크기가 다른 모델 비교 용이

비기의 핵심 요약 노트

3과목_4장_4절

🔍 시계열 분석

1. 시계열 자료와 정상성 출★★★★★ 난★★★☆☆

1) 개요
- 시계열 자료(Time Series) : 시간의 흐름에 따라 관찰된 값들
- 시계열 데이터의 분석 목적 : 미래의 값을 예측, 특성 파악(경향, 주기, 계절성, 불규칙성 등)

2) 정상성 (3가지를 모두 만족)
- 평균이 일정(모든 시점에서 일정한 평균을 가짐)
- 분산도 일정
- 공분산도 특정시점에서 t, s에 의존하지 않고 일정

2. 시계열 모형 출★★★★★ 난★★★★★

- 자기회귀모형(AR, Autoregressive Model) : p 시점 전의 자료가 현재 자료에 영향을 주는 모형

$$Z_t = \Phi_1 Z_{t-1} + \Phi_2 Z_{t-2} + \cdots + \Phi_p Z_{t-p} + a_t$$

- ACF는 빠르게 감소, PACF는 절단점이 존재 → AR(절단점 -1)로 계산
- 이동평균모형(MA, Moving Average Model) : 같은 시점의 백색잡음과 바로 전 시점의 백색잡음의 결합으로 이뤄진 모형

$$Z_t = a_t - \theta_1 a_{t-1} - \theta_2 a_{t-2} - \cdots - \theta_p a_{t-p}$$

- ACF는 절단점이 존재, PACF는 빠르게 감소
- 자기 회귀 누적 이동 평균 모형(ARIMA(p,d,q))
  - d(차분) =0 이면 정상성 만족, p=0이면 d번 차분한 MA(q) 모델, q=0이면 d번 차분한 AR(p)모델
- 분해시계열 : 일반적인 요인을 시계열에서 분리해 분석하는 방법

추세요인 (Trend Factor)	형태가 오르거나 또는 내리는 추세, 선형, 이차식, 지수형태
계절요인 (Seasonal Factor)	요일, 월, 사분기 별로 변화하여 고정된 주기에 따라 자료가 변화
순환요인 (Cyclical Factor)	명백한 경제적, 자연적 이유없이 알려지지 않은 주기로 자료가 변화
불규칙요인 (Irregular Factor)	위 세 가지의 요인으로 설명할 수 없는 회귀분석에서 오차에 해당하는 요인

3과목_4장_5절

🔍 다차원 척도법

1. 다차원 척도법 출★★★★★ 난★★★☆☆

1) 정의 및 목적
- 군집분석과 같이 개체들을 대상으로 변수들을 측정한 후, 개체들 사이의 유사성/비유사성을 측정하여 개체들을 2차원 또는 3차원 공간 상에서 점으로 표현하는 분석방법
- 목적 : 개체들의 비유사성을 이용하여 2차원 공간상에 점으로 표시하고 개체들 사이의 집단화를 시각적으로 표현

2) 방법
- 개체들의 거리 계산은 유클리드 거리행렬을 활용

$$d_{ij} = \sqrt{(x_{i1} - x_{j1})^2 + \cdots + (x_{iR} - x_{jR})^2}$$

- STRESS : 개체들을 공간상에 표현하기 위한 방법으로 STRESS나 S-STRESS를 부적합도 기준으로 사용
  - 최적모형의 적합은 부적합도를 최소화 하는 방법으로 일정 수준 이하로 될 때까지 반복해서 수행

3) 종류

계량적 MDS (Metric MDS)	• 데이터가 구간척도나 비율척도인 경우 활용(전통적인 다차원척도법) • N개의 케이스에 대해 p개의 특성변수가 있는 경우, 각 개체들 간의 유클리드 거리행렬을 계산하고 개체들 간의 비유사성 S(거리제곱 행렬의 선형함수)를 공간상에 표현
비계량적 MDS (Nonmetric MDS)	• 데이터가 순서척도인 경우 활용, 개체들 간의 거리가 순서로 주어진 경우에는 순서척도를 거리의 속성과 같도록 변환(Monotone Transformation)하여 거리를 생성한 후 적용

3과목_4장_6절

주성분 분석

1. 주성분 분석 출★★★★★ 난★★★★☆

1) 정의 및 목적
- 여러 변수들의 변량을 '주성분(Principal Compenent)'이라는 서로 상관성이 높은 변수들의 선형 결합으로 만들어 기존의 상관성이 높은 변수들을 요약, 축소하는 기법
- 목적 : 여러 변수들을 소수의 주성분으로 축소하여 데이터를 쉽게 이해하고 관리
  주성분분석을 통해 차원을 축소하여 군집분석에서 군집화 결과와 연산 속도 개선, 회귀분석에서 다중공선성 최소화

2) 주성분분석 vs 요인분석 출★☆☆☆☆ 난★★★☆☆
- 요인분석(Factor Analysis) : 등간척도(혹은 비율척도)로 두 개 이상의 변수들을 잠재되어 있는 공통 인자를 찾아내는 기법
- 공통점 : 모두 데이터를 축소하는데 활용, 몇 개의 새로운 변수들로 축소

차이점	생성된 변수의 수와 이름	생성된 변수들 간의 관계	목표변수와의 관계
요인분석	몇 개로 지정할 수 없으나, 이름을 붙일 수 있음	생성된 변수들이 기본적으로 대등한 관계	목표변수를 고려하지 않고 주어진 변수들 간 비슷한 성격들을 묶음
주성분분석	제1주성분, 제2주성분…을 생성(보통 2개), 이름은 제1주성분과 같이 정해짐	제1주성분, 제2주성분 순으로 중요함	목표변수를 고려하여 주성분 변수 생성

3) 주성분의 선택법 출★★★★☆ 난★★★★☆
- 누적기여율(Cumulative Proportion)이 85%이상이면 주성분의 수로 결정할 수 있음

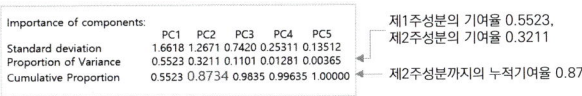 제1주성분의 기여율 0.5523, 제2주성분의 기여율 0.3211
제2주성분까지의 누적기여율 0.8734

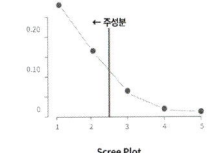
Scree Plot

- Scree Plot에서 고윳값(Eigen Value)이 수평을 유지하기 전 단계로 주성분의 수를 선택

3과목_5장_1절

데이터 마이닝의 개요

1. 데이터 마이닝 출★★★★★ 난★★☆☆☆

1) 개요
- 정의 : 대용량 데이터에서 의미 있는 패턴을 파악하거나 예측하여 의사결정에 활용하는 방법
- 통계분석과 차이점 : 가설이나 가정에 따른 분석, 검증을 하는 통계분석과 달리 데이터마이닝은 다양한 수리 알고리즘을 이용해 데이터베이스의 데이터로부터 의미있는 정보를 추출
- 활용 분야 : 분류, 예측, 군집화, 시각화 등
- 방법론 : 의사결정나무, 로지스틱 회귀분석, 최근접 이웃법, 군집분석, 연관규칙분석 등

2) 분석 방법 출★★★★☆ 난★★★☆☆

Supervised Learning	Unsupervised Learning
의사결정나무(Decision Tree)	OLAP(On-Line Analytic Processing)
인공신경망(Artificial Neural Network)	연관 규칙 분석(Association Rule Analysis)
로지스틱 회귀분석(Logistic Regression)	군집분석(k-Means Clustering)
최근접 이웃법(k-Nearest Neighbor)	SOM(Self Organizing Map)
사례기반 추론(Case-Based Reasoning)	

데이터 마이닝의 개요

3과목_5장_1절

3) 데이터 마이닝 추진단계

① 목적설정	데이터 마이닝을 위한 명확한 목적 설정
② 데이터 준비	모델링을 위한 다양한 데이터를 준비, 데이터 정제를 통해 품질을 보장
③ 데이터 가공	목적변수 정의, 모델링을 위한 데이터 형식으로 가공
④ 기법 적용	데이터 마이닝 기법을 적용하여 정보를 추출
⑤ 검증	마이닝으로 추출한 결과를 검정하고 업무에 적용해 기대효과를 전파

4) 데이터 분할

구축용(Training Data)	약 50%의 데이터를 모델링을 위한 훈련용으로 활용
검증용(Validation Data)	약 30%의 데이터를 구축된 모형의 과대/과소 추정의 판정 목적으로 활용
시험용(Test Data)	약 20%의 데이터를 테스트데이터나 과거 데이터를 활용하여 모델의 성능 평가에 활용

- 데이터 양이 충분하지 않은 경우 홀드아웃(Hold-Out) 방법이나 k-fold 교차분석(Cross-Validation) 방법을 통해 데이터 분할

홀드아웃(Hold-Out) 방법	• 주어진 데이터를 랜덤하게 두 개의 데이터로 구분하여 사용하는 방법 • 주로 학습용과 시험용으로 분리하여 사용
k-fold 교차분석 (Cross-Validation) 방법	• 주어진 데이터를 k개의 하부 집단으로 구분하여, k-1개의 집단을 학습용으로, 나머지 집단을 검증용으로 설정하여 학습 • k번 반복 측정한 결과를 평균낸 값을 최종값으로 사용 • 주로 10-fold 교차분석 많이 사용

2. 성과 분석

1) 오분류표를 통한 모델 평가

		Patients with bowel cancer (as confirmed on endoscopy)		
		Condition Positive	Condition Negative	
Fecal Occult Blood Screen Test Outcome	Test Outcome Positive	True Positive (TP) = 20	False Positive (FP) = 180	Positive predictive value = TP / (TP + FP) = 20 / (20 + 180) = 10%
	Test Outcome Negative	False Negative (FN) = 10	True Negative (TN) = 1820	Negative predictive value = TN / (FN + TN) = 1820 / (10 + 1820) ≈ 99.5%
		Sensitivity = TP / (TP + FN) = 20 / (20 + 10) ≈ 67%	Specificity = TN / (FP + TN) = 1820 / (180 + 1820) = 91%	

2) ROC(Receiver Operation Characteristic)

- 민감도와 1-특이도를 활용하여 모형을 평가
- AUROC(ROC 커브 밑부분의 넓이)
  - AUROC = (AR+1)/2

AUROC	등급
0.9 ~ 1.0	Excellent
0.8 ~ 0.9	Good
0.7 ~ 0.8	Fair

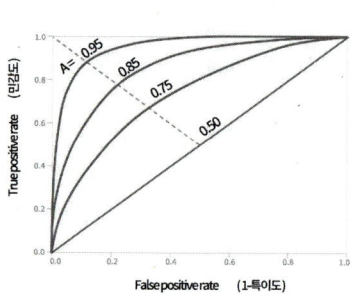

분류 분석

1. 분류분석과 예측분석

1) 개요

공통점	• 레코드의 특정 속성의 값을 미리 알아 맞히는 것
차이점	• 분류는 레코드(튜플)의 범주형 속성의 값을 알아 맞히는 것 예측은 레코드(튜플)의 연속형 속성의 값을 알아 맞히는 것
분류의 예	• 학생들의 국어, 영어 등 점수를 통해 내신등급을 예측 카드회사에서 회원들의 가입 정보를 통해 1년 후 신용등급을 예측
예측의 예	• 학생들의 여러 가지 정보를 입력해 수능점수를 예측 카드회사에서 회원들의 가입정보를 통해 연 매출액을 예측
분류 모델링	• 신용평가모형 (우량, 불량) • 사기방지모형 (사기, 정상) • 이탈모형 (이탈, 유지) • 고객세분화 (VVIP, VIP, GOLD, SILVER, BRONZE)
분류 기법	• 로지스틱 회귀분석(Logistic Regression) • 의사결정나무(Decision Tree), CART(Classification and Regression Tree), C5.0 • 나이브 베이즈 분류(Naïve Bayes Classification) • 인공신경망(Artificial Neural Network, ANN) • 서포트 벡터 머신(Support Vector Machine, SVM) • K 최근접 이웃(K-Nearest Neighborhood, K-NN) • 규칙기반의 분류와 사례기반추론(Case-Based Reasoning)

2. 로지스틱 회귀분석

1) 개요

- 반응변수가 범주형인 경우에 적용되는 회귀분석모형
- 새로운 설명변수(또는 예측변수)가 주어질 때 반응변수의 각 범주(또는 집단)에 속할 확률이 얼마인지를 추정(예측모형)하여, 추정 확률을 기준치에 따라 분류하는 목적(분류모형)으로 활용
- 이때 모형의 적합을 통해 추정된 확률을 사후확률(Posterior Probability)이라고 함

$$\log\left(\frac{\pi(x)}{1-\pi(x)}\right) = \alpha + \beta_1 x_1 + \cdots + \beta_k x_k$$
$$\pi(x) = P(Y=1|x), \quad x = (x_1, \cdots, x_k)$$

- $\exp(\beta_1)$의 의미는 나머지 변수$(x_1, \ldots, x_k)$가 주어질 때, x_1이 한 단위 증가할 때마다 성공(Y=1)의 오즈가 몇 배 증가하는지를 나타내는 값
- glm( ) 함수를 활용하여 로지스틱 회귀분석을 실행함

  • 표현 glm(종속변수 ~ 독립변수1+⋯+ 독립변수k, family=binomial, data=데이터셋명)

- 로지스틱 회귀분석의 결과, β의 추정값이 5.14이면, 독립변수의 단위가 증가함에 따라 종속변수가 0에서 1로 바뀔 오즈(Odds)가 exp(5.140)≈170배 증가한다는 의미임(β가 음수이면 감소를 의미)

비기의 핵심 요약 노트

3과목_5장_2절

🔍 분류 분석

3. k - 최근접 이웃법 (k-Nearest Neighbor, k-NN) 　출★★★★★ 난★★★☆☆

1) 개요
- 새로운 데이터에 대해 주어진 이웃의 개수(k) 만큼 가까운 멤버들과 비교하여 결과를 판단하는 방법
- k 값에 따라 소속되는 그룹이 달라질 수 있음
- 거리를 측정해 이웃들을 뽑기 때문에 스케일링이 중요함
- 반응변수가 범주형이면 분류, 연속형이면 회귀의 목적으로 사용
- 학습 절차 없이 새로운 데이터가 들어올 때 거리 측정 → Lazy Model(게으른 학습)

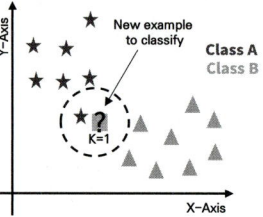

4. 서포트 벡터 머신 (Support Vector Machine, SVM) 　출★☆☆☆☆ 난★★★★★

1) 개요
- 서로 다른 분류에 속한 데이터 간의 간격(margin)이 최대가 되는 선을 찾아 이를 기준으로 데이터를 분류하는 모델

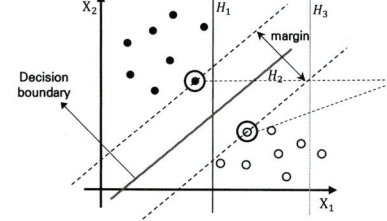

H_3는 분류를 올바르게 하지 못하며, H_1, H_2는 분류를 올바르게 하는데 H_2가 H_1보다 더 큰 간격을 갖고 분류하므로 이것이 분류 기준이 된다.

3과목_5장_3절

🔍 의사결정나무 분석

1. 의사결정나무 　출★★★★★ 난★★★★☆

1) 정의와 특징
- 분류 함수를 의사결정 규칙으로 이뤄진 나무 모양으로 그리는 방법으로, 의사결정 문제를 시각화해 의사결정이 이뤄지는 시점과 성과를 한눈에 볼 수 있게 함
- 주어진 입력값에 대해 출력값을 예측하는 모형으로 분류나무와 회귀나무 모형이 있음
- **특징**: ① 계산 결과가 의사결정나무에 직접 나타나게 돼 분석이 간편함
  ② 분류 정확도가 좋음
  ③ 계산이 복잡하지 않아 대용량 데이터에서도 빠르게 만들 수 있음
  ④ 비정상 잡음 데이터에 대해서도 민감함 없이 분류
  ⑤ 한 변수와 상관성이 높은 다른 불필요한 변수가 있어도 크게 영향 받지 않음

2) 활용

세분화	• 데이터를 비슷한 특성을 갖는 몇 개의 그룹으로 분할해 그룹별 특성을 발견
분류	• 관측개체를 여러 예측변수들에 근거해 목표변수의 범주를 몇 개의 등급으로 분류하고자 하는 경우
예측	• 자료에서 규칙을 찾아내고 이를 이용해 미래의 사건을 예측하고자 하는 경우
차원축소 및 변수선택	• 매우 많은 수의 예측변수 중 목표변수에 영향을 미치는 변수들을 골라내고자 하는 경우
교호작용효과의 파악	• 여러 개의 예측변수들을 결합해 목표 변수에 작용하여 파악하고자 하는 경우
구간화	• 범주형 목표변수의 범주를 소수의 몇 개로 병합하거나 연속형 목표변수를 몇 개의 등급으로 이산화 하고자 하는 경우

3과목_5장_3절

의사결정나무 분석

3) 의사결정나무의 분석 과정 출★★★★★ 난★★☆☆☆

- 분석 단계 : ① 성장 → ② 가지치기 → ③ 타당성 평가 → ④ 해석 및 예측
- **가지치기(Pruning)** : 너무 큰 나무 모형은 자료를 과대적합하고 너무 작은 나무 모형은 과소적합할 위험이 있어 마디에 속한 자료가 일정 수 이하일 경우, 분할을 정지하고 가지치기 실시

2. 불순도의 여러 가지 척도 출★★★★★ 난★★★★★

카이제곱 통계량	$\chi^2 = \sum_{i=1}^{K} \frac{(O_i - B_i)^2}{B_i}$
지니지수	$Gini(T) = 1 - \sum_{i=1}^{K} P_i^2$
엔트로피 지수	$Entropy(T) = -\left(\sum_{i=1}^{K} P_i \log_2 P_i\right)$

3. 알고리즘 종류 출★★★★★ 난★★★★☆

CART (Classification and Regression Tree)	• 목적변수가 범주형인 경우 지니지수, 연속형인 경우 분산을 이용해 이진분리를 사용 • 개별 입력변수 뿐만 아니라 입력변수들의 선형결합들 중 최적의 분리를 찾을 수 있음
C4.5와 C5.0	• 다지분리(Multiple Split)이 가능하고 범주형 입력 변수의 범주 수만큼 분리 가능 • 불순도의 측도로 엔트로피 지수 사용
CHAID (CHi-Squared Automatic Interaction Detection)	• 가지치기를 하지 않고 적당한 크기에서 나무모형의 성장을 중지하며 입력변수가 반듯이 범주형 변수여야 함 • 불순도의 측도로 카이제곱 통계량 사용

3과목_5장_4절

앙상블 분석

1. 앙상블 기법 출★★★★☆ 난★★★★☆

1) 개요

- 주어진 자료로부터 여러 개의 예측모형들을 만든 후 조합하여 하나의 최종예측모형을 만드는 방법
- 다중 모델 조합(Combining Multiple Models), 분류기 조합(Classifier Combination) 방법이 있음
- 학습 방법의 불안전성을 해결하기 위해 고안된 기법
- 가장 불안정성을 가지는 기법은 의사결정나무, 가장 안전성을 가지는 기법은 1-Nearest Neighbor

2) 기법의 종류

배깅 (Bagging : Bootstrap Aggregating)	• 여러 개의 붓스트랩 자료를 생성하고 각 붓스트랩 자료의 예측모형 결과를 결합하여 결과를 선정 • 배깅은 훈련자료를 모집단으로 생각하고 평균 예측모형을 구한 것과 같아 분산을 줄이고 예측력을 향상시킬 수 있음
부스팅 (Boosting)	• 예측력이 약한 모형(Weak Learner)들을 결합하여 강한 예측모형을 만드는 방법 훈련오차를 빨리 그리고 쉽게 줄일 수 있고, 예측오차의 향상으로 배깅에 비해 뛰어난 예측력을 보임
랜덤 포레스트 (Random Forest)	• 의사결정나무의 특징인 분산이 크다는 점을 고려하여 배깅과 부스팅보다 더 많은 무작위성을 주어 약한 학습기들을 생성한 후 이를 선형 결합하여 최종 학습기를 만드는 방법 • 이론적 설명이나 해석이 어렵다는 단점이 있지만 예측력이 매우 높은 장점이 있음 입력변수가 많은 경우 더 좋은 예측력을 보임

인공신경망 분석

1. 인공신경망 출★★★★★ 난★★★★☆

1) 신경망의 연구
- 인공신경망은 뇌를 기반으로 한 추론 모델
- 1943년 매컬럭(McCulloch)과 피츠(Pitts) : 인간의 뇌를 수많은 신경세포가 연결되 하나의 디지털 네트워크 모형으로 간주하고 신경세포의 신호처리 과정을 모형화 하여 단순 패턴분류 모형을 개발
- 헵(Hebb) : 신경세포(뉴런) 사이의 연결강도(Weight)를 조정하여 학습규칙을 개발
- 로젠블랫(Rosenblatt, 1955) : 퍼셉트론(Perceptron)이라는 인공 세포 개발, 비선형성의 한계점 발생 → XOR(Exclusive OR) 문제
- 홉필드(Hopfild), 럼멜하트(Rumelhart), 맥클랜드(McClelland) : 역전파 알고리즘(Backpropagation)을 활용하여 비선형성을 극복한 다계층 퍼셉트론으로 새로운 인공신경망 모형 등장

2. 인공신경망의 특징 출★★★★★ 난★★★★★

2) 뉴런
- 인공신경망은 뉴런이라는 아주 단순하지만 복잡하게 연결된 프로세스로 이루어져 있음
- 뉴런은 가중치가 있는 링크들로 연결되어 있으며, 뉴런은 여러 개의 입력신호를 받아 하나의 출력 신호를 생성
- 뉴런은 전이함수, 즉 활성화함수(Activation Function)을 사용
  - 뉴런은 입력 신호의 가중치 합을 계산하여 임계값과 비교
  - 가중치 합이 임계값보다 작으면 뉴런의 출력은 -1, 같거나 크면 +1을 출력함

3. 활성화 함수 출★★★★☆ 난★★★★★

1) 활성화 함수의 정의
- 대표적인 활성화 함수 : ReLU, Sigmoid, Softmax 등
  - Sigmoid와 같은 일부 활성화 함수는 기울기 소실 문제를 일으킬 수 있음
  - 기울기 소실 문제를 해결하기 위해 ReLU와 같은 활성화 함수 사용

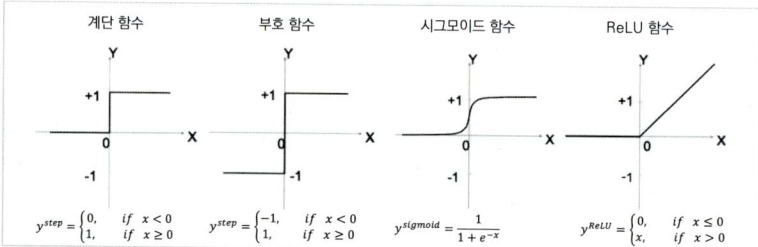

4. 신경망모형 구축 시 고려사항 출★★★★★ 난★★★★★

입력변수	• 신경망 모형은 복잡성으로 인해 입력자료의 선택에 매우 민감 • 범주형 변수 (각 범주의 빈도가 일정수준 이상이고 각 범주의 빈도가 일정할 때 활용) ex) 가변수화하여 적용(성별[남,녀] → 남성[1,0], 여성[1,0]) • 연속형 변수 (입력 값의 범위가 변수들 간에 큰 차이가 없을 때 활용, 분포가 대칭이 아니면 좋지 않은 결과 도출, 변환 또는 범주화 활용)
가중치 초기값	• 역전파 알고리즘의 경우, 초기값에 따라 결과가 많이 달라져 초기값 선택이 매우 중요 • 가중치가 0이면 시그모이드 함수는 선형이 되고 신경망 모형도 선형모형이 됨 • 초기값은 0 근처의 랜덤 값으로 선정하고 초기에는 선형모형에서 가중치가 증가하면서 비선형으로 변경됨
은닉층(Hidden Layer), 은닉 노드(Hidden Node)의 수	• 은닉층과 은닉노드가 많으면 → 가중치가 많아져서 과대 적합 문제 발생 • 은닉층과 은닉노드가 적으면 → 과소적합 문제 발생 • 은닉층 수 결정 : 은닉층이 하나인 신경망은 범용 근사자(Universal Approximator)이므로 가급적이면 하나로 선정 • 은닉노드 수 결정 : 적절히 큰 값으로 결정하고 가중치를 감소시키며 적용
과대 적합 문제	• 신경망은 많은 가중치를 추정해야 하므로 과대적합 문제가 빈번 • 해결방법 : 조기 종료(모형이 적합하는 과정에서 검증오차가 증가하기 시작하면 반복을 중지) 선형모형의 능형회귀와 유사한 가중치 감소라는 벌점화 기법 활용

군집 분석

1. 군집 분석

1) 개요
- 각 객체(대상)의 유사성을 측정하여 유사성이 높은 대상 집을 분류하고, 군집에 속한 객체들의 유사성과 서로 다른 군집에 속한 객체간의 상이성을 규명하는 분석 방법
- 특성에 따라 고객을 여러 개의 배타적인 집단으로 나누는 것으로 군집의 개수, 구조에 대한 가정 없이 데이터로부터 거리 기준으로 군집화 유도

2) 특징
- 비지도학습법(Unsupervised Learning)에 해당하여 타겟변수(종속변수)의 정의가 없이 학습이 가능
- 데이터를 분석의 목적에 따라 적절한 군집으로 분석자가 정의 가능
- 요인분석과의 차이 : 유사한 변수를 함께 묶어주는 목적이 아니라 각 데이터(객체)를 묶어 줌
- 판별분석과의 차이 : 판별 분석은 사전에 집단이 나누어져 있어야 하지만 군집분석은 집단이 없는 상태에서 집단을 구분

3) 거리 측정 방법
- 연속형 변수 : 유클리드 거리, 표준화 거리, 마할라노비스 거리, 체비셰프 거리, 맨하탄 거리, 캔버라 거리, 민코우스키 거리 등
- 범주형 변수 : 자카드 거리 등

4) 계층적 군집분석
- n개의 군집으로 시작해 점차 군집의 개수를 줄여나가는 방법

최단연결법 (Single Linkage)	• n*n 거리행렬에서 거리가 가장 가까운 데이터를 묶어서 군집을 형성 • 군집과 군집 또는 데이터와의 거리를 계산시 최단거리(Min)를 거리로 계산하여 거리행렬 수정 • 수정된 거리행렬에서 거리가 가까운 데이터 또는 군집을 새로운 군집으로 형성
최장연결법 (Complete Linkage)	• 군집과 군집 또는 데이터와의 거래를 계산시 최장거리(Max)를 거리로 계산하여 거리행렬 수정
평균연결법 (Average Linkage)	• 군집과 군집 또는 데이터와의 거래를 계산시 평균거리(Mean)를 거리로 계산하여 거리행렬 수정
와드연결법 (Ward Linkage)	• 군집 내 편차들의 제곱합을 고려한 방법으로 군집 간 정보의 손실을 최소화하기 위해 군집화를 진행

5) 비계층적 군집분석
- n개의 개체를 k개의 군집으로 나눌 수 있는 모든 가능한 방법을 점검해 최적화한 군집을 형성하는 것
- K-평균 군집분석 (k-Means Clustering)
  프로세스 : ① 원하는 군집의 개수와 초기 값(seed)들을 정해 seed 중심으로 군집을 형성
  ② 각 데이터를 거리가 가장 가까운 seed가 있는 군집으로 분류
  ③ 각 군집의 seed 값을 다시 계산
  ④ 모든 개체가 군집으로 할당될 때까지 위 과정들을 반복
- 장점과 단점

장점	단점
주어진 데이터의 내부구조에 대한 사전정보 없이 의미 있는 자료구조를 찾을 수 있음	군집의 수, 가중치와 거리 정의가 어려움
다양한 형태의 데이터에 적용이 가능	초기 군집 수를 결정하기 어려움
분석방법 적용이 용이함	사전에 주어진 목적이 없으므로 결과 해석이 어려움

- k-평균 군집분석에서 최적의 k 찾기
  : 팔꿈치의 위치를 일반적으로 적절한 군집 수로 선택함

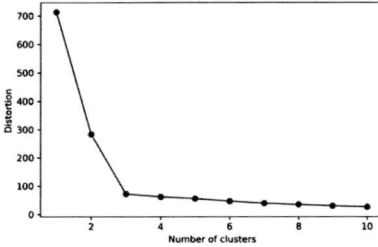

비기의 핵심 요약 노트

3과목_5장_6절

🔍 군집 분석

6) 혼합 분포 군집 (Mixture Distribution Clustering) 출★★★★☆ 난★★★★★

- 모형 기반(Model-Based)의 군집 방법이며, 데이터가 k개의 모수적 모형(흔히 정규분포 또는 다변량 정규분포를 가정함)의 가중합으로 표현되는 모집단 모형으로부터 나왔다는 가정에서 모수와 함께 가중치를 자료로부터 추정하는 방법을 사용
- k개의 각 모형은 군집을 의미하며, 각 데이터는 추정된 k개의 모형 중 어느 모형으로부터 나왔을 확률이 높은지에 따라 군집의 분류가 이루어짐
- 흔히 혼합모형에서의 모수와 가중치의 추정(최대가능도추정)에는 EM 알고리즘이 사용
- 혼합분포군집모형의 특징

> - K-평균 군집의 절차와 유사하지만 확률분포를 도입하여 군집을 수행
> - 군집을 몇 개의 모수로 표현할 수 있으며, 서로 다른 크기나 모양의 군집을 찾을 수 있음
> - EM 알고리즘을 이용한 모수 추정에서 데이터가 커지면 수렴에 시간이 걸림
> - 군집의 크기가 너무 작으면 추정의 정도가 떨어지거나 어려움
> - K-평균 군집과 같이 이상치 자료에 민감하므로 사전에 조치가 필요

7) SOM(Self-Organizing Map)

- SOM(자가조직화지도) 알고리즘은 코호넨(Kohonen)에 의해 제시, 개발되었으며 코호넨 맵(Kohonen Maps)이라고도 알려져 있음
- SOM은 비지도 신경망으로 고차원의 데이터를 이해하기 쉬운 저차원의 뉴런으로 정렬하여 지도의 형태로 형상화, 이러한 형상화는 입력 변수의 위치 관계를 그대로 보존한다는 특징이 있음. 다시 말해 실제 공간의 입력 변수가 가까이 있으면, 지도 상에도 가까운 위치에 있게 됨
- SOM 의 특징

> - 고차원의 데이터를 저차원의 지도 형태로 형상화하기 때문에 시각적으로 이해가 쉬움
> - 입력 변수의 위치 관계를 그대로 보존하기 때문에 실제 데이터가 유사하면 지도상에서 가깝게 표현되며, 이런 특징 때문에 패턴 발견, 이미지 분석 등에서 뛰어난 성능을 보임
> - 역전파(Back Propagation) 알고리즘 등을 이용하는 인공신경망과 달리 단 하나의 전방 패스(Feed-Forward Flow)를 사용함으로써 속도가 매우 빠르므로 실시간 학습처리를 할 수 있는 모형임

3과목_5장_7절

🔍 연관 분석

1. 연관 분석 출★★★★★ 난★★★★☆

1) 개요
- 기업의 데이터베이스에서 상품의 구매, 서비스 등 일련의 거래 또는 사건들 간의 규칙을 발견하기 위한 분석
  흔히 장바구니 분석(Market Basket Analysis), 서열 분석(Sequence Analysis) 등이 있음
- 장바구니 분석 : 장바구니에 무엇이 같이 들어 있는지에 대해 분석
  ex) 주말을 위해 목요일에 기저귀를 사러 온 30대 직장인 고객은 맥주도 함께 사감
- 서열 분석 : 구매 이력을 분석해서 A 품목을 산 후 추가 B품목을 사는지를 분석
  ex) 휴대폰을 새로 구매한 고객은 한달 내에 휴대폰 케이스를 구매

2) 형태
- 조건과 반응의 형태(if – then)

> (item set A) → (item set B)
> If A then B : 만일 A가 일어나면 B 가 일어난다

3) 측도 출★★★★★ 난★★★★☆

지지도 (Support)	전체 거래 중 항목 A와 항목 B를 동시에 포함하는 거래의 비율로 정의 $$지지도 = P(A \cap B) = \frac{A와\ B가\ 동시에\ 포함된\ 거래수}{전체거래수}$$	
신뢰도 (Confidence)	항목 A를 포함한 거래 중에서 항목 A와 항목 B가 같이 포함될 확률. 연관성의 정도를 파악할 수 있음 $$신뢰도 = \frac{P(A \cap B)}{P(A)} = \frac{A와\ B가\ 동시에\ 포함된\ 거래수}{A를\ 포함하는\ 거래수}$$	
향상도 (Lift)	A가 주어지지 않았을 때의 품목 B의 확률에 비해 A가 주어졌을 때의 품목 B의 확률의 증가 비율 연관규칙 A→B는 품목 A와 품목 B의 구매가 서로 관련이 없는 경우에 향상도가 1이 됨 $$향상도 = \frac{P(B|A)}{P(B)} = \frac{P(A \cap B)}{P(A)P(B)} = \frac{A와\ B가\ 동시에\ 포함된\ 거래수}{A를\ 포함하는\ 거래수 \times B를\ 포함하는\ 거래수}$$	

연관 분석

4) 특징

- 절차
  ① 최소 지지도 선정 (보통 5%)
  ② 최소 지지도를 넘는 품목 분류
  ③ 2가지 품목 집합 생성
  ④ 반복 수행으로 빈발품목 집합 선정

- 장점과 단점

장점	단점
탐색적인 기법 조건 반응으로 표현되는 연관성분석 결과를 쉽게 이해할 수 있음	**상당한 수의 계산과정** 품목 수가 증가하면 분석에 필요한 계산은 기하급수적으로 늘어남
강력한 비목적성 분석기법 분석 방향이나 목적이 특별히 없는 경우 목적변수가 없으므로 유용하게 활용 됨	**적절한 품목의 결정** 너무 세분화한 품목을 갖고 연관성 규칙을 찾으면 수많은 연관성 규칙들이 발견되겠지만, 실제로 발생 비율 면에서 의미 없는 분석이 될 수도 있음
사용이 편리한 분석 데이터의 형태 거래 내용에 대한 데이터를 변환 없이 그 자체로 이용	**품목의 비율차이** 사용될 모든 품목들 자체가 전체자료에서 동일한 빈도를 갖는 경우, 연관성 분석은 가장 좋은 결과를 얻음. 그러나 거래가 적은 품목은 당연히 포함된 거래 수가 적을 것이고 규칙 발견 과정 중에서 제외되기 쉬움
계산의 용이성 분석을 위한 계산이 상당히 간단	

5) Apriori 알고리즘

- 어떤 항목 집합이 빈발한다면, 그 항목 집합의 모든 부분 집합도 빈발

  > ex) {우유, 빵, 과자}가 빈발 항목집합이면, 부분집합인 {우유, 빵}{우유, 과자}{빵,과자}도 빈발항목집합 지지도의 Anti-Monotone 성질 : 어떤 항목집합의 지지도는 그 부분집합들의 지지도를 넘을 수 없음

6) FP-Growth 알고리즘

- 후보 빈발항목집합을 생성하지 않고, FP-Tree(Frequent Pattern Tree)를 만든 후 분할정복 방식을 통해 빈발항목집합을 추출할 수 있는 방법
- Aprirori 알고리즘의 약점을 보완하기 위해 고안된 것으로 데이터베이스를 스캔하는 횟수가 작고, 빠른 속도로 분석 가능

명사수비기의 4주 Planner

나만의 계획을 세워 보세요.

- step1) 민트책과 이론정복강의로 개념을 파악하고 핵심개념체크 문제를 통해 개념을 점검한다.
- step2) 데이터에듀PT를 통해 책에 있는 문제(예상문제, 모의고사, 기출 44~47회)를 풀며 자동 오답 노트를 구성하고, 따로 헷갈리는 문제는 즐겨찾기(컨닝페이퍼)로 정리한다.
- step3) 데이터에듀PT의 오답 노트와 즐겨찾기(컨닝페이퍼)에 등록된 문제를 정리하고 합격 마법 노트에 필요한 내용(중요한 개념, 헷갈리는 내용)을 표시한다.
- step4) 데이터에듀PT를 통해 추가 기출문제를 풀며 오답과 즐겨찾기에 필요한 문제를 등록하고 문제 추천 서비스의 문제를 빠르게 풀어본다.
- step5) 합격마법노트와 나만의 오답 노트로 시험 전 마무리한다.

1일	2일	3일	4일	5일	6일	7일

8일	9일	10일	11일	12일	13일	14일

15일	16일	17일	18일	19일	20일	21일

22일	23일	24일	25일	26일	27일	28일

D-Day 시험

MEMO

TASK

| 예 시 | ✓ | 데이터에듀PT | 모의고사1회풀기+오답노트작성하기 |

_ 일차
_ 일차
_ 일차
_ 일차
_ 일차
_ 일차
_ 일차
_ 일차
_ 일차
_ 일차
_ 일차
_ 일차
_ 일차
_ 일차
_ 일차
_ 일차
_ 일차
_ 일차
_ 일차
_ 일차
_ 일차
_ 일차
_ 일차
_ 일차
_ 일차
_ 일차
_ 일차
_ 일차
_ 일차
_ 일차

목표

올해는 ADSP자격증 따기!!

ADsP 합격 마법노트 D-7

CODE LEARNING
자격증 공부를 위한 온라인 코딩 학습 솔루션

ADsP, ADP, 빅분기 실기 완벽 대비!
R & Python 프로그래밍 본격 출시

환경 설정, 패키지 버전 오류 없는 코딩 학습 환경!

PC에서 발생할 수 있는 오류를 방지합니다.

코드러닝의 2가지 특징

① **자동 채점**
시험 채점 기준에 따른 자동 채점
—
하나부터 열까지 꼼꼼하게 공부하고 싶을 때!

② **실기 콘텐츠**
데이터에듀 실기 문제 및 실습 예제 모두 지원
—
R과 Python 모두 지원!

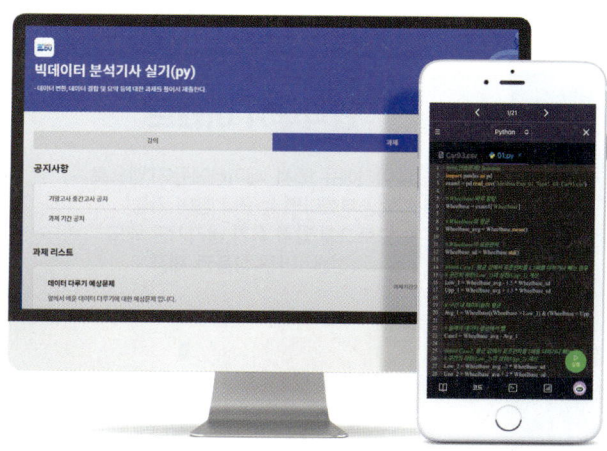

어떤 기기로도 편하게!

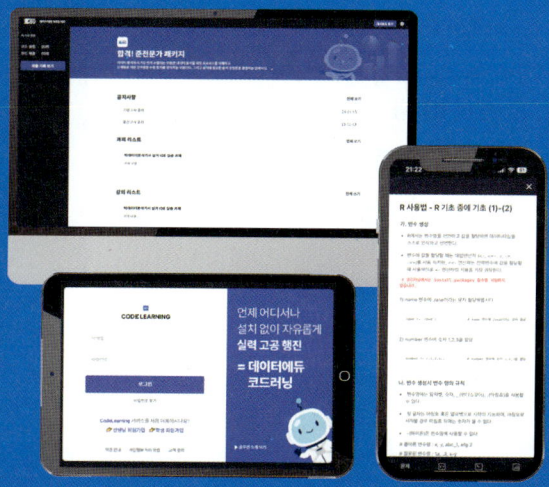

- PC, 태블릿, 모바일에서도 편하게
- 설치도 필요 없이 쉽게

강사도 편리하게!

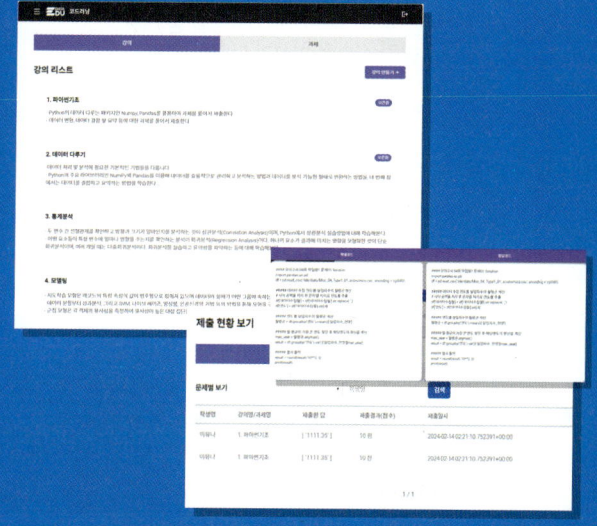

- 클릭으로 간편한 강의 개설
- 학생들의 실시간 제출 현황 제공!

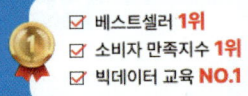

질문답변 | 정보공유 | 시험후기 | 자격증 정보

*2016~2024 9년 연속 IT/컴퓨터 분야 베스트셀러 *2020~2022 KSCI 한국소비자만족지수 1위 *국내 최초 빅데이터 강의 사이트

데이터에듀 합격 응원 이벤트

데이터에듀 도서로 공부하고 다양한 이벤트에 참여해 보세요.

합격후기 이벤트

데이터에듀 도서, 데이터에듀PT앱으로
공부했다면 누구나 참여 가능!
블로그에 합격 후기 남기기만 해도
전원 1만원 상품권 제공

시험 복원 이벤트

ADsP 시험 직후,
데이터에듀PT에 댓글로 문제 복원하면
네이버페이부터 커피 쿠폰까지 증정!

ADsP 민트책 서포터즈

ADsP 취득과 대외활동을 동시에!
알찬 실속형 미션과 다양한 리워드로
학습 루틴 만들고 혜택까지 챙기기!

데이터에듀PT 앱 후기 이벤트

데이터에듀PT앱으로 공부한 경험,
바로 공유해 보세요!
앱스토어·블로그에 후기 남기고
참여 혜택과 우수자 특별 혜택까지!

자세한 내용은 데이터에듀PT 공지사항에서 확인해 주세요.

데이터에듀PT에서 이벤트 확인하기

2026

11년 연속
ADsP
베스트셀러

비전공자 4주 완성

ADsP
데이터 분석
준전문가

저자 윤종식

들어가기 전에,
머리말

2014년 4월 처음으로 한국데이터베이스진흥원에서 데이터분석 (준)전문가 자격증 시험을 실시한다는 소식을 듣고 데이터 분석에 관심이 있던 많은 예비 전문가들은 어떻게 공부해야 할지에 대해 고민하였습니다. 특히 저자가 강의하는 대학의 학생들도 관련 분야의 자격증이 생겨 그 기대가 높았지만, 자격증 시험의 목표와 문제의 난이도, 관련 프로그램에 대한 지식의 깊이와 프로그래밍 능력 면에서 방향을 잡지 못해 힘들어했습니다. 그래서 저자는 빅데이터에 관심이 많은 데이터 분석 예비 전문가들에게 자격증을 통해 빅데이터와 데이터 분석이라는 주제에 한 발 더 가까워 질 수 있는 기회를 함께 하고자 2015년 3월에 본서를 처음으로 출간하게 되었습니다.

저자는 대학에서 통계학을 전공하고 2000년도에 대학원에서 처음으로 데이터마이닝을 공부하기 시작하면서 대용량 데이터의 분석과 모델링의 매력에 빠졌습니다. (주)나이스디앤비라는 신용평가 회사에서 다양한 분야의 기업들을 대상으로 통계컨설팅과 데이터마이닝 컨설팅을 수행하였으며, 특히 신한은행, 외환은행, 현대캐피탈 등 금융권에서 신용평가모형 개발과 조기경보 시스템의 모형 개발 컨설팅을 수행하였습니다. 이러한 과정에서 기업의 업종과 환경에 따른 데이터 분석 및 모델링의 차이를 경험할 수 있었습니다.

데이터 분석에 관심이 있는 예비 전문가들이 가지는 데이터 분석의 보이지 않는 높은 벽은 실제 기업에서 기획, 마케팅, 연구 분석 등 다양한 분야의 담당자들이 해오고 있는 데이터 분석을 한 걸음만 뒤에서 큰 그림으로 바라보면 쉽게 이해할 수 있을 것입니다. 그리고 여러분들이 다루고자 하는 데이터 분석 도구들에 대

> 모쪼록 많은 분들이 본서를 통하여
> 합격의 기쁨을 누리게 되기를 진심으로 바라며
> <u>수험생 여러분들의 건투를 빕니다!</u>

한 관심과 노력만 있다면 여러분들은 예비 전문가에서 준전문가가 될 수 있을 것입니다.

본서는 한국데이터베이스진흥원에서 출간한 『데이터분석 (준)전문가 가이드』를 중심으로 중요한 내용들을 요약하고 필요한 부분을 추가해서 구성하였습니다. 본서는 학습 로드맵과 학습 목표를 제시하여 시험공부를 위한 방향을 보여드립니다. 그리고 학습할 내용을 QR 코드를 통해 이론정복강의를 수강할 수 있도록 하였으며 R을 편리하게 온라인과 모바일에서 실행할 수 있도록 코드러닝을 준비하였습니다. 또한 학습한 내용을 전체적으로 정리할 수 있도록 기존에 출제된 기출문제 47회분의 분석을 통해 핵심개념체크문제, 예상문제, 모의고사를 구성하였습니다.

실제 시험문제가 어떻게 출제되는지를 제시하기 위해 4회의 기출복원 문제를 수록하였으며 데이터에듀PT를 통해 18회분(30~47회)의 기출문제를 풀어볼 수 있게 준비하였습니다. 그리고 시험을 최종적으로 대비할 수 있도록 3회의 모의고사를 수록하였습니다. 또한 모든 수험생이 마지막에 시험장에서 내용을 정리할 수 있도록 시험대비 합격마법노트와 출제경향을 분석하여 함께 수록했습니다.

이 책을 집필하면서 많은 부분을 같이 해준 최서윤과 도와주고 힘이 되어준 데이터에듀 빅데이터/AI 연구원들에게 감사의 말을 전합니다. 그리고 부족한 아들을 항상 자랑스러워하시는 부모님과 아빠에게 힘이 되어준 예주와 성빈에게 사랑한다는 말을 전합니다.

3가지 선물 패키지

📖 도서인증방법

01 데이터에듀 홈페이지 or 데이터에듀PT 앱 로그인

02 "도서인증(및 쿠폰등록)" 메뉴에서 종이책 선택

03 하단의 도서인증 코드 입력

※ 데이터에듀PT 앱 다운로드와 회원가입이 필요합니다.

도서인증코드: **AD26D221AL124F**

데이터에듀 홈페이지

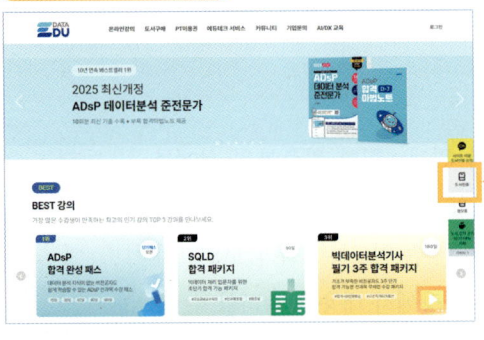
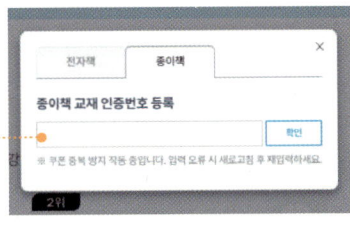

데이터에듀 PT

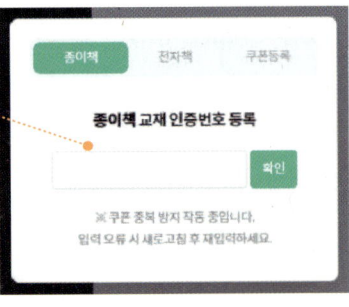

① 16시간 무료 이론정복강의

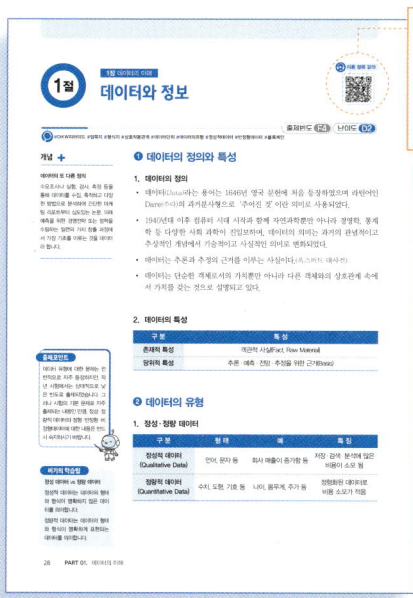

민트책
저자직강 강의 무료 제공

이론정복강의핵심 POINT

01
PT 앱으로
언제 어디서든
시청 가능

02
46시간 분량을
16시간으로
핵심 압축

03
주제별
타임 라인으로
내가 필요한 부분만

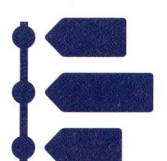

3가지 선물 패키지

② 데이터에듀 PT 1년 무료 이용

ADsP 44회 기출 복원 문제

모바일로 풀기

문제 풀이를 통한 자동 채점
오답 노트 자동 정리로 편리하게!

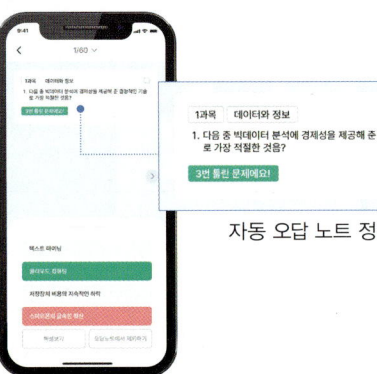

문제 풀이 / 자동 오답 노트 정리

생성형 AI 비기봇으로
공부하는 상세 해설

상세 해설

합격을 위한 문제 추천 서비스 체험권
나의 레벨과 풀이 과정에 맞춰 문제 제공!

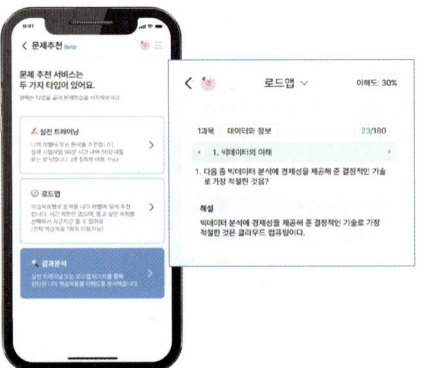

2가지 형태의 문제 추천

이론 정복 강의 수강권 제공!
한번에 모든 강의 확인 가능

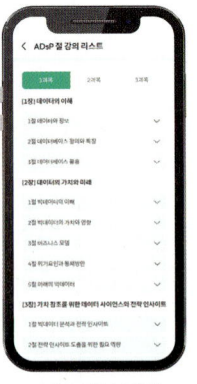

이론 정복 강의 / 강의 영상

3 Codelearning 1년 무료 이용

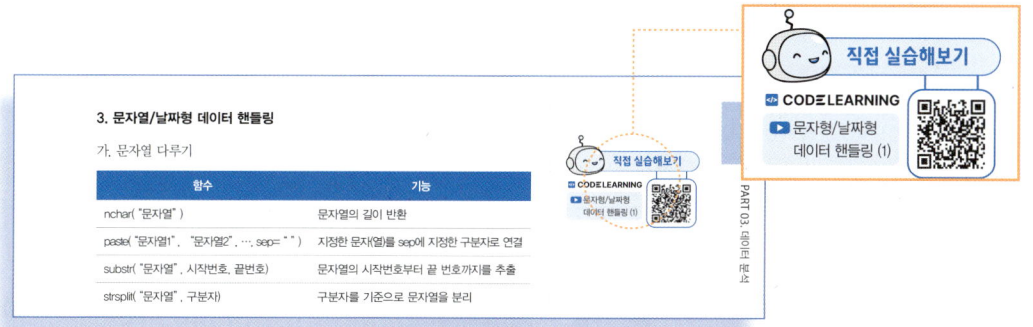

온라인 코딩 학습 솔루션
PC, 태블릿, 모바일 모두 지원!

민트책 R 프로그래밍
실시간으로 R코드를 편리하게 실습!

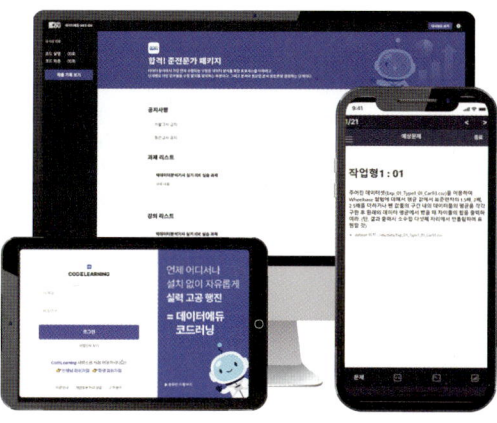

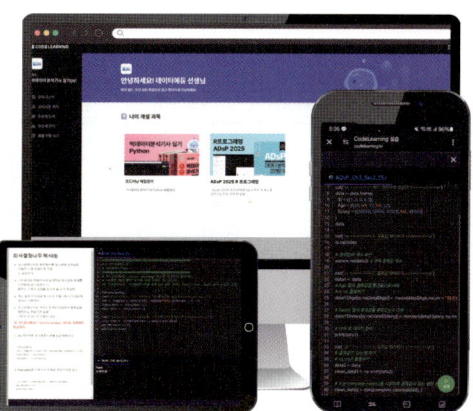

Codelearning 모바일 설치법

Android
- 'Chrome' 앱에 접속합니다.
- 주소창에 'codelearning.kr'을 검색 및 접속합니다.
- 오른쪽 상단 '점 3개' 아이콘을 클릭합니다.
- '앱 설치'를 클릭합니다.
- '설치'를 클릭합니다.
- 이제 홈 화면에서 어플처럼 사용하면 됩니다.

IOS
- 'Safari' 앱에 접속합니다.
- 주소창에 'codelearning.kr'을 검색 및 접속합니다.
- '공유하기' 아이콘을 클릭합니다.
- '홈 화면에 추가'를 클릭합니다.
- 오른쪽 상단에 '설치'를 클릭합니다.
- 이제 홈 화면에서 어플처럼 사용하면 됩니다.

본문 구성

학습을 서포트하기 위한 사이드 콘텐츠
데이터에듀PT와 Codelearning을 통한 디지털 학습까지!

출제빈도와 난이도
- 최근 5년 동안의 출제 경향을 분석하여 해당 절의 출제빈도와 난이도를 표시했습니다.
- 출제빈도는 F1~F5 등급으로 구분됩니다.
- 난이도는 D1~D5 등급으로 구분됩니다.

이론정복강의
- QR코드로 '데이터에듀PT' 어플에 접속하여 16시간 분량의 이론 강의를 무료로 수강할 수 있습니다.
- 가장 많이 출제되고 방대한 분량이 수록된 3과목 4~5장은 세부 절(①, ② ...)마다 제공합니다.

1장 데이터의 이해
1절 데이터와 정보

출제빈도 F4 난이도 D2

출제키워드
- 최근 5년 동안 많이 출제된 키워드입니다.
- 공부 전 키워드를 보고 사전에 중요한 내용을 파악할 수 있습니다.
- 공부 후 키워드를 정리해 시험 전 중요한 내용을 한 번 더 점검할 수 있습니다.

#DIKW피라미드 #암묵지 #형식지 #상호작용관계 #데이터단위 #데이터의유형

개념 ➕
데이터의 또 다른 정의
수요조사나 실험, 검사, 측정 등을 통해 데이터를 수집, 축적하고 다양한 방법으로 분석하여 간단한 마케팅 리포트부터 심도있는 논문, 미래 예측을 위한 경영전략 또는 정책을 수립하는 일련의 가치 창출 과정에서 가장 기초를 이루는 것을 데이터라 합니다.

❶ 데이터의 정의와 특성

1. 데이터의 정의
- 데이터(Data)라는 용어는 1646년 영국 문헌에 처음 등장하였으며 라틴어인 Dare(주다)의 과거분사형으로 '주어진 것' 이란 의미로 사용되었다.
- 1940년대 이후 컴퓨터 시대 시작과 함께 자연과학뿐만 아니라 경영학, 통계학 등 다양한 사회 과학이 진일보하며, 데이터의 의미는 과거의 관념적이고 추상적인 개념에서 기술적이고 사실적인 의미로 변화되었다.
- 데이터는 추론과 추정의 근거를 이루는 사실이다.(옥스퍼드 대사전)
- 데이터는 단순한 객체로서의 가치뿐만 아니라 다른 객체와의 상호관계 속에서 가치를 갖는 것으로 설명되고 있다.

2. 데이터의 특성

구 분	특 성
존재적 특성	객관적 사실(Fact, Raw Material)
당위적 특성	추론·예측·전망·추정을 위한 근거(Basis)

출제포인트
데이터 유형에 대한 문제는 전반적으로 자주 등장하지만, 작년 시험에서는 상대적으로 낮은 빈도로 출제되었습니다. 그러나 시험의 기본 문제로 자주 출제되는 내용인 만큼, 정성·정량적 데이터와 정형·반정형·비정형데이터에 대한 내용은 반드시 숙지하시기 바랍니다.

❷ 데이터의 유형

1. 정성·정량 데이터

구 분	형 태	예	특 징
정성적 데이터 (Qualitative Data)	언어, 문자 등	회사 매출이 증가함 등	저장·검색·분석에 많은 비용이 소모 됨
정량적 데이터 (Quantitative Data)	수치, 도형, 기호 등	나이, 몸무게, 주가 등	정형화된 데이터로 비용 소모가 적음

비기의 학습팁
정성 데이터 vs 정량 데이터
정성 데이터는 데이터의 형태와 형식이 명확하지 않은 데이터를 의미합니다.
정량 데이터는 데이터의 형태와 형식이 명확하게 표현되는 데이터를 의미합니다.

출제 포인트
- 최근 5년 동안의 출제빈도와 주요 문제 유형을 확인할 수 있습니다.
- 출제 방식을 미리 익혀 실제 시험에 대비할 수 있습니다.

비기의학습팁
- 학습 내용에 대한 요약, 부연 설명, 암기법 등 민트책 저자 윤종식 박사의 분신 '비기'가 알려주는 시험 공부 팁입니다.
- 어려운 내용 외울 때 내용이 잘 이해되지 않을 때 옆에 있는 비기의 학습팁을 확인해 보세요.

정성적 데이터
- 비정형 데이터
- 주관적 내용
- 통계분석이 어려움

정량적 데이터
- 정형 데이터
- 객관적 내용
- 통계분석이 용이함

2. 정형·반정형·비정형 데이터

유형	내용	예시
정형 데이터	• 형태(고정된 필드)가 있으며 연산이 가능 • 주로 관계형 데이터베이스(RDBMS)에 저장 • 데이터 수집 난이도가 낮음 • 형식이 저장되어있어 처리가 쉬운편 • 데이터 자체로 바로 분석 가능	관계형 데이터베이스, 스프레드 시트, CSV, 정보시스템(ERP, CRM, SCM 등) 등
반정형 데이터	• 형태(스키마, 메타데이터)가 있으며, 연산이 불가능 • 주로 파일의 형태로 저장 • 데이터 수집 난이도가 중간 • 보통 API 형태로 제공되기 때문에 데이터 처리 기술(파싱)이 요구됨 • 데이터로 분석 가능하지만 해석이 불가능해 메타 정보 활용해야 해석 가능	XML, HTML, JSON, 로그형태(웹로그, 센서데이터) 등
비정형 데이터	• 형태가 없으며, 연산이 불가능 • 주로 NoSQL에 저장됨 • 데이터 수집 난이도가 높음 • 파일을 데이터 형태로 파싱해야 하기 때문에 데이터 처리가 어려움	소셜데이터(트위터, 페이스북, 영상, 이미지, 음성, 텍스트(word, PDF 등) 등

개념 +

용어 더 알아보기

- 메타데이터(Meta Data): 데이터에 관한 구조화된 데이터로, 다른 데이터를 설명해 주는 데이터입니다.
- 스키마(Schema): 데이터베이스의 구조와 제약조건에 관한 전반적인 명세를 기술한 메타데이터의 집합입니다.
- 파싱(Parsing): 반정형 데이터가 가지고 있는 데이터 구조에 대한 정보를 해석해 유용한 정보를 추출하는 과정입니다.
- XML(Extensible Markup Language): 다목적 마크업 언어(태그를 이용한 언어)로, 인터넷에 연결된 시스템끼리 데이터를 쉽게 주고 받을 수 있게 하여 HTML의 한계를 극복할 목적으로 만들어진 언어입니다.

✓ 핵심 개념체크

✓35회 기출 출 ★★★★★
1. 다음 중 Lasso 회귀모형에 대한 설명으로 부적절한 것은?

① 회귀계수에 비례하여 가중치를 부여하는 방식이다.
② 중요한 변수를 선택하고 불필요한 변수를 제거하는 효과가 있다.
③ penalty 조정 파라미터가 존재한다.
④ L2 penalty를 사용한다.

Lasso 회귀모형은 L1 penalty를 사용하여 가중치를 조정하며, 불필요한 변수를 제거하고 중요한 변수를 선택하는 데 효과적이다. L2 penalty는 Ridge 회귀모형에서 사용된다.

직접실습해보기

개념 +
- 고득점 확보가 가능한 추가 개념입니다.
- 필수 암기 항목은 아니지만, 더 많이 이해하고 더 쉽게 문제를 풀 수 있습니다.

핵심개념체크문제
- 실제 기출을 변형 및 복원한 문제로 공부한 개념을 체크할 수 있습니다.
- 공부 후 시험에 어떻게 출제되는 지 개념체크 문제를 풀어보며 실제 시험을 대비할 수 있습니다.

직접 실습해 보기
- 3과목 2~5장에만 제공되는 실습 QR입니다.
- QR 스캔하여 PT의 실습 이용권으로 데이터에듀의 코딩 실습 서비스 'Codelearning'를 이용할 수 있습니다.
- ADsP는 실기 시험은 없지만 코드 문제가 나왔을 때나 실제 데이터 분석 업무를 진행할 때 많은 도움이 됩니다!

※ 본 이미지는 예시를 위해 설명된 이미지로 실제 구성과 차이가 있습니다.

시험지 구성

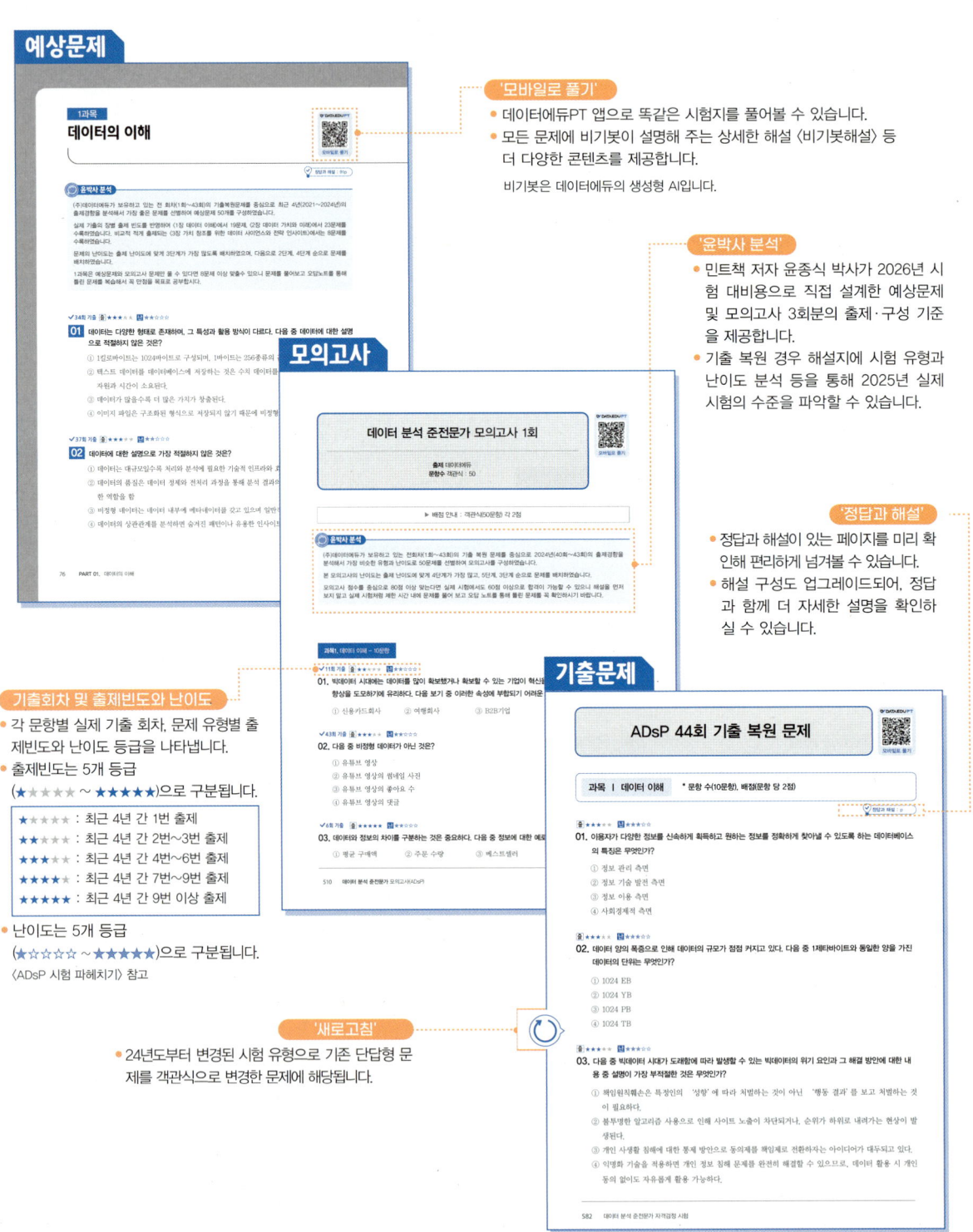

해설지 구성

채점표
- 과목별로 맞은 개수를 기록할 수 있습니다.

제 44회 기출 복원문제 답안
데이터 분석 준전문가 자격검정 시험

【 객관식 정답 】

01	③	11	②	21	①	31	③	41	②
02	①	12	④	22	①	32	③	42	③
03	④	13	②	23	②	33	④	43	③
04	②	14	②	24	②	34	②	44	②
05	②	15	④	25	④	35	③	45	①
06	①	16	②	26	③	36	③	46	④
07	②	17	①	27	③	37	③	47	③
08	①	18	③	28	②	38	①	48	①
09	②	19	①	29	③	39	②	49	②
10	④	20	①	30	②	40	④	50	①

영역	맞은 개수
데이터 이해	/10
데이터 분석 기획	/10
데이터 분석	/30

모바일로 풀기

데이터에듀PT '나의 성적'
- 데이터에듀PT로 자동 채점으로 편리하게 시험 결과를 확인할 수 있습니다.
- 오답노트와 즐겨찾기를 통해 틀린 문제와 내가 원하는 문제를 다시 풀 수 있는 학습 기능을 지원합니다.

윤박사 분석
4회 시험은 전반적으로 이전의 시험들과 비슷한 난이도의 문제가 출제되었습니다. 1과목의 난이도는 다른 시험과 비슷한 수준으로 출제되었고 문제 유형도 비슷하였습니다. 2과목의 출제 난이도는 다른 시험과 비슷한 수준이었으나 보기와 문제를 꼼꼼히 읽어야 풀 수 있는 문제가 2~3문제 정도 출제되었습니다. 3과목은 예상문제와 기출문제와 유사한 문제들이 출제되었으며 개념을 정확히 알아야 풀 수 있는 문제가 5~7문제 정도 출제되어 중급 이상 수준이었다고 평가할 수 있겠습니다.

1 데이터 이해
10문항

01. 이용자가 다양한 정보를 신속하게 획득하고 원하는 정보를 정확하게 찾아낼 수 있도록 하는 데이터베이스의 특징은 정보 이용 측면이다. 이는 데이터베이스가 사용자에게 필요한 정보를 효율적으로 제공하는 기능과 관련이 있다. 정보 이용 측면은 데이터의 검색, 접근성, 사용 편의성을 강조한다.

02. 데이터 단위는 바이트(Byte) → 킬로바이트(KB) → 메가바이트(MB) → 기가바이트(GB) → 테라바이트(TB) → 페타바이트(PB) → 엑사바이트(EB) → 제타바이트(ZB) → 요타바이트(YB) 순으로 증가하며, 바이트(Byte)를 기준으로, 상위 단위로 갈수록 1024배씩 증가한다. 1제타바이트(ZB)는 1024엑사바이트(EB) 와 동일한 용량으로, 데이터 폭증 시대를 설명할 때 자주 등장하는 초대형 단위이다.

03.

 비기봇 해설

빅데이터 시대에는 데이터의 양과 다양성이 증가하면서 여러 가지 위기 요인이 발생할 수 있습니다. 이러한 위기 요인에는 개인 사생활 침해, 책임 원칙의 훼손, 데이터오용, 알고리즘의 불투명성 등이 포함됩니다.

비기봇 해설
- 데이터에듀의 생성형 AI '비기봇'이 생성한 해설입니다.
- 새로운 경향의 문제, 난이도가 높은 문제는 비기봇 해설을 제공하며, 이 해설을 통해 더 이해하기 쉽게 상세한 해설을 제공합니다

ADsP 시험 파헤치기

01 저자의 말

2014년 데이터분석 준전문가(ADsP) 첫 시험이 시작된 이후 어느덧 12년이 흘렀습니다. 4개월마다 시행되는 시험은 현재까지 총 47회 진행되었으며, 저자는 매 시험의 기출문제를 분석하여 수험생들에게 더욱 질 높은 정보를 제공하기 위해 꾸준히 노력해 왔습니다.

데이터분석 준전문가 시험은 2020년 이후 데이터·통계·빅데이터 관련 전공자뿐만 아니라 비전공 대학생들의 응시도 크게 증가했습니다. 특히 2024년부터 단답형이 폐지되면서 출제 경향이 변화하였고, 시험 난이도가 다소 높아지고 낯선 유형의 문항이 등장하면서 수험생들의 부담도 커지고 있는 상황입니다.

이에 저자는 기출문제의 난이도를 분석하고 설정하기 위해 "비전공의 3학년 대학생"을 기준으로 5개의 레벨(1:매우 쉬움→5:매우 어려움)을 정의하고, 지난 5년간(2021~2025년) 시행된 총 20회 시험, 1,000개의 기출문제를 바탕으로 난이도 기준을 설정하고 있습니다.

등급	난이도(비전공 대학교 3학년 수준) 등급별 난이도 유형	정답률	합계	비율	시험시 문항수	시험 예상 점수
1	특별히 공부하지 않고 상식 또는 문항 이해만으로 모두 맞출 수 있는 난이도	90%이상	86	8.6%	4	8
2	1단계 수준으로 합격마법노트를 천천히 읽어보고 공부하면 맞출 수 있는 난이도	80%이상	204	20.4%	10	20
3	2단계 수준으로 교재를 공부하고 핵심개념체크 문제와 예상문제를 풀어보면 맞출 수 있는 난이도	68%이상	278	27.8%	14	28
4	3단계 수준으로 동영상 강의를 공부하고 기출문제와 모의고사를 풀어보면 맞출 수 있는 난이도	50%이상	301	30.1%	15	30
5	4단계 수준으로 이터에듀PT에서 오답노트를 정리하고 시험대비 추천 문제를 모두 맞출 수 있는 난이도	50%이상	131	13.1%	7	14
	총합계		1,000	100.0%	50	100

〈등급별 비율 산출 방식 : 데이터에듀PT의 2025년도 사용자가 ADsP 1,860문제를 총2,530,190회 풀어본 데이터를 분석하여 문제별 정답률과 등급별 비율을 산출함〉

이 분석을 토대로 비전공 수험생들도 교재와 교재에 포함된 무료 동영상 강의를 중심으로 차분히 학습하고, 기출문제와 모의고사를 충분히 반복한다면 합격에 충분히 도달할 수 있을 것입니다. 또한 무료로 제공되고 있는 데이터에듀PT를 활용하여 문제 풀이, 오답노트 정리, 성적 관리를 체계적으로 수행하고 시험대비 추천 문제까지 풀어본다면 ADsP 합격은 물론, 빅데이터분석기사나 ADP 시험 준비에도 큰 도움이 될 것입니다.

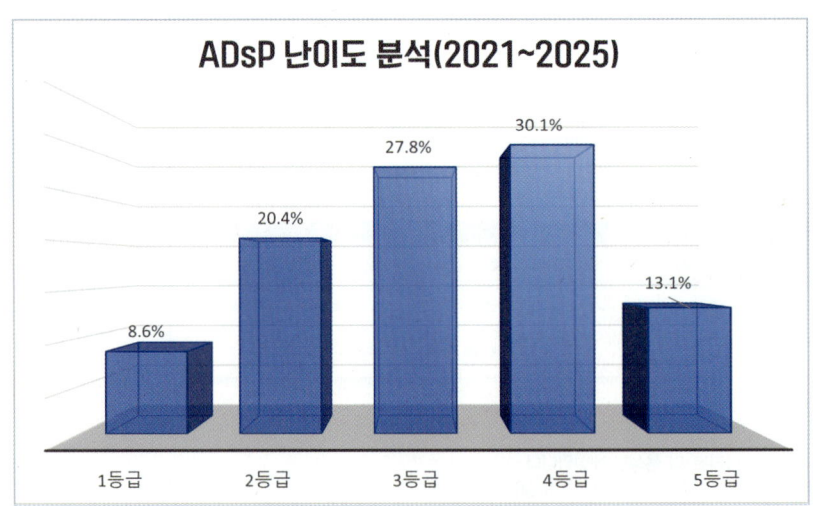

〈등급분포 : 데이터에듀PT의 2025년도 사용자가 2021년부터 2025년까지 총20회, 1,000개의 기출복원 문제를 1,597,708회 풀어본 데이터를 분석하여 문제별 정답률 데이터를 기반으로 산출함〉

02 난이도 분석

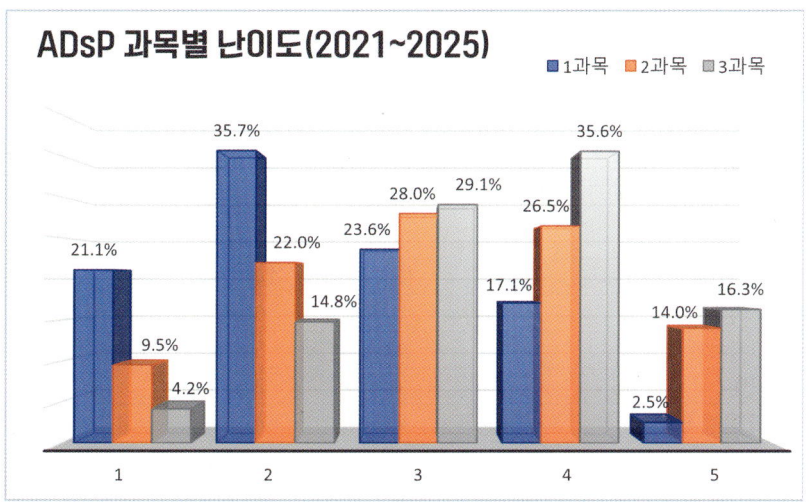

최근 5년간(2021~2025년) 출제된 문제를 분석한 결과, 1과목은 1장과 2장의 출제 비중이 80% 이상이며, 난이도는 주로 2등급과 3등급에 집중되어 있습니다. 따라서 합격마법노트를 천천히 꼼꼼히 읽고, 핵심개념체크문제와 예상문제만 풀어보아도 약 10문제 중 8문제는 충분히 맞출 수 있는 수준으로 평가됩니다.

2과목의 1장과 2장은 거의 동일한 비율로 출제되며, 난이도는 3등급, 4등급, 2등급 순서로 분포됩니다. 핵심개념체크문제와 예상문제를 먼저 공부한 뒤, 모의고사와 기출문제까지 풀어보면 10문제 중 8문제 이상 득점이 가능할 것으로 예상됩니다. 특히 2장의 '분석 마스터 플랜'은 생소한 용어와 거버넌스를 묻는 비중이 높아, 무료 제공 동영상 강의를 활용해 개념을 먼저 정리하면 학습 효율을 크게 높일 수 있습니다.

3과목의 1장, 2장, 3장은 대부분 3등급 이하의 난이도로 출제되므로, 핵심개념체크문제와 예상문제를 중심으로 학습하면 충분합니다. 하지만 4장과 5장은 난이도가 4등급·3등급·5등급에 집중되어 있어, 학습하지 않으면 풀기 어려운 문제가 다수 출제됩니다. 따라서 무료 동영상 강의를 중심으로 학습하고, 핵심개념체크문제와 예상문제뿐 아니라 모의고사와 기출문제를 충분히 반복해 풀어야 실제 시험에서 절반 이상의 문제를 정확히 맞힐 수 있을 것입니다.

과목	장	내용	난이도 1	2	3	4	5	총합계	과목별 비중
1과목	1장	데이터 이해	13	30	23	12	3	81	40.7%
	2장	데이터의 가치와 미래	21	32	14	16	2	85	42.7%
	3장	가치창조를 위한 데이터 사이언스와 전략 인사이트	8	9	10	6	0	33	16.6%
2과목	1장	데이터 분석 기획의 이해	9	28	27	28	17	109	54.5%
	2장	분석 마스터 플랜	10	16	29	25	11	91	45.5%
3과목	1장	데이터 분석 개요	0	2	2	3	2	9	1.5%
	2장	R 프로그래밍 기초	1	2	0	4	1	8	1.3%
	3장	데이터마트	3	6	5	11	2	27	4.5%
	4장	통계분석	9	46	89	92	47	283	47.1%
	5장	정형 데이터 마이닝	12	33	79	104	46	274	45.6%
총합계			86	204	278	301	131	1000	

〈난이도 산출 방식 : 데이터에듀PT의 2025년도 사용자가 ADsP 1,860문제를 총 2,530,190회 풀어본 데이터를 분석하여 문제별 정답률을 통해 난이도를 산출함〉

ADsP 시험 파헤치기

03 출제 경향 분석

1과목

장	절명	단답형 문제 포함 시험			4지 선다형 시험	
		2021년	2022년	2023년	2024년	2025년
1장	1.1 데이터와 정보	5	2	9	5	8
	1.2 데이터베이스 정의와 특징	4	1	6	3	5
	1.3 데이터베이스 활용	9	11	5	4	4
	합계	18	14	20	12	17
2장	2.1 빅데이터의 이해	5	6	5	7	4
	2.2 빅데이터의 가치와 영향	1	5	2	5	2
	2.3 비즈니스 모델	4	2	1	2	9
	2.4 위기 요인과 통제 방안	4	4	4	4	6
	2.5 미래의 빅데이터	0	1	1	0	0
	합계	14	18	13	18	21
3장	3.1 빅데이터 분석과 전략 인사이트	2	0	0	0	0
	3.2 전략 인사이트 도출을 위한 필요 역량	4	6	5	7	4
	3.3 빅데이터 그리고 데이터 사이언스의 미래	0	1	2	2	0
	합계	6	7	7	9	4

최근 5년간(2021~2025년) 1과목의 장별 출제 경향을 분석한 결과, 1장과 2장에서 전체 문항의 약 83%가 집중적으로 출제되는 것을 확인할 수 있습니다. 다만 두 장의 비중은 해마다 약 10% 정도 차이를 보이며 번갈아 가며 집중되는 경향이 있습니다. 특히 2025년에는 1장이 약 40%, 2장이 50% 이상 출제되면서, 예년에 비해 3장의 비중이 다소 낮아진 특징을 보였습니다. 또한 "1.1 데이터와 정보", "2.3 비즈니스 모델" 영역에서 문항이 특히 많이 출제되어 눈길을 끌었습니다. 2026년 출제 추세를 전망해 보면, 1장은 약 5문제, 2장은 약 4문제, 3장은 약 1문제 정도가 출제될 가능성이 높습니다. 이 중에서도 "1.1 데이터와 정보", "2.1 빅데이터의 이해", "2.2 빅데이터의 가치와 영향", "2.3 비즈니스 모델", "3.2 전략인사이트 도출을 위한 필요 역량" 등은 집중 학습이 필요한 핵심 영역으로 분석됩니다.

2024년 단답형 문항 폐지 이후 난이도를 살펴보면, 출제 난이도는 이전과 크게 다르지 않으며 2등급, 3등급, 1등급 순으로 많이 출제되고 있습니다. 다만 2024년 이후 시험에서는 4등급과 5등급의 고난도 문항이 다소 감소하여 상대적으로 1과목은 이전보다 쉬워진 것으로 볼 수 있습니다.

결론적으로 최근 5년간의 출제 경향을 종합해 보면, 2026년 시험 역시 1장과 2장에서 대부분의 문항이 출제될 가능성이 매우 높습니다. "2.5 미래의 빅데이터"를 제외한 모든 절을 합격마법노트를 충분히 읽고, 핵심개념체크문제·예상문제·모의고사·기출문제를 중심으로 학습한다면 8문제 이상 득점이 충분히 가능합니다. 1과목은 다른 과목에 비해 상대적으로 난이도가 낮으므로 만점을 목표로 학습할 것을 권장합니다.

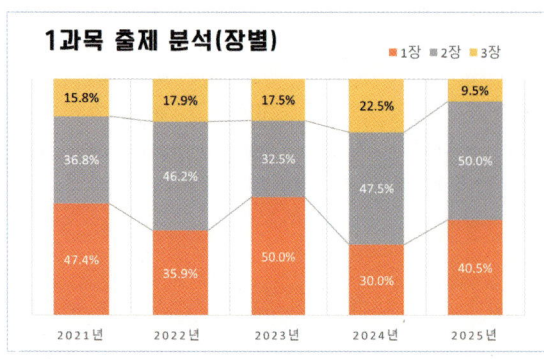

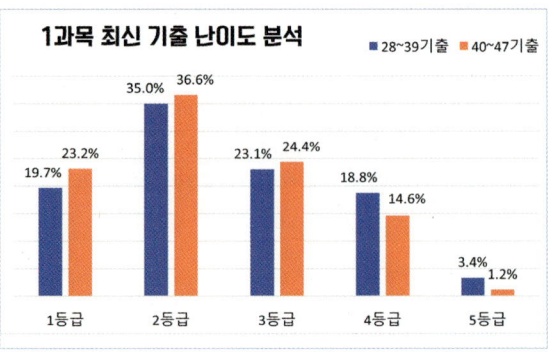

2과목

장	절명	단답형 문제 포함 시험			4지 선다형 시험	
		2021년	2022년	2023년	2024년	2025년
1장	1.1 분석 기획 방향성 도출	5	2	6	7	5
	1.2 분석 방법론	4	8	4	10	4
	1.3 분석 과제 발굴	8	10	6	6	10
	1.4 분석 프로젝트 관리 방안	3	3	3	3	2
	합계	20	23	19	26	21
2장	2.1 마스터 플랜 수립 프레임 워크	7	6	10	5	6
	2.2 분석 거버넌스 체계 수립	15	11	11	9	11
	합계	22	17	21	14	17

최근 5년간(2021~2025년) 2과목의 장별 출제 경향을 분석해 보면, 1장이 54.5%, 2장이 45.5%로 출제된 것을 확인할 수 있습니다. 특히 단답형 문항이 포함되었던 2024년 이전에는 두 장이 각각 약 50%씩 균등하게 출제되었으나, 2024년 이후에는 1장이 60%, 2장이 40% 수준으로 출제 비중이 변화하고 있습니다. 또한 최근 5년간 회차가 지날 때마다 1장과 2장이 약 5~10% 차이로 번갈아 가며 집중되는 패턴을 보이고 있습니다.

특히 가장 많은 문제가 출제되는 절은 "1.2 분석 방법론", "1.3 분석 과제 발굴", "2.1 마스터 플랜 수립 프레임 워크"와 "2.2 분석 거버넌스 체계 수립" 입니다. 한편, 단답형 문항이 존재했던 2024년 이전의 난이도 분포는 3등급을 중심으로 정규분포 형태를 보였으나, 2024년 이후에는 3등급을 중심으로 난이도가 양극화되는 경향이 나타났습니다. 즉, 쉬운 문제는 더 쉬워지고, 어려운 문제는 더 어려워지는 구조로 변화하고 있습니다. 이로 인해 5문제까지는 비교적 쉽게 득점할 수 있으나, 7문제 이상 맞추기는 점점 어려워지는 추세입니다.

결론적으로 5년간의 출제경향을 분석한 결과, 2026년 문제는 "1.1 분석 기획 방향성 도출"과 "1.2 분석 방법론", "1.3 분석 과제 발굴"과 "2.1 마스터 플랜 수립 프레임 워크", "2.2 분석 거버넌스 체계 수립"을 중심으로 출제될 가능성이 매우 높습니다. 2과목에서는 일상에서 잘 사용하지 않는 용어들이 많이 등장하므로, 기본 개념과 분석 방법론을 정확히 이해하는 것이 무엇보다 중요합니다. 합격 마법노트를 충분히 읽고, 핵심개념체크문제·예상문제·모의고사·기출문제를 중심으로 학습한다면 7문제 이상 득점하는 데 무리가 없을 것으로 예상됩니다.

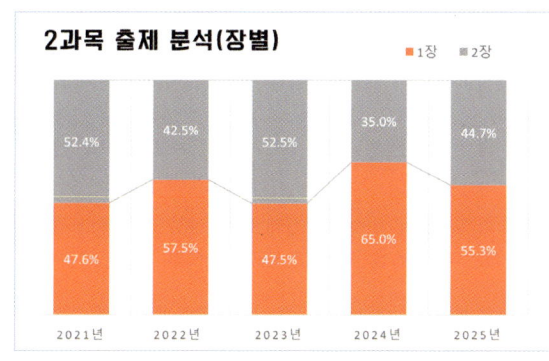

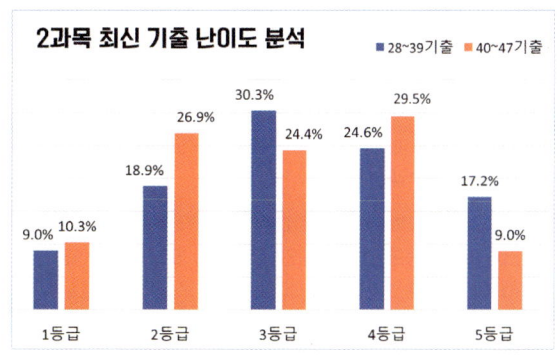

ADsP 시험 파헤치기

3과목

장	절명	단답형 문제 포함 시험			4지 선다형 시험	
		2021년	2022년	2023년	2024년	2025년
1장	1.1 데이터 분석 기법의 이해	1	2	4	0	1
2장	2.1 R 기초	0	0	0	1	0
	2.2 입력과 출력	0	0	0	0	0
	2.3 데이터 타입과 구조	2	1	3	1	0
3장	3.1 데이터 변경 및 요약	3	2	1	2	1
	3.2 데이터 탐색	2	3	3	9	1
	합계	8	8	11	13	3
4장	4.1 통계분석의 이해	10	10	14	15	11
	4.2 통계분석	15	13	12	16	22
	4.3 회귀분석	15	10	14	15	17
	4.4 시계열 분석	7	9	8	7	8
	4.5 다차원 척도법	0	0	3	2	2
	4.6 주성분분석	7	7	7	2	4
	합계	54	49	58	57	64
5장	5.1 데이터 마이닝의 개요	12	17	12	6	6
	5.2 분류분석	6	4	2	8	5
	5.3 의사결정나무 분석	5	3	3	6	3
	5.4 앙상블 분석	7	5	6	6	4
	5.5 인공신경망 분석	4	7	6	6	8
	5.6 군집분석	14	17	13	12	17
	5.7 연관분석	10	11	9	6	10
	합계	58	64	51	50	53

최근 5년간(2021~2025년) 3과목의 장별 출제 경향을 분석해 보면, 1·2·3장은 합쳐 약 7%로 30문제 중 2문제 정도만 출제되고, 나머지 4장과 5장이 각각 약 46%씩 출제되는 것을 확인할 수 있습니다. 1장과 2장은 거의 출제되지 않으며, 3장은 주로 결측치와 이상치 관련 문제가 등장하고 있습니다. 4장은 "4.1 통계분석의 이해", "4.2 통계분석", "4.3 회귀분석", "4.4 시계열 분석"에서 집중적으로 출제되고 있으며, 5장은 "5.6 군집분석", "5.7 연관성 분석"의 비중이 높지만, 5장은 전 범위에서 고르게 문제가 출제되므로 전체적인 학습이 필수적입니다.

장별 출제 비중을 보면 "4장 통계분석"과 "5장 정형데이터마이닝"은 매년 약 45% 내외로 비슷하게 출제됐지만, 2025년 시험에서는 5장이 53%로 급증한 것이 특징입니다. 특히 "5.5 인공신경망 분석", "5.6 군집분석"에서 많은 문제가 출제되었으며, "5.7 연관분석"은 2024년에 잠시 줄었다가 다시 10문제 내외로 회복되었습니다.

또한 최신 기출 난이도 분석 결과, 단답형이 포함되었던 2024년 이전(28~39회)과 이후(40~47회)의 난이도 분포는 큰 차이를 보였습니다. 2024년 이후에는 1·2등급의 쉬운 문제가 줄어든 반면, 5등급의 최상 난이도 문제가 약 9% 증가했습니다. 이를 통해 시행처가 2과목에 이어 3과목에서도 변별력 강화를 위해 고난도 문항을 점진적으로 확대하고 있음을 확인할 수 있습니다.

결론적으로, 최근 5년의 출제 경향을 종합해 보면 2026년 시험도 4장과 5장에서 고르게 문제가 출제될 가능성이 매우 높습니다. 3과목은 문제 출제량이 많은 절을 중심으로 교재에 포함된 동영상 강의를 병행하며 집중 학습하고, 데이터에듀PT를 활용해 문제 풀이-오답관리를 반복하는 방식으로 공부하는 것을 강력히 추천합니다. 전체적으로 1과목 8문제, 2과목 7문제를 목표로 학습하고, 3과목에서 20문제이상 맞출수 있도록 목표를 정하고 3과목에서 문제가 많이 나오는 절을 중심으로 집중적으로 공부하는게 중요합니다.

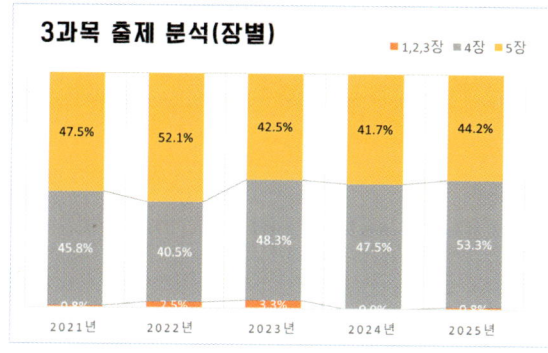
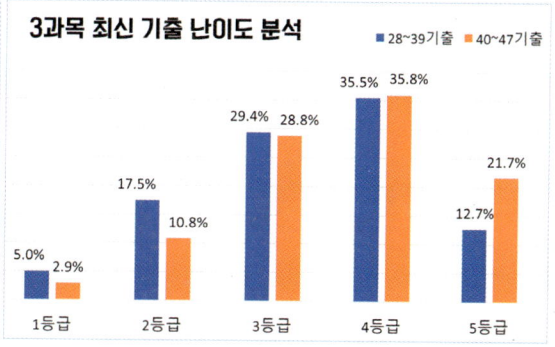

저작권 보호 : 전체 분석에 사용된 데이터는 2025년 데이터에듀PT(앱)에 수록된 ADsP 1,860 문제를 2,120,045회 풀어본 결과를 기반으로 하고 있으며, 분석 결과에 대한 저작권은 윤종식과 (주)데이터에듀에게 있으며, 허가 없이 복제, 배포, 전송 등의 행위를 금지합니다

명사수 비기의
ADsP 완전 정복 학습 전략

온라인 레벨테스트

※ 기초 레벨의 학습 전략은 데이터에듀PT 앱에서 확인 가능합니다.

초급레벨 비전공자(자연/공학) 4학년, 전공자 2~3학년

알 듯 말 듯한 내용들을 효율적으로 공부하고 이제는 제대로 알아보자!

- **step1** 민트책과 이론정복강의로 개념을 파악하고 핵심개념체크 문제를 통해 개념을 점검한다.
- **step2** 데이터에듀PT를 통해 책에 있는 문제(예상문제, 모의고사, 기출 44~47회)를 풀며 자동 오답 노트를 구성하고, 따로 헷갈리는 문제는 즐겨찾기(컨닝페이퍼)로 정리한다.
- **step3** 데이터에듀PT의 오답 노트와 즐겨찾기(컨닝페이퍼)에 등록된 문제를 정리하고 합격 마법 노트에 필요한 내용(중요한 개념, 헷갈리는 내용)을 표시한다.
- **step4** 데이터에듀PT를 통해 추가 기출문제를 풀며 오답과 즐겨찾기에 필요한 문제를 등록하고 문제 추천 서비스의 문제를 빠르게 풀어본다.
- **step5** 합격마법노트와 나만의 오답 노트로 시험 전 마무리한다.

학습 흐름도

step1: 민트책 / 이론 정복 강의 / 문제(핵심개념) / 코드러닝
→ **step2**: 문제(예상) / 문제(기출) / 문제(모의) / 데이터에듀PT
→ **step3**: 합격마법노트 / 오답 노트
→ **step4**: 문제(기출) / 문제 추천 서비스
→ **step5**: 합격마법노트 / 오답 노트

학습 일정표

1일	2일	3일	4일	5일	6일	7일
1과목 1장 이론 공부 / 1과목 1장 핵심개념 문제 풀기	1과목 2장 이론 공부 / 1과목 2장 핵심개념 문제 풀기	1과목 3장 이론 공부 / 1과목 3장 개념 체크 / 1과목 전체 예상 문제 풀기 / 즐겨찾기, 오답노트 등록	2과목 1장 이론 공부 / 2과목 1장 핵심개념문제 풀기	2과목 1~2장 이론 공부 / 2과목 1~2장 핵심개념 문제 풀기	2과목 2장 이론 공부 / 2과목 2장 핵심개념문제 풀기	2과목 전체 예상 문제 풀기 / 즐겨찾기, 오답노트 등록

8일	9일	10일	11일	12일	13일	14일
3과목 1~2장 이론 공부 / 3과목 1~2장 핵심개념 문제 풀기 / 3과목 2장 R 실습	3과목 2~3장 이론 공부 / 3과목 2~3장 핵심개념 문제 풀기 / 3과목 2~3장 R 실습	3과목 3장 이론 공부 / 3과목 3장 핵심개념문제 풀기 / 3과목 3장 R 실습	3과목 1~3장 예상 문제 풀기 / 즐겨찾기, 오답노트 등록	3과목 4장 이론 공부 / 3과목 4장 핵심개념문제 풀기	3과목 4장 이론 공부 / 3과목 4장 핵심개념문제 풀기 / 3과목 4장 R 실습	3과목 4장 이론 공부 / 3과목 4장 핵심개념문제 풀기

15일	16일	17일	18일	19일	20일	21일
3과목 4장 이론 공부 / 3과목 4장 핵심개념문제 풀기 / 3과목 4장 R 실습 / 합격 지원 119 이용	3과목 4장 예상 문제 풀기 / 즐겨찾기, 오답노트 등록 / 합격 지원 119 이용	3과목 5장 이론 공부 / 3과목 5장 개념 체크 / 합격 지원 119 이용	3과목 5장 이론 공부 / 3과목 5장 개념 체크 / 3과목 5장 R 실습 / 합격 지원 119 이용	3과목 5장 이론 공부 / 3과목 5장 개념 체크 / 합격 지원 119 이용	3과목 5장 이론 공부 / 3과목 5장 개념 체크 / 3과목 5장 R 실습 / 합격 지원 119 이용	3과목 5장 예상 문제 풀기 / 즐겨찾기, 오답노트 등록 / 합격 지원 119 이용

22일	23일	24일	25일	26일	27일	28일
요약 노트로 이론 복습 / 모의고사 1회차 / 즐겨찾기, 오답노트 등록 / 나만의 오답 노트 제작 / 합격 지원 119 이용	모의고사 2~3회차 / 즐겨찾기, 오답노트 등록 / 나만의 오답 노트 제작 / 합격 지원 119 이용	44~45회 기출 / 즐겨찾기, 오답노트 등록 / 나만의 오답 노트 제작 / 합격 지원 119 이용	46~47회 기출 / 즐겨찾기, 오답노트 등록 / 나만의 오답 노트 제작 / 합격 지원 119 이용	30~43회 기출 중 3회 이상 풀기 / 즐겨찾기, 오답노트 등록 / 나만의 오답 노트 제작 / 합격 지원 119 이용	나만의 오답 노트로 복습 / 전과목 요약 노트로 복습 / 합격 지원 119 이용 / 문제 추천 서비스 최소 3회 풀기(선택)	전과목 요약 노트로 마무리 / 답변암기노트로 마무리 / 나만의 오답 노트로 마무리 / 합격 지원 119 이용

22일 추가: 라이브 참여(선택)

D-Day 시험

중급레벨 — 전공 대학 4학년 또는 졸업자

대학에서 배운 내용을 이번 기회에 천천히 정리해 내 것으로 만들어 보자!

- step1) 3과목 통계 분석과 데이터마이닝에 중점을 두고 교재/동영상강의로 개념을 내 것으로 만든다.
- step2) 데이터에듀PT를 통해 다양한 문제를 빠르게 풀어보고 자동 오답 노트를 구성하고, 따로 헷갈리는 문제는 즐겨찾기(컨닝페이퍼)로 정리한다.
- step3) 나만의 오답 노트와 합격 마법 노트에 정리한 후 최소 2번 전체 내용을 마스터한다.

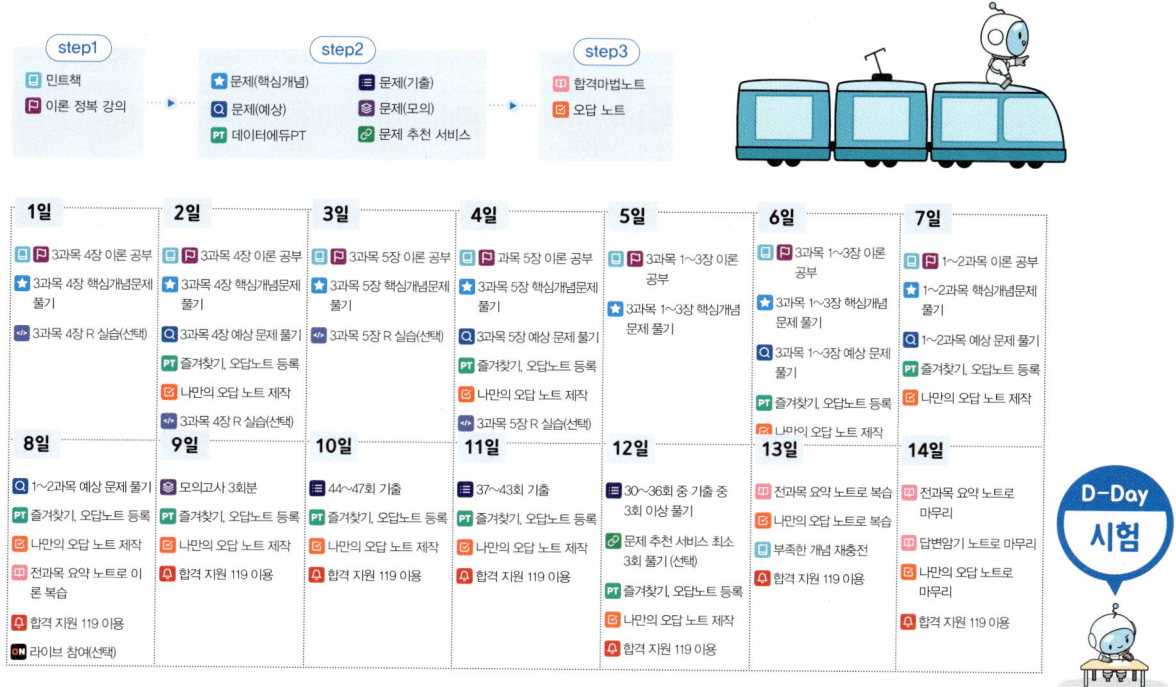

고급레벨 — 전공 대학 졸업자 후 업무 종사자

기억이 가물치이지만 적은 시간 투자로 빈틈 없이 완벽하게 합격하자!

- step1) 전과목 요약 노트 1회독을 통해 나의 빈틈을 찾는다.
- step2) 3과목 통계 분석과 데이터마이닝에 중점을 두고 핵심개념체크 문제와 예상 문제를 풀어보며 부족한 부분을 채운다.
- step3) 데이터에듀PT를 통해 다양한 문제를 빠르게 풀어보고 자동 오답 노트를 구성하고, 따로 헷갈리는 문제는 즐겨찾기(컨닝페이퍼)로 정리한다.
- step4) 나만의 오답 노트와 합격 마법 노트에 정리한 후 시험 전 체크한다.

데이터분석 전문가·준전문가 자격검정 안내

• 과목 개요

구분	시험과목	과목별 세부 항목	전문가	준전문가
1과목	데이터의 이해	1. 데이터의 이해 2. 데이터의 가치와 미래 3. 가치 창조를 위한 데이터 사이언스와 전략 인사이트	O	O
2과목	데이터 처리 기술 이해	1. 데이터 처리 프로세스 2. 데이터 처리 기술	O	X
3과목	데이터분석 기획	1. 데이터 분석 기획의 이해 2. 분석 마스터 플랜	O	O
4과목	데이터분석	1. R 기초와 데이터 마트 2. 통계분석 3. 정형 데이터 마이닝	O	O
5과목	데이터 시각화	1. 시각화 인사이트 프로세스 2. 시각화 디자인 3. 시각화 구현	O	X

• 출제 문항 수 및 배정

– 데이터 분석 전문가 필기/실기 시험

구분	시험과목	문항수		배점		시험시간
		객관식	서술형	객관식	서술형	
필기	1. 데이터 이해	10	1	80 (각 1점)	20	180분
	2. 데이터 처리 기술 이해	10				
	3. 데이터분석 기획	10				
	4. 데이터분석	40				
	5. 데이터 시각화	10				
	계	80	1	100		
실기	데이터 분석 실무			100		240분

– 데이터 분석 준전문가 필기시험(실기 미포함, 2024년 시험부터 단답형 제외)

구분	시험과목	문항수	배점	시험시간
		객관식	객관식	
필기	1. 데이터 이해	10	100 (각 2점)	90분 (1시간 30분)
	3. 데이터분석 기획	10		
	4. 데이터분석	30		
	계	50	100	

• 합격 기준

구분		합격기준	과락기준
전문가	필기시험 합격	총점 100점 기준 70점 이상 취득	과목별 40% 미만 취득
	실기시험 합격	총점 100점 기준 75점 이상 취득	과락기준 없음
	최종 합격	응시자격심의 서류 통과자	과락기준 없음
준전문가	필기시험 합격	총점 100점 기준 60점 이상 취득	과목별 40% 미만 취득

• 취득 절차

1단계 수험원서 접수 → 2단계 수험표 발급 → 3단계 검정시험 응시 → 4단계 검정시험 합격여부 확인 → 5단계 최종합격자 공고 및 확인

• 시험 일정

시험명	원서접수	시험일	결과발표
제 48회 데이터 분석 준전문가 자격검정	2026.01.05~2026.01.09	2026.02.07(토)	2026.03.06(금)
제 49회 데이터 분석 준전문가 자격검정	2026.04.13~2026.04.17	2026.05.17(일)	2026.06.05(금)
제 50회 데이터 분석 준전문가 자격검정	2026.07.06~2026.07.10	2026.08.08(토)	2026.08.28(금)
제 51회 데이터 분석 준전문가 자격검정	2026.09.28~2026.10.02	2026.10.31(토)	2026.11.20(금)

※상기 일정은 변경될 수 있으니 정확한 시험 일정은 데이터자격시험(www.dataq.or.kr)에서 확인바랍니다.

• 응시료

구분		응시료
데이터 분석 전문가	필기	80,000원
	실기	70,000원
데이터 분석 준전문가	필기	50,000원

ADsP 데이터분석 준전문가

※ 정오표는 데이터에듀 홈페이지(dataedu.kr)의 [커뮤니티-정오표] 메뉴에서 확인하실 수 있습니다.

CONTENTS

01 데이터 이해 ... 29

제 1장 데이터의 이해	제1절 데이터와 정보	32
	제2절 데이터베이스 정의와 특징	38
	제3절 데이터베이스 활용	41
제 2장 데이터의 가치와 미래	제1절 빅데이터의 이해	52
	제2절 빅데이터의 가치와 영향	57
	제3절 비즈니스 모델	60
	제4절 위기 요인과 통제 방안	64
	제5절 미래의 빅데이터	68
제 3장 가치 창조를 위한 데이터 사이언스와 전략 인사이트	제1절 빅데이터 분석과 전략 인사이트	70
	제2절 전략 인사이트 도출을 위한 필요 역량	74
	제3절 빅데이터 그리고 데이터 사이언스의 미래	78
예상문제(1과목)		80

02 데이터분석 기획 ... 102

제 1장 데이터분석 기획의 이해	제1절 분석 기획 방향성 도출	106
	제2절 분석 방법론	110
	제3절 분석 과제 발굴	124
	제4절 분석 프로젝트 관리 방안	140
제 2장 분석 마스터 플랜	제1절 마스터 플랜 수립 프레임 워크	146
	제2절 분석 거버넌스 체계 수립	153
예상문제(2과목)		168

03 데이터분석 ... 188

제 1장 데이터분석 개요	제1절 데이터 분석 기법의 이해	192
제 2장 R프로그래밍 기초	제1절 R기초	199
	제2절 입력과 출력	207
	제3절 데이터 타입과 구조	208

제 3장 데이터 마트	제1절 데이터 변경 및 요약	221
	제2절 데이터 탐색	225
예상문제(3과목 1~3장)		230
제 4장 통계 분석	제1절 통계 분석의 이해	243
	제2절 기초 통계 분석	256
	제3절 회귀 분석	287
	제4절 시계열 분석	313
	제5절 다차원척도법	326
	제6절 주성분 분석	332
예상문제(3과목 4장)		342
제 5장 정형 데이터 마이닝	제1절 데이터 마이닝의 개요	379
	제2절 분류 분석	393
	제3절 의사결정나무 분석	408
	제4절 앙상블 분석	424
	제5절 인공신경망 분석	433
	제6절 군집 분석	446
	제7절 연관 분석	467
예상문제(3과목 5장)		478

04 모의고사 — 511

1회 모의고사	512
2회 모의고사	536
3회 모의고사	562

05 기출복원문제 — 585

제44회 데이터분석 준전문가 자격 검정 시험문제	585
제45회 데이터분석 준전문가 자격 검정 시험문제	601
제46회 데이터분석 준전문가 자격 검정 시험문제	617
제47회 데이터분석 준전문가 자격 검정 시험문제	633
기출복원문제 답안	651

부록 ADsP D-7 합격마법노트

비기의 핵심 요약 노트

PART 01 데이터 이해

출제 분포와 난이도 분석

장	절	출제 (2021년~2025년)			출제 (2024년)			출제 (2025년)			출제난이도		
		문항수	분포(절)	분포(장)	문항수	분포(절)	분포(장)	문항수	분포(절)	분포(장)	2024	2025	2021~2025
1장	1절	29	35.8%	40.7%	5	41.7%	30.0%	8	47.1%	40.5%	2.2	2.4	2.4
	2절	19	23.5%		3	25.0%		5	29.4%		2.7	2.8	2.1
	3절	33	40.7%		4	33.3%		4	23.5%		2.8	2.5	2.8
2장	1절	28	32.9%	42.7%	8	42.1%	47.5%	4	19.0%	50.0%	1.9	2.0	2.4
	2절	15	17.6%		5	26.3%		2	9.5%		1.4	2.0	2.5
	3절	18	21.2%		2	10.5%		9	42.9%		2.0	2.8	2.0
	4절	22	25.9%		4	21.1%		6	28.6%		2.5	2.8	2.6
	5절	2	2.4%		0	0.0%		0	0.0%				2.5
3장	1절	2	6.1%	16.6%	0	0.0%	22.5%	0	0.0%	9.5%			4.0
	2절	26	78.8%		7	77.8%		4	100.0%		2.3	2.3	2.2
	3절	5	15.2%		2	22.2%		0	0.0%		2.0		3.2
											2.2	2.4	2.5

최근 5년간(2021년~2025년) 1과목의 출제 분포를 분석해 보면, 1장은 40.7%, 2장은 42.7%, 3장은 16.6%가 출제되었습니다. 단답형 문제가 없어진 2024년 이후 2장의 출제비중이 47.5%, 50.0%로 높아지고 있으며, 1장의 출제비중이 2024년 30.0%로 줄었지만 2025년에는 다시 40.5%로 회복되었습니다. 반면, 3장은 2025년 9.5%로 대폭 축소됨을 확인할 수 있었습니다.

최근 5년간(2021년~2025년) 1과목의 난이도는 평균 2.5등급으로 쉽게 출제되고 있으며, 출제 빈도가 높은 1장, 2장은 거의 차이 없이 2.5등급의 난이도를 보이고 있고, 최근 시험에서도 1.2절, 1.3절, 2.3절, 2.4절이 2.8등급으로 조금 상향되지만 나머지는 모두 2.5등급 이하로 출제되고 있어 쉽게 출제되고 있음을 확인할 수 있습니다.

결과적으로 1과목은 1장과 2장을 집중해서 공부하고, 합격마법노트를 천천히 읽은 후 데이터에듀PT를 통해 문제를 많이 풀어 보면서 공부하는 것이 효과적입니다. AI 비기봇 해설이 이해되지 않으면 쇼츠 동영상을 확인하고 본문을 확인하면서 학습해 나가는 것이 효과적입니다.

학습 전략

1과목 데이터 이해는 총 3장으로 구성되어 있으며 10문제가 출제됩니다. 1장 데이터 이해와 2장 데이터의 가치와 미래는 약 40% 이상으로 높은 출제율을 보이며 10문제 중 1~2장에서 각 4문제씩 출제된다고 볼 수 있습니다. 1과목은 암기량과 학습 난이도에 비해 출제 비중이 비교적 높은 편이므로 해당 과목에서 높은 점수를 취득하는 전략이 필요합니다

- **1장** 〈DIKW 피라미드〉는 1년에 2번 이상 출제되는 주요 유형으로 반드시 학습해야 합니다. 2025년에는 〈데이터베이스의 특징〉, 〈데이터베이스 관리시스템〉 관련 문제가 매 시험마다 출제되었으며, 46회 시험에는 관련된 문제가 4문제가 출제될 정도로 최근 많이 출제되고 있습니다.

- **2장** 〈빅데이터 출현 배경과 변화〉는 최근 5년간 15번 출제되었습니다. 또한 〈빅데이터 분석 활용 기본 테크닉〉은 2025년 매 시험 출제되었으며, 〈빅데이터 시대의 위기 요인〉 역시 최근 5년간 14회 출제되었습니다. 2장은 전체 절에서 키워드 중심으로 골고루 출제되는 경향이 있으므로 출제 비중이 높은 핵심 내용을 중심으로 학습하시는 것이 효과적입니다.

- **3장** 〈데이터 사이언티스트의 요구 역량〉은 최근 5년간 17번이 출제된 매우 중요한 영역입니다. 또한 〈데이터 사이언스의 의미와 역할〉, 〈가치 패러다임의 변화〉는 매년 1회씩 출제되고 있으므로 반드시 학습하시기 바랍니다.

단원별 TOP 출제 키워드

1장
DIKW피라미드
데이터의유형
데이터베이스
데이터웨어하우스
분야별데이터베이스
SQL

2장
빅데이터출현
빅데이터의가치
빅데이터기술
빅데이터활용사례
빅데이터위기요인
빅데이터통제방안

3장
데이터사이언스
데이터사이언티스트
가치패러다임의변화

챕터 구성
어떤 것을 학습하게 될지 살펴보자!

1장 — 데이터의 이해
- 데이터와 정보
- 데이터베이스 정의와 특징
- 데이터베이스 활용

2장 — 데이터의 가치와 미래
- 빅데이터의 이해
- 빅데이터의 가치와 영향
- 비즈니스 모델
- 위기요인과 통제방안
- 미래의 빅데이터

3장 — 가치창조를 위한 데이터 사이언스와 전략 인사이트
- 빅데이터 분석과 전략 인사이트
- 전략 인사이트 도출을 위한 필요 역량
- 빅데이터 그리고 데이터 사이언스의 미래

PART 01
데이터 이해

1장 데이터의 이해

1 DAY

○ 학습 목표

- 데이터 정의에 대해 이해한다.
- 데이터베이스 정의와 특징을 이해한다.
- 데이터베이스 활용에 대해 이해한다.

○ 눈높이 체크

✓ 데이터의 정의를 알고계신가요?

데이터라는 단어를 한 번도 못 들어본 분은 없을 것입니다. 옥스퍼드 대사전에서 데이터는 "추론과 추정의 근거를 이루는 사실"이라고 정의하고 있습니다. 1940년대 이후 컴퓨터시대가 시작되면서 자연과학 뿐만 아니라 경영학, 통계학 등 다양한 사회과학이 진일보하면서 데이터의 의미는 과거의 관념적이고 추상적인 개념에서 기술적이고 사실적인 의미로 변화되고 있습니다.

✓ 데이터와 정보 그리고 지식의 관계는 어떻게 이루어질까요?

데이터 ➡ 정보 ➡ 지식 ➡ 지혜로 발전하면서 데이터는 추론·예측·전망·추정을 위한 근거가 됩니다.

✓ 데이터베이스를 다루어 본 적이 있으신가요?

현재 우리는 다양한 데이터베이스 시스템을 활용하고 있습니다. 간단하게는 Access, MSSQL, mySQL, 오라클 등을 통해 데이터베이스를 접해보셨다면 본 내용을 더욱 쉽게 이해하실 것입니다. 혹시 데이터베이스를 사용해 보지 못하셨더라도 엑셀을 잘 사용하신다면 이해하실 수 있을 것입니다.

1절 데이터와 정보

1장 데이터의 이해

출제빈도 F4　난이도 D2

#DIKW피라미드　#암묵지　#형식지　#상호작용관계　#데이터단위　#데이터의유형　#정성적데이터　#반정형데이터　#블록체인

개념 +

데이터의 또 다른 정의

수요조사나 실험, 검사, 측정 등을 통해 데이터를 수집, 축적하고 다양한 방법으로 분석하여 간단한 마케팅 리포트부터 심도있는 논문, 미래 예측을 위한 경영전략 또는 정책을 수립하는 일련의 가치 창출 과정에서 가장 기초를 이루는 것을 데이터라 합니다.

출제포인트

데이터의 유형은 유사 개념을 구별하는 비교·선택형 문항으로 자주 출제되는 주제이며, 2025년 시험에서는 2문제가 출제되었습니다. 정성·정량 데이터와 정형·반정형·비정형 데이터의 정의와 차이를 기본 개념으로 정리해 두시기 바랍니다.

비기의 학습팁

정성 데이터 vs 정량 데이터

정성적 데이터는 데이터의 형태와 형식이 명확하지 않은 데이터를 의미합니다.

정량적 데이터는 데이터의 형태와 형식이 명확하게 표현되는 데이터를 의미합니다.

❶ 데이터의 정의와 특성

1. 데이터의 정의

- 데이터(Data)라는 용어는 1646년 영국 문헌에 처음 등장하였으며 라틴어인 Dare(주다)의 과거분사형으로 '주어진 것'이란 의미로 사용되었다.
- 1940년대 이후 컴퓨터 시대 시작과 함께 자연과학뿐만 아니라 경영학, 통계학 등 다양한 사회 과학이 진일보하며, 데이터의 의미는 과거의 관념적이고 추상적인 개념에서 기술적이고 사실적인 의미로 변화되었다.
- 데이터는 추론과 추정의 근거를 이루는 사실이다.(옥스퍼드 대사전)
- 데이터는 단순한 객체로서의 가치뿐만 아니라 다른 객체와의 상호관계 속에서 가치를 갖는 것으로 설명되고 있다.

2. 데이터의 특성

구 분	특 성
존재적 특성	객관적 사실(Fact, Raw Material)
당위적 특성	추론·예측·전망·추정을 위한 근거(Basis)

❷ 데이터의 유형

1. 정성·정량 데이터

구 분	형 태	예	특 징
정성적 데이터 (Qualitative Data)	언어, 문자 등	회사 매출이 증가함 등	저장·검색·분석에 많은 비용이 소모 됨
정량적 데이터 (Quantitative Data)	수치, 도형, 기호 등	나이, 몸무게, 주가 등	정형화된 데이터로 비용 소모가 적음

정성적 데이터
비정형 데이터
주관적 내용
통계분석이 어려움

정량적 데이터
정형 데이터
객관적 내용
통계분석이 용이함

2. 정형·반정형·비정형 데이터

유형	내용	예시
정형 데이터	• 형태(고정된 필드)가 있으며 연산이 가능 • 주로 관계형 데이터베이스(RDBMS)에 저장 • 데이터 수집 난이도가 낮음 • 형식이 저장되어 있어 처리가 쉬운 편 • 데이터 자체로 바로 분석 가능	관계형 데이터베이스, 스프레드 시트, CSV, 정보시스템(ERP, CRM, SCM 등) 등
반정형 데이터	• 형태(스키마, 메타데이터)가 있으며, 연산이 불가능 • 주로 파일의 형태로 저장 • 데이터 수집 난이도가 중간 • 보통 API 형태로 제공되기 때문에 데이터 처리 기술(파싱)이 요구됨 • 데이터로 분석 가능하지만 해석이 불가능해 메타 정보 활용해야 해석 가능	XML, HTML, JSON, 로그형태(웹로그, 센서데이터) 등
비정형 데이터	• 형태가 없으며, 연산이 불가능 • 주로 NoSQL에 저장됨 • 데이터 수집 난이도가 높음 • 파일을 데이터 형태로 파싱해야 하기 때문에 데이터 처리가 어려움	소셜데이터(트위터, 페이스북), 영상, 이미지, 음성, 텍스트(word, PDF 등) 등

개념 ➕

용어 더 알아보기

- **메타데이터(Meta Data)**: 데이터에 관한 구조화된 데이터로, 다른 데이터를 설명해 주는 데이터입니다.

- **스키마(Schema)**: 데이터베이스의 구조와 제약조건에 관한 전반적인 명세를 기술한 메타데이터의 집합입니다.

- **파싱(Parsing)**: 반정형 데이터가 가지고 있는 데이터 구조에 대한 정보를 해석해 유용한 정보를 추출하는 과정입니다.

- **XML(Extensible Markup Language)**: 다목적 마크업 언어(태그를 이용한 언어)로, 인터넷에 연결된 시스템끼리 데이터를 쉽게 주고 받을 수 있게 하여 HTML의 한계를 극복할 목적으로 만들어진 언어입니다.

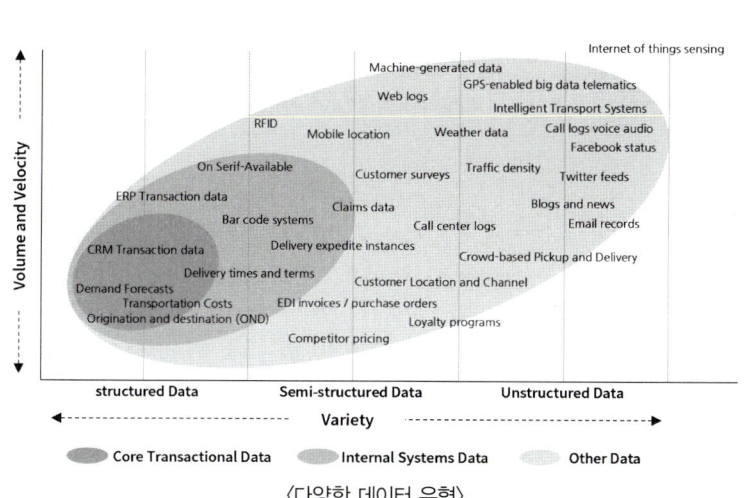

〈다양한 데이터 유형〉

❸ 지식경영의 핵심 이슈

- 데이터는 지식경영의 핵심 이슈인 암묵지(暗默知, Tacit Knowledge)와 형식지(型式知, Explicit Knowledge)의 상호작용에 있어 중요한 역할을 한다.(Polani, 1966)

구 분	의 미	예	특 징	상호작용
암묵지	학습과 경험을 통해 개인에게 체화되어 있지만 겉으로 드러나지 않는 지식	김장김치 담그기, 자전거 타기	사회적으로 중요하지만 다른 사람에게 공유되기 어려움	공통화, 내면화
형식지	문서나 매뉴얼처럼 형상화된 지식	교과서, 비디오, DB	전달과 공유가 용이함	표출화, 연결화

> **참고**
> - **암묵지** : 개인에게 축적된 내면화(Internalization)된 지식 → 조직의 지식으로 공통화(Socialization)
> - **형식지** : 언어, 기호, 숫자로 표출화(Externalization)된 지식 → 개인의 지식으로 연결화(Combination)

❹ 데이터와 정보의 관계

1. DIKW의 정의

구 분	특 성
데이터(Data)	개별 데이터 자체로는 의미가 부여되지않은 객관적인 사실
정보(Information)	데이터의 가공, 처리와 데이터 간 연관관계 속에서 의미가 도출된 것
지식(Knowledge)	데이터를 통해 도출된 다양한 정보를 구조화하여 유의미한 정보를 분류하고 개인적인 경험을 결합시켜 고유의 지식으로 내재화된 것
지혜(Wisdom)	지식의 축적과 아이디어가 결합된 창의적인 산물

2. DIKW 피라미드

- DIKW 피라미드에서는 데이터, 정보, 지식을 통해 최종적으로 지혜를 얻어내는 과정을 계층구조로 설명하고 있다.

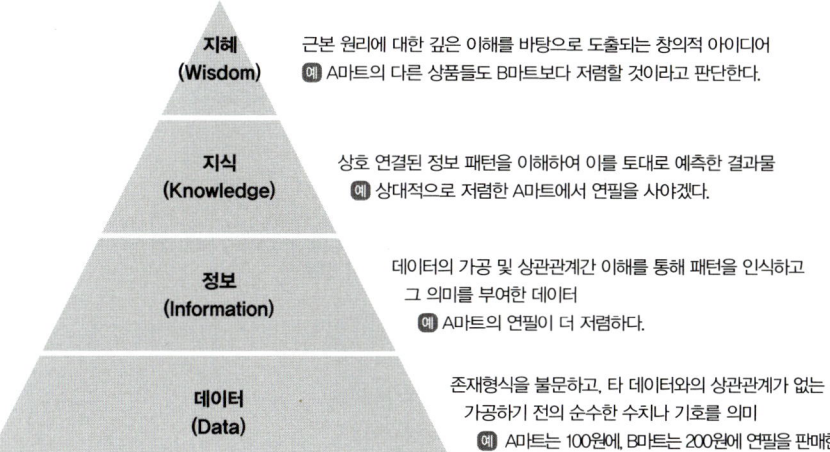

⑤ 기타

1. 데이터양의 단위

단위	데이터량	단위	데이터량
바이트(B)	1byte, 2^0B	페타바이트(PB)	1024TB, 2^{50}B
킬로바이트(KB)	1024B, 2^{10}B	엑사바이트(EB)	1024PB, 2^{60}B
메가바이트(MB)	1024KB, 2^{20}B	제타바이트(ZB)	1024EB, 2^{70}B
기가바이트(GB)	1024MB, 2^{30}B	요타바이트(YB)	1024ZB, 2^{80}B
테라바이트(TB)	1024GB, 2^{40}B		

2. B2B와 B2C

가. B2B

- 기업과 기업 사이의 거래를 기반으로 한 비즈니스 모델을 의미하며, 기업이 필요로 하는 장비, 재료나 공사 입찰 등이 있다.

나. B2C

- 기업과 고객 사이의 거래를 기반으로 한 비즈니스 모델을 의미하며, 이동통신사, 여행회사, 신용카드회사, 옥션, 지마켓 등이 있다.

출제포인트

데이터 양의 단위는 출제 빈도는 높지 않지만 개념 이해를 점검하는 용도로 간헐적으로 출제되는 주제이며, 2025년 시험에서는 1문제가 출제되었습니다. 비슷한 단위를 혼동하지 않도록 주요 단위와 계층 구조를 간단한 표로 정리해 보시면 좋습니다.

개념 +

B2B의 장점
- 안정적이고 예측 가능한 수익 창출, 대량 거래에 따른 규모의 경제 효과

B2B의 단점
- 기업 간의 관계 유지를 위한 자원 투입이 많이 필요

B2C의 장점
- 소비자에게 직접 판매로 매출의 빠른 실현 발생, 행동 데이터 분석을 통한 마케팅 용이

B2C의 단점
- 과도한 마케팅 비용, 경쟁 심화

개념 +

블록체인 활용 사례

- 금융 서비스: 암호화폐가 대표적인 블록체인 활용사례로 비트코인, 이더리움 등이 이에 해당합니다.
- 물류 관리: 상품의 생산부터 유통까지 전 과정을 추적하는 데에도 쓰이며 위조품 방지에도 효과적입니다.
- 의료 정보 관리: 보안성 덕분에 환자의 의료 기록을 안전하게 보관합니다.
- 전자 투표 시스템: 투표 과정에서의 투명성을 높이기 때문에 부정선거 방지에 도움이 될 수 있습니다.

3. 블록체인

- 블록체인(Block Chain) : 거래정보를 하나의 덩어리로 보고 이를 차례로 연결한 거래장부다.
- 기존 금융회사의 경우 중앙 집중형 서버에 거래 기록을 보관하는 반면, 블록체인은 거래에 참여하는 모든 사용자에게 거래 내역을 보내 주며 거래 때마다 이를 대조해 데이터 위조를 막는 방식을 사용한다.

✓ 핵심 개념체크

✓32회 기출 출★★★★★ 난★★☆☆☆

1. 데이터의 양을 표현하는 단위는 크기에 따라 계층적으로 구분된다. 다음 중 데이터 단위를 작은 것에서 큰 것 순으로 나열한 것으로 가장 올바른 것은?

① 엑사바이트 〈 페타바이트 〈 요타바이트 〈 제타바이트
② 페타바이트 〈 엑사바이트 〈 제타바이트 〈 요타바이트
③ 제타바이트 〈 요타바이트 〈 페타바이트 〈 엑사바이트
④ 요타바이트 〈 페타바이트 〈 제타바이트 〈 엑사바이트

> 데이터 단위는 페타바이트(PB) → 엑사바이트(EB) → 제타바이트(ZB) → 요타바이트(YB) 순으로 크기가 커진다.

✓43회 기출 출★★★★★ 난★☆☆☆☆

2. 다음 중 비정형 데이터가 아닌 것은 무엇인가?

① 기상청의 온도
② SNS에 업로드한 사진
③ 직접 촬영한 영상
④ 인터넷 댓글

> 기상청의 온도 데이터는 숫자로 구성된 정형 데이터에 해당한다. 반면, SNS에 업로드한 사진, 직접 촬영한 영상, 인터넷 댓글은 모두 비정형 데이터로, 텍스트, 이미지, 영상 등 구조화되지 않은 형태로 제공된다. 따라서 기상청의 온도 데이터는 비정형 데이터가 아니다.

✓39회 기출 출★★★★★ 난★★★★☆

3. 지식 관리에서 암묵지와 형식지의 전환은 조직 학습의 중요한 과정이다. 다음 용어와 설명이 적절히 연결된 것은?

[용어]

(가) 공통화(Socialization)
(나) 표출화(Externalization)
(다) 내면화(Combination)
(라) 연결화(Internalization)

[설명]

(A) 개인 간의 대화를 통해 경험과 감각적 지식을 직접적으로 공유함
(B) 문서화된 지식을 학습하여 자신의 직무나 작업에 적용할 수 있는 방식으로 이해함
(C) 축적된 암묵적 경험을 체계화하여 매뉴얼이나 보고서로 전환함
(D) 여러 개의 문서를 결합하여 새로운 지식 체계를 생성함

① (가) – (A), (나) – (B), (다) – (C), (라) – (D)
② (가) – (A), (나) – (C), (다) – (D), (라) – (B)
③ (가) – (A), (나) – (B), (다) – (D), (라) – (C)
④ (가) – (A), (나) – (C), (다) – (B), (라) – (D)

공통화는 암묵지를 공유하는 과정, 표출화는 암묵지를 형식지로 전환하는 과정, 연결화는 형식지를 결합하여 새로운 지식을 생성하는 과정, 내면화는 형식지를 암묵지로 전환하여 개인의 경험으로 흡수하는 과정을 의미하므로, 정답은 ④ (가) - (A), (나) - (C), (다) - (B), (라) - (D)가 된다.

✓ 37회 기출 출 ★★★★☆ 난 ★★☆☆☆

4. 다음 설명에 맞는 DIKW 피라미드 계층은 어디에 속하는가?

> 근본 원리에 대한 깊은 이해를 바탕으로 도출되는 창의적 아이디어로 지식의 축적과 아이디어가 결합된 창의적인 산물

① 데이터 (Data)   ② 정보 (Information)
③ 지식 (Knowledge)   ④ 지혜 (Wisdom)

지혜는 지식의 축적과 창의적 아이디어를 결합하여 근본 원리를 이해하고 창의적 산출물을 도출하는 DIKW 피라미드의 최상위 계층이다.

✓ 45회 기출 출 ★★★★☆ 난 ★★★★☆

5. DIKW 피라미드에서 데이터와 정보의 관계에 대한 설명으로 옳지 않은 것은 무엇인가?

① 데이터는 객관적인 사실로서 추론과 예측의 근거가 되며, 정보는 이를 통해 이해를 도모한다.
② 정보는 데이터의 맥락을 더하여 의미를 부여한 것으로, 단순한 데이터보다 복잡한 구조를 가진다.
③ 데이터는 정량적이며 정보는 정성적 특성을 가짐으로 데이터보다 정보의 저장과 검색이 용이하다.
④ 데이터는 형태가 정형화되어 있지 않지만, 정보는 명확한 형식과 구조를 필요로 한다.

데이터는 정량적일 수도 있고 정성적일 수도 있으며, 정보는 데이터를 해석하여 의미를 부여한 것이다. 정보는 데이터보다 복잡한 구조를 가지며, 이를 저장하고 검색하는 데 더 복잡한 시스템이 필요할 수 있다. 따라서 데이터보다 정보의 저장과 검색이 용이하다는 설명은 잘못되었다.

정답 1. ② 2. ① 3. ④ 4. ④ 5. ③

1장 데이터의 이해

2절 데이터베이스 정의와 특징

출제빈도 F3　난이도 D1

#데이터베이스 #데이터베이스정의 #데이터베이스특징

❶ 용어의 연혁

출 처	내 용
1950년대	미국에서 군대의 군비상황을 집중 관리하기 위하여 컴퓨터 도서관을 설립하면서 데이터(Data)의 기지(Base)라는 뜻의 데이터베이스가 탄생
1963년 6월	미국 'SDC'가 개최한 심포지엄에서 데이터베이스라는 용어 공식사용 데이터베이스 초기 개념인 '대량의 데이터를 축적하는 기지'
1963년	GE의 C.바크만은 데이터베이스 관리 시스템인 IDS 개발
1965년	2차 심포지엄에서 시스템을 통한 체계적 관리와 저장 등의 의미를 담은 '데이터베이스 시스템' 이라는 용어 등장
1970년대 초반	유럽에서 '데이터베이스' 라는 단일어가 일반화 됨
1975년	미국의 CAC가 KORSTIC을 통해 서비스되면서 우리나라에서 데이터베이스 이용이 이루어짐
1980년	KORSTIC이 해외 전문 데이터베이스를 확충하여 'TECHNOLINE' 이라는 온라인 정보검색 서비스를 개시하여 본격적인 데이터베이스 서비스 시대를 맞이함
1980년대 중반	국내의 데이터베이스 관련 기술의 연구, 개발

❷ 데이터베이스의 정의

구 분		특 성
1차 개념확대 정형데이터 관리	EU 〈데이터베이스의 법적 보호에 관한 지침〉	체계적이거나 조직적으로 정리되고 전자식 또는 기타 수단으로 개별적으로 접근할 수 있는 독립된 저작물, 데이터 또는 기타 소재의 수집물
	국내 '저작권법'	소재를 체계적으로 배열 또는 구성한 편집물로서 개별적으로 그 소재에 접근하거나 그 소재를 검색할 수 있도록 한 것
2차 개념확대 빅데이터의 출현으로 비정형데이터 포함	국내 '컴퓨터 용어사전'	동시에 복수의 적용 업무를 지원할 수 있도록 복수 이용자의 요구에 대응해서 데이터를 받아들이고 저장, 공급하기 위하여 일정한 구조에 따라서 편성된 데이터의 집합
	국내 'Wikipedia'	관련된 레코드의 집합, 소프트웨어로는 데이터베이스 관리 시스템(DBMS)을 의미
	국내 '데이터분석 전문가 가이드'	문자, 기호, 음성, 화상, 영상 등 상호 관련된 다수의 콘텐츠를 정보 처리 및 정보통신 기기에 의하여 체계적으로 수집·축적하여 다양한 용도와 방법으로 이용할 수 있도록 정리한 정보의 집합체

출제포인트

데이터베이스의 정의는 개념을 구분하는 비교·선택형 문항으로 종종 출제되는 주제이지만, 2025년 시험에서는 직접적인 문항은 없었습니다. 다만 연관 지문 속에서 함께 등장할 수 있으므로 데이터베이스의 정의·목적·구성 요소를 기본 개념 위주로 정리해 두시기 바랍니다.

비기의 학습팁

데이터베이스의 주요 구성요소로는 외부스키마, 개념스키마, 내부스키마, 메타데이터, 테이블, 인덱스, 뷰, 데이터 사전 등이 있습니다.

❸ 데이터베이스의 특징

1. 데이터베이스의 일반적인 특징

데이터베이스 특징	설 명
통합된 데이터 Integrated Data	동일한 내용의 데이터가 중복되어 있지 않다는 것을 의미. 데이터 중복은 관리상의 복잡한 부작용을 초래
저장된 데이터 Stored Data	자기 디스크나 자기 테이프 등과 같이 컴퓨터가 접근할 수 있는 저장 매체에 저장되는 것을 의미. 데이터베이스는 기본적으로 컴퓨터 기술을 바탕으로 한 것
공용 데이터 Shared Data	여러 사용자가 서로 다른 목적으로 데이터를 공동으로 이용한다는 것을 의미. 대용량화되고 구조가 복잡한 것이 보통
변화되는 데이터 Changeable Data	데이터베이스에 저장된 내용은 곧 데이터베이스의 현 시점에서의 상태를 나타냄. 다만 이 상태는 새로운 데이터의 삽입, 기존 데이터의 삭제, 갱신으로 항상 변화하면서도 현재의 정확한 데이터를 유지해야 함

출제포인트

데이터베이스의 특징은 꾸준히 출제되는 주제이며, 2025년 시험에서는 5문제가 출제되어 출제 비중이 커지는 추세입니다. 데이터베이스의 통합성·독립성·무결성 등 주요 특징과 각 특징의 의미를 연결하는 연습을 해 두시면 좋습니다.

2. 데이터베이스의 다양한 측면에서의 특징

측면	특성
정보의 축적 및 전달 측면	• 기계 가독성 : 일정한 형식에 따라 컴퓨터 등의 정보처리기기가 읽고 쓸 수 있음 • 검색 가독성 : 다양한 방법으로 필요한 정보를 검색 • 원격 조작성 : 정보통신망을 통하여 원거리에서도 즉시 온라인을 이용
정보 이용 측면	• 이용자의 정보 요구에 따라 다양한 정보를 신속하게 획득 • 원하는 정보를 정확하고 경제적으로 찾아낼 수 있다는 특성
정보 관리 측면	• 정보를 일정한 질서와 구조에 따라 정리, 저장, 검색, 관리 할 수 있도록 하여 방대한 양의 정보를 체계적으로 축적하고 새로운 내용의 추가나 갱신이 용이
정보기술 발전 측면	• 데이터베이스는 정보처리, 검색·관리 소프트웨어, 관련 하드웨어, 정보 전송을 위한 네트워크 기술의 발전을 견인할 수 있음
경제·산업 측면	• 다양한 정보를 필요에 따라 신속하게 제공·이용할 수 있는 인프라라는 특성을 가지고 있어 경제, 산업, 사회 활동의 효율성을 제고하고 국민의 편의를 증진하는 수단으로서 의미를 가짐

✓ 핵심 개념체크

✔38회 기출 출★★★★★ 난★☆☆☆☆

6. 다음은 데이터베이스의 구성요소들을 설명한 것이다. 각 설명에 해당하는 구성요소를 가장 적절하게 나열한 것을 고르시오.

> (A) 데이터를 정의하고 설명하는 데이터로, 다른 데이터를 이해하기 위한 주요 정보를 담고 있음
> (B) 데이터를 빠르게 조회하고 정렬하기 위해 사용하는 데이터베이스 내의 구조

① (A) - 메타데이터, (B) - 인덱스
② (A) - 데이터 웨어하우스, (B) - 뷰
③ (A) - 트랜잭션 로그, (B) - 클러스터
④ (A) - 릴레이션, (B) - 데이터 마트

> 메타데이터는 데이터를 설명하는 데이터로, 데이터의 구조와 속성을 정의한다. 인덱스는 데이터베이스의 조회 성능을 향상시키기 위한 데이터 구조다. 나머지 선택지들은 데이터베이스 구성요소에 부합하지 않는다.

✔38회 기출 출★★★★★ 난★☆☆☆☆

7. 다음 중 데이터베이스의 일반적인 특징으로 부적절한 것은 무엇인가?

① 데이터베이스는 여러 사용자가 동시 접근하여 데이터를 효율적으로 공유할 수 있도록 설계된다.
② 데이터베이스는 하드디스크, SSD 등 컴퓨터가 접근 가능한 저장 매체에 데이터를 조직적으로 저장한다.
③ 데이터베이스는 데이터의 삽입, 삭제, 갱신이 이루어져도 항상 데이터의 일관성과 신뢰성을 유지해야 한다.
④ 데이터베이스는 통합된 데이터(integrated data)로 동일한 내용의 데이터를 중복 저장하는 것을 허용한다.

> 데이터베이스는 통합된 데이터로 설계되며, 데이터의 중복 저장을 최소화하고 일관성과 신뢰성을 유지하는 것을 목표로 한다. 데이터 중복은 데이터 무결성을 훼손하고 저장공간을 비효율적으로 사용하는 원인이 되므로, 정규화를 통해 중복을 최소화해야 한다.

1장 데이터의 이해

3절 데이터베이스의 활용

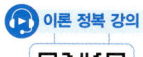
이론 정복 강의

출제빈도 F4 난이도 D3

#데이터웨어하우스 #DBMS #기업내부데이터베이스 #ERP #CRM #SCM #SQL

① DBMS

1. DBMS 정의

- DBMS는 Data Base Management System의 약자로서 데이터베이스를 관리하여 응용 프로그램들이 데이터베이스를 공유하며 사용할 수 있는 환경을 제공하는 소프트웨어다.
- 데이터베이스를 구축하는 틀을 제공하며, 효율적인 데이터 검색, 저장 기능 등을 제공한다.
- 대표적인 데이터베이스 관리 시스템에는 오라클, 인포믹스, 액세스 등이 있다.

2. DBMS 종류

가. 관계형 DBMS

- 이 모델은 데이터를 컬럼(Column)과 로우(Row)를 이루는 하나 이상의 테이블(또는 관계)로 정리하며, 고유키(Primary Key)가 각 로우를 식별한다. 로우는 레코드나 튜플로 부르며, 일반적으로 각 테이블은 하나의 엔티티 타입(고객이나 제품과 같은)을 대표한다. 로우는 그 엔티티 종류의 인스턴스(예 : "Lee" 등)를 대표하며 컬럼은 그 인스턴스의 속성이 되는 값들(예 : 주소나 가격)을 대표한다.

나. 객체지향 DBMS

- 객체지향DB는 일반적으로 사용되는 테이블 기반의 관계형DB와 다르게 정보를 '객체' 형태로 표현하는 데이터베이스 모델이다.

다. 네트워크 DBMS

- 레코드들이 노드로, 레코드들 사이의 관계가 간선으로 표현되는 그래프를 기반으로 하는 데이터베이스 모델이다.

라. 계층형 DBMS

- 트리 구조를 기반으로 하는 계층 데이터베이스 모델이다.

출제포인트

DBMS는 사례 제시형 문항으로 자주 다뤄지는 주제이며, 2025년 시험에서는 3문제가 출제되었습니다. DBMS의 역할, 구성 요소, 장단점을 기본 개념 수준에서 정리해 두시기 바랍니다.

비기의 학습팁

DB(데이터베이스)와 DBMS(데이터베이스 관리 시스템)의 차이

- **DB(데이터베이스)**: 체계적으로 구성된 데이터의 집합
- **DBMS(데이터베이스 관리 시스템)**: 데이터베이스를 효율적으로 관리하고 조작할 수 있게 도와주는 소프트웨어

비기의 학습팁

관계형 DBMS(RDBMS) 종류

예) Oracle Database, MySQL, Microsoft SQL Server, PostgreSQL, IBM DB2 등

객체지향 DBMS(ODBMS) 종류

예) ObjectDB, db4o(database for object) 등

3. 데이터베이스의 설계절차

- 요구사항 분석 → 개념적 설계 → 논리적 설계 → 물리적 설계 → 구현

단계	핵심 내용	결과물
요구사항 분석	데이터베이스 사용자, 사용 목적, 사용 범위, 제약 조건 등을 정리하여 요구사항 명세서를 작성하는 과정	요구사항 명세서
개념적 설계	현실 세계의 정보를 추상화하고 통합하여 개념적 데이터 모델로 표현하는 과정	ER 모델(ERD)
논리적 설계	테이블 구조 정의(릴레이션), 기본키·외래키 설정, 정규화를 통해 중복 제거 및 무결성 확보하는 과정으로 자료를 컴퓨터가 이해할 수 있는 논리 모델(관계형, NoSQL 등)로 표현함	논리 스키마
물리적 설계	데이터를 어떻게 저장하고 접근할지에 대한 물리적 저장 구조와 성능 요소를 설계함. 인덱스 구성, 파티셔닝, 클러스터링, 저장구조를 설계함	물리 스키마

> **개념 ➕**
>
> **관계형 데이터베이스(RDB)**
> 관계를 명시적으로 정의하고 SQL로 데이터를 관리합니다
> 예) MySQL, PostgreSQL, Oracle
>
> **비관계형 데이터베이스(NoSQL)**
> 관계를 명시하지 않고, 컬렉션, 도큐먼트 등 비정형 데이터 구조를 사용합니다.
> 예) MongoDB, Cassandra

4. Relationship

- 관계(Relationship)란 관리하고자 하는 업무 영역 내의 특정한 두 개의 엔티티 사이에 존재하는 많은 관계 중 특별히 관리하고자 하는 직접적인 관계(업무적 연관성)를 의미한다.
- 관계의 형태는 크게 1:1, m:1, m:n의 세 가지로 나눌 수 있다.

가. 1:1 관계

- 어느 쪽 당사자의 입장에서 상대를 보더라도 반드시 단 하나씩과 관계를 가지는 것을 말한다.
- 현실에서 매우 드물게 나타나며, 업무의 흐름에 따라 데이터가 설계된 형태에서 많이 나타난다.

나. m:1 관계

- 가장 흔하게 나타나는 매우 일반적인 형태이며, 한쪽은 m(many)이고 다른 한쪽은 1(one)인 것을 말한다. 부모와 자식 관계라고 생각하면 부모는 자식을 1명 이상 낳을 수 있지만, 자식은 부모를 하나만 가질 수 있다.

다. m:n 관계

- 서로가 서로를 1:N관계로 보는 것으로 쇼핑몰에서 회원과 상품의 관계를 생각해보면 된다. 한 회원은 쇼핑몰의 여러 상품들을 가질 수 있으며, 반대로 한 티셔츠도 여러 회원들을 가질 수 있다.

5. NoSQL

- 데이터의 폭발적인 증가에 대응하기 위해 빅데이터 분산처리 및 저장기술과 함께 발달된 분산 데이터베이스 기술로 확장성, 가용성 높은 성능을 제공한다.
- 비관계형 데이터베이스 관리 시스템으로, SQL 계열 쿼리 언어를 사용할 수 있다는 사실을 강조한다는 면에서 'Not only SQL로 불리기도 한다.
- Key와 Value의 형태로 자료를 저장하고, 대용량 데이터 처리와 대규모의 수평적 확장성을 제공한다. 대부분 오픈소스이며, MongoDB, Hbase, Redis, Cassandra 등이 있다.

> **비기의 학습팁**
> NoSQL은 SQL이 필요 없다는 의미가 아니라, 기존 RDB의 SQL을 보완 및 개선한 비관계형 데이터베이스라는 의미를 담고 있습니다.

❷ SQL

1. SQL 정의

- SQL은 Structured Query Language의 약자로, 데이터베이스를 사용할 때 데이터베이스에 접근할 수 있는 **데이터베이스의 하부 언어**이다. 단순한 질의 기능뿐만 아니라 완전한 데이터의 정의와 조작 기능을 갖추고 있다.
- 테이블을 단위로 연산을 수행하며, **영어 문장과 비슷한 구문**으로 초보자들도 비교적 쉽게 사용할 수 있다.

2. SQL의 분류

가. DDL(Data Definition Language, 데이터 정의어)

- 데이터베이스를 정의하는 언어를 말하며, 데이터의 생성, 수정, 삭제 등 데이터의 전체 골격을 결정하는 역할의 언어이다. CREATE, ALTER, DROP, TRUNCATE가 있다.

나. DML(Data Manipulation Language, 데이터 조작어)

- 정의된 데이터베이스에 입력된 레코드를 조회, 수정, 삭제하는 등 역할을 하는 언어이다. SELECT, INSERT, UPDATE, DELETE가 있다.

다. DCL(Data Control Language, 데이터 제어어)

- 데이터베이스에 접근하거나 객체에 권한을 주는 등의 역할을 하는 언어이다. 데이터의 보안, 무결성, 회복 등을 정의하는데 사용한다. GRANT, REVOKE, COMMIT, ROLLBACK이 있다.

> **출제포인트**
> SQL은 데이터베이스 파트의 가장 기본이 되는 언어이며, 개념 구분과 질의 결과 해석을 묻는 형태로 자주 출제되는 주제입니다. 최근 시험에서의 출제 비중이 다소 낮더라도, 데이터베이스의 근간을 이루는 내용이므로 SQL의 정의·분류, 주요 함수와 구문, 기본 질의 결과 해석까지는 숙지해 두시기 바랍니다.

개념 +

관련 용어 더 알아보기
- 인덱스(Index): 데이터베이스의 테이블에 대한 검색 속도를 향상시켜주는 자료구조
- 트리거(Trigger): 테이블에 대한 이벤트에 반응해 자동으로 실행되는 작업

3. SQL 집계함수

함수명	설 명	유형별 가능 여부
AVG	지정한 열의 평균 값을 반환	수치형
COUNT	테이블의 특정 조건이 맞는 것의 개수를 반환	수치형, 문자형
SUM	지정한 열의 총합을 반환	수치형
STDDEV	지정한 열의 분산을 반환	수치형
MIN	지정한 열의 가장 작은 값을 반환	수치형
MAX	지정한 열의 가장 큰 값을 반환	수치형

- AVG, SUM, STDDEV는 각 열에 수치 데이터만 포함이 가능하고, COUNT는 어떠한 데이터 타입에서도 사용 가능하다.

4. SQL 주요 구문

쿼리명	설 명
WHERE	• SELECT, UPDATE, DELETE문 등에서 특정 레코드에 대한 조건을 설정할 때 사용되는 구문
ORDER BY	• 데이터를 지정된 컬럼으로 정렬하기 위한 구문으로 기본적으로 오름차순으로 정렬하며, desc는 내림차순 정렬을 의미함
GROUP BY	• 데이터를 그룹별로 나눠 합계, 평균 등의 연산을 할 경우 사용하는 구문
HAVING	• GROUP BY를 통해 그룹별 연산 함수들의 결과값에 조건식을 달기위해 사용하는 구문. 독립적으로 사용될 수 있지만, GROUP BY와 함께 사용되는 경우가 많음 • 연산 함수들의 결과값은 직접 WHERE절에서 조건식으로 사용될수 없으며, WHERE는 ROW 레벨 필터링을 제공하는 반면, HAVING은 GROUP 레벨 필터링을 제공

비기의 학습팁
SQL 구문을 해석할 때, FROM → WHERE → GROUP BY → HAVING → SELECT 순으로 해석하면 보다 빠르고 정확하게 결과를 이해할 수 있습니다.

5. 간단한 SQL 구문 해석

```
SELECT NAME, GENDER, SALARY
FROM CUSTOMERS
WHERE AGE BETWEEN 20 AND 39
```

- 첫 번째 줄의 SELECT는 하나 또는 그 이상의 테이블에서 데이터를 추출하는 명령어이다.
  NAME, GENDER, SALARY는 추출하고자하는 데이터명이다.
- FROM은 테이블을 지정해주는 명령어로서 CUSTOMERS라는 테이블을 지정하고 있다.

- WHERE는 데이터를 추출하는 선택 조건식을 지정하는 명령어이다. AGE가 20과 39 사이의 데이터를 추출하는 것을 뜻한다.

```
SELECT CUSTOMER_NAME, 고객명, CUSTOMER_ENAME, 고객영문명
FROM CUSTOMER
WHERE CUSTOMER_ENAME LIKE '_A%'
```

- 위의 예제와 동일한 형태의 SELECT, FROM, WHERE구문이 활용되었으며, 새로 등장한 LIKE 구문에 대해 확인해보자.
- LIKE 연산자는 문자열의 패턴을 검색하는데 사용하며, %는 모든 문자, _는 한 글자를 의미한다. '_A%'는 맨 앞에 한 글자 뒤에 'A' 글자가 있는 ROW를 출력한다.

❸ 기업내부 데이터베이스

- 정보통신망 구축이 가속화되면서 1990년대의 기업내부 데이터베이스는 기업 경영 전반에 관한 인사, 조직, 생산, 영업 활동 등을 포함한 모든 자료를 연계하여 일관된 체계로 구축, 운영하는 경영 활동의 기반이 되는 전사 시스템으로 확대되었다.

1. 1980년대 기업내부 데이터베이스

- **OLTP**(On-Line Transaction Processing) : 호스트 컴퓨터와 온라인으로 접속된 여러 단말 간의 처리 형태의 하나이다. 여러 단말에서 보내온 메시지에 따라 **호스트 컴퓨터가 데이터베이스를 액세스하고, 바로 처리 결과를 돌려보내는 형태**를 말한다. 즉, 데이터베이스의 데이터를 수시로 갱신하는 프로세싱을 의미한다. 주문입력시스템, 재고관리시스템 등 현업의 거의 모든 업무는 이와 같은 성격을 띠고 있다. 〈참조 : (컴퓨터인터넷IT용어대사전, 2011.1.20, 일진사)〉
- **OLAP**(On-Line Analytical Processing) : 정보 위주의 분석 처리를 의미하며, **다양한 비즈니스 관점에서 쉽고 빠르게 다차원적인 데이터에 접근하여 의사 결정에 활용할 수 있는 정보를 얻을 수 있게 해주는 기술**이다. OLTP에서 처리된 트랜잭션 데이터를 분석해 제품의 판매 추이, 구매 성향 파악, 재무 회계 분석 등을 프로세싱하는 것을 의미한다. OLTP가 데이터 갱신 위주라면, OLAP는 데이터 조회 위주라고 할 수 있다. 〈참조 : (컴퓨터인터넷IT용어대사전, 2011.1.20, 일진사)〉

> **출제포인트**
> 기업 내부 데이터베이스는 사례 제시형 문항으로 간헐적으로 출제되는 주제이며, 2025년 시험에서는 1문제가 출제되었습니다. CRM·SCM 등 분야별 내부 데이터베이스의 개념과 대표 활용 사례를 중심으로 정리해 두시기 바랍니다.

OLTP와 OLAP의 비교		
구 분	OLTP	OLAP
데이터 구조	복잡	단순
데이터 갱신	동적으로 순간적	정적으로 주기적
응답 시간	수 초 이내	수 초에서 몇 분 사이
데이터 범위	수 십일 전후	오랜 기간 저장
데이터 성격	정규적인 핵심 데이터	비정규적인 읽기 전용 데이터
데이터 크기	수 기가 바이트	수 테라 바이트
데이터 내용	현재 데이터	요약된 데이터
데이터 특성	트랜잭션 중심	주제 중심
데이터 엑세스 빈도	높음	보통
질의 결과 예측	주기적이며 예측 가능	예측하기가 어렵다

참조 : 소설처럼 읽는 DB 모델링 이야기 (영진닷컴)

2. 2000년대 기업내부 데이터베이스

- **CRM**(Customer Relationship Management) : '고객관계관리'라고 하며, 기업이 고객과 관련된 내·외부 자료를 분석·통합해 고객 중심 자원을 극대화하고, 이를 토대로 고객특성에 맞게 마케팅 활동을 계획·지원·평가하는 과정이다. CRM은 최근에 등장한 데이터베이스 마케팅(DB marketing)의 일대일 마케팅(One-to-One marketing), 관계 마케팅(Relationship marketing)에서 진화한 요소들을 기반으로 등장하게 되었다.
  〈참조 : CRM (시사상식사전, 박문각)〉

- **SCM**(Supply Chain Management) : '공급망 관리'를 뜻하는 말로, 기업에서 원재료의 생산·유통 등 모든 공급망 단계를 최적화해 수요자가 원하는 제품을 원하는 시간과 장소에 제공하는 것이다. SCM은 부품 공급업체와 생산업체 그리고 고객에 이르기까지 거래관계에 있는 기업들 간 IT를 이용한 실시간 정보공유를 통해 시장이나 수요자들의 요구에 기민하게 대응토록 지원하는 것이다. 〈참고 : SCM [Supply Chain Management](시사 상식사전, (박문각)〉

3. 각 분야별 내부 데이터베이스

가. 제조부문

- 제조업의 데이터베이스 기술 적용은 2000년을 기점으로 전환되었다.
- 클라이언트/서버 기반의 내부 정보시스템에서 웹기반의 데이터베이스로 전환되고 있다.

비기의 학습팁

ERP, SCM, CRM은 키보드의 'ESC' 키를 떠올리며 외우면 쉽게 구분할 수 있습니다. ERP는 Enterprise, SCM은 Supply, CRM은 Customer로 각각의 핵심 단어를 기억하면 이해와 암기가 더욱 쉬워집니다.

- 대기업을 위주로 ERP에서 CRM으로 발전하고 있다.
- 대기업은 중소기업과의 협업으로 인해 중소기업에 투자를 확대할 필요성을 인지하고 있으며 RTE를 통한 협업적 IT화의 비중을 확대하고 있다.

나. 금융부문

- 1998년 IMF 이후, 금융부문은 업무 프로세스 효율화나 통합시스템 구축으로 확산되었다.
- 2000년대 초반, EAI, ERP, e-CRM을 통한 정보 공유 및 통합, 그리고 고객 정보의 전략적 활용이 시작되었다.
- 2000년대 중반, DW(Data Warehouse) 도입을 통한 DB활용 마케팅이 강화되었고, DW를 위한 최적화와 BI 기반의 시스템 구축이 급속도로 퍼지게 되었다.
- 바젤2 등의 대형 프로젝트가 마무리 되면서 향후 EDW(Enterprise Data Warehouse)의 확장이 DB 시장 확장에 기여하고 있다.

다. 유통부문

- 2000년 이후, IT 환경 변화에 따라 CRM과 SCM의 구축이 활발하게 진행되고 있다.
- 상거래를 위한 인프라와 KMS를 위한 백업시스템 구축도 함께 진행되었다.
- RFID의 등장으로 유비쿼터스 시대에 접어들었다.

분야	내용
제조부문	• **ERP**(Enterprise Resource Planning) : 인사·재무·생산 등 기업의 전 부문에 걸쳐 독립적으로 운영되던 각종 관리 시스템의 **경영자원을 하나의 통합 시스템으로 재구축**함으로써 생산성을 극대화하려는 경영혁신기법을 의미한다. • **BI**(Business Intelligence) : 비즈니스 인텔리전스(Business Intelligence, BI)란 기업이 보유하고 있는 수많은 데이터를 정리하고 분석해 기업의 **의사결정에 활용하는 일련의 프로세스**를 말한다. • **CRM**(Customer Relationship Management) : '고객관계관리'라고 한다. 기업이 고객과 관련된 내외부 자료를 분석·통합해 **고객 중심 자원을 극대화**하고 이를 토대로 고객특성에 맞게 마케팅 활동을 계획·지원·평가하는 과정이다. • **RTE**(Real-Time Enterprise) : 회사의 주요 경영정보를 통합관리하는 실시간 기업의 새로운 기업경영시스템이다. 전사적 자원관리(ERP), 판매망관리(SCM), 고객관리(CRM) 등 부문별 전산화에서 한발 나아가 **회사 전 부문의 정보를 하나로 통합**함으로써 경영자의 빠른 의사결정을 이끌어 내려는 목적에서 만들어졌으며 기업활동이 글로벌화되고 기술의 발전으로 제품 수명이 짧아지는 현실에 대응되고 있다.

> **비기의 학습팁**
> RTE(Real Time Enterprise)
> 제조 부문의 RTE는 기업의 업무 프로세스에서 발생하는 정보를 실시간으로 통합 및 전달해서 신속한 대응이 가능한 스피드 경영을 말합니다.

> **비기의 학습팁**
> • KMS(Knowledge Management System)은 지식 관리 시스템의 약자로, 조직 내의 지식을 체계적으로 관리하는 시스템을 말합니다.

> **비기의 학습팁**
> • RFID(Radio Frequency Identification)는 무선주파수를 이용하여 대상을 식별할 수 있는 기술입니다.

분야	내 용
금융부문	• **EAI**(Enterprise Application Integration) : 기업 내 상호 연관된 모든 애플리케이션을 유기적으로 연동하여 필요한 **정보를 중앙 집중적으로 통합, 관리, 사용**할 수 있는 환경을 구현하는 것으로 e-비즈니스를 위한 기본 인프라이다. • **EDW**(Enterprise Data Warehouse) : 기존 DW(Data Warehouse)를 전사적으로 확장한 모델로 **BPR과 CRM, BSC 같은 다양한 분석 애플리케이션들을 위한 원천**이 된다. 따라서 EDW를 구축하는 것은 단순히 정보를 빠르게 전달하는 대형 시스템을 도입한다는 의미가 아니라 기업 리소스의 유기적 통합, 다원화된 관리 체계 정비, 데이터의 중복 방지 등을 위해 시스템을 재설계 하는 것을 나타낸다.
유통부문	• **KMS**(Knowledge Management System) : **지식관리시스템**을 의미하며, 기업의 환경이 물품을 주로 생산하던 산업사회에서 지적 재산의 중요성이 커지는 지식사회로 급격히 이동함에 따라, 기업 경영을 지식이라는 관점에서 새롭게 조명하는 접근방식이다. • **RFID**(Radio Frequency, RF) : **주파수를 이용해 ID를 식별하는 System**으로 일명 전자태그로 불린다. 전파를 이용해 먼 거리에서 정보를 인식하는 기술로 적용대상에 RFID 칩을 부착한 후 리더기를 통해 정보를 인식한다.

> **비기의 학습팁**
>
> EAI와 ERP, EDW는 비슷해 보이지만, 각각의 목적과 기능이 다릅니다.
>
> **EAI**
> • 목적: 기업 내 시스템 간 연동 및 통합
> • 핵심: 다양한 시스템을 어떻게 연결하고 통합할 것인가?
>
> **ERP**
> • 목적: 기업 내부 자원 통합 관리
> • 핵심: 기업 내부 자원을 어떻게 통합적으로 관리할 것인가?
>
> **EDW**
> • 목적: 기업 데이터 저장 및 분석
> • 핵심: 기업 데이터를 어떻게 분석하고 활용할 것인가?

4. 사회기반구조로서의 데이터베이스

가. 개념

- 1990년대 사회 각 부문의 정보화가 본격화되면서 데이터베이스 구축이 활발하게 추진되었다. 정부를 중심으로 무역, 통관, 물류, 조세, 국세, 조달 등 사회간접자본(SOC) 차원에서 EDI를 활용하여 부가가치통신망(VAN)을 통해 정보망이 구축되기 시작하였다.

- 1990년대 후반에는 지리, 교통부문의 데이터베이스가 구축되기 시작했고, 2000년대 들어서 더욱 고도화 되어 일반 국민들도 가정에서 손쉽게 생활에 필요한 정보를 습득하고 있다.

나. 종류

1) **EDI**(Electronic Data Interchange) : 주문서, 납품서, 청구서 등 무역에 필요한 각종 서류를 표준화된 양식을 통해 전자적 신호로 바꿔 컴퓨터통신망을 이용하여, 거래처에 전송하는 시스템이다.

2) **VAN**(Value Added Network) : 부가가치통신망, 공중 전기통신사업자(예컨대 한국전기통신공사)로부터 통신회선을 차용하여 독자적인 네트워크를 형성하는 것이다.

3) **CALS**(Commerce At Light Speed) : 전자상거래 구축을 위해 기업 내에서 비용 절감과 생산성 향상을 추구할 목적으로 시작된, 제품의 설계·개발·생산에서 유통·폐기에 이르기까지 제품의 라이프 사이클(Life Cycle) 전반에

> **비기의 학습팁**
>
> VAN은 독자적인 네트워크로 각종 정보를 부호, 영상, 음성 등으로 교환하거나 정보를 축적하는 등 단순한 통신이 아니라 부가가치가 높은 서비스입니다.

관련된 데이터를 통합하고 공유·교환할 수 있도록 한 경영통합정보시스템을 말한다.

다. 분야별 사회기반 구조의 데이터베이스

분야	솔루션
물류부문	• CVO(Commercial Vehicle Operation System, 화물운송정보) • PORT-MIS(항만운영정보시스템) • KROIS(철도운영정보시스템)
지리/교통부문	• GIS(Geographic Information System, 지리정보시스템) • RS(Remote Sensing, 원격탐사) • GPS(Global Positioning System, 범지구위치결정시스템) • ITS(Intelligent Transport System, 지능형교통시스템) • LBS(Location Based Service, 위치기반서비스) • SIM(Spatial Information Management, 공간정보관리)
의료부문	• PACS(Picture Archiving and Communication System) • U헬스(Ubiquitous-Health)
교육부문	• NEIS(National Education Information System, 교육행정정보시스템)

> **비기의 학습팁**
> CALS는 1980년대 초, 미 국방성 제품의 전 생산유통 과정에서 컴퓨터를 활용한 자동화 시스템을 구축해 효율적인 군수 조달을 위해 개발된 시스템이다.

✓ 핵심 개념체크

✓ 25회 기출 출★★★★★ 난★★☆☆☆

8. 다음 중 데이터베이스 설계 절차가 적절하게 배치된 것은?

① 요구사항 분석 → 개념적 설계 → 논리적 설계 → 물리적 설계
② 요구사항 분석 → 객체적 설계 → 논리적 설계 → 물리적 설계
③ 요구사항 분석 → 물리적 설계 → 개념적 설계 → 논리적 설계
④ 요구사항 분석 → 개념적 설계 → 객체적 설계 → 논리적 설계

데이터베이스 설계는 요구사항 분석을 시작으로, 데이터의 추상적 설계(개념적 설계), 데이터 모델링(논리적 설계), 실제 구현 단계(물리적 설계)로 진행된다.

✓ 36회 기출 출★★★★★ 난★★★☆☆

9. 데이터 웨어하우스에 대한 설명으로 가장 적절하지 않은 것은?

① 데이터 웨어하우스는 다양한 출처의 데이터를 통합하여 분석에 최적화된 저장 공간을 제공한다.
② ETL은 주기적으로 내/외부 데이터베이스로부터 정보를 추출하고 정해진 규약에 따라 정보를 변환한 후에 데이터 웨어하우스에 정보를 저장한다.
③ 일반적으로 데이터 웨어하우스는 전사적 차원에서 접근하기보다는 재무, 생산, 운영과 같이 특정 조직의 특정 업무 분야에 초점을 맞추어 구축된다.
④ 데이터 웨어하우스는 시간의 흐름에 따라 변화하는 데이터를 유지하며, 과거 데이터를 분석하는 데 유용하다.

데이터 웨어하우스는 전사적 차원에서 데이터를 통합하고 분석에 최적화된 저장소를 제공한다. 특정 업무 분야에 초점을 맞추는 것은 데이터 마트(Data Mart)이다.

✅ 33회 기출 출★★★★☆ 난★★★☆☆

10. 데이터베이스는 다양한 유형으로 구분되며, NoSQL 데이터베이스는 비정형 데이터 처리를 주요 목적으로 한다. 다음 중 NoSQL 데이터베이스로 분류되지 않는 것은?

① MongoDB ② HBase
③ MySQL   ④ Couchbase

MySQL은 관계형 데이터베이스 관리 시스템(RDBMS)으로, NoSQL 데이터베이스가 아니다. MongoDB, HBase, Couchbase는 NoSQL 데이터베이스로 비정형 데이터 처리를 목적으로 설계되었다.

✅ 32회 기출 출★★★★★ 난★★★☆☆

11. 아래 SQL 명령어 중 DML에 해당하는 항목은?

A. UPDATE
B. SELECT
C. INSERT
D. DELETE
E. CREATE

① A, B   ② A, B, C
③ A, B, C, D   ④ A, B, C, D, E

DML(Data Manipulation Language)은 데이터를 조작하는 명령어로, UPDATE, SELECT, INSERT, DELETE가 포함된다. CREATE는 DDL(Data Definition Language)에 해당한다.

✅ 37회 기출 출★★★★★ 난★★☆☆☆

12. 아래에서 설명하는 정보시스템으로 가장 적절한 것은?

경영 효율화를 위해 기업 전체의 경영 자원을 통합적으로 관리하는 정보 시스템

① ERP ② EAI
③ CRM ④ RFID

ERP는 기업의 경영 자원을 통합 관리하여 경영 효율성을 높이는 정보 시스템이다. EAI는 시스템 간 통합, CRM은 고객 관계 관리, RFID는 물류 추적 기술이다.

PART 01 데이터 이해

2장 데이터의 가치와 미래

2 DAY

○ 학습 목표

- 빅데이터의 정의와 출현배경을 이해한다.
- 빅데이터의 기능과 빅데이터가 만들어 내는 본질적인 변화를 이해한다.
- 빅데이터의 가치와 영향을 이해한다.
- 빅데이터를 통한 위기 요인과 통제 방안을 이해한다.
- 빅데이터의 미래를 예상할 수 있다.

○ 눈높이 체크

✓ 빅데이터의 정의를 알고 계신가요?

빅데이터는 말 그대로 큰 데이터를 의미합니다. 단순히 용량만 방대한 것이 아니라 복잡성도 증가해서 기존의 데이터 처리 툴로 다루기 어려운 데이터 셋을 지칭하기도 합니다. 2장에서는 빅데이터의 정확한 정의와 출현배경, 기능에 대해 알아보고 빅데이터가 만들어 내는 본질적인 변화를 학습해 보도록 하겠습니다.

✓ 빅데이터가 우리 생활을 어떻게 바꾸어 가는지 알고 계신가요?

2012년 미국의 44대 대통령 선거에 당선된 오바마의 빅데이터를 통한 선거운동, 2013년 서울의 심야버스인 올빼미 버스의 빅데이터를 통한 노선변경 등 우리 생활에 빅데이터를 통한 적용사례는 점점 많아지고 있습니다. 빅데이터의 가치와 영향을 학습하도록 하겠습니다.

✓ 빅데이터가 발전함에 따라 위기 요인은 어떤 것들이 있을까요?

빅데이터의 활용을 통해 우리의 생활이 편리해지고 있지만 그와 반대로 사생활 침해 등의 문제도 증가함으로 인해 우리의 개인적인 삶이 노출되어 범죄에 악용될 수도 있습니다. 또한 범죄를 미리 예측해서 관리하고자 할 때 자칫 책임원칙 주의가 훼손될 수 있습니다. 더불어 데이터의 오남용으로 잘못된 미래 예측이 더 큰 피해를 불러올 수도 있습니다.

✓ 빅데이터 시대가 진행되면서 부각되는 어두운 면은 어떤 것이 있을까요?

빅데이터로 인해 부각되는 사생활 침해, 책임원칙 훼손, 데이터 오용 등은 빅데이터 시대의 부작용이라고 할 수 있습니다. 이러한 위기와 부작용을 자세히 학습하고 통제할 수 있는 방안을 논의해 보도록 하겠습니다.

✓ 미래의 빅데이터 시대는 어떻게 변할까요? 또 무엇을 준비해야 할까요?

초고속 인터넷 시대에서 모바일 광대역 네트워크시대를 살고 있는 지금 모든 물건에 센서를 연결하는 사물인터넷(IoT)시대가 도래하고 있습니다. 또 스마트폰 시장은 웨어러블 단말 시장으로 변하고 있습니다. 이러한 기술의 발전은 더욱 더 많은 데이터를 생산할 것이고 이러한 정형/비정형 데이터들을 활용한 빅데이터를 통해 우리의 삶은 더욱 편리하고 빠른 의사결정을 할 수 있도록 변화할 것입니다. 이러한 미래의 빅데이터 시대에 요구되는 데이터, 기술, 인력에 대해 학습해 보도록 하겠습니다.

2장 데이터의 가치와 미래

1절 빅데이터의 이해

 이론 정복 강의

출제빈도 F4 난이도 D1

#빅데이터출현배경 #빅데이터로인한변화 #사전·사후처리 #표본·전수조사 #인과·상관관계 #빅데이터기능 #플랫폼 #렌즈

출제포인트

빅데이터의 이해는 개념의 정의와 차이를 구분하는 비교·선택형 문항으로 종종 출제되는 주제이며, 2025년 시험에서는 2문제가 출제되었습니다. 빅데이터의 정의와 3V/4V 등 핵심 키워드를 중심으로 개념을 정리해 두시기 바랍니다.

비기의 학습팁

3V(Volume, Variety, Velocity)
: 빅데이터의 기본 특성으로, 빅데이터의 개념 및 기본 정의를 설명할 때 사용됩니다.

4V(Volume, Variety, Velocity, Value)
: 주로 기업의 빅데이터 활용 사례에 초점을 맞출 때 사용됩니다.

7V(Volume, Variety, Velocity, Value, Veracity, Validity, Volatility)
: 데이터의 관리 정책, 데이터 거버넌스, 또는 빅데이터 프로젝트 실행의 구체적 요구사항을 논의할 때 사용됩니다.

❶ 빅데이터의 이해

1. 빅데이터의 정의

가. 관점에 따른 정의

- 빅데이터의 정의는 빅데이터를 보는 **관점에 따라 3가지**로 정의한다.
  첫째, 3V로 요약되는 데이터 자체의 특성 변화에 초점을 맞춘 **좁은 범위의 정의**가 있다.
  둘째, 데이터 자체뿐 아니라 처리, 분석 기술적 변화까지 포함되는 **중간 범위의 정의**가 있다.
  셋째, 인재, 조직 변화까지 포함한 **넓은 관점에서의 빅데이터에 대한 정의**가 있다.

[가트너 그룹(Gartner Group)의 더그 래니(Doug Laney)의 3V]

3V			4V
양(Volume)	다양성(Variety)	속도(Velocity)	가치(Value)
↓	↓	↓	진실성(Veracity)
데이터의 규모 측면	데이터의 유형과 소스 측면	데이터의 수집과 처리 측면	정확성(Validity)
센싱데이터, 비정형데이터	정형, 비정형데이터 (영상, 사진)	원하는 데이터의 추출 및 분석속도	휘발성(Volatility)

※ 3V에 가치(Value)를 추가하면 4V, 진실성(Veracity), 정확성(Validity), 휘발성(Volatility)을 추가하면 7V라고 명명함.

참고

- **맥킨지, 2011** : 빅데이터는 일반적인 데이터베이스 소프트웨어로 저장, 관리, 분석할 수 있는 범위를 초과하는 규모의 데이터를 의미한다. → **데이터 규모에 중점**을 둔 정의
- **IDC, 2011** : 빅데이터는 다양한 종류의 대규모 데이터로부터 저렴한 비용으로 가치를 추출하고 데이터의 초고속 수집·발굴·분석을 지원하도록 고안된 차세대 기술 및 아키텍처이다. → **분석 비용 및 기술에 초점**을 맞춘 정의
- **마이어 쇤베르거와 쿠키어** : 빅데이터란 대용량 데이터를 활용해 작은 용량에서는 얻을 수 없었던 새로운 통찰이나 가치를 추출해내는 일이다. 나아가 이를 활용해 시장, 기업 및 시민과 정부의 관계 등 많은 분야에 변화를 가져오는 일이다.

나. 빅데이터 정의의 범주 및 효과

데이터 변화	기술 변화	인재, 조직 변화
· 규모(Volume) · 형태(Variety) · 속도(Velocity)	· 데이터 처리, 저장, 분석 기술 및 아키텍쳐 · 클라우드 컴퓨팅 활용	· Data Scientist 같은 새로운 인재 필요 · 데이터 중심 조직

* 기존 방식으로는 얻을 수 없는 통찰 및 가치 창출
* 사업방식, 시장, 사회, 정부 등에서 변화와 혁신 주도

❷ 출현 배경과 변화

1. 출현 배경

- 빅데이터 현상은 없었던 것이 새로 등장한 것이 아니라 기존의 데이터, 처리 방식, 다루는 사람과 조직 차원에서 일어나는 '변화'를 말한다.

가. 3가지 출현 배경

	출현배경	내 용
산업계	고객 데이터 축적	고객 데이터를 축적하여 보유함으로써 **데이터에 숨어있는 가치를 발굴**해 새로운 성장동력원으로의 기술 확보
학 계	거대 데이터 활용, 과학 확산	거대 데이터를 다루는 학문 분야가 늘어나면서 필요한 기술 **아키텍처 및 통계 도구들이 발전**
기술발전	관련기술의 발달	디지털화, 저장 기술의 발달, 인터넷 보급, 모바일 혁명, 클라우드 컴퓨팅

예시

산업계	미국 테스코의 경우 매달 15억 건 이상의 고객데이터를 수집하고 있으며, 액시엄의 경우 전세계 5억명, 미국인 96%에 관련된 데이터를 보관하고 있다.
학 계	인간 게놈프로젝트를 통해 인간 유전자 정보를 해석, NASA의 기후 예측 시뮬레이션 센터에서는 약 32페타바이트의 기후관찰 정보를 활용하고 있다.
기술발전	아날로그의 디지털화는 데이터의 생산·유통·저장의 편리성을 개선하였으며, 저장 기술의 발달로 비용절감, 인터넷, 모바일의 발달을 통해 기술이 발전하고 있다.

출제포인트

출현 배경과 변화는 여러 회차에서 반복 출제되는 주제이며, 2025년 시험에서도 1문제가 출제되었습니다. 빅데이터 등장 배경과 기존 환경 대비 변화를 지문형으로 자주 묻기 때문에 핵심 문장을 중심으로 요약·정리해 두시기 바랍니다.

개념 +

클라우드 컴퓨팅

- 클라우드 컴퓨팅은 빅데이터 분석에 경제적 효과를 제공해준 결정적인 기술이라고 할 수 있습니다.
- 클라우드 컴퓨팅은 대규모 데이터를 저장하고 처리할 수 있는 유연한 환경을 제공하며, 초기 인프라 구축 비용 없이 데이터 분석이 가능하게 함으로써 빅데이터의 활용 범위를 크게 확장시켰습니다.

나. ICT의 발전과 빅데이터의 출현

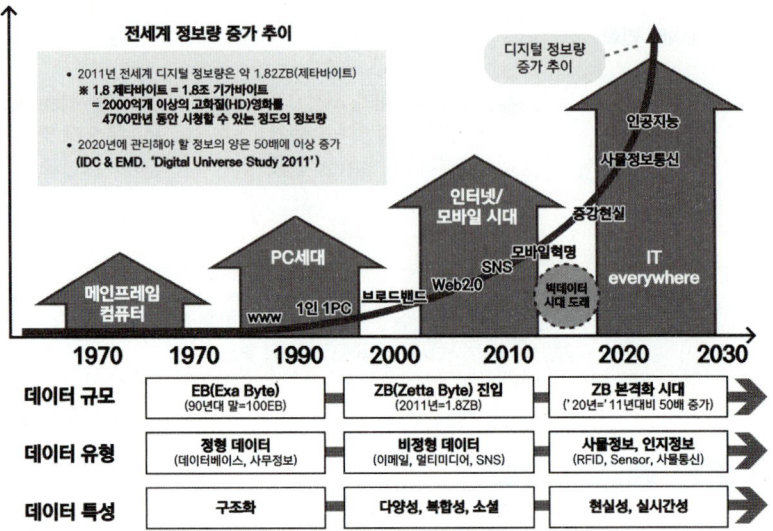

〈 출처 : NIA(한국지능정보사회진흥원) – 새로운 미래를 여는 빅데이터 시대(2013) 〉

❸ 빅데이터의 기능

1. 빅데이터에 거는 기대를 표현한 비유

산업혁명의 석탄, 철	제조업 뿐만 아니라 서비스 분야의 생산성을 획기적으로 끌어올려 사회·경제·문화·생활 전반에 혁명적 변화를 가져올 것으로 기대됨
21세기의 원유	경제 성장에 필요한 정보를 제공함으로써 산업 전반의 생산성을 한 단계 향상시키고, 기존에 없던 새로운 범주의 산업을 만들어낼 것으로 전망됨
렌즈	렌즈를 통해 현미경이 생물학 발전에 미쳤던 영향만큼이나 데이터가 산업 발전에 영향을 미칠 것으로 기대됨 예 Ngram Viewer
플랫폼	'공동 활용의 목적으로 구축된 유무형의 구조물'로써의 다양한 서드 파티 비즈니스에 활용되면서 플랫폼 역할을 할 것으로 전망됨 예 카카오톡, 페이스북 등

개념 +

엔그램 뷰어(Ngram Viewer)
구글에서 제공하는 말뭉치(컴퓨터로 가공, 처리하고 분석할 수 있도록 저장된 언어의 자료) 조회 프로그램으로 주요 단어 및 관계성 분석이 가능합니다.

IoT(Internet of Things)
인터넷으로 연결된 기계마다 통신 장치를 갖추고 있는 환경에서 사람 또는 기계끼리 자동으로 통신하는 기술로, 사물과 사람, 사물과 사물 간의 정보를 상호 소통하고 데이터를 공유하는 방식을 말합니다.

④ 빅데이터가 만들어 내는 본질적인 변화

1. 과거에서 현재로의 변화

| 사전처리 | ▶ | 사후처리 |

필요한 정보만 수집하고 필요하지 않은 정보를 버리는 시스템에서 가능한 한 많은 데이터를 모으고 그 데이터를 다양한 방식으로 조합해 숨은 정보를 찾아낸다.

| 표본조사 | ▶ | 전수조사 |

데이터 수집 비용의 감소와 클라우드 컴퓨팅 기술의 발전으로 데이터 처리비용이 감소하게 되었다. 이로 인해 표본을 조사하는 기존의 지식발견 방식에서 전수조사를 통해 샘플링이 주지 못하는 패턴이나 정보를 발견하는 방식으로 데이터 활용방법이 변화되었다.

| 질 | ▶ | 양 |

데이터가 지속적으로 추가될 경우 양질의 정보가 오류 정보보다 많아 전체적으로 좋은 결과 산출에 긍정적인 영향을 미친다는 추론에 바탕을 둔 변화가 나타나고 있다.

| 인과관계 | ▶ | 상관관계 |

상관관계를 통해 특정 현상의 발생 가능성이 포착되고, 그에 상응하는 행동을 하도록 추천되는 일이 점점 늘어나고 있다. 이처럼 데이터 기반의 상관관계 분석이 주는 인사이트가 인과관계에 의한 미래 예측을 점점 더 압도해 가는 시대가 도래하게 될 것으로 전망된다.

> **출제포인트**
> 빅데이터가 만들어 내는 본질적인 변화는 개념 간 차이를 구분하는 비교·선택형 문항으로 자주 출제되는 주제이며, 2025년 시험에서는 1문제가 출제되었습니다. 과거에서 현재로 무엇이 어떻게 달라졌는지를 흐름 속에서 정리해 두시면 좋습니다.

✓ 핵심 개념체크

✓ 22회 기출 출★★★★☆ 난★★★★☆

13. 다음 중 일반적으로 통용되고 있는 빅데이터의 정의와 거리가 가장 먼 것은?

① 빅데이터는 일반적인 데이터베이스 소프트웨어로 저장·관리·분석할 수 있는 범위를 초과하는 규모의 데이터다.
② 빅데이터는 다양한 종류의 대규모 데이터로부터 저렴한 비용으로 가치를 추출하고 데이터의 초고속 수집·발굴·분석을 지원하도록 고안된 차세대 기술 및 아키텍처이다.
③ 빅데이터는 데이터의 양(Volume), 데이터 유형과 소스 측면의 다양성(Variety), 데이터 수집과 처리 측면에서 속도(Velocity)가 급격히 증가하면서 나타난 현상이다.
④ 빅데이터는 기존의 작은 데이터 처리 분석으로는 얻을 수 없었던 통찰과 가치를 하둡(Hadoop)을 기반으로 하는 대용량의 분산처리 기술을 통해 창출하는 새로운 방식이다.

빅데이터는 반드시 하둡(Hadoop)과 같은 특정 기술에 국한되지 않으며, 다양한 기술 및 아키텍처를 통해 데이터를 처리하고 분석한다. 나머지 선택지는 빅데이터의 일반적 정의와 부합한다.

✓ 36회 기출 출★★★★★ 난★★★☆☆

14. 다음 설명에 맞는 가장 적절한 용어는 무엇인가?

> 인터넷에 연결된 기기가 사람의 개입 없이 상호 간에 정보를 주고받아 처리하는 것을 의미한다. 이것의 예시로는 허기스의 Tweel Pee, 구글의 Google Glass, 나이키의 Fuel Band, 삼성전자의 갤럭시 기어가 있다.

① 사물인터넷 (Internet of Things, IoT)
② 증강 현실 (Augmented Reality, AR)
③ 가상 현실 (Virtual Reality, VR)
④ 웨어러블 디바이스 (Wearable Devices)

사물인터넷은 기기 간의 정보 교환을 통해 사람의 개입 없이 작업을 수행한다. 증강현실(AR)과 가상현실(VR)은 시각적 경험을 제공하며, 웨어러블 디바이스는 IoT 기기의 한 형태일 수 있지만 사물인터넷 전체를 대표하지 않는다.

✓ 33회 기출 출★★★★★ 난★★☆☆☆

15. 빅데이터는 다양한 분야에서 활용되며 데이터 처리 및 분석에 혁신적인 변화를 가져왔다. 다음 중 빅데이터의 특징이나 설명으로 적절하지 않은 것은?

① 빅데이터 환경에서는 필요한 정보만을 추출하기 위해 표본조사의 중요성이 더욱 대두되고 있다.
② 빅데이터를 활용하면 전통적인 방법으로는 불가능했던 예측과 의사결정의 고도화가 가능하다.
③ 빅데이터의 출현 배경에는 모바일 디바이스의 보급, 네트워크 기술의 발전, 데이터 생성 비용의 감소 등이 있다.
④ 4차 산업혁명 시대에는 과거의 석유처럼 경제적 가치를 창출하는 핵심 자원으로 여겨지고 있다.

빅데이터는 전수조사를 기반으로 하며, 표본조사의 중요성이 감소한다. 나머지 선택지는 빅데이터의 특징이나 설명으로 적합하다.

✓ 12회 기출 출★★★★★ 난★★☆☆☆

16. 빅데이터의 기능 중 '공동 활용의 목적으로 구축된 유무형의 구조물 역할을 수행한다.'라는 것에 해당하는 내용은 무엇인가?

① 산업혁명 시대의 석탄, 철
② 21세기의 원유
③ 렌즈
④ 플랫폼

플랫폼은 빅데이터의 공동 활용을 목적으로 구축된 유무형의 구조물로, 데이터를 수집, 저장, 분석, 배포하는 역할을 수행한다. 산업혁명 시대의 석탄, 철은 과거의 자원적 중요성을, 21세기의 원유는 현대 데이터의 자원적 가치를 비유한 것이며 렌즈는 데이터 해석이나 분석적 관점을 비유한 것이다.

✓ 30회 기출 출★★★★☆ 난★★☆☆☆

17. 빅데이터가 만들어내는 본질적인 변화로 옳지 않은 것은?

① 표본조사에서 전수조사로 변화했다.
② 데이터의 질에서 데이터의 양으로 변화했다.
③ 비정형 데이터에서 정형 데이터로 변화했다.
④ 사전처리에서 사후처리로 변화했다.

빅데이터는 정형 데이터에서 비정형 데이터로의 변화가 특징이다. 나머지 선택지는 빅데이터가 가져온 실제 변화로, 전수조사, 데이터 양의 증가, 사전처리에서 사후처리로의 변화가 포함된다.

정답 13. ④ 14. ① 15. ① 16. ④ 17. ③

2장 데이터의 가치와 미래

2절 빅데이터의 가치와 영향

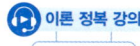

#빅데이터분석 #빅데이터가치 #빅데이터영향 #가치창출

출제빈도 F3 난이도 D1

❶ 빅데이터의 가치

1. 빅데이터 가치 산정이 어려운 이유

- 여러 가지 변수로 인해 빅데이터 시대에서는 가치를 측정하는 것이 쉽지 않다.

빅데이터 가치 산정이 어려운 이유

데이터 활용방식 변화	데이터 활용 방식에서는 재사용이나 재조합, 다목적용 데이터 개발 등이 일반화되면서 특정 데이터를 언제·어디서·누가 활용할지 알 수 없게 되었다. 따라서 가치를 산정하는 것도 어려워졌다.
새로운 가치 창출	빅데이터 시대에는 데이터가 '기존에 없던 가치'를 창출함에 따라 그 가치를 측정하기가 어려워졌다.
분석 기술 발전	현재는 가치가 없는 데이터일지라도, 추후에 새로운 분석 기법이 등장한다면 거대한 가치를 지닌 데이터가 될 수도 있다.

출제포인트

빅데이터의 가치는 매 회차 꾸준히 출제되는 주제이며, 2025년 시험에서도 2문제가 출제되었습니다. 빅데이터 가치 산정이 어려운 이유와 빅데이터 분석의 특징을 핵심 포인트로 묶어 반드시 숙지해 두시기 바랍니다.

비기의 학습팁

기존의 데이터 분석과 비교한 빅데이터 분석의 특징

1. 내부 정형 데이터에 한정되지 않고, 외부·비정형을 포함한 다양한 데이터를 함께 분석합니다.
2. 데이터가 생성되는 시점에 가깝게 실시간·상시 분석이 가능합니다.
3. 분산 환경에 대규모 데이터를 저장·처리하여 예측·의사결정 모델을 구축합니다.

참고

[사례로 이해하기] 빅데이터 가치 산정이 어려운 이유

- **데이터 활용방식 변화** : 통신사가 수집한 위치 데이터는 처음에는 통화 품질 관리용이었지만, 이후 상권 분석·교통량 예측·관광 서비스 등에 동시에 활용되면서 어느 사업의 가치로 봐야 할지 나누기 어려워진다.
- **새로운 가치 창출** : 배달 앱의 주문·리뷰 데이터를 분석해 새 브랜드·메뉴를 기획하거나 광고 상품을 만드는 경우, 원래 없던 매출과 서비스가 생기기 때문에 기존 기준으로는 데이터를 얼마로 평가해야 할지 모호해진다.
- **분석 기술 발전** : 과거에는 단순 감시용이던 CCTV 영상이, 딥러닝 기술 도입 후 고객 동선 분석·매장 배치 최적화에 활용되면서 나중에 큰 가치를 가진 데이터로 바뀌는 사례처럼, 현재는 저평가된 데이터가 향후 핵심 자산이 될 수 있어 가치 산정이 어렵다.

> **출제포인트**
> 빅데이터의 영향은 개념을 정확히 구분하는 비교·선택형 문항으로 자주 다뤄지는 주제입니다. 2025년 시험에서는 단독 문항으로는 출제되지 않았으나, 연관 개념과 함께 지문에 포함될 수 있으므로 분야별 영향과 대표 사례를 중심으로 정리해 두시기 바랍니다.

❷ 빅데이터의 영향

- 다양한 시장 주체들이 빅데이터를 활용함에 따라 소비자이면서 국민인 일반인들은 맞춤형 서비스를 저렴한 비용으로 이용하게 되고, 적시에 필요한 정보를 얻음으로써 다양한 형태로 기회비용을 절약할 수 있어 사람들의 생활이 점점 스마트해지고 있다.

빅데이터가 미치는 영향

분야	영향	내용
기업	혁신, 경쟁력 제고, 생산성 향상	빅데이터를 활용해 소비자의 행동을 분석하고 시장 변동을 예측해 비즈니스 모델을 혁신하거나 신사업을 발굴한다.
정부	환경 탐색, 상황분석, 미래 대응	기상, 인구이동, 각종 통계, 법제 데이터 등을 수집해 사회 변화를 추정하여, 관련 정보를 추출한다.
개인	목적에 따른 활용	빅데이터를 서비스하는 기업의 출현이 늘어나면서, 데이터 분석 비용이 지속적으로 하락하여 정치인이나 대중 가수 등과 같은 개인도 인지도 향상에 빅데이터를 활용한다.

⇩

생활 전반의 스마트화

✓ 핵심 개념체크

✓ 13회 기출 출★★★★☆ 난★★☆☆☆

18. 다음 중 빅데이터의 수집, 구축, 분석의 최종 목적으로 가장 적절한 것은?

① 새로운 통찰과 가치를 창출
② 데이터 중심 조직 구성
③ 초고속 데이터 처리 기술 개발
④ 데이터 관리 비용 절감

빅데이터의 최종 목적은 데이터를 통해 새로운 통찰과 가치를 창출하여 의사결정과 혁신을 지원하는 것이다. 데이터 중심 조직 구성, 기술 개발, 비용 절감은 부수적인 결과일 수 있다.

✓ 34회 기출 출★★★★☆ 난★★★★☆

19. 빅데이터는 현대 사회에서 다양한 방식으로 활용되고 있다. 다음 중 빅데이터의 특성에 대해 부적절하게 설명한 것은?

① 비즈니스의 핵심 요소를 파악하기 위해 보다 객관적이고 종합적인 데이터를 확보하는 것이 중요하다.
② 빅데이터 분석은 일차적인 분석으로는 불충분하다.
③ 기업의 데이터 분석은 조직 문화와 전략에 큰 영향을 미친다.
④ 데이터의 양이 많다고 해서 반드시 그 데이터가 더 큰 가치를 만들어내는 것은 아니다.

빅데이터 분석은 일차적인 분석으로도 유의미한 결과를 제공할 수 있다. 그러나 심화 분석이 필요할 때 추가적인 분석이 진행될 수 있다. 나머지 선택지는 빅데이터의 특성을 잘 설명한다.

✓ 34회 기출 출★★★★☆ 난★★★★☆

20. 다음 중 데이터의 가치 평가가 어려운 이유로 가장 적절하지 않은 것은?

① 데이터 재사용이 보편화되면서 특정 데이터를 누가 언제 사용했는지 추적하기 어렵기 때문이다.
② 빅데이터 전문인력의 증가로 다양한 곳에서 빅데이터가 활용되고 있기 때문이다.
③ 분석 기술의 발전으로 과거에 분석할 수 없던 데이터를 분석하게 되었기 때문이다.
④ 빅데이터는 새로운 가치를 창출하므로 그 가치를 평가하기 어렵기 때문이다.

빅데이터 전문인력의 증가는 데이터 가치 평가와 직접적으로 연관되지 않는다. 데이터 재사용의 추적 어려움, 분석 기술의 발전, 빅데이터의 새로운 가치 창출은 데이터 가치 평가의 어려움을 설명하는 주요 이유이다.

✓ 37회 기출 출★★★★☆ 난★☆☆☆☆

21. 빅데이터가 기업, 개인, 정부에 미치는 영향으로 틀린 것은?

① 기업은 고객 데이터를 분석하여 새로운 시장 기회를 발견하고, 고객 만족도를 개선하기 위한 전략을 수립할 수 있다.
② 정부는 교통, 의료, 안전 등의 공공 데이터를 활용하여 시민의 삶의 질을 향상시키고 정책의 효율성을 증대할 수 있다.
③ 기업은 실시간 데이터를 활용하여 빠르게 시장 변화를 감지하고, 의사결정의 속도와 정확성을 높일 수 있다.
④ 개인은 아직까지 활용 대상의 위치에 머물러 있어 데이터를 활용할 수 없다.

기업은 빅데이터를 활용하여 고객 데이터를 분석함으로써 새로운 시장 기회를 발견하고, 고객 만족도를 개선할 전략을 수립할 수 있으며 정부는 빅데이터를 통해 교통, 의료, 안전 등 다양한 공공 영역에서 시민의 삶의 질을 향상시키고 정책의 효율성을 높이고 있다. 개인은 빅데이터를 통해 다양한 정보를 얻고, 이를 활용하여 생활의 질을 개선하거나 개인적인 결정을 내리는 데 기여하고 있다.

정답 18. ① 19. ② 20. ② 21. ④

2장 데이터의 가치와 미래

3절 비즈니스 모델

 이론 정복 강의

출제빈도 **F1** 난이도 **D5**

 #빅데이터활용사례 #빅데이터테크닉 #회귀분석 #기계학습 #유전자알고리즘 #감정분석 #소셜네트워크분석 #연관규칙학습 #딥러닝 #머신러닝

❶ 빅데이터 활용 사례

1. 기업

- 구글은 사용자의 로그 데이터를 활용한 검색엔진 개발, 기존 페이지랭크 알고리즘을 혁신하여 검색 서비스를 개선했다.
- 월마트는 고객의 구매패턴을 분석해 상품진열에 활용했다.

2. 정부

- 정부는 실시간 교통정보 수집, 기후 정보, 각종 지질 활동, 소방 서비스 등 다양한 국가 안전 확보 활동을 위해 실시간 모니터링을 활용한다. 이 밖에도 미래 의제인 의료와 교육 개선을 위해 빅데이터를 활용해 해결책을 모색한다.

3. 개인

- 정치인은 선거 승리를 위해 사회관계망 분석을 통해 유세 지역을 선정하고, 해당 지역의 유권자에게 영향을 줄 수 있는 내용을 선정해 효과적인 선거 활동을 펼친다.
- 가수는 팬들의 음악 청취 기록 분석을 통해 실제 공연에서 부를 노래 순서를 짜는데 활용한다.

개념 ➕

빅데이터 활용사례
- **구글**: 사용자 로그데이터를 분석해서 기존의 페이지랭크 알고리즘을 개선
- **월마트**: 고객의 구매패턴을 분석해서 상품 진열을 바꿈
- **페이스북**: 실시간 자동 번역시스템을 통해 의사소통 불편 해소
- **아마존**: 전자책 관련 데이터를 분석하여 저자에게 독서 패턴 정보 제공

❷ 빅데이터 활용 기본 테크닉

1. 빅데이터를 활용한 기본 테크닉

테크닉	내 용	예 시
연관규칙학습	변인들 간에 주목할 만한 상관관계가 있는지를 찾아내는 방법	커피를 구매하는 사람이 탄산음료를 더 많이 사는가?
유형분석	문서를 분류하거나 조직을 그룹으로 나눌 때, 또는 온라인 수강생들을 특성에 따라 분류할 때 사용	이 사용자는 어떤 특성을 가진 집단에 속하는가?
유전자 알고리즘	최적화가 필요한 문제의 해결책을 자연선택, 돌연변이 등과 같은 메커니즘을 통해 점진적으로 진화(Evolve)시켜 나가는 방법	최대의 시청률을 얻으려면 어떤 프로그램을 어떤 시간대에 방송해야 하는가?
기계학습	훈련 데이터로부터 학습한 알려진 특성을 활용해 예측하는 방법	기존의 시청 기록을 바탕으로 시청자가 현재 보유한 영화 중에서 어떤 것을 가장 보고 싶어할까?
회귀분석	독립변수를 조작함에 따라, 종속변수가 어떻게 변하는지를 보면서 두 변인의 관계를 파악할 때 사용	구매자의 나이가 구매 차량의 타입에 어떤 영향을 미치는가?
감정분석	특정 주제에 대해 말하거나 글을 쓴 사람의 감정을 분석	새로운 환불 정책에 대한 고객의 평가는 어떤가?
소셜네트워크분석 (=사회관계망분석)	특정인과 다른 사람이 몇 촌 정도의 관계인가를 파악할 때 사용하고, 영향력있는 사람을 찾아낼 때 사용	고객들 간 관계망은 어떻게 구성되어 있나?

출제포인트
빅데이터 활용 기본 테크닉은 사례 제시형 문항으로 자주 출제되는 빈출 주제이며, 2025년 시험에서는 6문제가 출제되었습니다. 각 테크닉의 개념과 활용 분야를 함께 이해해 두시기 바랍니다.

개념 ➕

테크닉의 변화
빅데이터가 등장하기 이전엔 정형 데이터를 주로 이용했습니다. (연관규칙학습, 유형분석, 유전자 알고리즘, 기계학습, 회귀분석) 하지만 최근 SNS가 발달함에 따라 비정형화된 데이터를 많이 이용하고 있습니다.(감정분석)

❸ 빅데이터 분석 기술

1. 하둡(Hadoop)

- 하둡은 여러 개의 컴퓨터를 하나인 것처럼 묶어 대용량 데이터를 처리하는 기술이다. 분산파일 시스템(HDFS)을 통해 수천 대의 장비에 대용량 파일을 저장할 수 있는 기능을 제공하고 맵리듀스(Map Reduce)로 HDFS에 저장된 대용량의 데이터들을 대상으로 SQL을 이용해 사용자의 질의를 실시간으로 처리하는 기술로 이루어져 있다.

출제포인트
빅데이터 분석 기술은 전체 출제 비중은 크지 않지만 개념 이해를 점검하는 용도로 간헐적으로 출제되는 주제입니다. 2025년 시험에서는 직접적인 문항은 없었으나, 머신러닝·딥러닝 등 주요 분석 기술의 특징은 기본 개념으로 정리해 두시기 바랍니다.

- 하둡의 부족한 기능을 서로 보완하는 '하둡 에코시스템'이 등장하여 다양한 솔루션을 제공한다.

2. Apache Spark

- 실시간 분산형 컴퓨팅 플랫폼으로써 스칼라로 작성이 되어 있지만 스칼라, 자바, R, 파이썬, API를 지원한다. In-Memory 방식으로 처리를 하기 때문에 하둡에 비해 처리속도가 빠른 것이 특징이다.

3. Smart Factory

- 공장 내 설비와 기계에 사물인터넷(IoT)이 설치되어, 공정 데이터가 실시간으로 수집되고 데이터에 기반한 의사결정이 이뤄짐으로써 생산성을 극대화할 수 있는 기술이다.

4. Machine Learning & Deep Learning

- 머신러닝은 인공지능의 연구 분야 중 하나로, 인간의 학습 능력과 같은 기능을 컴퓨터에서 실현하고자 하는 기술 및 기법이다.
- 딥러닝은 컴퓨터가 많은 데이터를 이용해 사람처럼 스스로 학습할 수 있게 하기 위하여 인공 신경망(Artificial Neural Network, ANN) 등의 기술을 기반하여 구축한 기계 학습 기술 중 하나이다.
- 대표적인 딥러닝 기법으로는 DNN, CNN, RNN, LSTM, Autoencoder, RBM 등이 있으며, 음성, 영상인식, 자연어처리 등의 여러 분야에서 활용되고 있다.
- 이러한 딥러닝을 구현하기 위한 소프트웨어 라이브러리로는 Tensorflow, Caffe, Torch, Theano, Gensim 등이 있다.

비기의 학습팁

머신러닝과 딥러닝의 차이

딥러닝은 머신러닝의 한 분야로, 전통적인 머신러닝보다 복잡한 데이터와 문제를 처리하는 데 강점이 있다. 머신러닝은 특징 추출 등에서 사람의 개입이 필요한 경우가 많지만, 딥러닝은 신경망이 데이터로부터 자동으로 특징을 학습하는 것이 특징이다.

> 핵심 개념체크

✓ 30회 기출 출 ★★★☆☆ 난 ★☆☆☆☆

22. 다음 중 빅데이터 활용의 사례로 적절하지 않은 것은?

① 구글, 애플 등의 기업에서는 정형화된 데이터만 수집하여 웹과 스마트폰의 서비스에 활용한다.
② 교통 데이터를 실시간으로 분석하여 도시 교통 체증을 완화하는 솔루션을 제공한다.
③ 농업에서 드론 데이터를 활용해 작물 생육 상태를 모니터링하고 생산성을 높인다.
④ 소셜 미디어의 감정 분석을 통해 브랜드 인지도를 높이는 캠페인을 설계한다.

> 구글과 애플은 정형 데이터뿐만 아니라 비정형 데이터를 포함하여 다양한 데이터를 수집하고 활용한다. 나머지 선택지는 빅데이터 활용 사례로 적절하다.

✓ 37회 기출 출 ★★★★★ 난 ★☆☆☆☆

23. 다음 설명에 맞는 빅데이터 활용 분석의 기본 테크닉은 무엇인가?

> A 마트는 금요일 저녁에 맥주를 사는 사람은 기저귀도 함께 구매했다는 사실을 발견하고, 두가지 상품을 가까운 곳에 진열하기로 결정했다.

① 연관 분석
② 군집 분석
③ 회귀 분석
④ 분류 분석

> 주어진 사례는 연관 분석을 활용하여 특정 제품 간의 구매 패턴을 파악한 사례이다. 군집 분석은 데이터 군집화, 회귀 분석은 변수 간 관계 탐구, 분류 분석은 데이터를 카테고리로 분류하는 데 사용된다.

✓ 31회 기출 출 ★★★☆☆ 난 ★★★☆☆

24. 다음 설명에 맞는 인공지능의 분야는 무엇인가?

> 컴퓨터가 스스로 많은 데이터를 분석해서 패턴과 규칙을 찾아내고, 학습된 패턴과 규칙을 활용하여 분류나 예측을 하는 분야

① 머신러닝 (Machine Learning)
② 유전자 알고리즘 (Genetic Algorithm)
③ 연관 분석 (Association Rule Mining)
④ 규칙 기반 시스템 (Rule-Based System)

> 머신러닝은 데이터를 통해 학습하여 패턴을 찾아내고, 이를 활용해 분류와 예측을 수행하는 인공지능의 주요 분야이다. 유전자 알고리즘은 최적화 알고리즘이고, 연관 분석은 데이터 항목 간 관계를 찾는 기법이며, 규칙 기반 시스템은 고정된 규칙을 활용하는 시스템이다.

✓ 32회 기출 출 ★★☆☆☆ 난 ★★★★☆

25. 다음 중 딥러닝 기법에 해당하지 않는 것은?

① Autoencoder
② RNN (Recurrent Neural Network)
③ SVM (Support Vector Machine)
④ LSTM (Long Short-Term Memory)

> SVM은 지도학습 기법으로, 딥러닝 기법에 속하지 않는다. Autoencoder, RNN, LSTM은 딥러닝에서 자주 사용되는 기법이다.

정답 22. ① 23. ① 24. ① 25. ③

2장 데이터의 가치와 미래

4절 위기 요인과 통제 방안

이론 정복 강의

출제빈도 F3 난이도 D2

#빅데이터위기요인 #사생활침해 #데이터오용 #책임원칙훼손 #빅데이터위기통제 #개인정보비식별화

출제포인트

빅데이터 시대의 위기 요인은 최근 기출에서 반복 출제되는 주제이며, 2025년 시험에서는 3문제가 출제되었습니다. 개인정보·보안·윤리 등 주요 위기 요인과 관련 키워드를 연관 지어 정리해 두시기 바랍니다.

❶ 빅데이터 시대의 위기 요인

1. 사생활 침해

내용	개인정보가 포함된 데이터를 목적 외에 활용할 경우 사생활 침해를 넘어 사회·경제적 위협으로 변형될 수 있다.
예시	여행 사실을 트위트 한 사람의 집을 강도가 노리는 고전적 사례 발생 → 익명화(Anonymization) 기술 발전이 필요하다.

비기의 학습팁

위기 요인 3가지를 정확히 구분하기 위해서는 각각의 특징을 정확히 숙지하시면 됩니다.
- **사생활 침해 특징**: 비밀 유지 불가, 익명성 부족, 동의 없는 수집
- **책임원칙 훼손 특징**: 책임 소재 불분명, 알고리즘의 블랙박스 문제, 데이터 편향
- **데이터 오용 특징**: 데이터 목적의 일탈, 사기 및 조작

2. 책임원칙 훼손

내용	빅데이터 기본분석과 예측기술이 발전하면서 정확도가 증가한 만큼, 분석대상이 되는 사람들은 예측 알고리즘의 희생양이 될 가능성도 증가한다. 민주주의 국가에서는 잠재적 위협이 아닌 명확한 결과에 대한 책임을 묻고 있어 이에 따른 원리를 훼손할 가능성이 있다.
예시	영화 "마이너리티 리포트"에 나오는 것처럼 범죄 예측 프로그램에 의해 범행을 저지르기 전에 체포, 자신의 신용도와 무관하고 부당하게 대출이 거절되었다. → 민주주의 국가의 형사 처벌은 잠재적 위협이 아닌 명확하게 행동한 결과에 대해 책임을 묻고 있다.

3. 데이터 오용

내용	빅데이터는 일어난 일에 대한 데이터에 의존하기 때문에 이를 바탕으로 미래를 예측하는 것은 적지 않은 정확도를 가질 수 있지만 항상 맞을 수는 없다. 또한 잘못된 지표를 사용하는 것도 빅데이터의 폐해가 될 수 있다.
예시	베트남 전쟁 때, 맥나마라 장군은 적군 사망자 수를 전쟁의 진척상황을 나타내는 지표로 활용했고 그 결과 적군 사망자 수는 과장돼 보고되는 경향을 보여 결과적으로 전쟁 상황을 오보하는 결과를 일으켰다.

❷ 위기 요인에 따른 통제 방안

1. 동의에서 책임으로

내 용	빅데이터에 의한 사생활침해 문제를 해결하기에는 부족한 측면이 많고 매번 개인정보 제공 동의를 하는 비효율적인 단계를 줄이고자 개인정보를 사용하는 사용자의 '책임'으로 해결하는 방안을 제시하였다. ('개인정보 제공자의 동의' → '개인정보 사용자의 책임')
기대효과	개인정보 유출 및 사용으로 발생하는 피해에 대해 사용자가 책임을 지게 되므로 사용주체의 적극적인 보호장치를 강구할 수 있다.

> **출제포인트**
> 위기 요인에 따른 통제 방안은 사례 제시형 문항으로 종종 출제되는 주제이며, 2025년 시험에서도 1문제가 출제되었습니다. 각 위기 요인에 대응하는 통제 방안을 짝지어 정리하고 통제 방안의 내용과 기대 효과를 함께 정리해 두시기 바랍니다.

2. 결과 기반 책임원칙 고수

내 용	책임원칙 훼손 위기요인에 대한 통제 방안으로 기존의 원칙을 좀 더 보강하고 강화할 필요가 있으며, 예측 자료에 의한 불이익을 당할 가능성을 최소화하는 장치를 마련하는 것이 필요하다.
기대효과	잘못된 예측 알고리즘을 통한 판단을 근거로 불이익을 줄 수 없으며, 이에 따른 피해 최소화 장치를 마련해야 한다.

3. 알고리즘 접근 허용

내 용	데이터 오용의 위기요소에 대한 대응책으로 '알고리즘에 대한 접근권'을 제공하여 예측 알고리즘의 부당함을 반증할 수 있는 방법을 명시해 공개할 것을 주문한다.
기대효과	불이익을 당한 사람들을 대변할 전문가(알고리즈미스트)가 필요하게 되었다.

❸ Data에 관련된 기술

1. 개인정보 비식별 기술

- 비식별 기술이란 데이터 셋에서 개인을 식별할 수 있는 요소를 전부 또는 일부를 삭제하거나 다른값으로 대체하는 등의 방법으로 개인을 알아볼 수 없도록 하는 기술을 일컫는다.

> **출제포인트**
> Data에 관련된 기술은 개념을 정확히 구분하는 비교·선택형 문항으로 자주 출제되는 주제이며, 2025년 시험에서는 2문제가 출제되었습니다. 특히 개인정보 비식별 기술 관련 개념과 방법은 최근 비중이 높아지는 만큼 반드시 숙지해 두시기 바랍니다.

비기의 학습팁

비식별화 더 알아보기

- 난수화: 데이터를 특정한 순서나 규칙을 가지지 않는 무작위 숫자로 변환
  - 예) 설문 응답 순서 섞기, 데이터 값 임의 변경
- 익명화: 데이터에 포함된 개인 식별 정보를 삭제하거나 알아볼 수 없는 형태로 변환
  - 예) 동일 조건을 가진 데이터 그룹 생성 (예: "25세, 남성, 서울" → 5명 그룹화)
- 일반화: 데이터의 구체적인 값을 더 일반적인 값으로 변환
  - 예) 서울특별시 강남구 신사동 → 서울특별시
  - 1987년생 → 1980년대생

비식별 기술의 종류와 예

비식별 기술	내용	예시
데이터 마스킹	데이터의 길이, 유형, 형식과 같은 속성을 유지한 채, 새롭고 읽기 쉬운 데이터를 익명으로 생성하는 기술	홍길동, 35세, 서울 거주, 한국대 재학 → 홍**, 35세, 서울 거주, **대학 재학
가명처리	개인정보 주체의 이름을 다른 이름으로 변경하는 기술, 다른 값으로 대체할 시 일정한 규칙이 노출되지 않도록 주의해야 함	홍길동, 35세, 서울거주, 한국대 재학 → 임꺽정, 30대, 서울거주, 국내대 재학
총계처리	데이터의 총합 값을 보임으로써 개별 데이터의 값을 보이지 않도록 함. 단, 특정 속성을 지닌 개인으로 구성된 단체의 속성 정보를 공개하는 것은 개인 정보를 공개하는 것과 마찬가지의 결과이므로 주의해야 함	임꺽정 180cm, 홍길동 170cm, 이콩쥐 160cm, 김팥쥐 150cm → 물리학과 학생 키 합 : 660cm, 평균키 165cm
데이터값 삭제	데이터 공유, 개방 목적에 따라 데이터 셋에 구성된 값 중에 필요 없는 값 또는 개인식별에 중요한 값을 삭제. 개인과 관련된 날짜 정보(자격취득일자, 합격일 등)은 연단위로 처리	홍길동, 35세, 서울 거주, 한국대 졸업 → 35세, 서울 거주, 주민등록번호 901206 - 1234567 → 90년대 생, 남자
데이터 범주화	데이터의 값을 범주의 값으로 변환하여 값을 숨김	홍길동, 35세 → 홍씨, 30~40세

2. 무결성과 레이크

가. 데이터 무결성(Data Integrity)

- 데이터베이스 내의 데이터에 대한 정확한 일관성, 유효성, 신뢰성을 보장하기 위해 데이터 변경/수정 시 여러 가지 제한을 두어 데이터의 정확성을 보증하는 것을 말한다. 무결성제한의 유형은 개체 무결성(Entity Integrity), 참조 무결성(Referential Integrity), 범위 무결성(Domain Integrity)이 있다.

나. 데이터 레이크(Data Lake)

- 수 많은 정보 속에서 의미있는 내용을 찾기 위해 방식에 상관없이 데이터를 저장하는 시스템으로, 대용량의 정형 및 비정형 데이터를 저장할 뿐만 아니라 접근도 쉽게 할 수 있는 대규모의 저장소를 의미한다. Apache Hadoop, Teradata Integrated Big Data Platform 1700 등과 같은 플랫폼으로 구성된 솔루션을 제공하고 있다.

개념 +

데이터 레이크의 데이터 유형

데이터 레이크는 구조화된 데이터에는 RDBMS의 테이블, 반 구조화된 CSV파일, XML파일, 로그, JSON을 저장할 수 있으며, 또한 구조화되지 않은 데이터인 PDF, 워드문서, 텍스트 파일, 이메일 등 바이너리 데이터에는 오디오, 비디오, 이미지 파일을 저장할 수 있습니다.

핵심 개념체크

✓ **34회 기출** 출★★★★★ 난★★★★☆

26. 빅데이터 기술이 발전함에 따라 발생할 수 있는 위기 요인과 그 예시로 적절하지 않은 것은?

(가) 사생활 침해: 개인의 검색 기록을 무단으로 수집하여 맞춤형 광고를 제공
(나) 책임 원칙 훼손: 자동화된 채용 시스템이 과거 데이터를 기반으로 일부 후보자의 면접을 거부
(다) 책임 원칙 훼손: 기술이 사용자 행동을 1시간 후 87% 정확도로 예측한다고 주장
(라) 데이터 오용: 학교가 학생들의 성적을 학문적 목적에 맞게 분석하여 교육 과정 개선에 활용

① (가), (나) ② (나), (라)
③ (가), (다) ④ (다), (라)

(다) 기술이 사용자의 행동을 예측하는 것은 책임 원칙 훼손의 사례로 보기 어렵고, (라) 교육 목적에 맞는 데이터 활용은 데이터 오용이 아니다. (가)와 (나)는 각각 사생활 침해와 책임 원칙 훼손의 적절한 예시다.

✓ **35회 기출** 출★★★★★ 난★★☆☆☆

27. 다음 중 사생활 침해를 해결하기 위한 빅데이터 기술로 적절한 것은?

① 익명화 ② 범주화
③ 데이터 정규화 ④ 값 표준화

익명화는 개인 데이터를 식별할 수 없도록 변환하여 사생활을 보호한다. 범주화, 데이터 정규화, 값 표준화는 다른 목적의 데이터 처리 기술이다.

✓ **39회 기출** 출★★★★★ 난★★★☆☆

28. 빅데이터의 위기 요인과 통제방안을 서로 연결한 것 중 잘못 연결된 것은?

가. 사생활 침해 – 동의에서 책임으로 전환
나. 단축 책임원칙 훼손 – 알고리즘 접근 허용
다. 데이터 오용 – 결과 기반 책임 원칙 고수

① 가, 나 ② 가, 다
③ 나, 다 ④ 가, 나, 다

사생활 침해에 대한 통제 방안은 개인정보 제공자의 반복적인 동의에만 의존하기보다, 개인정보를 사용하는 주체가 책임을 지도록 '동의에서 책임으로' 전환하는 것이다. 반면, 책임원칙 훼손은 책임 소재를 명확히 하고 결과 기반 책임원칙을 유지·강화하는 것이 핵심이며, 데이터 오용은 예측 알고리즘의 부당함을 검증할 수 있도록 알고리즘 접근권을 보장하는 것이 주요 통제 방안이다. 따라서 잘못 연결된 것은 '나, 다'다.

✓ **36회 기출** 출★★★☆☆ 난★★★☆☆

29. 개인정보 비식별화 기법은 데이터 활용 중 개인 정보 노출을 방지하는 데 사용된다. 다음 중 이에 대한 설명으로 가장 적절하지 않은 것은?

① 가명처리 – 데이터의 특정 식별 정보를 직접적으로 알 수 없는 값으로 변경
② 범주화 – 데이터의 식별 정보를 해당 데이터가 속하는 범주나 그룹으로 변환
③ 데이터마스킹 – 개인 정보 식별이 가능한 특정 데이터 값 삭제 처리
④ 총계처리 – 데이터 값을 집계 값으로 대체하여 원본 데이터를 숨기는 방법

데이터마스킹은 데이터 값을 변환하거나 숨기는 방식으로 개인 정보 식별을 방지한다. 값 삭제는 데이터마스킹이 아닌 단순 데이터 제거이다.

정답 26. ④ 27. ① 28. ③ 29. ③

2장 데이터의 가치와 미래

5절 미래의 빅데이터

 이론 정복 강의

#빅데이터의3요소화

출제빈도 F1 난이도 D2

❶ 빅데이터 활용의 3요소

1. 기본 3요소

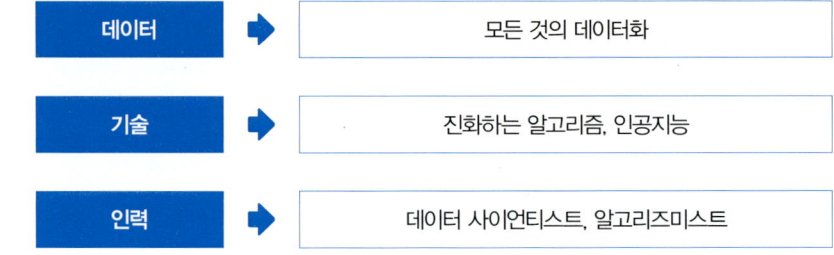

가. 데이터
- 모든 것을 데이터화(Datafication) 하는 현 추세로 특정 목적없이 축적된 데이터를 통한 창의적인 분석이 가능해져, 새로운 가치로 부상하고 있다.

나. 기술
- 대용량의 데이터를 빠르게 처리하기 위한 알고리즘의 진화와 함께 스스로 학습하고 데이터를 처리할 수 있는 인공지능 기술이 출현하였다.

다. 인력
- 빅데이터를 처리하기 위한 데이터 사이언티스트와 알고리즈미스트의 역할을 통해 빅데이터의 다각적 분석을 통한 인사이트 도출이 중요해지고 있다.

개념 ➕

모든 것의 데이터화 (Datafication)

사물인터넷(Internet of Things, IoT) 시대에 웨어러블(Wearable) 단말의 발전으로 대화기록, 음악청취 기록 등이 저장되어 사물인터넷 시대가 되었습니다. 이를 통해 훨씬 더 많은 정보가 생산 및 공유됩니다.

비기의 학습팁

• **데이터 사이언티스트 :**
빅데이터에 대한 이론적 지식과 숙련된 분석 기술을 바탕으로 통찰력, 전달력, 협업 능력을 두루 갖춘 전문인력으로써 빅데이터의 다각적 분석을 통해 인사이트를 도출하고 이를 조직의 전략 방향제시에 활용할 줄 아는 기획자

• **알고리즈미스트 :**
데이터 사이언티스트가 만든 알고리즘으로 인해 부당하게 피해가 발생하는 것을 막는 역할을 하며 알고리즘 코딩 해석을 통해 빅데이터 알고리즘에 의해 부당하게 피해를 입은 사람을 구제하는 전문인력

✅ 핵심 개념체크

✓32회 기출 출★★★★★ 난★★★☆☆

30. 다음 중 빅데이터 활용의 3대 필수 요소로 가장 적절한 조합은?

① 데이터, 기술, 인력
② 데이터, 인력, 도구
③ 데이터, 기술, 도구
④ 기술, 인력, 프로세스

빅데이터 활용의 필수 요소는 데이터를 처리하는 기술과 이를 운영하고 분석할 인력을 포함한다. 도구와 프로세스는 보조적인 역할에 해당한다.

PART 01 데이터 이해

3장 가치 창조를 위한 데이터 사이언스와 전략 인사이트

3 DAY

○ 학습 목표

- 빅데이터 회의론의 원인과 해소 방안을 이해한다.
- 일차원적 분석과 전략도출을 위한 가치 기반 분석의 차이를 이해한다.
- 데이터 사이언스와 데이터 사이언티스트를 이해한다.
- 빅데이터 시대의 가치 패러다임의 변화를 이해한다.

○ 눈높이 체크

✓ **빅데이터의 회의론과 우려의 목소리를 들어보셨나요?**

최근 빅데이터에 관한 회의론과 우려의 목소리가 나오고 있습니다. 과거의 CRM과 같은 경영시스템을 도입하기 위해 하드웨어와 소프트웨어를 도입하고도 성과를 충분히 내지 못했던 기업들이 많았습니다. 이러한 기업들의 실패 경험들이 빅데이터 시스템의 도입도 머뭇거리게 하고 있습니다. 기업들의 우려 섞인 목소리의 원인과 이러한 의구심을 불식시키기 위한 전략적 발전 방향을 살펴보도록 합시다.

✓ **데이터 사이언스와 데이터 사이언티스트에 대해 들어 보셨나요?**

빅데이터 시대를 이끌어 나가기 위해서는 데이터 사이언스라는 융합 학문이 필요합니다. 기존의 통계학과 컴퓨터공학, 그리고 경영학과 인문학을 아우르는 학문적 소양을 배우고 빅데이터 시대를 이끌어 나갈 데이터 사이언티스트를 양산함으로써 기업과 우리 생활을 변화시킬 수 있는 전략적 가치를 만들 수 있습니다.

1절 빅데이터 분석과 전략 인사이트

3장 가치창조를 위한 데이터 사이언스와 전략 인사이트

#가치기반분석 #일차원적분석 #빅데이터회의론

출제빈도 F1   난이도 D5

❶ 빅데이터 열풍과 회의론

- 빅데이터 열풍의 이면에는 '빨리 끓어 오른 냄비가 빨리 식는다'는 일종의 거품 현상을 우려하는 시선도 없지 않다. 그래서 벌써부터 빅데이터 회의론이 심심찮게 흘러 나오기까지 하여, 자칫 이런 회의론이 갖는 문제는 실제 우리가 **빅데이터 분석에서 찾을 수 있는 수많은 가치**들을 제대로 **발굴**해 보기도 전에 그 **활용 자체를 사전에 차단**해 버릴 수 있다.

❷ 빅데이터 회의론의 원인 및 진단

1. 투자효과를 거두지 못했던 부정적 학습효과 → 과거의 고객관계관리(CRM)

- 과거 CRM의 **부정적 학습효과**
- → 공포 마케팅이 잘 통하는 영역 : 도입만 하면 **모든 문제를 한번에 해소**할 것처럼 강조
- → 막상 거액을 투자하여 하드웨어와 솔루션을 도입해도 **어떻게 활용하고 어떻게 가치를 뽑아내야 할지 난감**해 함

2. 빅데이터 성공사례가 기존 분석 프로젝트를 포함해 놓은 것이 많다.

- 굳이 빅데이터가 필요 없는 경우(우수고객, 이탈예측, 구매패턴 분석 등)
- 국내 빅데이터 업체들이 CRM 분석 성과를 빅데이터 분석으로 과대포장

빅데이터 분석도 기존의 분석과 마찬가지로, 데이터에서 가치, 즉 통찰을 끌어내 성과를 창출하는 것이 관건이며, 단순히 빅데이터에 포커스를 두지 말고 **분석을 통해 가치를 만드는 것에 집중**해야 한다.

개념 +

하라스엔터테인먼트의 러브먼 회장이 언급한 분석 기반 경영 도입의 장애 요인

- **기존 관행 고수**: 변화 대신 익숙한 방식을 따르는 태도
- **직관 의존**: 분석보다 경영진의 직관적 결정을 재능으로 여기는 문화
- **분석 역량 부족**: 적절한 방법론 없이 미숙한 인력이 분석 업무를 담당
- **개인 중심 사고**: 아이디어 자체보다 제안한 사람에 더 집중하는 경향

> **참고**
>
> 왜 싸이월드는 페이스북이 되지 못했나.

- **싸이월드**
  - 2004년 경 세계 최대의 소셜 네트워크 서비스(SNS)

- **싸이월드 퇴보 원인**
  - OLAP과 같은 분석 인프라가 존재하였으나 중요한 의사결정이 데이터 분석에 기초하지 못했다.
  - '웹로그 분석을 통한 일차원적 분석 ⇒ 사업 상황 확인'을 위한 협소한 문제에 집중되었다.
  - 2004년 당시 비즈니스의 핵심 가치와 관련된 어떤 심도있는 분석도 수행되지 않았다.
  - 소셜 네트워킹 서비스지만 회원들의 소셜 네트워킹 활동 특성과 관련된 분석을 위한 프레임워크나 평가 지표조차 없었다.
  - 트렌드 변화가 사업모델에 미치는 영향을 적시에 알아차리지 못했다.

❸ 빅데이터 분석, 'Big'이 핵심 아니다.

1. 빅데이터에 대한 관심 증대

- 데이터 기반 통찰의 중요성에 대한 공감대 상승과 동시에 긍정적 효과를 기대한다.

2. 빅데이터 프로젝트에 거는 기대

- 기존 프로세스의 자동화를 우선 시행한 후 점차적으로 거시적이고, 전략적인 가치를 이끌어 낼 수 있을 것으로 기대한다.

3. 빅데이터 분석의 가치

- 데이터는 크기의 이슈가 아니라, 거기에서 어떤 시각과 통찰을 얻을 수 있느냐의 문제가 중요하다. 무작정 '빅'한 데이터를 찾을 것이 아니라, 비즈니스의 핵심에 대해 보다 객관적이고 종합적인 통찰을 줄 수 있는 데이터를 찾는 것이 그 무엇보다 중요하다.
- 전략과 비즈니스의 핵심 가치에 집중하고 이와 관련된 분석 평가지표를 개발하고 이를 통해 효과적으로 시장과 고객 변화에 대응할 수 있을 때 빅데이터 분석은 가치를 제공할 수 있다.

> **개념 ➕**
>
> **빅데이터 프로젝트 초기 단계에 자주 나오는 질문**
>
> "빅데이터를 가장 효과적으로 소비하는 것은 인간인가 기계인가?"
>
> "고객 데이터와 운영 데이터 중 어느 것이 더 중요한가?"
>
> "새로운 데이터가 새로운 인사이트 도출을 촉진하는가, 아니면 단순 기존 가설을 입증할 뿐인가?"

④ 전략적 통찰이 없는 분석의 함정

- 단순히 분석을 많이 사용하는 것이 곧바로 경쟁우위를 가져다 주지는 않는다.
- 분석이 경쟁의 본질을 제대로 바라보지 못할 때에는 쓸모없는 분석 결과들만 잔뜩 쏟아내게 된다.
- 이를 예방하기 위해서는 전략적인 통찰력을 가지고 분석하고 핵심적인 비즈니스 이슈에 집중하여 데이터를 분석하고 차별적인 전략으로 기업을 운영하여야 한다.

> **참고**
>
> | 아메리칸항공 | 사우스웨스트항공 |
> |---|---|
> | 수익관리, 가격 최적화의 분석접근법 적용
→ 3년만에 14억 달러 수익 | 단순 최적화 모델을 통해
가격 책정과 운영 |
> | ↓ | ↓ |
> | 비행경로와 승무원들의 일정을 최적화
→ 12기종, 250개 목적지, 매일 3,400회 비행 | 한가지 기종의 비행기로 단순화 |
> | ↓ | ↓ |
> | 타 경쟁사들이 비슷한 분석 역량과
수익관리 능력을 갖춤으로써 경쟁우위 하락
→ 수익 절감 | 단순 최적화 모델로 좌석 가격 책정 및
운영 결과 경쟁우위 상승
→ 36년 연속 흑자, 미국 항공사들의 시장가치를 합친 것 보다
높은 시장가치 확보 |

- 위의 결과를 통해 분석을 전략적으로 활용하지 못하면 차별화를 이루기 어려울 수 있으며, 아메리칸항공은 비즈니스 모델을 뒷받침하는 분석의 한계를 나타내고 있음을 알 수 있다.

⑤ 일차원적인 분석 vs 전략도출 위한 가치기반 분석

1. 산업별 분석 애플리케이션

금융 서비스	신용점수 산정, 사기 탐지, 가격 책정, 프로그램 트레이딩, 클레임분석, 고객 수익성분석
소매업	판촉, 매대 관리, 수요 예측, 재고 보충, 가격 및 제조 최적화
제조업	공급사슬 최적화, 수요예측, 재고 보충, 보증서 분석, 맞춤형 상품 개발, 신상품 개발
운송업	일정 관리, 노선 배정, 수익 관리
헬스케어	약품 거래, 예비 진단, 질병 관리
병원	가격 책정, 고객 로열티, 수익 관리
에너지	트레이딩, 공급/수요 예측
커뮤니케이션	가격 계획 최적화, 고객 보유, 수요 예측, 생산능력 계획, 네트워크 최적화, 고객 수익성 관리
서비스	콜센터 직원관리, 서비스-수익 사슬 관리
정부	사기 탐지, 사례 관리, 범죄 방지, 수익 최적화
온라인	웹 매트릭스, 사이트 설계, 고객 추천
모든사업	성과관리

2. 일차원적인 분석의 문제점

- 일차원적인 분석을 통해서도 해당 부서나 업무 영역에서는 상당한 효과를 얻을 수 있지만 일차적인 분석만으로는 환경변화와 같은 큰 변화에 제대로 대응하거나 고객 환경의 변화를 파악하고 **새로운 기회를 포착하기 어렵다.** 특히, 급변하는 환경에서는 분석을 일차원적으로만 사용하게 되면 의사결정을 위한 분석을 점증적 또는 전술적으로 사용하기 어려울 수 있다.

3. 전략도출 가치기반 분석

- 전략적인 통찰력 창출에 포커스를 뒀을 때, 분석은 **해당 사업의 중요한 기회를 발굴하고, 주요 경영진의 지원**을 얻어낼 수 있으며, 이를 통해 강력한 모멘텀을 만들어 낼 수 있다.
- 최고가 되기 위해서는 일차원적인 분석을 통해 점점 분석 경험을 쌓아야하고 작은 성공을 거두면 분석의 **활용 범위를 더 넓고 전략적으로 변화**시켜야 한다.
- 사업성과를 높이는 요소 및 차별화할 기회를 파악하기 위해, 가치기반 분석 단계로 나아가 전략적 인사이트를 얻어야 한다.

✓ 핵심 개념체크

✓18회 기출

31. 다음 중 에너지 분야의 일차원적 분석 애플리케이션으로 옳은 것은 무엇인가?

① 공급사슬 최적화, 수요예측
② 트레이딩, 공급·수요 예측
③ 일정 관리, 수익 관리
④ 가격 계획 최적화, 생산능력 계획

> 에너지 분야에서 분석 애플리케이션은 에너지의 생산, 유통, 소비 전 과정에 걸쳐 복잡한 의사결정을 지원한다. 이 중 트레이딩(Trading)은 에너지 시장의 가격 변동성과 불확실성을 예측하여 수익을 최대화하는 활동이며, 공급(Supply) 및 수요(Demand) 예측은 에너지 생산 및 발전 계획 수립의 기초가 되는 가장 중요하고 일차적인 분석 영역이다. 이 두 가지는 에너지 분야의 핵심적인 분석 응용 영역이다.

✓31회 기출

32. 다음 중 업무 영역과 분석 사례의 연결이 부적절한 것은?

① 마케팅 관리 – 소비자 구매 패턴 분석
② 재무 관리 – 예산 및 비용 추적
③ 공급체인 관리 – 공급자 신뢰도 평가
④ 인력 관리 – 직원 근무 시간 집계

> 마케팅 관리에서 소비자 구매 패턴 분석은 소비자의 행동 데이터를 기반으로 한 마케팅 전략 수립에 활용되며, 재무 관리의 예산 및 비용 추적은 재무 상태를 정확히 관리하는 데 필수적이다. 공급체인 관리에서 공급자 신뢰도 평가는 공급망 최적화를 위해 필요하다. 그러나 직원 근무 시간 집계는 단순 데이터 기록에 불과하며 인력 관리에서의 분석 사례라고 보기 어렵다.

정답 31. ② 32. ④

2절 전략 인사이트 도출을 위한 필요 역량

3장 가치창조를 위한 데이터 사이언스와 전략 인사이트

출제빈도 F4 · 난이도 D1

#데이터사이언스 #데이터사이언티스트 #요구역량 #소프트스킬 #하드스킬 #인문학의열풍

출제포인트

데이터 사이언스의 의미와 역할은 출제 빈도는 높지 않지만 개념 이해를 점검하는 용도로 간헐적으로 출제되는 주제이며, 2025년 시험에서는 1문제가 출제되었습니다. 데이터 사이언스의 정의와 비즈니스 가치 창출 관점에서의 역할을 핵심 문장 위주로 정리해 두시기 바랍니다.

개념 +

- **링크드인(Linked In)**: 비즈니스 네트워킹 서비스
- **골드만(스탠퍼드 물리학 박사 출신의 데이터 사이언티스트)**: '당신이 알 수도 있는 사람들 (People You May Know)' 이라는 배너를 추가해 백만 개의 새로운 뷰를 창출

❶ 데이터 사이언스의 의미와 역할

1. 의미

- 데이터 사이언스란 데이터 공학, 수학, 통계학, 컴퓨터공학, 시각화, 해커의 사고방식, 해당 분야의 전문지식을 종합한 학문이다. 데이터로부터 의미있는 정보를 추출해내는 학문으로 정형 또는 비정형을 막론하고 인터넷, 휴대전화, 감시용 카메라 등에서 생성되는 숫자와 문자, 영상 정보 등 다양한 유형의 데이터를 대상으로 분석뿐 아니라 이를 효과적으로 구현하고 전달하는 과정까지를 포함한 포괄적 개념이다.

2. 역할

- 데이터 사이언티스트는 비즈니스의 성과를 좌우하는 핵심이슈에 답을 하고, 사업의 성과를 견인해 나갈 수 있어야 한다. 이는 데이터 사이언스의 중요한 역량 중 하나인 소통력이 필요한 이유이다.

❷ 데이터 사이언스의 구성요소

1. 데이터 사이언스의 영역

분석적 영역
수학, 확률모델, 머신러닝, 분석학, 패턴 인식과 학습, 불확실성 모델링 등

→ IT컨설팅
→ 전략 컨설턴트

데이터 처리와 관련된 IT영역
시그널 프로세싱, 프로그래밍, 데이터 엔지니어링, 데이터 웨어하우스, 고성능 컴퓨팅

(Analytics / IT / 비즈니스 분석)

비즈니스 컨설팅 영역
커뮤니케이션, 프레젠테이션, 스토리텔링, 시각화 등

2. 데이터 사이언티스트의 역할

- 데이터 사이언티스트는 데이터 홍수 속에서 헤엄을 치고, 데이터 소스를 찾고, 복잡한 대용량 데이터를 구조화, 불완전한 데이터를 서로 연결해야 한다.
- 데이터 사이언티스트가 갖춰야 할 역량 중 한 가지는 '강력한 호기심'이다. 호기심이란 문제의 이면을 파고들고, 질문들을 찾고, 검증 가능한 가설을 세우는 능력을 의미한다.
- 데이터 사이언티스트는 **스토리텔링, 커뮤니케이션, 창의력, 열정, 직관력, 비판적 시각, 글쓰기 능력, 대화능력** 등을 갖춰야 한다.

❸ 데이터 사이언티스트의 요구 역량

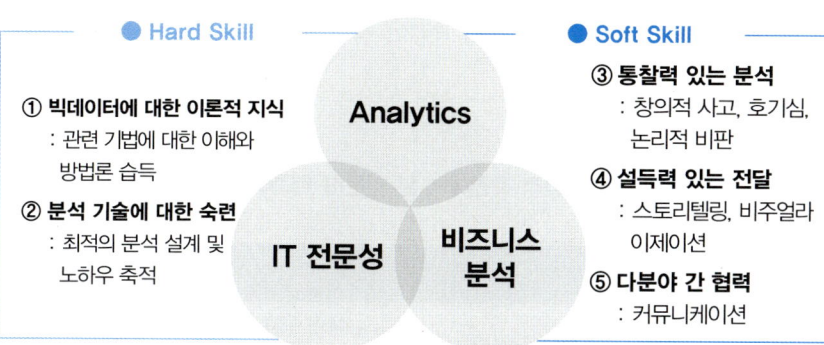

● Hard Skill
① 빅데이터에 대한 이론적 지식
 : 관련 기법에 대한 이해와 방법론 습득
② 분석 기술에 대한 숙련
 : 최적의 분석 설계 및 노하우 축적

● Soft Skill
③ 통찰력 있는 분석
 : 창의적 사고, 호기심, 논리적 비판
④ 설득력 있는 전달
 : 스토리텔링, 비주얼라이제이션
⑤ 다분야 간 협력
 : 커뮤니케이션

> **출제포인트**
> 데이터 사이언티스트의 요구 역량은 여러 회차에 걸쳐 꾸준히 출제되는 주제이며, 2025년 시험에서도 2문제가 출제되었습니다. Hard Skill과 Soft Skill에 속하는 역량을 구분하고 각 역량의 세부 내용을 표로 정리해 두시기 바랍니다.

❹ 데이터 사이언스 : 과학과 인문의 교차로

- 분석기술보다 더 중요한 것은 소프트 스킬로 전략적 통찰을 주는 분석은 단순 통계나 데이터 처리와 관련된 지식 외에도 **스토리텔링, 커뮤니케이션, 창의력, 열정, 직관력, 비판적 시각, 대화능력** 등 인문학적 요소가 필요하다.

> **참고**
> 가트너가 제시한 데이터 사이언티스트의 필수 역량
> - **통계 분석 능력** : 데이터에서 인사이트를 도출하고 예측 모델을 개발하는 데 필수적인 능력이다.
> - **데이터 시각화 능력** : 데이터 스토리텔링을 통해 비즈니스 이해관계자와 효과적으로 소통하기 위해 필요한 기술이다.
> - **프로그래밍 기술** : 대규모 데이터 세트의 효율적인 처리를 위한 프로그래밍 언어의 숙련도가 필요하다.
> - **비즈니스 통찰력 및 문제 해결 능력** : 조직 내 비즈니스 목표를 이해하고 데이터 기반 솔루션을 설계하는 데에 필수적인 능력이다.
> - **크로스펑셔널 협업 역량** : 비즈니스, IT, 데이터 엔지니어 등 여러 팀과 조율하기 위해 필요한 역량이다.

> **출제포인트**
>
> 전략적 통찰력과 인문학의 부활은 사례 제시형 문항으로 종종 등장하는 주제이며, 2025년 시험에서도 1문제가 출제되었습니다. 인문학 열풍이 부각되는 배경과 의미, 전략적 통찰력과의 연관성을 중심으로 정리해 두시기 바랍니다.

> **비기의 학습팁**
>
> 인문학 열풍의 이유는 대조되는 개념과 예시를 중심으로 암기하면 기억하기 쉽습니다.
> - 컨버전스 → 디버전스: 단순(한 가지 색) → 복잡(여러 색)
> - 생산 → 서비스: 제품(고장나지 않는 제품) → 서비스(뛰어난 서비스)
> - 생산 → 시장창조: 기술(발전) → 시장(현재 상황 적응)

❺ 전략적 통찰력과 인문학의 부활

1. 통찰력 있는 분석

- 직관과 전략, 경영 프레임워크, 경험의 혼합을 통해 통찰력 있는 분석을 수행할 수 있어야 한다.
- 본인 회사 뿐 아니라 전체 업계의 방향과 고객이 무엇을 중시하는지에 대한 이해가 필요하다.
- 좁은 시각으로 나무만 보는 것이 아니라 넓은 시각으로 숲을 볼 수 있어야 한다.

2. 인문학의 열풍

- 우리는 지금 기존 사고의 틀을 벗어나 문제를 바라보고 해결하는 능력이 필요하다. 비즈니스의 핵심가치를 이해하고 고객의 내면적 요구를 이해하는 능력 등 인문학에서 배울 수 있는 역량이 점점 더 절실히 요구되는 시대를 맞이하고 있다.

외부 환경적 측면에서 본 인문학 열풍의 이유

외부환경의 변화	내 용	예 시
컨버전스 ↓ 디버전스	**단순세계화**에서 **복잡한 세계화**로의 변화	규모의 경제, 세계화, 표준화, 이성화 → 복잡한 세계, 다양성, 관계, 연결성, 창조성
생산 ↓ 서비스	비즈니스 중심이 **제품생산**에서 **서비스**로 이동	고장나지 않는 제품의 생산 → 뛰어난 서비스로 응대
생산 ↓ 시장창조	공급자 중심의 **기술경쟁**에서 **무형자산의 경쟁**으로 변화	생산에 관련된 기술 중심, 기술 중심의 대규모 투자 → 현재 패러다임에 근거한 시장창조 현지 사회와 문화에 관한 지식

핵심 개념체크

✓ 33회 기출 출 ★★★☆☆ 난 ★★★☆☆

33. 다음 설명에 맞는 ( )에 공통적으로 들어갈 용어는 무엇인가?

> ( )(이)란 데이터로부터 의미있는 정보를 추출해 내는 학문으로, 통계학과는 달리 정형 또는 비정형을 막론하고 다양한 유형의 데이터를 분석 대상으로 한다. 또한 분석에 초점을 두는 데이터 마이닝과는 달리 ( )(은)는 분석 뿐만 아니라 이를 효과적으로 구현하고 전달하는 과정까지 포함하는 포괄적인 개념이다.

① 데이터 분석 (Data Analytics)
② 데이터 사이언스 (Data Science)
③ 기계학습 (Machine Learning)
④ 인공지능 (Artificial Intelligence)

> 데이터 사이언스는 데이터를 분석하는 학문으로, 다양한 유형의 데이터를 다루며 분석, 구현, 전달 과정을 포함한다. 데이터 분석은 부분적인 과정이고, 기계학습과 인공지능은 데이터 사이언스의 하위 분야이다.

✓ 40회 기출 출 ★★★★★ 난 ★☆☆☆☆

34. 데이터 사이언티스트에게 요구되는 역량 중 '하드 스킬(hard skill)'에 해당하는 것은 무엇인가?

① 데이터 분석 기술
② 커뮤니케이션 능력
③ 협업 능력
④ 문제 해결 능력

> 데이터 사이언티스트에게 요구되는 역량은 크게 하드 스킬(Hard Skills)과 소프트 스킬(Soft Skills)로 구분된다. 하드 스킬은 구체적인 직무 수행에 필요한 기술적이고 측정 가능한 지식과 능력을 의미하며, '데이터 분석 기술'이 여기에 해당한다. 반면, 커뮤니케이션 능력, 협업 능력, 문제 해결 능력 등은 분석 결과를 전달하고 비즈니스 문제를 정의하며 팀워크를 유지하는 데 필요한 소프트 스킬(Soft Skills)에 해당한다. 따라서 하드 스킬은 '데이터 분석 기술'이다.

✓ 38회 기출 출 ★★★★★ 난 ★★☆☆☆

35. 데이터 사이언티스트가 갖춰야 할 역량 중 성격이 나머지와 다른 하나를 고르시오.

① 팀 간 협력과 커뮤니케이션 능력
② 명확하고 설득력 있는 데이터 스토리텔링
③ 데이터 기반의 심층적인 통찰력 제공
④ 빅데이터에 대한 이론적 지식

> 빅데이터에 대한 이론적 지식은 기술적 역량에 속하며, 나머지 선택지들은 데이터 사이언티스트가 업무를 수행하며 협업과 커뮤니케이션, 데이터 전달, 통찰력을 제공하는 데 필요한 실무적인 역량이다.

✓ 31회 기출 출 ★★★☆☆ 난 ★★★★☆

36. 다음 중 전략적 통찰력을 얻기 위해 분석을 사용하는 방법으로 부적절한 것은?

① 조직의 비전을 이해하고 분석에 이를 반영한다.
② 데이터 기반 의사결정을 통해 객관적 판단을 내린다.
③ 사업 상황을 확인하기 위해 사업 내부의 문제들을 집중하여 분석을 이용한다.
④ 핵심가치와 연관된 분석 지표를 설계하고 지속적으로 관리한다.

> 전략적 분석은 전체적인 관점에서 조직의 비전, 핵심가치, 데이터 기반 의사결정을 포함하여 객관적이고 장기적인 목표를 설정하는 데 초점을 맞춘다. 특정 사업 문제에만 집중하는 것은 전략적 통찰력보다는 단기적인 문제 해결에 가깝다.

정답 33. ② 34. ① 35. ④ 36. ③

3장 가치창조를 위한 데이터 사이언스와 전략 인사이트

3절 빅데이터 그리고 데이터 사이언스의 미래

 이론 정복 강의

출제빈도 F2 난이도 D3

#미래사회 #가치패러다임의변화 #인문학적사고

❶ 빅데이터의 시대

- 디지털 환경의 진전과 더불어 실로 엄청난 '빅' 데이터가 생성되고 있다.
  (2011년 전 세계에서 생성되는 디지털 정보량은 1.8 제타바이트)
- 빅데이터 분석은 선거결과에 결정적인 영향을 미칠 수도 있다. 기업의 측면에서는 비용 절감, 시간 절약, 매출 증대, 고객서비스 향상, 신규 비즈니스 창출, 내부 의사결정 지원 등에 있어 상당한 가치를 발휘하고 있다.

❷ 빅데이터 회의론을 넘어 가치 패러다임의 변화

> **출제포인트**
> 빅데이터 회의론을 넘어 가치 패러다임의 변화는 비교적 자주 출제되는 주제이지만, 2025년 시험에서는 직접적인 문항은 없었습니다. 과거·현재·미래 단계에 해당하는 영단어와 각 단계의 의미를 흐름 중심으로 정리해 두시기 바랍니다.

개념 +

서비타이제이션 (Servitization)
제품과 서비스의 결합, 서비스의 상품화, 그리고 기존 서비스와 신규 서비스의 결합 현상을 포괄하는 개념입니다.

Digitalization	Connection	Agency
과거	현재	미래
• 아날로그 세상을 어떻게 효과적으로 디지털화하는지가 과거의 가치 창출 원천	• 디지털화된 정보와 대상들이 서로 연결되기 시작 • 연결을 더 효과적이고 효율적으로 제공하는가가 성공요인	• 복잡한 연결을 얼마나 효과적이고 믿을 수 있게 관리하는가

78 PART 01. 데이터의 이해

❸ 데이터 사이언스의 한계와 인문학

1. 데이터 사이언스의 한계

- 분석과정에서는 가정 등 인간의 해석이 개입되는 단계를 반드시 거친다.
- 분석결과가 의미하는 바는 사람에 따라 전혀 다른 해석과 결론을 내릴 수 있다.
- 아무리 정량적인 분석이라도 모든 분석은 가정에 근거한다.

2. 데이터 사이언스와 인문학

- 인문학을 이용하여 빅데이터와 데이터 사이언스가 데이터에 묻혀 있는 잠재력을 풀어내고, 새로운 기회를 찾고, 누구도 보지 못한 창조의 밑그림을 그릴 수 있는 힘을 발휘하게 될 것이다.

> **개념 +**
>
> **미래사회의 특성과 빅데이터의 역할**
> - 불확실성–통찰력
> - 리스크–대응력
> - 스마트–경쟁력
> - 융합–창조력

✓ 핵심 개념체크

✓39회 기출 출★★★★★ 난★★★☆☆

37. 빅데이터의 발전은 정보 가치 창출의 과정을 바꾸고 있다. 다음 중 데이터 기반 가치 패러다임의 변화를 올바르게 나열한 것은?

① 연결(Connection) → 디지털화(Digitalization) → 에이전시(Agency)
② 디지털화(Digitalization) → 연결(Connection) → 에이전시(Agency)
③ 에이전시(Agency) → 연결(Connection) → 디지털화(Digitalization)
④ 연결(Connection) → 에이전시(Agency) → 디지털화(Digitalization)

데이터 기반 가치 패러다임은 디지털화 과정을 통해 데이터를 연결하고, 이를 바탕으로 자동화된 에이전시(Agency) 기능을 구현하는 순서로 발전한다.

정답 37. ②

1과목
데이터의 이해

정답과 해설 : 95p

윤박사 분석

㈜데이터에듀가 보유하고 있는 전 회차(1회~47회)의 기출복원문제를 중심으로 최근 5년(2021~2025년)의 출제경향을 분석해서 가장 좋은 문제를 선별하여 예상문제 50개를 구성하였습니다.

실제 기출문제의 장별 출제 빈도를 반영하여 〈1장 데이터 이해〉에서 20문제, 〈2장 데이터 가치와 미래〉에서 22문제를 수록하였습니다. 비교적 적게 출제되는 〈3장 가치 창조를 위한 데이터 사이언스와 전략 인사이트〉에서는 8문제를 수록하였습니다.

1과목의 실제 난이도는 2등급, 3등급, 1등급, 4등급, 5등급 순서이지만 예상문제의 전체 난이도는 3등급(16문제), 4등급(12문제), 2등급(9문제), 1등급(7문제), 5등급(6문제) 순으로 배치하여 실제 난이도보다 약간 어렵게 문제를 구성하였습니다.

1과목은 핵심개념체크문제를 기본으로 풀 수 있어야 하고, 예상문제와 모의고사 문제만 풀 수 있다면 7문제 이상 맞출 수 있습니다. 추가로 기출복원문제를 풀어보고 오답노트를 통해 틀린 문제를 복습해서 꼭 만점을 목표로 공부하세요.

✓ 34회 기출 출 ★★★☆☆ 난 ★★★★☆

01 데이터는 다양한 형태로 존재하며, 그 특성과 활용 방식이 다르다. 다음 중 데이터에 대한 설명으로 적절하지 않은 것은?

① 1킬로바이트는 1024바이트로 구성되며, 1바이트는 256종류의 값을 표현할 수 있다.
② 텍스트 데이터를 데이터베이스에 저장하는 것은 수치 데이터를 저장하는 것보다 더 많은 자원과 시간이 소요된다.
③ 데이터가 많을수록 더 많은 가치가 창출된다.
④ 이미지 파일은 구조화된 형식으로 저장되지 않기 때문에 비정형 데이터에 해당한다.

✓ 37회 기출 출 ★★★★★ 난 ★★☆☆☆

02 데이터에 대한 설명으로 가장 적절하지 않은 것은?

① 데이터는 대규모일수록 처리와 분석에 필요한 기술적 인프라와 효율적인 알고리즘이 요구됨
② 데이터의 품질은 데이터 정제와 전처리 과정을 통해 분석 결과의 신뢰도를 높이는 데 중요한 역할을 함
③ 비정형 데이터는 데이터 내부에 메타데이터를 갖고 있으며 일반적으로 파일 형태로 저장됨
④ 데이터의 상관관계를 분석하면 숨겨진 패턴이나 유용한 인사이트를 발견할 수 있음

✓29회 기출 출★★★★★ 난★★★☆☆
03 다음 중 데이터의 유형이 다른 하나는?

① 개인 페이스북에 올린 어느 회사 제품에 대한 사용 후기 글

② 어느 기계에서 작동하는 동안 발생한 소음을 데시벨 단위로 기록한 센서 데이터

③ 어느 포털 사이트에서 하루 동안 언급된 모든 검색어

④ 콜센터에 접수된 어느 고객의 제품 불만사항을 녹음한 음성파일

✓25회 기출 출★★★★★ 난★★★☆☆
04 다양한 데이터 유형 중 정형 데이터 – 반정형 데이터 – 비정형데이터 순서로 가장 적절한 것은?

① Demand Forecasts – Web logs – Email records

② Facebook status – Weather data – Web logs

③ RFID – Internet of things sensing – Loyalty program

④ CRM Transaction data – Twitter feeds – Mobile location

✓23회 기출 출★★★★★ 난★★★☆☆
05 암묵지와 형식지의 상호작용 관계를 가장 적절하게 표현한 것은 무엇인가?

① 내면화 → 연결화 → 표출화 → 공통화

② 표출화 → 공통화 → 내면화 → 연결화

③ 공통화 → 표출화 → 연결화 → 내면화

④ 연결화 → 내면화 → 표출화 → 공통화

✓18회 기출 출★★★★★ 난★★★☆☆
06 개인에게 내재된 경험을 객관적인 데이터로 문서나 매체에 저장, 가공, 분석하는 과정은?

① 연결화

② 내면화

③ 표출화

④ 공통화

✓ 37회 기출 출★★★★ 난★★☆☆☆

07 아래에서 설명하는 데이터 – 정보 – 지식 – 지혜 계층구조와 예시가 가장 적절하게 연결된 것은?

> (a) : A카페의 커피가 더 싸다
> (b) : 상대적으로 저렴한 A카페에서 커피를 사야겠다.
> (c) : A카페에서는 커피를 1000원에, B카페는 1200원에 판매한다.
> (d) : A카페의 라떼도 B카페 보다 쌀 것이라고 판단한다.

① (a) : 정보, (b) : 지식, (c) : 데이터, (d) : 지혜
② (a) : 지혜, (b) : 정보, (c) : 데이터, (d) : 지식
③ (a) : 지식, (b) : 데이터, (c) : 지혜, (d) : 정보
④ (a) : 데이터, (b) : 지혜, (c) : 정보, (d) : 지식

✓ 39회 기출 출★★★★ 난★★★★☆

08 데이터를 분석하고 조직화하여 의미와 맥락을 부여한 결과로, 의사결정의 기초가 되는 것은?

① 데이터
② 지식
③ 지혜
④ 정보

✓ 18회 기출 출★★★★ 난★★☆☆☆

09 러셀 L. 액오프가 1989년에 이야기한 DIKW Hierarchy 는 데이터가 어떻게 진화하는지를 단계적으로 설명하였다. 다음 DIKW 단계를 설명하는 것 중 다른 하나는 무엇인가?

① 지난 1년 매출액의 50%는 8월에 집중되어 있다.
② 지난 1년 매출은 1월에서 8월까지 증가하였고, 12월까지 다시 증가하였다.
③ 날씨가 따뜻해지고, 지점을 확장하여 올 8월 매출액은 3000만원으로 예상한다.
④ 8월 A상품 구매 고객의 80%가 40대 여성 고객으로 대부분 회사원이다.

✓ 15회 기출 출★★★★★ 난★★★☆☆

10 SQL은 다양한 집계함수를 제공하는데, 다음 집계함수 중 어떠한 데이터의 타입에도 사용이 가능한 것은?

① AVG
② COUNT
③ SUM
④ STDDEV

✓ 36회 기출 출★★★★★ 난★★★☆☆

11 데이터베이스는 정보의 저장과 활용을 위해 필수적으로 사용되는 도구이다. 다음 중 데이터베이스에 대한 설명으로 부적절한 것은?

① 데이터베이스는 효율적인 데이터 관리와 검색을 위해 데이터를 체계적으로 구조화하여 저장한다.
② 데이터베이스 내의 모든 데이터는 2차원 테이블로 표현된다.
③ 데이터베이스는 여러 사용자가 동시에 접근하여 데이터를 조회, 수정, 삭제할 수 있는 시스템을 제공한다.
④ 데이터베이스는 데이터의 무결성과 보안을 보장하며, 일관성 있는 상태로 데이터를 유지하도록 설계되어 있다.

✓ 37회 기출 출★★★★★ 난★★☆☆☆

12 데이터베이스의 특징에 대한 설명으로 가장 적절하지 않은 것은?

① 통합된 데이터로 동일한 내용의 데이터가 중복되어 저장된다.
② 사용자나 프로그램이 필요로 하는 데이터를 빠르게 검색할 수 있도록 구조화되어 있다.
③ 보안 기능을 통해 데이터에 대한 접근 권한을 제어하고 무단 접근을 방지한다.
④ 데이터는 논리적으로 독립적으로 설계되어, 물리적 저장 구조와 상관없이 데이터를 처리할 수 있다.

✓ 45회 기출 출 ★★★★☆ 난 ★☆☆☆☆

13 데이터베이스의 주요 특징에 대한 설명으로 옳지 않은 것은 무엇인가?

① 데이터베이스는 동일한 내용의 데이터 중복을 허용하여 관리의 복잡성을 줄인다.
② 데이터베이스는 컴퓨터가 접근 가능한 저장 매체에 데이터를 조직적으로 저장한다.
③ 공용 데이터란 여러 사용자가 동시에 데이터에 접근할 수 있는 것을 의미한다.
④ 데이터베이스는 데이터의 삽입, 삭제, 갱신 시 일관성과 신뢰성을 유지해야 한다.

✓ 17회 기출 출 ★★★★☆ 난 ★★★★★

14 다음 중 사용자 정의 데이터 및 멀티미디어 데이터 등 복잡한 데이터 구조를 표현, 관리할 수 있는 데이터베이스 관리 시스템은 무엇인가?

① 관계형 DBMS
② 객체지향 DBMS
③ 네트워크 DBMS
④ 계층형 DBMS

✓ 37회 기출 출 ★★★★☆ 난 ★★★★★

15 데이터 모델링에 대한 설명으로 가장 적절한 것은?

① 데이터 웨어하우스는 한 부서나 팀의 요구에 맞춘 데이터를 저장하는 소규모 데이터 저장소이다.
② 데이터 마트는 조직 전체 데이터를 통합하여 저장하며, 다양한 부서에서 공용으로 사용된다.
③ 데이터 모델링은 데이터베이스를 설계하기 전에 이루어지는 것이 아니라, 데이터베이스가 구축된 후 수행된다.
④ 데이터 웨어하우스와 데이터 마트의 구분 기준은 제공자의 기능 및 제공 범위이다.

✓ 23회 기출 출 ★★★★☆ 난 ★★★★★

16 데이터웨어하우스는 기업 내의 의사결정지원 애플리케이션에 정보 기반을 제공하는 하나의 통합된 데이터 저장 공간을 말한다. 다음 중 데이터웨어하우스의 고유한 특성이 아닌 것은?

① 데이터웨어하우스에서는 데이터의 지속적 갱신에 따른 무결성 유지가 무엇보다 중요하다.
② 데이터웨어하우스의 데이터들은 전사적 차원에서 일괄된 형식으로 정의된다.
③ 데이터웨어하우스에서 관리하는 데이터들은 시간의 흐름에 따라 변화하는 값을 저장한다.
④ 데이터웨어하우스에서는 특정 주제에 따라 데이터들이 분류, 저장, 관리된다.

✓ 35회 기출 출 ★★★☆☆ 난 ★☆☆☆☆

17 다음 중 관계형 데이터베이스에서 데이터를 쿼리하고 수정하는 데 사용되는 언어는?

① JavaScript
② MATLAB
③ Ruby
④ SQL

✓ 41회 기출 출 ★★★★☆ 난 ★★★☆☆

18 다음 설명에 해당하는 시스템은 무엇인가?

> 기업이 유통과 공급망 단계를 최적화하여 고객 만족을 도모하는 시스템

① SCM
② CRM
③ ERP
④ BI

✓ 13회 기출 출 ★★★★☆ 난 ★★☆☆☆

19 다음 중 사회기반 구조로서의 데이터베이스에 대한 설명으로 가장 부적절한 것은?

① 물류, 무역, 조세 등 사회간접자본 차원에서 정보망을 통해 유통, 이용된 정보가 데이터베이스로 구축
② 지리, 교통 부문에서 데이터베이스가 보다 고도화되어 데이터베이스를 구축
③ 인터넷의 보편화로 데이터베이스가 사회 전반의 인프라로 자리매김
④ 의료, 교육, 행정 부문에서는 데이터베이스 구축과 활용이 활성화되지 못함

✓ 39회 기출 출★★★★★ 난★★★★☆

20 빅데이터의 출현은 다양한 기술과 사회적 변화에 의해 촉진되었다. 다음 중 빅데이터 현상이 나타난 배경과 가장 거리가 먼 것은?

① 의료정보 등 공공데이터의 개방 가속화
② 클라우드 컴퓨팅 기술의 대중화
③ 센서 네트워크를 통한 데이터 수집 기술의 발전
④ 소셜 미디어 플랫폼의 사용자 데이터 분석

✓ 35회 기출 출★★★★★ 난★★☆☆☆

21 다음 중 데이터 분석 및 IoT 기술의 발전이 가져올 변화로 가장 적절하지 않은 것은?

① 사물인터넷의 적용으로 사람의 개입이 최대화 되어 실시간으로 데이터를 수집할 것이다.
② 빅데이터와 데이터 사이언스를 활용하면 빠르게 변하는 시장 환경에 적응하고, 예기치 않은 위기를 빠르게 해결할 수 있다.
③ 해당 기술들은 생산성 향상, 고객 맞춤형 서비스 제공, 전략적 의사결정 지원에 중요한 역할을 할 것이다.
④ 디지털화된 시스템 간의 상호 연결이 이루어지면, 데이터의 흐름과 연결성에 대한 중요성이 증가할 것이다.

✓ 21회 기출 출★★★★★ 난★★★★☆

22 다음 중 빅데이터가 만들어 내는 변화와 가장 거리가 먼 것은?

① 가치가 있을 것이라고 예상되는 특정한 정보만 모아서 처리하는 것이 아니라 가능한 많은 데이터를 모으고 그 데이터를 다양한 방식으로 조합해 숨은 정보를 찾아내는 방식이 중요해진다.
② 데이터의 규모가 증가함에 따라 사소한 몇 개의 오류 데이터는 분석결과에 영향을 미치지 않기 때문에 데이터세트에 포함하여 분석해도 상관없는 경우가 많아진다.
③ 데이터의 양이 증가하고 유형이 복잡해짐에 따라 수많은 데이터 중에서 분석에 필요한 데이터를 선정하기 위해 정교한 표본조사 기법의 중요성이 대두되고 있다.
④ 인과관계의 규명 없이 상관관계 분석 결과만으로도 인사이트를 얻고 이를 바탕으로 수익을 창출할 수 있는 기회가 점차 늘어나고 있다.

✓ 39회 기출 출 ★★★★☆ 난 ★★☆☆☆

23 다음은 빅데이터가 만들어내는 본질적인 변화에 대한 설명이다. (A)와 (B)에 들어갈 말을 알맞게 고르시오.

> 가) (A)은(는) 어떤 현상에 대하여 현상을 발생시킨 원인과 그 결과 사이의 관계를 말하고, (B)은(는) 어떤 두 현상이 관계가 있음을 말하지만 어느 쪽이 원인인지 알 수 없다.
>
> 나) 비즈니스 상황에서 (A)을(를) 모르고 (B) 분석만으로 충분한 경우가 많다. 가령 특정 지표의 변화가 주가와 밀접한 (B)이(가) 있다고 밝혀지면 주식 거래인은 신속히 거래해 이익을 성취하면 그만이다. 그 이면의 (A)을(를) 분석하기 위해 시간을 보내다가 거래 타이밍을 놓쳐 수익 실현 기회를 놓치는 것은 주식 거래 목적에 부합하지 않는 일이다.

① (A): 상관관계, (B): 인과관계
② (A): 인과관계, (B): 상관관계
③ (A): 인과관계, (B): 선형관계
④ (A): 상관관계, (B): 선형관계

✓ 40회 기출 출 ★★★★☆ 난 ★☆☆☆☆

24 다음은 빅데이터의 도입으로 인한 본질적인 변화들을 나열한 것이다. 올바른 것을 모두 고르시오.

> 가. 정형 데이터의 증가
> 나. 실시간 의사 결정 가능성 확대
> 다. 소비자 맞춤형 서비스 강화
> 라. 데이터 저장 비용 증가

① 가, 나
② 나, 다
③ 가, 라
④ 다, 라

✓ 40회 기출 출 ★★★☆☆ 난 ★★★★☆

25 다음 중 데이터에 대한 설명으로 옳지 않은 것은 무엇인가?

① 바이트는 최소 단위로, 하나의 이진수로 이루어져 있다.
② 데이터는 의미 있는 정보로 전환될 수 있다.
③ 데이터를 통해 의사결정이 가능하다.
④ 데이터는 다양한 형식으로 저장될 수 있다.

✓ 14회 기출 출★★★★☆ 난★★★★★

26 다음 중 기존에 행해졌던 데이터 분석과 비교한 빅데이터 분석의 특징으로 적절한 것은?

> (ㄱ) 분석대상 데이터를 모든 형태 및 내외부 데이터로 확대한다.
> (ㄴ) 데이터의 생산 시점에서부터 실시간에 가까운 분석이 가능하다.
> (ㄷ) 데이터 마트에 정형 데이터를 적재하고 데이터 분석을 통하여 모델을 만들 수 있다.
> (ㄹ) 고급 분석기법을 활용할 수 있다.

① (ㄱ), (ㄴ), (ㄷ)
② (ㄱ), (ㄴ), (ㄹ)
③ (ㄴ), (ㄷ), (ㄹ)
④ (ㄱ), (ㄴ), (ㄷ), (ㄹ)

✓ 12회 기출 출★★★★☆ 난★★★☆☆

27 다음 중 데이터의 가치 측정이 어려운 이유로 적절하지 않은 것은 무엇인가?

① 데이터 재사용의 일반화로 특정 데이터를 언제 누가 사용했는지 알기 어렵기 때문이다.
② 빅데이터 전문 인력의 증가로 다양한 곳에서 빅데이터가 활용되고 있기 때문이다.
③ 분석기술의 발전으로 과거에 분석이 불가능했던 데이터를 분석할 수 있게 되었기 때문이다.
④ 빅데이터는 기존에 존재하지 않던 새로운 가치를 창출하기 때문이다.

✓ 33회 기출 출★★★★☆ 난★★☆☆☆

28 빅데이터 분석은 다양한 산업 분야에서 효과적으로 활용되고 있다. 다음 중 빅데이터 분석 활용으로 기대할 수 없는 효과는?

① 서비스 중심으로 경제 구조가 변화하면서 제조업의 축소를 가속화한다.
② 상품 개발 단계에서 비용 절감을 실현한다.
③ 물류 및 운송 과정에서 비용을 절약할 수 있다.
④ 데이터를 기반으로 새로운 비즈니스 모델과 수익원을 창출한다.

✓ 35회 기출 출 ★★★★☆ 난 ★☆☆☆☆

29 다음 중 빅데이터 기술의 활용에 관한 설명으로 가장 부적절한 것은?

① 기업에서는 고객의 구매 패턴을 분석해 매출을 증대시키는 방식으로 빅데이터 기술을 활용한다.
② 정부는 실시간 환경 데이터를 활용해 대기 오염 정보를 제공하고, 교통 흐름을 최적화하는 등의 활동을 진행한다.
③ 정부는 이익을 목적으로 개인의 정보를 활용할 수 있는 방안을 모색한다.
④ 연예인은 팬들의 관심사나 행동 패턴을 분석하여 맞춤형 콘텐츠를 제공하는 데 빅데이터를 활용한다.

✓ 40회 기출 출 ★★★★☆ 난 ★★☆☆☆

30 다음 중 빅데이터 분석 기법에 관한 설명으로 옳지 않은 것은 무엇인가?

① 군집 분석은 개인 신용 평가에 활용한다.
② 감성 분석은 고객의 의견을 파악하는 데 유용하다.
③ 연관 규칙 분석은 추천 시스템에 활용된다.
④ 예측 분석은 미래 트렌드를 예측하는 데 사용된다.

✓ 16회 기출 출 ★★★☆☆ 난 ★★★★★

31 아래는 특정산업의 일차원적 분석 사례를 나열한 것이다. 다음 중 특정산업으로 적절한 것은?

트레이딩, 공급, 수요예측

① 소매업   ② 에너지   ③ 운송업   ④ 금융서비스

✓ 15회 기출 출 ★★★★☆ 난 ★★★★☆

32 다음 중 주요 데이터 분석 기술에 대한 설명으로 가장 부적절한 것은?

① OLAP – 다차원의 데이터를 대화식으로 분석하기 위한 기술
② Business Intelligence – 데이터 기반 의사결정을 지원하기 위한 리포트 중심의 도구
③ Business Analytics – 의사결정을 위한 통계적이고 수학적인 분석에 초점을 둔 기법
④ Deep Learning – 대용량 데이터에서 의미있는 정보를 추출하여 의사결정에 활용하는 기술

✓ 20회 기출 출★★★★☆ 난★★★☆☆

33 다음 중 비즈니스 모델에서 빅데이터 분석 방법과 사례를 연결한 것으로 부적절한 것은?

① 맥주를 사는 사람은 콜라도 같이 구매하는 경우가 많은가? – 연관규칙학습

② 택배차량을 어떻게 배치하는 것이 가장 비용 효율적인가? – 유형분석

③ 친분관계가 승진에 어떤 영향을 미치는가? – 소셜네트워크분석

④ 고객의 만족도가 충성도에 어떤 영향을 미치는가? – 회귀분석

✓ 35회 기출 출★★★★☆ 난★☆☆☆☆

34 아래에서 설명하고 있는 빅데이터 활용 기본 테크닉은 무엇인가?

> 가) 생명의 진화를 모방하여 최적해(Optimal Solution)를 구하는 알고리즘으로 존 홀랜드(John Holland)가 1975년에 개발하였다.
> 나) '최대의 시청률을 얻으려면 어떤 시간대에 방송해야 하는가?'와 같은 문제를 해결할 때 사용된다.
> 다) 어떤 미지의 함수 Y=f(x)를 최적화하는 해 x를 찾기 위해, 진화를 모방한(Simulated evolution) 탐색 알고리즘이라고 말할 수 있다.

① 유전자 알고리즘 (Genetic Algorithm)

② 시뮬레이티드 어닐링 (Simulated Annealing)

③ 군집 분석 (Cluster Analysis)

④ 회귀 분석 (Regression Analysis)

✓ 13회 기출 출★★☆☆☆ 난★★★★☆

35 최근에 딥러닝(Deep Learning)에 대한 관심이 전 세계적으로 높아지며, 딥러닝을 활용하기 위해 다양한 오픈소스가 개발되어 제공되고 있다. 다음 중 이와 가장 관련이 없는 것은?

① Caffe

② Tensorflow

③ Anaconda

④ Theano

✓ 38회 기출 출★★★★★ 난★★★★☆

36 빅데이터는 정보 분석과 활용에 있어 다양한 기회를 제공하지만, 동시에 여러 문제가 내재되어 있다. 다음 중 빅데이터와 관련하여 위기 요인으로 보기 어려운 것은 무엇인가?

① 익명화
② 데이터 품질 저하
③ 정보의 비대칭성 심화
④ 개인 데이터의 무단 활용

✓ 34회 기출 출★★★★★ 난★★★☆☆

37 인터넷 등 각종 경로로 정보를 수집하는 구글은 이미 지난 2010년에 서비스 이용자가 1시간 뒤에 어떤 일을 할지 87% 정확도로 예측할 수 있는 데이터와 분석 신뢰도를 확보하고 있다고 했다. 또, 여행사실을 트위트한 사람의 집을 강도가 노리는 고전적 사례도 발생했다. 이러한 사례를 통해 알 수 있는 빅데이터 시대의 위기 요인으로 적절한 것은?

① 소셜 네트워크
② 책임 원칙 훼손
③ 데이터 오용
④ 사생활 침해

✓ 46회 기출 출★★☆☆☆ 난★★★★☆

38 빅데이터 시대의 위기 요인 중 책임 원칙 훼손에 대한 설명으로 옳지 않은 것은 무엇인가?

① 자동화된 시스템의 결과에 대한 의존으로 인한 책임 소재의 불분명한 문제가 발생한다.
② 최고 성능의 예측 알고리즘으로부터 나온 결정을 실제 상황에 바로 적용할 때 문제가 발생한다.
③ 특정 개인의 행동을 예측하고 그에 따라 자동으로 결정을 내리는 과정에서 문제가 발생한다.
④ 예측 알고리즘에 적용하는 데이터 무결성의 문제가 발생할 수 있다.

✓ 25회 기출 출★★★★★ 난★★★☆☆

39 다음 중 빅데이터 시대에 발생할 수 있는 위기 요인 중 사생활 침해 문제를 해결하기 위한 방법으로 가장 적절한 것은?

① 알고리즘 접근 허용
② 결과기반 책임 원칙 고수
③ 데이터 오용 방지
④ 정보 사용자 책임제로 변환

✓ 23회 기출 출★★★★★ 난★★★☆☆

40 아래에서 빅데이터 시대의 위기와 통제에 대한 설명으로 가장 타당한 것끼리 묶은 것은?

> 가) 데이터 익명화(Anonymization)는 사생활 침해에 대한 근본요인을 차단할 수 있으므로 빠른 기술발전이 필요하다.
> 나) 빅데이터 분석은 일어난 일에 대한 데이터에 의존하므로 예측의 정확도는 높지만 항상 맞을 수는 없어 데이터 오용의 피해가 발생할 수 있다.
> 다) 개인정보 사용자의 정보 사용에 대한 무한책임의 한계를 고려할 때 개인정보 사용 책임제보다 동의제를 더욱 강화시켜야 한다.
> 라) 민주주의에서 '행동결과'에 따른 처벌의 모순을 교훈삼아 빅데이터 사전 '성향' 분석을 통한 통제가 강화될 필요가 있다.
> 마) 빅데이터가 발생시키는 문제를 중간자 입장에서 중재하며 해결해주는 알고리즈미스트(Algorithmist)도 새로운 직업으로 부상하게 될 것이다.

① 가, 나, 다 ② 나, 다, 마 ③ 가, 다, 라 ④ 가, 나, 마

✓ 45회 기출 출★★★☆☆ 난★☆☆☆☆

41 다음 중 개인정보 비식별화 기법에 대한 설명으로 옳지 않은 것은 무엇인가?

① 가명처리는 개인 식별이 가능한 데이터를 다른 값으로 대체하여 식별 가능성을 낮추는 방법이다.
② 데이터 마스킹은 원본 데이터를 삭제하여 접근을 차단하는 기술이다.
③ 범주화는 개별 데이터를 그룹의 대표값으로 변환하여 식별을 어렵게 한다.
④ 총계처리는 개별 데이터를 집계된 값으로 대체하여 원본을 감추는 방법이다.

✓ 38회 기출 출★★☆☆☆ 난★★★☆☆

42 빅데이터는 현대 기술에서 중요하며 여러 요소를 통해 활용된다. 다음 중 빅데이터 활용의 기본 3요소에 대한 설명으로 적절하지 않은 것은?

① 데이터 – 다양한 데이터 소스를 통합하고 정제하는 기술로 빅데이터 활용의 기초를 마련하고 있다.
② 프로세스 – 이전과는 다른 기술의 도입과 발전으로 체계적인 업무 처리 프로세스가 필요하게 되었다.
③ 인력 – 데이터 과학자와 분석가들은 복잡한 데이터를 분석하여 의사결정에 필요한 통찰을 제공함으로써 핵심적인 역할을 한다.
④ 기술 – 머신러닝과 인공지능의 발전은 빅데이터 분석의 정확도와 효율성을 크게 높이고 있다.

✓ 34회 기출 출★★★☆☆ 난★★★☆☆

43 데이터 사이언스는 다양한 데이터에서 유용한 정보를 얻는 데 중점을 둔다. 다음 중 데이터 사이언스에 대한 설명으로 적절하지 않은 것은?

① 데이터 사이언스는 데이터를 수집하고 분석하여 실용적인 정보를 얻는 학문이다.
② 주로 분석의 정확성에 초점을 두고 진행한다.
③ 데이터의 시각화, 패턴 인식, 예측 모델링 등을 포함한 분석 기법을 사용한다.
④ 데이터 사이언스는 기존의 방법론을 확장하여 다양한 도메인에 적용한다.

✓ 22회 기출 출★☆☆☆☆ 난★★★★★

44 데이터 사이언스는 데이터 처리와 관련된 IT 영역, 분석적 영역, 그리고 비즈니스 컨설팅 영역을 포괄하고 있다. 다음 중 다른 영역에 속하는 하나는?

① 데이터 시각화
② 데이터 웨어하우징
③ 분산 컴퓨팅
④ 파이썬 프로그래밍

✓ 39회 기출 출★★★★★ 난★☆☆☆☆

45 다음 설명 중 데이터 사이언티스트에 대한 내용으로 부적절한 것은?

① 데이터 사이언티스트는 머신러닝 모델을 설계할 수 있는 기술적 역량이 필요하다.
② 데이터를 수집, 정제, 처리하는 데이터 엔지니어링 업무도 이해해야 한다.
③ 데이터 사이언티스트는 개인으로 활동하는 경우가 많아 커뮤니케이션 기술은 중요하지 않다.
④ 데이터의 패턴을 효과적으로 전달하기 위해 시각화 기법을 활용할 수 있어야 한다.

✓ 39회 기출 출★★★★★ 난★★★★☆

46 데이터 사이언티스트는 다양한 역량을 바탕으로 데이터를 분석하여 가치를 창출한다. 다음 중 데이터 사이언티스트의 역량에 대해 가장 적절하게 설명된 것은?

① 하드 스킬로서 데이터 처리 과정에서 단순한 자동화 도구를 활용하는 능력
② 소프트 스킬로서 개별적인 분석 결과의 논리적 전개 능력
③ 소프트 스킬로서 통찰력 있는 분석 능력
④ 하드 스킬로서 서버 및 네트워크 관리 능력

✓ 41회 기출 출 ★★★★★ 난 ★★★☆☆

47 데이터 분석가가 조직의 의사결정을 지원하기 위해 통찰력 있는 분석을 수행한다고 할 때, 다음 중 핵심 역량이라고 보기 어려운 것은 무엇인가?

① 비즈니스 이해력
② 분석 기술
③ 연구 윤리
④ 데이터 시각화 능력

✓ 18회 기출 출 ★★★★★ 난 ★★★★☆

48 데이터 사이언스에서 인문학적 사고는 반드시 필요한 요소이다. 다음 중 인문학 열풍을 가져오게 한 외부 환경 요소로 가장 부적절한 것은?

① 디버전스 동역학이 작용하는 복잡한 세계화
② 비즈니스 중심이 제품생산에서 체험 경제를 기초로 한 서비스로 이동
③ 경제의 논리가 생산에서 최근 패러다임인 시장 창조로 변화
④ 빅데이터 분석 기법의 이해와 분석 방법론 확대

✓ 30회 기출 출 ★★★★★ 난 ★★★☆☆

49 다음 중 미래 사회의 특성과 빅데이터 역할이 올바르게 연결되지 않는 것은?

① 융합 – 창조력
② 리스크 – 대응력
③ 불확실성 – 통찰력
④ 단순화 – 경쟁력

✓ 37회 기출 출 ★★★★★ 난 ★★★★☆

50 전략적 인사이트를 제공하는 가치 기반 분석을 위해 우선 고려해야 할 사항으로 가장 적절하지 않은 것은?

① 기술 혁신이 시장 기회 창출에 미치는 영향
② 비즈니스 성과관리
③ 주요 경쟁사의 전략 및 시장 점유율 동향
④ 글로벌 경제 및 규제 변화

1과목 | 데이터의 이해
정답 및 해설

01	③	11	②	21	①	31	②	41	②
02	③	12	①	22	③	32	④	42	②
03	②	13	①	23	②	33	②	43	②
04	①	14	②	24	②	34	①	44	①
05	③	15	④	25	①	35	③	45	③
06	③	16	①	26	②	36	①	46	②
07	①	17	④	27	②	37	④	47	③
08	④	18	①	28	②	38	④	48	①
09	③	19	④	29	③	39	④	49	④
10	②	20	①	30	①	40	④	50	②

01. 데이터의 양이 많아진다고 해서 반드시 더 많은 가치가 창출되는 것은 아니다. 데이터의 가치와 활용은 데이터의 품질과 분석 방법에 달려 있다. 텍스트 데이터를 저장하는 것이 수치 데이터보다 많은 자원과 시간이 소요되며, 1킬로바이트는 1024바이트로 구성되어 1바이트는 256가지 값을 표현할 수 있다. 이미지 파일은 비정형 데이터에 해당하므로 나머지 설명은 적절하다. (**정답** : ③)

02. 비정형 데이터는 구조화되지 않은 데이터로, 파일 형태로 저장되기는 하지만 내부 메타데이터를 포함하지 않는 경우가 대부분이다. 비정형 데이터의 예로는 이미지, 동영상, 텍스트 문서 등이 있다. 나머지 설명은 대규모 데이터 처리 시 기술적 인프라와 효율적 알고리즘이 필요하고, 정제와 전처리를 통해 품질이 확보되며 데이터의 상관관계 분석이 유용하다는 점을 말하므로 적절하다. (**정답** : ③)

03. 기계 소음을 기록한 센서 데이터는 수치형 정량 데이터로, 다른 데이터와 성격이 다르다. 개인 페이스북 후기, 포털 사이트의 검색어, 콜센터 녹음 파일은 텍스트 데이터나 음성 파일로 모두 비정형 데이터에 해당한다. 따라서 센서 데이터만 구조화된 정형 데이터의 범주에 속한다. (**정답** : ②)

04. 정형 데이터는 RDB의 테이블처럼 구조화된 수치·코드 데이터이며, 수요 예측과 같은 전통적 거래·통계 데이터가 대표적이다. 반정형 데이터는 일정한 태그·구조를 갖지만 완전히 고정되지 않은 형태로, XML 형식의 제품 카탈로그나 JSON 형식의 웹 로그 데이터와 같은 데이터가 대표적이다. 비정형 데이터는 자유로운 텍스트·이메일 같은 형식으로 저장되는 데이터이다. (**정답** : ①)

05. 공통화(Socialization) 는 암묵지와 암묵지의 공유를 의미하며, 표출화(Externalization) 는 암묵지를 형식지로 전환하는 과정이다. 연결화(Combination) 는 형식지를 다른 형식지와 결합하여 새로운 지식을 창출하는 단계이며, 내면화(Internalization) 는 형식지를 다시 암묵지로 체득하는 단계이다. (정답 : ③)

06. 표출화는 개인의 경험이나 직관과 같은 암묵지를 문서나 매뉴얼 같은 형식지로 바꾸는 과정이다. 연결화는 형식지와 형식지를 결합하는 단계, 내면화는 형식지를 학습해 암묵지로 체득하는 단계, 공통화는 암묵지를 공유하는 단계이다. (정답 : ③)

07. 데이터는 단순한 사실이나 수치로 A카페와 B카페의 가격을 나타내는 (c) 가 이에 해당한다. 정보는 데이터를 바탕으로 의미를 부여한 것으로 A카페의 커피가 더 싸다는 (a) 에 해당한다. 지식은 정보에 기초해 특정 의사결정을 내리는 단계로 상대적으로 저렴한 A카페에서 커피를 사야겠다는 (b) 가 이에 해당한다. 지혜는 지식을 바탕으로 새로운 예측이나 판단을 내리는 단계로 라떼도 쌀 것이라고 판단한 (d) 가 이에 해당한다. (정답 : ①)

08. 데이터는 단순 기록이고, 정보를 얻기 위해서는 데이터를 정리·분석하여 의미와 맥락을 부여해야 한다. 이렇게 얻은 정보는 이후 지식·지혜로 이어지는 의사결정의 기초가 되므로, 보기 중 '정보'가 가장 적절하다. (정답 : ④)

09. DIKW 피라미드에서 데이터는 단순한 사실이며, 정보는 의미를 부여한 데이터다. 지식은 패턴이나 상관관계를 기반으로 도출된 원리이고, 지혜는 예측이나 의사결정을 내리는 단계다. 다른 예시들은 데이터와 정보에 대한 설명이지만, 매출액 예측은 지혜(Wisdom) 에 해당하는 내용이므로 다른 단계다. (정답 : ③)

10. COUNT 함수는 행의 개수를 세는 함수로, 수치형뿐 아니라 문자형·날짜형 등 NULL이 아닌 모든 데이터 타입에 사용 가능하다. AVG, SUM, STDDEV는 수치형 데이터에만 적용되므로 COUNT와 구분해야 한다. (정답 : ②)

11. 데이터베이스는 데이터를 효율적으로 구조화하여 저장하고, 다수의 사용자가 동시에 접근할 수 있는 시스템을 제공한다. 데이터의 무결성과 보안을 유지하며, 일관성을 보장한다. 하지만 2차원 테이블로만 표현되는 것은 관계형 데이터베이스에 한정된 설명이다. 객체지향 DBMS나 비정형 데이터베이스는 2차원 테이블 이외의 구조로 데이터를 표현할 수 있다. (정답 : ②)

12. 데이터베이스는 데이터의 중복 최소화를 목표로 한다. 통합된 데이터란 여러 사용자나 애플리케이션이 공용으로 사용하도록 설계된 데이터다. 또한 데이터베이스는 보안 기능을 통해 접근 권한을 제어하며, 논리적 데이터 독립성을 통해 물리적 구조와 무관하게 데이터를 처리할 수 있다. (정답 : ①)

13. 데이터베이스는 데이터의 중복을 최소화하여 일관성과 무결성을 유지하는 것을 핵심 목표로 한다. 동일한 데이터의 중복 허용은 오히려 관리 복잡성을 높이고 오류 가능성을 증가시키므로 잘못된 설명이다. 반면, 2번, 3번, 4번 선택지는 각각 저장된 데이터, 공용 데이터, 데이터베이스의 안정성을 설명하며 모두 데이터베이스의 올바른 특징을 나타낸다. (정답 : ①)

14. 객체지향 DBMS 는 복잡한 데이터 구조를 관리하기 위해 객체지향 프로그래밍의 개념을 데이터베이스에 적용한 시스템이다. 관계형 DBMS는 주로 2차원 테이블 구조를 사용하며, 네트워크 DBMS와 계층형 DBMS는 비교적 오래된 시스템으로 복잡한 데이터 표현에는 한계가 있다. (정답 : ②)

15. 데이터 웨어하우스는 전사적 데이터를 통합적으로 저장하는 대규모 저장소이며, 데이터 마트는 부서·업무 단위로 잘게 나눈 작은 저장소이다. 데이터 모델링은 데이터베이스 구축 전에 논리·개념 구조를 설계하는 작업이며, DW와 마트는 제공 범위·기능에 따라 구분된다는 설명이 가장 적절하다. (**정답** : ④)

16. 데이터 웨어하우스는 분석과 의사결정 지원을 위한 데이터 저장소로, 데이터의 지속적 갱신이 아닌 일괄적 적재와 주기적 갱신이 중요하다. 데이터의 정의와 관리가 전사적 차원에서 통일되며, 시간 흐름에 따른 데이터의 변화를 기록하고 주제 중심으로 데이터를 관리한다. (**정답** : ①)

17. SQL(Structured Query Language) 은 관계형 데이터베이스에서 데이터를 조회, 삽입, 수정, 삭제하는 데 사용되는 표준 언어다. JavaScript, MATLAB, Ruby는 프로그래밍 언어지만 데이터베이스 쿼리 언어로 사용되지는 않는다. (**정답** : ④)

18. SCM(공급망 관리 시스템)은 제품 생산에서부터 최종 소비자에 이르기까지의 공급망 전 과정을 통합·최적화하여 원가 절감과 납기 단축, 고객 만족 향상을 목표로 한다. 따라서 유통과 공급 단계를 최적화한다는 설명에 가장 부합한다. (**정답** : ①)

19. 의료, 교육, 행정 부문은 데이터베이스 구축과 활용이 가장 활성화된 분야 중 하나다. 데이터베이스는 물류, 무역, 조세 등 사회간접자본 영역과 지리 및 교통 부문에서도 중요한 역할을 하며, 인터넷의 보편화로 사회 전반의 인프라로 자리 잡았다. (**정답** : ④)

20. 빅데이터 현상은 클라우드 컴퓨팅의 대중화, 센서 네트워크를 통한 데이터 수집 기술, 소셜미디어 플랫폼의 데이터 분석 등으로 촉진되었다. 의료정보의 개방은 공공데이터의 활용 측면에서 중요한 역할을 하지만, 빅데이터 출현의 직접적인 배경과는 다소 거리가 있다. (**정답** : ①)

21. 데이터 분석과 IoT는 생산성 향상, 맞춤형 서비스, 의사결정 지원, 시장 적응력 강화 등 다양한 긍정적인 변화를 가져오며, 특히 자동화와 실시간 데이터 처리를 통해 사람의 개입을 줄이고 효율성을 높이는 것이 핵심이다. 1번 보기에 "사람의 개입이 최대화 된다"는 IoT의 본질을 반대로 설명하고 있다. (**정답** : ①)

22. 빅데이터 분석에서는 가능한 많은 데이터를 수집하고 다양한 조합을 통해 숨은 가치를 찾아내는 것이 핵심이다. 이는 과거 표본조사 기법 중심의 데이터 분석과 대비된다. 빅데이터에서는 데이터의 양이 많아질수록 사소한 오류는 결과에 큰 영향을 주지 않으며, 상관관계만으로도 인사이트를 얻는 경우가 증가하고 있다. (**정답** : ③)

23. 인과관계는 원인과 결과 사이의 관계를 설명하지만, 상관관계는 두 현상이 함께 발생하는 연관성을 나타낼 뿐 원인을 설명하지 않는다. 빅데이터 환경에서는 인과관계를 규명하는 과정보다 상관관계를 활용해 빠르게 의사결정을 내리는 것이 중요하다. (**정답** : ②)

24. 빅데이터는 기술적 발전과 데이터 활용으로 의사결정이 데이터 기반으로 변화하고 새로운 비즈니스 모델을 창출한다. 반면, 빅데이터는 비정형 데이터의 증가가 주요 특징이며, 데이터 저장 기술의 발전으로 인해 데이터 저장 비용은 점차 감소하는 추세이므로 선택지 가, 라는 올바르지 않은 설명이다. (**정답** : ②)

25. 데이터의 최소 단위는 1비트이며, 1바이트는 8비트로 구성되므로 '바이트가 최소 단위' 라는 설명은 틀렸다. 데이터는 의미 있는 정보의 재료가 되고, 이를 가공해 의사결정에 활용할 수 있으며, 수치·텍스트·이미지 등 다양한 형식으로 저장될 수 있다는 나머지 선택지는 모두 적절하다. (**정답** : ①)

26. 빅데이터 분석은 모든 형태의 데이터를 대상으로 실시간 분석이 가능하며, 고급 분석기법을 활용해 더욱 정교한 결과를 도출한다. 기존 분석은 주로 정형 데이터를 다루었고, 데이터 마트 기반 분석에 국한된 경우가 많았다. 하지만 빅데이터 분석은 내·외부의 다양한 데이터 소스를 통합하고 실시간 분석으로 의사결정의 속도를 높인다. (**정답** : ②)

27. 데이터의 가치 측정이 어려운 이유는 데이터의 재사용성, 분석 기술의 발전, 그리고 기존에 존재하지 않았던 새로운 가치를 창출하기 때문이다. 반면 빅데이터 전문 인력의 증가로 활용이 늘어나는 것은 가치 측정과는 직접적인 관련이 없다. (**정답** : ②)

28. 빅데이터 분석은 제조업의 혁신과 비용 절감을 가져오며, 서비스 중심 경제구조를 지원하지만 제조업의 축소를 가속화하지는 않는다. 오히려 빅데이터는 제조업에서의 품질 개선, 비용 절감, 공급망 최적화 등 다양한 방식으로 활용되어 제조업의 경쟁력을 높이는 역할을 한다. (**정답** : ①)

29. 정부는 빅데이터를 활용해 대기 오염 정보 제공, 교통 흐름 최적화 등 공공 서비스 개선을 목표로 한다. 그러나 정부가 이익을 목적으로 개인 정보를 활용하는 것은 개인정보 보호 원칙에 위배된다. 기업이나 연예인은 고객 맞춤형 서비스와 콘텐츠 제공을 위해 빅데이터를 활용한다. (**정답** : ③)

30. 군집 분석은 데이터 내 그룹을 찾는 기법으로, 개인 신용 평가보다는 고객 세분화나 시장 분석에 주로 사용된다. 감성 분석은 고객 의견의 긍정/부정 여부를 파악하는 데 유용하며, 연관 규칙 분석은 구매 데이터에서 상품 간의 연관성을 찾아 추천 시스템에 활용된다. 예측 분석은 과거 데이터를 기반으로 미래를 예측하는 데 사용된다. (**정답** : ①)

31. 에너지 산업은 수요 예측, 공급 최적화, 가격 변동성 관리 등 일차원적 분석이 중요한 산업이다. 금융 서비스는 거래 패턴과 리스크 분석에 집중하며, 소매업과 운송업은 다차원적 고객 분석이나 경로 최적화에 중점을 둔다. (**정답** : ②)

32. Deep Learning(딥러닝)은 인공신경망을 기반으로 한 기계 학습 기법으로, 대용량 데이터에서 패턴을 학습하고 예측하는 기술이다. 그러나 의사결정을 위한 정보 추출을 직접적으로 설명하는 것은 Business Analytics나 다른 분석 기술과의 혼동을 불러올 수 있다. OLAP는 다차원 데이터 분석을, BI는 리포트 중심의 데이터 기반 의사결정을, BA는 통계적·수학적 분석을 강조한다. (**정답** : ④)

33. 택배 차량의 배치는 최적화 문제에 해당하며, 경로 최적화와 관련된 분석이 필요하다. 이는 유형분석이 아니라 네트워크 최적화 또는 경로 분석 기법이 적합하다. 유형 분석은 데이터의 분류와 집합을 통해 특정 그룹의 특성을 파악하는 기법으로, 고객 세분화 등에 주로 사용된다. 연관규칙학습은 항목 간 관계를 찾고, 소셜네트워크 분석은 관계망의 영향을 평가하며, 회귀분석은 두 변수 간 관계를 정량적으로 분석하는 데 사용된다. (**정답** : ②)

34. 유전자 알고리즘은 자연 선택과 진화를 모방한 탐색 알고리즘으로, 최적해를 찾기 위한 방법 중 하나이다. 생명의 진화 원리를 기반으로 교차, 돌연변이 등의 연산을 통해 최적의 해를 탐색하며, 빅데이터 분석에서 다양한 최적화 문제를 해결할 때 사용된다. (**정답** : ①)

35. Anaconda 는 데이터 과학과 머신러닝을 위한 파이썬 기반 패키지 관리 및 환경 관리 도구다. 반면 Caffe, TensorFlow, Theano 는 모두 딥러닝 프레임워크로, 인공신경망 모델 구현 및 학습에 사용된다. (**정답 : ③**)

36. 익명화는 데이터를 비식별화하여 개인 정보를 보호하는 기법으로, 빅데이터 시대의 위기 요인을 해결하는 방법 중 하나다. 반면 데이터 품질 저하, 정보의 비대칭성 심화, 개인 데이터의 무단 활용은 빅데이터의 주요 위기 요인에 해당한다.
(**정답 : ①**)

37. 빅데이터가 사용자의 행동과 정보를 정교하게 예측하고 활용하면서 사생활 침해 문제가 크게 대두되고 있다. 소셜 네트워크, 책임 원칙 훼손, 데이터 오용 등도 위기 요인으로 지적되지만, 개인의 정보 노출과 사생활 침해가 가장 대표적인 문제다. (**정답 : ④**)

38. 책임 원칙 훼손은 자동화된 시스템의 결정에 대해 누가 책임을 져야 하는지가 불분명해지는 상황을 의미한다. 이는 알고리즘의 투명성 부족과 관련이 있으며, 결과에 대한 책임이 사용자에게 전가되는 문제를 포함할 수 있다. 데이터 무결성의 문제는 책임 원칙 훼손과 직접적인 관련이 없으므로 옳지 않다. (**정답 : ④**)

39. 정보 사용자 책임제는 데이터 사용자가 책임을 지도록 하여 개인 정보 오남용을 방지하는 방법이다. 알고리즘 접근 허용은 데이터 오용에 대한 해결 방법이고, 결과 기반 책임 원칙은 책임 원칙 훼손에 대한 해결 방법이다. 데이터 오용 방지는 실질적인 해결책으로 부족하다. (**정답 : ④**)

40. '다'는 동의만 강조하는 것은 실질적인 보호로 이어지기 힘든 문제로 개인정보를 사용하는 사용자의 책임으로 해결해야 하므로 틀린 설명이며, '라'는 개인의 자유와 권리를 제한할 수 있는 위험이 있으므로 타당성이 낮아 부적절한 설명이다. 따라서 정답은 '가, 나, 마'이다. (**정답 : ④**)

41. 데이터 마스킹은 원본 데이터를 삭제하는 것이 아니라, 일정한 규칙에 따라 데이터를 변환하여 식별 가능성을 줄이는 기술이다. 원본 데이터의 삭제는 데이터 마스킹의 정의와 맞지 않으므로 옳지 않은 설명이다. 가명처리와 범주화, 총계처리는 각각의 정의에 부합하는 설명을 제공하고 있다. (**정답 : ②**)

42. 데이터는 빅데이터 활용의 기초로 다양한 데이터를 정제하고 통합하는 기술이 요구된다. 인력은 데이터 과학자와 분석가들이 복잡한 데이터를 해석하여 의사결정을 지원하는 핵심적 역할을 한다. 기술은 머신러닝과 AI 발전으로 분석의 정확도와 효율성을 높이고 있다. 반면 프로세스에 대한 설명은 빅데이터의 기초 요소를 언급하는 것과 다소 거리가 멀다. (**정답 : ②**)

43. 데이터 사이언스는 데이터를 수집, 분석해 실용적이고 가치 있는 정보를 제공하는 학문이다. 시각화, 패턴 인식, 예측 모델링 등 다양한 기법을 사용하며 기존 방법론을 확장해 여러 도메인에 적용된다. 그러나 데이터 사이언스는 정확성만을 추구하는 것이 아니라 실용성과 비즈니스 적용에 중점을 두기 때문에, 분석의 정확성에만 초점을 둔다는 설명은 부적절하다. (**정답 : ②**)

44. 데이터 웨어하우징, 분산 컴퓨팅, 파이썬 프로그래밍은 모두 데이터 처리·분석을 위한 IT/기술 영역에 속한다. 반면 데이터 시각화는 분석 결과를 이해관계자에게 전달하고 의사결정을 지원하기 위한 커뮤니케이션·컨설팅 성격이 강하므로 다른 영역으로 볼 수 있다. (**정답 : ①**)

45. 데이터 사이언티스트는 머신러닝 모델을 설계하고 데이터 정제, 처리 등 데이터 엔지니어링 업무를 이해해야 하며, 분석 결과를 효과적으로 시각화하는 역량도 필요하다. 특히 팀 내 협업과 다양한 이해관계자와의 소통이 중요하므로 커뮤니케이션 기술은 필수적인 역량이다. 개인 활동이라는 설명은 데이터 사이언티스트의 실제 역할과 맞지 않는다. (**정답** : ③)

46. 데이터 사이언티스트는 데이터를 단순히 분석하는 것을 넘어 통찰력 있는 해석과 분석을 통해 비즈니스 가치를 창출하는 역할을 한다. 논리적 전개나 자동화 도구 활용도 중요하지만, 비즈니스 맥락을 고려한 통찰이 더욱 핵심적이다. 서버 및 네트워크 관리는 데이터 엔지니어링과 더 관련이 깊다. (**정답** : ③)

47. 분석에 필요한 역량은 비즈니스 이해력, 분석 기술, 데이터 시각화 능력 등이 포함된다. 연구 윤리는 분석의 과정에서 중요한 요소이지만, 직접적으로 분석 수행에 필수적인 기술적 역량은 아니다. (**정답** : ③)

48. 인문학 열풍은 복잡한 세계화와 비즈니스 중심이 서비스 중심으로 이동한 것, 경제 논리가 시장 창조로 변화한 점과 같은 사회적 환경 변화에서 기인했다. 그러나 빅데이터 분석 기법의 이해와 분석 방법론 확대는 인문학의 필요성과 직접적으로 연결되지 않는 기술적 요소다. (**정답** : ④)

49. 융합은 창의력을 요구하고, 리스크는 대응력으로 해결하며, 불확실성에는 통찰력이 필요하다. 그러나 단순화는 복잡한 사회와 데이터를 이해하기 쉽게 만드는 것을 의미하지만, 이를 경쟁력과 연결하는 것은 부적절하다. (**정답** : ④)

50. 가치 기반 분석은 전략적 인사이트를 도출하기 위해 기업 외부의 환경, 시장 동향, 경쟁 요인 등을 장기적 관점에서 분석하는 기법이다. 반면, 비즈니스 성과관리는 주로 내부 운영 관점에서 현재 또는 과거의 실적을 평가하는 활동이다. 따라서 가치 기반 분석에서는 기업 내부의 성과 관리보다는 외부 요인, 시장 변화, 기술 혁신 등이 더 중요한 고려 대상이 되며, 비즈니스 성과관리는 부적절하다. (**정답** : ②)

ADsP
데이터 분석 준전문가

PART 02 데이터 분석 기획

출제 분포와 난이도 분석

장	절	출제 (2021년~2025년)			출제 (2024년)			출제 (2025년)			출제난이도		
		문항수	분포(절)	분포(장)	문항수	분포(절)	분포(장)	문항수	분포(절)	분포(장)	2024	2025	2021~2025
1장	1절	25	22.9%	54.5%	7	26.9%	65.0%	5	23.8%	55.3%	3.4	2.4	2.8
	2절	30	27.5%		10	38.5%		4	19.0%		3.1	3.3	3.5
	3절	40	36.7%		6	23.1%		10	47.6%		2.3	3.2	3.2
	4절	14	12.8%		3	11.5%		2	9.5%		2.7	3.0	3.1
2장	1절	34	37.4%	45.5%	5	35.7%	35.0%	6	35.3%	44.7%	3.4	2.7	3.1
	2절	57	62.6%		9	64.3%		11	64.7%		3.2	2.9	3.1
											3.0	2.9	3.1

최근 5년간(2021년~2025년) 2과목의 출제 분포를 분석해 보면, 1장은 54.5%, 2장은 45.5%가 출제되었습니다. 단답형 문제가 없어진 2024년에 1장이 65%, 2장이 35%로 1장에 대한 비중이 늘어났지만 2025년에는 다시 최근 5년의 트렌드로 다시 복귀하였고 이 추세는 2026년에도 이어질 것으로 예상됩니다. 2과목의 절별 출제비중은 1.4절이 계속 줄어들고 있고 나머지 절들은 골고루 문제가 출제되는 편입니다. 다만, 1.2절, 1.3절, 2.1절, 2.2절은 모두 약 30%이상 출제될 수 있으므로 반드시 집중해서 학습하여야 합니다.

최근 5년간(2021년~2025년) 2과목의 난이도는 평균 3등급이며 3등급을 중심으로 정규분포 형태를 보이는 것을 "ADsP 파헤치기"에서 확인한 바 있습니다. 다만 최근 2024년, 2025년 시험에서는 난이도가 쉬운 문제는 더 쉬워지고 어려운 문제는 더 어렵게 출제되는 경향이 있으니 개념을 정확하게 이해하는 것이 중요합니다.

결과적으로 2과목은 1장과 2장을 모두 집중해서 공부하고, 합격마법노트와 교재 본문을 천천히 읽은 후 데이터에듀PT를 통해 문제를 많이 풀어 보면서 공부하시기 바랍니다. AI 비기봇 해설과 쇼츠 동영상으로 틀린 문제를 확인하고 오답노트에서 틀린 문제를 반복해서 풀어 보는 방법으로 학습해 나가는 것이 효과적입니다.

학습 전략

2과목 데이터 분석 기획의 1장 데이터 분석 기획의 이해는 54.5%, 2장 분석 마스터 플랜은 45.5%의 비율로 출제되고 있습니다. 용어가 생소하기 때문에 충분히 읽어보고 암기하지 않으면 과락 위험이 있으니 유의해야 합니다.

1장 빅데이터 분석 기획의 이해에서는 〈상향식 접근법〉이 최근 5년간 19번 출제되었으며, 2025년에는 6문제가 출제될 정도로 자주 등장하는 핵심 영역입니다. 1절에서는 〈분석 대상과 방법〉, 〈분석 기획시 고려사항〉은 최근 5년간 약 10문제 정도 출제되었고, 2절에서는 〈분석 방법론 개요〉, 〈빅데이터 분석 방법론〉이 10문제 정도 출제되었으며, 3절에서는 〈상향식 접근법〉외에 〈하향식 접근법〉, 〈문제 탐색 과정〉이 8번 출제되었습니다. 4장에서는 〈분석 과제 관리를 위한 5가지 주요 영역〉이 2025년에 2회 이상 출제되어 2026년에도 출제될 가능성이 높습니다.

2장 분석 마스터 플랜에서는 〈데이터 분석 수준 진단〉이 최근 5년동안 23번 출제되었으며, 2025년에도 7문제가 출제되었습니다. 1절에서는 〈마스터 플랜 수립 개요〉가 19번 출제되었고 2025년에 5번 출제되었습니다. 2절에서는 〈데이터 분석 수준 진단〉 이외에 〈데이터 거버넌스 체계 수립〉이 13회, 〈데이터 조직 및 인력 구성〉이 10문제 출제 되어 중요한 영역임을 확인할 수 있습니다.

단원별 TOP 출제 키워드

1장

분석기획
분석 대상과 방법
분석방법론
KDD
CRISP-DM

빅데이터분석방법론
하향식접근법
상향식접근법
비즈니스모델캔버스
프로젝트관리체계

2장

분석마스터플랜
데이터거버넌스체계
분석조직구조
분석준비도
분석성숙도

챕터 구성

어떤 것을 학습하게 될지 살펴보자!

| 1장 | 데이터 분석 기획의 이해 | – 분석 기획 방향성 도출
– 분석 방법론 | – 분석 과제 발굴
– 분석 프로젝트 관리 방안 |

| 2장 | 분석 마스터 플랜 | – 마스터 플랜 수립 프레임 워크
– 분석 거버넌스 체계 수립 |

PART 02 데이터 분석 기획

1장 데이터 분석 기획의 이해

4 DAY

학습 목표

- 분석 기획 방향성 도출을 위한 분석 기획의 특징과 고려사항을 이해한다.
- 분석 방법론 중에서 KDD분석 방법론에 대해 이해한다.
- 분석 방법론 중에서 CRISP-DM 분석 방법론에 대해 이해한다.
- 빅데이터 분석 방법론을 이해하고 각 단계별 내용을 설명할 수 있다.

눈높이 체크

✓ 데이터 분석 방법론과 프로세스의 필요성을 이해하시나요?

○ 최근 대용량 데이터베이스와 빅데이터를 통해 새로운 인사이트를 도출하고자 하는 시도가 증가하면서 데이터를 분석할 때, 어떤 방법론과 어떤 프로세스로 데이터를 분석하는 것이 효율적인지에 대한 관심이 증가하고 있다.

○ 빅데이터나 대용량 데이터의 경우, 분석하고자 하는 목적에 따라 가장 적절한 방법론을 찾는 것이 가장 중요하다. 또한 대용량 데이터를 분석하는 프로세스에서 중요한 과정을 생략하거나 중복실행할 경우 발생되는 비용은 엄청난 손실로 나타날 수 있기 때문에 효율적인 프로세스를 통해 분석 업무를 수행하는 것이 중요하다.

✓ KDD, CRISP-DM, 빅데이터 분석 방법론에 대해 들어보셨나요?

○ 대용량 데이터베이스와 빅데이터를 분석하기 위해서 어떤 프로세스로 작업을 하는 것이 가장 효율적인지에 대한 연구는 지금도 계속 진행되고 있다.

○ 대용량 데이터베이스를 통해 정형화된 데이터베이스를 분석하는 정형 데이터 마이닝 프로세스는 KDD(Knowledge Discovery in Databases) 분석 방법론과 CRISP-DM이 가장 많이 활용 되고 있다.

○ 최근 빅데이터를 통해 대용량이면서 비정형인 데이터를 어떤 프로세스를 통해 분석하는 것이 효과적일지를 고민하면서 빅데이터 분석 프로세스가 발전하고 있다.

1장 데이터 분석 기획의 이해

1절 분석 기획 방향성 도출

이론 정복 강의

출제빈도 F3 난이도 D3

#분석기획 #분석대상과방법 #과제중심적접근 #장기적마스터플랜 #장애요소

❶ 분석 기획의 특징

> **비기의 학습팁**
>
> 분석 기획 주요 과제
> - 프로젝트 정의 및 목표 수립
> - 프로젝트 범위 설정
> - 분석 방법 및 도구 선정
> - 위험 요인 식별

1. 분석 기획이란?

- 실제 분석을 수행하기에 앞서 분석을 수행할 **과제를 정의**하고, 의도했던 **결과를 도출**할 수 있도록 이를 적절하게 **관리**할 수 있는 방안을 **사전에 계획**하는 일련의 작업이다.

- 분석 과제 및 프로젝트를 직접 수행하는 것은 아니지만, 어떠한 목표(What)를 달성하기 위하여(Why) 어떠한 데이터를 가지고 어떤 방식으로(How) 수행할 지에 대한 일련의 계획을 수립하는 작업이기 때문에 성공적인 분석 결과를 도출하기 위한 중요한 사전 작업이다.

2. 데이터 사이언티스트의 역량

- 데이터 사이언티스트는 수학/통계학적 지식 및 정보기술(IT기술, 해킹기술, 통신기술 등) 뿐만 아니라 해당 비즈니스에 대한 이해와 전문성을 포함한 3가지 영역에 대한 고른 역량과 시각이 요구된다.

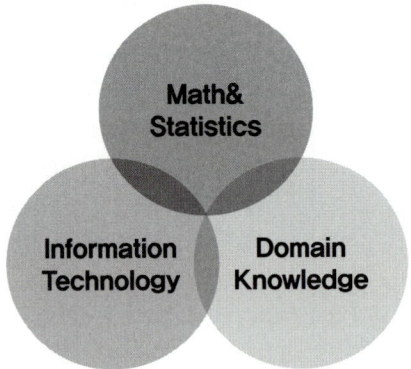

- 다시 말해, 분석을 기획한다는 것은 해당 문제 영역에 대한 전문성 역량 및 수학/통계학적 지식을 활용한 분석 역량과 분석의 도구인 데이터 및 프로그래밍 기술 역량에 대한 균형 잡힌 시각을 가지고 방향성 및 계획을 수립해야 한다는 것을 의미한다.

❷ 분석 대상과 방법

- 분석은 **분석의 대상(What)**과 **분석의 방법(How)**에 따라서 4가지로 나누어진다.
- 특정한 분석 주제를 대상으로 진행하는 경우에도, 분석 주제 및 기법의 특성상 이러한 4가지 유형을 넘나들면서 분석을 수행하고 결과를 도출하는 과정을 반복한다.

> **출제포인트**
> 분석 대상과 방법은 개념 이해를 꼼꼼히 묻는 주제로 매 회차 꾸준히 출제되는 주제이며, 2025년 시험에서도 2문제가 출제되었습니다. 분석 대상과 방법에 따라 구분되는 4가지 유형을 중심으로 표로 정리해 두시기 바랍니다.

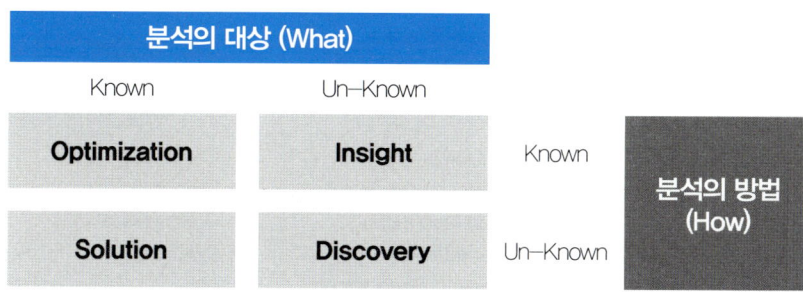

> **비기의 학습팁**
> 분석 대상과 방법에 따른 4가지 유형을 아래와 같이 기억해봅시다.
>
> - Optimization(최적화)
> : 분석 방법과 분석 대상을 모두 알 때 사용하는 방식
>
> - Insight(통찰)
> : 분석 대상은 명확하지 않지만 기존 분석 방법으로 새로운 분석을 수행하는 방식
>
> - Solution(솔루션)
> : 분석 대상은 명확하지만 분석 방법이 명확하지 않을 때 사용하는 방식
>
> - Discovery(발견)
> : 분석의 대상과 분석의 방법을 둘 다 모를 때 적절한 방법

❸ 목표 시점별 분석 기획 방안

- 목표 시점별로는 당면한 과제를 빠르게 해결하는 **"과제 중심적인 접근 방식"**과 지속적인 분석 내재화를 위한 **"장기적인 마스터 플랜 방식"**으로 나눌 수 있다.
- 분석 기획에서는 문제해결(Problem Solving)을 위한 단기적인 접근 방식과 분석 과제 정의(Problem Definition)를 위한 중장기적인 마스터 플랜 접근 방식을 융합하여 적용하는 것이 중요하다.

〈 목표 시점별 분석 기획 방안 〉

> **비기의 학습팁**
>
> 목표 시점별 분석 기획 방안은 아래 예시와 연관지어 기억하면 구분이 쉽습니다.
> - 과제 중심적인 접근 방식 = 대학 리포트 과제
> - 장기적인 마스터 플랜 방식 = 졸업 논문 및 졸업 작품

- **의미있는 분석**을 위해서는 **분석 기술, IT 및 프로그래밍**, 분석 주제에 대한 **도메인 전문성, 의사소통**이 중요하고 분석대상 및 방식에 따른 다양한 분석 주제를 과제 단위 혹은 마스터 플랜 단위로 도출할 수 있어야 한다.

❹ 분석 기획 시 고려사항

> **출제포인트**
>
> 분석 기획 시 고려사항은 개념을 구분하는 비교·판단형 문항으로 출제가 잦은 주제이며, 2025년 시험에서는 3문제가 출제되었습니다. 세 가지 고려사항의 영문 용어와 의미를 함께 숙지해두시기 바랍니다.

1. Available Data (가용 데이터)
- Transaction data
- Human-generated data
- Mobile data
- Machine and sensor data 등

2. Proper Business Use Case (적절한 유즈케이스)
- Customer analytics
- Social media analytics
- Plant and facility management
- Pipeline management
- Price optimization
- Fraud detection 등

3. Low Barrier of Execution (장애 요소들에 대한 사전계획 수립)
- Cost
- Simplicity
- Performance
- Culture 등

→ **성공적 분석**

> **참고**
> - 정형 데이터(Structured Data, DB로 정제된 데이터)
> - 반정형 데이터(Semi-structured Data, 센서 중심으로 스트리밍 되는 머신데이터)
> - 비정형 데이터(Unstructured Data, email, 보고서, 소셜미디어 데이터)

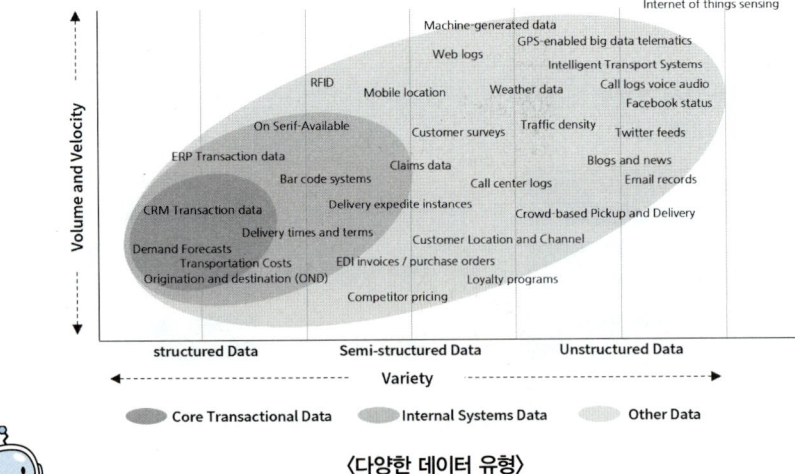

〈다양한 데이터 유형〉

1. Available Data(가용 데이터)

- 분석의 기본인 **데이터의 확보**가 우선적이며, 데이터의 **유형에 따라 적용 가능한 솔루션** 및 **분석 방법**이 다르기 때문에 유형에 대한 분석이 선행적으로 이루어져야 한다.

2. Proper Business Use Case(적절한 유즈케이스)

- "바퀴를 재발명하지 마라"라는 격언처럼 기존에 잘 구현되어 활용되고 있는 유사 분석 시나리오 및 솔루션을 최대한 활용하는 것이 중요하다.

3. Low Barrier of Execution(장애 요소들에 대한 사전계획 수립)

- 일회성 분석으로 그치지 않고 조직의 역량으로 내재화하기 위해서는 충분하고 계속적인 교육 및 활용방안 등의 변화 관리(Change Management)가 고려되어야 한다.

> **비기의 학습팁**
> 적절한 활용 방안과 유즈케이스는 분석을 통해 가치가 창출될 수 있도록 해야 합니다.

> **비기의 학습팁**
> 분석 수행 시 장애 요소는 언제나 발생할 수 있는 요인입니다. 이를 사전에 예상하고 계획을 수립하는 건 데이터 분석에서 꼭 필요한 일입니다.

✓ 핵심 개념체크

✓36회 기출 출★★★★★ 난★★★☆☆

1. 분석 기획에 대한 설명으로 가장 적절하지 않은 것은?

① 분석 결과를 활용할 주요 의사결정 포인트를 식별한다.
② 분석 수행 시 필요한 데이터 소스를 선정하고 우선순위를 설정한다.
③ 성공적인 분석 결과를 도출하기 위한 중요한 사전 작업이다.
④ 상향식 분석은 분석 기획에 앞서 탐색적 데이터 분석을 선행한다.

상향식 접근 방식은 데이터를 중심으로 분석 과제를 발굴하는 과정이며, 분석 기획은 이보다 앞선 단계에서 분석 목표와 전략을 수립하는 작업이다.

✓45회 기출 출★★★★★ 난★★☆☆☆

2. 분석 과제를 정의할 때, 분석 방법은 명확하지만 적용할 대상을 명확히 알지 못하는 경우가 있다. 이러한 상황에서 적합한 분석 과제 도출 유형은 무엇인가?

① 분석(Analysis) ② 최적화(Optimization)
③ 통찰(Insight) ④ 설계(Design)

통찰 과제 유형은 명확한 분석 방법을 통해 데이터에서 패턴이나 숨겨진 관계를 발견하며, 적용 대상이 불명확한 경우에도 유용하다. 최적화와 설계는 구체적인 대상과 문제 정의가 선행되어야 한다.

✓45회 기출 출★★★★★ 난★☆☆☆☆

3. 과제 중심적인 접근 방식의 특징으로 옳지 않은 것은 무엇인가?

① 과제 중심적 접근 방식은 신속한 문제 해결과 빠른 테스트에 중점을 둔다.
② 과제 중심적 접근 방식에서는 장기적인 데이터 분석 역량 강화를 목표로 한다.
③ 과제 중심적 접근 방식은 특정 문제에 대한 해결책을 빠르게 제공하려고 한다.
④ 과제 중심적 접근 방식은 효율성과 속도를 높이기 위해 Quick-Win을 추구한다.

과제 중심적인 접근 방식은 특정 문제를 신속히 해결하고, 결과를 빠르게 테스트하며, 효율성을 높이는 단기적 접근을 주로 사용한다. 이러한 방식은 Quick-Win, 문제 해결 및 속도와 테스트에 중점이 맞춰져 있다. 반면, 장기적인 데이터 분석 역량 강화는 정확성과 배포를 중시하는 장기적 마스터 플랜 방식의 특징이다. 따라서 장기적인 데이터 분석 역량 강화를 목표로 한다는 2번 선지는 과제 중심적 접근 방식의 특징으로 적절하지 않다.

정답 1. ④ 2. ③ 3. ②

1장 데이터 분석 기획의 이해

2절 분석 방법론

출제빈도 **F4**　난이도 **D3**

#데이터분석방법론 #KDD #CRISP-DM #빅데이터분석방법론 #폭포수모델 #프로토타입모델 #프레이밍효과

출제포인트

분석 방법론 개요는 사례 제시형 문항으로 자주 출제되는 빈출 주제이며, 2025년 시험에서도 1문제가 출제되었습니다. 세 가지 모델과 의사결정을 저해하는 장애 요인을 함께 정리해 두시기 바랍니다.

❶ 분석 방법론 개요

1. 개요

- 데이터 분석이 효과적으로 기업 내에 정착하기 위해서는 이를 **체계화한 절차와 방법**이 정리된 데이터 **분석 방법론의 수립**이 필수적이다.
- 프로젝트는 개인의 역량이나 조직의 우연한 성공에 기인해서는 안 되고, 일정한 수준의 품질을 갖춘 산출물과 프로젝트의 성공 가능성을 확보하고 제시할 수 있어야 한다.
- 방법론은 상세한 **절차(Procedures), 방법(Methods), 도구와 기법(Tools&Techniques), 템플릿과 산출물(Templates&Outputs)**로 구성되어 어느 정도의 지식만 있으면 활용이 가능해야 한다.

개념 +

로직오류와 프로세스 오류
- **로직 오류:** 로직 오류는 의도치 않은, 바라지 않은 결과를 유발합니다.
- **프로세스 오류:** 프로세스 오류는 작동에 문제가 발생한 오류를 말합니다.

2. 데이터 기반 의사결정의 필요성

- 경험과 감에 따른 의사결정 → 데이터 기반의 의사결정
- 기업의 합리적 의사결정을 가로막는 장애요소 : 고정 관념(Stereotype), 편향된 생각(Bias), 프레이밍 효과(Framing Effect : 문제의 표현 방식에 따라 동일한 사건이나 상황임에도 불구하고 개인의 판단이나 선택이 달라질 수 있는 현상) 등

3. 방법론의 생성과정

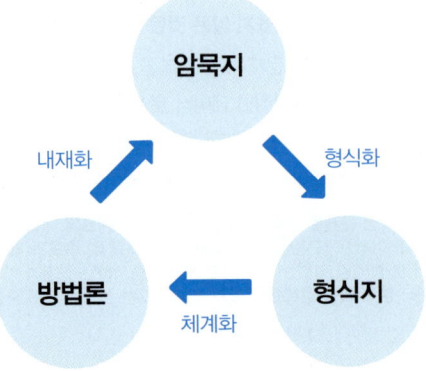

4. 방법론의 적용 업무의 특성에 따른 모델

가. 폭포수 모델(Waterfall Model)

- **단계를 순차적으로 진행하는 방법**으로, 이전 단계가 완료되어야 다음 단계로 진행될 수 있으며 문제가 발견될 시 피드백 과정이 수행된다.(기존 IT의 SW 개발 방식)

나. 프로토타입 모델(Prototype Model)

- 폭포수 모델의 단점을 보완하기 위해 점진적으로 시스템을 개발해 나가는 접근 방식으로, **고객의 요구**를 완전하게 이해하고 있지 못하거나 완벽한 요구 분석의 어려움을 해결하기 위해 **일부분을 우선 개발**하여 사용자에게 제공한다. 시험 사용 후 사용자의 요구를 분석하거나 요구 정당성을 점검, 성능을 평가하여 **그 결과를 통한 개선 작업**을 시행하는 모델이다.

다. 나선형 모델(Spiral Model)

- 반복을 통해 점진적으로 개발하는 방법으로, 처음 시도하는 프로젝트에 적용이 용이하지만 관리 체계를 효과적으로 갖추지 못한 경우 복잡도가 상승하여 프로젝트 진행이 어려울 수 있다.

> **비기의 학습팁**
>
> 모델 순서는 아래와 같이 암기하면 기억에 도움이 됩니다.
>
> - **폭포수 모델**: 폭포는 위에서 아래로만 흐른다. 아래로 떨어지면 다시 위로 갈 수 없다. → 순차적 진행, 피드백이 어렵다.
> - **프로토타입 모델**: 시제품(프로토타입)을 먼저 만들고 고객의 피드백을 반영해 점점 완성해 나간다. → 점진적 개선, 고객과 협력
> - **나선형 모델**: 나선형 계단과 같이 처음에는 아래에서 시작(기초 계획)하여, 계단을 돌며 위로 올라갈수록 점점 정교해진다. → 반복과 점진적 개선, 위험 분석과 개선 작업

참고

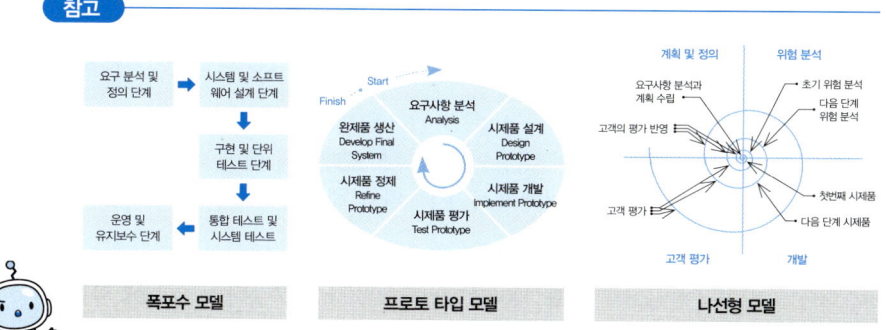

5. 방법론의 구성

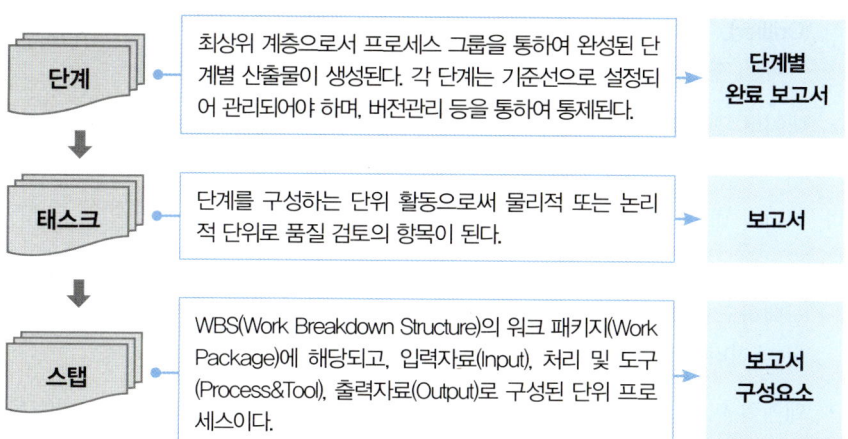

> **비기의 학습팁**
>
> **WBS(Work Breakdown Structure)**
>
> 프로젝트 정의 및 계획 수립 단계에서 프로젝트 수행 계획 수립을 위해 개발이나 분석을 수행하는 전체 과정을 수십~수천 개의 작은 업무 단위로 세분화하여 각 업무의 담당자와 수행 기간 등을 체계적으로 정리한 문서

❷ KDD 분석 방법론

1. 개요

- KDD(Knowledge Discovery in Databases)는 1996년 Fayyad가 프로파일링 기술을 기반으로 데이터로부터 통계적 패턴이나 지식을 찾기 위해 활용할 수 있도록 체계적으로 정리한 데이터 마이닝 프로세스이다. 데이터 마이닝, 기계학습, 인공지능, 패턴인식, 데이터 시각화 등에서 응용 될 수 있는 구조를 갖고 있다.

2. KDD 분석 절차

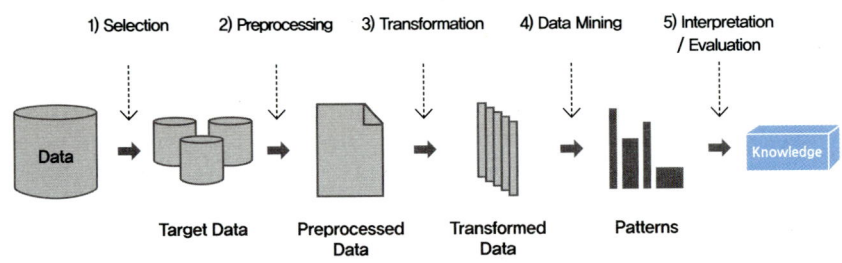

가. 데이터 셋 선택(Selection)

- 데이터 셋 선택에 앞서 분석 대상의 **비즈니스 도메인**에 대한 이해와 **프로젝트 목표 설정**이 필수이며 데이터베이스 또는 원시 데이터에서 분석에 필요한 데이터를 선택하는 단계이다.
- 데이터 마이닝에 필요한 **목표 데이터**(Target Data)를 구성하여 분석에 활용한다.

나. 데이터 전처리(Preprocessing)

- 추출된 분석 대상용 데이터 셋에 포함되어 있는 **잡음(Noise)**과 **이상치(Outlier)**, **결측치(Missing Value)**를 식별하고 필요시 제거하거나 의미있는 데이터로 재처리하여 데이터 셋을 정제하는 단계이다.
- 데이터 전처리 단계에서 **추가로 요구되는 데이터** 셋이 필요한 경우 데이터 선택 프로세스를 재실행한다.

다. 데이터 변환(Transformation)

- 데이터 전처리 과정을 통해 정제된 데이터에 분석 목적에 맞게 변수를 생성, 선택하고 **데이터의 차원을 축소**하여 효율적으로 데이터 마이닝을 할 수 있도록 데이터에 변경하는 단계이다.
- 데이터 마이닝 프로세스를 진행하기 위해 **학습용 데이터(Training Data)**와 **시험용 데이터(Test Data)**로 데이터를 분리하는 단계이다.

출제포인트

KDD 분석 방법론은 개념을 구분하는 비교·판단형 문항으로 자주 다뤄지는 주제입니다. 2025년 시험에서는 직접적인 문항은 없었으나, KDD 분석 절차와 단계별 주요 활동은 순서 중심으로 정리해 두시기 바랍니다.

개념 ➕

데이터 차원 축소

- 데이터에 포함된 변수(Feature)의 개수를 줄이는 과정으로, 중요한 정보를 최대한 보존하면서 불필요한 변수들을 제거하는 과정입니다.
- 대표적인 기법으로는 PCA(주성분분석)가 있으며, 예를 들어 유전자 데이터 분석에서 수천 개의 유전자 데이터를 몇 개의 주요 특성으로 축소하는 데 활용될 수 있습니다.

라. 데이터 마이닝(Data Mining)
- 학습용 데이터를 이용하여 분석 목적에 맞는 **데이터 마이닝 기법을 선택**하고, 적절한 알고리즘을 적용하여 데이터 마이닝 작업을 실행하는 단계이다.
- 필요에 따라 데이터 **전처리**와 데이터 **변환 프로세스**를 추가로 실행하여 최적의 결과를 산출한다.

마. 데이터 마이닝 결과 평가(Interpretation/Evaluation)
- 데이터 마이닝 **결과에 대한 해석과 평가**, 그리고 **분석 목적과의 일치성**을 확인한다.
- 데이터 마이닝을 통해 발견한 **지식을 업무에 활용**하기 위한 방안 마련의 단계이다.
- 필요에 따라 데이터 선택 프로세스에서 데이터마이닝 프로세스를 반복 수행한다.

❸ CRISP-DM 분석 방법론

1. 개요
- CRISP-DM(Cross Industry Standard Process for Data Mining)은 1996년 유럽연합의 ESPRIT에서 있었던 프로젝트에서 시작되었으며, **주요한 5개의 업체들**(Daimler-Chrysler, SPSS, NCR, Teradata, OHRA)이 주도하였다. CRISP-DM은 **계층적 프로세스 모델**로써 4개 레벨로 구성된다.

2. CRISP-DM의 4레벨 구조

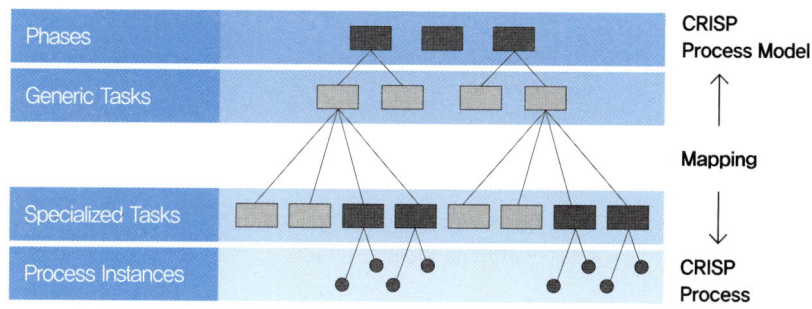

> **출제포인트**
> CRISP-DM 분석 방법론은 출제 빈도는 높지 않지만, 개념 이해를 점검하는 용도로 간헐적으로 출제되는 주제이며, 2025년 시험에서는 1문제가 출제되었습니다. 6단계(비즈니스 이해~전개)의 명칭과 순서를 흐름 중심으로 정리해 두시기 바랍니다.

- 최상위 레벨은 여러 개의 단계(Phases)로 구성되고 각 단계는 일반화 태스크(Generic Tasks)를 포함한다. 일반화 태스크는 데이터마이닝의 단일 프로세스를 완전하게 수행하는 단위이며, 이는 다시 구체적인 수행 레벨인 세분화 태스크(Specialized Tasks)로 구성된다.
- 예를 들어 데이터 정제(Data Cleansing)라는 일반화 태스크는 범주형 데이터 정제와 연속형 데이터 정제와 같은 세분화 태스크로 구성된다.

- 마지막 레벨인 프로세스 실행(Process Instances)은 데이터 마이닝을 위한 구체적인 실행을 포함한다.

3. CRISP-DM의 프로세스

- CRISP-DM 프로세스는 6단계로 구성되어 있으며, 각 단계는 단방향으로 구성되어 있지 않고 **단계 간 피드백**을 통하여 단계별 완성도를 높이게 되어 있다.

> **비기의 학습팁**
> CRISP-DM의 프로세스는 단계적으로 진행되고, 필요시 이전 단계로 되돌아가는 특성을 가지고 있다는 점에서 나선형 모델과 유사합니다.

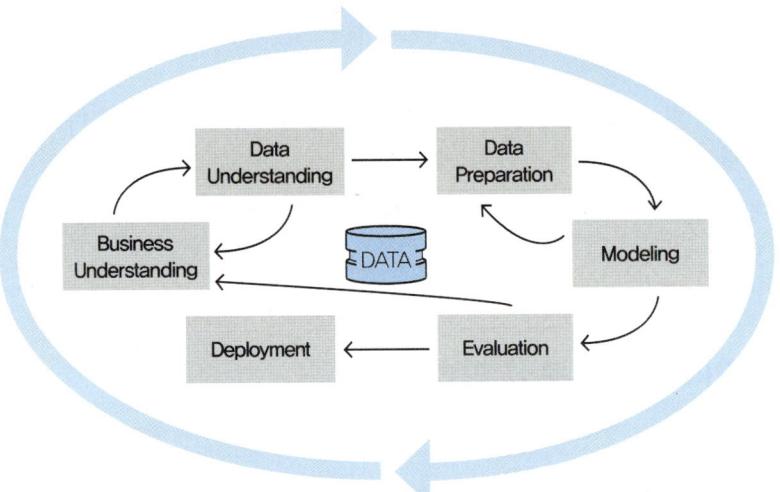

단계	내용	수행업무
업무이해 Business Understanding	• 비즈니스 관점에서 프로젝트의 목적과 요구사항을 이해하기 위한 단계 • 도메인 지식을 데이터 분석을 위한 문제정의로 변경하고 초기 프로젝트 계획을 수립하는 단계	업무 목적 파악 ↓ 상황 파악 ↓ 데이터 마이닝 목표 설정 ↓ 프로젝트 계획 수립
데이터 이해 Data Understanding	• 분석을 위한 데이터를 수집하고 데이터 속성을 이해하기 위한 단계 • 데이터 품질에 대한 문제점을 식별하고 숨겨져 있는 인사이트를 발견하는 단계	초기 데이터 수집 ↓ 데이터 기술 분석 ↓ 데이터 탐색 ↓ 데이터 품질 확인
데이터 준비 Data Preparation	• 분석을 위하여 수집된 데이터에서 분석 기법에 적합한 데이터를 편성하는 단계(많은 시간이 소요될 수 있음)	분석용 데이터 셋 선택 ↓ 데이터 정제 ↓ 분석용 데이터 셋 편성 ↓ 데이터 통합 ↓ 데이터 포맷팅

단계	내용	수행업무
모델링 Modeling	• 다양한 모델링 기법과 알고리즘을 선택하고 모델링 과정에서 사용되는 파라미터를 최적화해 나가는 단계 • 모델링 과정에서 데이터 셋이 추가로 필요한 경우 데이터 준비 단계를 반복 수행할 수 있으며, 모델링 결과를 테스트용 데이터 셋으로 평가하여 모델의 과적합(Overfitting) 문제를 확인	모델링 기법 선택 ↓ 모델 테스트 계획 설계 ↓ 모델 작성 ↓ 모델 평가
평가 Evaluation	• 모델링 결과가 프로젝트 목적에 부합하는지 평가하는 단계로 데이터 마이닝 결과를 최종적으로 수용 할 것인지 판단	분석결과 평가 ↓ 모델링 과정 평가 ↓ 모델 적용성 평가
전개 Deployment	• 모델링과 평가 단계를 통하여 완성된 모델을 실 업무에 적용하기 위해 계획을 수립하는 단계 • 모니터링과 모델의 유지보수 계획 마련 → 모델에 적용되는 비즈니스 도메인 특성, 입력되는 데이터의 품질 편차, 운영모델의 평가기준에 따라 생명주기(Life Cycle)가 다양하므로 상세한 전개 계획이 필요 • CRISP-DM의 마지막 단계, 프로젝트 종료 관련 프로세스를 수행하여 프로젝트 마무리	전개 계획 수립 ↓ 모니터링과 유지보수 계획 수립 ↓ 프로젝트 종료보고서 작성 ↓ 프로젝트 리뷰

❹ KDD와 CRISP-DM의 비교

KDD	CRISP-DM
분석대상 비즈니스 이해	업무 이해(Business Understanding)
데이터셋 선택(Data Selection)	데이터의 이해(Data Understanding)
데이터 전처리(Preprocessing)	
데이터 변환(Transformation)	데이터 준비(Data Preparation)
데이터 마이닝(Data Mining)	모델링(Modeling)
데이터 마이닝 결과 평가 (Interpretation/Evaluation)	평가(Evaluation)
데이터 마이닝 활용	전개(Deployment)

> **비기의 학습팁**
>
> • KDD 적용 사례
> : 온라인 쇼핑몰 추천 시스템 - 고객 구매 데이터에서 패턴을 발견해 "함께 구매한 상품" 추천
>
> • CRISP-DM 적용 사례
> : 은행 대출 사기 탐지 - 대출 신청자의 데이터를 분석해 사기 가능성을 예측하는 모델 개발

⑤ 빅데이터 분석 방법론

> **출제포인트**
> 빅데이터 분석 방법론은 꾸준히 출제되어 자주 다루어지는 주제이며, 2025년 시험에서도 2문제가 출제되었습니다. 방법론의 단계와 각 단계별 주요 과제를 연결해 정리해 두시기 바랍니다.

1. 빅데이터 분석의 계층적 프로세스

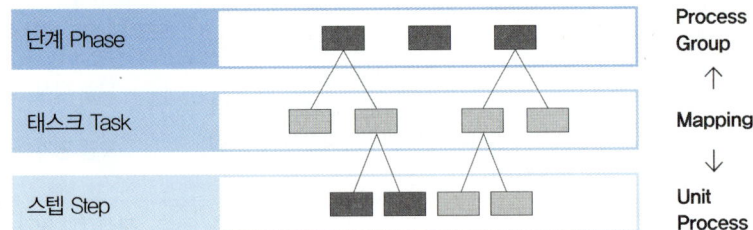

- 단계(Phase) : 프로세스 그룹(Process Group)을 통하여 완성된 단계별 산출물이 생성된다. 각 단계는 기준선(Baseline)으로 설정되어 관리되어야 하며, 버전관리(Configuration Management) 등을 통하여 통제가 이루어져야 한다.
- 태스크(Task) : 각 단계는 여러 개의 태스크(Task)로 구성된다. 각 태스크는 단계를 구성하는 단위 활동이며, 물리적 또는 논리적 단위로 품질 검토의 항목이 될 수 있다.
- 스텝(Step) : WBS(Work Breakdown Structure)의 워크 패키지(Work Package)에 해당되고 입력자료(Input), 처리 및 도구(Process&Tool), 출력자료(Output)로 구성된 단위 프로세스(Unit Process)이다.

2. 빅데이터 분석 방법론 – 5단계

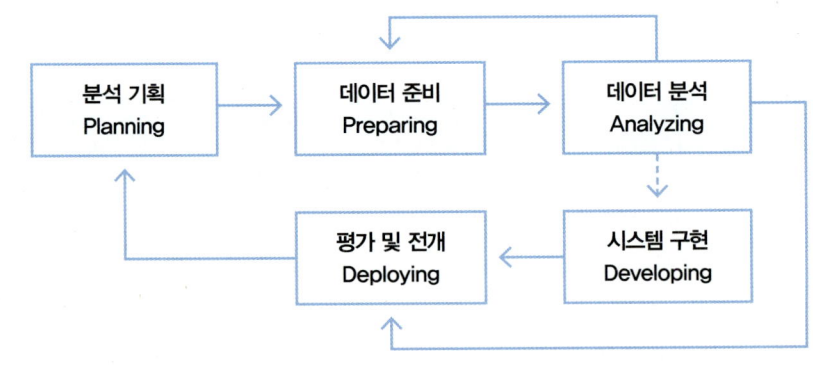

> **비기의 학습팁**
> **SOW(Statement of Work, 작업 기술서, 작업 명세서)**
> 비즈니스 이해 및 범위 설정 단계에서 프로젝트 범위 설정을 위해 고객의 요구 사항 및 프로젝트의 결과 등을 상세히 기술해 놓은 명세서

분석 기획	데이터 준비	데이터 분석	시스템 구현	평가 및 전개
• 비즈니스 이해 및 범위 설정 • 프로젝트 정의 및 계획 수립 • 프로젝트 위험 계획 수립	• 필요 데이터 정의 • 데이터 스토어 설계 • 데이터 수집 및 정합성 점검	• 분석용 데이터 준비 • 텍스트 분석 • 탐색적 분석 • 모델링 • 모델 평가 및 검증 • 모델 적용 및 운영방안 수립	• 설계 및 구현 • 시스템 테스트 및 운영	• 모델 발전계획 수립 • 프로젝트 평가 및 보고

- 분석 기획(Planning) : 비즈니스 도메인과 문제점을 인식하고 분석 계획 및 프로젝트 수행계획을 수립하는 단계이다.
- 데이터 준비(Preparing) : 비즈니스 요구사항과 데이터 분석에 필요한 원천 데이터를 정의하고 준비하는 단계이다.
- 데이터 분석(Analyzing) : 원천 데이터를 분석용 데이터 셋으로 편성하고 다양한 분석 기법과 알고리즘을 이용하여 데이터를 분석하는 단계이다. 분석 단계를 수행하는 과정에서 추가적인 데이터 확보가 필요한 경우 데이터 준비 단계로 피드백(Feedback)하여 두 단계를 반복하여 진행한다.
- 시스템 구현(Developing) : 분석 기획에 맞는 모델을 도출하고 이를 운영중인 가동 시스템에 적용하거나 시스템 개발을 위한 사전 검증으로 프로토타입 시스템을 구현한다.
- 평가 및 전개(Deploying) : 데이터 분석 및 시스템 구현 단계를 수행한 후, 프로젝트의 성과를 평가하고 정리하거나 모델의 발전 계획을 수립하여 차기 분석 기획으로 전달하고 프로젝트를 종료하는 단계이다.

> **비기의 학습팁**
>
> 분석 기획 단계에서는 비즈니스 목표 및 범위를 정하고, 예상 위험과 대응 방안을 미리 준비합니다.
>
> **위험대응전략**
> - **회피(Avoid)** : 위험상황이 발생하기 전에 미리 예방하는 방법
> - **전이(Transfer)** : 위험을 타인이나 다른 조직에게 이전하는 방법
> - **완화(Mitigate)** : 영향을 최소화하도록 대응하는 방법
> - **수용(Accept)** : 해당 위험을 수용하는 방법

> **비기의 학습팁**
>
> 시스템 구현 단계와 평가 및 전개 단계는 서로 혼동될 수 있으므로 주의해야합니다.

3. 단계별 세부단계 및 실제 업무

가. 분석 기획(Planning)

| 분석 기획 | → | 데이터 준비 | → | 데이터 분석 | → | 시스템 구현 | → | 평가 및 전개 |

비지니스 이해 및 범위 설정	→	비즈니스 이해	→	프로젝트 범위 설정
프로젝트 정의 및 계획 수립	→	데이터 분석 프로젝트 정의	→	프로젝트 수행 계획 수립
프로젝트 위험계획 수립	→	데이터 분석 위험 식별	→	위험 대응 계획 수립

단계		내용	입력자료	프로세스 및 도구	출력자료
비즈니스 이해 및 범위설정	비즈니스 이해	내부 업무 매뉴얼과 관련자료, 외부의 관련 비즈니스 자료 조사 및 향후 프로젝트 진행을 위한 방향 설정	- 업무 매뉴얼 - 전문가 지식 - 빅데이터 분석 대상 도메인의 관련자료	- 자료 수집 및 비즈니스 이해	- 비즈니스 이해 및 도메인 문제점
	프로젝트 범위 설정	빅데이터 분석 프로젝트의 대상인 비즈니스에 대한 이해 및 프로젝트 목적에 부합하는 범위 설정 후 프로젝트 범위 정의서인 SOW(Statement Of Work) 작성	- 중장기 계획서 - 빅데이터 분석 프로젝트 지시서 - 비즈니스 이해 및 도메인 문제점	- 자료 수집 및 비즈니스 이해 - 프로젝트 범위 정의서 작성 절차	- 프로젝트 범위 정의서(SOW)
프로젝트 정의 및 계획수립	데이터 분석 프로젝트 정의	프로젝트의 목표 및 KPI, 목표 수준 등 구체화 후 상세 프로젝트 정의서 작성 및 프로젝트 목표 명확화를 위한 모델 운영 이미지 및 평가 기준 설정	- 프로젝트 범위 정의서(SOW) - 빅데이터 분석 프로젝트 지시서	- 프로젝트 목표 구체화 - 모델 운영 이미지 설계	- 프로젝트 정의서 - 모델 운영 이미지 설계서 - 모델 평가 기준
	프로젝트 수행 계획수립	프로젝트의 목적 및 배경, 기대효과, 수행방법, 일정 및 추진조직, 프로젝트 관리방안 작성 및 프로젝트 산출물 위주로 작성된 WBS 통해 프로젝트 범위 명확화	- 프로젝트 범위 정의서(SOW) - 모델 운영 이미지 설계서 - 모델 평가 기준	- 프로젝트 범위정의서 (SOW) - WBS 작성	- 프로젝트 수행계획서 - WBS
프로젝트 위험계획 수립	데이터 분석 위험 식별	앞서 진행된 프로젝트 산출물과 정리 자료 참조 및 전문가의 판단 활용하여 발생 가능한 위험 식별 및 위험의 영향도, 빈도, 발생 가능성에 따른 위험 우선순위 설정	- 프로젝트 범위 정의서(SOW) - 프로젝트 수행 계획서 - 선행 프로젝트 산출물 및 정리자료	- 위험 식별 절차 - 위험 영향도 및 발생 가능성 분석 - 위험 우선순위 판단	- 식별된 위험 목록
	위험 대응 계획 수립	- 식별된 위험에 대한 정량적·정성적 분석, 위험 대응 방안 수립 - 예상되는 위험 구분(회피(Avoid), 전이(Transfer), 완화(Mitigate), 수용(Accept)) 및 위험관리 계획서 작성	- 식별된 위험 목록 - 프로젝트 범위 정의서(SOW) - 프로젝트 수행 계획서	- 위험 정량적 분석 - 위험 정성적 분석	- 위험관리 계획서

나. 데이터 준비(Preparing)

| 분석 기획 | **데이터 준비** | 데이터 분석 | 시스템 구현 | 평가 및 전개 |

필요 데이터 정의	→	데이터 정의	→	데이터 획득방안 수립
데이터 스토어 설계	→	정형 데이터 스토어 설계	→	비정형 데이터 스토어 설계
데이터 수집 및 정합성 점검	→	데이터 수집 및 저장	→	데이터 정합성 점검

단계		내용	입력자료	프로세스 및 도구	출력자료
필요 데이터 정의	데이터 정의	시스템, 데이터베이스, 파일, 문서 등 다양한 내·외부 원천 데이터 소스(Raw Data Source)로부터 필요 데이터 정의	- 프로젝트 수행 계획서 - 시스템 설계서 - ERD - 메타 데이터 정의서 - 문서 자료	- 내·외부 데이터 정의 - 정형·비정형·반정형 데이터 정의	- 데이터 정의서
	데이터 획득방안 수립	- 내·외부의 다양한 데이터 소스로부터 정형·비정형·반정형 데이터 수집 방안 수립 - 내부 데이터 획득 시 부서 간 업무협조와 개인정보 보호 및 정보 보안 문제점 사전 점검, 외부 데이터 획득 시 다양한 인터페이스 및 법적 문제 고려 후 데이터 획득 계획 수립	- 데이터 정의서 - 시스템 설계서 - ERD - 메타 데이터 정의서 - 문서 자료 - 데이터 구입	- 데이터 획득 방안 수립	- 데이터 획득 계획서
데이터 스토어 설계	정형 데이터 스토어 설계	정형 데이터의 효율적 저장과 활용을 위한 RDBMS(관계형 데이터베이스) 사용 및 데이터 스토어의 논리적·물리적 설계	- 데이터 정의서 - 데이터 획득 계획서	- 데이터베이스 논리, 물리 설계 - 데이터 매핑	- 정형 데이터 스토어 설계서 - 데이터 매핑 정의서
	비정형 데이터 스토어 설계	하둡 및 NoSQL을 이용한 비정형·반정형 데이터 저장을 위한 논리적·물리적 데이터 스토어 설계	- 데이터 정의서 - 데이터 획득 계획서	- 비정형·반정형 데이터 논리, 물리 설계	- 비정형 데이터 스토어 설계서 - 데이터 매핑 정의서
데이터 수집 및 정합성 검정	데이터 수집 및 저장	크롤링, ETL 도구, API 및 스크립트(Script) 프로그램을 활용한 데이터 수집 및 설계된 데이터 스토어로의 저장	- 데이터 정의서 - 데이터 획득 계획서 - 데이터 스토어 설계서	- 데이터 크롤링 도구 - ETL 도구 - 데이터 수집 스크립트	- 수집된 분석용 데이터
	데이터 정합성 점검	데이터 스토어 품질 점검을 통한 데이터 정합성 확보 및 데이터 품질 개선 보완 작업 수행	- 수집된 분석용 데이터	- 데이터 품질 확인 - 정합성 점검 리스트	- 정합성 점검 보고서

다. 데이터 분석(Analyzing)

| 분석 기획 | 데이터 준비 | **데이터 분석** | 시스템 구현 | 평가 및 전개 |

분석용 데이터 준비	→	비즈니스 룰 확인	→	분석용 데이터셋 준비
텍스트 분석	→	텍스트 데이터 확인 및 추출	→	텍스트 데이터 분석
탐색적 분석	→	탐색적 데이터 분석	→	데이터 시각화
모델링	→	데이터 분할	→	데이터 모델링
모델 평가 및 검증	→	모델 평가	→	모델 검증

단계		내용	입력자료	프로세스 및 도구	출력자료
분석용 데이터 준비	비즈니스 룰 확인	- 비즈니스 이해, 도메인 문제점 인식 및 프로젝트 정의를 통한 프로젝트 목표 인식 - 세부적인 비즈니스 룰 파악 및 분석에 필요한 데이터 범위 확인	- 프로젝트 정의서 - 프로젝트 수행 계획서 - 데이터 정의서 - 데이터 스토어	- 프로젝트 목표 확인 - 비즈니스 룰 확인	- 비즈니스 룰 - 분석에 필요한 데이터 범위
	분석용 데이터 셋 준비	- 데이터 스토어로부터 분석에 필요한 정형·비정형 데이터 추출 및 분석 도구 입력 자료로의 사용을 위한 데이터 편성 - 추출된 데이터의 데이터베이스 혹은 구조화된 형태로의 구성 및 필요시 작업 공간(Play Ground, Sandbox 등)과 전사 차원의 데이터 스토어로 분리	- 데이터 정의서 - 데이터 스토어	- 데이터 선정 - 데이터 변환 - ETL 도구	- 분석용 데이터 셋
텍스트 분석	텍스트 데이터 확인 및 추출	데이터 스토어(Data Store)에서 필요 텍스트 데이터 추출	- 비정형 데이터 스토어	- 분석용 텍스트 데이터 확인 - 텍스트 데이터 추출	- 분석용 텍스트 데이터
	텍스트 데이터 분석	- 분석 도구를 활용해 추출된 텍스트 데이터 적재 및 다양한 기법 분석을 통한 모델 구축 - 텍스트 분석을 위한 용어사전 확보 및 업무 도메인에 맞도록 작성 - 시각화 도구 활용하여 구축된 모델의 의미 전달 명확화	- 분석용 텍스트 데이터 - 용어사전 (유의어 사전, 불용어 사전 등)	- 분류체계 설계 - 형태소분석 - 키워드 도출 - 토픽분석 - 감성분석, 의견분석 - 네트워크 분석	- 텍스트 분석 보고서

구분	세부	설명	입력자료	도구 및 기법	산출물
탐색적 분석	탐색적 데이터 분석	다양한 관점별 기초 통계량 산출, 데이터 분포 및 변수 간 관계 분석, 데이터 통계적 특성 이해 및 모델링 기초자료로 활용	분석용 데이터 셋	- EDA도구 - 통계분석 - 연관성 분석 - 데이터 분포 확인	- 데이터 탐색 보고서
	데이터 시각화	- 탐색적 데이터 분석 도구 활용, 모델의 시스템화를 위한 시각화를 목적으로 활용할 경우 시각화 기획, 설계, 구현 등의 별도 프로세스를 따라 진행 - 탐색적 데이터 분석 결과 시각화는 모델링 또는 향후 시스템 구현을 위한 사용자 인터페이스 또는 프로토타입(Prototype)으로 활용	분석용 데이터 셋	- 시각화 도구 - 시각화 패키지 - 인포그래픽 - 시각화 방법론	- 데이터 시각화 보고서
모델링	데이터 분할	분석용 데이터 셋의 훈련용 데이터와 테스트용 데이터로의 분할 및 데이터 분할 기법에 따른 검증 횟수, 생성 모델 개수 설정	분석용 데이터 셋	- 데이터 분할 패키지	- 훈련용 데이터 - 테스트용 데이터
	데이터 모델링	기계학습 등을 활용한 훈련용 데이터 기반 모델링 후 운영 시스템 적용 및 필요시 비정형 데이터 분석 결과 활용을 통한 통합 모델 수행	분석용 데이터 셋	- 통계 모델링 기법 - 기계학습 - 모델 테스트	- 모델링 결과 보고서
	모델 적용 및 운영 방안	운영 시스템 적용을 위한 알고리즘 설명서 작성, 의사코드 수준의 상세 작성 및 모델의 안정적 운영을 위한 모니터링 방안 수립	모델링 결과 보고서	- 모니터링 방안 수립 - 알고리즘 설명서 작성	- 알고리즘 설명서 - 모니터링 방안
모델 평가 및 검증	모델 평가	프로젝트 정의서의 모델 평가 기준에 따라 모델 평가, 품질관리 차원의 모델 평가 프로세스 진행 및 모델 평가를 위한 모델 결과 보고서 내의 알고리즘 파악, 테스트용 데이터와 검증용 데이터 활용	- 모델링 결과 보고서 - 평가용 데이터	- 모델평가 - 모델 품질관리 - 모델 개선작업	- 모델 평가 보고서
	모델 검증	검증용 데이터를 활용한 모델 검증 작업 및 모델링 검증 보고서 작성, 검증용 데이터는 실 운영용 데이터 확보를 통해 모델 품질 최종 검증	- 모델링 결과 보고서 - 모델 평가 보고서 - 검증용 데이터	- 모델 검증	- 모델 검증 보고서

라. 시스템 구현(Developing)

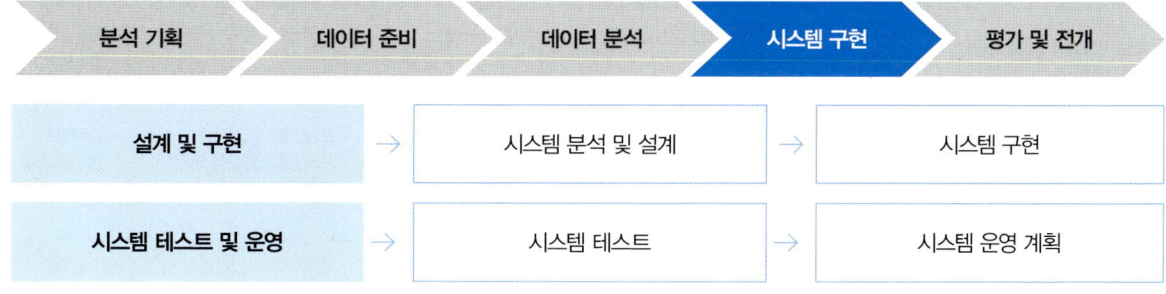

단계		내용	입력자료	프로세스 및 도구	출력자료
설계 및 구현	시스템 분석 및 설계	가동 중인 시스템 분석, 알고리즘 설명서 기반 응용시스템 구축 설계 및 정보시스템 개발 방법론 커스터마이징 적용하여 시스템 분석, 설계	- 알고리즘 설명서 - 운영 중인 시스템 설계서	- 정보시스템 개발 방법론	- 시스템 분석 및 설계서
	시스템 구현	시스템 분석 및 설계서 기반 BI 패키지 활용, 신규 시스템 구축 또는 운영 시스템 커스터마이징을 통한 설계 모델 구현	- 시스템 분석 및 설계서 - 알고리즘 설명서	- 시스템 통합 개발 도구(IDE) - 프로그램 언어 - 패키지	- 구현 시스템
시스템 테스트 및 운영	시스템 테스트	구축된 시스템 검증을 위한 단위 테스트, 통합 테스트 및 시스템 테스트 실시와 품질 관리 차원의 객관성과 완전성 확보	- 구현 시스템 - 시스템 테스트 계획서	- 품질관리 활동	- 시스템 테스트 결과보고서
	시스템 운영 계획	구현된 시스템의 지속적인 활용을 위한 운영자 및 사용자 교육 실시와 시스템 운영계획 수립	- 시스템 분석 및 설계서 - 구현 시스템	- 운영계획 수립 - 운영자 및 사용자 교육	- 운영자 매뉴얼 - 사용자 매뉴얼 - 시스템 운영 계획서

마. 평가 및 전개(Deploying)

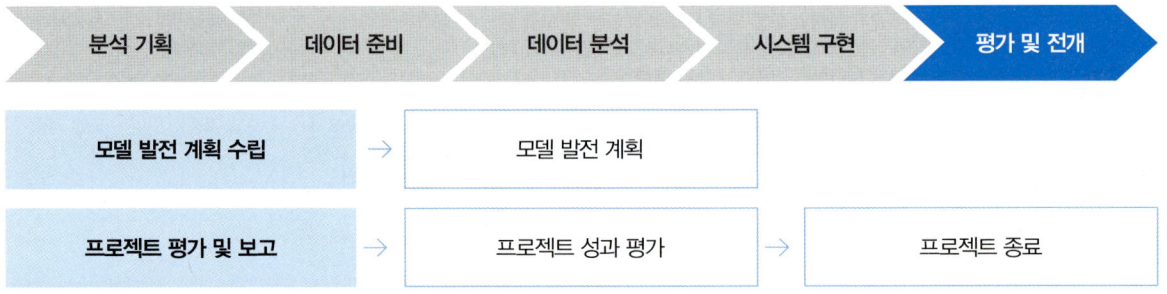

단계		내용	입력자료	프로세스 및 도구	출력자료
모델 발전 계획 수립	모델 발전 계획	개발된 모델의 지속적 운영과 기능 향상을 위한 발전 계획 수립 및 모델 계속성 확보	- 구현 시스템 - 프로젝트 산출물	- 모델 발전 계획 수립	- 모델 발전 계획서
프로젝트 평가 및 보고	프로젝트 성과 평가	프로젝트의 정량적 성과와 정성적 성과로 나누어 성과 평가서 작성	- 프로젝트 산출물 - 품질관리 산출물 - 프로젝트 정의서 - 프로젝트 수행 계획서	- 프로젝트 평가기준 - 프로젝트 정량적 평가 - 프로젝트 정성적 평가	- 프로젝트 성과 평가서
	프로젝트 종료	프로젝트 진행과정의 모든 산출물 및 프로세스 지식 자산화, 최종 보고서 작성 및 의사소통 절차에 따른 보고와 종료	- 프로젝트 산출물 - 품질관리 산출물 - 프로젝트 정의서 - 프로젝트 수행 계획서 - 프로젝트 성과 평가서	- 프로젝트 지식자산화 작업 - 프로젝트 종료	- 프로젝트 최종 보고서

핵심 개념체크

✓ 32회 기출 출★★★★☆ 난★★★☆☆

4. 다음 중 프로젝트의 목적, 범위, 일정 등을 문서화한 산출물로 가장 적합한 것은 무엇인가?

① WBS(Work Breakdown Structure)
② SoW(Statement of Works)
③ ERD(Entity Relationship Diagram)
④ Gantt Chart

SoW는 프로젝트의 목적, 범위, 일정 등을 문서화한 공식 문서이다. WBS는 작업 분해 구조, ERD는 데이터베이스 설계 도구, Gantt Chart는 프로젝트 일정 관리 도구이다.

✓ 37회 기출 출★★★★☆ 난★★☆☆☆

5. 다음 설명에 맞는 데이터 분석 방법론 적용 모델은 무엇인가?

> 진화적 프로세스 모델의 하나로 일부분을 먼저 개발하여 제공한 후 그 결과를 통해 개선하는 모델

① 프로토타입 모델
② 폭포수 모델
③ 나선형 모델
④ 애자일 모델

프로토타입 모델은 시스템의 일부분을 먼저 개발하여 제공하고, 사용자의 피드백을 통해 점진적으로 개선하는 진화적 프로세스 모델이다. 폭포수 모델은 선형적, 나선형 모델은 점진적 위험 관리, 애자일 모델은 유연하고 반복적인 개발 방식이다.

✓ 40회 기출 출★★★★★ 난★★☆☆☆

6. 다음 설명에 맞는 현상은 무엇인가?

> 합리적 의사결정을 방해하는 요소로 표현방식 및 발표자에 따라 동일한 사실(Fact)에도 판단을 달리하는 현상

① 프레이밍 효과 (Framing Effect)
② 확증 편향 (Confirmation Bias)
③ 대표성 휴리스틱 (Representativeness Heuristic)
④ 가용성 휴리스틱 (Availability Heuristic)

프레이밍 효과는 정보가 제시되는 방식에 따라 동일한 사실도 다르게 인식하거나 판단하게 되는 현상을 의미한다. 확증 편향은 기존 믿음을 강화하는 정보를 선호하는 경향, 대표성 휴리스틱은 특정 사례를 전체로 일반화하려는 경향, 가용성 휴리스틱은 쉽게 떠오르는 정보를 기준으로 판단하는 경향을 뜻한다.

✓ 40회 기출 출★★★★☆ 난★★☆☆☆

7. 빅데이터 분석의 분석 기획 단계에서 수행하는 주요 작업은 무엇인가?

① 비즈니스의 이해 및 범위 설정
② 모델 성능 평가
③ 데이터 통합
④ 데이터 시각화

분석 기획 단계에서는 비즈니스 문제를 명확히 정의하고 범위를 설정하며, 프로젝트의 방향성을 결정한다. 모델 성능 평가나 데이터 통합, 시각화는 분석 실행 또는 후속 단계에서 수행된다.

✓ 32회 기출 출★★★★☆ 난★★☆☆☆

8. 다음 중 빅데이터 분석 절차의 올바른 순서로 나열된 것은 무엇인가?

① 분석 기획 → 데이터 준비 → 데이터 분석 → 시스템 구현 → 평가 및 전개
② 데이터 준비 → 데이터 분석 → 시스템 구현 → 평가 및 전개 → 분석 기획
③ 데이터 수집 → 데이터 분석 → 시스템 구현 → 평가 및 전개 → 분석 기획
④ 분석 기획 → 데이터 모델링 → 데이터 준비 → 시스템 구현 → 평가 및 전개

빅데이터 분석은 분석 기획으로 시작하여 데이터를 준비하고, 분석을 수행한 후 시스템 구현과 평가 및 전개를 통해 결과를 활용한다.

정답 4. ② 5. ① 6. ① 7. ① 8. ①

1장 데이터 분석 기획의 이해

3절 분석 과제 발굴

이론 정복 강의

출제빈도 F5 　 난이도 D3

#하향식접근법 #상향식접근법 #비즈니스모델캔버스 #분석과제정의서 #메가트렌드 #분석과제발굴 #디자인사고 #분석유즈케이스

출제포인트
분석 과제 발굴 방법론은 사례 제시형 문항으로 종종 출제되는 주제이며, 2025년 시험에서는 1문제가 출제되었습니다. 하향식 접근법, 상향식 접근법 및 디자인 사고의 특징과 차이를 비교해 두시기 바랍니다.

❶ 분석 과제 발굴 방법론

1. 개요

- 분석 과제는 풀어야 할 다양한 문제를 데이터 분석 문제로 변환한 후 관계자들이 이해하고 프로젝트로 수행할 수 있는 **과제 정의서 형태로 도출**된다.
- 분석과제를 도출하기 위한 방식으로는 크게 **하향식 접근 방법**(Top Down Approach)과 **상향식 접근 방법**(Bottom Up Approach)이 있다.

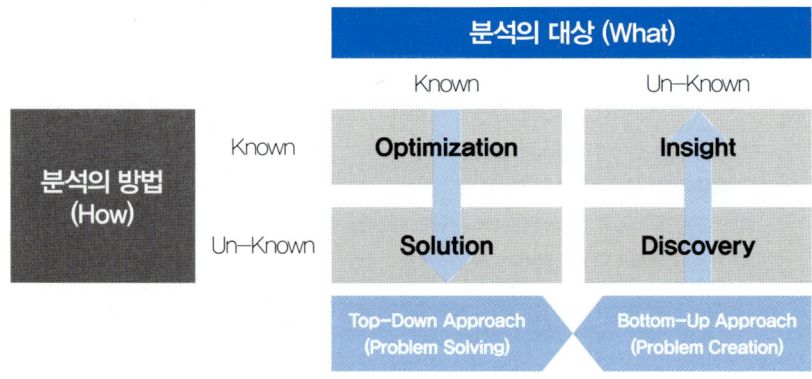

〈 분석 과제 도출의 2가지 유형 〉

- 문제가 주어져 있는 상태에서 답을 구하는 하향식 접근 방식이 전통적으로 수행되었던 분석 과제 발굴 방식이다. 그러나 대규모의 다양한 데이터를 생성하고 빠르게 변하는 기업 환경에서는 문제 자체의 변화가 심해 정확하게 문제를 사전에 정의하는 것이 어려워지고 있다.
- 분석 과제 발굴을 두가지 방식으로 나누었지만, 실제 새로운 상품 개발이나 전략 수립 등 중요한 의사결정을 할 때 하향식 접근 방법과 상향식 접근 방법이 혼용되어 사용되며, 분석의 가치를 높일 수 있는 **최적의 의사결정**은 **두 접근 방식이 상호 보완 관계**에 있을 때 가능하다.

비기의 학습팁

〈분석 과제 도출의 2가지 유형〉 그래프를 해석하면 아래와 같습니다.

Top-Down Approach(하향식 접근 방법)
- 명확히 정의된 문제(What)에서 출발하여, 이를 해결하기 위한 구체적인 방법(How)을 탐구하는 방식입니다.
- 화살표가 아래로 내려가는 것은 문제에서 방법으로 내려가는 흐름을 나타냅니다.

Bottom-Up Approach(상향식 접근 방법)
- 문제(What)가 명확하지 않은 상태에서 데이터를 분석해 문제를 도출하고, 이를 해결할 방법(How)을 탐색하는 방식입니다.
- 화살표가 위로 올라가는 것은 데이터에서 문제와 방법을 정의하는 과정을 나타냅니다.

> **예시**
>
> - **디자인 사고(Design Thinking) :**
>   상향식 접근 방식의 발산 단계와 하향식 접근 방식의 수렴 단계를 반복적으로 수행하는 식의 상호 보완적인 동적 환경을 통해 분석의 가치를 높일 수 있는 최적의 의사결정 방식

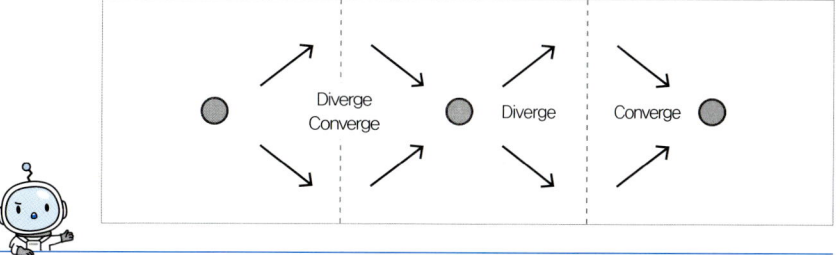

❷ 하향식 접근법(Top Down Approach)

- 하향식 분석 접근법은 현황 분석을 통해 기회나 문제를 탐색(Problem Discovery)하고, 해당 문제를 정의(Problem Definition), 해결방안을 탐색(Solution Search)한다. 그리고 데이터 분석의 타당성 평가(Feasibility Study)를 거쳐 **분석 과제를 도출**하는 과정으로 구성된다.

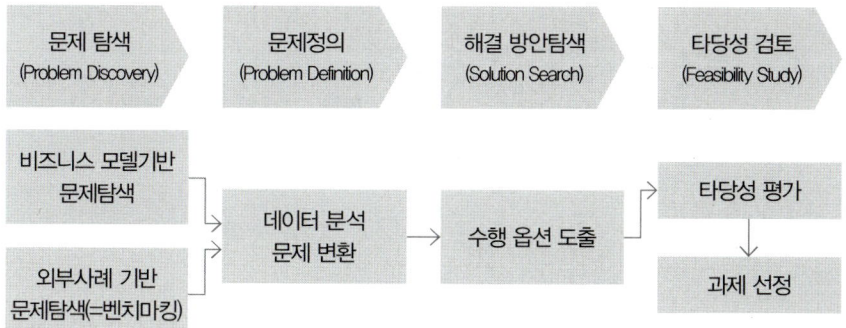

〈 데이터 분석 기획 단계(하향식 접근법) 〉

> **출제포인트**
>
> 하향식 접근법은 개념을 구분하는 비교·판단형 문항으로 자주 출제되는 주제이며, 2025년 시험에서도 1문제가 출제되었습니다. 하향식 접근법의 정의와 단계별 특징을 중심으로 숙지해 두시기 바랍니다.

❸ 하향식 접근법 1단계 – 문제 탐색 과정

> **출제포인트**
> 하향식 접근법 1단계인 문제 탐색 과정은 출제 빈도는 높지 않지만, 개념 이해를 점검하는 용도로 간헐적으로 출제되는 주제로, 2025년 시험에서는 2문제가 출제되었습니다. 분석 기회 발굴의 범위 확장과 비즈니스 모델 캔버스 관련 내용을 함께 정리해 두시기 바랍니다.

- 전체적인 관점의 기준 모델을 활용하여 빠짐없이 문제를 도출하고 식별하는 것이 중요하다.
- 전체적인 관점의 기준 모델로는 기업 내·외부 환경을 포괄하는 비즈니스 모델과 외부 참조 모델이 존재한다.
- 과제 발굴 단계에서는 세부적인 구현 및 솔루션에 초점을 맞추는게 아니라, **문제를 해결**함으로써 **발생하는 가치에 중점**을 두는 것이 중요하다.

1. 비즈니스 모델 기반 문제 탐색

- 기업 내·외부 환경을 포괄하고 있는 비즈니스 모델이라는 틀(Frame)을 활용하여 비즈니스 모델 캔버스의 9가지 블록을 단순화하여 업무(Operation), 제품(Product), 고객(Customer) 단위로 문제를 발굴하고, 이를 관리하는 두 가지의 영역인 규제와 감사(Regulation&Audit)영역과 지원 인프라(IT&Human Resources)영역에 대한 기회를 추가로 도출하는 작업을 수행한다.

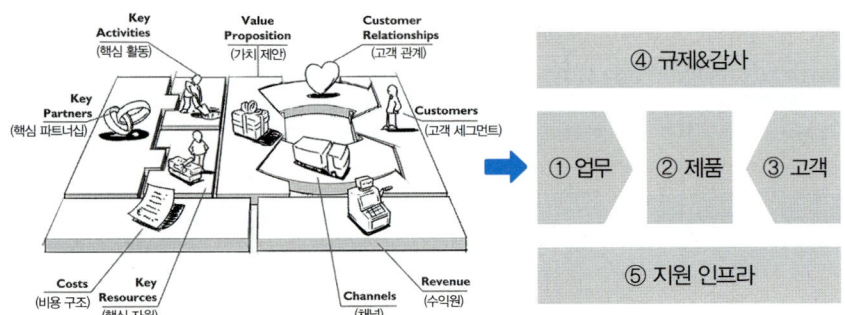

> **비기의 학습팁**
> 비즈니스 모델 캔버스 채널(Channel)의 특징
> - 기업이 제공하는 상품이나 서비스에 대한 고객의 이해를 높입니다.
> - 기업이 전달하는 밸류 프로포지션을 고객들이 평가할 수 있도록 합니다.
> - 고객이 특정한 상품이나 서비스를 구매하게 도와줍니다.
> - 고객에게 밸류 프로포지션을 전달합니다.
> - 구매 고객에 대한 애프터 서비스를 제공합니다.

과제 발굴 방법	내용	예
업무 (Operation)	제품 및 서비스를 생산하기 위해서 운영하는 **내부 프로세스 및 주요 자원**(Resource) 관련 주제 도출	- 생산 공정 최적화 - 재고량 최소화
제품 (Product)	생산 및 제공하는 **제품·서비스를 개선**하기 위한 관련 주제 도출	- 제품의 주요기능 개선 - 서비스 모니터링 지표도출
고객 (Customer)	제품·서비스를 제공받는 사용자 및 고객, 이를 **제공하는 채널의 관점**에서 관련 주제 도출	- 고객 Call 대기 시간 최소화 - 영업점 위치 최적화
규제와 감사 (Regulation& Audit)	제품 생산 및 전달과정 프로세스 중에서 발생하는 **규제 및 보안의 관점**에서 주제 도출	- 제공 서비스 품질의 이상 징후 관리 - 새로운 환경 규제 시 예상되는 제품 추출 등
지원 인프라 (IT&Human Resources)	분석을 수행하는 시스템 영역 및 이를 운영·관리하는 **인력의 관점**에서 주제 도출	- EDW 최적화 - 적정 운영 인력 도출 등

- 현재 사업을 영위하고 있는 환경, 경쟁자, 보유하고 있는 역량, 제공하고 있는 시장을 넘어서 거시적 관점의 요인, 경쟁자의 동향, 시장의 니즈 변화, 역량의 재해석 등 새로운 관점의 접근을 통해 **새로운 유형의 분석 기회 및 주제 발굴**을 수행해야 한다.

2. 분석 기회 발굴의 범위 확장

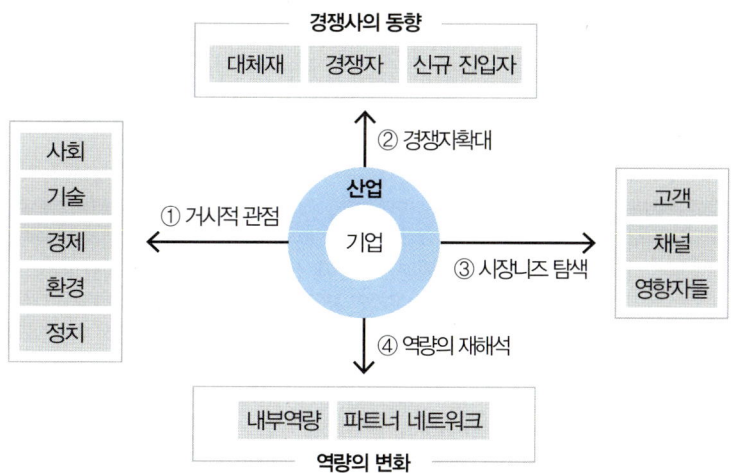

> **비기의 학습팁**
>
> STEEP을 아래와 같이 키워드와 연결지어 암기하면 구분이 쉽습니다.
> - Social – 인구 변화
> - Technological – 혁신 기술
> - Economic – 금리 변동
> - Environmental – 기후 변화
> - Political – 정책 변화

가. 거시적 관점의 메가트렌드

- 조직 및 해당 산업에 폭넓게 영향을 미치는 사회·경제적 요인을 STEEP으로 요약되는 Social(사회), Technological(기술), Economic(경제), Environmental(환경), Political(정치) 영역으로 폭넓게 나눈다.

영역	내용	예
Social (사회)	비즈니스 모델의 고객(Customer) 영역에 존재하는 현재 고객을 확장하여 전체 시장을 대상으로 **사회적, 문화적, 구조적 트렌드 변화에 기반한 분석 기회를 도출**	- 노령화 - 밀레니엄 세대 등장 - 저출산에 따른 사업모델 변화
Technological (기술)	과학, 기술, 의학 등 최신 기술의 등장 및 **변화에 따른 역량 내 재화와 제품·서비스 개발**에 대한 분석 기회를 도출	- 나노 기술 - IT 융합 기술 - 로봇 기술의 고도화로 인한 제품의 Smart화
Economic (경제)	**산업과 금융 전반의 변동성 및 경제 구조 변화 동향**에 따른 시장의 흐름을 파악하고, 이에 대한 분석 기회를 도출	원자재 가격, 환율, 금리 변동에 따른 구매전략의 변화 등
Environmental (환경)	**환경과 관련된 정부, 사회단체, 시민사회의 관심과 규제 동향**을 파악하고 이에 대한 분석 기회를 도출	탄소 배출 규제 및 거래 시장 등장에 따른 원가 절감 및 정보 가시화 등
Political (정치)	**주요 정책방향, 정세, 지정학적 동향** 등의 거시적인 흐름을 토대로 한 분석 기회를 도출	대북관계 동향에 따른 원자재 구매 거래선의 다변화 등

나. 경쟁자 확대 관점

- 현재 수행하고 있는 사업 영역의 직접 경쟁사 및 제품·서비스뿐만 아니라 대체재와 신규 진입자 등으로 관점을 확대하여 위협이 될 수 있는 상황에 대한 분석 기회 발굴의 폭을 넓혀서 탐색한다.

영역	내용	예
대체재 (Substitute)	융합적인 경쟁 환경에서 현재 생산 중인 제품·서비스의 온라인 제공에 대한 탐색 및 잠재적 위협 파악	오프라인 제공 서비스 → 온라인 제공에 대한 탐색 및 잠재적 위협 파악
경쟁자 (Competitor)	현재 생산 중인 제품·서비스의 주요 경쟁자 동향 파악 및 분석 기회 도출	주요 경쟁사의 제품·서비스 카탈로그 및 전략 분석 및 잠재적 위협 파악
신규 진입자 (New Entrant)	향후 시장에 큰 영향을 미칠 신규 진입자 동향 파악 및 분석 기회 도출	클라우드 소싱 서비스인 킥스타터 유사 제품 분석 및 잠재적 위협 파악

다. 시장의 니즈 탐색 관점

- 현재 수행하고 있는 사업에서의 직접 고객뿐만 아니라 고객과 접촉하는 역할을 수행하는 채널(Channel)과 고객의 구매와 의사결정에 영향을 미치는 영향자 관점에서 탐색한다.

영역	내용	예
고객 (Customer)	고객의 구매 동향 및 고객의 컨텍스트를 더욱 깊게 이해하여 제품·서비스의 개선에 필요한 분석 기회를 도출	철강 기업의 경우 조선 산업과 자동차 산업의 동향 및 주요 거래선의 경영 현황 등을 파악하고 분석 기회 도출
채널 (Channel)	영업사원, 직판 대리점, 홈페이지 등의 자체적으로 운영하는 채널뿐만 아니라 최종 고객에게 상품·서비스 전달이 가능한 경로 파악 후 해당 경로에 존재하는 채널별로 분석 기회를 확대하여 탐색	은행의 경우 인터넷 전문은행 등 온라인 채널의 등장에 따른 변화에 대한 전략 분석 기회 도출
영향자 (Influencer)	기업 의사결정에 영향을 미치는 주주·투자자·협회 및 기타 이해 관계자의 주요 관심 사항에 대해서 파악하고 분석 기회를 탐색	M&A 시장 확대에 따른 유사 업종의 신규기업 인수 기회 탐색

라. 역량의 재해석 관점

- 현재 해당 조직 및 기업이 보유한 역량뿐만 아니라 해당 조직의 비즈니스에 영향을 끼치는 파트너 네트워크를 포함한 활용 가능한 역량을 토대로 폭넓은 분석 기회를 탐색한다.

영역	내용	예
내부 역량 (Competency)	지적 재산권, 기술력 등 기본적인 것 뿐만 아니라 중요하면서도 자칫 간과하기 쉬운 지식, 기술 등의 노하우와 인프라적인 유형 자산에 대해서 재해석하고 해당영역에서 분석 기회를 탐색	자사 소유 부동산을 활용한 부가 가치 창출 기회 발굴
파트너와 네트워크 (Partners & Network)	자사가 직접 보유하고 있지는 않지만 밀접한 관계를 유지하고 있는 관계사와 공급사 등의 역량을 활용해 수행할 수 있는 기능을 파악해보고 이에 대한 분석 기회를 추가적으로 도출	수출입·통관·노하우를 활용한 추가 사업기회 탐색

3. 외부참조 모델기반 문제탐색

- 유사·동종 사례 벤치마킹을 통한 분석 기회 발굴은 제공되는 산업별, 업무 서비스별 분석 테마 후보 그룹(Pool)을 통해 "Quick&Easy" 방식으로 필요한 분석 기회가 무엇인지에 대한 아이디어를 얻고, 기업에 적용할 분석테마 후보 목록을 워크숍 형태의 브레인스토밍(Brain storming)을 통해 빠르게 도출하는 방법이다.

	교통	안전	행정	보건	복지	교통	도시	병역	일자리	정책	정치	환경	기타
교통	교통사고 감소를 위한 빅데이터 예보 서비스			빅데이터를 활용한 보다 안전한 도로관리			국민 참여형 어린이 안전 및 교통사고 원인 분석			사고 행동을 분석하여 적극적인 예방을 계획			
교통	빅데이터로 전기차 충전 인프라 설치 입지 선정			서울시 심야버스 노선 확정을 위한 빅데이터 분석			지능형 교통안내 시스템 위한 센서데이터 분석			포트홀 사고 방지를 위한 스마트폰의 GPS 정보 분석			
교통	대중교통 서비스 개선을 위한 택시 및 전차시간 실시간 분석			서울시민의 대중교통 이용 실태분석을 위한 KCB 융합데이터 분석			빅데이터로 위험한 도로를 회피			빅데이터를 이용한 교통 및 범죄정보 관리			
안전	골든 타임 확보로 응급환자 생존률 향상			빅데이터 기반 지능형 전기 화재 예방플랫폼 구축			빅데이터 기반 지능형 도시가스 배관 위험 예측			빅데이터로 산불 피해 최소화			
안전	동물 및 인간 감염병 확산 대응 지원 체계 구축			질병도 이젠 빅데이터로 예측하고 예방			상수도 누수지역 탐지						
행정	빅데이터로 행정 부서간 갈등 예방			공동주택 부조리 분석 시스템 개발			과학적인 방법으로 체납액 회수			근로감독 사업장 선정 과학화			
행정	실업급여 부정수급 악용 해결			빅데이터를 통한 고용취약자 파악			사회 취약계층 선제적 발견						

- 현재 환경에서는 데이터를 활용하지 않은 업종 및 업무 서비스가 사실상 존재하지 않기 때문에 데이터 분석을 통한 인사이트(Insight)를 도출하고 업무에 활용하는 사례를 발굴해야 한다. 자사의 업종 및 업무 서비스에 적용할 경우 평상시 지속적인 조사와 데이터 분석을 통한 가치 발굴 사례를 정리하여 풀(Pool)로 만들어 둔다면 과제 발굴 및 탐색 시 빠르고 의미 있는 분석 기회를 도출할 수 있다.

| 금융 | 농축수산 | 문화관광 | 에너지 | 유통 | 의료 | 제조 | IT | 기타 |

의료	인공지능 기반 약효 예측 모델 개발	국민건강주의예보 서비스 제공을 위한 빅데이터 분석	유통	빅데이터를 활용한 종합식품업체의 성장	프로세스 체질개선을 위한 빅데이터 활용
농축수산	농산물 수급조절의 효율성 제고	참치·넙치 스마트 양식 하는 청색 혁명 온다.	문화관광	빅데이터와 함께 안전한 여행	연예인 마케팅에도 필요한 빅데이터
금융 보험	고객 위치에 따른 보험 정보 제공을 위한 고객 위치 분석	보험사기 방지를 위한 보험사고 데이터 분석	자동차 보험료 선정 및 손실률 축소를 위한 자동차 센서정보 (운행기록장치) 분석		콜센터직원 배분을 위한 고객 데이터 분석
금융 은행	고객의 금융 습관 개선을 위한 고객 행동패턴 분석	금융사기 관리를 위한 빅데이터 분석	기업 이미지 관리를 위한 평판 분석		빅데이터에 의한 경기지표 산출을 통한 경기 현황 분석
금융 은행	신규 금융 서비스 기회 발전을 위한 고객정보 분석	신용 위험도 파악을 위한 고객생활패턴 분석	신용평가 모델 수립을 위한 대출 신청자 행동패턴 분석		최적의 투자 상품 추천을 위한 고객 경험 분석

4. 분석 유즈 케이스(Analytics Use Case)

- 현재의 비즈니스 모델 및 유사·동종사례 탐색을 통해서 빠짐없이 도출한 분석 기회들을 구체적인 과제로 만들기 전에 분석 유즈 케이스로 표기하는 것이 필요하다. 분석 유즈 케이스는 풀어야 할 문제에 대한 상세한 설명 및 해당 문제를 해결했을 때 발생하는 효과를 명시함으로써 향후 데이터 분석 문제로의 전환 및 적합성 평가에 활용하도록 한다.

업무	분석 유즈 케이스	설명	효과
재무	자금 시재 예측	일별로 예정된 자금 지출과 입금을 추정	• 자금 과부족 현상 예방 • 자금 운용 효율화
재무	구매 최적화	구매 유형과 구매자별로 과거 실적과 구매 조건을 비교 분석하여 구매 방안 도출	• 구매 비용 절감
고객	서비스 수준 유지	서비스별로 달성 수준을 측정하고 평가한 뒤 목표 수준을 벗어나면 경보발생	• 품질수준 제고 • 고객만족 제고
고객	고객 만족 달성	고객 세그먼트별로 만족 수준을 측정하고 이상이 있으면 원인을 분석하여 대책 강구	• 고객만족 제고 • 고객유지 향상
판매	파이프라인 최적화	파이프라인 단계별로 고객 상태를 파악하고 수주 규모를 예상하고 필요한 고객 기회를 추정하여 영업 촉진	• 목표 매출 달성 • 고객반응률 향상
판매	영업성과 분석	영업 직원별 사용 원가(급여 포함)와 실적을 분석하고 부진한 영업 직원 세그먼트를 식별하여 영업 정책에 반영	• 영업 수율 향상 • 영업 직원 생산성 제고

④ 하향식 접근법 2단계 – 문제 정의 과정

> **비기의 학습팁**
>
> 하향식 접근법 2단계(문제 정의 과정) 예시
>
> '고객 이탈 증대'라는 비즈니스 문제는 '고객 이탈에 영향을 미치는 요인을 식별하고 이탈 가능성을 예측하는 데이터 분석 문제로 변환될 수 있습니다.

- 식별된 **비즈니스 문제를 데이터의 문제로** 변환하여 정의하는 단계이다. 앞서 수행한 문제 탐색의 단계가 무엇을(What) 어떤 목적으로(Why) 수행해야 하는지에 대한 관점이었다면, 본 단계에서는 이를 달성하기 위해 필요한 데이터 및 기법(How)을 정의한다. 이때, 기법을 정의하기 위해 비즈니스 문제를 데이터 분석 문제로 변환하는 작업이 수행된다.
- **데이터 분석 문제의 정의 및 요구사항** : 분석을 수행하는 당사자뿐만 아니라 해당 문제가 해결되었을 때 효용을 얻을 수 있는 최종사용자(End User) 관점에서 이루어져야 한다.
- 데이터 분석 문제가 잘 정의되었을 때 필요한 데이터의 정의 및 기법 발굴이 용이하기 때문에 가능한 **정확하게 분석의 관점으로 문제를 재정의**할 필요가 있다.

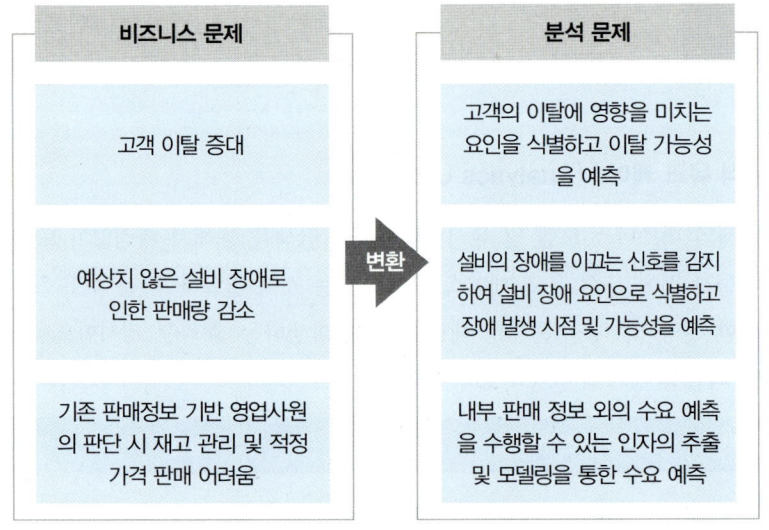

〈 비즈니스 문제를 분석 문제로 변환 〉

⑤ 하향식 접근법 3, 4단계 – 해결 방안 및 타당성 검토

1. 하향식 접근법 3단계 – 해결 방안 탐색

- 이 단계에서는 정의된 **데이터 분석 문제를 해결**하기 위한 다양한 방안이 모색된다.
    ① 기존 정보시스템의 단순한 보완으로 분석이 가능한지 고려
    ② 엑셀 등의 간단한 도구로 분석이 가능한지 고려

③ 하둡 등 분산병렬처리를 활용한 빅데이터 분석 도구를 통해 보다 체계적이고 심도 있는 방안 고려

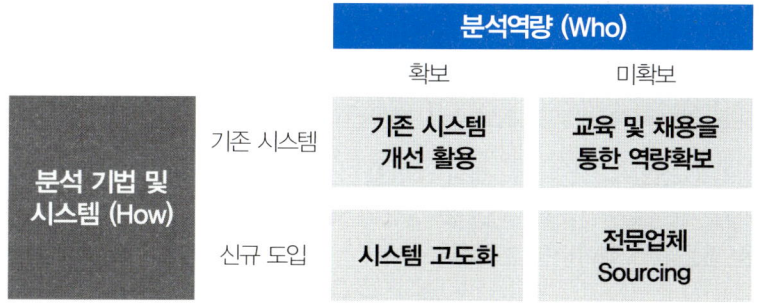

〈 해결 방안 탐색 영역 〉

- 분석역량을 기존에 가지고 있는 지의 여부를 파악하여 보유하고 있지 않은 경우에는 교육이나 전문인력 채용을 통한 역량을 확보하거나 분석 전문업체를 활용하여 과제를 해결하는 방안에 대해 사전 검토를 수행한다.

2. 하향식 접근법 4단계 – 타당성 검토

- 도출된 분석 문제나 가설에 대한 대안을 과제화하기 위해서는 다음과 같은 다각적인 타당성 분석이 수행되어야 한다.

가. 경제적 타당성

- 비용대비 편익 분석 관점의 접근이 필요하다. 비용 항목은 데이터, 시스템, 인력, 유지보수 등과 같은 분석 비용으로 구성되고, 편익으로는 분석 결과를 적용함으로써 추정되는 실질적 비용 절감, 추가적 매출과 수익 등과 같은 경제적 가치로 산출된다.

나. 데이터 및 기술적 타당성

- 데이터 분석에는 데이터 존재 여부, 분석 시스템 환경 그리고 분석 역량이 필요하다. 특히, 분석 역량의 경우 실제 프로젝트 수행 시 걸림돌이 되는 경우가 많기 때문에 기술적 타당성 분석 시 역량 확보 방안을 사전에 수립하고 이를 효과적으로 평가하기 위해서는 비즈니스 지식과 기술적 지식이 요구된다.

- 위의 타당성 검토를 통해 도출된 대안을 통해

  ① 평가 과정을 거쳐 가장 우월한 대안을 선택한다.

  ② 도출한 데이터 분석 문제 및 선정된 솔루션 방안을 포함한다.

  ③ 분석과제 정의서의 형태로 명시하는 후속작업을 시행한다.

  ④ 프로젝트 계획의 입력물로 활용한다.

비기의 학습팁

- 경제적 타당성
  : 비용 대비 효과는 얼마나 되는가?

- 데이터 및 기술적 타당성
  : 데이터와 기술이 목적에 맞는가?

❻ 상향식 접근법

> **출제포인트**
> 상향식 접근법은 개념 간 차이를 정확히 파악해야 하는 비교·선택형 문항으로 자주 출제되는 주제이며, 2025년 시험에서는 6문제가 출제되어 비중이 커지는 추세입니다. 상향식 접근법의 정의와 프로토타이핑 접근법의 개념·특징을 함께 숙지해 두시기 바랍니다.

1. 정의

- 한 의약제조사는 특허기간이 만료된 의약품 약 2천 종류의 데이터를 분석, 상호 결합하여 새로운 의약품을 개발하려고 시도했다.
- 의약품 집합으로부터 두 개의 조합을 선택할 수 있는 방법은 백만 개 이상이기 때문에 이 회사는 새로운 결합의 효과성을 검증하기 위해 다양한 기법을 적용하여 데이터를 분석했다.
- 여기에서는 전통적인 하향식 문제 해결방식과 대비하여 기업에서 보유하고 있는 다양한 원천 데이터로부터의 분석을 통하여 통찰력과 지식을 얻는 상향식 접근방법을 기술한다.
- 상향식 접근방법은 아래 그림처럼 다양한 원천 데이터를 대상으로 분석을 수행하여 가치있는 모든 문제를 도출하는 일련의 과정이다.

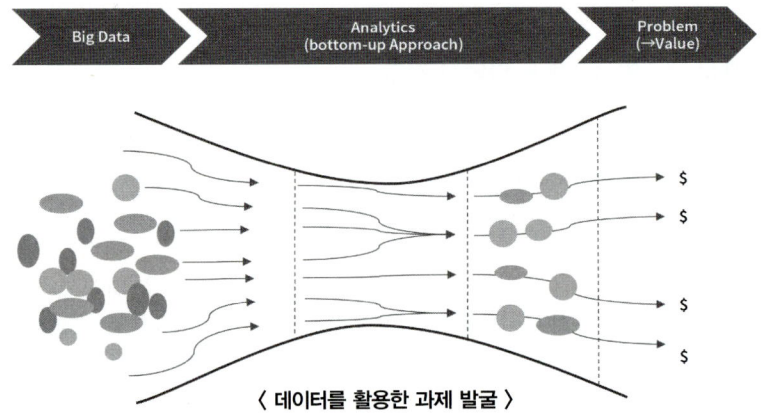

〈 데이터를 활용한 과제 발굴 〉

2. 기존 하향식 접근법의 한계를 극복하기 위한 분석 방법론

- 기존의 논리적인 단계별 접근법은 문제의 구조가 명확하고, 문제를 해결할 데이터 분석가와 의사결정자에게 문제가 이미 주어졌다는 가정하에 분석이 진행된다. 따라서 솔루션 도출에는 유효하지만, 새로운 문제의 탐색에는 한계가 있다.
- 따라서 기존의 논리적인 단계별 접근법 기반의 문제해결 방식은 최근 복잡하고 다양한 환경에서 발생하는 문제에는 적합하지 않을 수 있다.
- 이를 해결하기 위해서 스탠포드 대학의 d. school(Institute of Design at Stanford)은 디자인 사고(Design Thinking) 접근법을 통해서 전통적인 분석적 사고를 극복하려고 한다.
- 통상적인 관점에서는 분석적으로 사물을 인식하려는 'Why'를 강조하지만, 이는 우리가 알고있다고 가정하는 것이기 때문에 문제와 맞지 않는 솔루션인 경우 오류가 발생할 소지가 있다. 그렇기 때문에, 답을 미리 내는 것이 아니라 사물을 있는 그대로 인식하는 'What' 관점에서 보아야 한다는 것이다.

- 객관적으로 존재하는 데이터 그 자체를 관찰하고 실제적으로 행동에 옮김으로써 대상을 좀 더 잘 이해하는 방식으로의 접근을 수행하는 것이다.
- 이와 같은 점을 고려하여 d. school에서는 첫 단계로 감정이입(Empathize)을 특히 강조하고 있다.

수행 단계	설 명
프로세스 분류	전사 업무 프로세스를 가치사슬(Value chain) → 메가 프로세스(Mega Process)→ 메이저 프로세스(Major Process) → 단위 프로세스(Unit Process), 4단계로 구조화하여 업무 프로세스를 정의
프로세스 흐름 분석	프로세스별로 프로세스 맵(Process Map)을 구성하여 업무 흐름을 상세히 표현
분석요건 식별	각 프로세스 맵 상의 주요 의사결정 포인트 식별
분석요건 정의	각 의사결정 시점에 무엇을 알아야 의사결정을 할 수 있는지, 즉 분석의 요건을 정의하고 포착

> **비기의 학습팁**
>
> **지도 학습 vs 비지도 학습**
> - 지도 학습: 입력(Input)과 출력(Output)이 짝지어진 상태에서 관계를 학습합니다.
> - 비지도 학습: 데이터의 패턴이나 구조를 스스로 찾아냅니다.

3. 비지도 학습과 지도 학습

가. 비지도 학습(Unsupervised Learning)

- 일반적으로 **상향식 접근방식의 데이터 분석**은 비지도 학습 방법에 의해 수행된다.
- 비지도 학습은 데이터 분석의 목적이 명확히 정의된 형태의 특정 필드의 값을 구하는 것이 아니라 데이터 자체의 결합, 연관성, 유사성 등을 중심으로 데이터의 상태를 표현하는 것이다.
- 비지도 학습의 데이터 마이닝 기법의 예 – 장바구니 분석, 군집 분석, 기술 통계 및 프로 파일링 등

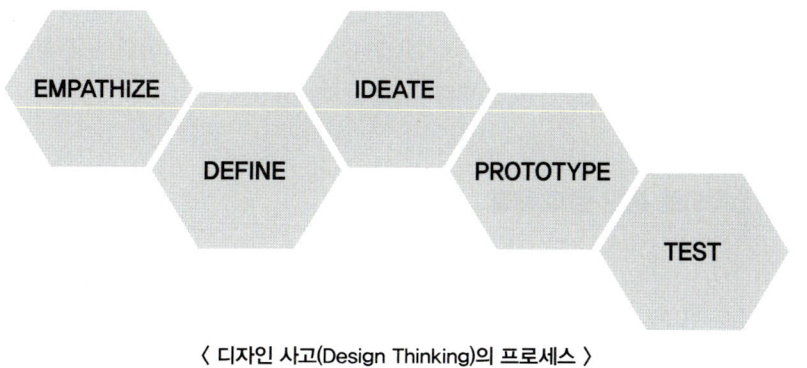

〈 디자인 사고(Design Thinking)의 프로세스 〉

> **개념 ➕**
>
> **디자인 사고(Design Thinking) 프로세스**
>
> ① 공감(Empathize)
> : 사용자와 고객의 관점을 이해하고 공감하기 위해 인터뷰, 관찰, 설문조사 등을 수행
>
> ② 문제 정의(Define)
> : 공감 단계에서 수집한 데이터를 바탕으로 핵심 문제를 정의
>
> ③ 아이디어 도출(Ideate)
> : 브레인스토밍과 같은 창의적 방법을 활용해 다양한 해결책 아이디어를 도출
>
> ④ 프로토타입(Prototype)
> : 아이디어를 시각화하거나 간단한 모델로 구현하여 테스트 가능한 형태로 제작
>
> ⑤ 테스트(Test)
> : 프로토타입을 사용하여 사용자 피드백을 받고, 필요하면 반복적으로 개선

나. 지도 학습(Supervised Learning)

- **명확한 목적하에 데이터분석을 실시하는 것**은 지도학습(Supervised Learning) 이라고 하며, 분류, 추측, 예측, 최적화를 통해 사용자의 주도하에 분석을 실시하고 지식을 도출하는 것이 목적이다.

> **예시**
> - 아래 그림에서 O와 ×를 구분 짓게 하는 분류(Classification)는 지도학습에 해당되고, 인자들 간의 유사성을 바탕으로 수행하는 군집화(Clustering)는 비지도 학습에 해당한다.
>   → 지도학습의 경우 결과로 **도출되는 값에 대하여 사전에 인지**하고 어떠한 데이터를 넣었을 때 어떠한 결과가 나올지를 예측하는 것이다.
>   → 비지도학습의 경우 목표 값을 사전에 정의하지 않고 **데이터 자체만을 가지고 그 룹들을 도출**함으로써 해석이 용이하지는 않지만 새로운 유형의 인사이트를 도출 하기에 유용한 방식으로 활용할 수 있다.

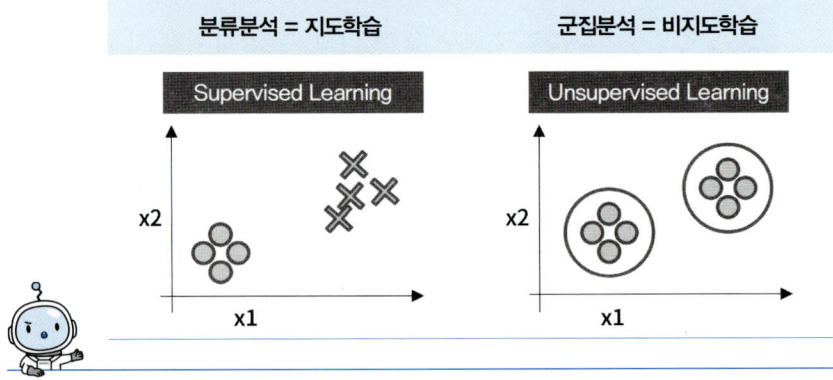

- **통계적 분석**에서는 인과관계 분석을 위해 **가설을 설정하고 이를 검정**하기 위해 모집단으로부터 표본을 추출하고 그 표본을 이용한 가설 검정을 실시하는 방식으로 문제를 해결하였다. 그러나 **빅데이터 환경**에서는 이와 같은 논리적인 인과관계 분석뿐만 아니라 **상관관계 분석 또는 연관 분석을 통하여 다양한 문제 해결**에 도움을 받을 수 있다. 인과관계로부터 상관관계 분석으로의 이동이 빅데이터 분석에서의 주요 변화라고 할 수 있다. 다량의 데이터 분석을 통해서 "왜" 그러한 일이 발생하는지 역으로 추적하면서 문제를 도출하거나 재정의 할 수 있는 것이 상향식 접근법이다.

4. 시행착오를 통한 문제 해결

가. 정의

- **프로토타이핑 접근법**은 사용자가 요구사항이나 데이터를 정확히 규정하기 어렵고 데이터 소스도 명확히 파악하기 어려운 상황에서 일단 분석을 시도해 보고 그 결과를 확인해 가면서 **반복적으로 개선해 나가는 방법**을 말한다.
- 하향식 접근방식은 문제가 정형화되어 있고 문제해결을 위한 데이터가 완벽하게 조직에 존재할 경우에 효과적이다.

비기의 학습팁

프로토타이핑 접근법 vs 상향식 접근법

공통점
- 문제가 불확실한 상황에서 출발하며 점진적으로 문제를 구체화
- 탐색과 반복적 과정을 통해 해결 방안을 도출

차이점
1) 초점
- 상향식: 데이터 탐색 중심
- 프로토타이핑: 초기 모형 설계와 사용자 피드백 중심
2) 방법
- 상향식: 데이터를 분석해 문제와 해결책을 도출
- 프로토타이핑: 테스트와 개선을 반복하며 해결책 구체화

- 이에 반하여 프로토타이핑 방법론은 비록 완전하지는 못하다 해도 신속하게 해결책이나 모형을 제시함으로써, 이를 바탕으로 문제를 좀 더 명확하게 인식하고 필요한 데이터를 식별하여 구체화할 수 있게 하는 유용한 상향식 접근 방식이다.
- 프로토타이핑 접근법의 기본적인 프로세스는 가설의 생성, 디자인에 대한 실험, 실제 환경에서의 테스트, 테스트 결과에서의 통찰도출 및 가설 확인으로 구성된다.

개념 +

프로토타이핑 접근법 프로세스

① 가설 생성(Hypotheses)
: 데이터와 사용자 니즈를 바탕으로 가설의 방향성 설정

② 디자인 실험(Design Experiments)
: 분석 도구나 기술을 활용해 시뮬레이션 가능한 상태로 제작

③ 실제 환경에서의 테스트(Test)
: 프로토타입을 실제 환경에서 테스트하고, 결과를 통해 문제점 및 개선 사항 도출

④ 통찰도출(Insight)
: 테스트 결과를 분석하여 핵심 인사이트를 도출하고 가설을 검증

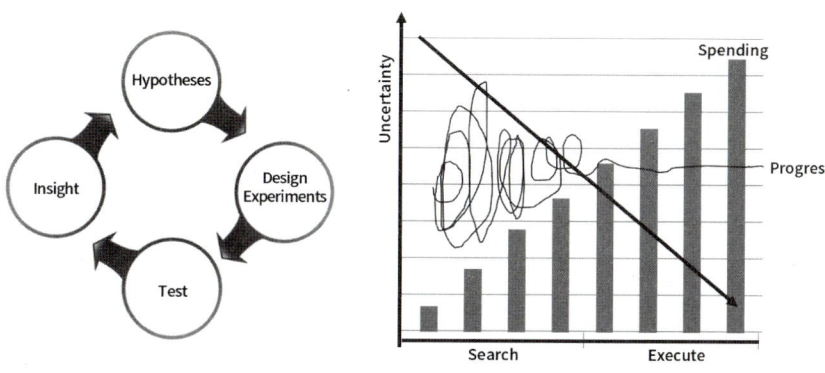

나. 빅데이터 분석 환경에서 프로토타이핑의 필요성

1) 문제에 대한 인식 수준

- **문제 정의가 불명확**하거나 이전에 접해보지 못한 새로운 문제일 경우 사용자 및 이해관계자는 프로토타입을 이용하여 **문제를 이해**하고, 이를 바탕으로 **구체화**하는데 도움을 받을 수 있다.

2) 필요 데이터 존재 여부의 불확실성

- 문제해결을 위해 필요한 데이터의 집합이 모두 존재하지 않을 경우, 그 데이터의 수집을 어떻게 할 것인지 또는 그 데이터를 다른 데이터로 대체할 것인지 등에 대한 **사용자와 분석가 간의 반복적이고 순환적인 협의 과정**이 필요하다. 대체 불가능한 데이터가 존재하는지 사전에 확인한다면 불가능한 프로젝트를 수행하는 리스크를 사전에 방지할 수 있다.

3) 데이터 사용 목적의 가변성

- 데이터의 가치는 사전에 정해진 수집목적에 따라 확정되는 것이 아니며, 상황에 따라 지속적으로 변화할 수 있다. 따라서 조직에서 보유 중인 데이터라 하더라도 **기존의 데이터 정의를 재검토**하여 **데이터의 사용 목적과 범위를 확대**할 수 있을 것이다.

비기의 학습팁

데이터 사용 목적의 가변성 예시

이동통신사에서 수집하는 사용자의 위치 데이터는 사용자의 호출을 효율적으로 처리하기 위한 원래의 목적 뿐만 아니라, 사용자들이 특정시간에 많이 모이는 장소가 어디인가를 분석하는 정보로도 활용이 가능합니다.

5. 분석 과제 정의

- 분석 과제 정의서를 통해 분석별로 필요한 소스 데이터, 분석방법, 데이터 입수 및 분석의 난이도, 분석 수행주기, 분석 결과에 대한 검증 오너십, 상세 분석 과정 등을 정의한다. 분석 데이터 소스는 내·외부의 비구조적인 데이터와 소셜 미디어 및 오픈 데이터까지 범위를 확장하여 고려하고 분석방법 또한 상세하게 정의한다.

예시

분석 과제 정의서

분석명		분석정의	
해지상담 접촉패턴 분석		기 해지 계약건 발생 고객의 해지 시점 상담정보 분석을 통해 해지 고객의 상담 특성을 발굴하는 분석	
소스데이터	데이터 입수 난이도	분석방법	
접촉채널, 건수, 접촉평균 시간 최종 접촉 이후 해지까지 시간 상담인력 업무 능숙도	서비스 수준 유지	해지로 이어지는 상담의 유의미한 속성을 요인분석을 통해 발굴 / 클러스터링 분석을 통해 영향요인을 그룹핑 / 그룹핑된 요인그룹이 해지에 미치는 영향도를 회귀분석함	
	데이터 입수 사유		
	N/A		
분석적용 난이도	분석적용 난이 사유	분석 주기	분석결과 검증 Owner
중	접촉 로그 등의 비구조적 데이터 분석 필요	월별 업데이트	해지방어팀

✓ 핵심 개념체크

✓37회 기출 출★★★★☆ 난★★☆☆☆

9. 분석 과제 발굴에 대한 설명으로 틀린 것은?

① 분석해야 할 대상이 명확하다면 상향식 접근 방식이 적절하다.
② 하향식 접근법은 조직의 비즈니스 목표를 기준으로 분석 과제를 도출하고, 이에 필요한 데이터를 준비하는 방식이다.
③ 비즈니스 목표와 데이터의 연계성을 파악하여 실질적인 가치를 창출할 수 있는 문제를 정의하는 것이 중요하다.
④ 분석 과제는 과거 데이터를 활용한 패턴 분석과 미래 예측을 통해 조직의 의사결정을 지원하는 방향으로 발굴된다.

> 분석해야 할 대상이 명확하다면 하향식 접근 방식이 더 적합하다. 상향식 접근 방식은 데이터 중심으로 과제를 발굴하는 경우에 적합하다. 나머지 선택지들은 분석 과제 발굴에 대한 적절한 내용을 말하고 있다.

✓33회 기출 출★★★★☆ 난★★★★☆

10. 하향식 접근법(Top Down Approach)은 문제를 체계적으로 분석하기 위한 기획 프로세스이다. 다음 중 데이터 분석 기획의 단계를 올바른 순서로 나열한 것은?

가. 문제 정의(Problem Definition)	나. 문제 탐색(Problem Discovery)
다. 해결방안 탐색(Solution Search)	라. 타당성 검토(Feasibility Study)

① 나 → 가 → 라 → 다　　② 가 → 나 → 다 → 라
③ 가 → 나 → 라 → 다　　④ 나 → 가 → 다 → 라

> 하향식 접근법은 문제 탐색 → 문제 정의 → 해결방안 탐색 → 타당성 검토의 순서로 체계적으로 문제를 분석한다.

✓ 35회 기출 출★★★★★ 난★★★★☆
11. 주어진 문제에 대한 해법을 찾기 위해 각 과정이 체계적으로 단계화되어 수행하는 분석 과제 발굴 방식은?

① 하향식 접근 방식 (Top-Down Approach)
② 체계적 문제 해결 (Systematic Problem Solving)
③ 목표 기반 접근법 (Goal-Oriented Approach)
④ 점진적 분석 접근법 (Incremental Analysis Approach)

하향식 접근 방식은 문제를 체계적으로 정의하고 해결하는 데 사용된다. 체계적 문제 해결은 구조화된 방법론을 적용하는 문제 해결법이며 목표 기반 접근법은 명확한 목표를 달성하기 위해 작업을 수행하는 방법이다. 점진적 분석 접근법은 분석을 점진적으로 수행해 결과를 축적하는 방식이다.

✓ 34회 기출 출★★★★★ 난★★☆☆☆
12. 다음 설명에 맞는 (가)에 해당하는 단계는 무엇인가?

(가)는 식별된 비즈니스 문제를 데이터의 문제로 변환하여 정의하는 단계

① 문제 탐색 (Problem Exploration)
② 문제 정의 (Problem Definition)
③ 해결방안 탐색 (Solution Exploration)
④ 타당성 검토 (Feasibility Check)

문제 정의는 비즈니스 문제를 데이터 문제로 변환하여 명확히 정의하는 단계이다. 문제 탐색은 문제를 식별하고 탐색하는 초기 단계이며, 해결방안 탐색과 타당성 검토는 이후의 단계이다.

✓ 32회 기출 출★★★★★ 난★★☆☆☆
13. 다음 중 거시적 관점의 메가트렌드에 해당하지 않는 것은?

① 사회(Social)
② 기술(Technological)
③ 환경(Environmental)
④ 채널(Channel)

메가트렌드는 사회(Social), 기술(Technological), 환경(Environmental)과 같은 광범위하고 장기적인 변화를 포함한다. 채널(Channel)은 마케팅이나 유통 경로와 관련된 개념으로, 메가트렌드와 같은 거시적 관점의 변화와는 거리가 있다.

✓ 38회 기출 출★★★★★ 난★★★★★
14. 다음 중 비즈니스 모델 캔버스를 활용한 과제 발굴의 영역으로 적절하지 않은 것은?

① 혁신
② 가치 제안
③ 비용 구조
④ 고객 세분화

비즈니스 모델 캔버스는 가치 제안, 비용 구조, 고객 세분화 등 비즈니스 모델을 구성하는 구체적 요소들을 다룬다. 혁신은 비즈니스 모델 캔버스의 영역이 아니라 보다 포괄적인 전략적 방향성에 속한다.

✓ 38회 기출 출★★★★★ 난★★★★☆
15. 다음 중 상향식 접근방식의 발산단계와 하향식 접근방식의 수렴단계를 반복하여 과제를 발굴하는 방법은 무엇인가?

① 디자인씽킹 (Design Thinking)
② 브레인스토밍 (Brainstorming)
③ 통합 접근방식 (Integrated Approach)
④ 분석적 문제 해결 방법 (Analytical Problem-Solving Method)

디자인씽킹은 상향식 발산과 하향식 수렴 단계를 반복하며 창의적이고 실질적인 해결책을 도출하는 접근 방식이다. 브레인스토밍은 아이디어 발산에 중점을 두며, 통합 접근방식과 분석적 문제 해결 방법은 체계적인 분석 과정에 초점이 맞춰져 있다.

정답 9. ① 10. ④ 11. ① 12. ② 13. ④ 14. ① 15. ①

1장 데이터 분석 기획의 이해

4절 분석 프로젝트 관리 방안

이론 정복 강의

출제빈도 **F2** 난이도 **D3**

#프로젝트관리 #분석과제관리의5개영역

출제포인트

분석 과제 관리를 위한 5가지 주요 영역은 사례 제시형 문항으로 종종 출제되는 주제이며, 2025년 시험에서도 2문제가 출제되었습니다. 5가지 영역의 내용, 특히 정확도와 정밀도의 차이를 명확히 정리해 두시기 바랍니다.

❶ 분석 과제 관리를 위한 5가지 주요 영역

- 과제 형태로 도출된 분석 기회는 프로젝트를 통해서 그 가치를 증명하고 목표를 달성해야 한다. 분석 프로젝트는 다른 프로젝트 유형처럼 **범위, 일정, 품질, 리스크, 의사소통** 등 영역별 관리가 수행되어야 할 뿐 아니라 다양한 데이터에 기반한 분석기법을 적용하는 특성 때문에 5가지의 주요 속성을 고려한 추가적인 관리가 필요하다.

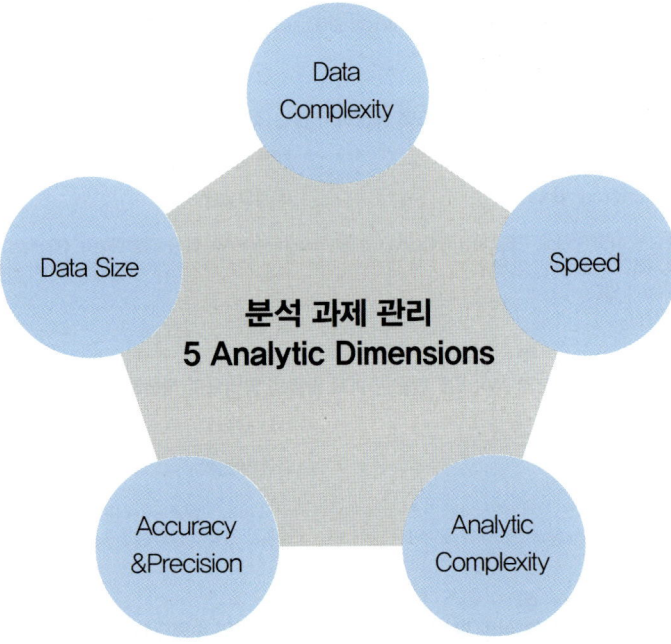

〈 분석 과제 관리를 위한 5가지 영역 〉

영역	내용
Data Size	**분석하고자 하는 데이터의 양**을 고려한 관리 방안 수립이 필요하다. 하둡 환경에서의 엄청난 데이터양을 기반으로 분석하는 것과 기존 정형 데이터베이스에 있는 시간당 생성되는 데이터를 분석할 때의 관리 방식은 차이가 날 수밖에 없다.
Data Complexity	BI(Business Intelligence) 프로젝트처럼 정형 데이터가 분석 마트로 구성되어 있는 상태에서 분석을 하는 것과 달리 텍스트, 오디오, 비디오 등의 비정형 데이터 및 다양한 시스템에 산재되어 있는 원천 데이터들을 통합해서 분석 프로젝트를 진행 할 때는, 초기 데이터의 확보와 통합뿐 아니라 해당 데이터에 **잘 적용될 수 있는 분석 모델의 선정** 등에 대한 사전 고려가 필요하다.
Speed	분석 결과가 도출되었을 때 이를 활용하는 **시나리오 측면에서의 속도**를 고려해야 한다. 일 단위, 주 단위 실적의 경우에는 배치(Batch)형태로 작업되어도 무방하지만 실시간으로 사기(Fraud)를 탐지하거나 고객에게 개인화된 상품·서비스를 추천하는 경우에는 분석 모델의 적용 및 계산이 실시간으로 수행되어야하기 때문에 프로젝트 수행 시 **분석 모델의 성능 및 속도를 고려한 개발 및 테스트가 수행되어야 한다.**
Analytic Complexity	분석 모델의 정확도와 복잡도는 트레이드 오프(Trade off)관계가 존재한다. 분석 모델이 복잡할수록 정확도는 올라가지만 해석이 어려워지는 단점이 존재하므로 이에 대한 기준점을 사전에 정의해 두어야 한다. 고객의 신용을 평가하는 마케팅 시나리오에서 분석 모델을 활용할 때, 신용점수가 낮게 나오는 원인을 모델에서 설명할 수 없다면 영업·마케팅 직원은 고객과의 소통에 어려움을 겪게 된다. 따라서 **해석이 가능하면서도 정확도를 높일 수 있는 최적의 모델**을 찾는 방안을 사전에 모색해야 한다.
Accuracy & Precision	**Accuracy**는 모델과 실제 값 사이의 차이가 적다는 **정확도**를 의미하고 **Precision**은 모델을 지속적으로 반복했을 때의 편차의 수준으로써 **일관적**으로 동일한 결과를 제시한다는 것을 의미한다. 분석의 활용적인 측면에서는 Accuracy가 중요하며, 안정성 측면에서는 Precision이 중요하다. 그러나 Accuracy와 Precision은 트레이드 오프가 되는 경우가 많기 때문에 모델의 해석 및 적용 시 사전에 고려해야 한다.

개념 +

트레이드 오프(Trade off) 관계

트레이드 오프는 한 가지 목표를 최적화하려고 할 때 다른 목표를 일정 부분 희생해야 하는 관계를 의미합니다. 예를 들어, 분석 모델에서 복잡성을 높이면 정확성이 증가할 수 있지만 해석이 어려워지고, 반대로 모델을 단순화하면 해석이 쉬워지지만 정확성이 낮아질 수 있습니다.

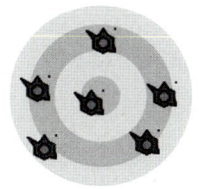
Low accuracy
Low precision

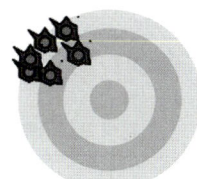
Low accuracy
High **precision**

High **accuracy**
Low precision

High **accuracy**
High **precision**

〈 Accuracy와 Precision의 관계 〉

❷ 분석 프로젝트의 특성

1. 개요

- 분석가의 목표 : 분석의 정확도를 높이는 것이지만 프로젝트의 관점에서는 도출된 분석 과제를 잘 구현하여 원하는 결과를 얻고 사용자가 원활하게 활용할 수 있도록 전체적인 과정을 고려해야하기 때문에 개별적인 분석 업무 수행뿐만 아니라 전반적인 프로젝트 관리 또한 중요하다.

- 분석가의 입장 : 데이터의 원천을 다루는 **데이터 영역**과 **결과를 활용할 비즈니스 영역**의 중간에서 **분석 모델을 통한 조율을 수행하는 조정자의 역할**이 핵심이 된다. 특히 분석 프로젝트에서는 데이터 영역과 비즈니스 영역의 현황을 이해하고 프로젝트의 목표인 분석의 정확도 달성과 결과에 대한 가치 이해를 전달하는 조정자로서의 분석가의 역할이 중요하다. 조정자로서의 분석가가 해당 프로젝트의 관리자까지 겸임하게 되는 경우가 대부분이므로, 프로젝트 관리 방안에 대한 이해와 주요 관리 포인트를 사전에 숙지하는 것이 필수적이다.

- 분석 프로젝트는 도출된 결과의 재해석을 통한 지속적인 반복 및 정교화가 수행되는 경우가 대부분이므로, 프로토타이핑 방식의 애자일(Agile) 프로젝트 관리 방식에 대한 고려도 필요하다. 데이터 분석의 지속적인 반복 및 개선을 통하여 의도했던 결과에 더욱 가까워지는 형태로 프로젝트가 진행될 수 있도록 적절한 관리 방안 수립이 사전에 필요하다.

> **개념 ➕**
>
> **애자일(Agile) 프로젝트 관리 방식**
>
> 애자일은 유연하고 반복적인 개발 방법론으로, 작은 단위로 작업을 나누어 반복(iteration)하면서 지속적으로 개선하고 최종 목표를 달성하는 방식입니다. 사용자 피드백을 주기적으로 반영해 변화하는 요구사항에 빠르게 대응하며, 프로토타이핑 접근법과 함께 사용되기도 합니다.

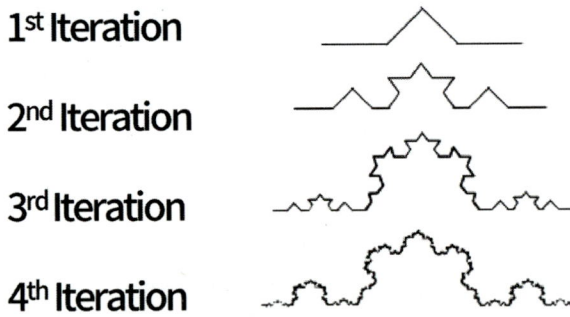

〈 분석 프로젝트의 반복적 개선 특성 〉

- 분석 프로젝트는 데이터 영역과 비즈니스 영역에 대한 이해뿐만 아니라 지속적인 반복이 요구되는 분석 프로세스의 특성을 이해한 프로젝트 관리 방안을 수립하는 것이 중요하다.

- 분석 과제 정의서를 기반으로 프로젝트를 시작하되 지속적인 개선 및 변경을 염두에 두고 기간 내에 가능한 최선의 결과를 도출할 수 있도록 프로젝트 구성원들과 협업하는 것이 분석 프로젝트의 특징이다.

❸ 분석 프로젝트의 관리 방안

주제 그룹	개념 및 관련 프로세스
범위 (Scope)	• 분석 기획단계의 프로젝트 범위가 분석을 진행하면서 데이터의 형태와 양 또는 적용되는 모델의 알고리즘에 따라 범위가 빈번하게 변경됨 • 분석의 최종 결과물이 분석 보고서 형태인지 시스템인지에 따라서 투입되는 자원 및 범위 또한 크게 변경되므로 사전에 충분한 고려가 필요함
시간 (Time)	• 데이터 분석 프로젝트는 초기에 의도했던 결과(모델)가 나오기 쉽지 않기 때문에 지속적으로 반복되어 많은 시간이 소요될 수 있음 • 분석 결과에 대한 품질이 보장된다는 전제로 Time Boxing 기법으로 일정관리를 진행하는 것이 필요함
원가 (Cost)	• 외부 데이터를 활용한 데이터 분석인 경우 고가의 비용이 소요될 수 있으므로 사전에 충분한 조사가 필요함 • 오픈 소스 도구(Tool) 외에 프로젝트 수행 시 의도했던 결과를 달성하기 위하여 상용 버전의 도구(Tool)가 필요할 수 있음 ex) 가시화를 위한 BI 솔루션, 지리정보 표기를 위한 GIS 솔루션 등
품질 (Quality)	• 분석 프로젝트를 수행한 결과에 대한 품질 목표를 사전에 수립하여 확정해야 함 • 프로젝트 품질은 품질 통제(Quality Control)와 품질보증(Quality Assurance)으로 나누어 수행되어야 함
통합 (Integration)	• 프로젝트 관리 프로세스들이 통합적으로 운영될 수 있도록 관리해야 함
조달 (Procurement)	• 프로젝트 목적성에 맞는 외부 소싱을 적절하게 운영할 필요가 있음 • PoC(Proof of Concept) 형태의 프로젝트는 인프라 구매가 아닌 클라우드 등의 다양한 방안을 검토할 필요가 있음
자원 (Resource)	• 고급 분석 및 빅데이터 아키텍처링을 수행할 수 있는 인력의 공급이 부족하므로 프로젝트 수행 전 전문가 확보에 대한 검토가 필요함
리스크 (Risk)	• 분석에 필요한 데이터 미확보로 분석 프로젝트 진행이 어려울 수 있으므로 관련 위험을 식별하고 대응방안을 사전에 수립해야 함 • 데이터 및 분석 알고리즘의 한계로 품질 목표를 달성하기 어려울 수 있어 그에 따른 대응방안을 수립할 필요가 있음
의사소통 (Communication)	• 전문성이 요구되는 데이터 분석의 결과를 모든 프로젝트 이해관계자가 공유할 수 있도록 해야함 • 프로젝트의 원활한 진행을 위한 다양한 의사소통체계 마련이 필요함
이해관계자 (Stakeholder)	• 데이터 분석 프로젝트는 데이터 전문가, 비즈니스 전문가, 분석 전문가, 시스템 전문가 등 다양한 전문가가 참여하므로 이해관계자의 식별과 관리가 필요함

〈 분석 프로젝트 영역별 주요 관리 항목 〉

• 분석가가 분석 프로젝트에서 프로젝트 관리자의 역할을 수행하는 경우가 대부분이기 때문에 프로젝트 관리 영역에 대한 주요한 사항들을 체크포인트 형태로 관리해서 발생할 수 있는 이슈와 리스크를 숙지하고 미연에 방지할 필요가 있다.

출제포인트

분석 프로젝트의 관리 방안은 개념을 구분하는 비교·판단형 문항으로 자주 출제되는 주제입니다. 2025년 시험에서는 직접적인 문항은 없었으나, 각 관리 영역과 그 설명을 매칭하는 형태의 문항에 대비해 정리해 두시기 바랍니다.

개념 +

Time Boxing 기법

Time Boxing은 특정 작업이나 프로젝트를 정해진 시간 내에 완료하도록 제한하는 일정 관리 기법입니다. 작업 범위를 시간에 맞춰 조정하며, 주어진 시간 안에 우선순위가 높은 작업을 완료하고 이후 반복을 통해 개선하는 방식으로 사용됩니다.

개념 +

프로젝트 관리 표준 & SW 프로세스 모델

• KSA ISO 21500:2013
  (프로젝트 관리 표준)

ISO 21500은 프로젝트 전 과정(범위, 일정, 비용, 품질, 위험 등)을 체계적으로 관리하기 위해 ISO가 제정하고 KSA가 국내 표준으로 채택한 프로젝트 관리 국제 가이드라인입니다.

• SPICE
(Software Process Improvement and Capability dEtermination)

소프트웨어 프로세스 역량을 평가·개선하기 위한 국제 표준 모델로, 요구·설계·구현·테스트·유지보수 등 SW 개발 프로세스를 성숙도 수준으로 평가해 개선 방향을 제시합니다.

✅ 핵심 개념체크

✓ 36회 기출 출★★★★★ 난★★★★☆

16. 분석 과제의 특징 중 정확도(Accuracy)와 정밀도(Precision)에 대한 설명으로 적절하지 않은 것은?

① 분석의 안정성 측면에서는 정확도가 중요하며, 활용적인 측면에서는 정밀도가 중요하다.
② 정확도는 모델이 전체 데이터에서 실제값과 예측값이 일치하는 비율을 나타낸다.
③ 정밀도는 모델을 지속적으로 반복했을 때의 편차의 수준으로써 일관적인 결과를 제시한다는 것을 의미한다.
④ 정확도와 정밀도는 모델의 목적과 데이터 분포에 따라 별도로 고려되어야 하는 지표이다.

> 정확도(Accuracy)는 모델이 전체 데이터에서 실제값과 예측값이 일치하는 비율을 의미하며, 정밀도(Precision)는 모델을 지속적으로 반복했을 때 일관성 있는 결과를 제시하는지를 의미한다. 정확도는 모델의 전체적인 성능을 평가하는 데 사용되고, 정밀도는 특히 불균형 데이터에서 중요한 지표다. 분석의 안정성 측면에서는 정밀도가 중요하고, 활용적인 측면에서는 정확도가 중요하다.

✓ 39회 기출 출★★★★★ 난★★★★☆

17. 프로젝트 관리에서는 여러 요소를 체계적으로 관리해야 한다. 다음 중 분석 프로젝트의 주요 관리 항목으로 가장 적절하지 않은 것은?

① 품질(Quality)   ② 조달(Procurement)
③ 위험(Risk)   ④ 관계(Relationship)

> 분석 프로젝트 관리에서는 품질, 조달, 위험 등이 주요 관리 항목이다. 관계는 팀 내 또는 외부와의 관계를 관리하는 것은 중요할 수 있으나, 이는 분석 프로젝트 관리의 주요 관리 항목으로 별도로 다루지 않는다.

✓ 13회 기출 출★★★★★ 난★☆☆☆☆

18. 다음 중 데이터 분석 과제에서 프로젝트 관리에 대한 설명으로 가장 부적절한 것은?

① 분석 과제는 분석 전문가의 상상력을 요구하므로 일정을 제한하는 일정계획은 적절하지 못하다.
② 분석 과제에는 많은 위험이 있어 사전에 위험을 식별하고 대응방안을 수립해야 한다.
③ 분석 과제는 적용되는 알고리즘에 따라 범위가 변할 수 있어 범위관리가 중요하다.
④ 분석 과제에서 다양한 데이터를 확보하는 경우가 있어 조달관리 또한 중요하다.

> 분석 과제는 분석 전문가의 창의력과 전문성을 요구하지만, 프로젝트의 성공을 위해서는 일정 계획이 필수적이다. 프로젝트 관리는 효율적인 시간 분배와 자원 관리를 통해 프로젝트가 목표 기한 내에 완료되도록 보장한다. 반면, 위험 관리, 범위 관리, 조달 관리는 모두 프로젝트 관리에서 중요한 요소로, 분석 프로젝트에도 적절히 적용된다.

PART 02 데이터 분석 기획

2장 분석 마스터 플랜

5 DAY

○ 학습 목표

- 데이터 분석을 위한 마스터 플랜 수립을 이해한다.
- 분석 과제의 시급성과 난이도에 따른 분석 과제 우선순위를 선정할 수 있다.
- 데이터 분석 거버넌스 체계를 이해한다.
- 데이터 분석 조직구조와 교육내용을 이해한다.

○ 눈높이 체크

✓ **데이터 분석을 위한 마스터 플랜 수립이 필요한 이유를 알고 있으신가요?**

데이터 분석을 구현하기 위한 다양한 기준들을 통해 데이터 분석을 위한 로드맵을 수립합니다.

✓ **분석 과제의 우선순위를 선정할 수 있으신가요?**

비즈니스 관점에서 도출된 다양한 분석 과제들을 기업에 적용시키기 위해서는 적용 우선순위를 평가해야 합니다.

✓ **데이터 분석 거버넌스 체계가 필요한 이유를 알고 있으신가요?**

분석 거버넌스 체계를 통하여 기업의 현 분석수준을 정확히 진단하고, 분석 조직 및 분석 전문인력 배치, 분석 관련 프로세스 및 분석 교육 등의 관점에서 정의할 수 있습니다.

✓ **데이터 분석 조직구조와 교육내용을 이해하고 있으신가요?**

데이터 분석 조직은 기업의 경쟁력 확보를 위해 필요하며, 데이터 분석을 통해 의미있는 인사이트를 찾아 실행하는 역할을 수행할 수 있어야 합니다. 데이터 분석 교육을 통해 조직원의 분석 역량 향상을 도모할 수 있습니다.

1절 마스터 플랜 수립 프레임 워크

2장 분석 마스터 플랜

출제빈도 F4 난이도 D3

#분석마스터플랜 #분석과제우선순위 #3V+Value #포트폴리오사분면 #ISP #분석과제우선순위평가기준

❶ 마스터 플랜 수립 개요

1. 마스터 플랜 수립 개요

- 데이터 기반 구축을 위해서 분석 과제를 대상으로 전략적 중요도, 비즈니스 성과 및 ROI, 분석 과제의 실행 용이성 등 다양한 기준을 고려해 **적용 우선순위를 설정**한다.

- 업무 내재화 적용 수준, 분석 데이터 적용 수준, 기술 적용 수준 등 분석 적용 범위 및 방식에 대해서 종합적으로 고려하여 데이터 분석 구현을 위한 로드맵을 수립해야 한다.

우선순위 고려요소
- ① 전략적 중요도
- ② 비즈니스 성과/ROI
- ③ 실행 용이성

→ 적용 우선 순위 설정

적용범위 / 방식 고려요소
- ① 업무 내재화 적용 수준
- ② 분석 데이터 적용 수준
- ③ 기술 적용 수준

→ Analytics 구현 로드맵 수립

출제포인트
마스터 플랜 수립 개요는 출제 빈도는 높지 않지만 개념 이해를 점검하는 용도로 간헐적으로 출제되었으나, 2025년 시험에서는 5문제가 출제되어 출제 중요도가 크게 상승한 주제입니다. 마스터 플랜의 수립 절차와 핵심 개념을 중심으로 정리해 두시기 바랍니다.

비기의 학습팁
분석 마스터 플랜
일반적인 ISP 방법론을 활용하되 데이터 분석 기획의 특성을 고려하여 수행하고 기업에서 필요한 데이터 분석 과제를 빠짐없이 도출한 후 과제의 우선순위를 결정하고 단기 및 중·장기로 나누어 계획을 수립합니다.

❷ 수행 과제 도출 및 ROI 기반 빅데이터 특징

1. 우선 순위 평가 방법 및 절차

- 우선순위 평가의 경우 정의된 데이터 과제에 대한 실행 순서를 정하는 것이다.
- 업무별 도출된 분석 과제를 우선순위 평가 기준에 따라 평가한 뒤, 과제 수행의 선·후행 관계를 고려하여 적용순위를 조정해 최종 확정한다.

분석 과제 도출 ➡ 우선순위 평가 ➡ 우선순위 정련

- 과제우선순위 기준 수립
- 분석 과제 수행의 선후 관계 분석을 통해 순위조정

출제포인트
수행 과제 도출 및 ROI 기반 빅데이터 특징은 개념 간 차이를 정확히 파악해야 하는 비교·선택형 문항으로 자주 출제되는 주제이며, 2025년 시험에서는 1문제가 출제되었습니다. 과제 도출 과정과 ROI 관점에서의 빅데이터 특징(3V, 4V)을 함께 묻는 문항에 대비해 두 요소의 연결 관계를 정리해 두시기 바랍니다.

2. 일반적인 IT프로젝트의 우선순위 평가 예시

- 정보전략계획(ISP)과 같은 일반적인 IT프로젝트 과제의 우선순위 평가를 위해 전략적 중요도, 실행 용이성 등 기업에서 고려하는 중요 가치기준에 따라 다양한 관점에서의 우선순위 기준을 수립하여 평가한다.

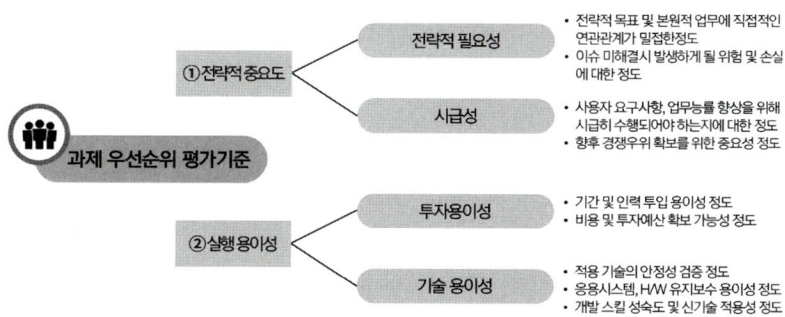

> **개념 +**
>
> **ISP(Information Strategy Planning)**
> ISP는 정보기술 또는 정보시스템을 전략적으로 활용하기 위하여 조직 내·외부 환경을 분석하여 기회나 문제점을 도출하고 사용자의 요구사항을 분석하여 시스템 구축 우선순위를 결정하는 등 중장기 마스터 플랜을 수립하는 절차입니다.

3. ROI 관점에서 빅데이터의 핵심 특징

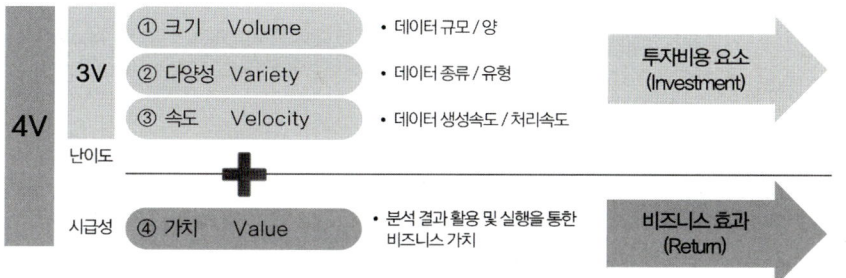

> **개념 +**
>
> **ROI(Return On Investment, 투자자본수익률)**
> ROI는 투자한 만큼 얼마나 이익을 얻었는지를 보여주는 지표입니다. 예를 들어, 100만 원을 투자해 150만 원의 이익을 얻었다면, ROI는 50%입니다. 쉽게 말해, "돈이나 자원을 투자했을 때 얼마나 성과를 냈는지"를 계산하는 방법입니다.

가. 투자비용(Investment)요소

1) 크기(Volume)

- 데이터의 규모 및 양을 의미. 대용량 데이터를 저장·처리하고 관리하기 위해서는 새로운 투자가 필요하다.

2) 다양성(Variety)

- 다양한 종류와 형태를 가진 데이터를 입수하는 데에 있어 투자가 필요하다.

3) 속도(Velocity)

- 데이터 생성 속도 및 처리 속도를 빠르게 가공·분석하는 기술이 요구된다.

나. 비즈니스 효과(Return)요소

1) 가치(Value)

- 분석 결과를 활용하거나 실질적인 실행을 통해 얻게 되는 비즈니스 효과 측면의 요소로, 기업데이터 분석을 통해 추구하거나 달성하고자 하는 목표 가치를 의미한다.

❸ 분석 과제 우선순위 평가 기준 및 선정 방식

> **출제포인트**
> 분석 과제 우선순위 평가 기준 및 선정 방식은 개념을 구분하는 비교·판단형 문항으로 자주 출제되는 주제이지만, 2025년 시험에서는 직접적인 문항은 없었습니다. 시급성과 난이도를 축으로 한 우선순위 평가 기준과 선정 논리를 체계적으로 정리해 두시기 바랍니다.

1. 시급성

- 전략적 중요도와 목표가치에 부합하는지에 따른 시급성이 가장 중요한 기준이다. **시급성의 판단 기준은 전략적 중요도가 핵심**이며, 이는 현재의 관점에서 전략적 가치를 둘 것인지, 미래의 중장기적 관점에 전략적인 가치를 둘 것인지를 고려하고, 분석 과제의 목표가치(KPI)를 함께 고려하여 시급성 여부를 판단할 수 있다.

2. 난이도

- 데이터를 생성, 저장, 가공, 분석하는 비용과 현재 기업의 분석 수준을 고려한 난이도 역시 중요한 기준이다. 난이도는 현 시점에서 과제를 추진하는 것이 적용 비용 측면과 범위 측면에서 바로 적용하기 쉬운 것인지 또는 어려운 것인지에 대한 판단기준으로서, 데이터 분석의 적합성 여부를 본다.

> **비기의 학습팁**
> 난이도는 해당 기업의 현 상황에 따라 조율할 수 있습니다. 뒤의 제2절 '분석 거버넌스 체계'에서 제시하는 분석 준비도 및 성숙도 진단 결과에 따라 해당 기업의 분석 수준을 파악하고, 이를 토대로 분석 적용 범위 및 방법에 따라 난이도를 조정할 수 있습니다.

과제 우선순위 평가기준

- 시급성
  - 전략적 중요도
  - 목표가치(KPI)
  - → 가치 Value → 비즈니스 효과 (Return)

- 난이도
  - 데이터 획득 / 저장 / 가공비용
  - 분석 적용 비용
  - 분석 수준
  - → 크기 Volume / 다양성 Variety / 속도 Velocity → 투자비용 요소 (Investment)

3. 포트폴리오 사분면 분석을 통한 과제 우선순위 선정

- 우선순위 선정 기준을 토대로 난이도 또는 시급성을 고려하여 분석 과제를 4가지 유형으로 구분하여 분석 과제의 적용 우선순위를 결정한다.

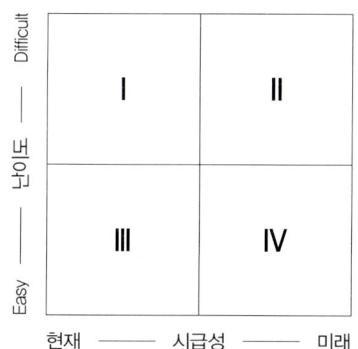

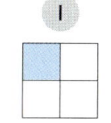 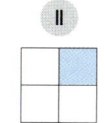 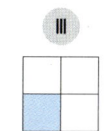 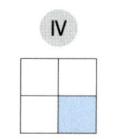

- 전략적 중요도가 높아 경영에 미치는 영향이 크므로 현재 시급하게 추진이 필요함
- 난이도가 높아 현재 수준에서 과제를 바로 적용하기에 어려움

- 현재 시점에서는 전략적 중요도가 높지 않지만 중장기적 관점에서는 반드시 추진되어야 함
- 분석과제를 바로 적용하기에는 난이도가 높음

- 전략적 중요도가 높아 현재 시점에 전략적 가치를 두고 있음
- 과제 추진의 난이도가 어렵지 않아 우선적으로 바로 적용 가능할 필요성이 있음

- 전략적 중요도가 높지 않아 중장기적 관점에서 과제 추진이 바람직함
- 과제를 바로 적용하는 것은 어렵지 않음

비기의 학습팁

시급성이 높다면 '지금 반드시 해야 할 일', 난이도가 낮다면 '즉시 실행이 가능한 일'로 기억하시면 두 기준을 명확히 구분하는 데 도움이 될 것입니다.

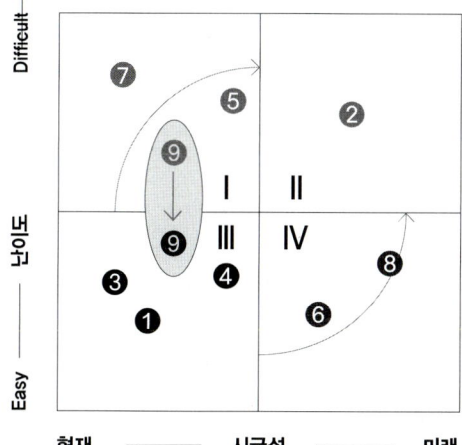

- 사분면 영역에서 가장 우선적인 분석 과제 적용이 필요한 영역은 3사분면이다.
- 전략적 중요도가 현재 시점에는 상대적으로 낮은 편이지만 중장기적으로는 경영에 미치는 영향도가 높고, 분석 과제를 바로 적용하기 어려워 우선순위가 낮은 영역은 2사분면이다.
- 분석 과제의 적용 우선순위 기준을 '**시급성**'에 둔다면 **Ⅲ→Ⅳ→Ⅱ 영역 순**이며, 우선순위 기준을 '**난이도**'에 둔다면 **Ⅲ→Ⅰ→Ⅱ 영역 순**으로 의사결정을 할 수 있다.

개념 +

시급성과 전략적 중요도 간의 트레이드 오프

시급성은 과제가 얼마나 빨리 해결되어야 하는지를 나타내고, 전략적 중요도는 과제가 조직의 목표 달성에 얼마나 기여하는지를 보여줍니다.

예를 들어, 매출 감소 문제는 시급성과 전략적 중요도가 모두 높아 가장 우선적으로 해결해야 합니다. 반면, 장기적으로 중요한 신사업 데이터 분석 과제는 전략적 중요도는 높지만 시급성이 낮아 후순위로 미뤄질 수 있습니다. 이처럼 두 요소를 함께 고려하면 과제의 우선순위를 정확히 정할 수 있습니다.

- ⑨번 과제와 같이 1사분면에 위치한 분석 과제는 데이터 양, 데이터 특성, 분석범위 등에 따라 난이도를 조율함으로써 적용 우선순위를 조정할 수 있다. 예를 들어 분석에 필요한 데이터양이 수 TB 규모라면, 분석 대상이 되는 소스 데이터를 내부 데이터 관점에서 우선 분석할 수 있도록 데이터의 양을 줄여 난이도를 낮출 수 있다. 이를 통해 궁극적으로는 1사분면(Ⅰ영역)에서 3사분면(Ⅲ영역)으로 분석 적용의 우선순위를 조정하여 추진할 수 있다.

❹ 이행계획 수립

1. 로드맵 수립

① 분석 과제에 대한 포트폴리오 사분면(Quadrant) 분석을 통해 과제의 1차적 우선순위를 결정한다.

② 분석 과제별 적용범위 및 방식을 고려하여 최종적인 실행 우선순위를 결정한 후 단계적 구현 로드맵을 수립한다.

③ 단계별로 추진하고자 하는 목표를 정의한다.

④ 추진 과제별 선·후행 관계를 고려하여 단계별 추진 내용을 정렬한다.

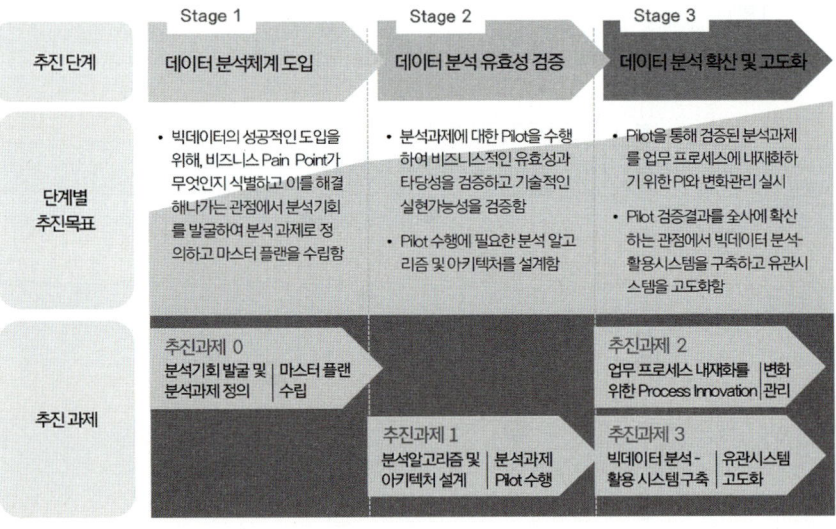

개념 ➕

Pilot 테스트

Pilot 테스트는 데이터 분석 프로젝트에서 작은 규모로 실행해 실행 가능성과 효과를 검증하는 과정입니다. 이를 통해 전체 프로젝트 시행 전에 문제를 사전에 발견하고, 수정 사항을 반영해 성공 가능성을 높입니다.

2. 세부 이행계획 수립

- 데이터 분석체계는 고전적인 폭포수(Water-Fall) 방식도 있으나 반복적인 정련과정을 통하여 프로젝트의 완성도를 높이는 방식을 주로 사용한다.
- 반복적인 분석 체계는 모든 단계를 반복하기보다 데이터 수집 및 확보와 분석데이터를 준비하는 단계를 순차적으로 진행하고, 모델링 단계는 반복적으로 수행하는 혼합형을 많이 적용하며, 이러한 특성을 고려하여 세부적인 일정계획도 수립해야 한다.

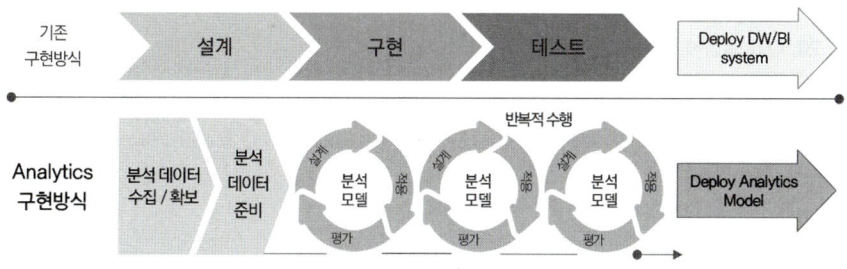

추진기간	2013년								2014년							
향후 추진과제	M1	M2	M3	M4	M5	M6	M7	M8	M9	M10	M11	M12	M13	M14	M15	M16
추진과제 1-1. 분석 알고리즘 및 분석 아키텍처 설계		3개월														
추진과제 1-2. 분석 과제 Pilot 수행		4개월														
추진과제 2-1. 업무 프로세스 내재화를 위한 Process Innovation					3개월											
추진과제 2-2. 변화관리									6개월							
추진과제 3-1. 빅데이터 분석 활용 시스템 구축					6개월											
추진과제 3-2. 유관시스템 고도화									4개월							

〈 세부 추진 일정 계획의 예시 〉

✅ 핵심 개념체크

✓36회 기출 출★★★★★ 난★★★★☆

19. 데이터 분석 프로젝트를 설계할 때, 분석 마스터 플랜은 중요한 가이드라인을 제공한다. 다음 중, 적용 범위 및 방식에 대한 고려요소로 적절하지 않은 것은?

① 기술 적용 수준
② 업무 내재화 적용 수준
③ 분석 데이터 적용 수준
④ 투입 비용 수준

> 분석 마스터 플랜의 적용 범위 및 방식은 기술, 업무 내재화, 분석 데이터의 활용 수준에 초점이 맞춰지며, 투입 비용 수준은 예산 관리의 영역으로 고려된다.

✓37회 기출 출★★★★★ 난★★★☆☆

20. 다음 설명에 맞는 용어는 무엇인가?

> 기업 및 공공기관에서는 시스템의 중장기 로드맵을 정의하기 위한 ( )을(를) 수행한다. ( )은(는) 정보 기술 또는 정보시스템을 전략적으로 활용하기 위하여 조직 내·외부 환경을 분석하여 기회나 문제점을 도출하고 사용자의 요구사항을 분석하여 시스템 구축 우선순위를 결정하는 등 중장기 마스터 플랜을 수립하는 절차이다.

① BPR(Business Process Reengineering)
② ISP(Information Strategy Planning)
③ BPM(Business Process Management)
④ ERP(Enterprise Resource Planning)

> ISP는 정보 기술과 시스템을 전략적으로 활용하기 위한 중장기 계획을 수립하는 과정이다. BPR은 프로세스 재설계, BPM은 프로세스 관리, ERP는 자원 관리 시스템이다.

✓39회 기출 출★★★☆☆ 난★★☆☆☆

21. 다음 빅데이터의 4V 특성 중에서 효과(return)와 가장 관련이 깊은 요소는?

① Volume
② Variety
③ Velocity
④ Value

> 빅데이터의 4V 중 Value(가치)는 데이터를 활용하여 얻을 수 있는 효과나 결과와 가장 밀접하게 관련이 있다. Volume은 데이터의 양, Variety는 데이터의 다양한 유형, Velocity는 데이터가 생성되고 처리되는 속도를 각각 의미한다.

✓33회 기출 출★★★★★ 난★★☆☆☆

22. 분석 ROI와 분석 우선순위 설정은 빅데이터 활용에서 중요한 과정이다. 다음 중 분석 ROI 요소와 우선순위 평가기준에 대한 설명으로 가장 부적절한 것은?

① 분석 과제의 시급성은 전략적 중요도를 기준으로 평가하며, 난이도는 분석 복잡성과 수준을 기준으로 평가한다.
② 분석 난이도는 조직의 데이터 준비도와 분석 성숙도를 평가한 결과에 따라 결정된다.
③ 시급성이 높은 동시에 난이도가 높은 과제는 의사결정권자의 판단에 따라 우선순위가 변경될 수 있다.
④ 시급성이 높은 과제는 난이도와 상관없이 항상 우선순위가 낮아진다.

> 분석 과제의 시급성은 전략적 중요도를 고려하여 평가된다. 이는 시급한 과제가 전략적으로 얼마나 중요하고 분석 목표에 얼마나 부합하는지 종합적으로 판단하는 과정이다. 난이도와 상관없이 항상 우선순위가 낮아진다는 설명은 빅데이터 분석의 일반적인 우선순위 설정 원칙에 맞지 않는다.

정답 19. ④ 20. ② 21. ④ 22. ④

2절 분석 거버넌스 체계 수립

2장 분석 마스터 플랜

이론 정복 강의

출제빈도 F5 난이도 D3

#분석준비도 #분석성숙도 #과제관리프로세스 #데이터거버넌스 #데이터관리체계 #데이터표준화 #분석조직 #분석업무

❶ 거버넌스 체계

1. 개요

- 기업에서 데이터를 이용한 의사결정이 강조될수록 데이터 분석과 활용을 위한 체계적인 관리가 중요해진다. 단순히 대용량 데이터를 수집·축적하는 것보다는 어떤 목적으로 어떤 데이터를 어떻게 분석에 활용할 것인가가 더욱 중요하기 때문이다. 그리고 조직 내 분석 관리체계를 수립해야 하는 이유는 데이터 분석을 기업의 문화로 정착하고 데이터 분석 업무를 지속적으로 고도화하기 위해서이다.

2. 구성 요소

- 마스터 플랜 수립 시점에서 데이터 분석의 지속적인 적용과 확산을 위한 거버넌스 체계는 **분석 기획 및 관리를 수행하는 조직**(Organization), **과제 기획 및 운영 프로세스**(Process), **분석 관련 시스템**(System), **데이터**(Data), **분석 관련 교육 및 마인드 육성 체계**(Human Resource)로 구성된다.

출제포인트

거버넌스 체계는 전체 출제 비중은 크지 않지만, 개념 이해를 깊이 따져 묻는 용도로 종종 출제되는 주제이며, 2025년 시험에서는 1문제가 출제되었습니다. 거버넌스 체계의 구성 요소와 역할을 도식화해 정리해 두시기 바랍니다.

비기의 학습팁

분석 거버넌스 체계를 수립하기 위해선 기업 내의 전체적인 분석 기준들과 환경들을 분석하여 우리가 가지고 있는 현재 자원이 타 경쟁사와 유사 업종과 비교해서 어느정도의 수준에 있는지 평가를 해야 합니다.

❷ 데이터 분석 수준 진단

> **출제포인트**
> 데이터 분석 수준 진단은 전반적으로 자주 출제되는 핵심 주제이며, 2025년 시험에서는 7문제가 출제되었습니다. 분석 준비도 영역, 성숙도 모형의 종류, 사분면 분석 유형을 중심으로 내용을 정확히 숙지해 두시기 바랍니다.

1. 개요

- 기업들은 데이터 분석의 도입 여부와 활용에 명확한 분석 수준을 점검할 필요가 있다. 데이터 분석의 수준 진단을 통해 데이터 분석 기반을 구현하기 위해서는 무엇을 준비하고 보완해야 하는지 등 분석의 유형 및 분석의 방향성을 결정할 수 있다.

- 데이터 분석 수준 진단을 위한 **분석 준비도(Readiness)**와 **분석 성숙도(Maturity)**의 구성은 아래와 같다.

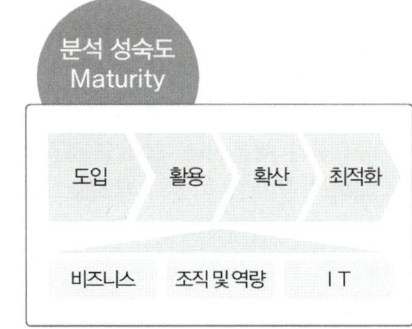

2. 수준 진단 목표 2가지

> **비기의 학습팁**
> **분석 준비도 vs 분석 성숙도**
> 분석 준비도(Readiness)는 '데이터 분석을 시작할 준비가 되었는가?'를 평가하고, 분석 성숙도(Maturity)는 '데이터 분석을 얼마나 잘 활용하고 있는가?'를 평가합니다.

가. 정의

- 기업의 현재 분석 수준을 명확히 이해하고, 수준 진단 결과를 토대로 미래의 목표수준을 정의한다.

- 데이터 분석을 위한 기반 또는 환경이 유사업종 또는 타 경쟁사에 비해 어느 정도 수준이고, 데이터를 활용한 분석의 경쟁력 확보를 위해 어떠한 영역에 선택과 집중을 해야 하는지, 어떤 관점을 보완해야 하는지 등 개선방안을 도출한다.

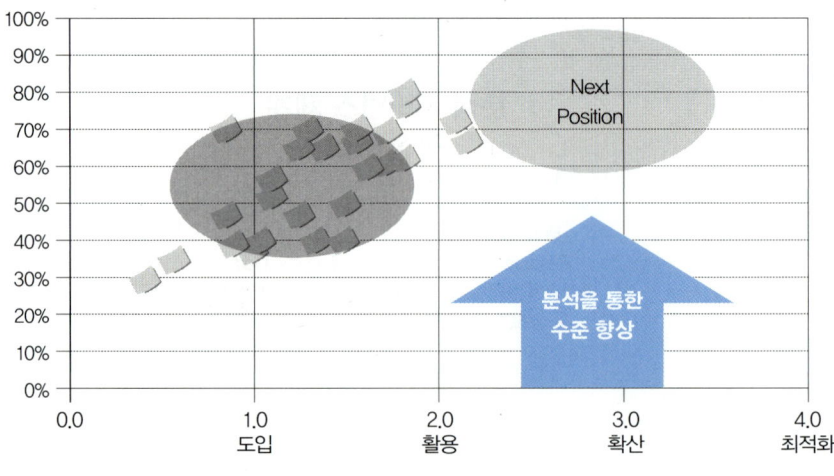

〈 분석 목표 수준 정의 〉

나. 분석 준비도

1) 목표 : 기업의 데이터 분석 도입의 수준을 파악하기 위한 진단방법
2) 구성 : 총 6가지(분석업무파악, 인력 및 조직, 분석기법, 분석 데이터, 분석문화, IT 인프라)
3) 진단 과정
   ① 영역별로 세부 항목에 대한 수준파악
   ② 진단결과 전체 요건 중 일정 수준이상 충족하면 분석업무 도입
   ③ 충족하지 못할 시 분석 환경 조성

분석업무 파악	인력 및 조직
• 발생한 사실 분석업무 • 예측 분석업무 • 시뮬레이션 분석업무 • 최적화 분석업무 • 분석 업무 정기적 개선	• 분석 전문가 직무 존재 • 분석 전문가 교육 훈련 프로그램 • 관리자들의 기본적 분석 능력 • 전사 분석 업무 총괄 조직 존재 • 경영진의 분석 업무 이해 능력
분석기법	**분석 데이터**
• 업무별 적합한 분석기법 사용 • 분석 업무 도입 방법론 • 분석기법 라이브러리 • 분석기법 효과성 평가 • 분석기법 정기적 개선	• 분석 업무를 위한 데이터 충분성 • 분석 업무를 위한 데이터 신뢰성 • 분석 업무를 위한 데이터 적시성 • 비구조적 데이터 관리 • 외부 데이터 활용 체계 • 기준 데이터 관리(MDM)
분석 문화	**IT 인프라**
• 사실에 근거한 의사결정 • 관리자의 데이터 중시 정도 • 회의 등에서 데이터 활용 상황 • 경영진의 직관 vs 데이터 기반의 의사 결정 • 데이터 공유 및 협업 문화	• 운영시스템 데이터 통합 • EAI, ETL 등 데이터 유통 체계 • 분석 전용 서버 및 스토리지 • 빅데이터 분석 환경 • 통계 분석 환경 • 비주얼 분석 환경

3. 분석 성숙도 모델

- 조직의 성숙도 평가 도구
  : CMMI(Capability Maturity Model Integration) 모델
- 성숙도 수준분류 : 도입단계, 활용단계, 확산단계, 최적화단계
- 분석 성숙도 진단 분류 : 비즈니스 부문, 조직·역량부문, IT부문

개념 +

CMMI 모델

CMMI(Capability Maturity Model Integration) 는 조직의 프로세스 성숙도를 평가하고 개선하기 위한 모델로, 분석과 개발 과정에서 효율성과 품질을 높이기 위해 프로세스를 5단계로 나눠 관리합니다. 쉽게 말해, "조직이 얼마나 체계적으로 일하고 있는지"를 평가하는 도구입니다.

단계	도입단계	활용단계	확산단계	최적화단계
설명	분석을 시작하여 환경과 시스템을 구축	분석 결과를 실제 업무에 적용	전사 차원에서 분석을 관리하고 공유	분석을 진화시켜서 혁신 및 성과 향상에 기여
비즈니스 부문	• 실적분석 및 통계 • 정기보고 수행 • 운영 데이터 기반	• 미래 결과 예측 • 시뮬레이션 • 운영 데이터 기반	• 전사 성과 실시간 분석 • 프로세스 혁신 3.0 • 분석규칙 관리 • 이벤트 관리	• 외부 환경분석 활용 • 최적화 업무 적용 • 실시간 분석 • 비즈니스 모델 진화
조직역량 부문	• 일부 부서에서 수행 • 담당자 역량에 의존	• 전문 담당부서에서 수행 • 분석기법 도입 • 관리자가 분석 수행	• 전사 모든 부서 수행 • 분석 COE 조직 운영 • 데이터 사이언티스트 확보	• 데이터 사이언스 그룹 • 경영진 분석 활용 • 전략 연계
IT부문	• 데이터 웨어하우스 • 데이터 마트 • ETL/EAI • OLAP	• 실시간 대시보드 • 통계분석 환경	• 빅데이터 관리 환경 • 시뮬레이션·최적화 • 비주얼 분석 • 분석 전용 서버	• 분석 협업환경 • 분석 Sandbox • 프로세스 내재화 • 빅데이터 분석

〈 분석 성숙도 모델 〉

4. 분석 수준 진단 결과

- 기업의 현재 분석 수준을 객관적으로 파악
- 경쟁사의 분석 수준과 비교하여 분석 경쟁력 확보 및 강화를 위한 목표 수준 설정 가능

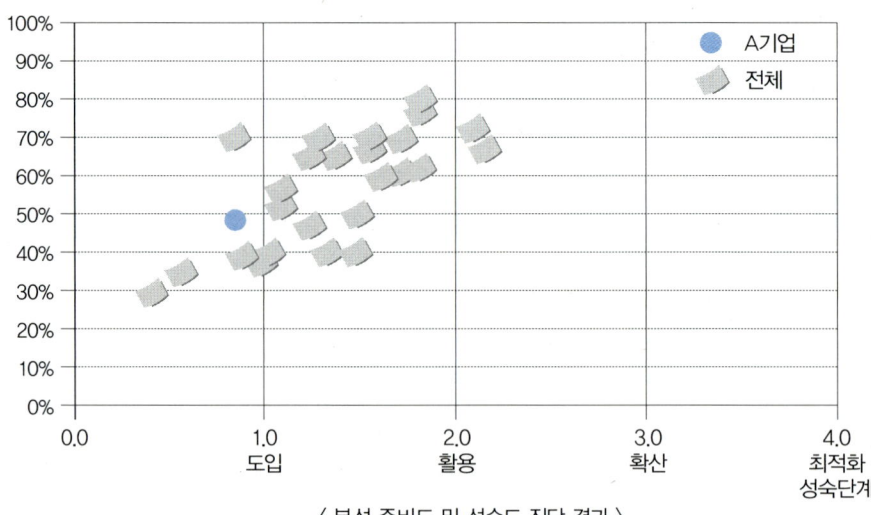

〈 분석 준비도 및 성숙도 진단 결과 〉

가. 분석 관점에서의 사분면 분석

- 분석 수준 진단결과를 구분
- 데이터 분석 수준에 대한 목표 방향을 정의
- 유형별 특성에 따른 개선방안 수립

> **비기의 학습팁**
>
> 각 유형별 예시와 함께 암기하면 구분에 큰 도움이 됩니다.
>
> • **준비형**
> : 데이터를 엑셀 등 주로 수작업으로 관리하며, 분석 인프라나 전문가가 부족한 기업
>
> • **도입형**
> : 분석 내부 조직의 준비는 높으나 분석 경험이 부족한 기업
>
> • **정착형**
> : 일부 부서에서만 분석을 수행하는 기업
>
> • **확산형**
> : 데이터 분석으로 전사적 의사결정을 지원하는 기업

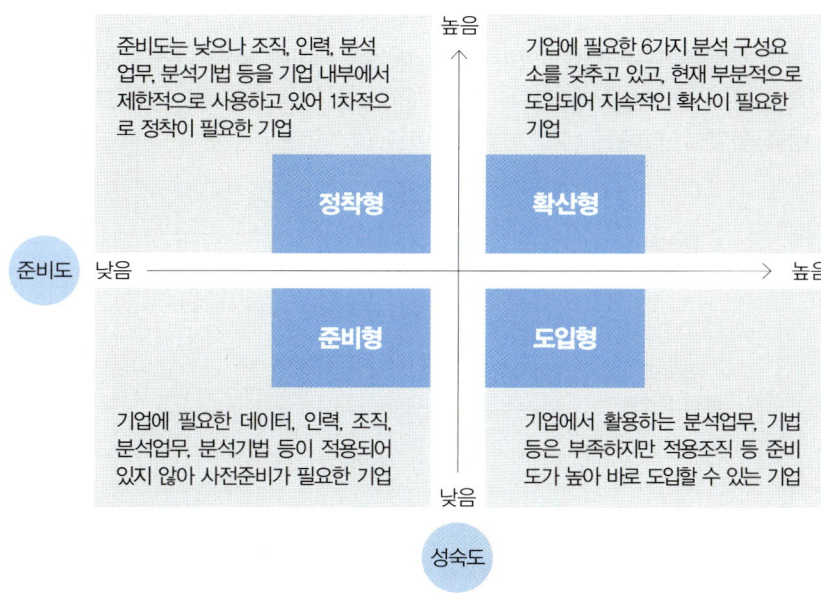

⟨ 사분면 분석(Analysis Quadrant) ⟩

❸ 분석지원 인프라 방안 수립

1. 개요

- 분석 과제 단위별로 별도의 분석 시스템을 구축하는 경우, 관리의 복잡도 및 비용의 증대라는 부작용이 나타나게 된다. 따라서 분석마스터 플랜을 기획하는 단계에서부터 장기적이고 안정적으로 활용할 수 있는 확장성을 고려한 플랫폼 구조를 도입하는 것이 적절하다.

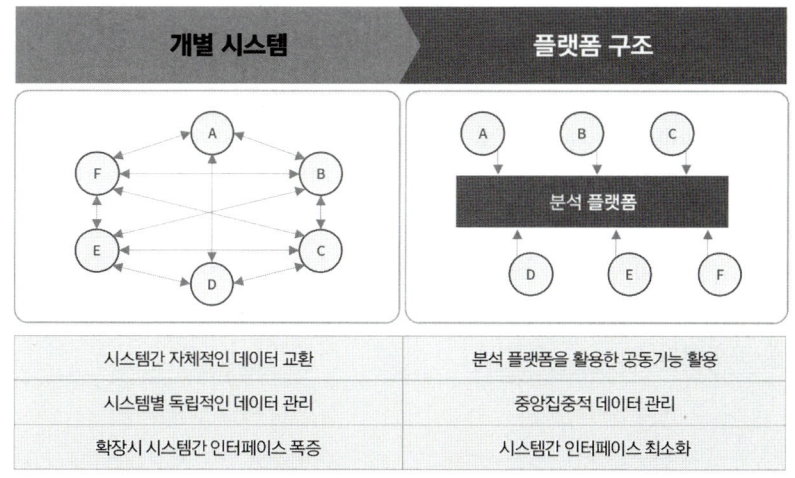

2. 플랫폼

- 단순한 분석 응용프로그램뿐만 아니라 분석 서비스를 위한 응용프로그램이 실행될 수 있는 기초를 이루는 컴퓨터 시스템을 의미한다.
- 일반적으로 하드웨어에 탑재되어 데이터 분석에 필요한 프로그래밍 환경과 실행 및 서비스 환경을 제공하는 역할을 수행한다.
- 분석 플랫폼이 구성되어 있는 경우, 새로운 데이터 분석 니즈가 발생할 때 개별 분석 시스템을 추가하는 대신 서비스를 추가 제공하는 방식으로 확장성을 높일 수 있다.

광의의 분석 플랫폼	분석 서비스 제공 엔진
	분석 어플리케이션
	분석 서비스 제공 API
협의의 분석 플랫폼	데이터 처리 Framework
	분석 엔진 / 분석 라이브러리
	운영체제 (OS)
	하드웨어

〈 분석 플랫폼 구성 요소 〉

> **개념 ➕**
>
> **협의의 분석 플랫폼과 광의의 분석 플랫폼의 차이**
> - 협의의 분석 플랫폼: 분석 자체에 집중된 도구와 소프트웨어를 의미합니다.
> - 광의의 분석 플랫폼: 분석을 포함한 데이터 관리와 활용 전반을 지원하는 더 큰 생태계를 말합니다.

> **출제포인트**
>
> 데이터 거버넌스 체계 수립은 개념을 정확히 구분하는 비교·선택형 문항으로 자주 출제되는 주제이며, 2025년 시험에서는 2문제가 출제되었습니다. 데이터 거버넌스 체계의 개념과 구성 3요소를 중심으로 정리해 두시기 바랍니다.

❹ 데이터 거버넌스 체계 수립

1. 데이터 거버넌스의 개요

- 전사 차원의 모든 데이터에 대하여 정책 및 지침, 표준화, 운영조직 및 책임 등의 표준화된 관리체계를 수립하고 운영을 위한 프레임워크(Framework) 및 저장소(Repository)를 구축하는 것을 말한다.
- 마스터 데이터(Master Data), 메타데이터(Meta Data), 데이터 사전(Data Dictionary)은 데이터 거버넌스의 중요한 관리 대상이다.
- 기업은 데이터 거버넌스 체계를 구축함으로써 데이터의 가용성, 유용성, 통합성, 보안성, 안전성을 확보할 수 있다.
- 데이터 거버넌스는 독자적으로 수행될 수도 있지만 전사 차원의 IT 거버넌스나 EA(Enterprise Architecture)의 구성요소로써 구축되는 경우도 있다.
- 빅데이터 거버넌스는 이러한 데이터 거버넌스의 체계에 대하여 빅데이터의 효율적인 관리, 다양한 데이터의 관리체계, 데이터 최적화, 정보보호, 데이터 생명주기 관리, 데이터 카테고리별 관리 책임자(Data Steward) 지정 등을 포함한다.

> **개념 ➕**
>
> **마스터 데이터, 메타 데이터, 데이터 사전이란?**
> - 마스터 데이터: 조직의 핵심적인 정보(예: 고객, 제품, 공급업체 등)를 정의하고 관리하는 데이터로, 여러 시스템에서 공유됩니다.
> - 메타데이터: 데이터를 설명하는 데이터로, 파일의 작성 날짜, 파일 크기, 위치 정보 등 데이터를 이해하고 관리하는 데 필요한 정보를 제공합니다.
> - 데이터 사전: 데이터베이스나 시스템에서 사용되는 용어와 정의를 체계적으로 정리한 문서로, 데이터의 구조와 의미를 이해하는 데 도움을 줍니다.

2. 데이터 거버넌스 구성요소

가. 개요

- 구성요소인 **원칙(Principle), 조직(Organization), 프로세스(Process)**는 유기적으로 조합하고 효과적으로 관리하여, 데이터를 비즈니스 목적에 부합하도록 하고 최적의 정보 서비스를 제공할 수 있도록 한다.

나. 구성 3요소

1) 원칙(Principle)
- 데이터를 유지·관리하기 위한 지침과 가이드
- 보안, 품질 기준, 변경관리

2) 조직(Organization)
- 데이터를 관리할 조직의 역할과 책임
- 데이터 관리자, 데이터베이스 관리자, 데이터 아키텍트(Data Architect)

3) 프로세스(Process)
- 데이터 관리를 위한 활동과 체계
- 작업 절차, 모니터링 활동, 측정 활동

3. 데이터 거버넌스 체계

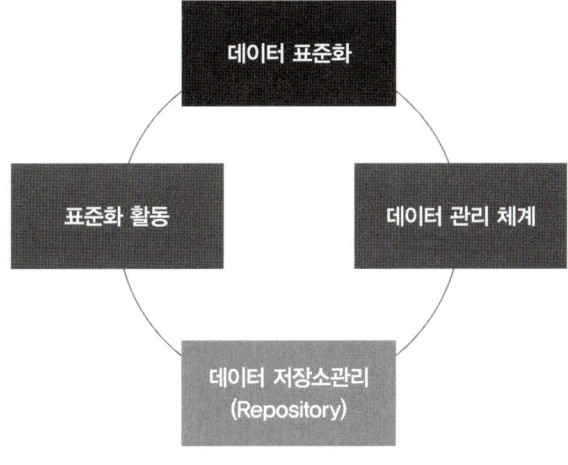

〈 데이터 거버넌스 체계 〉

> **비기의 학습팁**
> - **데이터 표준화:** 데이터 간 일관성과 품질 유지
> - **데이터 관리 체계:** 데이터 활용을 위한 체계적 관리
> - **데이터 저장소 관리:** 효율적인 데이터 구조 관리와 통합 관리
> - **표준화 활동:** 데이터 활용성 극대화

가. 데이터 표준화

- 데이터 표준화는 데이터 표준 용어 설정, 명명 규칙(Name Rule)수립, 메타 데이터(Meta Data)구축, 데이터 사전(Data Dictionary)구축 등의 업무로 구성된다.
- 데이터 표준용어는 표준 단어사전, 표준 도메인사전, 표준 코드 등으로 구성되며 사전간 상호 검증이 가능하도록 점검 프로세스를 포함해야 한다.
- 명명 규칙은 필요시 언어별(한글, 영어 등)로 작성되어 매핑 상태를 유지해야 한다.

나. 데이터 관리 체계

- 데이터 정합성 및 활용의 효율성을 위하여 표준 데이터를 포함한 메타 데이터(Meta Data)와 데이터 사전(Data Dictionary)의 관리 원칙을 수립한다.
- 수립된 원칙에 근거하여 항목별 상세한 프로세스를 만들고 관리와 운영을 위한 담당자 및 조직별 역할과 책임을 상세하게 준비한다.
- 빅데이터의 경우 데이터양의 급증으로 데이터의 생명 주기 관리방안(Data Life Cycle Management)을 수립하지 않으면 데이터 가용성 및 관리비용 증대 문제에 직면하게 될 수 있다.

다. 데이터 저장소 관리(Repository)

- 메타데이터 및 표준 데이터를 관리하기 위한 전사 차원의 저장소를 구성한다.
- 저장소는 데이터 관리 체계 지원을 위한 워크플로우(Workflow) 및 관리용 응용 소프트웨어(Application)를 지원하고 관리 대상 시스템과의 인터페이스를 통한 통제가 이루어져야한다.
- 데이터 구조 변경에 따른 사전 영향 평가도 수행되어야 효율적인 활용이 가능하다.

라. 표준화 활동

- 데이터 거버넌스 체계를 구축한 후 표준 준수 여부를 주기적으로 점검하고 모니터링을 실시한다.
- 거버넌스의 조직 내 안정적 정착을 위한 계속적인 변화 관리 및 주기적인 교육을 진행한다.
- 지속적인 데이터 표준화 개선 활동을 통하여 실용성을 높여야 한다.

❺ 데이터 조직 및 인력방안 수립

1. 현황

- 빅데이터 등장에 따라 기업의 비즈니스도 많은 변화를 겪고 있는데, 이러한 비즈니스 변화를 인식하고 기업의 차별화된 경쟁력을 확보하는 수단으로서 데이터 과제 발굴, 기술 검토 및 전사 업무 적용계획 수립 등 데이터를 효과적으로 분석·활용하기 위해 기획, 운영 및 관리를 전담할 수 있는 전문 분석조직의 필요성이 제기되고 있다.

> **출제포인트**
> 데이터 조직 및 인력 방안 수립은 사례 제시형 문항으로 종종 출제되는 주제이며, 2025년 시험에서도 1문제가 출제되었습니다. 데이터 조직 구조와 역할, 인력 구성 원칙을 비교·구분할 수 있도록 정리해 두시기 바랍니다.

2. 분석 조직의 개요

- 데이터 분석 조직은 기업의 경쟁력 확보를 위해 데이터 분석의 가치를 발견하고, 이를 활용하여 비즈니스를 최적화하는 목표를 갖고 구성되어야 한다. 이를 위해 기업의 업무 전반에 걸쳐 다양한 분석 과제를 발굴해 정의하고, 데이터 분석을 통해 의미있는 인사이트를 찾아 실행하는 역할을 수행할 수 있어야 한다. 다양한 분야의 지식과 경험을 가진 인력과 업무 담당자 등으로 구성된 전사 또는 부서 내 조직으로 구성할 수 있다.

목 표	기업의 경쟁력 확보를 위하여 비즈니스 질문(Question)과 이에 부합하는 가치(Value)를 찾고 비즈니스를 최적화(Optimization)하는 것
역 할	전자 및 부서의 분석 업무를 발굴하고 전문적 기법과 분석 도구를 활용하여 기업 내 존재하는 빅데이터 속에서 Insight를 전파하고 이를 Action화 하는 것
구 성	기초통계학 및 분석 방법에 대한 지식과 분석 경험을 가지고 있는 인력으로 전사 또는 부서 내 조직으로 구성하여 운영

〈 분석 조직의 개요 〉

3. 조직 및 인력 구성 시 고려사항

가. 주요 고려사항

구 분	주요 고려사항
조직 구조	• 비즈니스 질문(Question)을 선제적으로 찾아 낼 수 있는 구조인가? • 분석 전담조직과 타 부서간 유기적인 협조와 지원이 원활한 구조인가? • 효율적인 분석 업무를 수행하기 위한 분석 조직의 내부 조직구조는? • 전사 및 단위부서가 필요 시 접촉하며 지원할 수 있는 구조인가? • 어떤 형태의 조직(중앙집중형, 분산형)으로 구성하는 것이 효율적인가?
인력 구성	• 비즈니스 및 IT 전문가의 조합으로 구성되어야 하는가? • 어떤 경험과 어떤 스킬을 갖춘 사람으로 구성해야 하는가? • 통계적 기법 및 분석 모델링 전문 인력을 별도로 구성해야 하는가? • 전사 비즈니스를 커버하는 인력이 없다면? • 전사 분석업무에 대한 적합한 인력 규모는 어느 정도인가?

> **비기의 학습팁**
> 주요 고려사항이 조직 구조에 대한 것인지 인력 구성에 대한 것인지 헷갈리지 않게 유의해야 합니다.

> **비기의 학습팁**
>
> 3가지 조직 구조를 간단히 설명하면 아래와 같습니다.
> - **집중구조**: 한곳에 모여서 일하는 방식입니다.
> - **기능구조**: 부서마다 작은 분석팀이 따로 있는 방식입니다.
> - **분산구조**: 집중구조+기능구조 형태입니다. 주요 분석은 중앙에서 하고, 부서마다 필요한 분석은 각 부서가 하는 방식입니다.

나. 분석을 위한 3가지 조직 구조

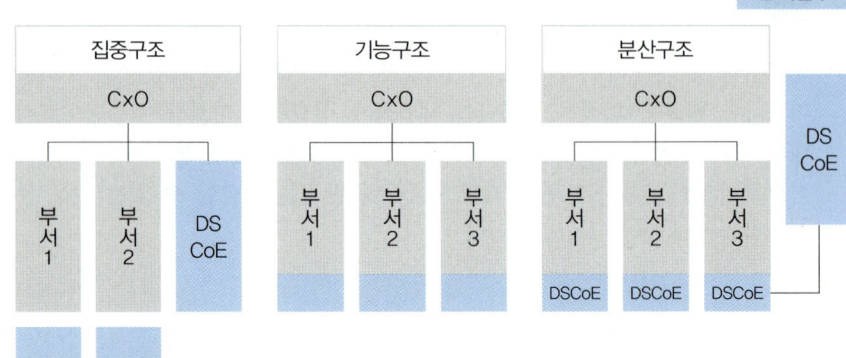

※ DSCoE : Data Science Center of Excellence

〈 분석 조직 구조 〉

다. 분석 조직의 인력구성

- 전문역량을 갖춘 각 분야의 인재들을 모아 조직을 구성하여 분석 조직의 경쟁력을 극대화 할 수 있다.

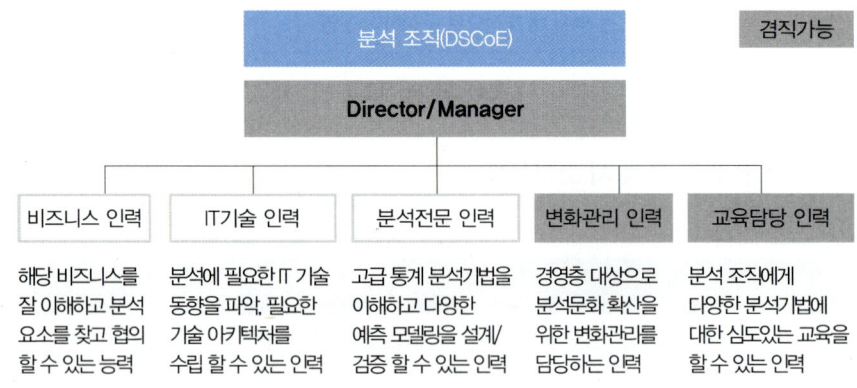

〈 분석 조직의 인력 구성 예시 〉

❻ 분석 과제 관리 프로세스 수립

1. 현황

- 분석 마스터 플랜이 수립되고 초기 데이터 분석 과제가 성공적으로 수행되는 경우, 지속적인 분석 니즈 및 기회가 분석 과제 형태로 도출될 수 있다. 이런 과정에서 분석 조직이 수행할 주요한 역할 중의 하나가 분석 과제의 기획 및 운영이므로 이를 체계적으로 관리하기 위한 프로세스를 수립해야 한다.

2. 과제 관리 프로세스

가. 과제 발굴

- 개별 조직이나 개인이 도출한 분석 아이디어를 발굴하고 이를 과제화하여 분석 과제 풀(Pool)로 관리하면서 분석 프로젝트를 선정하는 작업을 수행한다.

나. 과제 수행

- 분석을 수행할 팀을 구성하고 분석 과제 실행 시 지속적인 모니터링과 과제 결과를 공유하고 개선하는 절차를 수행한다.

비기의 학습팁

과제 후보(분석과제 후보제안 단계)와 과제 결과(결과 공유/개선 단계)는 Pool로 관리가 되며, 확정된 과제(분석과제 확정 단계)는 프로젝트 또는 포트폴리오로 관리가 됩니다.

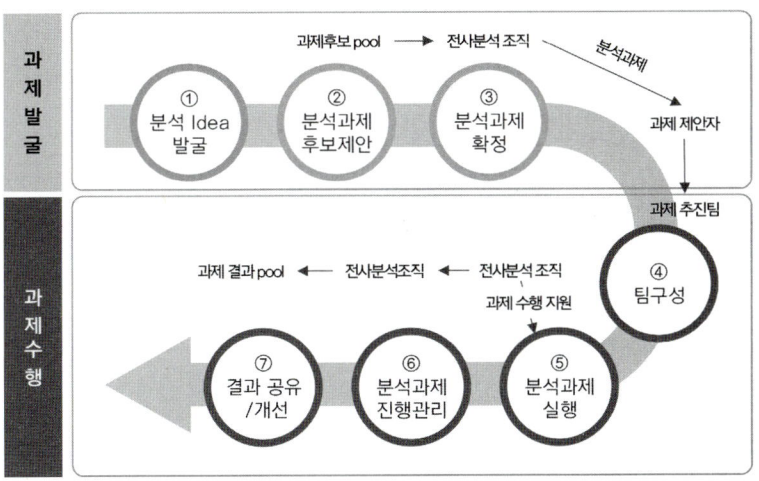

개념 ➕

Pool의 정의

분석과제 후보나 결과를 체계적으로 수집하고 저장해 관리하는 공유 저장소를 뜻합니다. 쉽게 말해, "한 곳에 모아두고 필요한 정보를 꺼내 사용할 수 있는 저장 공간"이라고 할 수 있습니다.

Pool은 과제의 흐름을 관리하고, 반복 활용하거나 개선할 때 유용하게 사용됩니다.

- 분석 조직이 지속적이고 체계적인 분석 관리 프로세스를 수행함으로써 조직 내 분석 문화 내재화 및 경쟁력을 확보할 수 있다.
- 해당 과제를 진행하면서 만들어진 시사점(Lesson Learned)을 포함한 결과물을 풀(Pool)에 잘 축적하고 관리함으로써 향후 유사한 분석과제 수행 시 시행착오를 최소화하고 프로젝트를 효율적으로 진행할 수 있다.

❼ 분석 교육 및 변화 관리

1. 개요

- 빅데이터의 등장으로 많은 비즈니스 영역에서 변화를 가져왔다. 이러한 변화에 보다 적극적으로 대응하기 위해서는 기업에 맞는 적합한 분석 업무를 도출하고, 가치를 높여줄 수 있도록 분석 조직 및 인력에 대한 지속적인 교육과 훈련을 실시하여야 한다. 또한 경영층이 사실 기반(Fact-Based) 의사결정을 할 수 있는 문화를 정착시키는 등 지속적인 변화관리를 계획하고 수행하여야 한다.

- 새로운 체계 도입 시에는 저항 및 기존 행태로 되돌아가려는 관성이 존재한다. 분석의 가치를 극대화하고 내재화하는 안정적인 추진기로 접어들기 위해서는 분석에 관련된 교육 및 마인드 육성을 위한 적극적인 변화 관리가 필요하다.

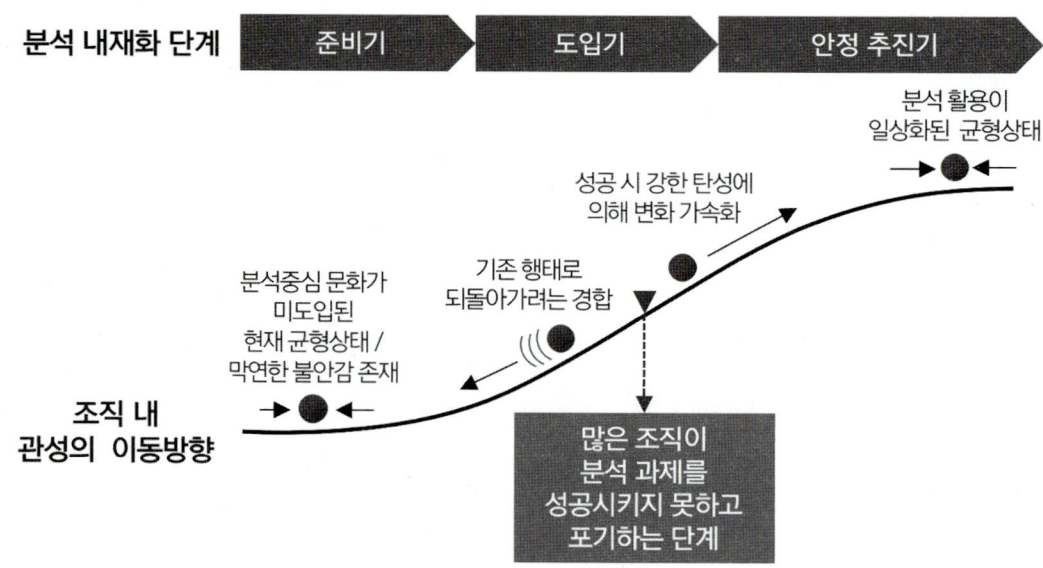

〈 분석 도입에 대한 문화적 대응 〉

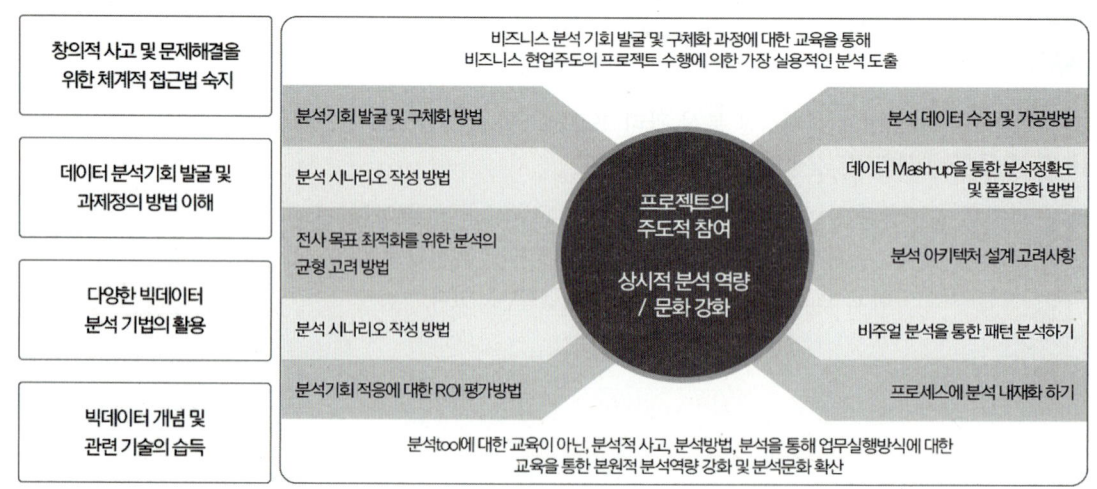

〈 데이터 분석 방법 및 분석적 사고 교육 〉

2. 분석 교육의 목표

- 단순한 툴 교육이 아닌 분석역량을 확보하고 강화하는 것에 초점을 맞추어 진행되어야 한다.

- 분석적인 사고를 업무에 적용할 수 있도록 다양한 교육을 통해 조직 구성원 모두에게 분석기반의 업무를 정착시키고 이를 통해 데이터를 바라보는 관점, 데이터 분석과 활용 등이 기업 문화로 자연스럽게 확대되어야 한다.

> **비기의 학습팁**
> ① 분석 기획자 : 데이터 분석 큐레이션 교육
> ② 분석 실무자 : 데이터 분석 기법 및 툴에 대한 교육
> ③ 업무 수행자 : 분석기회 발굴, 구체화, 시나리오 작성법 등

✅ 핵심 개념체크

✓25회 기출 출★★★★★ 난★★★☆☆

23. 다음 중 아래의 데이터 거버넌스 체계가 설명하는 항목은?

> 메타데이터 관리, 데이터 사전관리, 데이터 생명주기 관리

① 데이터 표준화　　　　② 데이터 관리 체계
③ 데이터 저장소 관리　　④ 표준화 활동

데이터 관리 체계에서 데이터 정합성 및 활용의 효율성을 위하여 표준 데이터를 포함한 메타 데이터(Meta Data)와 데이터 사전(Data Dictionary)의 관리 원칙을 수립한다. 데이터의 생명 주기 관리방안을 함께 수립하지 않으면 데이터 가용성 및 관리비용 증대 문제에 직면하게 될 수 있다.

✓37회 기출 출★★★★★ 난★★★☆☆

24. 기업의 데이터 분석 성숙도를 평가하고 진단하는 과정에서, 분석 성숙도를 측정할 수 있는 주요 기준들이 있다. 다음 중 가장 적절하지 않은 진단 대상은?

① IT 부문　　　　　② 비즈니스 부문
③ 조직·역량 부문　④ 서비스 부문

분석 성숙도 진단은 IT, 비즈니스, 조직·역량 부문에 중점을 두며, 서비스 부문은 성숙도 평가보다는 고객 서비스나 제품 관리에 중점을 둔다.

✓42회 기출 출★★★★★ 난★★★★★

25. 분석 성숙도 단계에서 분석 결과를 활용하고, 내재화하여 혁신 및 성과 향상에 기여하는 단계는 무엇인가?

① 도입 단계
② 활용 단계
③ 확산 단계
④ 최적화 단계

분석 성숙도 모델은 일반적으로 도입, 활용, 확산, 최적화의 4단계로 구성되어 있으며, 최적화 단계는 분석이 조직의 의사결정 및 프로세스에 깊이 통합되어 지속적인 개선과 혁신을 이끌어내는 가장 높은 수준의 단계이다. 따라서, 분석 결과를 조직 전반에 걸쳐 활용하고 내재화하여 궁극적으로 혁신 및 성과 향상에 기여하는 단계는 최적화 단계이다.

✓ 32회 기출 출★★★★★ 난★★★★☆
26. 다음 설명에 맞는 (㉠)에 들어갈 용어는 무엇인가?

> 분석적 기업으로 도약하기 위해서는 가장 먼저 조직의 분석(Analytics) 도입 여부 및 활용 수준에 대한 명확한 진단이 요구된다. 특히 분석 수준 진단 방법 중 조직의 분석 및 활용을 위한 역량 수준을 파악하기 위해 '도입 → (㉠) → 확산 → 최적화' 의 분석 성숙도(Maturity) 단계 포지셔닝을 파악한다.

① 실행 (Execution)
② 활용 (Utilization)
③ 평가 (Assessment)
④ 통합 (Integration)

분석 성숙도 단계는 일반적으로 도입 → 활용 → 확산 → 최적화의 순서를 따르며, 조직의 분석 역량을 단계별로 파악하는 데 사용된다. 실행, 평가, 통합은 다른 맥락에서 사용될 수 있는 용어이다.

✓ 30회 기출 출★★★★★ 난★★★★☆
27. 아래의 (a), (b), (c)에 들어갈 수 있는 단어가 아닌 것은?

> 데이터 거버넌스란 전사차원의 모든 데이터에 대하여 정책 및 지침, 표준화, 운용조직 및 책임 등의 표준화된 관리체계를 수립하고 운영을 위한 프레임워크 및 저장소를 구축하는 것을 말한다. 특히 (a), (b), (c)는 데이터 거버넌스의 중요한 관리 대상이다.

① 마스터 데이터
② 메타 데이터
③ 데이터 사전
④ 데이터 마트

데이터 거버넌스의 관리 대상은 마스터 데이터, 메타 데이터, 데이터 사전이다. 데이터 마트는 데이터 웨어하우스의 하위 집합으로, 특정 사용자 그룹이 관심을 갖는 데이터를 제공하기 위해 구성된 작은 규모의 데이터 저장소를 말한다.

✓ 30회 기출 출★★★★★ 난★★★☆☆
28. 다음 중 데이터 거버넌스를 구성하는 요소로 적합하지 않은 것은?

① 원칙(Principle)
② 조직(Organization)
③ 분석방법(Method)
④ 절차(Process)

데이터 거버넌스는 데이터 관리 원칙, 조직, 절차와 같은 요소로 구성되며, 분석방법은 데이터 거버넌스의 요소가 아니다.

✓ 32회 기출 출★★★★★ 난★★★☆☆
29. 다음 중 전사적 데이터 관리를 위해 정책, 지침, 표준화를 포함한 관리 체계를 수립하고 운영하는 것을 일컫는 용어는 무엇인가?

① 데이터 웨어하우스
② 데이터 마이닝
③ 데이터 마트
④ 데이터 거버넌스

데이터 거버넌스는 데이터 관리와 운영에 대한 정책, 지침, 표준화된 체계를 수립하고 운영하는 것을 말한다.

✓ 39회 기출 출★★★★★ 난★★★☆☆
30. 다음 중 데이터 분석을 위한 조직 구조로 가장 적절하지 않은 것은?

① 집중 구조
② 사업 구조
③ 분산 구조
④ 기능 구조

데이터 분석 조직 구조는 분석 업무를 별도의 분석전담 조직에서 담당하는 집중구조, 별도 조직 없이 각 부서에서 분석을 수행하는 기능 구조, 분석 조직이 존재하나 해당 인력들을 현업 부서로 직접 배치하여 업무를 수행하는 분산 구조가 있다.

✓ 39회 기출 출★★★★★ 난★★★★☆

31. 데이터 분석 과제를 효과적으로 관리하기 위해 단계별 프로세스를 설정한다. 다음 중 분석 과제 관리 과정에 대한 설명으로 부적절한 것은?

① 분석 아이디어 수집과 과제 후보군 제안은 초기 단계에서 이루어진다.
② 확정된 분석 과제는 풀(pool)로 관리한다.
③ 분석 수행 과정에서 도출된 주요 시사점은 지속적으로 저장하고 조직에 공유된다.
④ 실행 단계에서는 팀원 구성, 데이터 수집 및 처리, 결과 검토 프로세스가 포함된다.

분석 아이디어를 발굴하고 이를 과제화하여 분석 과제 풀로 관리하면서 분석 프로젝트를 선정하는 작업을 수행한다. 확정된 분석 과제는 과제 추진팀을 구성해서 분석과제를 실행하고, 확정되지 않은 분석 과제들은 지속적인 모니터링과 과제 결과를 공유하면서 개선하는 절차를 수행한다.

✓ 15회 기출 출★★★★★ 난★★★★☆

32. 빅데이터를 활용한 비즈니스는 기업에 많은 변화를 가져오고 있다. 다음 중 기업에서 이러한 변화를 수용하기 위한 중장기적 대응 방안으로 가장 거리가 먼 것은?

① 분석 조직 및 인력에 대한 교육과 훈련
② 데이터 기반의 의사결정문화 정착
③ 데이터 분석 도구 기반의 교육
④ 분석역량 강화를 위한 체계적인 계획 및 시행

장기적 대응 방안은 조직의 분석 역량 강화를 위한 체계적인 계획, 데이터 기반의 의사결정 문화 정착, 분석 조직 및 인력 교육 등이 포함된다. 반면, 데이터 분석 도구 기반의 교육은 단기적이고 도구 중심의 기술 교육에 그치며, 조직의 장기적 분석 역량 강화나 문화 변화와는 거리가 있다.

2과목
데이터 분석 기획

윤박사 분석

㈜데이터에듀가 보유하고 있는 전 회차(1회~47회)의 기출복원문제를 중심으로 최근 5년(2021~2025년)의 출제경향을 분석해서 가장 좋은 문제를 선별하여 예상문제 50개를 구성하였습니다.

실제 기출문제의 장별 출제 빈도는 〈1장 데이터 분석 기획의 이해〉이 54.5%, 〈2장 분석 마스터 플랜〉이 45.5%가 출제되지만 1과목이 더 다양한 문제가 출제되기 때문에 1장은 33문제, 2장은 17문제로 구성하였습니다.

2과목의 실제 난이도는 3등급을 중심으로 정규분포를 따르고 있고, 최근 2년간은 2등급과 4등급이 가장 높은 쌍봉분포를 따르고 있습니다. 이는 쉬운 문제와 어려운 문제가 양극화되는 추세입니다. 예상문제는 4등급(18문제), 3등급(9문제), 5등급(9문제), 2등급(9문제), 1등급(3문제) 순으로 배치하여 실제 난이도보다 약간 어렵게 문제를 구성하여 시험을 대비할 수 있도록 하였습니다.

2과목은 복잡한 이론을 이해하는 과목이 아닙니다. 다만 새로운 개념과 용어로 인해 어려움을 느낄 수 있습니다. 본문의 내용을 꼼꼼히 읽고 예상문제와 모의고사를 풀수 있다면 7문제는 맞출 수 있을 것입니다. 추가로 기출복원문제를 풀어보고 오답노트를 통해 틀린 문제를 복습하면서 10문제를 목표로 공부하시기 바랍니다.

✓ 33회 기출 출 ★★☆☆☆ 난 ★★★★☆

01 데이터 분석 기획 단계는 프로젝트를 체계적으로 준비하는 단계이다. 다음 중 데이터 분석 기획 단계에서 주요하게 다루지 않는 과제(Task)는?

① 분석 단계에서 발생 가능한 위험 요소 식별
② 프로젝트 정의 및 목표 수립
③ 프로젝트의 범위 설정
④ 분석을 위한 필요 데이터 정의

✓ 46회 기출 출 ★★★★☆ 난 ★★★★☆

02 분석 방법과 대상에 따른 유형 구분에 대한 설명으로 옳지 않은 것은 무엇인가?

① 분석 대상이 명확하고 분석 방법이 알려진 경우 최적화를 통한 문제 해결이 가능하다.
② 분석 대상이 불명확한 경우 통찰을 통해 새로운 패턴을 발견할 수 있다.
③ 분석 방법이 알려지지 않은 경우에도 대상이 명확하면 해결책을 찾는 것이 가능하다.
④ 분석 대상과 방법이 모두 불명확한 경우 발견을 통해 새로운 지식을 얻을 수 있다.

✓30회 기출 출★★★★★ 난★★☆☆☆

03 다음 중 "장기적인 마스터 플랜 방식"과 비교했을 때, "과제 중심적인 접근 방식"의 특징으로 적절하지 않은 것은?

① Quick-Win
② Accuracy & Deploy
③ Problem Solving
④ Speed & Test

✓38회 기출 출★★★★★ 난★★★☆☆

04 분석 기획 시 고려해야 할 사항으로 가장 적절한 것은?

① 분석 과제의 목표를 설정하고 데이터를 분석하여 의미 있는 결과를 도출해야 한다.
② 분석 기획 시 데이터의 확보 여부는 분석 목표 설정 이후에도 충분히 고려할 수 있다.
③ 기존에 활용 중인 분석 시나리오는 새로운 접근 방식을 위해 제외해야 한다.
④ 분석의 정확성보다는 비용 대비 효율성을 최우선으로 고려해야 한다.

✓39회 기출 출★★★★★ 난★★★★☆

05 프로젝트를 진행하는 과정에서 발생할 수 있는 위험을 관리하기 위해 여러 대응 방법이 사용된다. 다음 중 위험 대응 방법으로 적절하지 않은 것은?

① 전이(Transfer)
② 관리(Manage)
③ 완화(Mitigate)
④ 수용(Accept)

✓22회 기출 출★★★★★ 난★★★★★

06 다음 중 데이터 분석 방법론의 구성요소가 아닌 것은?

① 상세한 절차(Procedure)
② 방법(Methods)
③ 목적(Purpose)
④ 도구와 기법(Tools & Techniques)

✓ 42회 기출 출★★★★★ 난★★☆☆☆

07 상향식 분석 방법론으로 옳지 않은 것을 고르시오

① 문제 정의를 명확히 할 수 있을 때 사용한다.
② 데이터 기반으로 분석을 진행한다.
③ 부분에서 전체로 확장하는 접근 방식이다.
④ 하위 레벨의 데이터부터 탐색을 시작한다.

✓ 13회 기출 출★★★★☆ 난★☆☆☆☆

08 다음 중 기업에서 데이터에 기반한 의사결정을 방해하는 요소들로 구성된 것은?

① 바이어스, 비편향적 사고
② 프레이밍 효과, 고정관념
③ 프레이밍 효과, 직관력
④ 직관력, 비편향적 사고

✓ 44회 기출 출★★☆☆☆ 난★★★★★

09 다음 중 KDD 분석 방법론의 '데이터 전처리' 단계에서 수행되는 작업으로 보기 어려운 것은 무엇인가?

① 누락된 고객 연령 데이터를 평균값으로 대체하였다.
② 제품 카테고리 텍스트를 숫자로 변환하여 머신러닝에 적용하였다.
③ 클러스터링 알고리즘으로 고객군을 5개로 분류하였다.
④ 이상값으로 판단된 거래 건을 데이터셋에서 제외하였다.

✓ 34회 기출 출★★★☆☆ 난★★★★★

10 CRISP-DM은 데이터 마이닝 프로젝트를 위한 표준 프로세스 모델이다. 다음 설명 중 부적절한 것은?

① CRISP-DM의 각 단계는 순차적이지 않으며, 여러 단계 간에 반복적인 피드백이 가능하다.
② 데이터 준비 단계에서는 데이터 정제, 데이터 탐색, 데이터 셋 편성 등의 수행업무가 있다.
③ 모델링 단계에서는 다양한 알고리즘을 적용하여 모델을 학습시키고, 최적화하는 과정이 포함된다.
④ CRISP-DM은 계층적 프로세스 모델로써 4개의 레벨로 구성되며, 6단계의 프로세스를 가진다.

✓ 40회 기출 출★★★☆☆ 난★★★★☆

11 CRISP-DM 모델은 데이터 분석의 표준 프로세스이다. CRISP-DM 모델의 모델링 단계에서 수행하지 않는 작업은 무엇인가?

① 모델 선택

② 데이터 통합

③ 모델 평가

④ 모델 생성

✓ 20회 기출 출★★★★☆ 난★★☆☆☆

12 다음 중 빅데이터 분석 방법론의 분석 기획 단계에서 프로젝트 위험 대응 계획을 수립할 때 예상되는 위험에 대한 대응 방법의 구분으로 부적절한 것은?

① 회피(Avoid)

② 관리(Manage)

③ 완화(Mitigate)

④ 수용(Accept)

✓ 45회 기출 출★★★★☆ 난★☆☆☆☆

13 데이터 분석 기획 단계에서 고려해야 할 요소에 대한 설명으로 옳지 않은 것은 무엇인가?

① 분석 프로젝트에 맞는 적절한 유즈케이스를 찾고 활용한다.

② 최신 분석 기법은 프로젝트의 성패를 좌우하므로 무조건 사용할 수 있도록 준비한다.

③ 데이터의 유형에 따라 적용 가능한 솔루션과 분석 방법을 적용할 수 있도록 가용 데이터를 조사한다.

④ 일회성 분석으로 그치지 않도록 장애 요소들에 대한 사전 계획을 수립한다.

✓ 25회 기출 출★★★★☆ 난★★★★☆

14 다음 중 빅데이터 분석 방법론에서 단계 간 피드백이 반복적으로 많이 발생할 수 있는 단계는?

① 분석 기획 단계 → 데이터 준비 단계

② 데이터 준비 단계 → 데이터 분석 단계

③ 데이터 분석 단계 → 시스템 구현 단계

④ 시스템 구현 단계 → 평가와 전개 단계

✓ 26회 기출 출★★★★ 난★★★☆☆

15 다음 중 빅데이터 분석 방법론 중 시스템 구현에 대한 설명 중 가장 부적절한 것은?

① 시스템 구현 단계에는 설계 및 구현, 시스템 테스트 및 운영으로 이루어져 있다.
② 시스템 설계서를 바탕으로 BI 패키지를 활용하거나 새롭게 프로그램 코딩을 통하여 시스템을 구축한다.
③ 정보 보호 및 시스템 성능은 시스템 구현 단계에 해당되지 않는다.
④ 정보 보안 영역과 코딩은 시스템 구현 단계에서 주요 고려사항이다.

✓ 25회 기출 출★★★★ 난★★★☆☆

16 프로토타이핑(Prototyping) 접근법에 대한 설명으로 가장 적절한 것은?

① 문제가 정형화되어 있고 문제해결을 위한 데이터가 완벽하게 조직에 존재하는 경우 효과적이다.
② 신속하게 해결책이나 모형을 제시함으로써 이를 바탕으로 문제를 좀 더 명확하게 인식하고 필요한 데이터를 식별하여 구체화할 수 있게 하는 유용한 상향식 접근 방법이다.
③ 문제가 주어지고 이에 대한 해법을 찾기 위하여 각 과정이 체계적으로 단계화되어 수행하는 방식이다.
④ 문제 정의가 불명확하거나 이전에 접하지 못한 새로운 문제일 경우에는 적용하기 어렵다.

✓ 43회 기출 출★★★★ 난★★★☆☆

17 아래 보기에서 설명하는 분석 프로젝트 관리 영역으로 알맞은 것은?

> 프로젝트 목적성에 맞는 외부 소싱을 적절하게 운영할 필요가 있으며 특히, PoC 형태의 프로젝트는 인프라 구매가 아닌 클라우드 등의 다양한 방안을 검토할 필요가 있다.

① 조달관리 ② 통합관리
③ 범위관리 ④ 원가관리

✓ 15회 기출 출★★★★ 난★★★★★

18 데이터 분석에서는 하향식 접근 방식과 상향식 접근 방식으로 분석 과제를 발굴하게 되는데, 다음 중 하향식 접근 방식의 단계에서 타당성 평가에 대한 설명으로 가장 부적절한 것은?

① 도출된 분석 문제에 대한 대안을 과제화하기 위해서는 다각적 타당성 검토가 필요하다.
② 경제적 타당성은 비용대비 효익의 관점에서 평가한다.
③ 데이터 타당성 확보를 위하여 문제발생 포인트에 대한 데이터 확보가 중요하다.
④ 기술적 타당성 분석 시 적용 가능한 요소기술 확보 방안에 대한 사전 고려가 필요하다.

✓ 41회 기출 출 ★★★★★ 난 ★★☆☆☆

19 다음 중 데이터 분석에서 상향식(bottom-up) 접근 방식에 대한 설명으로 옳지 않은 것은 무엇인가?

① 하위 요소부터 분석을 시작하여 전체 구조나 패턴을 파악해 나가는 방식이다.
② 상향식 접근은 지도 학습 기법의 한 종류로, 주로 예측 모형을 학습시키는 데 사용된다.
③ 개별 데이터나 구체적인 사례를 기반으로 단계적으로 분석을 진행하며, 점차 일반적인 결론을 도출한다.
④ 하위 단계의 데이터를 먼저 탐색한 뒤 상위 수준의 인사이트나 모델을 구성한다.

✓ 30회 기출 출 ★★★★★ 난 ★★★☆☆

20 다음 중 하향식 접근법의 문제 탐색 단계에 대한 설명으로 틀린 것은?

① 과제 발굴단계에서는 세부적인 구현 및 솔루션에 중점을 둔다.
② 시장 니즈 탐색에서는 고객뿐만 아니라 구매에 영향을 미치는 다양한 요인을 분석하여 기회를 탐색한다.
③ 잠재적 경쟁자의 동향을 분석하여 향후 파괴적 혁신 가능성을 고려한 기회를 도출한다.
④ 메가트렌드를 분석할 때, 사회·기술·경제·환경·정치적 요인을 바탕으로 폭넓게 탐색한다.

✓ 34회 기출 출 ★★★★★ 난 ★★☆☆☆

21 하향식 데이터 분석기획에서 문제 탐색 단계를 효과적으로 수행하기 위해 필요한 설명 중 부적절한 것은?

① 문제를 명확히 정의하고 분석해야 하는 지점들을 구체화하는 것이 중요하다.
② 문제 해결의 결과로 얻을 수 있는 가치를 고려하여 접근하는 것이 필요하다.
③ 문제 탐색 단계에서는 기존 문제 해결 방식에 대한 검토도 중요하다.
④ 문제 탐색은 유스케이스 활용보다는 새로운 이슈 탐색이 우선이다.

✓ 14회 기출 출 ★★★★★ 난 ★★☆☆☆

22 다음 중 성공적인 분석을 위해서 고려해야 할 요소로 가장 부적절한 것은?

① 분석 데이터에 대한 고려
② 활용 가능한 유즈케이스 탐색
③ 원점에서 솔루션 탐색
④ 장애 요소에 대한 사전 계획 수립

✓ 26회 기출 출★★★★☆ 난★★★★☆

23 다음 중 분석 기회 발굴의 범위 확장시 경쟁자 확대 관점으로 보았을 때 포함되는 영역으로 가장 적절하지 않은 것은?

① 대체제
② 경쟁자
③ 경쟁 채널 모델
④ 신규 진입자

✓ 25회 기출 출★★★★☆ 난★★★★☆

24 다음 중 분석 기회 발굴의 범위 확장 방법에 관한 설명으로 부적절한 것은?

① 거시적 관점의 메가트렌드에서는 현재의 조직 및 해당 산업에 폭넓게 영향을 미치는 사회·경제적 요인을 사회·기술·경제·환경·정치 영역으로 나누어서 좀 더 폭넓게 기회 탐색을 수행한다.
② 경쟁자 확대 관점에서는 현재 수행하고 있는 사업 영역의 직접 경쟁사 및 제품, 서비스를 중심으로 현 상황에 대한 분석 기회 발굴의 폭을 넓혀서 탐색한다.
③ 시장의 니즈 탐색 관점에서는 현재 수행하고 있는 사업에서의 직접 고객뿐만 아니라 고객과 접촉하는 역할을 수행하는 채널 및 고객의 구매와 의사결정에 영향을 미치는 영향자들에 대한 폭넓은 관점을 바탕으로 분석 기회를 탐색한다.
④ 역량의 재해석 관점에서는 현재 해당 조직 및 기업이 보유한 역량뿐만 아니라 해당 조직의 비즈니스에 영향을 끼치는 파트너 네트워크를 포함한 활용 가능한 역량을 토대로 폭넓은 분석 기회를 탐색한다.

✓ 31회 기출 출★★★★☆ 난★★★☆☆

25 아래 (   )안에 들어갈 용어로 적절한 것은?

> 현재의 비즈니스 모델 및 유사/동종사례 탐색을 통해서 빠짐없이 도출한 분석 기회들을 구체적인 과제로 만들기 전에 (   )로 표기하는 것이 필요하다. 풀어야 할 문제에 대한 상세 설명 및 해당 문제 해결했을 때 발생하는 효과를 명시함으로써 향후 데이터 분석 문제로의 전환 및 적합성 평가에 (   )를 활용하도록 한다.

① 분석 과제 정의서
② 분석 유즈 케이스
③ 분석 주제 풀(POOL)
④ 프로젝트 계획서

✓14회 기출 출★★★★☆ 난★★★★★

26 비즈니스 모델 캔버스의 채널(Channels)에 대한 기능으로 가장 부적절한 것은?

① 고객과의 상호작용을 원활하게 할 수 있는 챗봇을 제공한다.
② 고객에게 밸류 프로포지션을 전달한다.
③ 구매 고객에 대한 애프터 서비스(A/S)를 제공한다.
④ 기업이 제공하는 상품이나 서비스에 대한 고객의 이해를 높여준다.

✓33회 기출 출★★★★★ 난★★☆☆☆

27 상향식 접근법(Bottom Up Approach)은 다양한 데이터를 활용하여 문제를 도출하는 방식이다. 다음 중 상향식 접근법에 대한 설명으로 부적절한 것은?

① 명확한 문제 정의가 어려운 상황에서 활용된다.
② 여러 데이터 원천을 분석하여 의미 있는 문제를 발견하는 과정이다.
③ 주로 지도 학습(Supervised Learning) 방식을 활용한다.
④ 복잡한 환경에서 발생하는 문제 해결에도 적합하다.

✓35회 기출 출★★★★★ 난★★★★★

28 분석 과제 발굴의 상향식 접근법에서 프로세스 분석을 통한 절차로 가장 적절한 것은?

① 분석 요건 정의 → 분석 요건 식별 → 프로세스 분류 → 프로세스 흐름 분석
② 분석 요건 식별 → 프로세스 흐름 분석 → 프로세스 분류 → 분석 요건 정의
③ 프로세스 흐름 분석 → 프로세스 분류 → 분석 요건 정의 → 분석 요건 식별
④ 프로세스 분류 → 프로세스 흐름 분석 → 분석 요건 식별 → 분석 요건 정의

✓ 34회 기출 출★★★★☆ 난★★★★☆

29 데이터 분석 과제를 관리하기 위한 주요 영역에 대한 설명 중 올바른 것을 고르시오.

> 가) 분석 과제 관리를 위한 핵심 영역에는 데이터의 크기(Size), 복잡성(Complexity), 처리 속도(Speed), 분석 복잡성(Analytic Complexity), 그리고 정확도 및 정밀도(Accuracy & Precision)가 포함된다.
> 나) Accuracy는 모델과 실제 값 사이의 차이가 적다는 정확도를 의미하고 Precision은 모델을 지속적으로 반복했을 때의 편차의 수준으로써 일관적으로 동일한 결과를 제시한다는 것을 의미한다.
> 다) 분석의 활용적인 측면에서는 Precision이 중요하며, 안정성 측면에서는 Accuracy가 중요하다.
> 라) 모델의 정확도와 복잡성은 상호 보완적이지 않으며, 두 요소 사이에는 균형을 맞추기 위한 트레이드 오프(Trade-off)가 존재한다.

① 가
② 가, 나
③ 가, 나, 다
④ 가, 나, 라

✓ 37회 기출 출★★★★★ 난★★★☆☆

30 데이터 분석에서 정확도(Accuracy)와 정밀도(Precision)에 대한 설명으로 가장 적절하지 않은 것은?

① 정확도(Accuracy)는 모델의 예측값이 실제 값과 가까울수록 높은 값을 가진다.
② 정밀도(Precision)는 모델이 반복 수행될 때 결과의 변동성이 적고 일관성이 높을수록 높은 값을 가진다.
③ 정밀도는 안정성이 요구되는 특정 상황에서, 정확도보다 더 중요한 지표로 작용할 수 있다.
④ 정밀도와 정확도는 일반적으로 비례 관계를 가지며, 정확도가 높으면 정밀도도 높아진다.

✓ 39회 기출 출★★★★☆ 난★★★☆☆

31 분석 프로젝트 영역별 주요 관리 항목이 아닌 것은?

① 품질
② 시간
③ 가격
④ 자원

✓ 21회 기출 출★★★☆☆ 난★★★★★

32 다음 중 분석 프로젝트 관리에 대한 설명으로 가장 부적절한 것은?

① 데이터 분석 모델의 품질을 평가하기 위해서 SPICE를 활용할 수 있다.
② 분석 프로젝트 관리는 KSA ISO 21500:2013를 가이드로 활용할 수 있다.
③ 분석 프로젝트의 일정계획 수립 시 데이터 수집에 대한 철저한 통제와 관리가 필요하다.
④ 분석 프로젝트의 최종 산출물이 보고서인지 또는 시스템인지에 따라 프로젝트 관리에 차이가 있다.

✓ 42회 기출 출★★★★☆ 난★★★☆☆

33 분석 과제의 시급성이 높은 경우 가장 먼저 고려해야 할 요소는 무엇인가?

① 전략적 중요도
② 비용 절감 효과
③ 기술적 가능성
④ 인적 자원 확보

✓ 17회 기출 출★★★★★ 난★★★★☆

34 분석 마스터 플랜에 대한 설명으로 가장 부적절한 것은?

① 과제 우선순위 평가는 비즈니스 효과인 시급성과 투자비용 요소인 난이도에 근거하여 결정된다.
② 분석 마스터 플랜은 분석 과제 도출, 우선순위 결정, 중장기 마스터 플랜 수립과제 도출 순으로 된다.
③ 과제별 데이터 분석 체계는 폭포수 방식도 있으나 반복적인 정련과정을 통하여 과제의 완성도를 높이는 방식으로 많이 사용한다.
④ 분석 과제 로드맵은 과제의 우선순위를 고려하여 작성하되 과제별 선후 관계를 감안하여 반복이 없는 계획을 작성한다.

✓ 31회 기출 출★★★★★ 난★★★★☆

35 다음 ( ) 안에 공통적으로 들어갈 용어는?

> 기업 및 공공기관에서는 시스템의 중장기 로드맵을 정의하기 위한 (   )을(를) 수행한다. (   )은(는) 정보기술 또는 정보시스템을 전략적으로 활용하기 위하여 조직 내·외부 환경을 분석하여 기회나 문제점을 도출하고 사용자의 요구사항을 분석하여 시스템 구축 우선순위를 결정하는 등 중장기 마스터 플랜을 수립하는 절차이다.

① 정보시스템 개발   ② IT 전략 수립
③ 시스템 설계   ④ 비즈니스 분석

✓ 41회 기출 출★★★★★ 난★★★★★

36 데이터 분석 로드맵의 유효성 검증 단계에 해당하는 것은 무엇인가?

① 시스템 평가   ② 요구 사항 분석
③ 품질 검토   ④ 파일럿 테스트

✓ 23회 기출 출★★★☆☆ 난★★☆☆☆

37 다음 빅데이터의 특징 중 투자비용 요소 또는 난이도를 평가하는 요소가 아닌 것은?

① Volume   ② Variety
③ Value   ④ Velocity

✓ 33회 기출 출★★★★☆ 난★★★☆☆

38 아래는 분석 과제 우선순위 선정 매트릭스를 표로 나타낸 것이다. 분석 과제의 적용 우선순위를 난이도를 기준으로 결정할 때, 가장 적절한 순서를 고르시오.

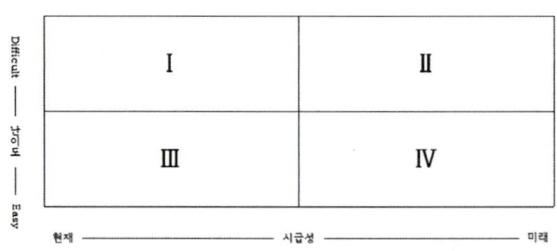

① Ⅲ – Ⅱ – Ⅰ   ② Ⅲ – Ⅳ – Ⅱ
③ Ⅲ – Ⅱ – Ⅳ   ④ Ⅲ – Ⅰ – Ⅱ

39 다음 중 난이도와 시급성을 고려하였을 때 우선적으로 추진해야 하는 분석 과제로 적절한 것은?

① 난이도 : 쉬움(Easy), 시급성 : 현재
② 난이도 : 어려움(Difficult), 시급성 : 미래
③ 난이도 : 쉬움(Easy), 시급성 : 미래
④ 난이도 : 어려움(Difficult), 시급성 : 현재

40 데이터 표준화에 대한 설명으로 올바른 것은?

① 데이터 표준화는 상호 검증이 가능하도록 점검 프로세스를 포함해야 한다.
② 표준화 활동은 한 번 설정되면 변경할 필요가 없으며, 지속적인 모니터링이 필요하지 않다.
③ 데이터 저장소 관리에서는 시스템과 분리된 독립적인 저장소만을 운영해야 한다.
④ 데이터 표준화는 데이터의 정확성과 완성도를 유지하기 위해 특정 언어로만 명명 규칙을 설정해야 한다.

41 분석 성숙도에 대한 설명으로 가장 적절하지 않은 것은?

① 유사 업종, 경쟁사와의 비교 분석을 도입한다.
② 조직의 분석 역량을 진단한다.
③ 성숙도 평가를 위해 CMMI(Capability Maturity Model Integration)를 활용한다.
④ 분석 시스템의 효율성을 평가한다.

42 데이터 분석 준비도(Readiness)를 평가하기 위해 기업의 분석 업무 파악 영역을 확인한다. 다음 중 데이터 분석 준비도 프레임워크의 분석 업무 파악 영역에 포함되지 않는 것은?

① 예측 분석 업무
② 업무별 적합한 분석 기법
③ 발생한 사실 분석 업무
④ 분석 업무 정기적 개선

✓ 43회 기출 출 ★★★★★ 난 ★★★★☆

43 데이터 분석 성숙도 모델에 대한 내용 중 옳은 설명은 무엇인가?

① 조직 및 인력과 분석 업무 및 기법이 준비되어 있다.
② 성숙도 모델은 모든 조직이 동일한 수준의 성숙도를 가지고 있음을 가정한다.
③ 성숙도 모델의 단계는 순차적으로 올라가는 것이 필수적이다.
④ 성숙도 모델은 분석 기술의 활용도보다 조직의 규모에 더 큰 영향을 받는다.

✓ 38회 기출 출 ★★★★★ 난 ★★★★☆

44 기업의 데이터 분석 수준을 진단하는 과정에서 기업에 필요한 6가지 분석 구성요소를 갖추고 있고, 현재 부분적으로 도입되어 지속적인 확산이 필요한 기업들의 분석 수준을 포트폴리오 사분면으로 정의한다면 어디에 해당하는가?

① 준비형 기업
② 도입형 기업
③ 정착형 기업
④ 확산형 기업

✓ 23회 기출 출 ★★★★★ 난 ★★★★☆

45 아래의 내용 중 빅데이터 거버넌스에 대한 설명으로 가장 적절한 것은?

> ㉠ 빅데이터 분석은 다양한 데이터를 활용하기 위하여 회사 내 모든 데이터를 활용해야 한다.
> ㉡ ERD는 운영 중인 데이터베이스와 일치하기 위하여 철저한 변경관리가 필요하다.
> ㉢ 빅데이터 거버넌스는 산업분야별, 데이터 유형별, 정보 거버넌스 요소별로 구분하여 작성한다.
> ㉣ 빅데이터 분석은 고품질의 데이터 확보가 필요하므로 데이터 수명 주기 관리보다는 품질관리가 중요하다.

① ㉠, ㉡
② ㉢, ㉣
③ ㉡, ㉢
④ ㉠, ㉣

✓ 39회 기출 출 ★★★★★ 난 ★★★★☆

46 데이터 거버넌스는 조직 내 데이터를 효과적으로 관리하기 위한 체계이다. 다음 중 데이터 거버넌스의 구성 요소에 포함되지 않는 것은?

① 원칙(Principle)
② 프로세스(Process)
③ 분석 방법(Method)
④ 조직(Organization)

✓ 32회 기출　출 ★★★★★　난 ★★★☆☆

47 다음 중 데이터 표준화의 주요 활동으로 가장 적절한 것은 무엇인가?

① 데이터 정합성을 위한 표준 데이터 품질 검증

② 데이터 표준 용어 설정 및 명명 규칙 수립

③ 데이터 수집 및 변환 절차 수립

④ 데이터 거버넌스 준수 여부 모니터링

✓ 31회 기출　출 ★★★★☆　난 ★★★★☆

48 데이터 분석 조직의 구성 방식에는 다양한 유형이 있다. 다음 중, 분석 조직이 각 부서별로 특화된 기능적 분석을 담당하며, 부서 중심으로 분석을 실행하는 방식을 무엇이라 하는가?

① 기능형　　② 분산형

③ 혼합형　　④ 중앙 집중형

✓ 31회 기출　출 ★★★★★　난 ★★★★☆

49 아래에서 설명하는 조직구조는 무엇인가?

> 분석 조직 인력들을 현업부서로 직접 배치하여 분석 업무를 수행하고 전사차원의 우선순위 수행이 가능하며, 분석 결과에 따른 신속한 액션이 가능한 구조이다.

① 집중구조　　② 분산구조

③ 기능구조　　④ 복합구조

✓ 13회 기출　출 ★★★☆☆　난 ★★★★☆

50 다음 중 분석 과제 관리 프로세스에 대한 설명으로 가장 부적절한 것은?

① 과제 발굴 단계에는 분석 아이디어 발굴, 분석 과제 후보제안, 분석 과제 확정 프로세스가 있다.

② 분석 과제로 확정된 분석 과제를 풀(Pool)로 관리한다.

③ 분석 과제 중에 발생된 시사점과 분석 결과물은 풀(Pool)로 관리하고 공유된다.

④ 과제 수행 단계에서는 팀 구성, 분석 과제 실행, 분석 과제 진행관리, 결과 공유 프로세스가 있다.

2과목 | 데이터 분석 기획
정답 및 해설

01	④	11	②	21	④	31	③	41	①
02	②	12	②	22	③	32	①	42	②
03	②	13	②	23	③	33	①	43	①
04	①	14	②	24	②	34	④	44	④
05	②	15	③	25	②	35	②	45	③
06	③	16	②	26	①	36	④	46	②
07	①	17	①	27	③	37	③	47	②
08	②	18	③	28	④	38	④	48	①
09	③	19	②	29	④	39	①	49	②
10	②	20	①	30	④	40	①	50	②

01. 데이터 분석 기획 단계에서는 프로젝트의 목표와 범위를 설정하고, 발생 가능한 위험 요소를 식별하는 작업이 포함되지만, 분석에 필요한 데이터 정의는 데이터 준비 단계에서 다뤄지는 과제이다. (**정답 : ④**)

02. 분석 유형은 분석 대상과 방법의 명확성에 따라 네 가지로 분류되며, 분석 대상이 명확하고 방법이 알려진 경우는 '최적화', 대상은 명확하나 방법이 불명확한 경우는 '솔루션', 대상과 방법이 모두 불명확한 경우는 '발견'으로 새로운 지식을 얻지만, '통찰'은 분석 대상이 명확하지 않은 경우 '새로운 패턴'을 직접 찾아내는 과정이라기보다는 기존 방법으로 새로운 분석을 시도하는 단계이다. (**정답 : ②**)

03. 과제 중심적인 접근 방식은 특정 문제를 신속히 해결하고, 결과를 빠르게 테스트하며, 효율성을 높이는 단기적 접근을 주로 사용한다. 이러한 방식은 Quick-Win, 문제 해결 및 속도와 테스트에 중점이 맞춰져 있다. 반면, 장기적인 데이터 분석 역량 강화는 정확성과 배포를 중시하는 장기적 마스터 플랜 방식의 특징이다. 따라서 장기적인 데이터 분석 역량 강화를 목표로 한다는 2번 선지는 과제 중심적 접근 방식의 특징으로 적절하지 않다. (**정답 : ②**)

04. 분석 기획의 핵심은 명확한 목표 설정과 데이터를 통해 의미 있는 결과를 도출하는 것이다. 데이터 확보 여부는 목표 설정 이전에 확인해야 하며 기존 분석 시나리오도 새로운 접근을 위해 완전히 배제해서는 안 된다. 또한 정확성과 비용 대비 효율성은 균형 있게 고려해야 한다. (**정답 : ①**)

05. 위험 대응 방법에는 전가(Transfer), 감소(Reduce), 수용(Accept) 등이 포함된다. 전가는 위험을 외부에 맡기고, 감소는 위험을 최소화하며, 수용은 위험을 감수하는 방법이다. 그러나 관리는 위험을 구체적으로 대응하는 방법과 명확하게 구분되지 않으므로 부적절하다. (**정답 : ②**)

06. 데이터 분석 방법론은 상세한 절차(Procedure), 방법(Methods), 도구와 기법(Tools & Techniques) 등으로 구성된다. 그러나 목적(Purpose)은 분석 방법론의 목표나 방향성을 나타내는 개념일 뿐 구성요소로 보기 어렵다. (정답 : ③)

07. 상향식 분석 방법론은 데이터에서 출발하여 패턴·통찰을 발견하고, 이를 통해 문제를 정의하거나 해결 방향을 도출하는 방식으로, 문제 정의가 명확하지 않을 때 적용하는 방법이다. 따라서, 문제 정의가 명확할 때 사용하는 것은 주로 하향식(Top-Down) 분석의 특징이므로, 상향식 분석 방법론에 대한 설명으로 옳지 않다. (정답 : ①)

08. 프레이밍 효과는 정보의 제시 방식에 따라 의사결정이 영향을 받는 현상이고, 고정관념은 편향된 사고로 인해 데이터 분석의 결과를 왜곡할 수 있다. 반면 직관력과 비편향적 사고는 데이터 기반 의사결정에 긍정적인 영향을 미친다.

(정답 : ②)

09. KDD(Knowledge Discovery in Databases) 분석 방법론은 데이터베이스에서 지식을 발견하는 일련의 과정으로, 일반적으로 데이터 셋 선택 → 전처리 → 변환 → 데이터 마이닝 → 평가 및 해석의 단계로 진행된다. 이 중 데이터 전처리 단계는 분석의 효율성을 높이기 위해 데이터의 품질을 개선하는 작업으로, 데이터 정제(결측치, 이상치 처리) 및 데이터 통합 등을 포함한다. 반면, 클러스터링 알고리즘을 사용하여 고객군을 분류하는 것은 숨겨진 패턴을 발견하는 데이터 마이닝 단계에서 수행되는 핵심 작업이다. 따라서 클러스터링은 데이터 전처리 단계의 작업으로 보기 어렵다. (정답 : ③)

10. CRISP-DM의 데이터 준비 단계에서는 데이터 정제와 데이터 셋 편성이 포함되지만 데이터 탐색은 데이터 이해 단계에 해당되는 작업이다. 나머지 설명들은 CRISP-DM의 6단계 프로세스와 4레벨 구조에 부합한다. (정답 : ②)

11. CRISP-DM(Cross Industry Standard Process for Data Mining) 모델은 데이터 마이닝의 표준 프로세스로, 업무 이해 → 데이터 이해 → 데이터 준비 → 모델링 → 평가 → 전개의 6단계로 구성되어 있다. 이 중 모델링 단계에서는 분석 목표에 맞는 모델을 선택하고, 데이터를 사용하여 모델을 생성(학습)하며, 모델 학습이 완료된 후 모델을 평가하는 작업이 핵심이다. 반면, 데이터 통합은 여러 소스의 데이터를 하나로 합치는 작업으로, 데이터 준비 단계에서 수행되는 작업이다.

(정답 : ②)

12. 프로젝트 위험 대응 계획의 주요 방법은 회피(Avoid), 전이(Transfer), 완화(Mitigate), 수용(Accept) 등이 포함된다. 전이는 위험을 외부에 맡기고, 완화는 위험을 최소화하며, 수용은 위험을 감수하는 방법이다. 그러나 관리는 구체적인 위험 대응 방법에 해당하지 않으므로 부적절하다. (정답 : ②)

13. 데이터 분석 기획 단계에서는 문제 정의, 유즈케이스 설정, 가용 데이터 조사, 실행 가능성 검토, 지속 운영 방안 등 현실적이고 목적에 맞는 분석 기획이 핵심이다. 최신 기법을 무조건 적용하는 것은 분석 기획의 원칙에 맞지 않으며 오히려 프로젝트 실패 위험을 높일 수 있다. (정답 : ②)

14. 데이터 준비 단계와 데이터 분석 단계는 상호 밀접한 관계가 있으며, 데이터의 이상치나 결측치 발견 시 데이터 준비로 되돌아가는 반복적인 피드백이 자주 발생한다. 다른 단계는 상대적으로 순차적이거나 반복 피드백이 적다. (정답 : ②)

15. 시스템 구현 단계에서는 설계 및 구현, 시스템 테스트 및 운영이 포함되며, 정보 보호(보안)와 시스템 성능은 매우 중요한 고려사항이다. (정답 : ③)

16. 프로토타이핑은 문제가 불명확하거나 새로운 상황에서 초기 모델을 신속히 만들어 이를 기반으로 문제를 구체화하는 접근법이다. 단계적으로 수행되는 방식은 폭포수 모델의 특징이며, 완벽하게 조직된 데이터가 필요한 상황은 프로토타이핑과 거리가 있다. (정답 : ②)

17. 문제에서 설명하는 내용은 외부 소싱과 클라우드 등의 다양한 방안을 검토하는 것으로, 이는 프로젝트에서 자원과 서비스를 외부로부터 확보하고 관리하는 조달관리에 해당한다. 통합관리는 프로젝트 요소들을 조율하고 관리하는 데 중점을 두며, 범위관리는 프로젝트의 목표와 결과물을 정의하는 과정에 관련된다. 원가관리는 비용의 계획 및 통제를 다루며, 문제의 설명과는 관련이 없다. (정답 : ①)

18. 타당성 평가에서는 경제적 타당성, 기술적 타당성 등을 검토하며 비용 대비 효익과 기술적 문제 해결 방안을 고려해야 한다. 문제발생 포인트에 대한 데이터 확보는 데이터 준비 단계의 업무로 타당성 평가와는 직접 관련이 적다. (정답 : ③)

19. 상향식 접근 방식은 구체적인 데이터나 하위 요소에서 출발해 점차 전체 구조나 패턴을 유추해가는 분석 방식이다. 이는 비지도 학습이나 탐색적 분석(EDA)과 밀접하게 관련되며, 명확한 정답(label)이 있는 지도 학습과는 구분된다. (정답 : ②)

20. 하향식 접근법의 문제 탐색 단계에서는 전체적인 관점에서 문제를 정의하고 기회를 탐색하는 데 초점을 맞춘다. 과제 발굴 단계에서는 세부적인 구현 및 솔루션에 중점을 두기보다는 문제를 정의하고 분석할 기회를 찾는 것이 핵심이다. 나머지 선택지는 시장 니즈, 경쟁자 동향, 메가트렌드 분석을 통해 문제를 탐색하는 하향식 접근법의 특징을 잘 설명하고 있다. (정답 : ①)

21. 하향식 데이터 분석기획의 문제 탐색 단계에서는 새로운 이슈를 발굴하는 것도 중요하지만, 유즈케이스(Use Case) 활용을 배제하기보다는 기존 사례를 참고하여 기회를 탐색하는 것도 중요한 과정이다. 유즈케이스는 문제를 구체화하고 해결 가능성을 평가하는 데 유용하기 때문에 이를 활용하지 않는다는 설명은 부적절하다. 나머지 선택지들은 문제 정의, 결과 가치 고려, 기존 문제 해결 방식 검토 등 문제 탐색 단계에서 필수적인 요소를 잘 설명하고 있다. (정답 : ④)

22. 원점에서 솔루션 탐색은 분석 기획 단계에서 데이터 기반의 접근보다는 막연하게 문제 해결을 탐색하는 개념으로, 효율적이지 않다. 분석 데이터에 대한 고려는 데이터의 정확도와 신뢰성을 확보하는 핵심이며, 활용 가능한 유즈케이스 탐색은 성공 사례를 기반으로 분석의 방향을 설정하는 중요한 작업이다. 장애 요소에 대한 사전 계획 수립은 분석 과정 중 발생할 리스크를 최소화하기 위해 꼭 필요하다. (정답 : ③)

23. 경쟁자 확대 관점은 기존의 경쟁사를 포함해 대체제, 신규 진입자, 파괴적 혁신을 일으킬 수 있는 요소들을 분석 범위에 포함시킨다. 대체제는 다른 제품이나 서비스로 고객의 선택을 대체하는 요소이며, 신규 진입자는 새롭게 시장에 참여하는 경쟁 세력이다. 하지만 '경쟁 채널 모델'은 채널 자체를 분석하는 개념으로, 경쟁자 확대 관점과는 직접적으로 관련이 없다. (정답 : ③)

24. 빅데이터 분석 기회 발굴의 범위를 넓히기 위해 다양한 방법론이 활용된다. 거시적 관점에서는 사회·기술·경제·환경·정치적 메가트렌드를 탐색하고, 시장 니즈 탐색 관점에서는 고객뿐 아니라 구매 결정에 영향을 주는 채널과 영향자도 고려해야 한다. 역량 재해석 관점은 기업의 내부 역량뿐 아니라 파트너 네트워크를 포함하여 분석 기회를 찾는 것이다. 그러나 경쟁자 확대 관점에서 현 상황에 대한 직접 경쟁사와 제품에만 국한하는 것은 분석 범위를 좁히는 것으로 설명이 부적절하다. (정답 : ②)

25. 분석 기회를 과제로 전환하기 전에 분석 유즈 케이스를 작성하는 것은 문제를 해결할 구체적인 방안을 명확히 기술하고, 기대 효과를 평가하는 작업이다. 분석 과제 정의서와 프로젝트 계획서는 각각 과제의 세부적인 정의와 실행 계획 수립 시 활용되지만, 분석 기회를 평가하는 단계에서는 유즈 케이스를 작성하는 것이 적합하다. 분석 주제 풀은 여러 주제를 나열하는 개념이므로 상세한 과제화 단계와는 거리가 있다. (정답 : ②)

26. 비즈니스 모델 캔버스의 채널(Channels)은 고객에게 가치를 전달하고 상품이나 서비스에 대한 이해를 높이는 수단이다. 또한 구매 후에도 고객에게 A/S 등 추가 지원을 제공하는 역할을 한다. 그러나 '고객과의 상호작용을 원활하게 하기 위한 도구'는 고객관계(Customer Relationships)에 해당된다. (정답 : ①)

27. 상향식 접근법은 명확한 문제 정의가 어려운 상황에서 데이터를 기반으로 문제를 도출하는 방식이다. 이는 다양한 데이터 원천을 분석해 의미 있는 인사이트를 찾는 데 중점을 둔다. 특히 비지도 학습(Unsupervised Learning) 방식이 자주 사용되며, 복잡하고 불명확한 환경에서도 유용하다. 그러나 지도 학습은 주어진 라벨 데이터를 학습하는 방식으로, 상향식 접근법의 특성과는 부합하지 않는다. (정답 : ③)

28. 상향식 접근법에서 프로세스 분석을 통한 절차는 먼저 전체 프로세스를 분류한 후, 이를 기반으로 프로세스 흐름을 분석하고 분석 요건을 식별한 뒤 정의하는 것이 적절하다. 분석 요건 정의가 초기 단계에 오면 문제의 정확한 요건을 식별하기 어렵다. (정답 : ④)

29. 데이터 분석 과제 관리 영역에서는 데이터의 크기, 복잡성, 처리 속도 등이 중요하게 다뤄진다. 또한 분석 모델은 데이터 품질과 분석 목표에 맞게 선정되어야 하며, 정확도와 모델의 복잡성 사이의 트레이드 오프도 고려해야 한다. 또한 분석의 활용적인 측면에서는 정확도가 중요하며, 안정성 측면에서는 정밀도가 중요하다. 다) 보기는 적절하지 않다.

(정답 : ④)

30. 정확도(Accuracy)와 정밀도(Precision)는 일반적으로 트레이드 오프(Trade off) 관계를 가진다. 트레이드 오프 관계란 한 가지 목표를 최적화하려고 할 때 다른 목표를 일정 부분 희생해야 하는 관계를 의미한다. 정확도와 정밀도는 특정 조건에서는 비례할 수도 있지만, 항상 비례 관계를 가지지는 않으며, 조정을 통해 균형을 맞출 수 있다. (정답 : ④)

31. 분석 프로젝트의 주요 관리 항목은 품질, 시간, 자원으로 나뉜다. 품질은 프로젝트의 성과와 결과를 평가하며, 시간은 프로젝트 일정을 계획하고 관리하는 요소이다. 자원은 인력 및 데이터 등 분석에 필요한 자원을 의미한다. 하지만 가격은 일반적으로 프로젝트 관리 항목에 포함되지 않는다. (정답 : ③)

32. SPICE는 소프트웨어 프로세스 개선과 평가 모델로서, 데이터 분석 모델의 품질 평가와는 직접적으로 관련이 없다. 데이터 분석 모델의 품질은 모델의 성능과 정확도를 기반으로 평가되며, KSA ISO 21500:2013 등 프로젝트 관리 표준 가이드가 주로 활용된다. (정답 : ①)

33. 분석 과제의 우선순위를 결정할 때, 시급성이 높다는 것은 해당 과제가 현재의 위험을 해소하거나 긴급한 기회를 포착하는 등 즉각적인 대응이 필요함을 의미한다. 따라서 시급성이 높은 경우 가장 먼저 고려해야 할 요소는 이 과제를 수행함으로써 조직의 핵심 목표 달성이나 경쟁 우위에 얼마나 큰 영향을 미치는지 판단하는 전략적 중요도이다. 기술적 가능성이나 비용 효율성보다 과제의 본질적인 가치와 영향력이 우선시된다. (정답 : ①)

34. 분석 마스터 플랜은 분석 과제를 도출하고 우선순위를 평가한 후 중장기 계획을 수립하는 과정이다. 이 과정에서는 폭포수 모델과 같은 일괄적 방식보다는 반복적 정련 방식을 통해 과제의 완성도를 높이는 것이 중요하다. 하지만 로드맵은 상황에 따라 과제를 반복적으로 수행해야 할 수 있으므로, 반복이 없는 계획 작성은 적절하지 않다. (**정답** : ④)

35. 기업이나 공공기관에서는 중장기 로드맵을 정의하기 위해 IT 전략 수립을 수행한다. 이는 정보기술 또는 정보시스템을 전략적으로 활용하기 위해 내부·외부 환경을 분석하고 우선순위를 결정하여 중장기 마스터 플랜을 수립하는 절차이다. 정보시스템 개발, 시스템 설계, 비즈니스 분석은 세부 실행 단계에 가깝다. (**정답** : ②)

36. 데이터 분석 로드맵의 유효성 검증 단계에서는 설계된 분석 모델이나 솔루션의 실제 적용 가능성을 평가하기 위해 파일럿 테스트를 진행한다. 이는 작은 규모에서 모델을 적용해 보고, 예상 결과와 실제 결과를 비교함으로써 모델의 성능과 적합성을 검증하는 과정이다. (**정답** : ④)

37. Value는 분석 후 기대되는 비즈니스 효과 요소(Return)에 해당되며, 투자비용 요소(Investmetn)가 아니다. ROI 관점에서는 비즈니스 효과 요소로 분류되며, 기업이 분석 과제를 수행할 시급성을 결정하는 기준이 될 수 있다. (**정답** : ③)

38. 난이도가 어렵지 않아 우선적으로 적용할 수 있으며, 시급성이 높은 III번 과제를 가장 먼저 수행해야 한다. 반면, 난이도가 높은 II번 과제는 현재 시점에서 중요도가 상대적으로 낮으므로 가장 마지막에 수행하는 것이 적절하다. 이때, 난이도를 기준으로 우선순위를 결정할 경우, III번과 II번 과제 사이에서 시급하면서도 난이도가 높은 I번 과제를 수행해야 한다. 따라서, 정답은 4번이다. (**정답** : ④)

39. 과제의 우선순위를 평가할 때 가장 먼저 추진해야 하는 과제는 난이도가 낮고 시급성이 높은 과제이다. 이는 빠르게 가시적인 성과를 만들어낼 수 있어 효율적이기 때문이다. 반면 난이도가 높거나 시급성이 낮은 과제는 후순위로 밀리게 된다. (**정답** : ①)

40. 데이터 표준화는 조직 내 모든 데이터 요소에 대해 통일된 기준을 적용하여 데이터의 일관성, 정확성, 상호 운용성을 확보하는 활동이다. 이러한 표준의 실효성을 보장하기 위해서는 표준 준수 여부를 지속적으로 확인하고 오류를 수정할 수 있는 점검 및 검증 프로세스가 반드시 포함되어야 한다. 나머지 선택지들은 데이터 표준화의 특성에 부합하지 않는 설명이다. (**정답** : ①)

41. 분석 성숙도는 조직 내부의 분석 역량과 시스템 수준을 진단하고 평가하는 과정이다. 이를 위해 CMMI(Capability Maturity Model Integration)이나 AMM(Analytics Maturity Model)같은 프레임워크를 활용하며, 분석 시스템의 효율성을 평가하기도 한다. 하지만 유사 업종이나 경쟁사와의 비교 분석은 성숙도 평가의 핵심 요소가 아니다. (**정답** : ①)

42. 데이터 분석 준비도(Readiness)는 기업이 분석을 수행할 준비가 되었는지를 평가하는 프레임워크로, 분석 업무를 파악하는 데 중점을 둔다. 발생한 사실 분석, 예측 분석, 문제 해결을 위한 분석과 같은 주요 업무가 포함된다. 하지만 업무별 적합한 분석 기법은 분석 기술에 대한 내용이지, 분석 준비도의 업무 파악 영역에 포함되지는 않는다. (**정답** : ②)

43. 데이터 분석 성숙도 모델은 조직 및 인력과 분석 업무 및 기법이 준비되어 있다는 것을 전제로 한다. 이는 성숙도가 높은 조직일수록 분석 업무와 기법이 잘 정립되어 있다는 의미이다. 성숙도 모델은 모든 조직이 동일한 수준을 가진다고 가정하지 않으며, 단계가 반드시 순차적으로 올라가야 하는 것도 아니다. 또한, 성숙도 모델은 분석 기술의 활용도가 중요한 요소이지, 조직의 규모에 더 큰 영향을 받지 않는다. (**정답** : ①)

44. 기업의 분석 수준을 진단하는 과정에서 확산형 기업은 분석 구성요소를 갖추고 있지만 아직 부분적으로만 도입된 상태로, 지속적인 확대와 정착이 필요한 상태를 의미한다. 준비형 기업은 분석 요소 도입을 시작하는 단계이고, 도입형 기업은 초기 단계를 넘어선 상태이며, 정착형 기업은 분석이 제한적으로 이루어지고 있어 1차적으로 정착이 필요한 상태를 의미한다. (**정답** : ④)

45. 빅데이터 거버넌스는 데이터의 체계적 관리와 품질 보증을 위해 필요한 활동을 규정한다. ERD의 철저한 변경관리는 데이터 구조의 일관성을 유지하기 위해 필요하고, 산업 분야나 데이터 유형에 따라 거버넌스를 구분하여 관리하는 것도 적절하다. 하지만 모든 데이터를 활용해야 한다는 표현은 불필요한 데이터까지 포함할 수 있기 때문에 부적절하다.

(**정답** : ③)

46. 데이터 거버넌스는 원칙(Principle), 조직(Organization), 프로세스(Process)의 요소를 포함한다. 원칙은 데이터를 유지하고 관리하기 위한 지침과 가이드를 의미하며, 조직은 데이터를 관리할 조직의 역할과 책임을 표현하며, 프로세스는 데이터 관리를 위한 활동과 체계를 의미한다. 반면, 분석 방법(Method)은 데이터 분석 기술과 관련된 것으로, 데이터 거버넌스의 구성 요소에는 포함되지 않는다. (**정답** : ③)

47. 데이터 표준화의 핵심 활동은 데이터 표준 용어 설정, 명명 규칙 수립, 메타데이터 정의 등을 포함한다. 이러한 활동을 통해 데이터의 일관성을 확보하고 시스템 간의 호환성을 높이는 것이 목적이다. 반면, 데이터 정합성 검증이나 데이터 수집은 표준화 활동의 범위를 벗어난다. (**정답** : ②)

48. 기능형은 각 부서의 기능적 특성을 기반으로 분석을 수행하며, 부서별로 전문화된 분석을 담당하는 조직 구성 방식이다. 이 방식은 각 부서의 특성에 맞춘 효과적인 분석을 가능하게 하지만, 부서 간 협력이 부족할 수 있는 단점이 있다.

(**정답** : ①)

49. 분석 조직 인력들을 현업부서로 직접 배치하여 분석 업무를 수행하고 전사차원의 우선순위 수행이 가능하며, 분석 결과에 따른 신속한 액션이 가능한 구조는 분산구조이다. 분산구조는 또한 베스트 프랙티스 공유가 좋은 장점이 있지만, 부서 분석 업무의 역할 분담을 명확히 하지 않으면 업무과다 이원화 가능성이 존재하는 단점도 있다. (**정답** : ②)

50. 분석 과제로 확정된 과제는 프로젝트 또는 포트폴리오로 관리되며, 수행 과정에서 도출된 시사점과 분석 결과는 Pool(풀)에 축적되어 향후 분석 활동과 개선을 위한 자료로 활용된다. (**정답** : ②)

PART 03 데이터 분석

출제 분포와 난이도 분석

장	절	출제 (2021년~2025년)			출제 (2024년)			출제 (2025년)			출제난이도		
		문항수	분포(절)	분포(장)	문항수	분포(절)	분포(장)	문항수	분포(절)	분포(장)	2024	2025	2021~2025
1장 2장 3장	1.1절	9	20.5%	1.5%	0		0.0%	1	33.3%	0.8%		3.0	3.3
	2.1절	2	4.5%	1.3%	1	7.7%	1.7%	0		0.0%	4.0		4.0
	2.2절	0			0			0					
	2.3절	6	13.6%		1	7.7%		0					3.4
	3.1절	9	20.5%	4.5%	2	15.4%	9.2%	1	33.3%	1.7%	4.0	4.0	2.8
	3.2절	18	40.9%		9	69.2%		1	33.3%		3.6	3.0	3.0
4장	1절	60	21.2%	47.1%	15	26.3%	47.5%	11	17.2%	53.3%	3.1	3.2	3.3
	2절	78	27.6%		16	28.1%		22	34.4%		3.5	3.5	3.2
	3절	72	25.4%		15	26.3%		17	26.6%		3.5	3.6	3.6
	4절	39	13.8%		7	12.3%		8	12.5%		3.7	3.6	3.6
	5절	7	2.5%		2	3.5%		2	3.1%		3.5	3.5	3.7
	6절	27	9.5%		2	3.5%		4	6.3%		3.0	4.5	3.4
5장	1절	52	19.0%	45.6%	6	12.0%	41.7%	6	11.3%	44.2%	3.8	3.0	3.5
	2절	24	8.8%		8	16.0%		5	9.4%		3.9	3.8	3.5
	3절	20	7.3%		6	12.0%		3	5.6%		3.7	4.0	3.5
	4절	28	10.2%		6	12.0%		4	7.5%		3.0	4.0	3.2
	5절	31	11.3%		6	12.0%		8	15.0%		3.7	3.8	3.5
	6절	73	26.6%		12	24.0%		17	32.0%		3.5	4.1	3.4
	7절	46	16.8%		6	12.0%		10	18.8%		4.2	4.1	3.6
											3.6	3.7	3.4

최근 5년간(2021년~2025년) 3과목의 출제 분포를 분석해 보면, 4장은 47.1%, 5장은 45.6% 그리고 3장은 4.5%가 출제되었습니다. 단답형문제가 없어진 2024년 이후 4장의 비율은 2024년에는 47.5%로 비슷하게 유지하였으나 2025년에는 53.3%로 증가하였습니다. 상대적으로 1장, 2장, 3장의 문제는 더 줄어들고 있는 추세입니다. 특히 4장에서는 4.2절, 4.3절, 4.1절 순으로 많이 출제되고, 5장은 5.6절, 5.7절, 5.1절 순으로 많이 출제 되고 있습니다.

최근 5년간(2021년~2025년) 3과목의 난이도는 평균 3.4등급이며 4등급을 중심으로 정규분포 형태를 보이는 것을 "ADsP 파헤치기"에서 확인한 바 있습니다. 다만 최근 2024년, 2025년 시험에서는 난이도가 더 높아져서 3.6등급, 3.7등급으로 더 어렵게 출제되고 있습니다. 특히 5장은 알고리즘의 정의와 장단점을 간단히 묻는 문제가 더 복잡하고 상세한 부분까지 묻는 경향으로 어려워지고 있습니다.

결과적으로 3과목은 4장과 5장을 집중해서 공부하는 것이 바람직하고 4장은 기본 개념부터 시작해서 회귀분석, 시계열분석, 주성분분석까지 확대되기 때문에 4.1절부터 순서대로 합격마법노트와 교재 본문을 천천히 읽은 후 이해가 힘들면, QR을 통해 이론정복강의를 들으면서 기초를 다지는 것이 중요합니다. 5장도 1절부터 점점 난이도가 높아지기 때문에 순서대로 학습하는 것이 좋습니다. 다만, 학습시간이 부족할 경우, 문제가 많이 나오는 5.1절, 5.6절, 5.7절부터 학습하고 5.2절, 5.3절, 5.4절, 5.5절 순으로 공부하시기 바랍니다. 데이터에듀PT를 통해 문제를 많이 풀어 보고 보면서 공부하시기 바랍니다. AI 비기봇 해설과 쇼츠 동영상으로 틀린 문제를 확인하고 오답노트에서 틀린 문제를 반복해서 풀어 보는 방법으로 학습해 나가는 것이 효과적입니다.

학습 전략

3과목 데이터 분석은 총 5장으로 구성되어 있으며 총 30문제가 출제됩니다. 특히 4장 통계분석과 5장 정형데이터마이닝은 각각 47.1%, 45.6%를 차지하고 있으며, 매 회마다 각각 13문제 이상이 출제되고 있어 본 시험에서 가장 중요한 부분입니다.

- **1장** 데이터 분석 개요에서는 〈탐색적자료분석〉이 2025년에 1문제 출제되었고, 그 외 영역은 거의 출제되지 않았습니다. 최근에는 출제 빈도가 매우 낮으므로 기본 개념과 분석 기법의 개요만 학습하시면 충분합니다.
- **2장** R 프로그래밍은 최근 5년간 총 8문제가 출제되었지만, 2024년 이후 거의 출제되지 않았으며 2025년에는 한 문제도 출제되지 않았습니다. 따라서 이 영역은 부담 없이 다른 파트를 중심으로 학습하시면 되겠습니다.
- **3장** 데이터 마트에서는 〈결측값〉, 〈이상값〉관련 문제가 매년 1회 이상 꾸준히 출제되고 있습니다. 기본적인 암기와 상자수염그림(Boxplot) 개념을 명확히 이해하면 충분히 해결할 수 있습니다.
- **4장** 통계분석에서 1장은 〈통계자료의 획득 방법〉, 〈확률 및 확률분포〉, 2장은 〈추정과 가설 검정〉, 〈기술통계〉, 3장은 〈상관분석〉, 〈회귀분석 개요〉, 〈다중선형 회귀분석〉 그리고 〈회귀분석 결과 해석〉이 매 시험마다 1,2문제가 출제되고 있습니다. 4절에서는 〈시계열모형〉, 〈시계열 자료와 정상성〉이 매 시험마다 출제되고 있고, 5절에서는 〈다차원척도법〉의 개념을 묻는 문제와 6절에서는 〈주성분분석〉의 개념과 〈주성분의 선택법〉이 매 시험에 출제되고 있습니다.
- **5장** 정형데이터마이닝에서는 4장 통계분석과 마찬가지로 모든 절이 중요하고 출제 빈도가 높습니다. 특히 〈군집분석〉은 매 시험마다 4~5문제가 출제될 정도로 비중이 매우 높기 때문에 개념 정리가 아주 중요합니다. 또한 〈연관분석〉은 개념과 특장점뿐 아니라 지지도, 신뢰도, 향상도를 계산하는 문제가 매 시험마다 출제되므로 반드시 깊이 있게 학습하시는게 좋습니다.

단원별 TOP 출제 키워드

1장
EDA

2장
R

3장
데이터마트
파생변수
이상값
결측값
데이터 탐색

4장
표본조사
추론통계
확률
이산형 확률변수
연속형 확률변수
정규분포
기술통계
가설검정
중심극한정리
교차분석
분산분석
실험계획법
비모수검정
상관분석
회귀분석
단순선형회귀
다중선형회귀
정규화회귀
시계열 분석
ARIMA모형
다차원척도법
주성분분석

5장
데이터마이닝
지도학습
비지도학습
오분류표
과대적합
F1스코어
분류분석
예측분석
로지스틱회귀분석
k-최근접이웃법
서포트벡터
의사결정나무
가지치기
지니지수
앙상블
랜덤포레스트
인공신경망
활성화함수
군집분석
계층적군집
k-평균군집
혼합분포군집
SOM
실루엣계수
연관규칙측도
Apriori

챕터 구성
어떤 것을 학습하게 될지 살펴보자!

| 1장 | 데이터 분석 개요 | – 데이터 분석 기법의 이해 |

| 2장 | R 프로그래밍 기초 | – R 기초
– 입력과 출력
– 데이터 타입과 구조 |

| 3장 | 데이터 마트 | – 데이터 변경 및 요약
– 데이터 탐색 |

| 4장 | 통계 분석 | – 통계분석의 이해   – 시계열 분석
– 기초 통계분석   – 다차원척도법
– 회귀 분석   – 주성분 분석 |

| 5장 | 정형 데이터 마이닝 | – 데이터 마이닝의 개요   – 인공신경망분석
– 의사결정나무   – 군집분석
– 앙상블   – 연관분석 |

PART 03 데이터 분석

1장 데이터 분석 개요

8 DAY

○ 학습 목표

- 데이터 처리 프로세스를 이해한다.
- 데이터 분석 기법 중 시각화를 이해한다.
- 데이터 분석 기법 중 공간분석을 이해한다.
- 데이터 분석 기법 중 탐색적 자료 분석을 이해한다.

○ 눈높이 체크

✓ 데이터 분석을 위한 데이터 마트를 어떻게 만들까요?

대기업에서는 데이터 분석을 위해 데이터웨어하우스(DW)나 데이터 마트(DM)에서 데이터를 추출해 옵니다. 또한 운영시스템에서 데이터를 추출하여 분석용 데이터를 구성하게 됩니다. 데이터 추출이 가능한 기업 내 여러 시스템의 명칭과 프로세스를 이해하면, 보다 효과적으로 분석 데이터 마트를 구성할 수 있습니다.

✓ 데이터 분석 방법 중 시각화를 들어보셨나요?

데이터 시각화는 데이터를 도표나 그림으로 한눈에 분석내용을 인지할 수 있는 데이터 분석기법으로 가장 낮은 수준의 분석이지만 복잡한 분석보다 더 효율적으로 인사이트를 얻을 수 있습니다. 그래서 빅데이터 분석에서는 필수적인 분석 방법으로 활용되고 있습니다.

✓ 데이터 분석 방법 중 공간분석을 들어보셨나요?

공간분석은 공간적 차원과 관련된 속성을 지도 위에 시각화하여 인사이트를 얻는 방법으로 여러 분야에서 활용되고 있습니다.

✓ 데이터 분석 방법 중 탐색적 자료분석을 들어보셨나요?

탐색적 자료분석은 다양한 차원과 값을 조합해 특이한 점이나 의미있는 사실을 도출하는 분석으로 변수의 특징과 변수들 간의 관계를 탐색하는 분석 방법입니다.

1절 1장 데이터 분석 개요

데이터 분석 기법의 이해

 이론 정복 강의

출제빈도 F2 난이도 D4

 #EDA #데이터마이닝 #데이터전처리 #시각화기법 #텍스트마이닝

> **비기의 학습팁**
>
> 분석용 데이터셋을 만들기 위해 어떤 데이터를 활용할 것인지, 어떻게 하면 더 효과적으로 정제되고 안정적인 데이터셋을 가져와 데이터 마트를 구성할 수 있을지 그림으로 전반적인 프로세스를 이해하도록 합니다.

❶ 데이터 처리

1. 개요

- 데이터 분석은 통계에 기반을 두고 있지만, 통계지식과 복잡한 가정이 상대적으로 적은 실용적인 분야이다.

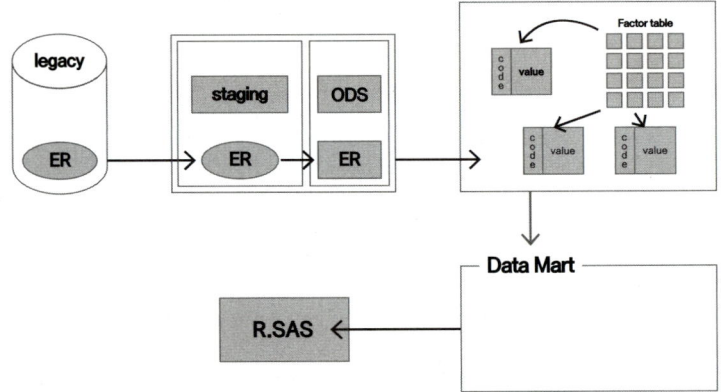

2. 활용

- 대기업은 데이터 웨어하우스(DW)와 데이터 마트(DM)를 통해 분석 데이터를 가져와서 사용한다.
- 신규 시스템이나 DW에 포함되지 못한 자료의 경우, **기존 운영시스템(Legacy)** 이나 **스테이징 영역(Staging Area)과 ODS(Operational Data Store)** 에서 데이터를 가져와서 DW에서 가져온 내용과 결합하여 활용할 수 있다.
- 하지만 운영시스템에 직접 접근해 데이터를 활용하는 것은 매우 위험한 일이므로 거의 이루어지지 않고 있으며, 스테이징 영역(Staging Area)의 데이터는 운영시스템에서 임시로 저장된 데이터이기 때문에 가급적이면 클렌징 영역인 ODS에서 데이터의 전처리를 해서 DW나 DM과 결합하여 활용하는 것이 가장 이상적이다.

> **개념 +**
>
> **비정형 데이터와 관계형 데이터 처리**
>
> 비정형 데이터는 NoSQL 데이터베이스 또는 데이터 레이크에 저장되었다가 전처리를 거쳐 분석용 데이터로 전환되며, 관계형 데이터는 RDBMS에서 저장된 후 분석용 데이터로 전환하여 분석 결과를 데이터 마트와 통합하여 활용됩니다.

3. 최종 데이터 구조로 가공

- 데이터 마이닝 분류 : 분류값과 입력변수들을 연관시켜 인구통계, 요약변수, 파생변수 등을 산출한다.
- 정형화된 패턴 처리 : 비정형 데이터나 소셜 데이터는 정형화한 패턴으로 처리해야 한다.

❷ 시각화 (시각화 그래프)

- 시각화는 가장 낮은 수준의 분석이지만 잘 사용하면 **복잡한 분석보다도 더 효율적**이다.
- 대용량 데이터를 다루는 빅데이터 분석에서 **시각화는 필수**이며, 탐색적 분석을 할 때 시각화는 필수적이다.
- SNA 분석(사회연결망 분석)을 할 때 자주 활용된다.

> **비기의 학습팁**
> 시각화는 데이터 탐색을 위해 사용되기도 하지만 시각화만으로도 인사이트와 결과 도출을 수행하는 등 분석 그 자체의 역할도 수행합니다.

❸ 공간분석 (GIS)

- 공간분석(Spatial Analysis)은 공간적 차원과 **관련된 속성들을 시각화**하는 분석이다.
- 지도 위에 관련 속성들을 생성하고 **크기, 모양, 선 굵기 등으로 구분**하여 인사이트를 얻는다.

> **개념 +**
> **공간분석**
> 공간분석은 지리적 데이터의 공간적 관계를 이해하는데 가장 좋은 분석 방법입니다. 현재에는 도시 계획이나 환경 과학, 공공 건강 등 다양한 분야에서 활용되고 있습니다.

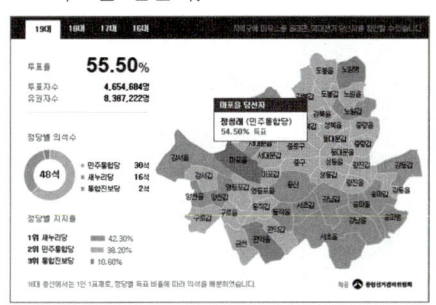

〈출처 : http://media.daum.net/2012g_election/district/11/〉

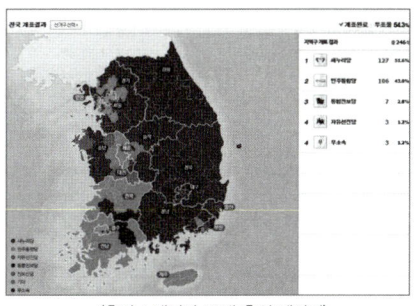

〈출처 : 네이버 19대 총선 페이지〉

> **비기의 학습팁**
>
> 탐색적 자료 분석은 데이터 분석에서 반드시 수행해야하는 필수 과정입니다. 데이터의 이해를 통해 분석 전 초기 통찰을 얻거나 분석 과정에서 가정이나 문제점을 발견하는 데 목적을 가지고 있습니다.

❹ 탐색적 자료 분석 (EDA)

1. 개요

- 탐색적 분석은 다양한 차원과 값을 조합해가며 **특이한 점이나 의미 있는 사실을 도출하고 분석의 최종 목적을 달성해가는 과정**으로 데이터의 특징과 내재하는 **구조적 관계**를 알아내기 위한 기법들의 통칭이다. 프린스톤 대학의 튜키교수가 1977년 저서를 발표함으로 EDA가 등장한다.

2. EDA의 4가지 주제

- 저항성의 강조, 잔차 계산, 자료변수의 재표현, 그래프를 통한 현시성

3. 탐색적 분석의 효율 예

- 2과목 모형개발 프로세스(KDD, CRISP-DM 등)에서 언급한 바와 같이 데이터이해 단계(변수의 분포와 특성 파악)와 변수생성 단계(분석목적에 맞는 주요한 요약 및 파생변수 생성) 그리고 변수선택 단계(목적변수에 의미있는 후보 변수 선택)에서 활용되고 있다.

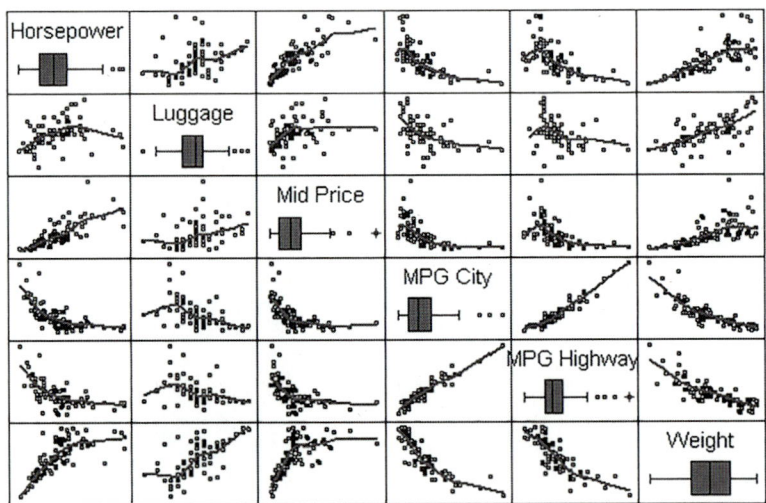

> **개념 ➕**
>
> **산점도 행렬**
>
> - 산점도 행렬은 여러 변수 간의 관계를 시각적으로 확인할 수 있는 다변량 시각화 방법입니다.
> - 각 변수 쌍에 대한 산점도를 행렬 형태로 배열하여 변수 간의 상관관계와 패턴을 쉽게 이해할 수 있습니다.
> - 대각선 셀은 일반적으로 각 변수(1개)의 변수명만 표현하거나 각 변수의 분포를 표현합니다. 예를 들어 1행 1열은 Horsepower의 상자그림을 통해 분포를 확인할 수 있습니다.
> - 대각선을 제외한 셀은 한 쌍(2개의 변수)들 간의 산점도를 표현합니다. 예를 들어 오른쪽 그림에서 1행의 2~6열은 Horsepower와 Luggage의 산점도, Horsepower와 Mid Price의 산점도 등을 의미합니다.

❺ 통계분석

> **비기의 학습팁**
>
> 3장에서 다시 다룰 예정이므로 간단히 이해하고 넘어갑시다.

1. 통계

- 어떤 현상을 종합적으로 한눈에 알아보기 쉽게 일정한 체계에 따라 숫자와 표, 그림의 형태로 나타내는 것이다.

2. 기술통계 (Descriptive Statistics)

- 모집단으로부터 표본을 추출하고 **표본이 가지고 있는 정보를 쉽게 파악**할 수 있도록 데이터를 정리하거나 요약하기 위해 하나의 숫자 또는 그래프의 형태로 표현하는 절차이다.

3. 추측(추론)통계(Inferential Statistics)

- 모집단으로부터 추출된 **표본의 표본통계량으로부터 모집단의 특성인 모수에 관해 통계적으로 추론**하는 절차이다.

4. 활용분야

- 정부의 경제정책 수립과 평가의 근거자료로 활용(통계청의 실업률, 고용률, 물가지수)
- 농업(가뭄, 수해 또는 병충해 등에 강한 품종의 개발 및 개량)
- 의학(의학적 치료 방법의 효과나 신약 개발을 위한 임상실험의 결과 분석)
- 경영(제품 개발, 품질관리, 시장조사, 영업관리 등에 활용)
- 스포츠(선수들의 체질향상 및 개선, 경기 분석과 전략분석, 선수평가와 기용 등)

❻ 데이터마이닝

1. 개요

- 대표적인 고급 데이터 분석법으로 **대용량의 자료**로부터 정보를 요약하고 미래에 대한 예측을 목표로 자료에 존재하는 **관계, 패턴, 규칙 등을 탐색**하고 이를 모형화함으로써 이전에 알려지지 않은 **유용한 지식을 추출**하는 분석 방법이다.

> **비기의 학습팁**
> 5장에서 다시 다룰 예정이므로 간단히 이해하고 넘어갑시다.

2. 방법론

- **데이터베이스**에서의 지식탐색 : 데이터웨어하우스에서 데이터마트를 생성하면서 각 데이터들의 속성을 사전분석을 통해 지식을 얻는 방법이다.
- **기계학습**(Machine Learning) : 인공지능의 한 분야로, 컴퓨터가 학습할 수 있도록 알고리즘과 기술을 개발하는 분야로 **인공신경망, 의사결정나무, 클러스터링, 베이지안 분류, SVM 등**이 있다.

- **패턴인식**(Pattern Recognition) : 원자료를 이용해서 사전지식과 패턴에서 추출된 통계 정보를 기반으로 자료 또는 패턴을 분류하는 방법으로 **장바구니분석, 연관규칙 등**이 있다.

3. 활용분야

- 데이터베이스 마케팅(방대한 고객의 행동정보를 활용해 목표 마케팅, 고객세분화, 장바구니 분석, 추천시스템 등)
- 신용평가 및 조기경보시스템(금융기관에서 신용카드 발급, 보험, 대출 발생시 업무에 적용)
- 생물정보학(세포의 수많은 유전자를 분석하여 질병의 진단과 치료법 또는 신약 개발)
- 텍스트마이닝(전자우편, SNS 등 디지털 텍스트 정보를 통해 고객성향분석, 감성분석, 사회관계망분석 등)

> **개념 ➕**
>
> **최근 시각화 기법의 발전**
> - 최근 시각화의 활용이 높아지면서 시각화 기법은 데이터의 복잡성을 효과적으로 전달하고, 사용자가 데이터를 이해하고 분석하는 데 도움을 주는 다양한 형태로 발전하고 있습니다.
> - 예 인터랙티브 시각화(대시보드 등), 3D 시각화(3D 산점도 등), 애니메이션 시각화(동적 맵 등), 네트워크 시각화, 히트맵, 자연어 시각화 등

✅ 핵심 개념체크

✔18회 기출 출★★★★★ 난★★★☆☆

1. 아래의 그림은 데이터 처리 구조를 나타내고 있다. 그림에 대한 설명으로 잘못된 것은?

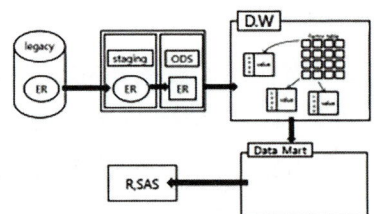

① 데이터를 분석에 활용하기 위해 데이터 웨어하우스와 데이터 마트에서 데이터를 가져 온다.
② 신규시스템이나 DW에 포함되지 않은 데이터는 기존 운영시스템(Legacy)에서 직접 데이터를 DW와 전처리 없이 바로 결합하면 된다.
③ ODS는 운영데이터저장소로 기존 운영시스템의 데이터가 정제된 데이터이므로 DW나 DM과 결합하여 분석에 활용할 수 있다.
④ 스테이징 영역에서 가져온 데이터는 정제되어 있지 않기 때문에 데이터를 전처리해서 DW나 DM과 결합하여 사용한다.

> 데이터 웨어하우스(DW)와 데이터 마트(DM)는 데이터를 분석에 활용하기 위해 사용하는 저장소이고 ODS는 운영 데이터 저장소로 DW나 DM과 결합하여 분석에 활용할 수 있다. 스테이징 영역의 데이터는 정제되지 않은 원시 데이터로, DW나 DM과 결합하기 전에 반드시 전처리 과정을 거쳐야 한다. 하지만 기존 운영시스템(Legacy)의 데이터는 일반적으로 정제되지 않아 DW로 전처리 없이 바로 결합하는 것은 부적절하다.

✓ 19회 기출 출★★★★★ 난★★★☆☆

2. 최근 시각화 기법의 활용이 높아지면서 데이터의 특성을 파악하는데 많은 기여를 하고 있다. 다음 중 최근의 시각화의 발전된 형태가 아닌 것은?

① 텍스트 마이닝에서의 워드 클라우드를 통한 그래프화
② SNA(Social Network Analysis)에서 집단의 특성과 관계를 그래프화
③ 통계소프트웨어의 기초통계정보를 엑셀에서 그래프화
④ Polygon, Heatmap, Mosaic Graph 등의 그래프 작업

통계소프트웨어의 기초통계정보를 엑셀에서 그래프화하는 방법은 최근 발전된 시각화 기법이 아닌 과거의 단순한 시각화 방법이다. 워드 클라우드, SNA 그래프, Polygon/Heatmap 등은 현대적인 시각화 기법으로 활용된다.

✓ 9회 기출 출★★★★★ 난★★★☆☆

3. 데이터가 가지고 있는 특성을 파악하기 위해 해당 변수의 분포 등을 시각화하여 분석하는 분석방식은 무엇인가?

① 전처리분석
② 탐색적자료분석(EDA)
③ 공간분석
④ 다변량분석

EDA는 데이터의 분포와 특성을 이해하기 위해 시각화를 활용하는 방식이다. 전처리분석은 데이터 정제를, 공간분석은 지리적 데이터를, 다변량분석은 변수 간 상관관계 분석에 집중하므로 정답이 아니다.

✓ 35회 기출 출★★★★★ 난★★☆☆☆

4. 다음은 데이터 마이닝 프로젝트의 단계이다. 이 과정에서 올바른 순서는 무엇인가?

가. 문제 정의	나. 데이터 수집
다. 데이터 전처리	라. 분석 기법 적용
마. 모델 평가	

① 가 → 나 → 다 → 라 → 마
② 가 → 다 → 나 → 라 → 마
③ 가 → 나 → 라 → 다 → 마
④ 가 → 나 → 다 → 마 → 라

데이터 마이닝은 문제 정의부터 시작해 데이터 수집, 전처리, 분석 기법 적용, 모델 평가의 순으로 진행된다. 다른 선택지들은 전처리나 분석 기법 적용 순서를 잘못 배치하고 있어 적합하지 않다.

✓ 44회 기출 출★★★★★ 난★☆☆☆☆

5. 다음 빈칸에 들어갈 적절한 내용은 무엇인가?

탐색적 데이터 분석은 데이터를 이해하고 데이터를 시각화하여 초기 단계에서 (　　)을(를) 파악하기 위해 수행됩니다.

① 데이터의 특성과 관계
② 미래의 경향
③ 모델의 정확도
④ 프로젝트의 비용

탐색적 데이터 분석(EDA, Exploratory Data Analysis)은 본격적인 통계 분석이나 모델링 이전에 데이터를 다양한 방식으로 살펴보고 시각화하여 데이터에 대한 초기 이해를 높이는 활동이다. EDA의 주요 목적은 데이터가 가지고 있는 특성(분포, 이상치 등)과 변수들 간의 관계(상관관계, 패턴)를 파악하고, 이를 통해 분석의 방향을 설정하고 적절한 분석 기법을 모색하는 것이다.

정답 1.② 2.③ 3.② 4.① 5.①

PART 03
데이터 분석

2장 R 프로그래밍 기초

8 DAY

학습 목표

- 데이터 분석 환경을 이해한다.
- 데이터 분석 도구 R의 특성을 이해한다.
- R을 설치하고 GUI를 이해한다.
- R Studio를 설치하고 GUI를 이해한다.

눈높이 체크

✓ **데이터 분석을 위해 활용되고 있는 분석 도구에는 어떤 것이 있을까요?**

데이터 분석에 가장 많이 활용되는 분석도구는 SPSS, SAS, R, Python, Stata 등이 있습니다.

✓ **최근 빠른 속도로 확산되고 있는 R 언어를 아시나요?**

최근 R에 대한 관심이 커지면서 많은 분야에서 R을 이용한 실험과 프로젝트가 진행되고 있습니다.

✓ **R GUI 인 R Studio를 들어보셨나요?**

여러분들이 R과 R Studio에 관해 들어보셨거나 관심을 가지고 있다면 보다 좋은 학습 성과를 얻으실 수 있을 것입니다.

1절 R 기초

2장 R 프로그래밍 기초

출제빈도 F1 난이도 D5

#R #벡터 #패키지 #문자열 #연산 #평균 #표준편차

❶ R 소개

1. R의 탄생

- R은 오픈소스 프로그램으로 통계·데이터마이닝과 그래프를 위한 언어이다.
- 다양한 최신 통계분석과 마이닝 기능을 제공한다.
- 세계적으로 많은 사용자들이 다양한 예제를 공유한다.
- 다양한 기능을 지원하는 많은 패키지가 수시로 업데이트 된다.

	SAS	SPSS	R	Python
프로그램 비용	유료, 고가	유료, 고가	오픈소스	오픈소스
설치용량	대용량	대용량	모듈화로 간단	모듈화로 간단
다양한 모듈 지원 및 비용	별도구매	별도구매	오픈소스	오픈소스
최근 알고리즘 및 기술반영	느림	다소 느림	빠름	매우 빠름
학습자료 입수의 편의성	유료 도서 위주	유료 도서 위주	공개 논문 및 자료 많음	공개 논문 및 자료 매우 많음
질의를 위한 공개 커뮤니티	-	-	활발	매우 활발

개념 ➕

R의 특징

1. 오픈소스 프로그램입니다.
2. 다양한 함수와 패키지를 제공합니다.
3. 매번 데이터를 로딩할 필요가 없으며, 명령어 히스토리도 저장 가능합니다. 모든 운영체제에서 사용 가능합니다.

개념 ➕

파이썬(Python)

파이썬은 네덜란드계 프로그래머인 귀도 반 로섬(Guido van Rossum)이 1991년 발표한 고급 프로그래밍 언어로, R 프로그램과 함께 전문적인 빅데이터 분석 및 시각화를 위한 도구로 주목받고 있는 프로그래밍 언어입니다.

2. R Studio

- 오픈소스이며 다양한 운영체계를 지원한다.
- R Studio는 메모리에 변수가 어떻게 되어 있는지와 타입이 무엇인지를 볼 수 있고, 스크립트 관리와 도큐먼테이션이 편리하다.
- 코딩을 해야 하는 부담이 있으나 스크립트용 프로그래밍으로 어렵지 않게 자동화가 가능하다.

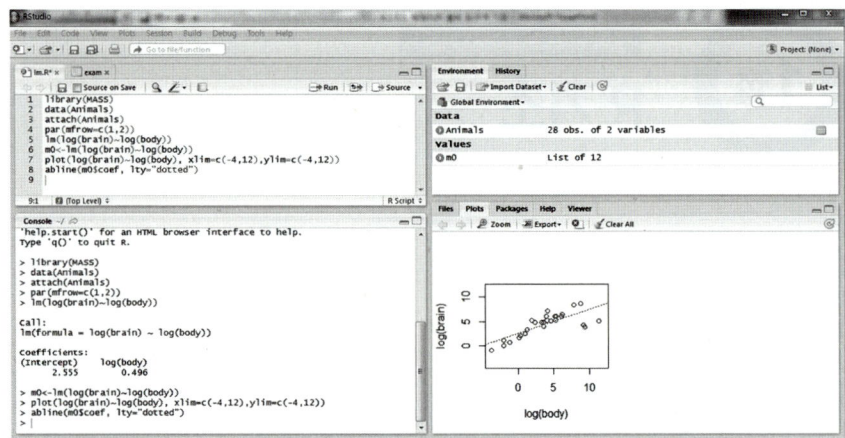

> **개념 +**
>
> **R의 작업환경**
>
> 작업환경은 업무 규모와 본인에게 익숙한 환경이 무엇인지를 기준으로 선택합니다. 기업환경에서는 64bit 환경의 듀얼코어, 32GB RAM, 2TB 디스크, 리눅스 운영체제를 추천합니다.

❷ R 사용법

1. 설치하기

가. R 프로그램 설치하기

- R프로그램은 [www.r-project.org]에서 아래와 같은 절차로 다운로드가 가능하다.

R 다운로드

① 홈페이지 좌측 메뉴에서 Download 아래의 [CRAN]을 클릭한다.

② 목록을 스크롤 다운하여 'Korea'에 해당하는 메뉴의 링크에 접속한다.

Korea	
https://cran.yu.ac.kr/	Yeungnam University
Mexico	
https://cran.itam.mx/	Instituto Tecnologico Autonomo de Mexico
https://www.est.colpos.mx/	Colegio de Postgraduados, Texcoco
Morocco	
https://mirror.marwan.ma/cran/	MARWAN

③ R을 설치하고자 하는 컴퓨터 운영체제에 해당하는 링크를 클릭한다.

Download and Install R

Precompiled binary distributions of the base system and contributed packages, **Windows and Mac** users most likely want one of these versions of R:

- Download R for Linux (Debian, Fedora/Redhat, Ubuntu)
- Download R for macOS
- Download R for Windows

R is part of many Linux distributions, you should check with your Linux package management system in addition to the link above.

R 다운로드

④ 'base' 링크를 클릭한다.

Subdirectories:

base	Binaries for base distribution. This is what you want to **install R for the first time**.
contrib	Binaries of contributed CRAN packages (for R >= 4.0.x).
old contrib	Binaries of contributed CRAN packages for outdated versions of R (for R < 4.0.x).
Rtools	Tools to build R and R packages. This is what you want to build your own packages on Windows, or to build R itself.

⑤ 'Download R 4.2.2 for Windows' 링크를 클릭한 후 R 설치파일을 실행하여 다운로드한다. (일반적으로 설치과정에서는 추가적 옵션을 선택하지 않고 [다음]버튼을 선택하면 문제없이 설치가 완료된다. 또한 R 4.2.2는 2024년 11월 기준 최신 버전이며, R버전은 지속적으로 업데이트 된다.

R-4.4.2 for Windows

Download R-4.4.2 for Windows (83 megabytes, 64 bit)
README on the Windows binary distribution
New features in this version

This build requires UCRT, which is part of Windows since Windows 10 and Windows Server 2016. On older systems, UCRT has to be installed manually from here.

나. R Studio 설치하기

- R Studio는 [https://posit.co/]에서 아래와 같은 절차로 다운로드가 가능하다.

R Studio 다운로드

① 홈페이지 상단 메뉴에서 OPEN SOURCE 아래의 DOWNLOAD RSTUDIO를 클릭한다.

② 목록을 스크롤 다운하여 RStudio Desktop의 DOWNLOAD RSTUDIO를 클릭한다.

③ 스크롤 다운하여 Install RStudio에서 Download RStudio Desktop for windows를 클릭하여 다운로드 받는다.

1: Install R

RStudio requires R 3.6.0+. Choose a version of R that matches your computer's operating system.

R is not a Posit product. By clicking on the link below to download and install R, you are leaving the Posit website. Posit disclaims any obligations and all liability with respect to R and the R website.

DOWNLOAD AND INSTALL R

2: Install RStudio

DOWNLOAD RSTUDIO DESKTOP FOR WINDOWS

Size: 263.71 MB | SHA-2561: 2C3CF96A | Version: 2024.09.1+394 |
Released: 2024-11-04

2. 인터페이스

가. R 인터페이스

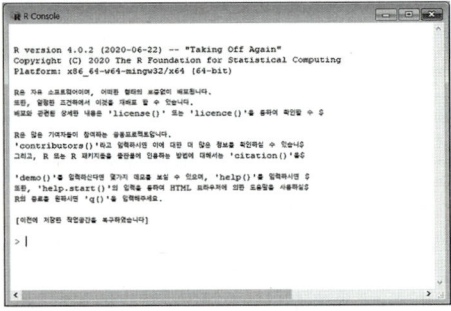

- R의 기본 화면에는 콘솔창(R Console)이 제공된다.
- 콘솔(Console) : R Code와 실행결과가 제공되며, 콘솔에 명령어를 직접 입력하는 것이 가능하나 권장하지 않는다.

- [파일]-[새 스크립트] 메뉴를 통해 스크립트창 생성이 가능하다.
- 스크립트창(R 편집기)은 R 명령어를 생성하고 저장하는 공간이다.

나. R Studio 인터페이스

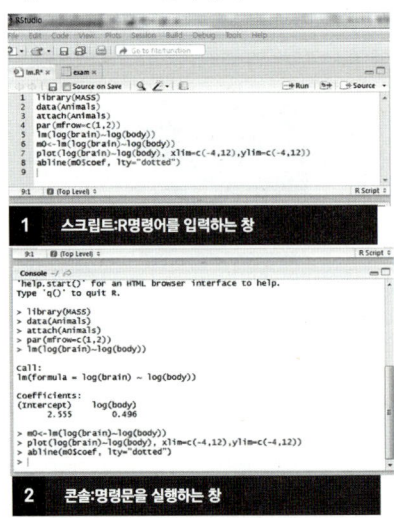

1 스크립트:R명령어를 입력하는 창

2 콘솔:명령문을 실행하는 창

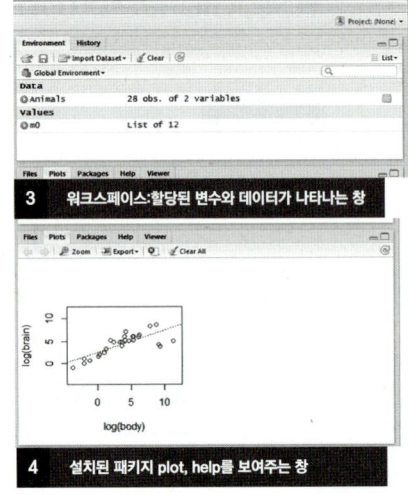

3 워크스페이스:할당된 변수와 데이터가 나타나는 창

4 설치된 패키지 plot, help를 보여주는 창

개념 ➕

R Studio

R Studio는 통계 분석과 데이터 처리를 위한 프로그래밍 언어인 R을 사용하는 데 최적화된 통합 개발 환경(IDE)입니다. 사용자 친화적인 인터페이스, 코드 자동 완성, 문서화 기능 등 R 사용자를 위한 유용한 도구입니다.

3. R 다루기

가. 패키지 사용하기

- 함수, 데이터, 컴파일된 코드의 모음을 패키지(package)라고 하며, R은 다양한 분석기능과 알고리즘을 지원하는 방대한 패키지를 제공하고 있다. 패키지 설치와 로드의 과정을 거친 후 사용이 가능하다.

기능	함수	R Code 예시
패키지 설치	install.packages("패키지명")	install.packages("dplyr")
패키지 로드	library(패키지명)	library(dplyr)
패키지 업데이트	update.packages("패키지명")	update.packages("dplyr")
설치된 패키지 목록 확인	installed.packages()	as.data.frame(installed.packages()[,c(3:4)])

> **비기의 학습팁**
> 패키지는 R함수와 데이터 및 컴파일된 코드의 모임입니다. 패키지는 R 콘솔창에서 함수를 통해 불러올 수도 있지만, 웹에서 직접 설치하는 것도 가능합니다.

나. 스크립트 다루기

기능	단축키 / R Code
R Code 실행	한 줄 실행 : Ctrl + R 혹은 F5 여러 줄 실행 : 드래그 후 Ctrl + R 혹은 F5
스크립트 저장	스크립트에 커서를 둔 상태에서 메뉴를 통해 저장 혹은 Ctrl + S
주석달기	스크립트 한 줄 제일 앞 클릭 후 # 스크립트 영역 지정 후 Ctrl + Shift + C
도움말	?함수명 Help(함수명) RSiteSearch("함수명")

> **개념 +**
>
> **배치모드(batch mode)**
> 배치 모드는 R 스크립트(.R 파일)를 사용자와의 인터랙션이 필요하지 않는 방식으로 작성한 후, 윈도우의 도스 창 등에서 한 번에 실행하는 방식입니다. 매일 반복적으로 실행해야 하는 시스템에서 프로세스를 자동화할 때 유용하게 사용됩니다.

다. 편리한 기능

기능	R Code
현재 작업 중인 폴더의 경로(주소) 산출	getwd()
작업 폴더를 새로 지정	setwd("사용자 지정 작업 디렉토리")
현재 작업 중인 폴더에 있는 파일 목록 산출	dir()
파일 이름 확인하기	list.files()
변수 목록 보기	ls()
메모리의 모든 객체 삭제	rm(list=ls())

기능	R Code
R 종료	q()
명령어의 끝을 명시	;
출력	print()

> 참고

알아두면 좋은 기능

- source(): 이 함수는 R 스크립트 파일(.R 파일)을 실행하는 데 사용됩니다. 지정한 파일의 내용을 읽어들여 R 세션에서 실행합니다. 예를 들어, source("script.R")는 "script.R" 파일에 있는 코드를 실행합니다.
- sink(): 이 함수는 R의 출력(예: 콘솔에 출력되는 텍스트)을 파일로 리디렉션하는 데 사용됩니다. sink("output.txt")를 호출하면 이후의 출력이 "output.txt" 파일로 저장됩니다. 다시 콘솔로 출력하도록 하려면 sink()를 다시 호출해야 합니다.
- pdf(): 이 함수는 R에서 생성된 그래프를 PDF 파일로 저장하는 데 사용됩니다. pdf("plot.pdf")를 호출한 후 그래프를 그리면, 그 그래프는 "plot.pdf" 파일에 저장됩니다. 그래프 생성을 마친 후에는 dev.off()를 호출하여 PDF 장치를 닫아야 합니다.

▶ R 기초 중에 기초 (1)-(2)

비기의 학습팁

R에서 변수는 데이터를 저장하는 이름을 가진 공간을 말합니다. 변수에 저장된 값은 변수 이름을 통해 참조할 수 있으며, 변수가 정의된 위치에 따라 전역(global) 변수와 지역(local) 변수가 있습니다. 전역 변수는 전체 스크립트에서 접근할 수 있지만, 지역 변수는 특정 함수 내에서만 유효합니다.

4. R 기초 중에 기초

가. 변수 생성

- R에서는 변수명을 선언하고 값을 할당하면 데이터타입을 스스로 인식하고 선언한다.

- 변수에 값을 할당할 때는 대입연산자 (<-, <<-, =, ->, ->>)를 사용하지만, <<- 연산자는 전역변수에 값을 할당할 때 사용하므로 <- 연산자의 사용을 가장 권장한다.

> R 코드 예시

```
> name <- "Jane";            # name 변수에 Jane이라는 문자 할당
> number <- c(1,2,3);        # number 변수에 숫자 1,2,3을 할당
```

나. 변수명 규칙

- R에서 변수 이름을 지정할 때는 아래와 같은 규칙을 지켜야 한다.

① 변수명에는 알파벳, 숫자, _(언더스코어), .(마침표)를 사용할 수 있다.
② 첫 글자는 마침표 혹은 알파벳으로 시작이 가능하며, 마침표로 시작할 경우 마침표 뒤에는 숫자가 올 수 없다.
③ -(하이픈)은 변수명에 사용할 수 없다.

　* 올바른 변수명 ex) x, y, abc_1, efg.2
　* 잘못된 변수명 ex) 1a, .3, x-y

다. R의 기초 연산자

연산자 우선순위		뜻	표현방법 및 설명
^		지수	5^2
+	−	단항 플러스와 마이너스 부호	+3, −5
:		수열 생성	1:30
%any%		특수 연산자	− %/% : 나눗셈의 몫 − %% : 나눗셈의 나머지 − %*% : 행렬 곱
*	/	곱하기, 나누기	2*5, 10/2
+	−	더하기, 빼기	5+2, 5−3
==		좌우의 값이 같은지 비교하여 TRUE/FALSE로 변환	3==5
!=	<>	좌우의 값이 다른지 비교하여 TRUE/FALSE로 변환	3!=5 3<>5
>=	<=	크거나 같다, 작거나 같다를 비교하여 TRUE/FALSE로 변환	3<=5
!		논리 부정	!(3==4)
&	&&	논리 AND	− & : 논리 연산 데이터가 하나 이상인 경우에 사용 − && : 논리 연산 데이터가 하나인 경우에 사용
|	||	논리 OR	− | : 논리 연산 데이터가 하나 이상인 경우에 사용 − || : 논리 연산 데이터가 하나인 경우에 사용
~		식(formula)	종속변수1 + 종속변수2… ~ 독립변수1 + 독립변수2…
−>	−>>	왼쪽 값을 오른쪽으로 대입	3−>a 3−>>a
=	<− <<−	오른쪽 값을 왼쪽으로 대입	a=3 a<−3 a<<−3

직접 실습해보기

CODE LEARNING

▶ R 기초 중에 기초 (3)

비기의 학습팁

사칙연산에서 나눗셈과 곱셈, 뺄셈과 덧셈 순으로 계산하듯 R을 포함한 모든 프로그래밍 언어는 연산자의 우선 순위가 존재합니다.

라. R을 활용한 기초 통계량 계산

기능	R 코드	비고
평균	mean(변수)	변수의 평균 산출
합계	sum(변수)	변수의 합계 산출
중앙값	median(변수)	변수의 중앙값 산출
로그	log(변수)	변수의 로그값 산출
표준편차	sd(변수)	변수의 표준편차 산출
분산	var(변수)	변수의 분산 산출
공분산	cov(변수1, 변수2)	변수간 공분산 산출
상관계수	cor(변수1, 변수2)	변수간 상관계수 산출
변수의 길이 합	length(변수)	변수간 길이를 값으로 출력

> **비기의 학습팁**
> R에서 log는 밑이 e(오일러의 상수)인 자연로그를 의미합니다.

> **비기의 학습팁**
> 다른 기초 통계량은 3장에서 자세히 다룰 예정입니다.

✓ 핵심 개념체크

✓23회 기출 출★★★★★ 난★★☆☆☆

1. 다음 중 통계 패키지 R에 대한 설명으로 가장 부적절한 것은?

① R은 오픈소스 프로그램이다.
② 다양한 최신 통계분석과 데이터 마이닝 기능을 제공한다.
③ Linux 환경에서는 사용이 불가능하다.
④ 사용자들이 여러 예시들을 공유한다.

> R은 오픈소스이기 때문에 사용자들이 예시 정보를 공유하며 Linux, Windows, macOS 등 다양한 환경에서 사용 가능하고 다양한 최신 통계분석과 데이터 마이닝 기능을 제공한다.

✓19회 기출 출★★★★★ 난★★★★☆

2. R에서 새로운 패키지를 설치 및 사용하고자 할 때 명령어와 순서로 적절한 것은?

① install.packages("패키지명") → library(패키지명)
② install.packages(패키지명) → library("패키지명")
③ library("패키지명") → install.packages("패키지명")
④ library(패키지명) → install.packages("패키지명")

> 새로운 패키지는 먼저 설치 후 불러와야 하며, 설치 명령어는 반드시 패키지명을 따옴표로 표시해야 정확하게 인식하므로 1번이 맞는 명령어이다.

정답 1. ③ 2. ①

2절 입력과 출력

2장 R 프로그래밍 기초

출제빈도 F1 난이도 D5

❶ 데이터 불러오기

- R에서 csv, xlsx, txt 등과 같은 다양한 파일 형식의 데이터를 불러올 때 아래의 함수들을 사용한다.

기능	함수
csv 데이터 파일 읽기	read.csv("파일명", header=FALSE, sep="구분자", stringsAsFactors=TRUE, …)
xlsx 데이터 파일 읽기	read.xlsx("파일명", sheetIndex= 시트번호, startRow= 시작행, header=FALSE, …) * xlsx package 설치필요
txt 파일을 테이블 형태로 읽기	read.table("파일명", header=FALSE, sep="구분자", stringsAsFactors=TRUE, …)
txt 파일을 한줄씩 읽기	readLines("파일명", …)

❷ 데이터 저장하기

- 분석을 완료한 데이터를 파일 형식으로 저장하기 위해서는 아래의 함수들을 사용한다.

기능	함수
csv 데이터 파일 저장	write.csv(저장할 데이터, file = "파일경로/파일명.csv", row.names=TRUE, …)
xlsx 데이터 파일 저장	write.xlsx(저장할 데이터, file = "파일경로/파일명.xlsx", sheetName = "시트명", row.names=TRUE, …)
txt 데이터 파일 저장	write.table(저장할 데이터, file = "파일경로/파일명.txt", sep = "구분자", row.names=TRUE, …)

비기의 학습팁

데이터를 불러오는 함수들의 공통 인자들에 대한 각 설명들은 아래와 같습니다.

header : 첫 행을 변수명으로 지정할지에 대한 여부

sep : 데이터셋을 불러올 때 사용할 열 구분자

stringsAsFactors : 문자형 데이터를 팩터로 인식하여 데이터를 불러올지에 대한 여부

비기의 학습팁

row.names 인자는 행번호를 지정하여 함께 저장할지에 대한 여부를 지정합니다. TRUE 혹은 FALSE로 지정 가능하지만 일반적으로 TRUE로 많이 사용합니다.

개념

R에서 다룰 수 있는 파일 타입

R에서는 Tab-delimited text, Comma-separated text, Excel file, JSON file, HTML/XML file, Database, (Other) Statistical SW's file 등을 다룰 수 있습니다.

3절 데이터 타입과 구조

2장 R 프로그래밍 기초

출제빈도 **F2**   난이도 **D3**

#데이터프레임 #리스트 #matrix #벡터연산 #데이터병합

직접 실습해보기
CODE LEARNING
▶ 숫자형

❶ R의 데이터 타입

1. 숫자형(numeric)

- 정수, 실수, 복소수 등의 숫자 데이터는 숫자형 데이터에 해당하며, 수학적 연산 및 통계적 계산이 가능하다.
- 아래의 R 코드와 같이 새로운 변수에 대입 연산자(<-)를 이용해 숫자 데이터를 저장할 수 있다.

R 코드 예시
```
> a <- 2.5              # a 변수에 소수 2.5 대입

> a                     # a 출력
[1] 2.5
> mode(a)               # a 변수의 데이터 타입 확인
[1] "numeric"
```

직접 실습해보기
CODE LEARNING
▶ 문자형

2. 문자형(character)

- 문자 혹은 단어 등으로 구성된 문자들의 집합은 문자형 데이터에 해당한다.
- R에서 문자는 " " 또는 ' ' 내에 표현되며, 문자형 데이터 간의 사칙연산은 불가능하다.
- 숫자를 " " 또는 ' ' 내에 표현하여 변수에 저장할 경우, 문자형으로 저장된다.

R 코드 예시
```
> b <- "가"             # b라는 변수에 글자 "가"를 저장
> b                     # b 출력
[1] "가"
> mode(b)               # b 변수의 데이터 타입 확인
[1] "character"
```

3. 논리형(logical)

- 논리형 데이터 값은 TRUE와 FALSE이며, TRUE(T와 동일)는 참, FALSE(F와 동일)는 거짓을 의미한다.
- R에서 TRUE는 1로 인식되고, FALSE는 0으로 인식되어 그 자체로 산술 연산이 가능하며, 수치형 데이터로 변환도 가능하다.

> **R 코드 예시**
```
> c <- TRUE         # c라는 변수에 논리 참(TRUE) 저장
> c                 # c 출력
[1] TRUE
> mode(c)           # c 변수의 데이터 타입 확인
[1] "logical"
```

비기의 학습팁
논리형 데이터는 그 자체로 산술 연산이 가능합니다.

4. 팩터형(factor)

- 범주형 자료를 표현하기 위한 데이터 타입이며, factor 함수를 이용하여 생성한다.
- 예를 들어 의류의 사이즈(대, 중, 소) 등과 같은 세 가지 카테고리(범주)를 가지는 변수를 생성한다.
- 대, 중, 소와 같이 범주형 변수 즉, 팩터가 저장할 수 있는 값의 목록을 레벨(level, 수준)이라고 한다.

> **함수 사용법**
factor(data, levels, labels, ordered)

인자	설명
data	범주형으로 표현하고자 하는 데이터
levels	구분하고자 하는 범주(레벨) 목록을 지정
labels	범주형 표시 값 지정
ordered	TRUE이면 순서형, FALSE이면 명목형

비기의 학습팁
범주형(순서/명목) 자료에 대해서는 4장에서 자세히 다루고 있습니다.

5. NA/NULL/NaN/INF

- NA는 Not Available의 약자로 데이터 값이 없음을 의미하는 결측치에 해당한다.
- NULL은 변수의 값이 초기화되지 않았을 때 사용하며, 정의되지 않은 값을 나타낸다.

- NaN은 Not a Number의 약자로, 수학적으로 정의할 수 없는 값이나 표현 불가능한 연산 결과를 의미한다.
- INF는 Infinite의 약자로 무한대를 의미한다.
- NA는 상수, NULL은 객체에 해당한다.

6. 데이터 타입 변경

직접 실습해보기
CODE LEARNING
데이터 타입 변경

함수	의미
as.numeric(객체명)	객체를 숫자형으로 변환
as.integer(객체명)	객체를 숫자형(정수)로 변환
as.double(객체명)	객체를 숫자형(실수)로 변환
as.character(객체명)	객체를 문자형으로 변환
as.factor(객체명)	객체를 팩터로 변환

❷ R의 데이터 구조

출제포인트
R의 데이터 구조는 R 프로그래밍 파트에서 자주 출제되는 핵심 주제입니다. 최근에는 출제 비중이 다소 줄어들었지만, 데이터 구조 자체를 묻거나 인덱싱·수열 등의 R 결과를 예측하는 형태로 계속 등장하므로 기본 개념을 정리해 두시기 바랍니다.

1. 벡터(Vector)

- 벡터는 R프로그래밍의 기본적인 데이터 단위로 다른 프로그래밍 언어의 1차원 배열과도 같은 개념이다.
- 하나의 벡터는 **같은 데이터 타입(즉, 같은 mode)을 가진 원소들만 저장**할 수 있다.
- 예를 들어 문자열만 저장하는 배열 혹은 숫자들만 저장하는 배열이 벡터라고 할 수 있다.

직접 실습해보기
CODE LEARNING
벡터(1)

> 참고
>
> - 벡터의 모든 원소는 같은 데이터 타입을 가지기 때문에 문자형과 숫자형을 혼합하여 입력하더라도 모두 문자형이 된다.

가. 인덱싱

- 벡터에 저장된 값의 위치를 인덱스로 사용하여 각 원소에 접근할 수 있으며, [ ](대괄호)를 이용한다.

개념 +

불리언 인덱싱(Boolean Indexing)
v[조건문]은 대괄호 안의 조건문을 만족하는 벡터의 원소만을 반환합니다.

문법	설명
v[n]	v벡터의 n번째 값 반환
v[-n]	v벡터의 n번째 값을 제외한 나머지 원소들을 반환
v[start:end]	v벡터의 start번호부터 end번호에 해당하는 원소들을 반환

R 코드 예시

```
> z <- 1:5              # 1~5까지의 숫자가 저장된 벡터 z 생성
> z                     # z 출력
[1] 1 2 3 4 5
> z[2]                  # z벡터의 두 번째 원소 출력
[1] 2
> z[-2]                 # z벡터의 두 번째 원소를 제외하고 출력
[1] 1 3 4 5
```

나. 연산

- 벡터는 저장된 각각의 값에 대한 연산, 벡터 전체에 대한 연산, 벡터끼리의 연산을 모두 수행할 수 있다.
- 벡터끼리 연산을 수행하면 원소끼리 연산이 수행된다.

직접 실습해보기
CODE LEARNING
▶ 벡터(2)

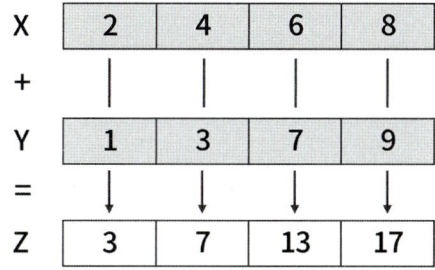

〈 길이가 같은 벡터의 연산 〉

R 코드 예시

```
> x <- c(2, 4, 6, 8)
> y <- c(1, 3, 7, 9)
> x+y                   # 원소끼리 덧셈
[1]  3  7 13 17
> x-y                   # 원소끼리 뺄셈
[1]  1  1 -1 -1
> x*y                   # 원소끼리 곱셈
[1]  2 12 42 72
> x/y                   # 원소끼리 나눗셈
[1] 2.0000000 1.3333333 0.8571429 0.8888889
```

- 길이가 같지 않더라도 아래와 같은 형태로 계산한다.

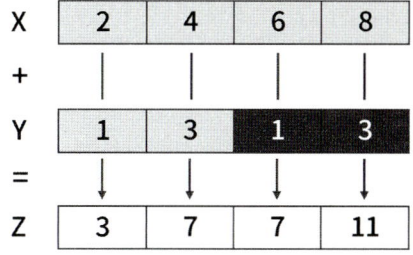

〈 길이가 다른 벡터의 연산 〉

개념 +

recycling rule

길이가 다를 경우 자동으로 재활용해 반복하는 것을 말합니다. 예를 들어 x가 (2, 4, 6, 8)이고 y가 (1, 3)일 때 y의 원소를 재활용해 (1, 3, 1, 3)과 같은 형태로 반복하여 계산합니다.

직접 실습해보기

CODE LEARNING
- 행렬(1)
- 행렬(2)

비기의 학습팁

R에서 행렬 생성 시 데이터는 기본적으로 열 우선 (Column-wise, 위에서 아래로)으로 채워지는 반면, Python에서는 일반적으로 행 우선(Row-wise, 왼쪽에서 오른쪽으로)으로 처리되며, R에서 Python처럼 행 우선으로 채우려면 matrix() 함수에 byrow = TRUE를 지정해야 합니다

2. 행렬(Matrix)

- 행렬은 2차원의 벡터로 행(로우)과 열(컬럼)의 수가 지정된 구조의 데이터 타입이다.
- 벡터와 마찬가지로 하나의 행렬은 한 가지 유형의 스칼라 데이터만 저장할 수 있다.

함수 사용법

matrix(data, nrow, ncol, byrow, dimnames)

인자	설명
data	행렬에 저장할 데이터(벡터) 지정
nrow	행의 수 지정
ncol	열의 수 지정
byrow	행렬의 데이터 입력 순서(TRUE : 행우선, FALSE : 열우선)
dimnames	행렬의 각 차원에 부여할 이름 지정

가. 주요 기능

기능	함수	R Code 예시
행렬 차원 확인 및 부여	dim(x)	
	dim(x) <-	dim(x) <- c(3,2) # x행렬에 3x2 차원 부여
행의 수 확인	nrow(x)	
열의 수 확인	ncol(x)	
행렬의 원소 추출	x[nrow, ncol]	x[3,3] #x행렬의 3행3열의 원소 추출
행 이름 출력 및 부여	rownames(x)	
	rownames(x) <-	rownames(x) <- c("r1", "r2", "r3")
열 이름 출력 및 부여	colnames(x)	
	colnames(x)<-	colnames(x) <- c("a", "b", "c")

나. 주요 연산

- 행렬끼리 사칙 연산도 가능하며, R에서는 아래의 표와 같은 연산자 및 함수를 통해 행렬만이 할 수 있는 다양한 연산도 가능하다.

기능	연산자 및 함수	설명
행렬의 연산 +, −	f+f, f−f f+1, f−1	행렬 간의 덧셈, 뺄셈 행렬 상수 간 덧셈, 뺄셈
행렬의 연산 *	f%*%f f*3	행렬 간의 곱 행렬과 상수 간 곱
전치행렬	t(x)	x의 전치행렬 반환
대각행렬	diag(x)	행렬 x의 대각원소 반환
역행렬	solve(x)	x의 역행렬 반환

개념 +

%*% 와 *의 차이점

는 각 행렬의 원소끼리의 곱을 나타냅니다. %%는 행렬의 곱연산을 나타냅니다.

3. 데이터프레임(DataFrame)

- 데이터프레임은 벡터들의 모임이며, 데이터프레임에 속한 벡터들은 서로 다른 데이터 타입을 가질 수 있다. 데이터프레임은 아래의 예시와 같이 표 형태로 이루어진다.

이름	전공	성별	나이
이유리	경영학과	여	20
최민준	컴퓨터공학과	남	22
김민지	데이터과학과	여	21

직접 실습해보기
CODE LEARNING
데이터프레임

비기의 학습팁

데이터프레임

행렬은 모든 원소가 동일한 데이터 타입을 가져야 하는데 반해 데이터프레임의 각 변수들은 서로 다른 데이터 타입을 가질 수 있다는 장점으로 데이터 분석을 위해 R에서 가장 많이 사용되는 데이터 구조입니다.

- 위 표와 같은 데이터프레임은 이름이 저장된 벡터, 전공이 저장된 벡터, 성별이 저장된 벡터, 나이가 저장된 벡터의 모임이라고 볼 수 있다.

- 벡터는 데이터프레임의 열을 이루며, 열은 변수, 행은 개체에 해당한다.

함수 사용법

data.frame(변수명1=벡터1, 변수명2=벡터2, ⋯ 변수명n=벡터n, stringsAsFactors=TRUE

인자	설명
변수명 = 벡터	변수명과 해당 열에 저장할 벡터를 지정
stringsAsFactors	− 주어진 문자열을 팩터로 저장할지의 여부 − 기본값은 FALSE이므로, 인자값을 지정하지 않으면 문자열은 문자형으로 저장됨 − stringsAsFactors의 인자값을 TRUE로 지정하면 문자열을 팩터형으로 저장함

개념 +

유용한 R 함수

- na.omit(데이터프레임) : NA가 있는 행을 삭제합니다.
- tail(데이터프레임명, n=반환할 행의 개수)
  : 데이터프레임의 하위 행을 반환합니다.
- view(데이터프레임, title=제목) : 데이터 뷰어를 호출합니다.
- example(함수명) : 특정 함수의 사용 예제를 바로 실행합니다.

가. 주요 기능

기능	함수	R Code 예시
원소추출 : [ ] 이용	data.frame[nrow, ncol] # nrow : 행번호 # ncol : 열번호	x[3,6] # x의 3행 6열의 원소 출력 x[-3,] # x의 3행을 제외한 데이터 출력 x[,6] # x의 6열의 모든 행 출력
원소추출 : $ 이용	data.frame$변수명	iris$Species # iris데이터의 Species열 출력
데이터 조회 : [ ] 이용	data.frame[조건]	x[x$var1>4 & x$var2==5] # x데이터프레임에서 var1이 4보다 크고, var2가 5인 조건을 만족하는 레코드 추출
데이터 조회 : subset() 이용	subset(데이터명, 조건)	subset(x, var1>4 & var2==5) # x데이터프레임에서 var1이 4보다 크고, var2가 5인 조건을 만족하는 레코드 추출
	subset(데이터명, 조건, select = 열 이름)	subset(x, var1>4, select=c(var2,var3)) # x데이터프레임에서 var1이 4보다 큰 레코드의 var2, var3 데이터 셋 조회 # 유의사항 : 변수명에 " "를 표시하지 않음 # select 인자 사용시 변수명 앞에 -를 붙이면 해당변수는 제외하고 출력됨
데이터프레임의 구조 확인	str(데이터프레임)	# 데이터프레임의 행 개수, 열 개수, 변수 이름, 변수의 데이터 타입 등을 확인 가능
데이터프레임의 상위 행을 반환	head(데이터프레임 명, n=반환할 행의 개수)	head(x, n=10) # x데이터의 상위 10개의 행 반환 # n인자의 기본값은 6

비기의 학습팁

R의 기본 데이터 타입은 벡터(vector)이며, 스칼라는 길이가 1인 벡터와 같습니다.

비기의 학습팁

배열은 array( ) 함수를 통해 생성할 수 있으며, 리스트는 list( ) 함수를 통해 생성할 수 있습니다.

4. 기타

가. 스칼라(Scalar)

- 스칼라는 '가', '나', '다' 와 같은 단일 값을 의미하며, 하나의 숫자, 문자, 논리형 데이터가 저장될 수 있다.

나. 배열(Array)

- 행렬이 2차원이라면 배열은 3차원 또는 n차원까지 확장된 형태의 다차원 데이터이다.

다. 리스트(List)

- 리스트는 벡터, 데이터프레임, 배열, 함수 등과 같은 R의 모든 객체를 담을 수 있는 최상위 데이터 구조이다.
- (키, 값) 형태로 데이터를 저장하는 연관배열(Associative Arrays)로 각 객체에 이름을 지정하여 저장할 수 있으며, 저장할 객체들의 종류가 달라도 무방하다.

5. 데이터 구조 변경

- 자료형과 데이터 구조는 아래와 같은 함수들을 통해 변경할 수 있다.

데이터 구조 변환하기	as.data.frame() as.list() as.matrix() as.vector()

❸ 데이터 핸들링

1. 데이터 결합

기능	함수	R Code 예시
행 결합	rbind(객체1, 객체2, …)	rbind(df1, df2) # df1과 df2를 행으로 결합
열 결합	cbind(객체1, 객체2, …)	cbind(df1, df2) #df1과 df2를 열로 결합
데이터 병합	merge(df1, df2, by=" df1과 df2의 공통 열이름(병합할 기준이 되는 열)")	merge(x, y, by=z) # x와 y를 z라는 공통변수를 기준으로 병합

2. 제어문(반복문,조건문,사용자정의)

가. 반복문

1) for

- 특정 구문을 반복적으로 수행할 경우 for, while, repeat문을 활용하여 해결할 수 있다.
- 그 중에서도 for문은 주로 반복 횟수가 정해진 경우에 사용하며, 문법과 활용 예시는 아래와 같다.

함수 사용법

문법	설명

for(변수 in 데이터){
반복할 코드
}
	• '데이터'는 여러 값이 지정된 벡터이며, '데이터'에 들어 있는 값을 변수에 모두 할당할 때까지 { }안의 코드를 반복해서 수행
	• 데이터 자리에는 수치형 벡터 혹은 수치형 벡터를 저장한 변수를 지정
	• for문 안에 또 다른 for문을 중첩하여 사용 가능

출제포인트

데이터 핸들링은 과거에는 간헐적으로 출제되었으나, 최근 시험에서는 출제 비중이 낮은 편입니다. 다만 날짜·텍스트 처리 함수는 여전히 출제 가능성이 있으므로, 주요 함수의 기능과 대표 사용 예시는 간단히 정리해 두시기 바랍니다.

직접 실습해보기
CODE LEARNING
데이터 결합

비기의 학습팁

rbind와 cbind는 두 객체를 강제로 붙이는 것입니다. 따라서 rbind는 열의 개수와 열의 이름이 동일해야하고, cbind 또한 행의 개수가 동일해야 강제로 붙일 수 있습니다.

2) while

- while문은 반복 횟수의 지정 없이 주어진 조건이 참이라면 계속해서 반복을 수행하는 제어문이다.

함수 사용법

문법	설명

변수 <- 초기값
while(조건){
   조건이 참일 때 수행할 코드
}
	• 괄호 안의 조건이 참일 때 { }안의 코드가 수행되고, 조건이 거짓일 때 while문이 종료
	• while문을 정의하기 전에 먼저 조건에 사용될 변수의 초기값을 지정해야 함

나. 조건문

1) if/else

- 조건식을 기준으로 조건이 참(TRUE)일 때와 거짓(FALSE)일 때의 처리 방식을 다르게 하려는 경우에는 if/else 조건문을 사용한다.

함수 사용법

문법	설명

if(조건1){
  조건1이 참일 때 수행할 코드
} else if (조건2) {
  조건1이 거짓이고 조건2가 참일 때 수행할 코드
} else {
  모든 조건이 거짓일 때 수행할 코드
}
	• 괄호 안의 조건이 참, 거짓일 때 각각 { }안의 코드를 실행
	• 조건이 하나 이상인 경우, else if를 통해 조건을 추가 할 수 있으며 여러 번 추가하는 것도 가능
	• else if와 else는 필요에 따라 지정하거나 생략 가능

2) ifelse

- 처리하고자 할 구문이 단순할 경우에는 if/else 대신 ifelse 함수를 사용할 수 있다.

함수 사용법

문법	설명
ifelse(조건, a, b)	• 조건이 참이면 a자리의 코드를 실행하고, 거짓이면 b자리의 코드를 실행 • 내부에 또 다른 ifelse 구문을 중첩하여 사용이 가능

개념

추가적인 반복문

repeat{ 반복할 코드 } : { }안의 코드를 반복해서 수행, 끝없이 실행되기 때문에 주로 if문과 함께 사용합니다.

비기의 학습팁

ifelse( ) 함수는 엑셀의 IF( )함수처럼 1줄만으로도 조건문 코드를 작성할 수 있다는 강력한 장점이 있습니다.

다. 사용자 정의

- 사용자가 원하는 기능을 가진 함수를 직접 만들기 위해서는 다음과 같은 R 코드를 사용한다.

```
function(인자1, 인자2, 인자3, …, 인자n) {
    표현식1
    표현식2
    … 표현식n
    return(반환 값)
}
```

- 함수의 작동에 필요한 인자들을 첫 번째 괄호 안에 명시한 후, 중괄호({ })안에 함수에서 수행할 구문을 입력한다.
- return 구문에는 함수의 실행이 완료된 후 최종적으로 반환할 값을 입력한다. 반환한 값이 없는 경우에는 return 구문을 생략할 수 있으며, return값을 명시하지 않으면 { } 안의 마지막 구문이 만들어 내는 결과를 반환한다.
- 인자의 개수가 정해지지 않은 경우와 함수 내부에서 호출하는 다른 함수로 인자를 넘겨줄 경우에는 인자목록에 '…' 라는 표현을 사용한다.
- 함수 내부에 또 다른 함수를 정의하는 '중첩함수' 의 정의가 가능하다.

3. 문자열/날짜형 데이터 핸들링

가. 문자열 다루기

함수	기능
nchar("문자열")	문자열의 길이 반환
paste("문자열1", "문자열2", …, sep=" ")	지정한 문자(열)를 sep에 지정한 구분자로 연결
substr("문자열", 시작번호, 끝번호)	문자열의 시작번호부터 끝번호까지를 추출
strsplit("문자열", 구분자)	구분자를 기준으로 문자열을 분리
sub("대상문자열", "변경문자열", str)	str(문자열)에서 대상문자열을 찾아 변경문자열로 한 번만 대치
gsub("대상문자열", "변경문자열", str)	str(문자열)에 있는 모든 대상문자열을 변경문자열로 대치
grep("찾을 문자열", str)	str(문자열)에서 찾을 문자열이 포함된 문자열 혹은 인덱스를 출력

나. 날짜형 다루기

함수	기능
Sys.Date()	현재 날짜 반환
as.Date()	데이터 타입을 날짜 형식으로 변환
format(Sys.Date(), "%m%d%y")	현재 날짜를 format에 지정한 형태의 문자열로 변환
format(Sys.Date(), "%a")	축약된 형태의 요일 조회(예 "Mon", "월")
format(Sys.Date(), "%b")	축약된 월 이름 조회(예 "Jan", "1")
format(Sys.Date(), "%B")	전체 월 이름 조회(예 "January", "1월")
format(Sys.Date(), "%d")	두 자리 숫자로 일 조회(예 01~31)
format(Sys.Date(), "%m")	두 자리 숫자로 월 조회(예 01~12)
format(Sys.Date(), "%y")	두 자리 숫자로 연도 조회(예 "25")
format(Sys.Date(), "%Y")	네 자리 숫자로 연도 조회(예 "2025")

직접 실습해보기
CODE LEARNING
문자형/날짜형 데이터 핸들링 (2)

핵심 개념체크

✓ 32회 기출 출★★★★★ 난★★★★☆

3. R에서는 데이터 타입이 다른 객체들을 하나의 객체로 묶을 수 있다. 다음 중 이러한 자료구조는 무엇인가?

① 행렬 ② 배열
③ 리스트 ④ 벡터

리스트는 서로 다른 데이터 타입을 포함할 수 있는 R의 자료구조이다. 행렬과 배열은 동일한 데이터 타입만 포함하며, 벡터는 단순한 형태의 집합이다.

✓ 16회 기출 출★★★★★ 난★★★★☆

4. 다음 중 R의 데이터 구조 중 벡터에 대한 설명으로 적절한 것은?

① 벡터는 행과 열을 갖는 m × n 형태의 직사각형에 데이터를 나열한 데이터 구조이다.
② 벡터는 하나의 스칼라 값 또는 하나 이상의 스칼라 원소들을 갖는 단순한 형태의 집합이다.
③ 벡터는 행렬과 유사한 2차원 목록 데이터 구조이다.
④ 벡터는 숫자로만 구성되어야 한다.

벡터는 1차원 구조의 단일 데이터 타입으로 구성된 단순 집합이다. 행과 열을 갖는 데이터 구조는 행렬이며, 숫자로만 구성된다는 설명은 제한적이고 부정확하다.

✓ 18회 기출 출★★★★★ 난★★★★★

5. R의 데이터 구조 중 2차원 목록 데이터 구조이면서 각 열이 서로 다른 데이터 타입을 가질 수 있는 데이터 구조로 적절한 것은?

① 벡터 ② 행렬
③ 배열 ④ 데이터프레임

데이터프레임은 각 열이 서로 다른 데이터 타입을 가질 수 있는 2차원 구조이며, 벡터는 1차원, 행렬은 2차원, 배열은 2차원 이상의 동일한 데이터 타입으로 구성된 자료구조이다.

✓ 9회 기출 출★★★★★ 난★★★★☆

6. 다음 중 R코드 결과가 다른 것은?

① b<-c(1:4, 1:4)
② c<-rep(1:4, 2)
③ d<-rep(1:4, times=2)
④ e<-rep(1:4, each=2)

e는 각 요소를 2번씩 반복하는 코드로 1, 1, 2, 2, 3, 3, 4, 4를 생성한다. b, c, d 코드는 모두 1, 2, 3, 4를 두 번 반복하여 동일한 결과를 생성한다.

✓ 7회 기출 출★★★★★ 난★★★★☆

7. example(solve)에 대한 설명으로 가장 적절한 것은?

① 함수 solve의 도움말을 보여준다.
② 함수 solve의 도움말의 예제에 있는 명령어들을 실행시킨다.
③ 함수 solve가 풀 수 있는 범위를 보여준다.
④ 함수 solve에 관련된 함수들을 보여준다.

example(solve)는 해당 함수의 도움말에 포함된 예제 코드를 실행하는 함수이다. 사용자가 함수 solve를 처음 접하거나 기능을 테스트해보고 싶을 때 example(solve)를 실행하면 solve 함수의 기본적인 사용 예시를 보여주며, 이를 통해 solve 함수의 동작 방식과 다양한 활용법을 빠르게 이해할 수 있다.

정답 3. ③ 4. ② 5. ④ 6. ④ 7. ②

PART 03 데이터 분석

3장 데이터 마트

9 DAY

○ 학습 목표

- 데이터 마트를 구성하는 요약변수와 파생변수를 구분할 수 있다.
- reshape 패키지를 활용하여 데이터 마트를 생성할 수 있다.
- sqldf 패키지와 plyr 패키지를 활용하여 데이터를 핸들링할 수 있다.
- data.table 패키지를 이해하고 활용할 수 있다.

○ 눈높이 체크

✓ **요약변수와 파생변수에 대해 알고 계신가요?**

> 데이터 마트를 구성할 때 가장 중요한 부분 중 하나가 요약변수와 파생변수를 생성하는 부분입니다. 모형을 개발할 때 문제를 가장 잘 해석할 수 있는 변수를 찾는 것은 모형 개발에서 가장 중요한 핵심단계입니다. 그래서 데이터를 특정 기준에 따라 사칙연산을 통해 만들어 낸 변수가 요약변수이고 사용자의 노하우를 기반으로 새롭게 만들어 낸 변수가 파생변수입니다.

✓ **R프로그램에서 reshape 패키지를 들어 보셨나요?**

> reshape 패키지는 데이터 마트를 생성할 수 있도록 데이터를 녹이고(melt) 다시 형상화(cast)할 수 있는 R 패키지로, 분석용 마트 설계에서 잘 활용됩니다.

✓ **R프로그램에서 SQL은 어떻게 활용할 수 있을까요?**

> SAS에서 SQL을 활용할 수 있는 것처럼, R 프로그램에서도 sqldf 패키지를 통해 SQL을 사용할 수 있습니다. sqldf 함수를 사용하면 거의 동일한 형식으로 모든 SQL 문장을 활용할 수 있습니다.

✓ **data.table 패키지를 들어보셨나요?**

> data.table 패키지는 data.frame과 같은 구조를 가지면서, 키(key)를 활용해 훨씬 더 빠른 연산이 가능하도록 설계된 패키지입니다.

3장 데이터마트

1절 데이터 변경 및 요약

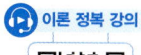

 #데이터마트 #파생변수 #reshape #cast #melt #ddply #plyr

출제빈도 F2 난이도 D3

❶ 데이터 웨어하우스와 데이터 마트

1. 데이터 웨어하우스

가. 정의

- 사용자의 의사 결정 지원을 위해 데이터를 분석 가능한 형태로 저장한 중앙 저장소로서, 정보(data)와 창고(warehouse)의 합성어이다.
- 데이터 웨어하우스는 기존 정보를 활용해 더 나은 정보를 제공하고, 데이터의 품질을 향상시키며, 조직의 변화를 지원하고 비용과 자원관리의 효율성을 향상시키는 것이 목적이다.

나. 특징

- 통합성 : 다양한 데이터 원천으로부터 데이터를 모두 통합하여 관리
- 주제 지향성 : 주제(ex. 고객 공급자, 상품 등)를 중심으로 구성되며, 따라서 최종 사용자가 이해하기 쉬운 형태를 가진다.
- 시계열성 : 기존 운영 시스템은 최신 데이터를 유지하는데 반해, 데이터 웨어하우스는 시간에 따른 변경 이력 데이터를 보유한다.
- 비휘발성 : 데이터 웨어하우스에 저장되는 데이터는 삭제 및 변경되지 않고, 일단 적재가 완료되면 읽기 전용 형태의 스냅 샷 데이터로 존재한다.

특 징	설 명
주제지향성(Subject Oriented)	업무 중심이 아닌 주제 중심
통합성(Integrated)	혼재한 DB로부터의 데이터 통합
시계열성(Time Variant)	시간에 따른 변경 정보를 나타냄
비휘발성(Non-Volatile)	데이터 변경 없이 리포팅을 위한 read only 사용

2. 데이터 마트

가. 정의

- 데이터 웨어하우스와 사용자 사이의 중간층에 위치한 것으로, 하나의 주제 또는 하나의 부서 중심의 데이터 웨어하우스라고 할 수 있다.

> **비기의 학습팁**
> 데이터 웨어하우스는 1과목과 3과목 모두에서 중요한 개념으로 다뤄집니다. 1과목에서는 ETL 과정과 연결되어 있으며, 3과목에서는 데이터 마트와의 연관성으로 이어지는 핵심 주제입니다.

> **비기의 학습팁**
> 데이터 마트를 만들 때 가장 중요한 데이터들은 데이터 웨어하우스로부터 받아오는 데이터입니다. 받아온 데이터를 처리 과정을 통해 분석에 적절하게 활용할 수 있는 자료로 변환을 해야 합니다.

- 데이터 마트 내 대부분의 데이터는 데이터 웨어하우스로부터 복제되지만, 자체적으로 수집될 수도 있으며, 관계형 데이터 베이스나 다차원 데이터 베이스를 이용하여 구축한다.

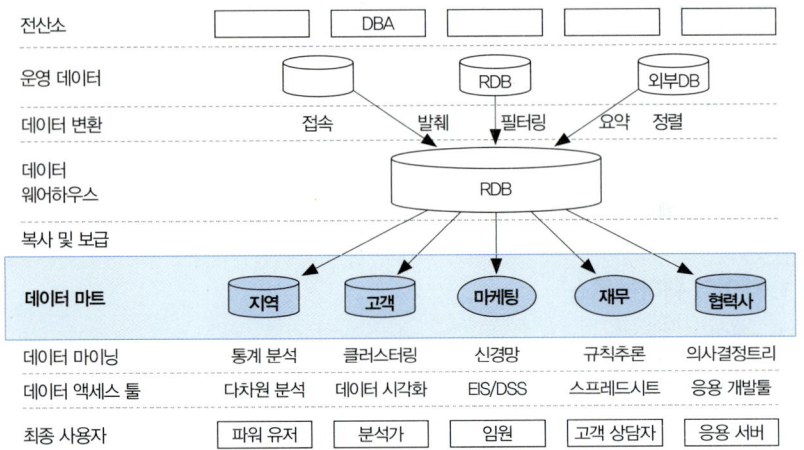

〈출처 : 컴퓨터 인터넷IT용어대사전〉

출제포인트
파생변수와 요약변수는 개념 간 차이를 묻는 비교형 문항으로 자주 출제되는 주제이며, 2025년 시험에서는 1문제가 출제되었습니다. 파생변수·요약변수, 데이터 변경·요약, 데이터 마트 연계 개념을 함께 정리해 두시기 바랍니다.

❷ 파생변수와 요약변수

1. 파생변수
- 사용자(분석자)가 특정 조건을 만족하거나 특정 함수에 의해 값을 만들어 의미를 부여한 변수이다.
- 매우 주관적일 수 있으므로 논리적 타당성을 갖추어 개발해야 한다.
- 세분화, 고객행동 예측, 캠페인 반응 예측에 매우 잘 활용된다.
- 파생변수는 상황에 따라 특정 상황에만 유의미하지 않게 대표성을 나타나게 할 필요가 있다.
- 예 근무시간 구매지수, 주 구매 매장 변수, 주 활동 지역 변수, 주 구매 상품 변수, 구매상품 다양성 변수, 선호하는 가격대 변수, 시즌 선호 고객 변수, 라이프 스테이지 변수, 라이프 스타일 변수 등

2. 요약변수
- 수집된 정보를 분석에 맞게 종합한 변수이다.
- 데이터마트에서 가장 기본적인 변수로 총 구매금액, 금액, 횟수, 구매여부 등 데이터 분석을 위해 만들어지는 변수이다.
- 많은 모델을 공통으로 사용할 수 있어 재활용성이 높다.
- 합계, 횟수와 같이 간단한 구조이므로 자동화하여 상황에 맞게 또는 일반적인 자동화프로그램으로 구축 가능하다.

예 기간별 구매 금액, 기간별 구매 횟수, 상품별 구매 금액, 상품별 구매 순서, 위클리 쇼퍼, 유통 채널별 구매 금액, 단어 빈도, 초기 행동 변수, 트렌드 변수 등

❸ R 패키지를 활용한 데이터 마트 개발

1. reshape

- reshape 패키지에는 **melt( )**와 **cast( )**라는 2개의 핵심 함수가 있다.(철을 녹이고 다시 틀에 넣어 모양을 만드는 과정에 비유하여, 녹이는 함수를 melt( ), 모양을 만드는 함수를 cast( )로 사용한다.)

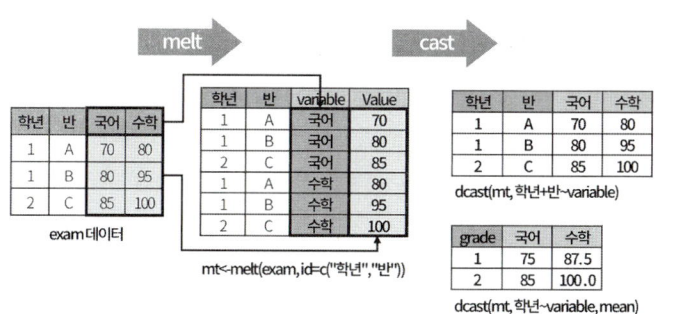

〈 reshape2 패키지를 활용한 데이터 변환 〉

2. sqldf

- sqldf는 R에서 sql의 명령어를 사용 가능하게 해주는 패키지이다.
- SAS에서의 PROC SQL과 같은 역할을 하는 패키지다.

- sql에서 사용하는 명령어 : select * from [data frame]
  → R에서 사용하는 명령어 : sqldf("select*from [data frame]")
- sql에서 사용하는 명령어 : select * from [data frame] numrows 10
  → R에서 사용하는 명령어 : sqldf("select*from [data frame] limit 10")
- sql에서 사용하는 명령어 : select * from [data frame] where [col] like 'char%'
  → R에서 사용하는 명령어 : sqldf("select*from [data frame] where [col] like 'char%' ")

3. plyr

- plyr 패키지의 함수들은 **데이터를 분할**(split)한 뒤 원하는 방향(행, 열, 행열 모두)으로 **특정 함수를 적용하고**(apply), **그 결과를 재조합**(combine)하여 **반환**해준다. 여러 함수로 처리해야 할 데이터의 분할, 함수 적용, 재조합을 한 번에 처리할 수 있기 때문에 매우 효율적이고 편리한 패키지이다.

출제포인트

R 패키지를 활용한 데이터 마트 개발은 사례 제시형 문항으로 과거에 종종 등장했으나, 최근에는 직접 출제된 문항이 없습니다. dplyr 등 패키지를 활용한 전처리·집계 흐름을 개략적으로 이해해 두면 충분히 대비할 수 있습니다.

직접 실습해보기

- reshape
- sqldf
- plyr
- data.table

개념 ➕

plyr

첫 글자가 r로 시작하는 raply, rdply, rlply, r_ply 함수들은 지정한 표현식을 반복하는 경우에 사용하고, 첫 글자가 m으로 시작하는 mdply, mlply, maply, m_ply 함수들은 열별로 다중 인수 함수를 적용하여 결과를 반환할 때 사용합니다.

- plyr 패키지의 함수 대부분은 '**ply' 형태로 이루어져 있으며, 첫 번째 글자는 입력 데이터의 형태를 의미하고 두 번째 글자는 출력 데이터의 형태를 의미한다. '*' 자리에 들어갈 수 있는 글자와 의미는 아래와 같다

> a : array (배열)
> l : list (리스트)
> d : data frame (데이터프레임)
> _ : 아무런 출력을 하지 않음 (두 번째 자리인 출력 데이터타입 형태로만 지정이 가능)

> **비기의 학습팁**
> 변수를 조합하여 변수명을 만들고, 다양한 차원에서 변수를 결합하여 여러 요약 변수와 파생 변수를 쉽게 생성함으로써 데이터 마트를 구성할 수 있습니다.

4. data.table

- data.table 패키지는 연산속도가 매우 빨라 크기가 큰 데이터를 처리하거나 탐색하는데 유용하며, 그만큼 자주 사용되는 패키지이다.
- 특정 컬럼을 키 값으로 색인을 지정한 후 데이터를 처리한다.
- 데이터 테이블은 데이터 프레임과 동일하게 취급되므로 데이터 프레임에 적용할 수 있는 함수들을 데이터 테이블에 적용할 수도 있다.

> 데이터테이블[행, 열, by = "그룹화 기준 변수"]

✓ 핵심 개념체크

✓31회 기출 출★★★★★ 난★☆☆☆☆

1. 다음 중 데이터 웨어하우스의 하위 집합으로, 특정 사용자 그룹이 관심을 갖는 데이터를 제공하기 위해 구성된 작은 규모의 데이터 저장소는 무엇인가?

① 데이터 레이크　　　　② 데이터 마트
③ 데이터베이스　　　　④ 데이터 파이프라인

> 데이터 마트는 특정 사용자 그룹을 위한 작은 규모의 데이터 저장소이다. 데이터 레이크는 대규모 비정형 데이터를 저장하며, 데이터베이스와 데이터 파이프라인은 다른 목적에 사용된다.

✓9회 기출 출★★★★★ 난★★★☆☆

2. 아래의 정의가 가리키는 데이터 마트의 구성요소로 가장 적절한 것은?

> 특정한 의미를 갖는 작위적 정의에 의한 변수로, 사용자가 특정 조건을 만족하거나 특정 함수에 의해 값을 만들어 의미를 부여한 변수

① 반응변수　　　　② 파생변수
③ 설명변수　　　　④ 요약변수

> 파생변수는 사용자가 의미를 부여한 새로운 변수이다. 설명변수는 두 변수의 관계에 대하여 설명을 하는 변수이며 이에 반응 하는 변수가 반응변수이다. 또한 요약변수는 데이터를 집계한 값이다.

✓29회 기출 출★★★★★ 난★★★★★

3. 변수를 조합해 변수명을 만들고 변수들을 시간, 상품 등의 차원에 결합해 다양한 요약변수와 파생변수를 쉽게 생성하여 데이터 마트를 구성할 수 있는 R 패키지는 무엇인가?

① ETL　　　　② reshape
③ OLAP　　　　④ rattle

> reshape는 R에서 데이터를 긴 형식과 넓은 형식으로 변환하며, 다양한 차원에서 데이터를 결합하거나 요약 변수를 생성할 수 있는 패키지이다. 이를 활용하여 시간, 상품 등의 차원을 기준으로 데이터를 조합하고 분석에 적합한 형태로 변환하는 데 매우 유용하다.

정답 1. ② 2. ② 3. ②

3장 데이터마트

2절 데이터 탐색

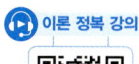 이론 정복 강의

출제빈도 F3 난이도 D4

#이상값 #결측값 #데이터탐색 #상자그림

❶ 탐색적 자료 분석(Exploratory Data Analysis, EDA)

- 다양한 차원과 값을 조합해가며 **특이한 점이나 의미 있는 사실을 도출하고 분석의 최종목적을 달성해가는 과정**으로, 데이터의 특징과 내재하는 **구조적 관계**를 알아내기 위한 기법들의 통칭이다.

- 데이터의 값을 눈으로 보면서 전체적인 추세와 어떤 특이사항이 있는지 관찰할 수 있고, 여기서 사용되는 기본 도구는 도표(plot), 그래프(graph), 그리고 통계요약(summary statistic)이다.

❷ 결측값(Missing value)

- 결측값(Missing value)은 입력이 누락되어 값이 존재하지 않고 비어있는 값을 의미한다. 보통 NA·999999·" "(공란)·Unknown·Not Answer·NULL 등으로 출력된다.

- 일반적으로 결측값이 있는 데이터는 정보 손실에 의한 상당한 편의(bias)를 야기할 수 있고, 데이터를 다루고 분석하는 것을 어렵게 만들며, 분석의 효율성을 감소시킨다.

- 또한 분석 결과가 왜곡될 수도 있다. 따라서 반드시 데이터에 결측값이 존재하는지를 확인하고 처리해야 한다.

- R에서 결측치를 확인하는 대표적인 함수로는 complete.cases()와 is.na()가 있다.

complete.cases()	레코드(행)별로 결측값이 있는지 확인하여 결측인 경우 FALSE를 반환
is.na()	모든 원소에 대해 결측값이 있는지를 확인하여 결측인 경우 TRUE를 반환

- 결측값을 처리하는 방법으로 크게 단순 대치법과 다중 대치법이 있다.

> **출제포인트**
>
> 결측값은 개념 구분을 중심으로 한 비교·선택형 문항으로 종종 출제되는 주제이며, 2025년 시험에서는 1문제가 출제되었습니다. 평균 대체·삭제 등 주요 처리 방법을 숙지해 두시기 바랍니다.

 직접 실습해보기

CODE LEARNING 결측값

> **비기의 학습팁**
>
> R에서 결측치를 확인하는 대표적인 함수로는 complete.cases()와 is.na()가 있습니다. complete.cases()는 레코드(행)별로 결측값이 있는지 확인하여 결측인 경우 FALSE를 반환합니다. is.na()는 모든 원소에 대해 결측값이 있는지를 확인하여 결측인 경우 TRUE를 반환합니다.

단순 대치법	Complete Case Analysis (완전사례분석)	• 가장 단순한 방법으로 결측값이 존재하는 모든 레코드(행)를 삭제하는 방법 • 결측값이 많을 경우 중요한 정보를 잃을 가능성이 높음
	평균대치법	• 관측 또는 실험을 통해 얻어진 데이터의 평균으로 대치하는 방법 • 비조건부 평균 대치 : 단순히 산술평균으로 대치 • 조건부 평균 대치 : 회귀분석을 활용해 추정하여 대치
	단순확률 대치법	• 평균대치법에서 추정량의 표준 오차를 과소 추정하는 문제를 보완하고자 고안된 방법 • Hot deck 방법, Nearest Neighbor 방법 등
다중 대치법		• 단순대치법을 한 번만 하지 않고 m번의 대치를 통해 m개의 가상적 완전 **자료를 만드는 방법** • ~ m개의 가상적인 완전 자료를 만드는 방법 • 1단계 : 대치(Imputation) → 2단계 : 분석(Analysis) → 3단계 : 결합(Combination)

출제포인트

이상값은 출제 빈도는 높지 않지만 개념 이해를 꼼꼼히 묻는 형태로 다뤄지는 주제입니다. 2025년 시험에서는 직접적인 문항은 없었으나, 이상치 판단 기준이나 응용 사례를 중점적으로 학습하시기 바랍니다.

직접 실습해보기

▶ 이상값(1)
▶ 이상값(2)

비기의 학습팁

의도적으로 이상치를 가져야하는 분석도 존재합니다. 대표적인 이상치 사용 분야의 예는 사기 탐지, 의료(특정환자에게 보이는 예외적인 증세), 네트워크 침입탐지 등이 있습니다.

비기의 학습팁

일반적으로 Q1-1.5×IQR 미만 또는 Q3+1.5×IQR 초과인 값을 이상치로 간주합니다.

❸ 이상값(Outlier)

- 의도하지 않게 잘못 입력한 경우나 의도에 맞게 입력 되었으나 분석 목적에 부합하지 않아 제거해야 하는 경우 등 잘못된 데이터(Bad data)도 있지만, 의도하지 않은 현상이지만 분석에 포함해야 하는 경우와 의도된 이상값(Fraud, 불량)인 경우까지 다양하다.

- 일반적으로 이상값은 관측된 데이터의 범위에서 많이 벗어나 있는 아주 작거나 아주 큰 값으로, 정상 범위 밖에 있는 값을 뜻한다. 이러한 이상값은 잘못 입력된 값일 수도 있으나 실제로 존재하는 값일 수도 있으므로 분석의 목적이나 종류에 따라 적절한 판단이 필요하다.

- 이상치 판별은 상자그림으로 확인할 수 있으며, 이렇게 판단된 이상치는 상하위 5%에 해당하는 데이터를 삭제하거나 대치하는 등의 방법으로 처리할 수 있다.

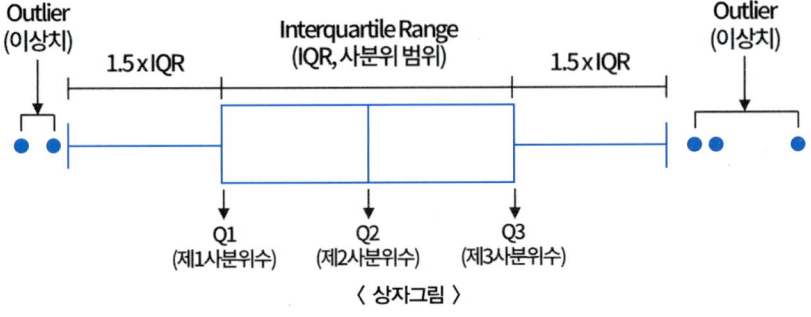

〈 상자그림 〉

- 상자그림 외에도 이상치를 평균으로부터 3표준편차 떨어진 값을 기준으로 판단하는 ESD(Extreme Studentized Deviation) 방법도 많이 사용된다.

④ 구간화(Binning)

- **연속형** 변수를 분석 목적에 맞게 활용하기 위해 구간화하여 모델링에 적용한다.
- 일반적으로 10진수 단위로 구간화 하지만, 구간을 5개로 나누는 것이 보통이며, 7개 이상의 구간은 잘 만들지 않는다.
- 신용평가모형, 고객 세분화와 같은 시스템에서 모형에 활용하는 각 변수들을 구간화해서 구간별로 점수를 적용하는 스코어링 방식으로 많이 활용되고 있다.

직접 실습해보기
CODE LEARNING
구간화

개념 +

구간화의 방법
- 구간화의 방법으로는 Binning과 의사결정나무가 있습니다.
- Binning은 신용평가모형의 개발에서 연속형 변수를 범주형 변수로 구간화 하는데 자주 활용된다.
- 의사결정 나무는 동일한 변수를 여러 번의 분리 기준으로 사용 가능하기 때문에 연속 변수가 반복적으로 선택될 경우 각각의 분리 기준값으로 연속형 변수를 구간화 할 수 있습니다.

예시

타자들의 연봉데이터(단위:백만원)

630	400	180	550	162	500	270	200
192	200	200	80	310	200	135	300
160	70	220	350	700	88	100	250
400	400	70	160	185	170	85	202
80	72	100	350	85	500	140	100

구간	연봉(단위:백만원)
1	~ 20미만
2	20이상 ~ 40미만
3	40이상 ~ 60미만
4	60이상 ~ 80미만
5	80이상 ~ 100미만
6	100이상 ~

⑤ 변수 중요도

- 변수 선택법과 유사한 개념으로 모형을 생성하여 사용된 변수의 중요도를 살피는 과정이다.
- klaR 패키지 특정 변수가 주어졌을 때 클래스가 어떻게 분류되는지에 대한 에러율을 계산해 주고, 그래픽으로 결과를 보여주는 기능을 한다.

개념 +

greedy.wilks( )

세분화를 위한 stepwise forward 변수 선택 방법을 제공하는 함수로, Wilks' Lambda를 활용하여 종속 변수에 가장 영향력 있는 변수를 선택하고, 각 변수의 중요도를 평가합니다.
(Wilk's Lambda = 집단내분산/총분산)

✓ 핵심 개념체크

✓ 32회 기출 출★★★★★ 난★★☆☆☆
4. 아래의 상자수염 그림을 보고 옳지 않은 것을 고르시오.

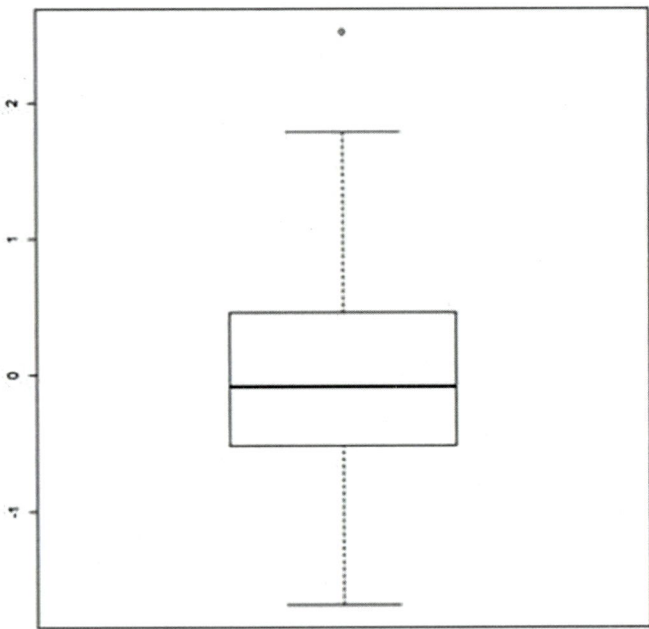

① 평균의 위치를 알 수 있다.
② 중앙값의 위치를 알 수 있다.
③ 이상값이 존재한다.
④ 상자 안 가운데에 그어진 선이 중앙값이다.

상자수염 그림(Box Plot)은 데이터의 분포를 시각적으로 나타내는 도구로, 중앙값(Median), 사분위수(Q1, Q3), 이상값(Outlier) 등을 확인할 수 있다. 그러나 평균(Mean)의 위치는 상자수염 그림에 표시되지 않으므로 이를 알 수 없다. 중앙값은 상자 안 가운데에 그어진 선으로 나타나며, 그림에서 이상값이 위쪽에 점으로 표시되어 있음을 확인할 수 있다.

✓ 9회 기출 출★★★☆☆ 난★★★☆☆
5. R에서 결측값을 가리키는 것으로 가장 적절한 것은?

① Inf   ② NaN
③ NA   ④ dim

NA는 결측값을 나타내는 R의 전용 기호이다. NaN은 "숫자가 아님"을, Inf는 무한대를 나타내며 dim은 행과 열의 수를 한번에 반환해주는 함수이다.

✓ 41회 기출 출 ★★★☆☆ 난 ★★★★★

6. 다음 중 결측값을 처리하는 방법 중에서 완전사례분석(Complete Case Analysis)에 대한 설명으로 적절하지 않은 것은?

① 결측값을 포함하고 있는 레코드를 제거하고 분석을 수행한다.
② 완벽한 사례들로만 구성된 데이터로 전처리하여 분석에 사용하는 방법이다.
③ 데이터가 많은 경우에 유용하게 사용될 수 있다.
④ 결측값이 많은 경우에 레코드를 삭제하는 간단한 방법으로 활용도가 높다.

완전사례분석(Complete Case Analysis)은 결측값이 포함된 레코드를 제거하고 결측값이 없는 완전한 사례만으로 분석하는 방법이다. 이 방법은 데이터 양이 충분히 많을 때 유용하지만, 결측값이 많은 경우 중요한 정보를 많이 잃을 수 있어 분석의 신뢰도가 저하된다. 따라서 결측값이 많은 상황에서 단순히 레코드를 삭제하는 것은 오히려 부적절하다.

✓ 5회 기출 출 ★★★☆☆ 난 ★★☆☆☆

7. 이상치에 대한 설명으로 가장 부적절한 것은?

① 군집분석을 이용하여 다른 데이터들과 거리상 멀리 떨어진 데이터를 이상치로 판정한다.
② 이상치는 분석 결과를 왜곡하기 때문에 반드시 삭제한 후 분석한다.
③ 설명변수의 관측치에 비해 종속변수의 값이 상이한 값을 이상치라 한다.
④ 통상 평균으로부터 표준편차의 3배가 되는 점을 기준으로 이상치를 정의한다.

이상치는 분석 목적에 따라 제거하지 않고 사용할 수도 있다. 군집분석, 설명변수와 종속변수의 불일치, 표준편차 3배 기준은 이상치 탐지의 일반적 방법이다.

✓ 11회 기출 출 ★★★☆☆ 난 ★★★☆☆

8. 다음 중 이상값 검색을 활용한 응용시스템으로 가장 적절한 것은?

① 장바구니분석 시스템　　② 데이터 마트
③ 교차판매 시스템　　　　④ 부정사용방지 시스템

이상값 검색은 데이터에서 비정상적인 패턴을 탐지하는 데 사용되며, 부정사용방지 시스템에서 널리 활용된다. 장바구니 분석은 연관규칙 분석, 데이터 마트는 데이터 웨어하우스의 하위구조이며, 교차판매는 예측 분석에서 활용된다.

정답 4. ① 5. ③ 6. ④ 7. ② 8. ④

3과목 | 1장 2장 3장
데이터 분석

 정답과 해설 : 238p

윤박사 분석

㈜데이터에듀가 보유하고 있는 전 회차(1회~47회)의 기출복원문제를 중심으로 최근 5년(2021~2025년)의 출제경향을 분석해서 가장 좋은 문제를 선별하여 예상문제 16개를 구성하였습니다.

실제 3과목 기출문제의 장별 출제 빈도는 〈1장 데이터 분석 개요〉와 〈2장 R 프로그래밍 기초〉는 1년에 1~2문제가 출제되고 있고, 〈3장 데이터마트〉는 적으면 2문제에서 많게는 11문제까지 출제 폭이 상당히 넓습니다. 예상문제는 1장은 3문제, 2장은 4문제 그리고 3장은 9문제를 수록하였습니다.

3과목 1장, 2장, 3장의 실제 난이도는 3등급을 중심으로 정규분포를 따르고 있지만, 최근에는 수험생들이 〈2장 R 프로그래밍 기초〉를 공부하지 않는 경향이 있어 체감상 더 어렵게 느끼기도 합니다. 예상문제는 4등급(5문제), 3등급(5문제), 5등급(4문제), 2등급(1문제), 1등급(1문제) 순으로 배치하여 실제 난이도를 반영하여 시험을 대비할 수 있도록 하였습니다.

3과목 1장, 2장, 3장 중 〈2장 R 프로그래밍 기초〉는 시간대비 문제수가 너무 적게 출제되어 가성비가 너무 떨어집니다. 하지만 특히 1장은 기본 개념이기 때문에 쉬운 문제가 출제되고, 3장은 결측값과 이상값에서 문제가 집중해서 나오기 때문에 선택과 집중을 통해 공부하시기 바랍니다.

1장 | 데이터 분석 개요

✓ 36회 기출 출★★★★★ 난★★★★☆

 01 데이터 전처리 과정에 대한 설명으로 가장 적절한 것은?

① 데이터 특성을 파악하고 통찰을 얻기 위한 다각도 접근 방법을 EDA(Exploratory Data Analysis)라고 한다.
② 데이터 정규화는 이상값을 제거하기 위해 사용하는 과정이다.
③ 결측값은 데이터 분석에 큰 영향을 미치지 않으므로 제거 과정이 필수적이지 않다.
④ 데이터 표준화는 모든 변수의 값을 0과 1 사이로 변환하는 과정을 의미한다.

✓ 18회 기출 출★★★★★ 난★★★★☆

02 EDA의 4가지 주제 중 틀린 것은?

① 종속변수 계산
② 저항성의 강조
③ 자료변수의 재표현
④ 그래프를 통한 현시성

✓ 14회 기출 출★★★★★ 난★★★☆☆

03 탐색적 데이터 분석의 목적은 데이터를 이해하는 것이다. 다음 중 이에 대한 설명으로 가장 부적절한 것은?

① 데이터에 대한 전반적인 이해를 통해 분석 가능한 데이터인지 확인하는 단계이다.
② 탐색적 데이터 분석 과정은 데이터에 포함된 변수의 유형이 어떻게 되는지를 찾아가는 과정이다.
③ 데이터를 시각화하는 것만으로는 이상점(outlier)식별이 잘 되지 않는다.
④ 알고리즘이 학습을 얼마나 잘 하느냐 하는 것은 전적으로 데이터의 품질과 데이터에 담긴 정보량에 달려 있다.

✓ 36회 기출 출★★★★★ 난★★☆☆☆

04 웹 데이터의 수집을 위해 웹페이지의 구조를 분석하여 데이터를 자동으로 수집하는 방법은?

① 맵리듀스(MapReduce)
② 웹 크롤링(Web Crawling)
③ PCA(Principal Component Analysis)
④ ARIMA(Autoregressive Integrated Moving Average)

2장 | R 프로그래밍 기초

✓ 10회 기출 출★★★★★ 난★★★☆☆

01 아래 R코드를 수행한 결과로 적절한 것은?

```
> "+"(2,3)
```

① 에러 메시지가 출력된다.
② 경고 메시지가 출력된다.
③ 숫자 5가 출력된다.
④ 두 개의 원소로 이루어진 벡터가 출력된다.

✓7회 기출　출★★★☆☆　난★★★★★

02 새로운 워크스페이스에서 다음의 명령어들을 수행시켰다. 이때 에러를 생성하는 명령어는?

① c(2, 1, TRUE)

② c(2, ab, cd)

③ c(pi, 2*pi)

④ c(FALSE, 3, 5)

✓19회 기출　출★★★☆☆　난★★★★☆

03 아래 그림과 같이 두개의 데이터 프레임 dfm1, dfm2 를 T_name 이라는 변수로 결합하고자 할 때, 사용되는 함수는 어느 것인가?

T_name	x	y
T1	1.4	3.2
T2	1.8	3.4
T3	1.5	3.9
T4	1.4	3.2
T5	1.6	3.4
T6	1.5	3.9

＋

T_name	z
T1	5.7
T3	5.8
T5	6.9

＝

T_name	x	y	z
T1	1.4	3.2	5.7
T3	1.5	3.9	5.8
T5	1.6	3.4	6.9

① cbind(dfm1, dfm2, by="T_name")

② rbind(dfm1, dfm2, by="T_name")

③ merge(dfm1, dfm2, by="T_name")

④ subset(dfm1, dfm2, by="T_name")

✓42회 기출　출★★★☆☆　난★★★★★

04 다음 정의된 벡터를 설명한 것으로 적절하지 않은 것은?

```
a <- c(5, 10, 15, 20)
b <- c("apple", "banana", "cherry", "date", "fig")
c <- c(TRUE, FALSE, TRUE, FALSE)
d <- c(a, b, c)
```

① d 벡터의 유형은 character 이다.

② d 벡터의 길이는 13 이다.

③ d[6] 의 값은 "banana" 이다.

④ d[16] 이라고 입력하면 오류가 나며 결과가 출력되지 않는다.

✓ 11회 기출 ★★☆☆☆ 난★★★★★

05 다음 중 결과가 다른 R코드는?

① a<-seq(1,10,1)

② b<-c(1,10)

③ c<-1:10

④ d<-seq(10,100,10)/10

✓ 30회 기출 ★★★☆☆ 난★★★☆☆

06 여섯 가지 닭 사료 첨가물의 효과를 비교한 데이터에 대한 요약 통계 결과이다. 다음 중 데이터 요약에 대한 설명으로 부적절한 것은?

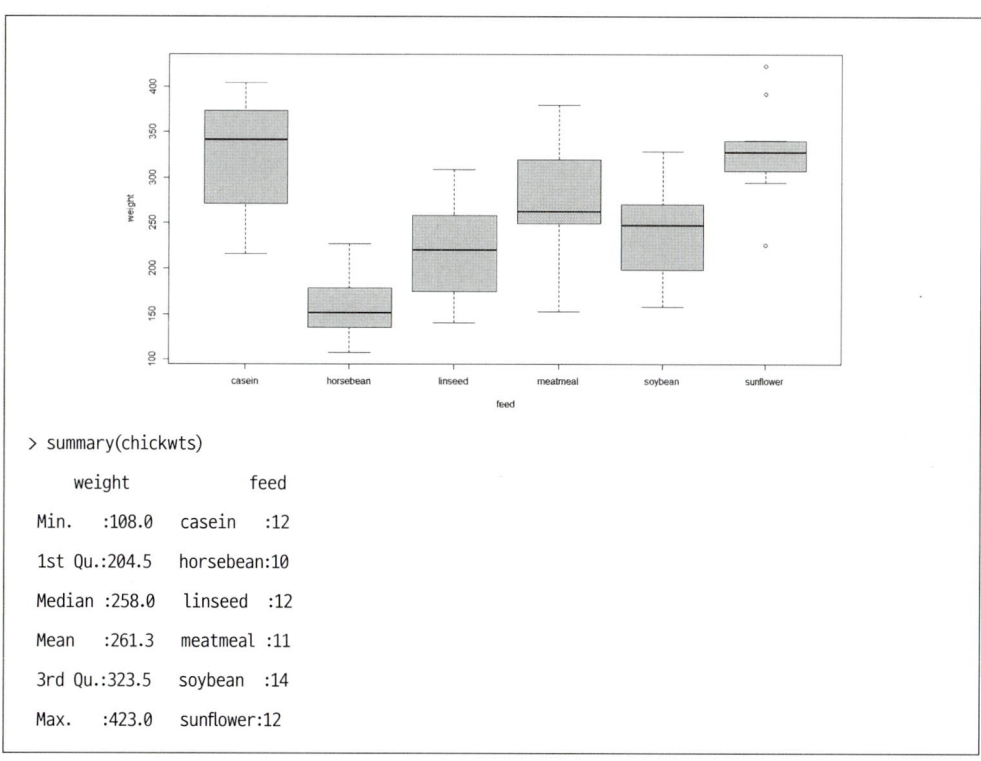

① Weight의 중앙값은 261.3이다.

② feed는 닭 사료 첨가물 종류를 나타내며 범주형 변수이다.

③ 약 25%의 닭의 weight가 204.5보다 작다.

④ weight의 범위는 최댓값과 최솟값의 차이로, 315이다.

✓ 15회 기출 출★★★☆☆ 난★★★★★

07 Carseats 데이터 프레임은 400개 상점에서 판매 중인 유아용 카시트의 재료이고, Sales 변수는 해당 상점에서 판매된 카시트의 수를 나타낸다. 다음 중 R 패키지에서 Sales 변수의 표준편차를 계산하기 위한 식으로 가장 부적절한 것은?

① stdev(Carseats$Sales)

② sd(Carseats$Sales)

③ sqrt(var(Carseats$Sales))

④ var(Carseats$Sales)^(1/2)

3장 | 데이터 마트

✓ 36회 기출 출★★★☆☆ 난★★★☆☆

01 변수 가공에 대한 설명으로 적절하지 않은 것은?

① 파생변수는 기존 데이터를 기반으로 복잡한 계산이나 변환 과정을 통해 새로운 패턴이나 특성을 도출해낸 변수이다.

② 연속형 변수는 특정 조건에 따라 이진화할 수도 있다.

③ 변수의 이상치를 처리하거나 결측치를 대체하는 방법도 변수 가공의 중요한 부분이다.

④ 구간화의 개수가 감소하면 정확도는 높아지지만 속도가 느려진다.

✓ 43회 기출 출★★★☆☆ 난★★★★☆

02 다음 중 파생변수에 대한 설명으로 옳지 않은 것은 무엇인가?

① 모든 데이터에 파생변수가 활용될 수 있다.

② 파생변수는 특정 상황에만 유효하지 않게 대표성을 가질 필요가 있다.

③ 파생변수는 주관적이기 때문에 논리적 타당성을 확보해야 한다.

④ 파생변수는 기존 변수에서 새로운 정보를 추출하여 생성한 변수이다.

✓ 14회 기출 출★★★★★ 난★★★★★

03 chickwts 데이터 프레임은 여섯가지 종류의 닭 사료 첨가물(feed)과 각 사료를 먹인 닭의 무게(weight)를 변수로 가진다. 아래의 (1)의 기초통계량과 각 feed별 weight의 평균을 계산하여, 아래 (2)와 같은 결과물을 만들기 위한 코드로 다음 중 가장 적절한 것은?

```
(1)                                    (2)
> head(chickwts)                         feed      groupmean
  weight  feed                        1 casein    323.5833
1    179  horsebean                   2 horsebean 160.2000
2    160  horsebean                   3 linseed   218.7500
3    136  horsebean                   4 meatmeal  276.9091
4    227  horsebean                   5 soybean   246.4286
5    217  horsebean                   6 sunflower 328.9167
6    168  horsebean

> summary(chickwts)
     weight          feed
 Min.   :108.0   casein   :12
 1st Qu.:204.5   horsebean:10
 Median :258.0   linseed  :12
 Mean   :261.3   meatmeal :11
 3rd Qu.:323.5   soybean  :14
 Max.   :423.0   sunflower:12
```

① ddply(chickwts, .(feed), groupmean = mean(weight))

② ddply(chickwts, weight,feed, summarize, groupmean=mean(weight))

③ ddply(chickwts, .(feed), summarize, groupmean=mean(weight))

④ ddply(chickwts, weight,feed, groupmean=mean(weight))

✓ 30회 기출 출★★★★★ 난★☆☆☆☆

04 아래의 R 결과에 대한 설명 중 적절하지 않은 것은 무엇인가?

```
> summary(College$Terminal)
 Min. 1st Qu. Median  Mean 3rd Qu.  Max.
 24.0    71.0   82.0  79.7    92.0 100.0
```

① Terminal 변수의 최소값은 24이다.

② Terminal 변수의 평균은 79.7이다.

③ Terminal 변수의 중위수는 71이다.

④ Terminal 변수의 최대값은 100이다.

✓ 45회 기출 출★★★★★ 난★★★☆☆

05 다음 중 기술통계에서 결측치 처리에 대한 설명으로 옳지 않은 것은 무엇인가?

① 기술통계에서는 결측치를 제외하고 남은 데이터만을 분석할 수 있다.
② 데이터 분석의 정확성을 위해 결측치를 0으로 대체하는 것이 일반적이다.
③ 결측치는 평균이나 중위수로 대체하여 분석을 수행할 수 있다.
④ 결측치를 대체하는 방법은 데이터의 특성과 분석 목적에 따라 달라질 수 있다.

✓ 25회 기출 출★★★★★ 난★★★★☆

06 결측값은 관측되어 얻어지는 실험 자료에서 종종 나타나는 현상이다. 결측값을 분석할 수 있는 통계분석 방법론으로 대치법이 있다. 다음 중 결측값을 처리하는 방법에 대한 설명 중 부적절한 것은?

① Complete Analysis는 불완전 자료를 모두 삭제하고 완전한 관측치만으로 자료를 분석하는 방법이다. 그러나 부분적 관측자료를 사용하므로 통계적 추론의 타당성 문제가 있다.
② 평균대치법은 자료의 평균값으로 결측값을 대치하여 불완전한 자료를 완전한 자료로 만들어 분석하는 방법이다.
③ 단순 확률대치법은 평균대치법에서 추정량 표준오차의 과소 추정문제를 보완하고자 고안된 방법이다.
④ 다중대치법은 한 번의 단순대치법을 통해 m개의 가상적 완전 자료를 만들어서 분석하는 방법이다. 추정량의 과소추정이나 계산의 난해성 문제가 보완된 방법이다.

✓ 32회 기출 출★★★★☆ 난★★★★★

07 상자그림(Boxplot)을 사용하여 이상값을 탐지하려 한다. 아래 데이터 요약 결과에서 이상값 판단을 위한 하한선(Lower Bound)과 상한선(Upper Bound)은 무엇인가?

```
>summary(x)
Min. 1st Qu. Median Mean  3rd Qu. Max.
0    4       7      9.615 12      39
```

① (-12, 36) ② (-2, 30)
③ (4, 12)   ④ (-8, 24)

✓ 36회 기출 출★★★☆☆ 난★★★☆☆

08 다음 중 이상치를 판정하는 방법에 대한 설명으로 가장 부적절한 것은?

① Q2(중위수) + 1.5*IQR 보다 크거나 Q2(중위수) − 1.5*IQR 작은 데이터를 이상치로 규정한다.
② 3-sigma 방법은 평균에서 표준편차의 3배를 초과하는 값을 이상치로 간주한다.
③ 회귀분석 후 잔차를 분석하여 이상치를 판정하는 방법이 있다.
④ Grubb's Test는 정규분포 가정을 기반으로 이상치를 판정하는 방법이다.

✓ 20회 기출 출★★★☆☆ 난★★★★☆

09 다음은 이상값(Outlier)에 대한 설명이다. 잘못 설명한 내용을 고르시오.

① 부정사용방지 시스템이나 부도예측시스템에서는 이상값(Outlier)이라도 의미가 있으므로 제거하지 않는다.
② 이상값 인식에 있어서 가장 많이 활용하는 방법은 ESD(Extreme Studentized Deviation)로 평균에서 3 표준편차를 벗어나는 경우 이상값으로 인식하는 방법이다.
③ 이상값의 처리에 있어서 극단값 절단 방법과 조정 방법이 있으며 조정의 경우, 제거 방법에 비해 데이터 손실율이 높아 설명력이 낮아지는 단점이 있다.
④ 의도하지 않게 잘못 입력된 데이터인 경우 Bad Data에 해당되며 이러한 경우, 데이터를 제거하여 분석한다.

3과목 | 데이터 분석
정답 및 해설

모바일로 풀기

데이터 분석 개요	
01	①
02	①
03	③
04	②

R 프로그래밍 기초	
01	③
02	②
03	③
04	④
05	②
06	①
07	①

데이터 마트	
01	④
02	①
03	③
04	①
05	②
06	④
07	④
08	①
09	③

1장 | 데이터 분석 개요

01. EDA(탐색적 데이터 분석)는 데이터의 특성을 파악하고 분석 방향을 설정하기 위한 초기 탐색 과정이다. 이는 데이터 전처리의 중요한 단계로, 데이터의 분포, 이상값, 결측값 등을 파악하여 분석 방향을 설정하는 데 도움을 준다. **(정답 : ①)**

02. 탐색적 데이터 분석(EDA)의 주요 주제는 저항성의 강조, 변수의 재표현, 그래프를 통한 시각적 현시성이다. EDA는 데이터의 패턴과 이상점을 탐색하며 데이터에 대한 직관적 이해를 돕는다. 그러나 종속변수 계산은 모델링이나 예측 단계에서 주로 다뤄지며, EDA의 주제와는 거리가 멀다. **(정답 : ①)**

03. 탐색적 데이터 분석(EDA)은 데이터를 시각화하여 패턴, 분포, 이상점(outlier)을 확인하는 데 목적이 있다. 특히 그래프를 통한 시각화는 이상점을 식별하는 데 매우 효과적인 도구로 사용된다. 데이터의 품질과 정보량은 알고리즘의 학습 성능에 중요한 영향을 미치고 변수 유형을 확인하는 과정은 EDA의 핵심 단계 중 하나이다. **(정답 : ③)**

04. 웹 크롤링은 웹페이지의 구조를 분석하고 자동화된 방식으로 데이터를 수집하는 기술이다. 이는 데이터 수집의 핵심 방법 중 하나로, HTML과 같은 웹페이지 요소를 분석하여 필요한 정보를 가져온다. 맵리듀스(MapReduce)는 분산 병렬 처리 프레임워크로 대규모 데이터를 처리하는 데 사용되고 PCA는 주성분 분석으로 차원 축소에 사용되며 ARIMA는 시계열 데이터 분석과 예측을 위해 사용되는 통계 모델이다. **(정답 : ②)**

2장 | R 프로그래밍 기초

01. 해당 코드를 실행하면 다음과 같이 출력된다.
> "+"(2,3)
[1] 5
(정답 : ③)

02. c(2, ab, cd)는 에러를 발생시킨다. R에서 벡터는 동일한 타입의 원소로 구성되어야 하며, ab와 cd는 문자열이기 때문에 인용부호(" ")가 필요하다. 인용부호 없이 작성하면 에러가 발생한다. 나머지 명령어 c(2, 1, TRUE)와 c(FALSE, 3, 5)는 논리형이 자동으로 숫자형으로 변환되고, c(pi, 2*pi)는 pi가 숫자형 상수이므로 정상적으로 수행된다. (정답 : ②)

03. 두 개의 데이터 프레임을 특정 키(T_name)를 기준으로 결합하는 함수는 merge() 함수이다. merge() 함수는 R에서 두 개의 데이터 프레임을 병합할 때 사용되며, 공통된 키 변수를 기준으로 데이터를 결합한다. cbind() 함수는 데이터 프레임의 열을 기준으로 병합할 때 사용한다. rbind() 함수는 데이터 프레임의 행을 추가할 때 사용한다. subset() 함수는 데이터 프레임의 일부를 선택할 때 사용한다. (정답 : ③)

04. R 언어에서 숫자형(a), 문자형(b), 논리형(c) 요소가 혼합된 벡터 d를 생성하면, R의 자동 형 변환(Coercion) 규칙에 따라 모든 요소는 가장 표현 범위가 넓은 유형인 문자형(character)으로 변환된다. 따라서 벡터 d의 최종 유형은 문자형이 맞다. d 벡터의 실제 길이는 13이며, d[6]의 값은 문자형인 "banana"가 맞다. 그러나 R에서는 벡터의 유효 범위를 벗어난 인덱스(d[16])를 호출하더라도 오류를 발생시키지 않고, 대신 결측값인 NA를 반환한다. 따라서 오류가 발생하며 출력되지 않는다는 설명은 잘못된 설명이다.(정답 : ④)

05. b<-c(1,10)은 두 원소만 포함된 벡터를 생성하며 다른 코드들과 결과가 다르다. 나머지 코드들은 1부터 10까지 연속적인 숫자로 구성된 벡터를 생성한다. (정답 : ②)

06. Weight의 중앙값은 summary 결과에서 258.0으로 나타나 있다. 중앙값은 데이터를 정렬했을 때 중간에 위치한 값으로, Median으로 표현하며, 평균(mean)과는 다른 개념이다. 따라서 "Weight의 중앙값은 261.30이다"라는 설명은 부적절하다. feed 변수는 닭 사료 첨가물의 종류를 나타내며 범주형 변수라는 설명은 옳은 설명이며, 약 25%의 닭의 weight가 204.5보다 작다는 설명도 1사분위수(1st Qu.)를 기준으로 하므로 정확하다. 또한 weight의 범위를 최대값과 최소값의 차이로 계산하면, 423.0 − 108.0 = 315.0이다. (정답 : ①)

07. R에서 표준편차를 계산하는 함수는 sd()가 표준이며, sqrt(var()) 역시 분산의 제곱근을 이용해 표준편차를 계산할 수 있다. 그러나 stdev()는 R의 기본 패키지에 존재하지 않는 함수이므로 에러가 발생한다. (정답 : ①)

3장 | 데이터 마트

01. 변수 가공에서 구간화(bin)는 데이터를 여러 범주로 나누는 과정이다. 구간화의 개수가 감소하면 정확도는 낮아지고 속도는 빨라진다. 범주가 줄어들면 데이터의 세부적인 정보를 잃을 수 있어 정확도가 떨어지지만, 연산 속도는 개선된다. 파생변수는 기존 데이터를 기반으로 새로운 변수를 생성하는 과정이고 이진화는 연속형 변수를 특정 조건에 따라 0과 1 같은 이진 변수로 변환하는 것이며 이상치 처리와 결측치 대체 역시 변수 가공의 중요한 부분이다. (정답 : ④)

02. 파생변수(Derived Variable)는 기존의 변수들을 조합하거나 변형하여 분석 목적에 맞게 새로운 정보를 담도록 생성한 변수이다. 파생변수의 생성은 분석의 효율성과 예측력을 높이는 데 기여하지만, 모든 데이터 분석 프로젝트에서 반드시 파생변수가 생성되거나 활용되어야 하는 것은 아니며, 분석 목적이나 데이터의 특성에 따라 그 활용 여부가 결정된다. 따라서 '모든 데이터에 파생변수가 활용될 수 있다'는 설명은 지나친 일반화로 옳지 않은 설명이다. (**정답** : ①)

03. ddply() 함수는 데이터 프레임을 그룹 변수로 나눈 뒤 요약 함수를 적용해 새로운 요약 결과를 만드는 함수이다. 문제에서는 feed별로 그룹을 나누고, weight의 평균을 계산해 새로운 변수 groupmean으로 요약해야 하므로, ddply(chickwts, .(feed), summarize, groupmean = mean(weight)) 처럼, 데이터(chickwts) – 그룹 변수(.(feed)) – 요약 함수(summarize) 순서로 지정한 3번이 가장 적절하다. 2번은 두 번째 인자에 그룹 변수 지정(.(feed))이 잘못되어 문법 오류이며, 1번과 4번은 세 번째 인자 자리에 요약 함수(summarize)가 누락되어 오류가 발생한다. (**정답** : ③)

04. R의 summary() 함수를 통해 도출된 결과에서 중위수(Median)는 82이다. 따라서 71은 1사분위수(1st Qu.)에 해당한다. 최소값(Min)은 24이고, 평균(Mean)은 79.7이며, 최대값(Max)은 100이다. (**정답** : ③)

05. 기술통계에서 결측치(Missing Value) 처리는 데이터의 품질과 분석 결과의 정확성에 직접적인 영향을 미치는 중요한 단계이다. 결측치를 단순히 0으로 대체하는 것은 해당 변수의 실제 평균값이나 분포를 심각하게 왜곡시키고, 0이라는 값이 가지는 통계적 의미(예: 없음, 최소값)를 임의로 부여하게 되므로 분석의 정확성을 오히려 저해할 가능성이 매우 크다. 따라서 결측치를 0으로 대체하는 것은 일반적인 처리 방법이 아니며, 보통 평균, 중앙값 등으로 대체하거나 해당 데이터를 제외하는 방법을 사용한다. (**정답** : ②)

06. 다중대치법은 결측값을 처리하기 위한 고급 방법으로, 한 번의 단순대치법이 아니라 m번의 단순대치법을 반복 수행하여 여러 개의 가상적 완전 자료를 생성한다. 이를 통해 결측값 처리로 인한 데이터의 변동성과 신뢰성을 유지할 수 있다. 따라서 "한 번의 단순대치법"이라는 설명은 부적절하다. (**정답** : ④)

07. 이상값 판단을 위한 하한선(Lower Bound)과 상한선(Upper Bound)은 다음과 같이 계산한다. IQR (Interquartile Range) = 3rd Qu. − 1st Qu. = 12 − 4 = 8 이므로 하한선은 1st Qu. − 1.5 × IQR = 4−12 = −8 이며, 상한선은 = 3rd Qu. + 1.5 × IQR = 12+12 = 24 이다. (**정답** : ④)

08. 이상치는 Q1 − 1.5*IQR 이하이거나 Q3 + 1.5*IQR 이상인 값으로 정의된다. 중위수(Q2)를 기준으로 정의하는 방식은 잘못된 설명이다. 3-sigma 방법은 평균에서 표준편차의 3배 이상 벗어난 값을 이상치로 판단하고 잔차 분석은 회귀분석 후 모델의 적합성을 검토하기 위해 잔차를 분석하는 방법이며 Grubb's Test는 정규분포 가정을 기반으로 이상치를 판정한다. (**정답** : ①)

09. 조정 방법은 이상값을 극단적으로 제거하는 대신 적절한 값으로 대체하는 방법이며, 데이터 손실을 최소화할 수 있다. 부정사용 방지 시스템과 부도예측 시스템에서는 이상값이 중요한 의미를 갖기 때문에 제거하지 않고 ESD(Extreme Studentized Deviation)는 평균에서 3표준편차를 벗어난 데이터를 이상값으로 판단하는 방법이며 Bad Data는 잘못 입력된 값으로서 삭제하거나 수정하는 것이 일반적이다. (**정답** : ③)

ADsP
데이터 분석 준전문가

PART 03 데이터 분석

4장 통계 분석

12 DAY

○ 학습 목표

- 통계의 정의와 자료 획득 방법을 이해한다.
- 통계분석과 통계분석 방법을 이해한다.
- 확률 및 확률분포를 이해한다.
- 추정과 가설검정을 이해한다.

○ 눈높이 체크

✔ **통계의 정의와 통계자료의 획득 방법을 알고 계시나요?**

> 여러분은 아마도 일상에서 통계라는 단어를 많이 접하고 계실 것입니다. 통계는 간단한 테이블과 그래프에서 아주 복잡한 분석 결과에 이르기까지 다양한 형태로 나타납니다. 그리고 통계를 만들기 위해 필요한 통계자료를 획득하는 방법으로 전수조사와 샘플링 조사가 있습니다.

✔ **통계분석의 방법에 대해 알고 계신가요?**

> 통계자료를 획득한 후 통계분석을 하게 되는데 분석 방법은 크게 기술통계와 통계적 추론으로 구분됩니다.

✔ **확률에 대해 이해하고 계신가요?**

> 확률이 복잡하고 어려운 학문이지만 여러분도 일상생활에서 많이 활용하고 있습니다. 스포츠 경기에서 이길 팀을 예측할 때나 누군가를 위한 깜짝 선물을 고를 때도 무의식적으로 확률을 활용하고 있습니다.

✔ **추정과 가설검정에 대해 들어 보셨나요?**

> 추정은 표본으로부터 모집단이 가지는 특성(모수)을 추측하는 과정입니다. 그리고 주어진 이론적 대안이 통계적으로 의미가 있는지를 확인하는 것이 가설검정이라 할 수 있겠습니다.

4장 통계 분석

1절 통계분석의 이해

출제빈도 F5 난이도 D4

#척도 #표본추출방법 #표본조사 #복원추출법 #추론통계 #통계적추론 #확률 #확률변수 #확률분포 #확률질량함수
#조건부확률 #이산형확률변수 #연속형확률변수 #정규분포

❶ 통계 및 자료 획득 방법

이론 정복 강의

1. 통계 정의

- 특정집단을 대상으로 수행한 조사나 실험을 통해 나온 결과에 대한 요약된 형태의 표현이다.
- 예 일기예보, 물가/실업률/GNP, 정당 지지도, 의식조사와 사회조사 분석 통계, 임상실험 등의 실험 결과 분석 통계
- 조사 또는 실험을 통해 데이터를 확보, 조사대상에 따라 전수 조사(Census)와 표본 조사(Sampling)로 구분한다.

출제포인트

통계 및 자료 획득 방법은 개념을 정확히 구분하는 비교·선택형 문항으로 자주 출제되는 빈출 주제이며, 2025년 시험에서는 6문제가 출제되었습니다. 표본추출 방법과 조사 방식 등 자료 수집 방법의 특징을 비교·정리해 두시기 바랍니다.

2. 전수 조사

- 전수 조사(총 조사, Census)는 특정 집단의 모든 구성원에 대해 데이터를 수집하는 방법이다.
- 많은 비용과 시간이 소요되는 단점으로 특별한 경우(예 대규모 연구나 정책 결정 등)를 제외하고는 사용되지 않는다.

비기의 학습팁

인구주택 총 조사는 전수조사의 대표적인 예입니다.

3. 표본조사(Sampling)

- 대부분의 설문조사는 표본조사로 진행되며 모집단에서 샘플을 추출하여 진행하는 조사이다.
- **모집단(Population)** : 조사하고자 하는 **대상 집단 전체**
- **원소(Element)** : **모집단을 구성**하는 개체
- **표본(Sample)** : 조사하기 위해 **추출한 모집단의 일부 원소**
- **모수(Parameter)** : **모집단의 특성**을 나타내는 값으로, 표본을 통해 추정

비기의 학습팁

표본조사에서는 모집단의 정의, 표본의 크기, 조사방법, 조사기간, 표본추출방법을 정확히 명시해야 합니다.

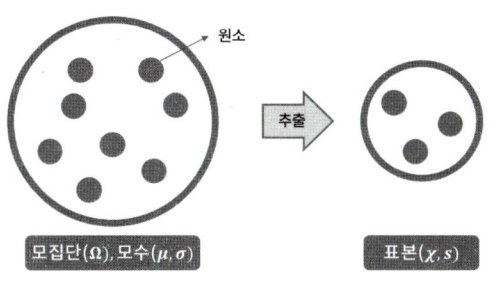

개념 ➕

확률추출법 VS 비확률추출법

- **확률 표본 추출**: 모집단의 각 구성원이 표본으로 선택될 확률이 동일하도록 설계된 표본 추출 방법입니다. 표본의 대표성을 높이는 데 기여합니다.
- **비확률 표본 추출**: 구성원이 선택되는 확률이 불확실한 방법입니다. 시간과 비용이 적게 들지만, 표본이 모집단을 잘 대표하지 못할 위험이 있습니다.

비기의 학습팁

계통추출법의 대표적인 예는 출구조사입니다.

개념 ➕

더 알아보기

- **표본오차**: 모집단의 일부인 표본에서 얻은 자료를 통해 모집단 전체의 특성을 추론 함으로써 생기는 오차입니다. 모집단을 대표할 수 있는 표본 단위들이 조사대상으로 추출되지 못하면 발생합니다.
- **비표본오차**: 표본오차를 제외한 조사의 전체 과정에서 발생할 수 있는 모든 오차입니다.
- **표본편의**: 표본추출방법에서 기인하는 오차로 표본추출이 의도된 모집단의 일부 구성원이 다른 구성원보다 더 낮거나 더 높은 표본 추출 확률을 갖는 오차입니다.

4. 표본추출방법

- 왜곡된 결과가 잘못된 결론으로 이어질 수 있기 때문에 표본의 대표성(표본이 모집단의 특성을 얼마나 잘 반영하는지)은 표본 추출에서 가장 중요한 요소이다.
- 표본조사의 중요한 점은 모집단을 대표할 수 있는 표본 추출이므로 표본 추출 방법에 따라 분석결과의 해석은 큰 차이가 발생한다.(N개의 모집단에서 n개의 표본을 추출하는 경우)
- 본 절에서는 대표적인 확률 표본 추출 방법인 단순랜덤추출법, 계통추출법, 집락추출법, 층화추출법에 대해서만 다루고자 한다.

1) 단순랜덤추출법 (Simple Random Sampling)

- 각 샘플에 번호를 부여하여 임의의 n개를 추출하는 방법으로 각 샘플은 선택될 확률이 동일하다.(비복원, 복원(추출한 Element를 다시 집어넣어 추출하는 경우) 추출)

2) 계통추출법 (Systematic Sampling)

- 단순랜덤추출법의 변형된 방식으로 번호를 부여한 샘플을 나열하여 K개씩 (K=N/n) n개의 구간으로 나누고 첫 구간(1, 2, … , K)에서 하나를 임의로 선택한 후에 K개씩 띄어서 n개의 표본을 선택한다. 즉, 임의의 위치에서 매 k번째 항목을 추출하는 방법이다.

"5개 마다 조사"

예 15개 중 3개의 샘플 추출

3) 집락추출법(Cluster Random Sampling)

- 군집을 구분하고 군집별로 단순랜덤 추출법을 수행한 후, 모든 자료를 활용하거나 샘플링하는 방법이다. (지역표본추출, 다단계표본추출)

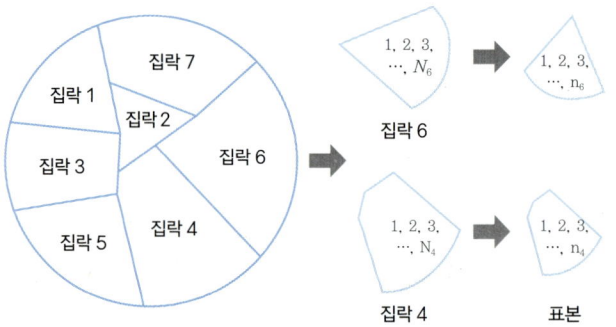

4) 층화추출법(Stratified Random Sampling)

- 이질적인 원소들로 구성된 모집단에서 각 계층을 고루 대표할 수 있도록 표본을 추출하는 방법으로, 유사한 원소끼리 몇 개의 층(Stratum)으로 나누어 각 층에서 랜덤 추출하는 방법이다. (비례층화추출법, 불비례층화추출법)

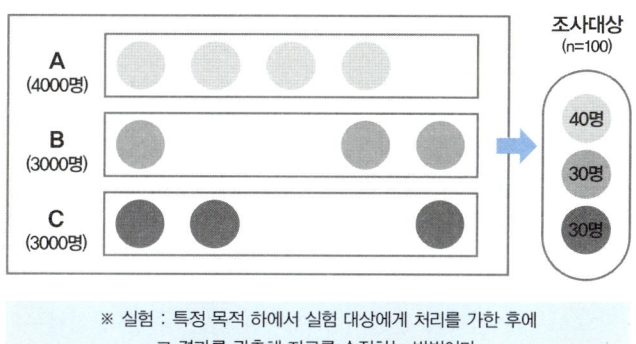

※ 실험 : 특정 목적 하에서 실험 대상에게 처리를 가한 후에 그 결과를 관측해 자료를 수집하는 방법이다.

5. 측정(Measurement)

가. 개요

- 표본조사나 실험을 실시하는 과정에서 추출된 원소들이나 실험 단위로부터 주어진 목적에 적합하도록 관측하여 자료를 얻는 것이다.

나. 측정방법

명목척도	측정 대상이 어느 **집단**에 속하는지 분류할 때 사용 (성별, 출생지 구분)	**질적척도** (범주형자료, 숫자들의 크기 차이를 계산할 수 없는 척도)
순서척도	측정 대상의 **서열관계**를 관측하는 척도 (만족도, 선호도, 학년, 신용등급)	
구간척도 (등간척도)	측정 대상이 갖고 있는 **속성의 양**을 측정하는 것으로 구간이나 구간 사이의 **간격이 의미가 있는** 자료(온도, 지수)	**양적척도** (수치형자료, 숫자들의 크기 차이를 계산할 수 있는 척도)
비율척도	간격(차이)에 대한 비율이 의미를 가지는 자료, **절대적 기준인 0이 존재**하고 **사칙연산이 가능**하며 가장 많은 정보를 가지는 척도(무게, 나이, 시간, 거리)	

> **비기의 학습팁**
> 명목척도와 순서척도의 가장 큰 차이점은 '서열'의 여부입니다. 1등급~9등급은 등급의 숫자가 낮을수록 성적이 높다는 서열을 가지고 있으므로 순서척도입니다. 혈액형(A형, B형, O형, AB형)은 서로 다른 특성을 가지지만, 그 사이에 서열은 없으므로 명목척도입니다.

> **비기의 학습팁**
> 구간척도와 비율척도의 가장 큰 차이점은 '절대적 영점'의 존재 여부입니다. 온도의 경우 0도가 절대적인 '없음'이 아닌 특정한 온도를 의미하므로 '구간척도'입니다. 길이의 경우 0cm는 '길이가 없음'을 의미하므로 '비율척도'입니다.

✅ 핵심 개념체크

✓ 36회 기출 출★★★★★ 난★★★★☆

1. 모집단에서 표본을 선택하는 다양한 방법이 존재한다. 다음 중 실제로 표본을 추출하는 데 사용되는 방법으로 적절하지 않은 것은 무엇인가?

① 층화추출법　② 집단추출법　③ 집락추출법　④ 단순무작위추출법

표본 추출 방법에는 다양한 기법이 존재하지만, 집단추출법은 통계학적으로 정식 용어가 아니며 실제 사용되는 표본 추출 방법에 해당하지 않는다. 주어진 선택지 중 층화추출법, 집락추출법, 단순무작위추출법은 모두 실무 및 이론에서 사용되는 표본 추출 방법이다.

✓ 41회 기출 출★★★★★ 난★☆☆☆☆

2. 데이터를 측정할 때 각 유형에 맞는 척도를 사용해야 한다. 이름, 성별, 지역 등과 같은 데이터를 나타내는 척도는 무엇인가?

① 명목 척도　② 서열 척도　③ 등간 척도　④ 비율 척도

명목 척도는 데이터를 단순히 분류하거나 구분하기 위한 척도로 이름, 성별과 같은 분류 데이터를 활용한다. 서열 척도는 데이터 간의 순서를 나타낼 수 있지만 간격의 크기는 알 수 없고, 등간 척도는 순서와 간격이 의미가 있으나 절대적인 0점이 없다. 비율 척도는 순서와 간격이 명확하고 절대적 0이 존재하는 척도이다.

정답 1. ② 2. ①

❷ 통계분석

1. 정의
- 특정한 집단이나 **불확실한 현상**을 대상으로 자료를 수집해 대상 집단에 대한 정보를 구하고, **적절한 통계분석 방법을 이용해 의사결정을 하는 과정**이다.

2. 기술 통계 (Descriptive Statistics)
- 주어진 자료로부터 어떠한 판단이나 예측과 같은 주관이 섞일 수 있는 과정을 배제하여 통계집단들의 여러 특성을 수량화하여 객관적인 데이터로 나타내는 통계분석 방법론이다.
- 표본(sample)에 대한 특성인 평균, 표준편차, 중위수, 최빈값, 그래프, 왜도, 첨도 등을 구하는 것을 의미한다.

> **비기의 학습팁**
> 기술 통계는 데이터의 특징을 요약하고 정리하는 방법으로 데이터의 기본적인 특성을 파악하고 정보를 간략하게 전달하는 데 목적이 있습니다.

3. 추론 통계 (Inference Statistics)
- 수집된 자료를 이용해 대상 집단(모집단)에 대한 의사결정을 하는 것으로 표본을 통해 모집단을 추정하는 것을 의미한다.
- 모수 추정 : 표본으로부터 모집단의 특성인 모수(모평균, 모분산 등)를 분석하여 모집단을 추론한다.
- 가설검정 : 대상집단에 대해 연구자가 특정한 가설을 설정한 후에 그 가설이 옳고 그름의 여부를 결정하는 방법론이다.
- 예측 : 미래의 불확실성을 해결해 효율적인 의사결정을 하기 위해 활용한다.
  (예 회귀분석, 시계열분석 등)

> **비기의 학습팁**
> 추론 통계는 표본 데이터를 기반으로 미지(unknown)의 세계인 모집단을 예측하는 방법입니다. 일반화할 수 있는 결론을 도출하는 데 목적이 있습니다.

✓ 핵심 개념체크

✓33회 기출 출★★★★★ 난★★★★☆

3. 통계적 추론은 표본 데이터를 통해 모집단의 특성을 유추하는 과정이다. 다음 중 통계적 추론에 대한 설명으로 부적절한 것은?
① 구간추정은 모수의 참값이 포함되어 있다고 추정되는 구간을 결정하는 것이며, 실제 모집단의 모수는 신뢰구간에 포함되어야 한다.
② 점추정은 특정 표본에서 계산된 통계량을 사용해 모집단의 모수를 하나의 값으로 추정하는 과정이다.
③ 통계적 추론은 표본에서 얻은 정보를 바탕으로 모집단의 특성을 유추하며, 항상 오차와 불확실성을 동반한다.
④ 표본 추출 후, 확률론적 방법을 이용해 모집단에 대한 일반적인 결론을 도출하는 것을 통계적 추론이라 한다.

> 신뢰구간은 모집단 모수가 포함될 확률이 높음을 나타내지만, 반드시 포함되어야 한다는 보장은 없다. 점추정(Point Estimation)은 평균, 비율, 분산 등의 모집단 모수를 하나의 값으로 추정하고 통계적 추론은 항상 표본오차와 불확실성이 존재하며 확률론에 기반하여 모집단의 특성을 예측하거나 결론을 내리는 과정이다.

✓33회 기출 출★★★★★ 난★★★★☆

4. 모집단으로부터 추출된 표본의 표본통계량으로부터 모집단의 특성인 모수에 관해 통계적으로 추론하는 통계를 무엇이라고 하는가?
① 가공 통계 ② 기술 통계 ③ 통계분석 ④ 추론 통계

> 추론 통계는 표본을 기반으로 모집단의 특성을 추론하거나 검정하는 통계 방법이다. 기술 통계는 데이터를 요약하고 설명하는 데 사용되며, 가공 통계는 데이터 정제에 사용된다. 통계분석은 일반적인 분석 과정으로, 추론 통계에 비해 구체성이 부족하다.

정답 3. ① 4. ④

❸ 확률과 확률 분포

1. 확률

가. 확률의 정의

- 표본 공간(Sample Space, Ω)(모든 결과들의 집합)에서 표본공간 Ω의 부분집합인 특정 사건(E)가 발생할 수 있는 비율(=특정 사건 A의 개수/전체 사건의 수)을 의미한다.

$$P(E) = \frac{n(E)}{n(\Omega)}$$

- 확률은 0과 1사이의 값을 가지며, 가능한 모든 사건의 확률의 합은 항상 1이다.

나. 덧셈 정리

- 사건 A 또는 사건 B 중 어느 한 쪽이라도 일어날 확률 P(A∪B)은 아래와 같다.

$$P(A \cup B) = P(A) + P(B) - P(A \cap B)$$

- 여기서 P(A∩B)는 사건 A와 사건 B가 동시에 일어날 확률을 의미하며, A와 B가 **배반사건**(A∩B=ø)일 때, P(A∩B)=0이 된다.

다. 곱셈 정리

- 조건부 확률은 특정 사건(A)가 주어졌을 때, 다른 사건(B)가 발생할 확률을 의미한다.

$$P(B|A) = \frac{P(A \cap B)}{P(A)}$$

- 조건부 확률의 정의로부터 아래의 식이 성립한다.

$$P(A \cap B) = P(A)P(B|A)$$

- 여기서 A와 B가 **독립 사건**(A와 B가 서로 무관계)일 때, P(B|A)=P(B)로 사건 A와 사건 B가 동시에 일어날 확률은 두 확률의 곱이 된다.

$$P(A \cap B) = P(A)P(B)$$

2. 확률 변수(Random Variable)

가. 정의

- 확률변수는 정의역(Domain)이 표본공간, 치역(Range)이 실수값인 함수이다. 즉, 어떤 실험을 통해 나타나는 결과를 수치적인 값으로 표현하는 함수이다.

- 예를 들어, 동전 2개를 던지는 실험에서 확률변수 X를 'X=앞면의 수'라고 정의하면 확률변수 X의 확률분포는 다음과 같다.(그림에서 H:앞면, T:뒷면을 의미)

출제포인트

확률과 확률 분포는 사례 제시형 또는 계산형 문항으로 자주 출제되는 빈출 주제이며, 2025년 시험에서도 4문제가 출제되었습니다. 주요 이산·연속 분포의 정의와 공식, 계산 및 해석을 함께 연습해 두시기 바랍니다.

비기의 학습팁

배반 사건은 동시에 일어날 수 없는 두 사건을 말합니다. 예를 들어 동전을 던졌을 때 앞면이 나오면 같은 시행에서 뒷면이 나올 수 없으므로, '앞면이 나오는 사건' 과 '뒷면이 나오는 사건' 은 서로 배반 사건입니다.

개념 ➕

베이즈 정리(Bayes' Theorem)

베이즈 정리는 조건부 확률을 활용하여 주어진 근거를 바탕으로 사전 확률을 재조정하는 방법으로, 나이브 베이즈 분류의 기본이 되는 중요한 개념입니다. 3과목 5장에서 자세히 다룹니다.

비기의 학습팁

독립 사건은 하나의 사건이 발생하더라도 다른 사건의 발생 확률에 영향을 주지 않는 것을 말합니다. 예를 들어 주사위를 던지는 사건과 동전을 던지는 사건이 각각 시행될 때 주사위를 던져서 나올 결과들이 동전의 결과에 영향을 주지 않으므로 두 사건은 독립 사건이 됩니다.

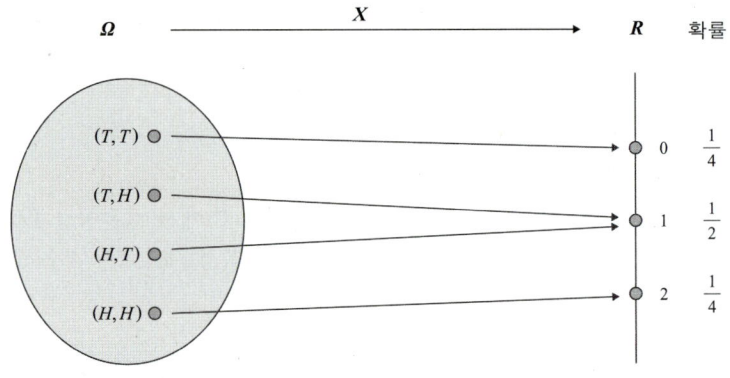

X	0	1	2	합계
확률	$\frac{1}{4}$	$\frac{1}{2}$	$\frac{1}{4}$	1

나. 이산형 확률 변수

- 이산점(Discrete Points)에서 0이 아닌 확률값을 가지는 확률변수이다.
- **이산형 확률변수의 확률**은 $P(X = x_i) = P_i, i = 1, 2, ..., n$으로 표현한다.
- 각 이산점에 있어서 확률의 크기를 표현하는 함수를 확률질량함수(Probability Mass Function, PMF)라 한다.
- 예를 들어, 두 개의 주사위를 던지는 실험에서 확률변수 X를 'X=두 주사위 눈금의 합' 이라고 정의하면 X의 이산형 확률분포는 다음과 같다.

X	2	3	4	5	6	7	8	9	10	11	12	합
확률	1/36	2/36	3/36	4/36	5/36	6/36	5/36	4/36	3/36	2/36	1/36	1

- 이산형 확률변수의 확률조건은 다음과 같다.

  ① $0 \leq P_i \leq 1, (i = 1, 2, \cdots, n)$ 즉, 각 x_i가 나타날 확률은 0과 1 사이의 값을 갖는다.

  ② $\sum_{i=1}^{n} P_i = 1$ 즉, 모든 가능한 경우의 확률의 합은 1이다.

다. 연속형 확률 변수

- 특정 실수 구간에서 0이 아닌 확률을 갖는 확률변수이다.
- 연속형 확률변수는 특정한 실수구간 내에서 0이 아닌 확률을 가지므로 이 구간에 대한 확률은 함수의 형태로 표현한다.
- 연속형 확률변수 X의 확률함수를 f(x)라고 할 때, f(x)는 **확률밀도함수**(Probability Density Function, PDF)라고 부르며 다음 조건을 만족한다.

  ① 모든 X 값에 대하여 $f(x) \geq 0$이다. 즉, X의 모든 실수 값에 대하여 확률밀도함수는 0 이상이다.

> **비기의 학습팁**
> 확률밀도함수는 특정 하나의 점에 대한 확률 값이 아니라, 그 점 근처에 밀집되어있는 확률의 정도를 의미합니다.

② X의 모든 가능한 값의 확률은 적분 $\int_{-\infty}^{\infty} f(x)dx$ 로 구하며 이 값은 항상 1 이다.

③ 구간(a, b)의 확률은 $\Pr[a < X < b] = \int_{a}^{b} f(x)dx$ 이다. 즉 구간 (a,b)에 대한 X의 확률은 그 구간에 있어 확률밀도함수 f(x)로 만들어지는 면적의 크기이다.

- 예를 들어, 확률변수 X가 0과 1 사이에서 균등한 분포를 가진다면 X의 확률밀도함수는 다음과 같이 표현한다.

$$f(x) = \begin{cases} 1, 0 \leq x \leq 1 \\ 0, \text{otherwise} \end{cases}$$

여기에서 모든 실수값 X에 대하여 f(x)=0 또는 1이므로 f(x)≥0의 조건을 만족하며, 아래와 같이 확률밀도함수의 조건을 만족한다.

$$\int_{-\infty}^{\infty} f(x)dx = \int_{0}^{1} f(x)dx = \int_{0}^{1} 1 dx = 1$$

라. 누적분포함수(Cumulative Distribution Function, CDF)

- 누적 분포 함수는 특정 값 a에 대하여 확률변수 X가 X≤a인 모든 경우의 확률의 합으로 다음과 같이 표현한다.

$$F_X(a) = \Pr(X \leq a)$$

- 이산형 확률변수는 $F_X(a) = \sum_{\text{a이하인 모든 } x_i} P(X = x_i)$ 이고 연속형 확률변수는 다음과 같이 표현한다.

$$F_X(a) = \int_{-\infty}^{a} f(x)dx$$

- 또한 누적분포함수는 증가 함수이고 우측 연속 함수이며, 0과 1사이의 값을 가진다.

- 구간 (a,b)에 대한 X의 확률은 $\Pr(a < x \leq b) = F_X(b) - F_X(a)$ 이다.

3. 확률변수의 기댓값과 분산

가. 기댓값

- 확률분포에서 **분포의 무게중심**을 말하며, 확률값을 가중치로 하는 확률변수의 가능한 값에 대한 가중평균(weighted average)이라고 할 수 있다.
- 이산형 확률변수의 기댓값:
이산형 확률변수 X의 가능한 값이 $(x_1, x_2, \cdots, x_n)$이며 $P_i(X=x_i)$, i=1, 2, …일 때, X의 기댓값은 $E(X) = \sum_{i=1}^{n} x_i P_i$ 이다.
- 연속형 확률변수의 기댓값:

연속형 확률변수 X의 확률밀도함수를 $f(x)$라 하면, X의 기댓값은 $E(X) = \int_{-\infty}^{\infty} xf(x)dx$ 이다.

> **개념 ➕**
>
> **확률분포와의 관계**
>
> 확률변수의 누적분포 함수는 그 확률 분포를 유일하게 결정합니다.

- X, Y를 확률변수, a, b를 상수라고 할 때, 기댓값은 항상 다음 조건을 만족한다.

① $E(a)=a$

② $E(aX+b)=aE(X)+b$

③ $E(aX+bY)=aE(X)+bE(Y)$

나. 분산(Variance)

- 확률 분포의 **산포(퍼져있는 정도)를 측정**하는 것으로 평균이 같은 경우에도 분산의 크기에 따라 산포의 모양이 달라진다.
- 확률변수 X의 분산은 X와 E(X)의 편차의 제곱의 기댓값으로 다음과 같이 표현된다. 여기서 $\mu=E(X)$로 표기

$$Var(X) = E[(X-\mu)^2]$$

- 이산형 확률변수의 분산:

$$Var(X) = E[(X-\mu)^2] = \sum_{i=1}^{\infty}(x_i-\mu)^2 f(x_i)$$

- 연속형 확률변수의 분산:

$$Var(X) = E[(X-\mu)^2] = \int_{-\infty}^{\infty}(x-\mu)^2 f(x)dx$$

- X, Y를 확률변수, a, b를 상수라고 할 때, 분산은 항상 다음 조건을 만족한다.

① $Var(a) = 0$

② $Var(aX+b) = a^2 Var(X)$

③ $Var(aX+bY) = a^2 Var(X) + b^2 Var(Y) + 2abCov(X,Y)$ (X, Y가 독립이 아닐 때)

④ $Var(aX+bY) = a^2 Var(X) + b^2 Var(Y)$ (X, Y가 독립일 때)

- 상수 a, b를 제외하고 X, Y가 서로 독립일 때 $Var(X+Y) = Var(X) + Var(Y)$가 되는데, 이는 독립인 두 확률변수의 분산은 각 확률변수의 분산의 합과 같음을 의미한다.

다. 표준편차(Standard Deviation)

- 표준편차는 분산의 양의 제곱근으로써, 다음과 같이 표현된다.

$$\sigma = \sqrt{Var(X)}$$

> **참고**
>
> **K차 적률(k-th Moment)**
> - 적률(Moment)는 물리학에서 빌려온 용어로 통계학에서는 주로 확률 분포의 형태의 특징을 나타내는데 사용된다.
> - k차 적률은 $E(X^k)$로 표현하며, 이산형 확률 변수이면 $\sum x_i^k f(x_i)$, 연속형 확률 변수이면 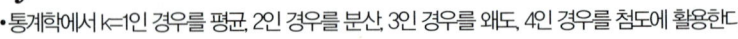 $\int x^k f(x)dx$로 계산한다.
>
> - 통계학에서 k=1인 경우를 평균, 2인 경우를 분산, 3인 경우를 왜도, 4인 경우를 첨도에 활용한다.

비기의 학습팁

조건 ①~③을 선형성이라고도 표현합니다. 해당 조건들은 2절에서 배울 표본 분포의 평균이 μ가 되는데 가장 중요한 성질이됩니다.

비기의 학습팁

기본 분산 공식을 통해 분산을 계산하는 것은 매우 복잡합니다. 따라서 일반적으로 아래와 같은 공식을 통해 분산을 계산합니다.

$Var(X) = E(X^2) - \mu^2$

비기의 학습팁

조건 ①~④을 선형성이라고도 표현합니다. 해당 조건들은 2절에서 배울 표본 분포의 분산이 $\frac{\sigma^2}{n}$이 되는데 가장 중요한 성질이됩니다.

비기의 학습팁

Cov(X,Y)는 X와 Y의 공분산(Covariance)를 의미합니다. 공분산에 대해서는 2절에서 자세히 다룰 예정입니다. 본 절에서는 의미와 함께 X와 Y가 독립이면 공분산이 0(역은 항상 성립하지는 않음)이라는 사실만 기억하고 넘어갑시다.

4. 이산형 확률 분포

가. 베르누이 분포(Bernoulli Distribution)

- 결과가 2개만 나오는 경우, 하나의 결과가 발생할 확률 (예시 : 동전 던지기, 시험의 합격/불합격 등)

  $P(X=x) = p^x(1-p)^{1-x}, x=0 \text{ or } 1$

  $X \sim Ber(p), \ E(X)=p, \ Var(X)=p(1-p)$

- [예] 메이저리거인 추신수 선수가 안타를 칠 확률은 베르누이 분포를 따른다. (안타를 치는 사건을 x=1이라고 할 때 안타를 칠 확률은 타율로 적용 가능)

나. 이항분포(Binomial Distribution)

- 베르누이 시행을 n번 반복했을 때 k번 성공할 확률

  $P(X=k) = \binom{n}{k}p^k(1-p)^{n-k}, \ \binom{n}{k} = {}_nC_k = \dfrac{n!}{k!(n-k)!}$

  $X \sim Bin(n,p), \ E(X)=np, \ Var(X)=np(1-p)$

> **비기의 학습팁**
> 이항 분포는 독립인 베르누이 분포 n개를 합한 분포입니다.

- [예] 메이저리거인 추신수 선수가 오늘 경기에서 5번 타석에 들어와서 3번 안타를 칠 확률은 이항분포를 따른다.(n=5, k=3, 안타를 칠 확률 P(x)=타율로 적용 가능)

- 성공할 확률 p가 0이나 1에 가깝지 않고 n이 충분히 크면 이항분포는 정규분포에 가까워진다. 성공할 확률 p가 1/2에 가까우면 종모양이 된다.

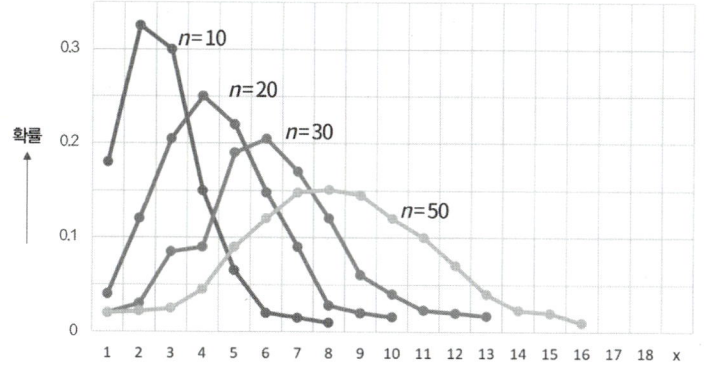

1의 주사위를 10회, 20회, 30회, 50회 던졌을 때, 그 눈이 x회 나올 확률을 그래프로 나타낸 것

다. 기하분포(Geometric Distribution)

- 성공확률이 p인 베르누이 시행에서 첫 번째 성공이 있기까지 x번 실패할 확률

- [예] 메이저리거인 추신수 선수가 오늘 경기에서 3번째 타석에서 첫 안타를 칠 확률은 기하분포를 따른다.

> **비기의 학습팁**
> 기하분포는 실패횟수로 정의되기도 하지만 시행횟수로 정의되기도 합니다.

라. 포아송분포(Poisson Distribution)

- 단위 시간(또는 공간) 내에 발생하는 사건의 발생 횟수에 대한 확률분포 [예] 책에 오타가 5page 당 10개씩 나온다고 할 때, 한 페이지에 오타가 3개 나올 확률

> **비기의 학습팁**
> 베르누이 분포와 이항 분포가 시행 횟수가 주어졌을 때 성공의 횟수라면, 기하 분포는 성공이 있기까지 시행 횟수(또는 실패 횟수)의 분포입니다.

- λ = 정해진 시간 안에 어떤 사건이 일어날 횟수에 대한 기댓값, y = 사건이 일어난 수

$$P(y) = \lim_{n \to \infty} \begin{bmatrix} n \\ y \end{bmatrix} p^y (1-p)^{n-y} = \frac{\lambda^y}{y!} e^{-\lambda}$$

예 메이저리거인 추신수 선수가 최근 5경기에서 10개의 홈런을 쳤다고 할 때, 오늘 경기에서 홈런을 못 칠 확률은 포아송분포를 따른다.

5. 연속형 확률 분포

가. 균일분포(일양분포, Uniform Distribution)

- 모든 확률변수 X가 균일한 확률을 가지는 확률분포(다트의 확률분포)

$$E(X) = \frac{a+b}{2} \quad Var(X) = \frac{(b-a)^2}{12}$$

> **비기의 학습팁**
> 표준균일분포는 a가 0이고 b가 1인 균일분포입니다.

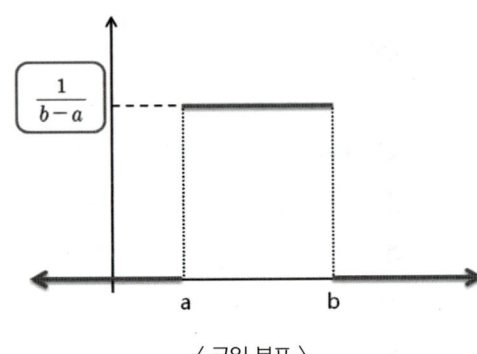

〈 균일 분포 〉

나. 정규분포(Normal Distribution)

- 평균이 μ 이고, 표준편차가 σ 인 x의 확률밀도함수

$$f(x) = \frac{1}{\sqrt{2\pi\sigma^2}} e^{-\frac{(x-\mu)^2}{2\sigma^2}}, -\infty < x < \infty$$

- 표준편차가 클 경우 퍼져보이는 그래프가 나타난다.

> **비기의 학습팁**
> 표준정규분포는 평균이 0이고 표준편차가 1인 정규분포입니다. 정규분포를 표준정규분포로 만들기 위해선 표준화 식을 이용합니다.
> $Z = \frac{x - \mu}{\sigma}$

표준정규분포의 확률밀도함수

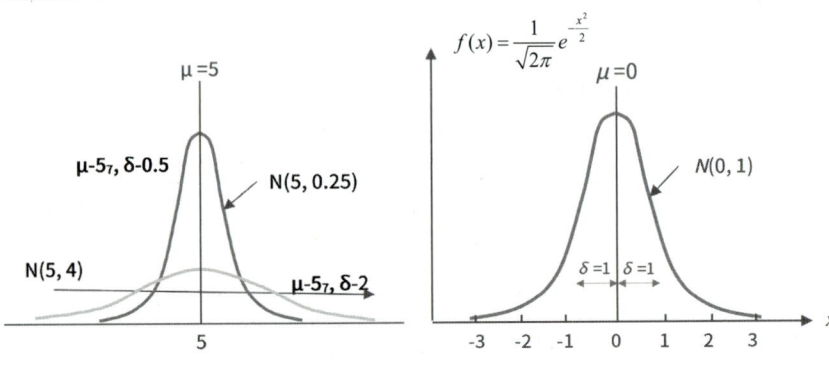

다. 지수분포(Exponential Distribution)

- 어떤 사건이 발생할 때까지 경과 시간에 대한 연속확률분포이다.

예 전자레인지의 수명시간, 콜센터에 전화가 걸려올 때까지의 시간, 은행에 고객이 내방하는데 걸리는 시간, 정류소에서 버스가 올 때까지의 시간

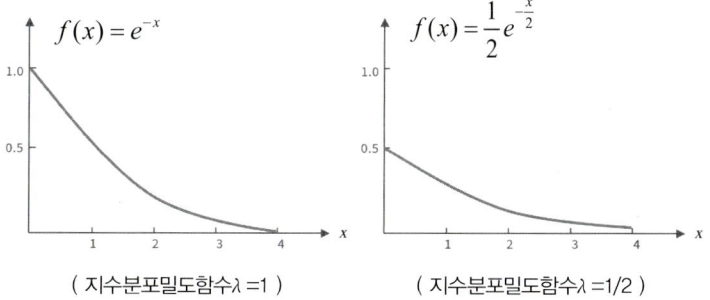

(지수분포밀도함수 λ =1)   (지수분포밀도함수 λ =1/2)

개념 ➕

지수분포의 무기억성

무기억성은 특정 시간(t)까지 어떤 사건이 발생하지 않았을 때, 이후에 발생할 확률이 처음부터 시작한 것과 동일하다는 특성을 의미합니다. 즉, 사건이 (t) 시간까지 발생하지 않았다면, 이후 (s) 시간 동안 발생하지 않을 확률은 처음부터 (s) 시간 동안 발생하지 않을 확률과 같다는 것입니다. 이 속성은 대기 시간, 서비스 시간 등에서 유용하게 활용되며, 이산형 확률분포 중에는 기하 분포가 이러한 성질을 가지고 있습니다.

라. t-분포(t-Distribution)

- 표준정규분포와 같이 평균이 0을 중심으로 좌우가 동일한 분포를 따른다.
- 표본의 크기가 적을 때는 표준정규분포를 위에서 눌러 놓은 것과 같은 형태를 보이지만 표본이 커져서(30개 이상) 자유도가 증가하면 표준정규분포와 거의 같은 분포가 된다.
- 데이터가 연속형일 경우 활용한다.
- **두 집단의 평균이 동일**한지 알고자 할 때 검정통계량으로 활용된다.

비기의 학습팁

t-분포는 정규분포보다 더 퍼져있고 자유도가 커질수록 정규분포에 가까워지는 성질이 있습니다.

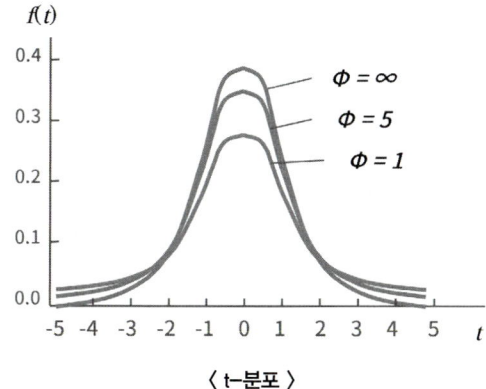

〈 t-분포 〉

마. x^2-분포(Chi-Square Distribution)

- 모평균과 모분산이 알려지지 않은 모집단의 모분산에 대한 가설 검정에 사용되는 분포이다.
- **두 집단 간의 동질성 검정 등에도 활용**된다. (범주형 자료에 대해 얻어진 관측값과 기대값의 차이를 보는 적합성 검정에 활용)

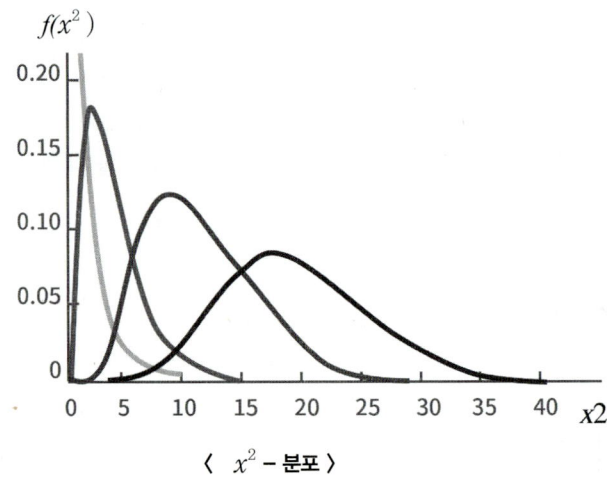

〈 x^2 – 분포 〉

바. F-분포(F-Distribution)

- **두 집단 간 분산의 동일성 검정**에 사용되는 검정 통계량의 분포이다.
- 확률변수는 항상 양의 값만을 갖고 x^2 분포와 달리 자유도를 2개 가지고 있으며 자유도가 커질수록 정규분포에 가까워진다.

> **개념** ➕
>
> **F-분포가 만들어지는 과정**
>
> F-분포는 독립인 2개의 카이제곱분포에서 각각의 자유도를 나눈 것들의 비로 만들어집니다. 이는 분산분석의 검정통계량이 F통계량이 되는 것과 연결되는 개념입니다

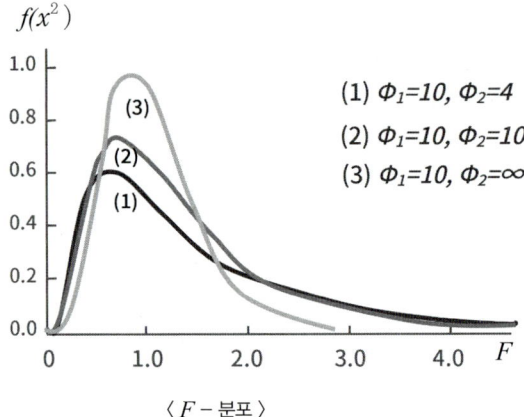

(1) $\phi_1=10, \phi_2=4$
(2) $\phi_1=10, \phi_2=10$
(3) $\phi_1=10, \phi_2=\infty$

〈 F – 분포 〉

✓ 핵심 개념체크

✓33회 기출 출★★★★★ 난★★★☆☆

5. 확률변수 X가 확률질량함수 f(x)를 갖는 이산형 확률변수인 경우 그 기댓값으로 옳은 식을 고르시오.

① $E(X) = \sum x f(x)$ ② $E(X) = \int x f(x) dx$
③ $E(X) = \sum x^2 f(x)$ ④ $E(X) = \int x^2 f(x) dx$

> 이산형 확률변수의 기댓값은 확률변수 x의 값과 그 값이 발생할 확률 f(x)의 곱을 모든 가능한 값에 대해 합산하여 계산한다.

✓ 14회 기출   출★★★★★   난★☆☆☆☆

6. 아래 조건부 확률에서 사건 A가 일어났다는 가정하에 사건 B의 확률을 조건부 확률이라고 하고 아래의 식으로 표현한다. 다음 중 아래의 계산식을 표현하기 위해 (가)에 들어갈 식으로 적절한 것은?

$$P(B|A) = \frac{(가)}{P(A)}$$

① $P(A \cap B)$
② $P(A)$
③ $P(B)$
④ $P(A \cup B)$

조건부 확률 P(B|A)는 사건 A가 발생했을 때 사건 B가 발생할 확률로, 다음과 같이 정의된다. P(B|A)=P(A∩B)/P(A) 따라서 (가)에 들어갈 수식은 P(A∩B)이다.

✓ 39회 기출   출★★★★★   난★★★☆☆

7. 앞면이 나올 확률이 0.5인 동전을 3번 던졌을 때, 앞면이 한 번만 나올 확률은?

① $\frac{5}{8}$ ② $\frac{3}{4}$ ③ $\frac{3}{8}$ ④ $\frac{1}{8}$

동전을 3번 던질 경우의 총 경우의 수는 2×2×2인 8이며, 이중 앞면이 한 번만 나오는 경우는 3가지 이므로 3/8이 정답이다.

✓ 39회 기출   출★★★★★   난★★★★☆

8. P(A)=0.3, P(B)=0.4이다. 두 사건 A와 B가 독립일 경우 P(B|A)는 얼마인가?(단, 반올림하여 소수점 첫째자리까지 표현하시오.)

① 0.12
② 0.3
③ 0.4
④ 0.9

독립 사건의 경우 조건부 확률 P(B|A)는 P(B)와 동일하다. 따라서, P(B|A)=P(B)=0.4로 ③이 정답이 된다.

✓ 30회 기출   출★★★★★   난★★★☆☆

9. 확률 및 확률분포에 대한 설명으로 가장 부적절한 것을 고르시오.

① 모든 사건의 확률값은 0 이상 1 이하이다.
② 서로 배반인 사건들의 합집합의 확률은 각 사건의 확률을 더한 값과 같다.
③ 두 사건 A와 B가 독립이면, P(B|A)=P(B)가 성립한다.
④ 확률변수가 연속적인 값을 가지는 경우를 이산형 확률분포라 한다.

확률변수가 연속적인 값을 가지는 경우는 연속형 확률분포로 설명된다. 모든 사건의 확률이 0에서 1 사이에 있다는 점, 서로 배반인 사건의 합집합 확률은 개별 확률의 합이라는 점, 두 독립 사건 A와 B에서 P(B|A) = P(B)가 성립한다는 점은 모두 올바른 설명이다.

✓ 23회 기출   출★★★★★   난★★★☆☆

10. 다음 중 이산형 확률분포에 해당하지 않는 것은 무엇인가?

① 기하분포
② 이항분포
③ 지수분포
④ 초기하분포

지수분포는 연속형 확률분포로, 주로 사건 간의 시간 간격을 모델링하는 데 사용된다. 기하분포, 이항분포, 초기하분포는 모두 이산형 확률분포로, 각각 성공 횟수나 성공 전에 실패한 횟수 등 변수의 값이 유한하거나 셀 수 있는 경우를 다룬다.

정답 5. ① 6. ① 7. ③ 8. ③ 9. ④ 10. ③

기초 통계분석

4장 통계 분석

출제빈도 F5 난이도 D4

#기술통계 #왜도 #히스토그램 #사분위수 #위치모수 #가설검정 #점추정 #구간추정 #유의수준 #신뢰구간 #제1종오류 #중심극한정리 #p-value #빈도교차표 #교차분석 #독립성검정 #분산분석 #실험계획법 #비모수검정 #부호검정 #순위검정 #산점도 #상관분석 #공분산 #피어슨상관계수 #스피어만상관계수

○ 학습 목표

- 기술통계의 정의를 이해한다.
- 통계량에 의한 자료정리와 R프로그램을 할 수 있다.
- 그래프에 의한 자료정리와 R프로그램을 할 수 있다.
- 상관관계 분석의 정의와 활용방법을 이해한다.

○ 눈높이 체크

✓ **기술통계에 대해 알고 계시나요?**

데이터 분석에서 가장 먼저 수행되는 부문이 바로 기술통계입니다. 기술통계는 자료의 특성을 표, 그림, 통계량 등을 사용하여 쉽게 파악할 수 있도록 정리/요약하는 통계분석 방법론입니다. 크게 기초통계량을 통한 방법과 그래프를 활용하는 방법으로 구분할 수 있습니다.

✓ **기술통계를 위한 기초통계량들은 어떤 것이 있을까요?**

기술통계에 활용되는 통계량은 최솟값, 최댓값, 평균, 표준편차, 분산, 중앙값, 사분위수 범위, 왜도, 첨도 등이 있습니다.

✓ **그래프를 활용한 기술통계방법에는 어떤 것이 있을까요?**

그래프를 활용한 기술통계방법에는 막대그래프, 히스토그램, 줄기잎그림, 상자그림, 꺾은선그래프 등 다양한 그래프가 있습니다.

✓ **추론 통계 방법에는 어떤 것들이 있을까요?**

추론 통계는 모집단이 실제로 어떨지 자료를 통해 추정하거나 가설을 검정하는 방법론입니다. 이는 주어진 샘플 데이터를 기반으로 모집단의 특성을 추론하는 데 사용됩니다.

❶ 기술 통계

1. 기술 통계의 정의

- 자료의 특성을 표, 그림, 통계량 등을 사용하여 쉽게 파악할 수 있도록 정리/요약하는 것이다.

- 데이터 분석에 앞서 데이터의 대략적인 통계적 수치를 계산해 봄으로써 데이터에 대한 대략적인 이해와 앞으로 분석에 대한 통찰력을 얻기에 유리하다.

 이론 정복 강의

	N	최솟값	최댓값	평균	표준편차	분산
성별	100	1	2	1.49	0.52	0.27
혈액형	100	1	4	2.22	0.93	0.86
연령	100	19	26	22.9	2.43	5.90
학년	100	1	4	2.57	1.14	1.30
전공	100	1	5	1.89	0.86	0.74
교제기간	100	1	60	13.3	13.52	182.79
유효수(목록별)	100					

〈 기술 통계를 위한 기초 통계량(예시) 〉

> **비기의 학습팁**
>
> 성별, 혈액형, 학년, 전공은 실제로는 범주형 변수를 숫자(정수)로 변환한 값(예:성별에서 남성을 0, 여성을 1, 혈액형에서 A형을 0, B형을 1, AB형을 2, O형을 4 등)이므로 이를 해석하는 데 주의해야합니다.

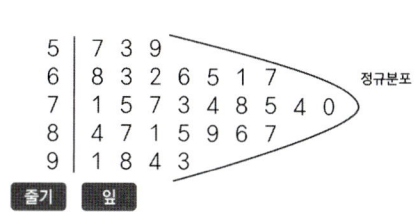

〈 줄기-잎 그림 〉

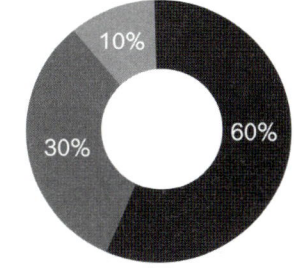

〈 도넛차트 〉

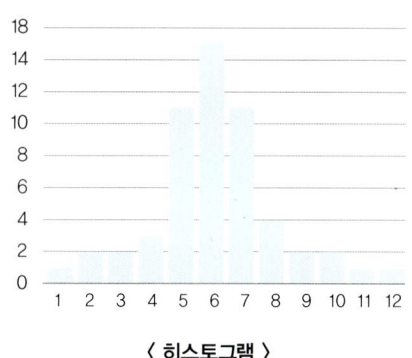

〈 히스토그램 〉

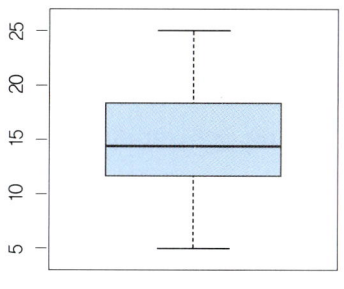

〈 상자수염그림 〉

2. 통계량에 의한 자료 정리

가. 중심위치의 측도

1) 자료(데이터) : $X_1, X_2, ..., X_n$

2) 표본평균(Sample Mean) : $\bar{X} = \dfrac{1}{n}(X_1 + X_2 + ... + X_n) = \sum\limits_{i=1}^{n} \dfrac{X_i}{n}$

3) 중앙값(Median) : 자료를 크기순으로 나열할 때 중앙에 위치하는 자료값이다. (중앙값의 순위는 $\dfrac{(n+1)}{2}$)

- n이 홀수인 경우 $\dfrac{(n+1)}{2}$
- n이 짝수인 경우 $\dfrac{n}{2}$ 번째값과 $\dfrac{n}{2}+1$번째 값의 평균

나. 산포의 측도

1) 분산

$$S^2 = \dfrac{1}{n-1} \sum_{i=1}^{n}(X_i - \bar{X})^2$$

2) 표준편차

$$S = \sqrt{S^2} = \sqrt{\dfrac{1}{n-1} \sum_{i=1}^{n}(X_i - \bar{X})^2}$$

3) 사분위수범위(Interquartile Range)

- IQR= Q3-Q1

4) 사분위수

- 제 1사분위수(Q1)=25백분위수
- 제 2사분위수(Q2)=50백분위수
- 제 3사분위수(Q3)=75백분위수

5) 백분위수(Percentile)

- $\dfrac{(n-1)p}{100+1}$번째 값

6) 변동계수(Coefficient of Variation) $CV = \dfrac{S}{\bar{X}}$

7) 표본평균의 표준오차 $SE(\bar{X}) = \dfrac{S}{\sqrt{n}}$

> **비기의 학습팁**
>
> 표준오차(Standard Error)는 모수(예:모평균)에 대해 추정량(예:표본평균)이 얼마나 변동하는지를 나타낸 척도입니다. 뒤에서 다루게 될 신뢰구간이나 검정통계량에 사용되는 중요한 척도입니다.

예시

- 풀이

출근에 소요되는 시간(단위 : 분)

직원	1	2	3	4	5	6	7	8	9	10	11	12	13	14	15
시간	62	55	32	42	55	35	110	64	54	67	58	62	58	26	15

- 표본평균 : (62+55+31+……+15)/15 = 795/15 = 53
- 중앙값 : n이 홀수이므로 (n+1)/2인 8번째 값 55이다.

15 26 32 35 42 54 55 (55) 58 58 62 62 64 67 110

- 분산 : $(15-53)^2+(26-53)^2+……+(110-53)^2/14$ =6846/14 = 489
- 표준편차 : $\sqrt{489}$ = 22.11
- 범위 : 최댓값-최솟값, 110-15 = 95
- 사분위수범위 : 62-35 = 27
- 사분위수 : Q1 = 35, Q2 = 55, Q3 = 62
- 변동계수 : 22.11/53 = 0.417
- 평균의 표준오차 : $22.11/\sqrt{15}$ = 5.71

다. 분포의 형태에 관한 측도

1) 왜도 : 분포의 비대칭정도를 나타내는 측도이다.

$$m_3 = E\left[\left(\frac{X-\mu}{\sigma}\right)^3\right] = \frac{\mu_3}{\sigma^3}$$

- $m_3 > 0$

  오른쪽으로 긴 꼬리를 갖는 분포

  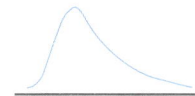

- $m_3 = 0$

  좌우가 대칭인 분포

  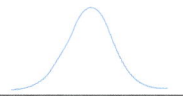

- $m_3 < 0$

  왼쪽으로 긴 꼬리를 갖는 분포

  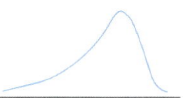

비기의 학습팁

왜도가 양수인 경우엔 왼쪽으로 밀집되어있고 오른쪽으로 긴 꼬리를 갖는 분포를 띄게 됩니다. 왜도가 음수인 경우는 오른쪽으로 밀집되어 있고 왼쪽에 긴꼬리를 갖게 됩니다. 왜도가 0일 경우 좌우대칭의 분포를 띄게 됩니다.

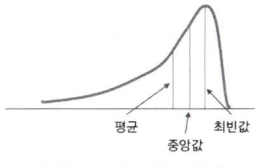
〈 왜도가 음수인 경우 〉

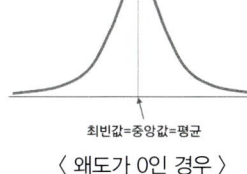
〈 왜도가 0인 경우 〉

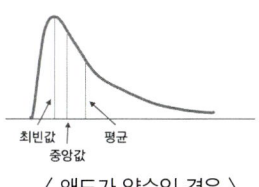
〈 왜도가 양수인 경우 〉

2) 첨도 : 분포의 중심에서 뾰족한 정도를 나타내는 측도이다.

$$m_4 = E\left[(\frac{X-\mu}{\sigma})^4\right] - 3 = \frac{\mu_4}{\sigma^4} - 3$$

- $m_4 > 0$

    표준정규분포보다 더 뾰족함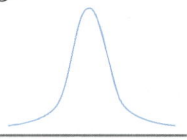

- $m_4 < 0$

    표준정규분포보다 덜 뾰족함

- $m_4 = 0$

    표준정규분포와 유사한 뾰족함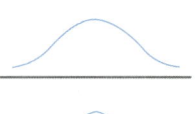

3. 그래프를 이용한 자료 정리

가. 히스토그램

- 표로 되어 있는 도수 분포를 그림으로 나타낸 것으로, 도수분포표를 그래프로 나타낸 것이다.

나. 막대그래프와 히스토그램의 비교

1) 막대그래프

- **범주(Category)형**으로 구분된 데이터(예 직업, 종교, 음식 등)를 표현하며 범주의 순서를 의도에 따라 바꿀 수 있다.

2) 히스토그램

- **연속(Continuous)형**으로 표시된 데이터(예 몸무게, 성적, 연봉 등)를 표현하며 임의로 순서를 바꿀 수 없고 막대의 간격이 없다.

> **비기의 학습팁**
>
> 막대그래프와 히스토그램을 구분할 때는 x축을 주의 깊게 보면 쉽게 구분할 수 있습니다. x축이 범주형이면 막대그래프, 연속형이면 히스토그램입니다.

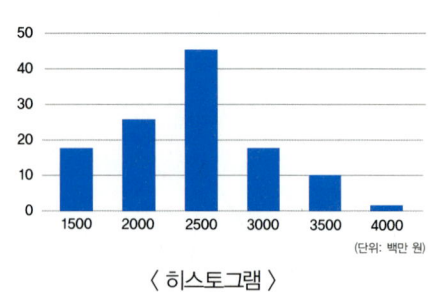

〈 막대그래프 〉　　〈 히스토그램 〉

다. 히스토그램의 생성

- 데이터의 수를 활용해서 계급의 수와 계급간격을 계산하여 도수분포표를 만들고 히스토그램을 생성한다.
- 계급의 수와 간격이 변하면 히스토그램의 모양이 변한다.

> **비기의 학습팁**
> - 계급의 수는 $2^k \geq n$ 을 만족하는 최소의 정수 $\log_2 n = k$ 에서 최소의 정수입니다. (k는 계급 수, n은 데이터 수)
> - 계급의 간격은 (최댓값 − 최솟값)/계급수로 파악할 수 있습니다.

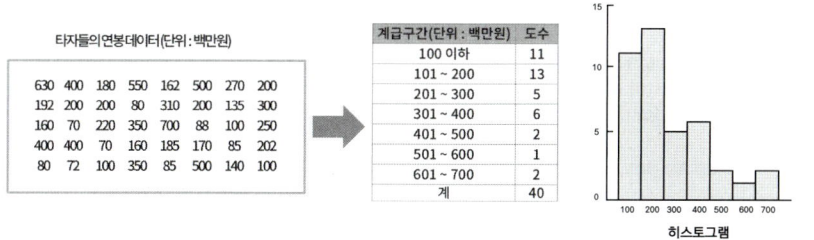

라. 줄기-잎 그림(Stem-and Leaf Plot)

- 데이터를 줄기와 잎의 모양으로 그린 그림

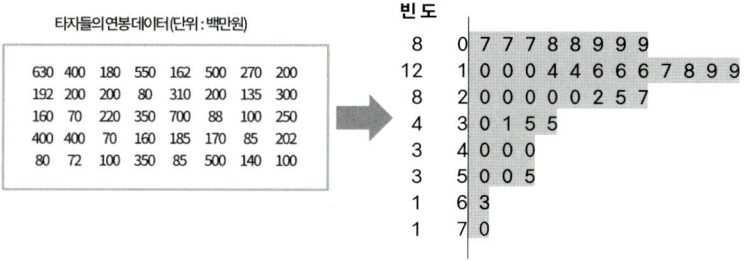

마. 상자그림(Box Plot)

- 다섯 숫자 요약을 통해 그림으로 표현 (최솟값, Q1, Q2, Q3, 최댓값)
- 사분위수범위(IQR) : Q3 − Q1
- 안울타리(Inner Fence) : Q1 − 1.5 × IQR 또는 Q3 + 1.5 × IQR
- 바깥울타리(Outer Fence) : Q1 − 3 × IQR 또는 Q3 + 3 × IQR

> **비기의 학습팁**
> 상자그림은 자료의 중심을 평균이 아닌 중앙값(Q2)를 사용한다는 점과 이상치를 판별하는데 사용한다는 점이 가장 큰 특징입니다.

> **비기의 학습팁**
> 안쪽 울타리와 바깥 울타리 사이에 있는 자료는 보통이상점(Mild Outlier), 바깥울타리 밖에 있는 자료는 극단이상점(Extreme Outlier)에 해당합니다.

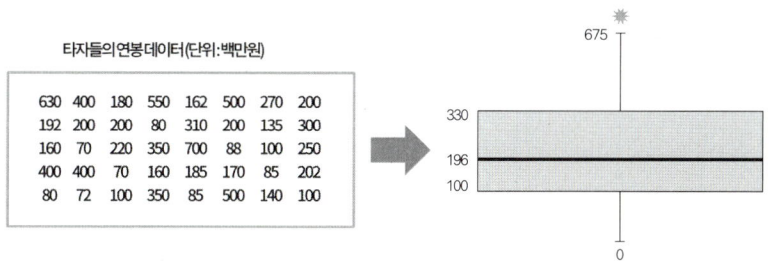

> **참고**
>
> R에서 활용되는 대표적 기술통계
>
> | R code | 설 명 |
> |---|---|
> | head(data명) | 데이터를 기본 6줄 보여주어 데이터가 성공적으로 import되었는지 살펴볼 수 있다. |
> | head(data명, n) | n에 숫자를 지정해주면 n번째 라인까지 살펴볼 수 있다. |
> | summary(data명) | 데이터 컬럼에 대한 전반적인 기초 통계량을 보여준다. |
> | mean(data명$column명) | 특정 컬럼의 평균을 알고 싶을 때 사용 |
> | median(data명$column명) | 특정 컬럼의 중앙값을 알고 싶을 때 사용 |
> | sd(data명$column명) | 특정 컬럼의 표준편차를 알고 싶을 때 사용 |
> | var(data명$column명) | 특정 컬럼의 분산을 알고 싶을 때 사용 |
> | quantile(data명$column명) | 특정 컬럼의 분위수를 알고 싶을 때 사용 |

핵심 개념체크

✓ 17회 기출 출★★★★★ 난★★★★☆

11. 히스토그램은 표로 되어 있는 도수분포표를 그래프로 나타낸 것이다. 다음 중 히스토그램에 대한 설명으로 부적절한 것은?

① 히스토그램에서는 가로축이 계급, 세로축이 도수를 나타낸다. 계급은 보통 변수의 구간이며, 서로 겹치지 않는다.
② 히스토그램은 표본의 크기가 작아도 각 막대의 높이가 데이터 분포의 형상을 잘 표현해낸다.
③ 그래프의 모양이 치우쳐있거나 봉우리가 여러 개 있는 그래프는 비정규 데이터일 수 있다.
④ 봉우리가 여러 개 있는 데이터는 일반적으로 2개 이상의 공정이나 조건에서 데이터가 수집되는 경우 발생한다.

히스토그램은 표본 크기가 충분히 커야 데이터의 분포를 신뢰성 있게 나타낼 수 있으며 표본 크기가 작을 경우 분포의 형상이 왜곡될 가능성이 크다. 1번 선택지는 히스토그램의 기본 구성 요소를 적절히 설명하고 있으며, 3번과 4번 선택지는 히스토그램으로 관찰할 수 있는 데이터 특성을 정확히 설명하고 있다.

✓ 16회 기출 출★★★★★ 난★★★☆☆

12. 다음 중 연속형 변수의 경우 4분위수, 최솟값, 최댓값, 중앙값, 평균 등을 출력하고 범주형 변수의 경우 각 범주에 대한 빈도수를 출력하여 데이터의 분포를 파악할 수 있게 하는 함수로 적절한 것은?

① summary 함수
② ddply 함수
③ cast 함수
④ aggregate 함수

summary 함수는 연속형 변수의 경우 최솟값, 최댓값, 중앙값, 평균, 4분위수를 제공하며, 범주형 변수의 경우 각 범주의 빈도수를 출력하여 데이터의 분포를 파악하는 데 유용하다. ddply 함수는 데이터를 그룹별로 나눠 요약을 생성하는 데 사용되며, cast 함수는 데이터의 변환이나 재구조화에 사용된다. aggregate 함수는 데이터를 요약 통계로 변환하는 데 유용하지만, summary 함수처럼 한 번에 여러 정보를 제공하지는 않는다.

✓ 28회 기출 출★★★★★ 난★★★★☆

13. 아래의 box plot에 대한 설명 중 적절한 것은 무엇인가?

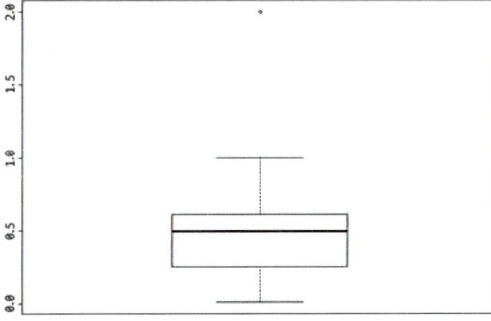

① box plot에서 나타나는 가운데 선은 평균이다.
② box plot의 네모박스 내의 가장 아래와 위는 각각 Q3, Q2이다.
③ box plot의 상단 수염을 벗어나는 값이 Q3 + 1.5×IQR 보다 작으면 이상치라고 할 수 있다.
④ box plot에서 약 0.5 이후 값들은 데이터의 50%이다.

박스 플롯에서 중앙값 이후 값들은 데이터의 상위 50%를 나타내고 가운데 선은 평균이 아니라 중앙값(Median)을 나타내며 박스의 하단은 1사분위(Q1), 상단은 3사분위(Q3)를 나타낸다. 이상치는 Box plot의 상단 수염을 벗어나는 값으로 Q3 + 1.5×IQR(사분위범위)보다 큰 값이다.

정답 11. ② 12. ① 13. ④

❷ 추정과 가설검정

1. 확률표본(Random Sample)

- 확률분포는 분포를 결정하는 평균, 분산 등의 모수(Parameter)를 가지고 있다.
- 확률표본이란 이러한 확률분포로부터 독립적으로 반복해 표본을 추출하는 것을 의미한다.
- 즉, 확률변수 X가 특정 확률분포를 따른다고 할 때, 이를 **확률분포로부터 각각 독립적으로 관측된 n개의 표본**을 확률표본이라고 한다. 이 표본을 $(X_1, X_2, \cdots X_n)$이라 할 때, $(X_1, X_2, \cdots X_n)$은 상호 독립이며, 각각은 X와 동일한 분포를 가지며, 이를 iid라고도 표기한다.

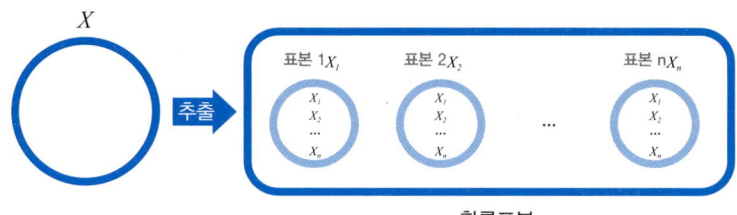

확률표본

- 확률표본의 각 원소는 확률변수이므로 이 확률변수들의 함수로 정의된 통계량 또한 확률변수가 된다. 따라서 **통계량도 분포를 가지게 되고 이를 표본분포**라고 한다.

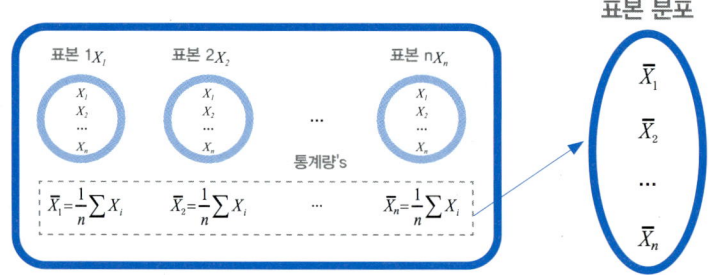

2. 중심 극한 정리

- 중심극한정리(Central Limit Theorem, CLT)란 평균이 μ이고 분산이 σ^2인 확률분포로부터 크기 n인 확률표본 $(X_1, X_2, ..., X_n)$을 관측할 때, 표본평균 $\bar{X} = \frac{1}{n}\sum_{i=1}^{n} X_i$는 n이 커질수록 평균이 $E(\bar{X}) = \mu$이고 분산이 $Var(\bar{X}) = \sigma^2/n$인 정규분포에 가까운 분포를 가진다. 즉, $\bar{X} \sim N(\mu, \frac{\sigma^2}{n})$가 된다.
- 이를 통해 자료가 관찰된 모집단의 분포가 실제로 정규분포가 아닌 경우에도 중심극한정리에 의하여 정규 분포를 이용한 추정량의 근사확률을 구할 수 있다.

개념 +

iid

iid는 확률표본에서 가장 중요한 단어입니다. Independent and Identically Distributed로 확률 변수나 데이터 포인트들이 서로 독립적이며 동일한 확률 분포를 따른다는 가정을 나타냅니다.

비기의 학습팁

중심극한정리는 통계학에서 매우 중요한 이론입니다. 특히 뒤에 다룰 t검정에서 중요하게 다뤄지니 반드시 기억하세요.

3. 추정

- 표본으로부터 미지의 모수를 추측하는 것으로, 점추정(Point Estimation)과 구간추정(Interval Estimation)으로 구분된다.

가. 점추정(Point Estimation)

- '**모수가 특정한 값일 것**' 이라고 추정하는 것으로, 중심 모수의 경우에는 표본의 평균, 중위수, 최빈값 등을 사용하며, 표본평균이 가장 좋은 점추정량으로 모평균을 추정하기 위해 주로 사용된다.

> **참고**
>
> **점추정량의 조건, 표본평균, 분산**
> - 불편성(Unbiasedness) : 모든 가능한 표본에서 얻은 추정량의 **기댓값**은 모집단의 모수와 편의(차이)가 없다.
> - 효율성(Efficiency) : 추정량의 분산이 작을수록 좋다.
> - 일치성(Consistency) : 표본의 크기가 아주 커지면, 추정량이 모수와 거의 같아진다.
> - 충족성(Sufficient) : 추정량은 모수에 대하여 모든 정보를 제공한다.

비기의 학습팁

모집단의 분산을 추정하기 위한 추정량의 대표적인 예로 표본 분산이 있습니다.

개념 +

위치 모수(location parameter)

확률분포의 중심 위치를 나타내는 모수입니다. 이에 대한 추정량으로는 평균, 중앙값, 최빈값 등이 있습니다. 추가적으로 척도모수로는 데이터의 퍼짐정도를 나타내며, 지수분포, IQR등이 있습니다.

나. 구간추정(Interval Estimation)

- 점추정의 정확성을 보완하기 위해 확률로 표현된 믿음의 정도 하에서 모수가 특정한 구간에 있을 것이라고 선언하는 것이다.
- 항상 추정량의 분포에 대한 전제가 주어져야 하고, 구해진 구간 안에 모수가 있을 가능성의 크기(신뢰수준(Confidence Interval))가 주어져야한다.

1) 모평균과 모분산에 따른 구간추정

구분		모평균	모분산
모수		μ	σ^2
점추정량		$\bar{X}$	S^2
표본분포		$\bar{X} \sim N(\mu, \dfrac{\sigma^2}{n})$	$\dfrac{(n-1)S^2}{\sigma^2} \sim \chi^2_{(n-1)}$
$(1-\alpha) \times 100\%$ 신뢰구간	σ^2을 알고있음	$\bar{X} \pm z_{\alpha/2} \dfrac{\sigma}{\sqrt{n}}$	
	σ^2을 모르고 n>30인 경우	$\bar{X} \pm z_{\alpha/2} \dfrac{S}{\sqrt{n}}$	$\left(\dfrac{(n-1)S^2}{\chi^2_{\alpha/2}}, \dfrac{(n-1)S^2}{\chi^2_{1-(\alpha/2)}} \right)$
	σ^2을 모르고 n≤30인 경우	$\bar{X} \pm t_{\alpha/2} \dfrac{S}{\sqrt{n}}$	

비기의 학습팁

구간추정은 가설검정과 함께 공부하는 것이 좋습니다.

- $z_{\alpha/2}$는 $N(0,1)$에서 $\Pr[Z > z^*] = \alpha/2$를 만족하는 z^*값(임계값)으로 예를 들어, $\alpha = 0.05$(95%신뢰구간)이면, $z^* = 1.96$이다.

> **비기의 학습팁**
>
> 표본 분산의 구간 추정이나 가설 검정에서 카이제곱 분포가 사용된다는 점과 뒤에서 다룰 범주형 자료 분석에서 사용되는 카이제곱검정과는 다르다는 정도만 알고 넘어가도 좋습니다.

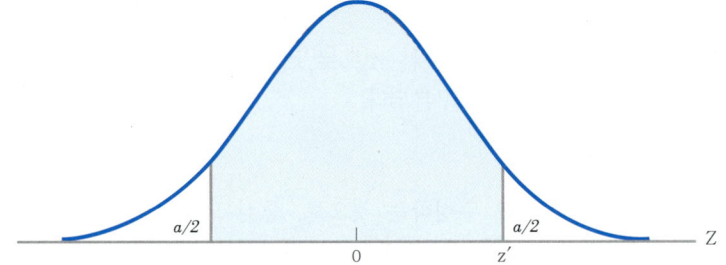

- $t_{\alpha/2}$는 자유도가 n-1인 t-분포에서 $\Pr[T > t^*] = \alpha/2$를 만족하는 t^*값(임계값)으로 예를 들어, $\alpha = 0.05$(95%신뢰구간)이면, $t^* = 2.093$이다(n=20).

- $\chi^2_{\alpha/2}$는 자유도가 n-1인 카이제곱분포에서 $\Pr[\chi^2 > \chi^*] = \alpha/2$를 만족하는 χ^*값(임계값), $\chi^2_{(1-\alpha/2)}$는 $\Pr[\chi^2 < \chi^*] = \alpha/2$를 만족하는 값(임계값)을 의미한다.

2) 두 모평균 차이의 신뢰구간 추정(독립표본)

- 두 집단이 서로 독립이라는 전제조건 하에 두 모평균 차이에 대한 추정

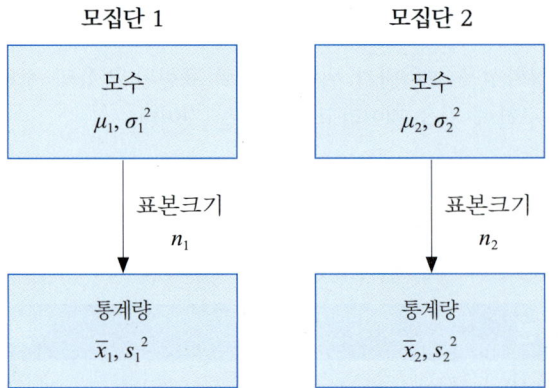

모수	점 추정량		$(1-\alpha) \times 100\%$ 신뢰구간
$\mu_1 - \mu_2$	$\overline{X}_1 - \overline{X}_2$	σ_1^2, σ_2^2 알고있음	$(\overline{X}_1 - \overline{X}_2) \pm z_{\alpha/2}\sqrt{\dfrac{\sigma_1^2}{n_1} + \dfrac{\sigma_2^2}{n_2}}$
		σ_1^2, σ_2^2 모르지만 $n_1 \geq 30, n_2 \geq 30$	$(\overline{X}_1 - \overline{X}_2) \pm z_{\alpha/2}\sqrt{\dfrac{S_1^2}{n_1} + \dfrac{S_2^2}{n_2}}$
		σ_1^2, σ_2^2 모르고 n_1, n_2 중 하나가 30미만	$(\overline{X}_1 - \overline{X}_2) \pm t_{\alpha/2,(n_1+n_2-2)} S_p\sqrt{\dfrac{1}{n_1} + \dfrac{1}{n_2}}$

- 여기서, $z_{\alpha/2}$는 $N(0,1)$에서 $\Pr[Z > z^*] = \alpha/2$를 만족하는 z^*값이고 $t_{\alpha/2,(n_1+n_2-2)}$ 는 자유도가 $n_1 + n_2 - 2$인 t-분포에서 $\Pr[T > t^*] = \alpha/2$를 만족하는 t^*값
- S_p^2는 등분산($\sigma_1^2 = \sigma_2^2$)을 가정한 통합 분산으로 합동 분산(pooled variance)라고하며 아래와 같이 계산 : $S_p^2 = [(n_1-1)S_1^2 + (n_2-1)S_2^2] / (n_1 + n_2 - 2)$

3) 두 모평균 차이의 신뢰구간 추정(대응표본)

- 투약 전후나 이벤트 성과 비교와 같이 짝을 이루는 각 쌍에 대한 표본을 대상으로 모평균의 차이 $\mu_1 - \mu_2$에 대한 추정에는 대응 표본(Pairwise Sample)을 사용한다.

개체	관측값1(A)	관측값2(B)	차이(D=A−B)
1	A_1	B_1	$D_1 = A_1 - B_1$
2	A_2	B_2	$D_2 = A_2 - B_1$
…	…	…	…
n	A_n	B_n	$D_n = A_n - B_n$

> **비기의 학습팁**
> 짝을 이루고 있는 개체마다 차이를 계산한 후 이를 하나의 표본으로 보고 추정하는 것과 동일합니다.

- 대응표본의 특징은 모집단과 표본은 하나씩이지만, 각 개체들에 대해 두 개씩의 관측값이 존재하므로 모수는 두 개이고, 표본 내에 있는 각 개체별로 짝지어진 관측값 사이의 차이를 통해 두 모평균의 차이를 추정한다.

모수	점추정량	표본분포	$(1-\alpha) \times 100\%$ 신뢰구간
μ_D	$\overline{D}$	$\overline{D} \sim N(\mu_D, \frac{\sigma_D^2}{n})$	$\overline{D} \pm t_{\alpha/2} \frac{S_D}{\sqrt{n}}$

- 여기서 $\mu_D = \mu_1 - \mu_2$, $\overline{D}$ 는 짝을 이룬 n개의 표본들의 차이 $(D_i = A_i - B_i)$ 들의 평균

다. 신뢰수준(level of confidence)과 신뢰구간

- 모수를 포함할 확률을 보편적으로 90%, 95%, 99% 등을 사용하는데, 이 확률을 신뢰수준 또는 신뢰도라고 한다.
- 오차율은 모수가 포함되어 있지 않을 확률이며, α로 나타낸다. 신뢰도는 $1-\alpha$ 또는 $(1-\alpha) \times 100\%$로 나타낸다.

> **비기의 학습팁**
> 신뢰구간은 모수가 포함될 구간을 의미하며, 95% 신뢰구간은 모수가 100개의 구간 중 95개의 구간에 있을 확률을 나타냅니다.

신뢰도	α	$\alpha/2$	$Z_{\alpha/2}$
90%	0.1	0.05	1.64
95%	0.05	0.025	1.96
99%	0.01	0.005	2.57

> **비기의 학습팁**
> 가설검정에서 나오는 용어들은 제대로 이해하지 않으면 헷갈리기 쉬우니 정확히 이해하고 외우도록 합니다.

4. 가설검정

- 모집단의 모수에 대해 추정을 한 후에는 모집단에 대해 어떤 가설(hypothesis)을 설정한 후 그 가설의 타당성 여부를 검정하는데, 이를 가설검정(testing hypothesis)이라 한다.

가. 가설설정

- 일반적으로 통계분석에서는 모집단의 모수에 대하여 관심이 있으므로 **가설은 모수**(모평균·모분산)**에 대하여 설정**한다.
- 가설검정에서 가설은 항상 귀무가설과 대립가설로 설정하는데 모수에 대한 서로 상반된 주장을 담는다.

귀무가설 (Null Hypothesis, H_0)	• '비교하는 값과 차이가 없다. 동일하다'를 기본개념으로 하는 가설이다. • "모수가 특정한 값이다.", "두 모수의 값이 같다." 등과 같이 간단하고 구체적인 경우를 H_0로 설정한다.
대립가설 (Alternative Hypothesis, H_1)	• '뚜렷한 증거가 있을 때 주장하는 가설'이란 의미에서 연구가설이라고도 한다. • 일반적으로는 "모수가 특정한 값이 아니다", "한 모수의 값이 다른 모수의 값보다 크다", "두 모수의 값이 다르다" 등과 같이 H_0이 사실로 채택되지 않을 때 받아들이는 모든 경우라는 의미로 대립가설 H_1을 설정한다.

나. 검정통계량(test statistic, $T(X)$)

- 가설검정에서 관찰된 표본으로부터 구하는 통계량(표본평균·표본분산 등)을 말하며 분포가 가설에서 주어지는 모수에 의존한다.
- 귀무가설 H_0이 항상 옳다는 전제하에서 구한 검정통계량 $T(X)$의 값이 나타날 가능성이 크면 H_0을 채택하고 나타날 가능성이 작으면 H_0을 기각한다.

다. 유의수준(significance level, α)

- 유의수준 α는 귀무가설 H_0이 옳은데도 불구하고 이를 기각하는 확률의 크기를 말하며 $T(X)$을 구하는 것과는 무관하게 검정을 실시하는 사람의 판단에 따라 결정한다.
- 일반적으로 통계분석에서는 1%, 5%, 10%를 사용하며 구간추정에서 $(1-\alpha) \times 100\%$ 신뢰구간의 α가 바로 가설검정의 유의수준 α를 의미한다.

라. 기각역(critical region, C)

- 앞에 검정통계량 $T(X)$의 분포에서 확률이 유의수준 α인 부분이다.

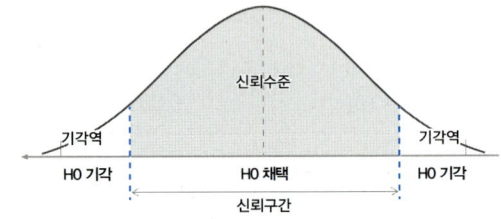

〈 신뢰구간과 양측검정과의 관계 〉

마. 유의확률(P-value)

- 귀무가설에 대한 기각 기준을 삼고, 관측되는 확률 값으로, 검정통계량의 관측된 결과 값에 따라, 귀무가설의 기각이 가능한 최소 유의수준 확률이라고 한다.
- 또, 귀무가설이 참이라는 가정 아래 얻어진 검정통계량 값에 대응하여 구해진 확률이며, 이를 통해 귀무가설을 얼마나 지지하는지를 나타낸 확률로도 말한다.

P-value > α	관측된 p값이 주어진 유의수준 보다 크다면 귀무가설(H_0) 기각 불가
P-value < α	관측된 p값이 주어진 유의수준 보다 작다면 귀무가설(H_0) 기각

개념 +

검정력(Statistical Power)
대립가설이 사실일 때, 대립가설을 채택하는 옳은 결정을 할 확률입니다.

바. 제1종 오류(α)와 제2종 오류(β)

- 제1종 오류(α) : 귀무가설 H_0가 옳은데도 불구하고 H_0를 기각하는 오류로 이것이 나타날 확률을 제1종 오류의 크기라고 하는데, 이는 앞에서 정의된 유의수준 α와 같다.
- 제2종 오류(β) : 귀무가설 H_0가 옳지 않은데도 불구하고 H_0를 채택하는 오류로 이것이 나타날 확률을 제2종 오류의 크기라고 하고 β로 표현한다.

개념 +

1종 오류 vs 2종 오류
2종 오류보다 1종 오류가 더 위험합니다. 1종 오류를 줄이도록 하는 것이 좋습니다.

		실제 사실	
		귀무가설 참	귀무가설 거짓
결과	기각 안함	옳은 결정 $(1-\alpha)$	2종 오류 (β)
	기각	1종 오류 (α)	옳은 결정 $(1-\beta)$

한 눈에 보는 가설 검정 요약

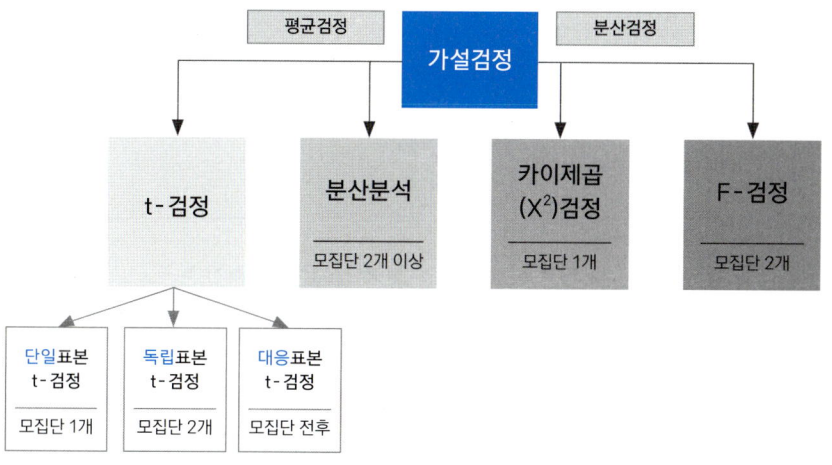

- 단일표본t-검정 : 하나의 모집단에 대한 가설검정
- 독립표본t-검정 : 두 집단이 서로 독립적일 때 두 집단간 평균차이 검정
- 대응표본t-검정 : 동일한 모집단에 변수를 노출시키기 전과 후의 평균값 비교검정 (쌍체비교/전후비교)

✅ 핵심 개념체크

✔18회 기출 출★★★★★ 난★★★★★

14. 귀무가설이 사실인데도 불구하고 사실이 아니라고 판정할 때 (귀무가설을 기각하는 오류) 이를 제 1종 오류라고 한다. 이때 우리가 내린 판정이 잘못될 최대 확률은 무엇으로 나타낼 수 있는가?

① α (알파) ② p-value
③ 검정통계량 ④ $1-\alpha$

> α(알파)는 일반적으로 연구자가 설정하는 유의수준으로 제1종 오류의 최대 확률이다. 이는 귀무가설이 참일 때 가설을 기각할 확률 즉, 잘못 기각할 확률이라고 볼 수 있다. p-value는 유의확률, 검정통계량은 데이터와 귀무가설의 차이를 나타내는 지표로 둘 다 기각 여부를 결정하는 데 사용되는 값이다.

✔34회 기출 출★★★★★ 난★★☆☆☆

15. 표본 데이터를 기반으로 귀무가설의 기각 여부를 결정하는 분석 기법은 무엇인가?

① 분산분석 ② 최우추정
③ 신뢰구간 설정 ④ 가설검정

> 가설검정은 표본 데이터를 사용해 통계적으로 귀무가설을 기각할지 여부를 판단하는 기법이다. 이를 통해 모집단에서 특정 가설이 얼마나 타당한지 평가할 수 있다. 분산분석은 그룹 간 평균의 차이를 비교하고 최우추정은 모수를 추정하는 방법이며, 신뢰구간 설정은 모집단의 모수가 포함될 가능성이 높은 범위를 추정하는 방법이다.

✔38회 기출 출★★★★★ 난★★★★☆

16. 확신을 가지고 입증하고자 할 때, 명확한 증거를 통해 채택할 수 있는 가설은 무엇인가?

① 대립 가설 ② 귀무 가설
③ 반대 가설 ④ 연구 가설

> 대립 가설은 연구자가 검정을 통해 입증하고자 하는 주장으로, 충분한 통계적 증거가 확보되었을 때 채택되는 가설이다. 귀무 가설은 효과나 차이가 없다는 상태를 가정하는, 검정의 기준이 되는 가설이며, '반대 가설'과 '연구 가설'이라는 표현은 일상적으로 대립 가설과 비슷한 의미로 사용되기도 하나, 통계적 가설검정에서의 공식 용어는 '대립 가설(H1)'과 '귀무 가설(H0)'이므로 정답은 대립 가설로 보는 것이 타당하다.

✔19회 기출 출★★★★★ 난★★★★☆

17. 아래 데이터는 두 종류의 수면 유도제(group)를 무작위로 선정된 20명의 환자를 대상으로 수면 시간 증감(extra)을 측정한 자료이다. 아래 결과에 대한 설명으로 잘못된 것은?

```
> head(sleep)
  extra group ID
1   0.7     1  1
2  -1.6     1  2
3  -0.2     1  3
4  -1.2     1  4
5  -0.1     1  5
6   3.4     1  6
> t.test(extra~group, sleep)

        Welch Two Sample t-test

data:  extra by group
t = -1.8608, df = 17.776, p-value = 0.07939
alternative hypothesis: true difference in means is not equal to 0
95 percent confidence interval:
 -3.3654832  0.2054832
sample estimates:
mean in group 1 mean in group 2
           0.75            2.33
```

① 유의수준 1%하에서 수면유도제 2가 수면유도제 1보다 통계적으로 유의하게 평균 수면시간을 증가시킨다고 결론지을 수 있다. 즉, 수면유도제 2가 수면유도제 1보다 더 효과적이다.
② 수면유도제 1에 의해 평균적으로 0.75시간의 수면시간이 증가하였다.
③ 수면유도제 2에 의해 평균적으로 2.33시간의 수면시간이 증가하였다.
④ 두 수면유도제에 의해 증가된 평균 수면시간의 차이는 −3.37시간에서 0.21시간 사이에 있다고 95% 확신할 수 있다.

p-value가 0.07939로, 이는 1% 유의수준에서 기각할 수 있는 값이 아니므로 두 수면유도제 간 평균 수면 시간의 차이가 통계적으로 유의하다고 결론내릴 수 없다. 주어진 결과에서 mean in group 1은 0.75로, 수면유도제 1에 의해 평균적으로 0.75시간의 수면시간이 증가한 것이며 mean in group 2는 2.33으로, 수면유도제 2에 의해 평균적으로 2.33시간의 수면시간이 증가한 것이다. 또한 95% 신뢰구간은 −3.3654832에서 0.2054832로, 두 수면유도제 간 평균 차이가 이 구간 내에 있을 확률이 95%라는 것을 의미한다.

✓ 14회 기출 출★★★★★ 난★★★★★

18. 다음 중 모분산의 추론에 대한 설명으로 가장 부적절한 것은?

① 모집단의 변동성 또는 퍼짐의 정도에 관심이 있는 경우, 모분산이 추론의 대상이 된다.
② 정규모집단으로부터 n개를 단순임의 추출한 표본의 분산은 자유도가 n−1인 t 분포를 따른다.
③ 모집단이 정규분포를 따르지 않더라도 중심극한정리를 통해 정규모집단으로부터의 모분산에 대한 검정을 유사하게 시행할 수 있다.
④ 이 표본에 의한 분산비 검정은 두 표본의 분산이 동일한지를 비교하는 검정으로 검정통계량은 F분포를 따른다.

표본의 분산은 자유도가 n−1인 분포를 따르지만, 이는 t 분포가 아니라 카이제곱 분포를 따르며, t 분포는 주로 평균에 대한 추론에서 사용된다. 1번 선택지는 모분산이 추론 대상이 되는 상황을 적절히 설명하고 있으며, 3번 선택지는 중심극한정리를 활용한 모분산 추론을 옳게 설명하고 있다. 4번 선택지는 F 분포를 사용한 분산비 검정을 정확히 기술하고 있다.

✓ 30회 기출 출★★★★★ 난★★★★☆

19. 70명의 실험자를 대상으로 두 종류의 수면 유도제 복용 전후 평균 수면의 차이를 비교하고자 한다. 90% 신뢰구간을 구할 때, 아래 빈칸 (가), (나)에 들어갈 값을 고르시오.

$$\overline{D} \pm t_{(가)} \frac{S_D}{\sqrt{(나)}}$$

① (가): 0.025, (나): 70
② (가): 0.05, (나): 70
③ (가): 0.05, (나): 69
④ (가): 0.05, (나): 71

90% 신뢰구간을 구하기 위해 사용하는 t-분포의 유의 수준(α)은 0.10이며, 양측 검정을 적용하면 한쪽의 유의 수준은 0.05가 된다. 따라서 (가)에는 0.05가 들어간다. 또한, 표본의 개수(n)은 70이므로 (나)는 70이 된다. 따라서 (가)는 0.05, (나)는 70이 된다.

✓ 33회 기출 출★★★★★ 난★★☆☆☆

20. 가설검정 결과에서 귀무가설이 옳은데도 귀무가설을 기각하게 되는 오류는?

① 제 1종 오류   ② 제 2종 오류
③ 표본 오류   ④ 신뢰구간 오류

제 1종 오류는 귀무가설이 참임에도 기각하는 오류를 뜻한다. 제 2종 오류는 귀무가설이 참이 아님에도 불구하고 귀무가설을 기각하지 못하는 오류이며, 표본 오류는 표본을 잘못 선택하여 발생하는 오류이다. 신뢰구간 오류는 추정값에 대한 신뢰구간 설정에서 발생하는 오류로 귀무가설 검정과는 관련이 없다.

✓ 34회 기출 출★★★★★ 난★☆☆☆☆

21. 통계분석 개념 중 모집단의 특성을 단일한 값으로 추정하는 방법은 무엇인가?

① 확률표본   ② 점 추정
③ 구간 추정 ④ 신뢰구간

점 추정은 표본 통계량을 사용하여 모집단의 모수를 하나의 값으로 추정하는 방법으로, 평균, 비율, 분산 등의 특정 값을 계산하여 사용한다. 확률표본은 모집단에서 표본을 추출하는 방법이며 구간 추정은 모수를 특정 범위로 추정하는 방법이고, 신뢰구간은 구간 추정의 결과로 도출되는 범위이다.

정답 14. ① 15. ④ 16. ① 17. ① 18. ② 19. ② 20. ① 21. ②

❸ 범주형 자료 분석

1. 개요

- 범주형 자료 분석은 분석에 사용되는 변수들이 범주형일 때 사용하는 분석 방법론이다.

2. 분할표(Contingency) 분석

가. 개요

- 여러 개의 범주형 변수를 기준으로 빈도를 표 형태로 나타낸 것을 분할표(또는 교차표)라 한다. 아래의 표는 2개의 범주형 변수(학년, 성적 등급)별 빈도를 분할표로 나타낸 것이다.

	A등급	B등급	C등급
1학년	3	10	7
2학년	4	11	5
3학년	5	10	5
4학년	7	11	2

> **비기의 학습팁**
> 범주형 변수가 1일 때는 1원 분할표, 2개일 때는 2원 분할표를 사용합니다.

> **비기의 학습팁**
> 주로 분할표의 행은 설명변수, 열은 반응변수를 입력하여 범주형 자료를 분석합니다. 범주형 자료 분석에서는 이 분할표를 기반으로 여러 가지 검정을 수행합니다.

나. 상대위험도(Relataive Risk, RR)

- 상대위험도란 관심 집단의 위험률/비교 집단의 위험률을 의미하며, 여기서 위험률이란 특정 사건이 발생할 비율을 의미한다.
- 예를 들어 위험인자에 노출된 암환자의 비율/위험인자에 노출되지 않은 암환자의 비율이 상대위험도이다.
- 다음과 같은 분할표에서 상대위험도를 식으로 표현하면 아래의 식과 같다.

	암 발생 여부	
	○	×
위험인자 노출 여부 ○	a	b
위험인자 노출 여부 ×	c	d

$$\text{상대위험도(RR)} = \frac{\text{위험인자에 노출된 암환자의 비율}}{\text{위험인자에 노출되지 않은 암환자의 비율}} = \frac{\frac{a}{a+b}}{\frac{c}{c+d}}$$

다. 오즈비(Odds Ratio)

- 오즈(Odds)란 성공확률/실패확률로 성공할 확률이 실패할 확률의 몇 배인지를 나타낸다.
- 오즈비(Odds Ratio)란 오즈의 각 범주별 비율로 정의하며 말 그대로 두 개의 오즈의 비(ratio)를 의미한다.
- 예를 들어 2002년에 한국과 브라질이 월드컵 16강에 진출을 성공/실패할 확률과 각각의 오즈와 오즈비는 아래와 같다.

구 분	16강 성공 확률	16강 실패 확률
Brazil	0.8	0.2
Korea	0.1	0.9

$$\text{Odds}(Brazil) = \frac{0.8}{1-0.8} = \frac{0.8}{0.2} = 4 \quad \text{Odds}(Korea) = \frac{0.1}{1-0.1} = \frac{0.1}{0.9} = \frac{1}{9}$$

$$\text{Odds Ratio} = \frac{\text{Odds}(Brazil)}{\text{Odds}(Korea)} = \frac{4}{\frac{1}{9}} = 4 \times 9 = 36$$

- 오즈비가 36으로 계산되었으며, 이는 브라질의 16강 진출 확률이 한국의 16강 진출 확률보다 36배 높다고 해석할 수 있다.

> **비기의 학습팁**
> 오즈비는 5장에서 다룰 로지스틱 회귀분석과 아주 관련이 깊은 용어이며, 헷갈리기 쉬운 개념입니다. 꼭 정확히 이해하고 넘어가야 합니다.

3. 교차분석

가. 카이제곱(χ^2) 검정이란?

- 범주형 자료(명목/서열 수준)인 두 변수 간의 관계를 알아보기 위해 실시하는 분석 기법이다.
- 적합성 검정, 독립성 검정, 동질성 검정에 사용되며, **카이제곱(χ^2) 검정 통계량**을 이용한다.

나. 교차표

- 두 변수의 각 범주를 교차하여 데이터의 관측도수(빈도)를 표 형태로 나타내면 아래와 같다.

	A_1	A_2	...	A_N	Total
B_1	O_{11}	O_{12}	...	O_{1N}	$T_{1\cdot}$
B_2	O_{21}	O_{22}	...	O_{2N}	$T_{2\cdot}$
⋮	⋮	⋮	⋱	⋮	⋮
B_M	O_{M1}	O_{M2}	...	O_{MN}	$T_{M\cdot}$
Total	$T_{\cdot 1}$	$T_{\cdot 2}$	...	$T_{\cdot N}$	T

> **비기의 학습팁**
> 주로 카이제곱 검정이라고 하면, 교차분석에서 사용되는 카이제곱 검정을 의미합니다. 그러나 일표본 모분산 검정을 포함한 다양한 검정에서도 카이제곱 통계량을 사용하기 때문에 혼동하지 않도록 주의해야 합니다.

> **비기의 학습팁**
> 카이제곱 통계량은 검정통계량이 카이제곱 분포를 따르게 되는 성질로 인해 명명되었으나 실제로는 모수에 대한 가정이 필요 없는 비모수 검정에 주로 사용됩니다.

개념 ➕

피셔의 정확성 검정
(Fisher's Exact Test)

피셔의 정확성 검정은 두 개의 범주형 변수 간의 독립성을 평가하는 통계적 방법입니다. 일반적으로 교차분석에서 기대빈도가 5 미만인 셀의 비율이 20%를 넘으면 카이제곱분포에 근사하지 않는 경우가 발생하는데 이 때는 해당 검정을 사용하는 것이 권장됩니다.

비기의 학습팁

적합성 검정, 독립성 검정, 동질성 검정 모두 검정통계량으로 카이제곱 통계량을 사용하지만 3가지는 깊게 파고들면 차이가 많습니다. 그러나 adsp 시험에서는 세 가지가 있다는 정도만 이해해도 좋습니다.

- 교차분석은 교차표에서 각 셀의 관찰빈도(자료로부터 얻은 빈도분포)와 기대빈도(두 변수가 독립일 때 이론적으로 기대할 수 있는 빈도분포)간의 차이를 검정한다.

1) 적합성 검정

- 실험에서 얻어진 관측값들이 예상한 이론과 일치하는지 아닌지를 검정하는 방법이다.
- 관측값들이 어떠한 이론적 분포를 따르고 있는지를 알아볼 수 있다.
- 즉, 모집단 분포에 대한 가정이 옳게 됐는지를 관측 자료와 비교하여 검정하는 것이다.

2) 독립성 검정

- 모집단이 두 개의 변수 A, B에 의해 범주화 되었을 때, 이 두 변수들 사이의 관계가 독립인지 아닌지를 검정하는 것을 의미한다.
- 검정 통계량 값을 계산할 때는 교차표를 활용한다.

3) 동질성 검정

- 모집단이 임의의 변수에 따라 R개의 속성으로 범주화 되었을 때, R개의 부분 모집단에서 추출한 각 표본인 C개의 범주화 된 집단의 분포가 서로 동일한지를 검정하는 것을 의미한다.
- 검정 통계량 값을 계산할 때는 교차표를 활용하며, 계산법과 검증법은 모두 독립성 검정과 같은 방법으로 진행된다.

✅ 핵심 개념체크

✔17회 기출 출★★★★★ 난★★★★★

22. 다음 중 독립성 검정에 대한 설명으로 가장 부적절한 것은?

① 귀무가설은 "두 변수 사이에는 연관이 있다."이다.
② 가설과 해석은 다르지만 검정통계량을 계산하는 방법은 동질성 검정과 차이가 없다.
③ 모집단을 범주화하는 기준이 되는 두 변수 A, B가 서로 독립적으로 관측값에 영향을 미치는지 여부를 검정하는 것이다.
④ 검정통계량이 클수록 두 변수는 종속관계라고 해석될 수 있다.

> 독립성 검정의 귀무가설은 두 변수 사이에 연관이 없고 서로 독립적이다라는 가정을 의미한다. 동질성 검정과의 차이는 가설의 의미만 다를 뿐 검정통계량의 계산은 동일하며, 검정통계량이 클수록 귀무가설을 기각하고 대립가설을 채택할 가능성이 높아지므로, 두 변수가 종속 관계일 가능성이 높아진다.

✔17회 기출 출★★★★★ 난★★★★☆

23. 교차분석은 2개 이상의 변수를 결합하여 자료의 빈도를 살펴보는 기법이다. 다음 중 교차분석에 대한 설명으로 부적절한 것은 무엇인가?

① 범주의 관찰도수에 비교될 수 있는 기대도수를 계산한다.
② 교차분석은 두 문항 모두 범주형 변수가 아니어도 사용할 수 있으며, 두 변수 간 관계를 보기 위해 실시한다.
③ 교차분석은 교차표를 작성하여 교차빈도를 집계할 뿐 아니라 두 변수들 간의 독립성 검정을 할 수 있다.
④ 기대빈도가 5 미만인 셀의 비율이 20%를 넘으면 카이제곱분포에 근사하지 않으며 이런 경우 표본의 크기를 늘리거나 변수의 수준을 합쳐 셀의 수를 줄이는 방법 등을 사용한다.

> 교차분석은 두 변수 모두 범주형 변수일 때 사용되는 기법이며, 수치형 변수나 연속형 변수는 적합하지 않다. 교차표를 작성해 관찰도수와 기대도수를 비교하고, 두 변수 간 독립성 여부를 검정하는 데 활용된다. 기대빈도가 5 미만인 셀이 많을 경우 카이제곱 검정의 정확도가 떨어질 수 있어 조치가 필요하다.

④ 분산분석

1. 개요

- 분산분석은 두 개 이상의 집단에서 그룹 간 평균 차이를 그룹 내 변동과 비교하여 살펴보는 통계 분석 방법이다.

- 즉, 두 개 이상 집단들의 평균 차이에 대한 통계적 유의성을 검정(두 개 이상 집단들의 평균을 비교)하는 방법이다.

이론 정복 강의

분석 구분	분석 명칭	독립변수 개수	종속변수 개수
단일변량 분산분석	일원배치 분산분석 (One-Way ANOVA)	1개	1개
	이원배치 분산분석 (Two-Way ANOVA)	2개	
	다원배치 분산분석 (Multi-Way ANOVA)	3개이상	
다변량 분산분석	MANOVA	1개 이상	2개이상

개념 +

종속변수(반응변수, y)는 다른 변수의 영향을 받는 변수, 독립변수(설명변수, x)는 영향을 주는 변수를 의미합니다. 해당 내용은 뒤에서 배울 회귀분석에서 자세히 다룰 예정입니다.

2. 일원배치 분산분석

- 분산분석에서 반응값에 대한 하나의 범주형 변수의 영향을 알아보기 위해 사용되는 검증 방법이다.

- 모집단의 수에는 제한이 없으며, 각 표본의 수는 같지 않아도 된다. 검정통계량으로 F-검정 통계량을 이용한다.

- 아래와 같은 분산분석표를 이용해 가설을 검정한다.

요인	제곱합(SS)	자유도(df)	평균제곱합(MS)	분산비(F)
집단 간	SSB	k-1	MSB=SSB/(k-1)	F=MSB/MSW
집단 내	SSW	N-k	MSW=SSW/(N-k)	
전체	SST	N-1		

비기의 학습팁

SSB와 MSB에서 B는 Between의 약자이고 SSW와 MSW에서 W는 Within의 약자입니다.

SSB(집단 간 변동제곱합) $m\sum_{i=k}^{k}(\overline{Y}_i - \overline{Y})^2$

SSW(집단 내 변동제곱합) $\sum_{i=1}^{k}\sum_{j=1}^{m}(Y_{ij} - \overline{Y}_j)^2$

SST(전체 변동제곱합) $\sum_{i=1}^{k}\sum_{j=1}^{m}(Y_{ij} - \overline{Y})^2$

SST = SSB + SSW

- k : 집단의 수
- m : 집단별 관측치 수 (각 집단의 표본 수 동일 가정)
- N : 전체 관측치 수($N = mk$)
- $\overline{Y}_i$: 번째 집단의 표본 평균
- $\overline{Y}$: 모든 관측치 평균(총 평균)

> **비기의 학습팁**
> 사후 검정은 다중 비교라고도 불립니다.

3. 사후 검정

- 사후 검정이란 분산분석의 결과 귀무가설이 기각되어 적어도 한 집단에서 평균의 차이가 있음이 통계적으로 증명되었을 경우, 어떤 집단들에 대해서 평균의 차이가 존재하는지를 알아보기 위해 실시하는 분석이다.
- 사후 검정의 종류로는 던칸의 MRt방법, 피셔의 최소유의차(LSD)방법, 튜키의 HSD방법, Scheffe의 방법등이 있다.

✓ 핵심 개념체크

✓17회 기출 출★★★★★ 난★★★★★

24. 3개 이상의 모집단의 모평균을 비교하는 통계적 방법으로 가장 적절한 것은?

① t-검정
② 회귀분석
③ 분산분석
④ 상관분석

> 분산분석(ANOVA)은 두 개 이상의 그룹 간 평균 차이를 검정하는 방법이다. t-검정은 두 그룹의 평균 비교에만 사용되며, 회귀분석은 변수 간의 관계를 예측하는 방법이다. 상관분석은 변수 간 선형 관계의 정도를 측정하는 방법이다. 따라서 여러 모집단의 평균을 비교하려면 분산분석이 가장 적절하다.

❺ 실험 계획법

1. 실험 계획의 개념과 목적

가. 개념

- 시스템이나 프로세스의 결과에 영향을 미치는 인자(또는 요인)(실제 실험의 대상, 입력변수 X)를 도출하고, 측정 데이터를 통계적으로 분석하기 위한 실험을 설계하는 방법을 의미한다.
- 실험방식, 데이터 수집 방법, 활용 통계 기법 등 실험의 모든 과정을 설계한다.

나. 목적

- 분산 분석 및 검정과 추정의 문제 : 어떠한 요인이 특성치(실험의 모든 결과값, 출력변수 Y) 변화에 유의미한 영향을 주는지, 또한 해당 요인의 영향이 어느 정도인지를 파악
- 최적 반응 조건의 결정 문제 : 어떤 인자를 사용해야 최적의 결과값을 얻을 수 있는지를 파악
- 오차항 추정의 문제 : 이해하기 어렵던 오차와 그 변동에 관한 정도를 파악

> **비기의 학습팁**
> 실험 계획은 최소 실험 횟수로 최대의 정보를 얻는 것을 목적으로 합니다.

2. 실험 계획의 원리

- 랜덤화의 원리(Randomization) : 실험 순서를 무작위로 선택하여 실시
- 반복의 원리(Replication) : 인자의 동일 수준(level) 내에서 최소 두 번 이상 실험을 진행
- 블록화의 원리(Blocking) : 실험 전체를 시간적·공간적으로 분할하여 블록으로 만듦
- 직교화의 원리(Orthogonality) : 요인간 직교성을 갖도록 실험을 계획
- 교락의 원리(Confounding) : 고차항의 교호효과와 블록효과를 교락시키는 방법

> **비기의 학습팁**
> **실험 계획 주요 용어**
> - **주효과(Main Effect)** : 각 입력변수의 수준 간 차이, 인자가 독립적으로 반응에 미치는 영향
> - **교호효과(Interaction Effect)** : 특정한 인자 수준의 조합에서 일어나는 효과, 인자들이 혼합되어 반응에 미치는 영향
> - **교락(Confounding)** : 2개 이상의 효과(주효과 또는 교호효과)를 구별할 수 없도록 계획적으로 조합하는 것
> - **블록(Block)** : 실험 단위가 균일할 수 있도록 단위를 모은 것

3. 실험 계획법의 종류

가. 요인배치법(Factorial Design)

- 모든 인자간의 수준 조합에서 실험이 이루어지는 완전랜덤화방법이다.
- 교호효과를 포함한 모든 요인효과를 추정할 수 있다.
- K^n형 요인실험 : 인자 수가 n이고, 각 인자의 수준 수가 k인 실험계획법이다.

> **비기의 학습팁**
> 요인 배치법은 여러 요인의 영향을 동시에 분석하고, 분할법은 주 요인과 보조 요인을 구분하여 각각의 효과를 살피며, 교락법은 요인 조합의 효과를 비교하고, 난괴법은 외부 변동성을 줄이기 위해 블록을 설정하여 실험을 진행하는 방법입니다.

나. 분할법(Split-Plot Design)
- 완전랜덤화하기 힘들 경우, 몇 단계로 분할하여 각 단계별로 완전 랜덤하게 실험 순서를 결정하는 방법이다.
- 랜덤화가 가장 어려운 것을 1차 단위로, 비교적 쉬운 것을 후(後) 단위로 배치한다.

다. 교락법(Confounding Method)
- 검출할 필요가 없는 교호작용을 다른 요인과 교락하도록 배치하는 방법이다.
- 실험 횟수를 늘리지 않고 실험 전체를 몇 개의 블록으로 나누어 배치하는 방법으로, 동일 환경에서의 실험 횟수를 줄일 수 있다.
- 블록효과와 교락시키기 때문에, 주효과가 높게 추정된다.

라. 난괴법(Randomized Block Design, RBD, 랜덤화 블록 실험설계)
- 실험 단위를 몇 개의 반복으로 나누어 배치하는 방법이다.
- A가 모수인자이고, B가 변량인자일 때, A인자의 수준 수가 l이고, B인자의 수준 수가 m인 반복이 없는 이원배치 분산분석방법이다.
- 실험 오차를 줄일 수 있기 때문에 효율이 높고 비교적 분석이 간단하다.

> **비기의 학습팁**
>
> **헷갈릴 수 있는 주요 용어**
> - **반복(Replication)**: 인자들의 동일한 수준 조합에서 다회의 실험을 진행
> - **중복(Repetition)**: 한 실험에서 여러 개의 대상을 측정

핵심 개념체크

✓ 19회 기출 출★★★★★ 난★★★☆☆

25. 다음 중 실험계획법의 개념에 대한 설명으로 가장 적절한 것은 무엇인가?
① 데이터를 수집한 후 통계적 기법을 활용하여 분석하는 과정이다.
② 실험을 체계적으로 설계하여 최소한의 자원으로 최적의 결과를 도출하는 방법이다.
③ 변수 간의 상관관계를 분석하여 인과관계를 명확히 규명하는 방법이다.
④ 데이터를 시각화하여 결과를 직관적으로 이해할 수 있도록 돕는 방법이다.

실험계획법은 실험을 체계적으로 설계하여 효율적으로 데이터를 수집하고 분석함으로써 최적의 결과를 도출하는 통계적 방법이다. 다른 선택지들은 데이터 분석, 상관관계 분석, 시각화 등 다른 개념을 설명하고 있다.

❻ 비모수검정

1. 개요

- 통계적 검정에서 모집단의 모수에 대한 검정은 모수적 검정과 비모수적 검정으로 구분한다.

모수적 방법	– 검정하고자 하는 **모집단의 분포에 대한 가정**을 하고, 그 가정하에서 검정통계량과 검정통계량의 분포를 유도해 검정을 실시하는 방법
비모수적 방법	– 자료가 **추출된 모집단의 분포에 대한 아무 제약을 가하지 않고 검정을 실시**하는 방법이다. – 관측된 자료가 특정분포를 따른다고 가정할 수 없는 경우에 이용 – 관측된 **자료의 수가 많지 않거나**(30개 미만) 자료가 개체 간의 **서열관계를 나타내는 경우**에 이용

> **비기의 학습팁**
> 비모수적 검정은 종류와 모수적 검정의 차이 정도만 이해하고 넘어가도 좋습니다.

2. 종류

구분	비모수 통계	모수 통계
단일 표본	부호 검정	단일 표본 T-검정
	윌콕슨 부호 순위 검정	
두표본	윌콕슨 순위 합 검정	독립 표본 T-검정
	부호 검정	대응 표본 T-검정
	윌콕슨 부호 순위 검정	
분산 분석	크루스칼-왈리스 검정	ANOVA
무작위성	런 검정	없음
상관 분석	스피어만 순위 상관계수	피어슨 상관계수

> **비기의 학습팁**
> t검정과 ANOVA는 자료가 정규성을 만족한다고 가정하고 만들어진 이론입니다. 따라서 실제로는 자료가 정규성을 만족하지 못한다면 비모수 검정을 사용해야 합니다.

> **비기의 학습팁**
> 상관 분석은 뒤에서 바로 다룰 예정입니다.

한 눈에 보는 비모수 요약

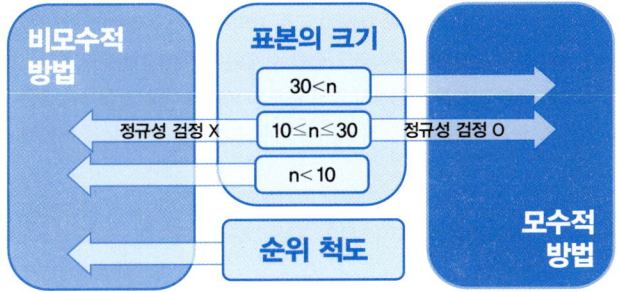

2집단 독립비교 : Mann-Whitney U 검정 등
집단 대응비교 : Wilcoxon Sign Rank Test
집단간의 비교 : Kruskal-Wallis 검정
상관관계 Spearman's 상관분석

독립표본 T 검정
대응표본 T 검정
일원배치 분산분석
Pearson's 상관분석

	모수적 검정	비모수적 검정
가설 검정	가정된 분포의 **모수에 대해 가설**을 검정	가정된 분포가 없음, 가설은 단지 '분포의 형태가 동일하다' 또는 '분포의 형태가 동일하지 않다'와 같이 **분포의 형태에 대해 설정**
검정 방법	관측된 자료를 이용해 구한 **표본평균, 표본분산** 등을 이용해 검정을 실시	관측값의 절대적인 크기에 의존하지 않는 **관측값들의 순위(rank)나 두 관측값 차이의 부호** 등을 이용해 검정

핵심 개념체크

✓ 18회 기출 출 ★★★★★ 난 ★★★★☆

26. 통계적 추론에서 모집단의 모수를 검증하기 위해 사용하는 모수적 방법과 비교하여 비모수적 방법의 특징으로 가장 부적절한 것은?

① 비모수적 검정은 모집단의 분포에 대해 아무런 제약을 가하지 않는다.
② 관측된 자료가 특정 분포를 따른다고 가정할 수 없는 경우에 이용된다.
③ 분포의 모수에 대한 가설을 설정하지 않고 분포의 형태에 대해 가설을 설정한다.
④ 비모수 검정에서는 관측값의 절대적 크기에 의존하여 평균, 분산 등을 이용해 검정을 실시한다.

비모수적 검정은 평균이나 분산 같은 모집단 모수의 가정을 하지 않고, 순위 또는 순서 정보를 이용하여 검정을 실시한다. 나머지 선택지들은 비모수적 방법의 특징을 정확히 설명하며, 모집단 분포에 대한 가정을 하지 않음을 잘 나타내고 있다.

✓ 32회 기출 출 ★★★★★ 난 ★★☆☆☆

27. 다음 중 비모수 검정 방법으로 부적절한 것은?

① 만-위트니 U검정 ② 런 검정
③ 윌콕슨의 순위합 검정 ④ t검정

t검정은 모평균에 대한 검정으로, 비모수적 방법으로 분류되지 않는다. 만-위트니 U검정, 런 검정, 윌콕슨의 순위합 검정은 모두 분포에 대한 가정을 하지 않는 비모수적 방법에 해당한다.

❼ 상관분석

1. 인과관계의 이해

종속변수 (반응변수, y)	다른 변수의 영향을 받는 변수
독립변수 (설명변수, x)	영향을 주는 변수
산점도 (Scatter Plot)	좌표평면 위에 점들로 표현한 그래프

2. 상관분석의 정의

- 두 변수 간의 관계의 정도를 알아보기 위한 분석방법이다.
- 두 변수의 상관관계를 알아보기 위해 상관계수를 이용하며, 그 공식은 아래와 같다.

$$Corr(X,Y) = \frac{Cov(X,Y)}{\sigma_x \times \sigma_y}$$

> **참고**
>
> **공분산(Covariance)**
> - 정의 : 두 확률변수 X,Y의 방향의 조합(선형성)이다.
> $Cov(X,Y) = \sigma_{XY} = E[XY] - E(X)E(Y)$
> - 공분산의 부호만으로 두 변수 간의 방향성을 확인할 수 있다. 공분산의 부호가 +이면 두 변수는 양의 방향성, 공분산의 부호가 −이면 두 변수는 음의 방향성을 가진다.

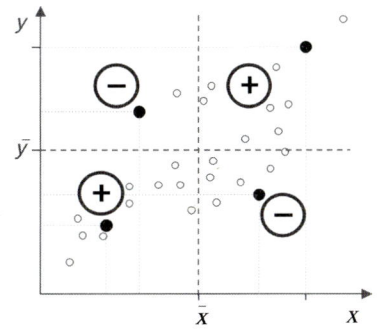

비기의 학습팁

X, Y가 서로 독립이면 $Cov(X, Y) = 0$이 됩니다.
(역은 항상 성립하는 것은 아님)

비기의 학습팁

공분산 공식
$Cov(X, Y)$
$= E[(X - E[X])(Y - E[Y])]$
$= \frac{1}{n-1}\sum_{i=1}^{n}(x_i - \bar{x})(y_i - \bar{y})$
$= E[XY] - E[X] \cdot E[Y]$

공분산이 0인 산점도

- 두 변수 사이의 공분산이 0인 경우

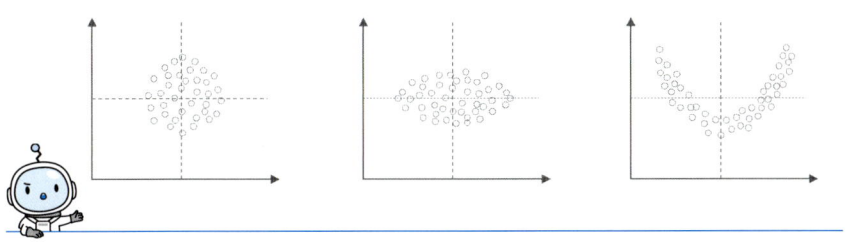

3. 상관 계수의 정의

가. 피어슨 상관계수(Pearson correlation coefficient, r)

- 등간척도나 비율척도를 이용한 변수 간의 선형관계를 파악하는 데 주로 피어슨상관계수를 이용한다.

$$r = \frac{Cov(X,Y)}{S_x \times S_y} = \frac{1}{n-1} \frac{\sum_{i=1}^{n}(x-\bar{x})(y-\bar{y})}{S_x \times S_y}$$

- 피어슨 상관계수의 범위는 $-1 \leq r \leq 1$로 만약 상관계수가 양(+)의 값을 가지면 변수 간에는 정(positive)의 상관관계가 있고, 반대로 음(−)의 값을 가지면 두 변수 간에는 부(negative)의 상관관계가 있음을 의미한다.

나. 스피어만의 서열상관계수(Spearman's rank correlation coefficient, ρ)와 켄달의 타우(Kendall's tau, τ)

- 서열척도 변수 간의 상관관계는 스피어만의 서열상관계수(Spearman's rank correlation coefficient, ρ)나 켄달의 타우(Kendall's tau, τ)를 분석할 수 있다.
- 두 방법은 큰 차이가 없으나 켄달의 타우가 더 엄격하므로 비교적 계산이 간편한 스피어만의 서열상관계수가 많이 사용된다.
- 일반적으로 서열상관계수는 집단 내의 개별 관측치를 두 개의 서로 다른 관점이나 특성으로 평가한 순위값들을 이용해서 분석하는 경우에 사용한다.
- 예를 들어, 3명의 후보에 대한 선호도와 도덕성을 평가한 순위 간의 관계를 분석하기 위해서는 스피어만의 서열상관계수를 구하는 것이 적절하다.
- 샘플사이즈가 적거나, 데이터의 동률이 많을때는 켄달의 타우가 더 유용하다.

다. 피어슨-스피어만 상관계수의 관계

- 일반적으로 서열상관계수는 집단 내의 개별 관측치를 두개의 서로 다른 관점이나 특성으로 평가한 순위값들을 이용해서 분석하는 경우에 사용한다.
- 두 변수의 순위 사이의 의존성을 측정하는 비모수 척도로 단조함수를 통해 두 변수의 관계가 얼마나 잘 설명될 수 있는지 판단한다.
- 즉, 스피어만 상관계수는 두 변수 사이의 선형 관계를 평가하는 피어슨 상관계수와 달리, 선형 여부와 관계없이 두 변수가 단조적 관계가 있는지를 평가한다.
- 중복 데이터가 없다는 가정하에 각 변수가 다른 변수의 완벽한 단조 함수일 때 +1 또는 −1의 관계가 발생한다.

비기의 학습팁

피어슨 상관계수는 주로 연속형 변수의 상관계수를 측정하는데 사용되는 가장 대표적인 방법입니다. 그러나 피어슨 상관계수는 정규성을 가정하여 정의되었기 때문에 정규성을 만족하지 못하는 경우에는 비모수 방법은 스피어만의 서열상관계수나 켄달의 타우를 사용해야 합니다.

개념 +

단조함수(Monotonic Function)

순서 관계 ≤ 를 보전하거나 반전시키는 함수입니다. $x \leq y$이면 $f(x) \leq f(y)$이면 증가함수, $x \leq y$이면 $f(x) \geq f(y)$이면 감소함수라고합니다.

> **참고**
>
> 두 변수 간의 스피어만 상관 계수 = 두 변수의 순위 값 사이의 피어슨 상관계수
> 두 변수 사이의 선형 관계(피어슨) vs 두 변수 사이의 단조적 관계(선형여부 아님)
> (스피어만)

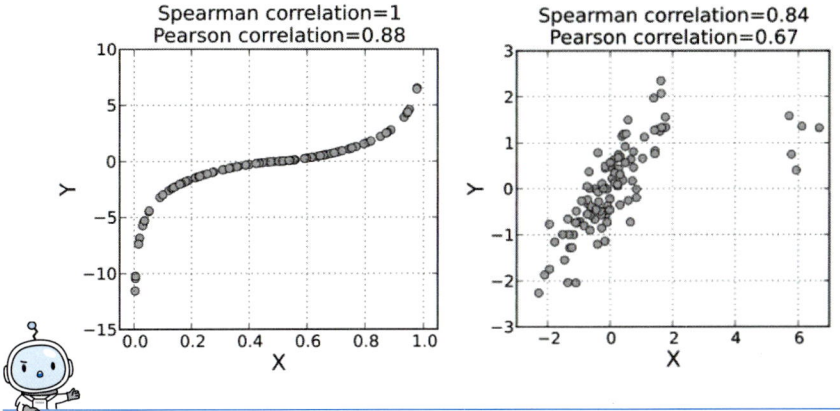

4. 상관관계의 특성

상관계수 범위	해 석
$0.7 < \gamma \leq 1$	강한 양(+)의 상관이 있음
$0.3 < \gamma \leq 0.7$	약한 양(+)의 상관이 있음
$0 < \gamma \leq 0.3$	거의 상관이 없음
$\gamma = 0$	상관관계(선형, 직선)가 존재하지 않음
$-0.3 \leq \gamma < 0$	거의 상관이 없음
$-0.7 \leq \gamma < -0.3$	약한 음(−)의 상관이 있음
$-1 \leq \gamma < -0.7$	강한 음(−)의 상관이 있음

> **비기의 학습팁**
>
> 데이터의 편차가 커지면 함께 커지는 공분산과 달리 상관계수는 항상 −1과 1사이를 유지하는 특징이 있습니다.

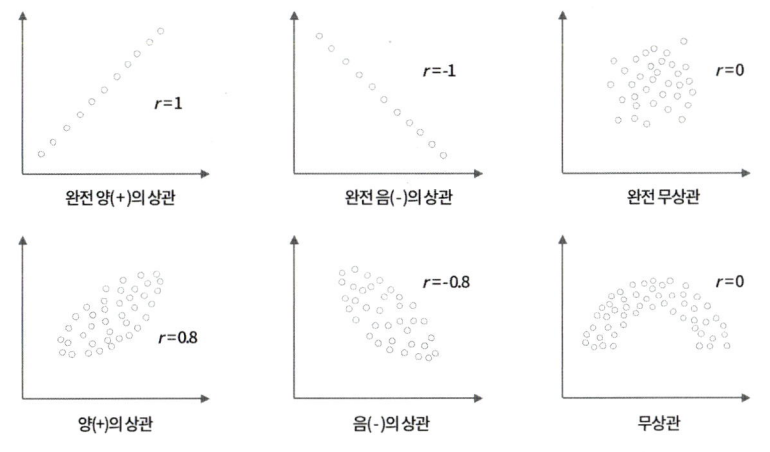

5. 상관분석의 가설 검정

- 상관계수 r가 0이면 입력변수 x와 출력변수 y사이에는 아무런 관계가 없다.(귀무가설 : r=0, 대립가설 : r≠0)
- t 검정통계량을 통해 얻은 p-value 값이 0.05이하인 경우, 대립가설을 채택하게 되어 우리가 데이터를 통해 구한 상관계수를 활용할 수 있게 된다.

가. 상관분석을 위한 R 코드

구분	R code
분산	var(x, y = NULL, na.rm = FALSE)
공분산	cov(x, y = NULL, use = "everything", method = c("pearson", "kendall", "spearman"))
상관관계	cor(x, y = NULL, use = "everything", method = c("pearson", "kendall", "spearman"))
	Hmisc 패키지의 rcorr 사용 rcorr(matrix(data명), type=c("pearson", "kendall", "spearman"))

x = 숫자형 변수
y = NULL(default) 또는 변수
na.rm = 결측값 처리

나. 상관분석 예제

- datasets 패키지의 "mtcars"라는 데이터셋의 마일(mpg), 총마력(hp)의 상관관계 분석을 실시한다.

R 코드 예시
```
> data(mtcars)
> a <- mtcars$mpg
> b <- mtcars$hp
> cor(a,b)
> cov(a,b)
> cor.test(a, b, method="pearson")
```

R 코드 예시
```
> data(mtcars)
> a <- mtcars$mpg
> b <- mtcars$hp
> cor(a,b)
[1] -0.7761684
> cov(a,b)
[1] -320.7321
> cor.test(a, b, method="pearson")
 Pearson's product-moment correlation
data: a and b
t = -6.7424, df = 30, p-value = 1.788e-07
alternative hypothesis: true correlation is not equal to 0
95 percent confidence interval:
 -0.8852686 -0.5860994
sample estimates:
 cor
-0.7761684
```

- mtcars 데이터셋의 mpg와 hp를 각각 a, b에 저장하여 mpg와 hp의 공분산, 상관계수를 구한 결과, 공분산은 -320.7321, 상관계수는 -0.7761684로 나타났다. 따라서, mpg와 hp는 공분산으로 음의 방향성을 가짐을 알 수 있고, 상관계수로 강한 음의 상관관계가 있음을 알 수 있다.
- cor.test를 이용해 mpg와 hp의 상관관계 분석을 실행한 결과, p-value가 1.788e-07로 유의수준 0.05보다 작게 나타나므로 mpg와 hp가 상관관계가 있다고 할 수 있다.

핵심 개념체크

✓17회 기출 출★★★★★ 난★★★☆☆
28. 다음 중 스피어만 상관계수에 대한 설명으로 부적절한 것은?

① 비선형적인 상관관계는 나타내지 못한다.
② 서열척도로 측정된 변수간 관계를 측정한다.
③ -1과 1사이의 값을 가진다.
④ 0은 상관관계가 없음을 의미한다.

스피어만 상관계수는 두 변수 간 순위를 기반으로 상관관계를 측정하는 비모수적 방법이므로 비선형적인 상관관계를 효과적으로 나타낼 수 있다. 따라서 서열척도로 측정된 데이터를 분석할 때 적합하며 -1에서 1 사이의 범위를 가지고, -1은 완전한 음의 상관관계, 1은 완전한 양의 상관관계 0은 두 변수간 관계가 없음을 의미한다.

✓29회 기출 출★★★★★ 난★★★★☆
29. 다음 중 공분산과 상관계수에 대한 설명 중 틀린 것은?

① 공분산이 0이면 두 변수간의 상관계수는 0이고, 두 변수는 선형관계가 아니다.
② 상관계수는 상관정도의 절대적인 크기를 측정할 수 있도록 만들어진 값이다.
③ 공분산은 측정단위에 영향을 받지 않는다.
④ 상관계수의 종류에는 피어슨, 스피어만, 켄달 상관계수 등이 있다.

공분산은 두 변수 간 선형 관계의 방향을 나타내며, 측정 단위의 영향을 받는 지표이다. 상관계수는 공분산을 표준화한 값(-1~1)으로, 단위의 영향을 받지 않아 선형 관계의 강도를 비교할 수 있으며 피어슨·스피어만·켄달 상관계수가 여기에 포함된다. 또한 공분산이 0이면 상관계수도 0이 되어, 두 변수 사이에 선형 관계가 없음을 의미한다.

✓34회 기출 출★★★★★ 난★★★☆☆
30. 아래는 400명의 신용카드 고객에 대한 신용카드와 관련된 변수들이 포함된 Credit 데이터를 분석하기 위해 산점도와 피어슨 상관계수를 활용하였다. 다음 설명 중 가장 적절하지 않은 것은?

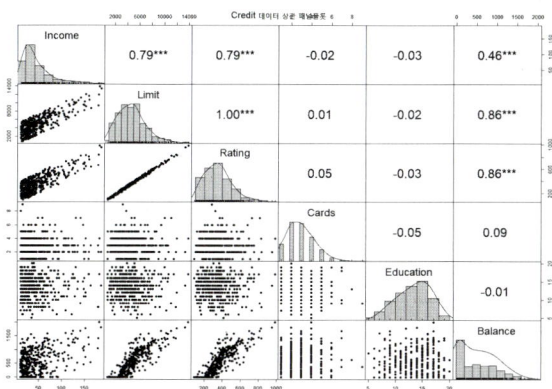

① Limit와 Rating 간에는 강한 선형관계가 있다.
② Income의 분포는 오른쪽 꼬리가 긴 분포를 가진다.
③ Balance는 Income과 가장 높은 상관관계를 보인다.
④ Age와 Balance 사이에는 유의미한 상관관계가 관찰되지 않는다.

상관 패널플롯에서 Balance는 Limit·Rating과 약 0.86의 매우 높은 양의 상관을 보이지만, Income과는 약 0.46으로 상대적으로 낮아 "Balance가 Income과 가장 높은 상관관계를 보인다"는 설명은 잘못이다. 반면, Limit와 Rating의 피어슨 상관계수는 1.00으로 매우 강한 선형관계를 가지며, Income은 오른쪽 꼬리가 긴 우측 비대칭 분포를 보인다. 한편 Age와 Balance의 상관계수는 약 0.10으로 0에 가까워, 두 변수 사이에는 유의미한 선형 상관관계가 거의 없다고 볼 수 있다.

✓ 35회 기출 출 ★★★★★ 난 ★★★★☆
31. 392대의 자동차에 대한 연비(mpg)와 엔진 마력(horsepower)에 대한 데이터 분석을 통해 얻은 결과에 대한 설명으로 가장 적절하지 않은 것은?

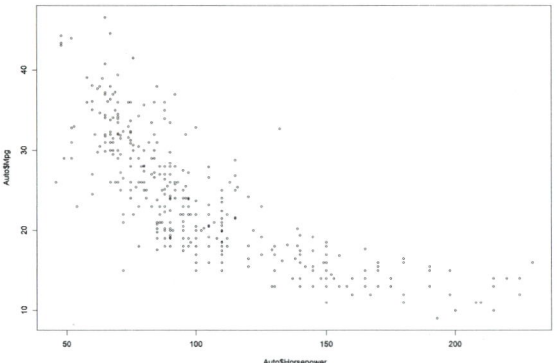

① mpg를 설명하기 위해 horsepower를 설명변수로 하는 비선형 회귀모형이 적합할 수 있다.
② horsepower가 증가할수록 mpg가 감소하는 경향이 있다.
③ mpg와 horsepower 간의 피어슨 상관계수는 두 변수의 관계를 잘 설명하지 못할 수도 있다.
④ mpg와 horsepower는 음의 상관관계를 가진다.

주어진 산점도에서 mpg(연비)와 horsepower(마력) 사이의 관계는 명확히 음의 상관관계를 나타낸다. 피어슨 상관계수는 선형 관계를 측정하는 도구로, 두 변수 사이의 음의 선형 관계가 강하게 보이는 이 경우 적절히 관계를 설명할 수 있다. mpg를 예측하기 위해 비선형 회귀모형이 적합할 수 있고, horsepower가 증가할수록 mpg는 감소하며, 두 변수 간에 음의 상관관계가 존재한다는 사실은 산점도를 통해 확인할 수 있다.

✓ 18회 기출 출 ★★★★★ 난 ★★★★☆
32. 상관분석에 대한 설명으로 가장 부적절한 것은?

① 등간척도 및 비율척도로 측정된 변수들 간의 상관계수를 측정하는데 피어슨 상관계수를 이용한다.
② 서열척도로 측정된 변수들 간의 상관계수를 측정하는데 스피어만 상관계수를 이용한다.
③ 상관분석은 변수들 간의 연관성을 파악하기 위해 사용하는 분석 기법 중 하나로 변수 간의 선형 관계 정도를 분석하는 통계기법이다.
④ 상관분석은 종속변수에 미치는 영향력의 크기를 파악하여 독립변수의 특정한 값에 대응하는 종속 변수값을 예측하는 선형모형을 산출하는 방법이다.

상관분석은 변수 간의 선형적 관계 정도를 측정하는 방법으로, 독립변수와 종속변수 간의 원인과 결과를 추론하거나 예측하는 데 사용되지 않는다. 나머지 선택지들은 상관분석의 정의와 특징을 정확히 설명하고 있다.

4장 통계 분석

3절 회귀 분석

출제빈도 F5 난이도 D5

 #회귀분석 #정규성검정 #잔차분석 #회귀모형 #단순선형회귀모형 #결정계수 #t-통계량 #다중선형회귀분석
#다중공선성 #F-통계량 #변수선택법 #최적회귀방정식 #Lasso회귀모형

○ 학습 목표

- 회귀분석의 정의와 가정을 이해한다.
- 회귀추정식의 통계적 가설 검증을 이해한다.
- R 프로그램을 통해 회귀분석을 활용하고 내용을 해석할 수 있다.
- 다중회귀분석에서 변수선택법을 이해하고 활용할 수 있다.

○ 눈높이 체크

✓ **회귀분석을 들어본 적 있으신가요?**

우리 주변에서 일어나는 많은 인과현상들을 회귀분석을 통해 모형화하고 이를 활용하고 있습니다. 매출증대에 영향을 미치는 요소들, 난방비에 영향을 주는 요소들, 학습능력을 향상시키는 요소들 등 다양한 분야에서 회귀분석이 활용되고 있습니다.

✓ **단순회귀분석과 다중회귀분석을 이해하시나요?**

하나의 요소가 결과에 미치는 영향을 모형화하는 방법은 단순회귀분석이라 하며 여러 개의 요소가 결과에 미치는 영향을 모형화하는 것을 다중회귀분석이라 할 수 있습니다. 일반적으로 하나의 결과에는 여러가지 요소들이 영향을 미치므로 다중회귀분석이 많이 활용되고 있습니다.

✓ **회귀분석을 통계패키지로 구현해 본 적이 있으신가요?**

회귀분석은 통계모델링에서 가장 많이 활용되고 있는 통계기법이기 때문에 대부분의 통계 패키지에서 회귀분석을 경험할 수 있습니다. SAS, SPSS 뿐만 아니라 R에서도 회귀분석은 쉽게 활용할 수 있습니다. 이번 강의를 통해 회귀분석을 이해하고 R을 통해 실습해 보도록 하겠습니다.

❶ 회귀분석 개요

1. 회귀분석 개요

가. 회귀분석의 정의

- 하나나 그 이상의 독립변수들이 종속변수에 미치는 영향을 추정할 수 있는 통계기법이다.
- 변수들 사이의 인과관계를 밝히고 모형을 적합하여 관심있는 변수를 예측하거나 추론하기 위한 분석방법이다.
- 독립변수의 개수가 하나이면 단순선형회귀분석, 독립변수의 개수가 두 개 이상이면 다중선형회귀분석으로 분석할 수 있다.

나. 회귀분석의 변수

- 영향을 받는 변수(y) : 반응변수(Response Variable), 종속변수(Dependent Variable), 결과변수(Outcome Variable)
- 영향을 주는 변수(x) : 설명변수(Explanatory Variable), 독립변수(Independent Variable), 예측변수(Predictor Variable)

2. 선형 회귀분석의 가정

가. 선형성

- 반응변수(y)와 설명변수(x)의 관계가 선형이다.(선형회귀분석에서 가장 중요한 가정)

나. 등분산성

- 오차의 분산이 설명변수(x)와 무관하게 일정하다. 잔차플롯(산점도)을 활용하여 잔차와 설명변수(x) 간에 아무런 관련성이 없게 무작위적으로 고루 분포되어야 등분산성 가정을 만족하게 된다.

다. 독립성

- 독립변수(x)와 오차는 관련이 없다. 자기상관(독립성)을 알아보기 위해 더빈-왓슨 검정(Durbin-Watson Test)을 사용한다.

라. 비상관성

- 오차들끼리 상관이 없다.

마. 정상성(정규성)

- 오차의 분포가 정규분포를 따른다. Q-Q plot, 콜모고로프-스미르노프 검정(Kolmogorov-Smirnov Test), 샤피로-윌크 검정(Shapiro-Wilk Test) 등을 활용하여 정규성을 확인한다.

3. 그래프를 활용한 선형 회귀분석 가정 검토

가. 선형성

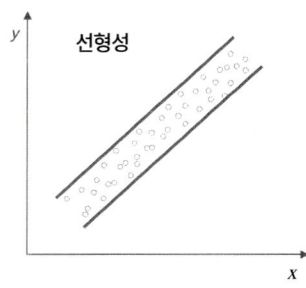

선형회귀모형에서는 왼쪽의 그래프와 같이 설명변수(x)와 반응변수(y)가 선형적 관계에 있음이 전제되어야 한다.

나. 등분산성

1) 등분산성을 만족하는 경우

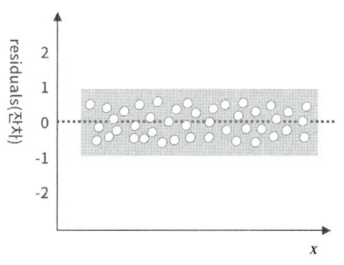

설명변수(x)에 대한 잔차의 산점도를 그렸을 때, 왼쪽의 그림과 같이 설명변수(x) 값에 관계없이 잔차들의 변동성(분산)이 일정한 형태를 보이면 선형회귀분석의 가정 중 등분산성을 만족한다고 볼 수 있다.

2) 등분산성을 만족하지 못하는 경우

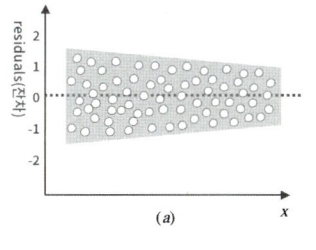

- (a) : 설명변수(x)가 커질수록 잔차의 분산이 줄어드는 이분산(heteroscedasticity)의 형태

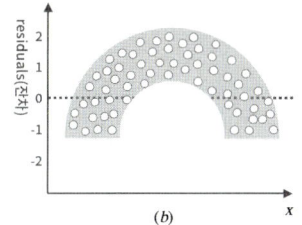

- (b) : 2차항 설명변수가 필요

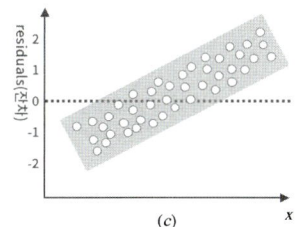

- (c) : 새로운 설명변수가 필요

비기의 학습팁

이분산의 경우 설명변수(x)가 커질수록 잔차의 분산도 커지는 형태도 있습니다. 두 경우를 모두 고려해서 이분산은 부채꼴의 형태를 띈다라고 암기하는 것이 좋습니다.

개념 ➕

앤더슨-달링 검정(Anderson-Darling Test):
콜모고로프-스미르노프 검정(K-S 검정)을 수정한 적합도 검정으로 특정분포의 꼬리(Tail)에 K-S 검정보다 가중치를 더 두어 수행하며 여러 분포의 적합도 검정이 가능하고 정규성 검정에 특히 강력하다고 알려져 있습니다.

다구스티노-피어슨 검정 (D'Agostino-Pearson Test):
왜도와 첨도를 사용해 데이터가 정규분포를 따르는지 검정합니다.(표본의 크기가 20이상)

쟈크-베라 검정(Jarque-Bera Test):
정규분포의 기대 왜도와 기대 첨도가 데이터에서 얻은 값과 일치하는지 검정합니다.

다. 정규성

- Q-Q Plot을 출력했을 때, 오른쪽의 그림과 같이 잔차가 대각선 방향의 직선의 형태를 지니고 있으면 잔차는 정규분포를 따른다고 할 수 있다.

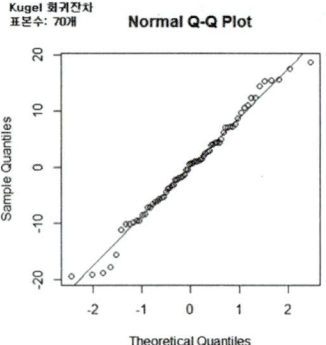

✅ 핵심 개념체크

✓34회 기출 출★★★★★ 난★★★☆☆

33. 회귀분석에 대한 설명 중 부적절한 것은?

① 독립변수가 많아질수록 모델의 설명력은 증가할 수 있으나, 다중공선성 문제가 발생할 가능성이 있어 조정이 필요하다.
② 잔차와 독립변수는 상관관계가 있다면 분석이 잘 된 모형이라고 할 수 있다.
③ 명목형 변수는 회귀분석에서 더미변수로 변환하여 사용할 수 있다.
④ 회귀분석 결과는 총변동 중 회귀식으로 설명된 변동 비율로 모델의 설명력을 평가할 수 있다.

> 회귀분석에서 잔차(오차항)는 독립변수와 상관관계가 없어야 한다. 잔차와 독립변수 간 상관이 존재하면, 해당 모델은 독립변수가 종속변수를 제대로 설명하지 못하거나 중요한 변수를 누락했을 가능성이 있다.

✓30회 기출 출★★★★★ 난★★☆☆☆

34. 다음 중 회귀분석에서 잔차분석을 통해 검토해야 하는 가정으로 올바른 것은?

① 독립성, 등분산성, 정규성
② 독립성, 등분산성, 불편성
③ 정규성, 효율성, 등분산성
④ 정규성, 유일성, 독립성

> 회귀분석에서 잔차분석으로 검토해야 할 가정은 독립성, 등분산성, 정규성이다. 독립성은 잔차 간 상관이 없어야 함을 의미하며, 등분산성은 잔차의 분산이 일정해야 함을 나타낸다. 정규성은 잔차가 정규분포를 따라야 한다는 가정으로, 모델의 적합성과 검정의 정확성을 보장한다.

✓37회 기출 출★★★★★ 난★★★★☆

35. 다음 중 회귀분석의 기본 가정에 해당하지 않는 것은 무엇인가?

① 종속변수와 독립변수 간의 선형 관계가 존재해야 함
② 독립 변수들 간에 상관관계가 있어야 함
③ 잔차들의 분산이 일정해야 함
④ 잔차들의 분포가 정규 분포를 이뤄야 함

> 독립 변수들 간에 상관관계가 있는 것은 회귀분석의 기본 가정에 해당하지 않는다. 독립 변수 간 상관관계는 회귀모형의 성능에 부정적인 영향을 미칠 수 있으며, 나머지 선택지는 회귀분석의 기본 가정으로 모두 적절하다.

✓10회 기출 출★★★★★ 난★★☆☆☆

36. 다음 중 회귀분석의 가정으로 부적절한 것은?

① 독립성
② 선형성
③ 정규성
④ 이분산성

> 회귀분석의 가정에는 독립성, 선형성, 정규성이 포함되며, 이분산성은 오히려 가정에 위배된다. 이분산성이 존재하면 잔차의 분산이 일정하지 않아 회귀분석의 결과가 왜곡될 수 있다. 나머지 선택지들은 모두 회귀분석에서 요구되는 가정이다.

정답 33.② 34.① 35.② 36.④

❷ 단순선형 회귀분석

1. 단순선형 회귀분석 정의

- 하나의 독립변수가 종속변수에 미치는 영향을 추정할 수 있는 통계기법이다.

$$y_i = \beta_0 + \beta_1 x_i + \varepsilon_i, \ i = 1, 2, \ldots, n, \ \varepsilon_i \overset{iid}{\sim} N(0, \sigma^2)$$

- y_i : i번째 종속변수 값
- x_i : i번째 독립변수 값
- β_0 : 선형 회귀식의 절편
- β_1 : 선형 회귀식의 기울기
- ε_i : 오차항, 독립적이며 $N(0, \sigma^2)$의 분포를 이룬다.

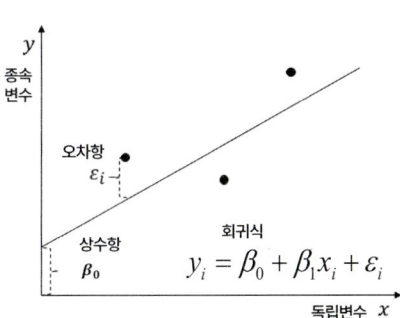

2. 회귀분석에서의 검토 사항

가. 회귀계수들이 유의미한가?

- 해당 계수의 t-통계량의 p-값이 0.05보다 작으면 해당 회귀계수가 통계적으로 유의하다고 볼 수 있다.

나. 모형이 얼마나 설명력을 갖는가?

- 결정계수(R^2)를 확인한다. 결정계수는 0~1값을 가지며, 높은 값을 가질수록 추정된 회귀식의 설명력이 높다.

다. 모형이 데이터를 잘 적합하고 있는가?

- 잔차를 그래프로 그리고 회귀진단을 한다.

3. 회귀계수의 추정

- 측정값을 기초로 하여 적당한 제곱합을 만들고 그것을 최소로 하는 값을 구하여 측정결과를 처리하는 방법으로 잔차제곱이 가장 작은 선을 구하는 것을 의미한다.

> **비기의 학습팁**
>
> 이를 최소제곱법 (Least Squares Method)이라고 합니다.

- 추정식

$$y_i = \beta_0 + \beta_1 x_1 + \epsilon_i, i = 1, 2 \cdots, n \ \epsilon \overset{iid}{\sim} N(0, \sigma^2)$$

$\sum_{i=1}^{n} \epsilon_i^2 = \sum_{i=1}^{n} \{y_i - (\beta_0 + \beta_1 X_i)\}^2$ 식을 각각 β_1과 β_0로 각각 편미분하여 0과 같다고 놓은 후 식을 정리하면 아래와 같다.

$$\sum y_i = n\beta_0 + \beta_0 \sum x_i$$

$$\sum x_i y_i = \beta_0 \sum x_i + \beta_1 \sum x_i^2$$

위의 연립방정식을 풀어 해를 구하면 아래와 같다.

$$\hat{\beta}_0 = \bar{y} - \hat{\beta}_1 \bar{x}$$

$$\hat{\beta}_1 = \frac{\sum(x_i - \bar{x})(y_i - \bar{y})}{\sum(x_i - \bar{x})^2}$$

> 예시

- 10년간 에어컨 예약대수와 판매대수 (단위 : 1,000대)

예약대수(X)	19	23	26	29	30	38	39	46	49
판매대수(Y)	33	51	40	49	50	69	70	64	89

- 에어컨 판매대수에 대한 예약대수의 추정식 : 판매대수 = 6.4095+1.5295×예약대수

단순선형 회귀 분석

4. 회귀계수의 검정

가. 회귀계수의 검정

- 회귀계수 β_1이 0이면 반응변수(y)와 설명변수(x) 사이에는 아무런 인과관계가 없다.
- 회귀계수 β_1이 0이면 적합된 추정식은 아무 의미가 없게 된다.

> 예시

- 10년간 에어컨 예약대수와 판매대수 (단위 : 1,000대)

예약대수(X)	19	23	26	29	30	38	39	46	49
판매대수(Y)	33	51	40	49	50	69	70	64	89

- 위의 데이터에 대해 단순회귀분석을 실시하여 검정을 실시한다.

```
> x<-c(19, 23, 26, 29, 30, 38, 39, 46, 49)
> y<-c(33, 51, 40, 49, 50, 69, 70, 64, 89)
> lm(y~x)

Call:
lm(formula = y ~ x)

Coefficients:
(Intercept)            x
      6.409        1.529
> summary(lm(y~x))

Call:
lm(formula = y ~ x)

Residuals:
    Min      1Q  Median      3Q     Max
-12.766  -2.470  -1.764   4.470   9.412

Coefficients:
            Estimate Std. Error t value Pr(>|t|)
(Intercept)   6.4095     8.9272   0.718 0.496033
x             1.5295     0.2578   5.932 0.000581 ***
---
Signif. codes:  0 '***' 0.001 '**' 0.01 '*' 0.05 '.' 0.1 ' ' 1

Residual standard error: 7.542 on 7 degrees of freedom
Multiple R-squared:  0.8341,    Adjusted R-squared:  0.8104
F-statistic: 35.19 on 1 and 7 DF,  p-value: 0.0005805
```

lm은 linear model(선형 모형)의 약자로 회귀분석을 수행하는 R의 함수입니다.

- x의 회귀계수인 t-통계량에 대한 p-값이 0.000581로 나타나, 유의수준인 0.05보다 작으므로 회귀계수의 추정치가 통계적으로 유의하다.
- 결정계수는 0.8341으로 높게 나타나 이 회귀식이 데이터를 적절하게 설명하고 있다고 할 수 있다.
- 결정계수가 높아 데이터의 설명력이 높고 회귀분석결과에서 회귀식과 회귀계수들이 통계적으로 유의하므로 에어컨 판매대수를 에어컨 예약대수로 추정할 수 있다.
- 회귀분석 결과 "판매대수 = 6.4095 + 1.5295 × 예약대수"의 회귀식을 구할 수 있다.

나. 결정계수

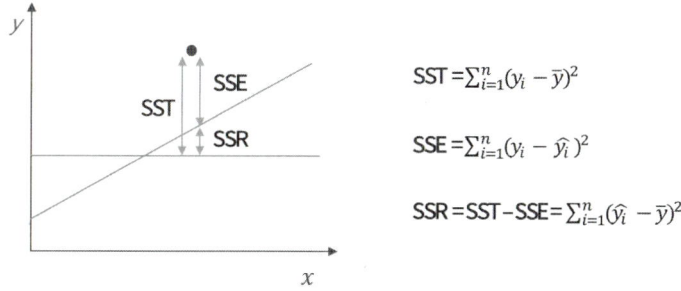

$$SST = \sum_{i=1}^{n}(y_i - \bar{y})^2$$

$$SSE = \sum_{i=1}^{n}(y_i - \hat{y_i})^2$$

$$SSR = SST - SSE = \sum_{i=1}^{n}(\hat{y_i} - \bar{y})^2$$

- 전체제곱합(Total Sum of Squares, SST) : $\sum_{i=1}^{n}(y_i - \bar{y})^2$
- 회귀제곱합(Regression Sum of Squares, SSR) : $\sum_{i=1}^{n}(\hat{y_i} - \bar{y})^2$
- 오차제곱합(Error Sum of Squares, SSE) : $\sum_{i=1}^{n}(y_i - \hat{y_i})^2$
- 결정계수(R^2)는 전체제곱합에서 회귀제곱합의 비율(SSR/SST), $0 \leq R^2 \leq 1$(여기서 SST = SSR+SSE)
- 결정계수(R^2)는 전체 데이터를 회귀모형이 설명할 수 있는 설명력을 의미한다.

다. 회귀직선의 적합도 검토

- 결정계수(R^2)를 통해 추정된 회귀식이 얼마나 타당한지 검토한다.
  (결정계수(R^2)가 1에 가까울수록 회귀모형이 자료를 잘 설명함)
- 독립변수가 종속변수 변동의 몇 %를 설명하는지 나타내는 지표이다.
- 다변량 회귀분석에서는 독립변수의 수가 많아지면 결정계수(R^2)가 높아지므로 독립변수가 유의하든, 유의하지 않은 독립변수의 수가 많아지면 결정계수가 높아지는 단점이 있다.
- 이러한 결정계수의 단점을 보완하기 위해 수정된 결정계수(R_a^2 : adjusted R^2)를 활용한다. 수정된 결정계수는 결정계수보다 작은 값으로 산출되는 특징이 있다.

비기의 학습팁

단순회귀분석에서 결정계수는 상관계수의 제곱과 같습니다.

- 수정된 결정계수 $R_a^2 = 1 - \dfrac{(n-1)(1-R^2)}{n-k-1} = 1 - \dfrac{(n-1)\left(\dfrac{SSE}{SST}\right)}{n-k-1} = 1 - (n-1)\dfrac{MSE}{SST}$

  (k : 독립변수 개수, n : 데이터의 개수)

> **참고**
>
> **오차(Error)와 잔차(Residual)의 차이**
>
> - 오차 : 모집단에서 실제값이 회귀선과 비교해 볼 때 나타나는 차이(정확치와 관측치의 차이)
> - 잔차 : 표본에서 나온 관측값이 회귀선과 비교해 볼 때 나타나는 차이.
>   회귀모형에서 오차항은 측정할 수 없으므로 잔차를 오차항의 관찰값으로 해석하여 오차항에 대한 가정들의 성립 여부를 조사함

✓ 핵심 개념체크

✓ 18회 기출 출★★★★☆ 난★★★★★

37. 회귀분석에서 결정계수(R^2)에 대한 설명으로 부적절한 것은?

① 총 변동 중에서 설명이 되지 않는 오차에 의한 변동이 차지하는 비율이다.
② 회귀모형에서 입력 변수가 증가하면 결정계수도 증가한다.
③ 다중회귀분석에서는 최적 모형의 선정기준으로 결정계수 값보다는 수정된 결정계수 값을 사용하는 것이 적절하다.
④ 수정된 결정계수는 유의하지 않은 독립변수들이 회귀식에 포함되었을 때 그 값이 감소한다.

> 결정계수는 총 변동 중에서 회귀모형에 의해 설명되는 변동의 비율을 나타낸다. 오차에 의한 변동이 아닌 설명된 변동에 초점을 두며, 오차에 의한 변동이 차지하는 비율은 잔차 제곱합(SSE)을 의미한다. 입력 변수가 증가하면 결정계수가 증가하지만, 이는 불필요한 변수를 추가했을 때 발생할 수 있는 문제이므로 수정된 결정계수를 사용하는 것으로 해결한다. 유의하지 않은 독립변수 포함 시 수정된 결정계수 값은 감소한다.

❸ 다중선형 회귀분석

1. 다중선형 회귀분석

가. 다중회귀식

- 독립변수가 k개인 다중선형 회귀모형의 회귀식

$$Y = \beta_0 + \beta_1 X_1 + \beta_2 X_2 + \cdots + \beta_k X_k + \epsilon$$

나. 모형의 통계적 유의성

- 모형의 통계적 유의성은 F-통계량으로 확인한다.
- 유의수준 5% 하에서 F-통계량의 p-값이 0.05보다 작으면 추정된 회귀식은 통계적으로 유의하다고 볼 수 있다.

〈귀무가설 : $H_0 : \beta_1 = \beta_2 = ... = \beta_k = 0$ vs 대립가설 : 적어도 하나의 β_j는 0이 아니다.〉

요인	제곱합	자유도	제곱평균	F-통계량
회귀	회귀제곱합(SSR)	k	MSR=SSR/k	F=MSR/MSE
오차	오차제곱합(SSE)	n−k−1	MSE=SSE/(n−k−1)	
계	전체제곱합(SST)	n−1		

- F-통계량이 크면 p-value가 0.05보다 작아지고 이렇게 되면 귀무가설을 기각한다. 즉, 모형이 유의하다고 결론지을 수 있다.

다. 회귀계수의 유의성

- 회귀계수의 유의성은 단변량회귀분석의 회귀계수 유의성 검토와 같이 t-통계량을 통해 확인한다.
- 모든 회귀계수의 유의성이 통계적으로 검증되어야 선택된 변수들의 조합으로 모형을 활용할 수 있다.

라. 모형의 설명력

- 결정계수(R^2)나 수정된 결정계수(R_a^2)를 확인한다.

마. 모형의 적합성

- 모형이 데이터를 잘 적합하고 있는지 잔차와 종속변수의 산점도로 확인한다.

바. 데이터가 전제하는 가정을 만족시키는가?

- 선형성, 독립성, 등분산성, 비상관성, 정상성

2. 다중공선성

- 다중회귀분석에서 설명변수들 사이에 선형관계가 존재하면 회귀계수의 정확한 추정이 곤란하다.

- 다중공선성 검사 방법

분산팽창요인(VIF)	• 일반적으로 4보다 크면 다중공선성이 있다고 볼 수 있음 • 일반적으로 10보다 크면 심각한 문제가 있는 것으로 해석할 수 있음
상태지수	• 일반적으로 100이상이면 문제가 있다고 볼 수 있음 • 일반적으로 30보다 크면 심각한 문제가 있는 것으로 해석할 수 있음

- 다중선형회귀분석에서 다중공선성의 문제가 발생하면, 문제가 있는 변수를 제거하거나 주성분회귀, 능형회귀 모형을 적용하여 문제를 해결한다.

> **비기의 학습팁**
> 능형회귀 모형은 Ridge 모형이라고도 합니다.

◎ 핵심 개념체크

✓37회 기출 출★★★★☆ 난★★★☆☆

38. 다음 중 다중공선성(Multicollinearity) 관련 설명으로 가장 부적절한 것은?

① 다중공선성 문제는 독립변수 간의 높은 상관으로 인해 예측 정확도가 감소할 수 있다.
② 높은 상관관계에 있는 설명변수에 대한 계수는 표본의 크기에 관계없이 항상 일정하다.
③ 회귀분석에서 VIF(분산 확대 인자)가 10을 초과하면 해당 변수의 계수 추정에 문제가 생길 수 있다.
④ 강한 상관을 가진 변수 간의 관계를 해결하기 위해 하나를 제거하면 다른 변수의 추정값도 영향을 받을 수 있다.

> 다중공선성 문제는 독립변수 간 높은 상관으로 인해 회귀계수 추정에 영향을 주며, 표본 크기에 따라 회귀계수의 불안정성이 달라질 수 있다. 나머지 선택지는 다중공선성의 정의와 그 결과에 대해 정확히 설명하고 있다.

✓35회 기출 출★★★★★ 난★★★★★

39. 선형회귀모형에서 모델 전체의 유의성을 평가하는 데 가장 적절한 통계량은 무엇인가?

① F-statistics   ② T-statistics
③ P-value   ④ AIC

> F-statistics는 전체 모델이 유의미한지 평가하는 데 사용되며, 회귀모형에서 독립변수들이 종속변수에 미치는 집합적 영향을 검토한다. T-statistics는 개별 변수의 유의성을 평가하며 P-value는 F-statistics 결과의 유의성을 판단하고, AIC는 모델 적합도를 비교하는 지표로 사용된다.

✓43회 기출 출★★★★★ 난★★★☆☆

40. 다음 중 다중공선성에 대한 설명으로 옳지 않은 것은?

① 다중공선성 여부는 분산팽창요인(VIF)으로 진단할 수 있으며, 일반적으로 VIF 값이 10을 넘으면 심각한 다중공선성을 의심한다.
② 다중공선성이 발생한 경우, 독립변수를 추가하여 모형을 더 복잡하게 만들면 문제가 해결될 수 있다.
③ 다중공선성은 독립변수들 사이에 강한 선형 관계가 존재할 때 발생하는 현상이다.
④ 다중공선성이 심하면 회귀계수 추정의 분산이 커져 개별 회귀계수의 통계적 유의성이 떨어질 수 있다.

> 다중공선성(Multicollinearity)은 다중 회귀 분석에서 독립변수들 간에 강한 선형 상관관계가 존재하는 현상이다. 다중공선성은 회귀 계수의 표준 오차를 증가시켜 통계적 유의성(t-값)을 낮추고, 계수 추정치의 해석을 어렵게 만든다. 다중공선성을 제거하기 위해서는 상관관계가 높은 독립변수 중 일부를 제거하거나, 변수를 새롭게 조합하는 등의 방법을 사용해야 하며, 독립변수를 더 추가하는 것은 문제 해결에 도움이 되지 않고 오히려 악화시킬 수 있으므로 옳지 않은 설명이다.

정답 38. ② 39. ① 40. ②

④ 영향력 진단

1. 영향력 진단 정의

- 영향력 진단이란 적합된 회귀모형의 안전성을 평가하는 통계적인 방법이다.
- 자료에서 특정 관측치가 제외됨에 따라 분석 결과의 주요 부분에 많은 변동이 있다면 안전성이 약하다고 판단한다.
- 선형회귀분석에서 회귀직선의 기울기에 영향을 크게 주는 점을 영향점이라고 한다.

2. 영향력 진단 방법

- 영향력 진단의 방법에는 Leverage H, Cook's Distance, DFBETAS, DFFITS 등이 있다.

> **비기의 학습팁**
> 영향력 진단 방법의 종류만 알고 넘어가도 좋습니다.

영향력 진단 방법	설명	공식
Leverage H (지레점, 레버리지)	레버리지는 $H = X(X^TX)^{-1}X^T$(Hat Matrix)의 i번째 대각원소로 관측치가 다른 관측치 집단으로부터 떨어진 정도를 의미하며, 2×(p+1)/n 보다 크면 영향치이거나 이상치라고 본다.	$h_{ii} = x_i^T(X^TX)^{-1}x_i$
Cook's Distance (쿡의 거리)	쿡의 거리는 Full Model에서 i번째 관측치를 포함하여 계산한 적합치와 i번째 관측치를 포함하지 않고 계산한 적합치 사이의 거리이다. 쿡의 거리가 기준값인 1보다 클 경우에 영향치로 간주한다.	$C_i = \dfrac{\sum_{j=1}^{n}(\hat{Y}_j - \hat{Y}_{j(i)})^2}{(p+1)MSE}$ $\hat{Y}_{j(i)}$: i번째 관측치를 포함하지 않고 계산한 j번째 추정치
DFBETAS (Difference in Betas)	DFBETAS의 절대값이 커지면 i번째 관측치가 영향치 혹은 이상치일 가능성이 높다. 기준값은 2나 2/√n(표본을 고려한 경우)을 사용하며, DFBETAS 값이 기준값보다 클 경우 영향치로 간주한다.	$DFBETAS_{k(i)} = \dfrac{\hat{\beta}_k - \hat{\beta}_{k(i)}}{\sqrt{MSE_{(i)}h_{ii}}}$ $\hat{\beta}_{k(i)}$: i번째 관측치를 포함하지 않고 계산한 k번째 추정 회귀계수
DFFITS (Difference in Fits)	i번째 관측치 제외시 종속변수 예측치의 변화정도를 측정한 값이다. DFFITS의 절대값이 기준값인 2×(p+1)/n보다 클수록 영향치일 가능성이 높다고 본다.	$(DFFITS)_i = \dfrac{\hat{Y}_i - \hat{Y}_{i(i)}}{\sqrt{MSE_{(i)}h_{ii}}}$ $\hat{Y}_{i(i)}$: i번째 관측치를 포함하지 않고 계산한 i번째 추정값

핵심 개념체크

✓41회 기출 출★★☆☆☆ 난★★★★☆

41. Cook's Distance에 대한 설명으로 옳지 않은 것은?

① Cook's Distance에서는 거리가 기준값인 1보다 작을 경우 영향치로 간주한다.
② Cook's Distance는 데이터 포인트가 모델에 미치는 영향을 평가한다.
③ 높은 Cook's Distance를 가지는 데이터는 모델에 큰 영향을 미친다.
④ Cook's Distance는 회귀 모델에서 이상치를 탐지하는 데 사용된다.

> Cook's Distance는 데이터 포인트가 회귀 모델에 미치는 영향을 평가하는 지표로, 값이 1보다 큰 경우 해당 데이터가 모델에 과도한 영향을 미치는 것으로 간주된다. 높은 Cook's Distance를 가지는 데이터는 이상치로 판단될 가능성이 있으며, 회귀 모델의 적합성에 영향을 줄 수 있다.

✓34회 기출 출★★★★★ 난★★★☆☆

42. 오차의 정규성은 모델의 신뢰도를 평가하는 데 있어 필수적인 요소이다. 다음 중 잔차 분석의 오차 정규성 검정에 대한 설명으로 옳지 않은 것은?

① Q-Q Plot을 통해 잔차가 정규 분포를 따르는지 시각적으로 확인할 수 있다.
② 잔차의 히스토그램은 잔차의 분포 형태를 보여주어 정규성 여부를 판단하는 데 도움을 준다.
③ Shapiro-Wilk 검정과 같은 통계적 검정을 통해 잔차의 정규성을 수치적으로 확인할 수 있다.
④ 정상성을 만족하지 않을 때는 종속변수와 상관계수가 높은 독립변수를 제거한다.

> 잔차의 정규성 검정을 위해 Q-Q Plot, 히스토그램, Shapiro-Wilk 검정과 같은 방법을 사용하며, 잔차가 정규성을 따르지 않는 경우에는 변수 변환(예: 로그 변환)이나 다른 비선형 모델을 고려하는 것이 일반적이다. 종속변수와 상관계수가 높은 독립변수를 제거하는 방식은 오차 정규성과 직접적인 연관이 없다.

정답 41. ① 42. ④

❺ 변수 선택

1. 최적회귀방정식의 선택

가. 설명변수 선택

- 필요한 변수만 상황에 따라 타협을 통해 선택한다.
- y에 영향을 미칠 수 있는 모든 설명변수 x들을 y의 값을 예측하는데 참여한다.
- 데이터에 설명변수 x들의 수가 많아지면 관리하는데 많은 노력이 요구되므로, 가능한 범위 내에서 적은 수의 설명변수를 포함한다.

나. 모형선택(Exploratory Analysis) : 분석 데이터에 가장 잘 맞는 모형을 찾아내는 방법이다.

- 모든 가능한 조합의 회귀분석(All Possible Regression) : 모든 가능한 독립변수들의 조합에 대한 회귀모형을 생성한 뒤 가장 적합한 회귀모형을 선택한다.

다. 단계적 변수선택(Stepwise Variable Selection)

- 전진선택법(Forward Selection) : 절편만 있는 상수모형으로부터 시작해 중요하다고 생각되는 설명변수부터 차례로 모형에 추가한다.
- 후진제거법(Backward Elimination) : 독립변수 후보 모두를 포함한 모형에서 출발해 가장 적은 영향을 주는 변수부터 하나씩 제거하면서 더 이상 제거할 변수가 없을 때의 모형을 선택한다.
- 단계선택법(Stepwise Method) : 전진선택법에 의해 변수를 추가하면서 새롭게 추가된 변수에 기인해 기존 변수의 중요도가 약화되면 해당 변수를 제거하는 등 단계별로 추가 또는 제거되는 변수의 여부를 검토해 더 이상 없을 때 중단한다.

2. 벌점화된 선택 기준

가. 개요

- 모형의 복잡도에 벌점을 주는 방법으로 AIC 방법과 BIC 방법이 주로 사용된다.

나. 방법

- AIC(Akaike Information Criterion)

$$AIC = -2\sum_{i=1}^{n} l(y_i, x_i^T \hat{\beta})/n + 2k/n, \; k$$

k는 모수의 개수, n은 자료의 수

개념 +

모형선택의 일치성
(Consistency Inselection)

자료의 수가 늘어날 때 참인 모형이 주어진 모형 선택 기준의 최솟값을 갖게 되는 성질로 이론적으로 AIC에 대해서 일치성이 성립하지 않지만 BIC는 주요 분포에서 이러한 성질이 성립합니다.

- BIC(Bayesian Information Criterion)

$$BIC = -2\sum_{i=1}^{n} l(y_i, x_i^T \hat{\beta})/n + k\log(n)/n$$

k는 모수의 개수, n은 자료의 수

- 그 밖의 벌점화 선택기준으로 RIC(Risk Inflation Criterion), CIC(Covariance Inflation Criterion), DIC(Deviance Information Criterion)가 있다.

3. 최적회귀방정식의 사례

가. 변수 선택법 예제(유의확률 기반)

- x1, x2, x3, x4를 독립변수로 가지고 y를 종속변수로 가지는 선형회귀모형을 생성한 뒤, step( ) 함수를 이용하지 않고 직접 후진제거법을 적용하는 R코드를 작성하여 변수제거를 수행해보자.

```
> # 1) 데이터 프레임 생성
> x1 <- c(7, 1, 11, 11, 7, 11, 3, 1, 2,21, 1,11, 10)
> x2 <- c(26, 29, 56, 31, 52, 55, 71,31, 54, 47, 40, 66, 68)
> x3 <- c(6, 15, 8, 8, 6, 9, 17, 22, 18, 4, 23, 9, 8)
> x4 <- c(60, 52, 20, 47, 33, 22, 6, 44, 22, 26, 34, 12, 12)
> y <- c(78.5, 74.3, 104.3, 87.6, 95.9, 109.2, 102.7, 72.5, 93.1, 115.9, 83.8, 113.3,
109.4)
> df <- data.frame(x1, x2, x3, x4, y)
> head(df)
  x1 x2 x3 x4     y
1  7 26  6 60  78.5
2  1 29 15 52  74.3
3 11 56  8 20 104.3
4 11 31  8 47  87.6
5  7 52  6 33  95.9
6 11 55  9 22 109.2
>
> # 2) 회귀모형(a) 생성
> a <- lm(y ~ x1 + x2 + x3 + x4, data=df)
> summary(a)

Call:
lm(formula = y ~ x1 + x2 + x3 + x4, data = df)
Residuals:
    Min      1Q  Median      3Q     Max
-3.1750 -1.6709  0.2508  1.3783  3.9254

Coefficients:
            Estimate Std. Error t value Pr(>|t|)
(Intercept)  62.4054    70.0710   0.891   0.3991
x1            1.5511     0.7448   2.083   0.0708 .
x2            0.5102     0.7238   0.705   0.5009
x3            0.1019     0.7547   0.135   0.8959
x4           -0.1441     0.7091  -0.203   0.8441
---
Signif. codes:  0 '***' 0.001 '**' 0.01 '*' 0.05 '.' 0.1 ' ' 1

Residual standard error: 2.446 on 8 degrees of freedom
Multiple R-squared:  0.9824,    Adjusted R-squared:  0.9736
F-statistic: 111.5 on 4 and 8 DF,  p-value: 4.756e-07
```

- summary(a)에서 모형의 유의성을 판단하기 위해 F-통계량을 확인한 결과, 111.5로 나타났으며 유의확률이 4.756e-07임으로 통계적으로 유의하게 나타났다. 하지만 각각의 입력변수들의 통계적 유의성을 검토해 본 결과, t-통계량을 통한 유의확률이 0.05 보다 작은 변수가 하나도 존재하지 않아 모형을 활용할 수 없다고 판단되었다. 적절한 모형을 선정하기 위해 유의확률이 가장 높은 x3을 제외하고 다시 회귀모형을 생성해 보았다.

> **참고**
> - 부동소수점(Floating Point) : 컴퓨터에서 실수를 표시하는 방법으로 (가수)(밑수)^(지수)와 같은 형태로 표현(가수는 유효숫자, 지수는 소수점 위치를 나타냄)
>
> | 부동소수점 | 가수 | (밑수)^(지수) | 값 |
> |---|---|---|---|
> | 1e+02 | 1 | 10^(2) | 100 |
> | 1e+01 | 1 | 10^(1) | 10 |
> | 1e+00 | 1 | 10^(0) | 1 |
> | 1e-01 | 1 | 10^(-1) | 0.1 |
> | 1e-02 | 1 | 10^(-2) | 0.01 |

- 예를 들어, 0.312e+02는 0.312×10^(2)=0.312×100=31.2를 의미하고, 4.756e-07은 4.756×10^(-7)=4.756×0.0000001=0.0000004756을 의미한다.

```
> # 3) 유의확률이 가장 높은 변수를 제거하고 다시 회귀모형(b)을 생성
> b <- lm(y ~ x1 + x2 + x4, data=df)
> summary(b)

Call:
lm(formula = y ~ x1 + x2 + x4, data = df)

Residuals:
    Min      1Q  Median      3Q     Max
-3.0919 -1.8016  0.2562  1.2818  3.8982

Coefficients:
            Estimate Std. Error t value Pr(>|t|)
(Intercept)  71.6483    14.1424   5.066 0.000675 ***
x1            1.4519     0.1170  12.410 5.78e-07 ***
x2            0.4161     0.1856   2.242 0.051687 .
x4           -0.2365     0.1733  -1.365 0.205395
---
Signif. codes:  0 '***' 0.001 '**' 0.01 '*' 0.05 '.' 0.1 ' ' 1

Residual standard error: 2.309 on 9 degrees of freedom
Multiple R-squared:  0.9823,    Adjusted R-squared:  0.9764
F-statistic: 166.8 on 3 and 9 DF,  p-value: 3.323e-08
```

- x3 변수를 제거한 후, 모형의 유의성을 다시 검토한 결과 F-통계량에 대한 유의확률은 통계적으로 유의하게 나타났다. 모든 변수들의 t-통계량에 대한 유의확률이 0.05보다 낮아야 하지만 x1을 제외한 2개 변수의 유의확률이 0.05보다 높게 나타나 유의하지 않은 결과를 보였다. 따라서 유의확률이 가장 높은 x4 변수를 제외하고 회귀모형을 다시 생성하였다.

```
> # 4) 유의확률이 가장 높은 변수를 제거하고 다시 회귀모형(c)을 생성
> c <- lm(y ~ x1 + x2, data=df)
> summary(c)
Call:
lm(formula = y ~ x1 + x2, data = df)

Residuals:
   Min     1Q Median     3Q    Max
-2.893 -1.574 -1.302  1.363  4.048

Coefficients:
            Estimate Std. Error t value Pr(>|t|)
(Intercept) 52.57735    2.28617   23.00 5.46e-10 ***
x1           1.46831    0.12130   12.11 2.69e-07 ***
x2           0.66225    0.04585   14.44 5.03e-08 ***
---
Signif. codes:  0 '***' 0.001 '**' 0.01 '*' 0.05 '.' 0.1 ' ' 1

Residual standard error: 2.406 on 10 degrees of freedom
Multiple R-squared:  0.9787,    Adjusted R-squared:  0.9744
F-statistic: 229.5 on 2 and 10 DF,  p-value: 4.407e-09
```

- F-통계량을 통해 유의수준 0.05 하에서 모형이 통계적으로 유의함을 확인할 수 있다.
- 다변량회귀분석에 선정된 x1, x2 변수에 대한 각각의 유의확률 값이 모두 통계적으로 유의하게 나타났다. 수정된 결정계수는 0.9744로 선정된 다변량 회귀식이 전체 데이터의 97.44%를 설명하고 있는 것을 확인할 수 있다.
- 위의 후진제거법을 통해 최종적으로 얻게 된 추정된 회귀식은
  $y = 52.57735 + 1.46831 x1 + 0.66225 x2$ 이다.
- 이번에는 step 함수를 사용하여 전진선택법을 적용하는 R코드를 작성하여 변수 제거를 수행해보자.

> **참고**
> - step(lm(출력변수~입력변수, 데이터세트), scope=list(lower=~1, upper=~입력변수), direction="변수선택방법")
> - scope – 변수선택 과정에서 설정할 수 있는 가장 큰 모형 혹은 가장 작은 모형을 설정 scope가 없을 경우 전진선택법에서는 현재 선택한 모형을 가장 큰 모형으로, 후진제거법에서는 상수항만 있는 모형을 가장 작은 모형으로 설정한다.
> - direction – 변수선택법(forward : 전진선택법, backward : 후진제거법, stepwise : 단계적선택법)
>
> - k : 모형선택 기준에서 AIC, BIC와 같은 옵션을 사용. k=2 이면 AIC, k=log(자료의 수) 이면 BIC

```
> # step함수를 이용한 전진선택법의 적용
> step(lm(y~1, data=df), scope=list(lower=~1, upper=~x1+x2+x3+x4),
direction="forward")
Start:  AIC=71.44
y ~ 1

       Df Sum of Sq    RSS    AIC
+ x4    1    1831.90  883.87 58.852
+ x2    1    1809.43  906.34 59.178
+ x1    1    1450.08 1265.69 63.519
+ x3    1     776.36 1939.40 69.067
<none>              2715.76 71.444

Step:  AIC=58.85
y ~ x4

       Df Sum of Sq    RSS    AIC
+ x1    1     809.10  74.76 28.742
+ x3    1     708.13 175.74 39.853
<none>              883.87 58.852
+ x2    1      14.99 868.88 60.629

Step:  AIC=28.74
y ~ x4 + x1

       Df Sum of Sq    RSS    AIC
+ x2    1     26.789 47.973 24.974
+ x3    1     23.926 50.836 25.728
<none>              74.762 28.742

Step:  AIC=24.97
y ~ x4 + x1 + x2

       Df Sum of Sq    RSS    AIC
<none>              47.973 24.974
+ x3    1    0.10909 47.864 26.944

Call:
lm(formula = y ~ x4 + x1 + x2, data = df)

Coefficients:
(Intercept)           x4           x1           x2
    71.6483      -0.2365       1.4519       0.4161
```

- 벌점화 방식을 적용한 전진선택법을 실시한 결과, 가장 먼저 선택된 변수는 AIC값이 58.852으로 가장 낮은 x4였다. x4에 x1을 추가하였을 때 AIC값이 28.742로 낮아지게 되었고, x2를 추가하였을 때 AIC 값이 24.974으로 최소화되어 더 이상 AIC를 낮출 수 없어 변수 선택을 종료하게 되었다.

- 최종적으로 선택된 추정된 회귀식은 $y = 71.6483 - 0.2365 x4 + 1.4519 x1 + 0.4161 x2$ 이다

다. 변수 선택법(벌점화 후진제거법)

1) 활용데이터

- 전립선암 자료(8개의 입력변수와 1개의 출력변수로 구성)

- 마지막 열에 있는 변수는 학습자료인지 예측자료인지를 나타내는 변수로 이번 분석에서는 사용하지 않는다.

변수명	설 명
lcavol	종양 부피의 로그
lweight	전립선 무게의 로그
age	환자의 연령
lbph	양성 전립선 증식량의 로그
svi	암이 정낭을 침범할 확률
lcp	capsular penetration의 로그값
gleason	Gleason 점수
pgg45	Gleason 점수가 4 또는 5인 비율
lpsa	전립선 수치의 로그

R 프로그램

```
> library(ElemStatLearn)
> Data = prostate
> data.use = Data[,-ncol(Data)]
> lm.full.Model = lm(lpsa~., data=data.use)
```

2) 후진제거법에서 AIC를 이용한 변수 선택

```
> backward.aic = step(lm.full.Model, lpsa~1, direction="backward")
Start:  AIC=-60.78
lpsa ~ lcavol + lweight + age + lbph + svi + lcp + gleason + pgg45
          Df Sum of Sq    RSS     AIC
- gleason  1    0.0491 43.108 -62.668
- pgg45    1    0.5102 43.569 -61.636
- lcp      1    0.6814 43.740 -61.256
<none>                 43.058 -60.779
- lbph     1    1.3646 44.423 -59.753
- age      1    1.7981 44.857 -58.810
- lweight  1    4.6907 47.749 -52.749
- svi      1    4.8803 47.939 -52.364
- lcavol   1   20.1994 63.258 -25.467
Step:  AIC=-62.67
lpsa ~ lcavol + lweight + age + lbph + svi + lcp + pgg45

          Df Sum of Sq    RSS     AIC
- lcp      1    0.6684 43.776 -63.176
<none>                 43.108 -62.668
- pgg45    1    1.1987 44.306 -62.008
- lbph     1    1.3844 44.492 -61.602
- age      1    1.7579 44.865 -60.791
- lweight  1    4.6429 47.751 -54.746
- svi      1    4.8333 47.941 -54.360
- lcavol   1   21.3191 64.427 -25.691

Step:  AIC=-63.18
lpsa ~ lcavol + lweight + age + lbph + svi + pgg45
```

```
           Df Sum of Sq    RSS      AIC
- pgg45     1    0.6607  44.437  -63.723
<none>                   43.776  -63.176
- lbph      1    1.3329  45.109  -62.266
- age       1    1.4878  45.264  -61.934
- svi       1    4.1766  47.953  -56.336
- lweight   1    4.6553  48.431  -55.373
- lcavol    1   22.7555  66.531  -24.572

Step:  AIC=-63.72
lpsa ~ lcavol + lweight + age + lbph + svi

           Df Sum of Sq    RSS      AIC
<none>                   44.437  -63.723
- age       1    1.1588  45.595  -63.226
- lbph      1    1.5087  45.945  -62.484
- lweight   1    4.3140  48.751  -56.735
- svi       1    5.8509  50.288  -53.724
- lcavol    1   25.9427  70.379  -21.119
```

- 맨처음 AIC는 −62.67로 gleaso을 제거하고 회귀분석 실시, 그 다음 차례로 lcp, pgg45 순서로 제거되어 회귀분석이 실시된다.

4. 변수 선택의 기준으로 사용되는 통계량

가. 수정된 결정계수(Adjusted R Square, R_a^2)

- 설명변수의 개수가 증가하면 결정계수도 함께 증가하는 속성을 가진다.

- 따라서 수정된 결정계수를 이용해 이러한 단점을 보완하고 변수를 선택할 수 있다. 수정된 결정계수는 변수의 개수가 증가함에 따라 처음에는 감소하다가 점점 안정화되고 나중에는 약간 증가하는 경향을 가진다.

$$R_a^2 = 1 - \frac{n-1}{n-p}(1-R)^2$$

- 수정된 결정계수를 이용하여 변수를 선택할 경우, MSE값이 최소인 시점의 모형을 선택하거나 이 값의 최소와 비슷해서 더 이상 변수를 추가할 필요가 없는 시점의 모형을 선택하게 된다.

나. Mallow's Cp

- Mallow가 제안한 통계량으로 Cp값은 최소자승법(Ordinary Least Squares)을 사용하여 추정된 회귀모형의 적합성을 평가하는데 사용된다.

$$C_p = \frac{SSE_p}{MSE} + 2p - n$$

- 여기서 SSE_p는 p번째 변수를 제외함으로써 줄어드는 오차제곱합의 양

- 일반적으로 Cp값이 작고, p + 상수(변수의 개수 + 상수)에 가까운 모형을 선택한다.

개념 +

모수 절약의 원칙
(Principle of Parsimony)

회귀모형을 구축할 때 가능한 작은 수의 독립변수를 이용해야 하는 통계학적 원칙입니다. → 모형의 간명성

Cp값	해석
Cp값이 p(변수의 개수)와 비슷한 경우	Bias(편향)가 작고 우수한 모델을 의미
Cp값이 p(변수의 개수)보다 큰 경우	Bias(편향)가 크고 추가적인 변수가 필요한 모델을 의미
Cp값이 p(변수의 개수)보다 작은 경우	Variance(분산)의 증가폭보다 Bias(편향)의 감소폭이 더 크며, 필요 없는 변수가 모델에 있다는 것을 의미

핵심 개념체크

✓ 33회 기출 출★★★★☆ 난★★★☆☆

43. 회귀분석에서 변수 선택법은 모델의 성능을 향상시키는 데 중요한 역할을 한다. 다음 중 변수 선택법에 대한 설명으로 부적절한 것은?

① 전진 선택법은 중요하다고 판단되는 설명 변수를 하나씩 추가하는 방식이다.
② 전진 선택법으로 변수를 추가할 때 기존 선택된 변수들의 중요도에 영향을 받지 않는다.
③ 후진 제거법은 설명 변수의 개수가 많을 경우 사용이 까다로울 수 있다.
④ 전진 선택법은 입력 변수의 작은 변동에도 민감하여 결과가 크게 달라질 수 있다.

전진 선택법은 기존에 선택된 변수와 새로 추가되는 변수의 관계를 고려하여 변수를 추가한다. 기존 변수들의 중요도가 추가 변수 선택에 영향을 미친다. 나머지 선택지는 전진 선택법과 후진 제거법의 특징을 올바르게 설명하고 있다.

✓ 5회 기출 출★★★★☆ 난★★☆☆☆

44. 회귀분석에서 변수 선택법에 대한 설명으로 가장 부적절한 것은?

① 전진선택법은 중요하다고 생각되는 설명변수부터 차례로 선택하는 방법이다.
② 전진선택법과 후진선택법의 결과가 항상 동일하지는 않다.
③ 모든 가능한 회귀모형은 독립변수들의 조합으로 이루어진 회귀모형 중 가장 적합하게 나타난 모형을 선택하는 방법이다.
④ 전진선택법으로 변수를 추가할 때 기존 변수들의 중요도는 영향을 받지 않는다.

전진선택법은 변수를 하나씩 추가하며 모형의 적합도를 평가하는 방법으로, 새 변수를 추가할 때 기존 변수들의 중요도나 설명력은 변동될 수 있다. 기존 변수의 중요도가 변경될 가능성을 고려하지 않는 것은 오류를 유발할 수 있다. 1번과 2번 선택지는 전진선택법과 후진선택법의 개념을 정확히 설명하고 있으며, 3번 선택지는 회귀모형을 검토하는 방법에 대한 정의를 적절히 기술하고 있다.

❻ 회귀분석 결과 해석

1. R 프로그램을 통한 회귀분석

가. 분석내용 : MASS 패키지의 "Cars93" 라는 데이터셋의 가격(Price)를 종속 변수로 선정하고 엔진 크기(Engine-Size), RPM, 무게(Weight)를 이용해서 다중회귀분석을 실시한다.

```
─ R 프로그램
> library(MASS)
> head(Cars93)
> attach(Cars93)
> lm(Price~EngineSize+RPM+Weight, data=Cars93)
> summary(lm(Price~EngineSize+RPM+Weight, data=Cars93))
```

나. 결과 및 해석

```
> lm(Price~EngineSize+RPM+Weight, data=Cars93)
Call:
lm(formula = Price ~ EngineSize + RPM + Weight, data = Cars93)
Coefficients:
(Intercept)   EngineSize        RPM       Weight
 -51.793292     4.305387    0.007096     0.007271

> summary(lm(Price~EngineSize+RPM+Weight, data=Cars93))

Call:
lm(formula = Price ~ EngineSize + RPM + Weight, data = Cars93)
Residuals:
    Min      1Q   Median      3Q     Max
-10.511  -3.806   -0.300   1.447  35.255
Coefficients:
              Estimate Std. Error t value Pr(>|t|)
(Intercept) -51.793292   9.106309  -5.688 1.62e-07 ***
EngineSize    4.305387   1.324961   3.249  0.00163 **
RPM           0.007096   0.001363   5.208 1.22e-06 ***
Weigh         0.007271   0.002157   3.372  0.00111 **
--Signif. codes:  0 '***' 0.001 '**' 0.01 '*' 0.05 '.' 0.1 ' ' 1

Residual standard error: 6.504 on 89 degrees of freedom
Multiple R-squared:  0.5614,    Adjusted R-squared:  0.5467
F-statistic: 37.98 on 3 and 89 DF,  p-value: 6.746e-16
```

- 여기서 F-통계량은 37.98이며 유의확률 p-value 값이 6.746e-16로 유의수준 5% 하에서 추정된 회귀 모형이 통계적으로 매우 유의함을 알 수 있다.

- 결정계수와 수정된 결정계수는 각각 0.5614, 0.5467로 조금 낮게 나타나 이 회귀식이 데이터를 적절하게 설명하고 있다고는 할 수 없다.

- 회귀계수들의 p-값들이 0.05보다 작으므로 회귀계수의 추정치들이 통계적으로 유의하다.

- 결정계수가 낮아 데이터의 설명력은 낮지만 회귀분석 결과에서 회귀식과 회귀계수들이 통계적으로 유의하여 자동차의 가격을 엔진의 크기와 RPM 그리고 무게로 추정할 수 있다.

핵심 개념체크

✓ 30회 기출 출★★★★☆ 난★★★☆☆

45. 다음은 R의 cars 데이터에서 속도(speed)와 제동거리(dist)의 관계를 회귀모형으로 추정한 결과이다. 아래의 설명 중 부적절한 것은?

```
> out=lm(dist~speed, data=cars)
> anova(out)
Analysis of Variance Table

Response: dist
           Df  Sum Sq  Mean Sq  F value    Pr(>F)
speed       1   21186  21185.5   89.567  1.49e-12 ***
Residuals  48   11354    236.5
---
Signif. codes: 0 '***' 0.001 '**' 0.01 '*' 0.05 '.' 0.1 ' ' 1
```

① speed의 회귀계수는 5% 유의수준에서 유의하다.
② 오차 분산의 불편추정량은 236.50이다.
③ 데이터의 총 관측치는 48개이다.
④ 결정계수(R^2)는 0.650이다.

> Pr(>F) 값이 0.05보다 작으므로 이는 5% 유의수준에서 유의함을 의미한다. 잔차(Residuals)의 Mean Sq 값이 236.5로 이는 오차 분산의 불편추정량을 나타낸다. 자유도는 표본 개수에서 1을 뺀 값을 가지므로 총 관측치는 1+48+1인 50이므로 48이 아니다. 결정계수는 SSR/SST=SSR/(SSR+SSE)=21186/(21186+11354) 이므로 약 0.650이다.

✓ 36회 기출 출★★★★☆ 난★★★★★

46. 다음 중 유의수준 5% 하에서의 설명으로 가장 적절하지 않은 것은?

```
> summary(Wage[,c("wage","age","education")])
      wage                age             education
 Min.   : 20.09    Min.    :18.00   1. < HS Grad       :268
 1st Qu.: 85.38    1st Qu. :33.75   2. HS Grad         :971
 Median :104.92    Median  :42.00   3. Some College    :650
 Mean   :111.70    Mean    :42.41   4. College Grad    :685
 3rd Qu.:128.68    3rd Qu. :51.00   5. Advanced Degree :426
 Max.   :318.34    Max.    :80.00

> model<-lm(wage~age+education+age*education, data=Wage)
> aov(model)
Call:
          aov(formula = model)

Terms:
                     age  education  age:education  Residuals
Sum of Squares    199870    1154224          16289    3851704
Deg. of Freedom        1          4              4       2990

Residual standard error: 35.89144
Estimated effects may be unbalanced
```

```
> summary(aov(model))
              Df  Sum Sq Mean Sq F value Pr(>F)
age            1  199870  199870 155.155 <2e-16 ***
education      4 1154224  288556 224.000 <2e-16 ***
age:education  4   16289    4072   3.161 0.0133 *
Residuals   2990 3851704    1288
---
Signif. codes: 0 '***' 0.001 '**' 0.01 '*' 0.05 '.' 0.1 ' ' 1
```

① age와 wage의 선형 관계 여부는 주어진 결과만으로 확인할 수 없다.
② age의 영향을 통제한 상태에서, education 그룹 간 wage는 차이가 있다고 할 수 있다.
③ age와 wage는 양의 상관관계를 가진다.
④ age와 education 간의 상호작용은 wage에 유의미한 영향을 미친다.

주어진 결과에서는 age와 wage 간의 선형 관계를 직접적으로 확인할 수 있는 상관계수나 회귀계수가 제공되지 않아 상관관계를 판단 할 수 없다. Pr(>F) 값이 2e-16로 매우 작으므로, 유의수준 5% 하에서 education 그룹 간 wage의 차이가 있다고 볼 수 있다. 또한 age:education의 Pr(>F) 값이 0.0133으로 5% 유의수준에서 유의하므로, 상호작용이 wage에 유의미한 영향을 미친다고 할 수 있다.

✓ 36회 기출 출★★★★☆ 난★★★★☆
47. 다음 중 아래 코드 실행 결과에 대한 설명으로 가장 적절한 것은?

```
> summary(lm(Chick$weight~Chick$Time),data=Chick)
Coefficients:
            Estimate Std. Error t value Pr(>|t|)
(Intercept)  24.4654     6.7279   3.636  0.00456 **
Chick$Time    7.9879     0.5236  15.255 2.97e-08 ***
---
Signif. codes: 0 '***' 0.001 '**' 0.01 '*' 0.05 '.' 0.1 ' ' 1

Residual standard error: 12.29 on 10 degrees of freedom
Multiple R-squared: 0.9588,    Adjusted R-squared: 0.9547
F-statistic: 232.7 on 1 and 10 DF,  p-value: 2.974e-08
```

① 위의 모델은 단순 선형 회귀가 아닌 다항 회귀 모델이다.
② 추정된 회귀식의 기울기는 7.9879이지만, Time 변수의 계수는 유의하지 않으며 모델 설명력에 큰 영향을 주지 않는다.
③ 회귀모형은 유의수준 5% 하에서 통계적으로 유의미하다.
④ Intercept의 p-value가 유의수준 0.1% 이하이므로 매우 유의미한 값이다.

주어진 코드는 단순 선형 회귀 모델로, 독립 변수로 Chick$Time만을 사용하고 있으며 F-statistic 값이 232.7이며, p-value가 0.05보다 작으므로 5% 유의수준에서 회귀모형이 통계적으로 유의미하다는 것을 나타낸다. Chick$Time의 p-value는 0.05 보다 작아 통계적으로 매우 유의미하다. Intercept의 p-value는 0.00456으로 0.001보다 크므로 유의수준 0.1%이하에서 통계적으로 유의하지 않다.

❼ 정규화 회귀

- 정규화 선형회귀는 선형회귀 계수에 대한 제약 조건을 추가하여 모델이 과도하게 최적화되는 현상(과적합, Overfitting)을 막는 방법이다.

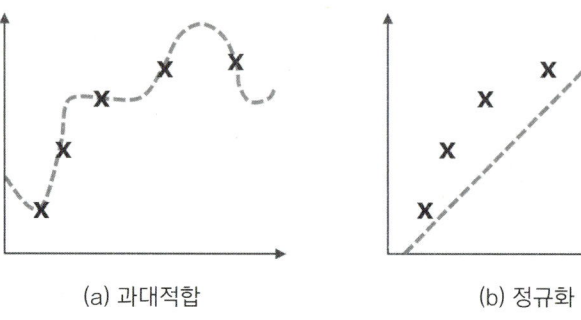

(a) 과대적합 (b) 정규화

- 위 그림에서 (a)그래프는 모델이 학습데이터를 매우 잘 적합하고 있지만, 미래 데이터가 조금만 바뀌어도 예측값이 과도하게 변할 수 있다. 반면 (b)그래프는 정규화를 수행하여, 학습데이터에 대한 설명력을 조금은 포기하는 대신 미래 데이터의 변화에 대해 상대적으로 안정된 결과를 낼 수 있다.
- 이와 같이, 모형이 과적합되면 계수의 크기도 과도하게 증가하는 경향이 있다. 따라서 정규화 선형 회귀에서는 계수의 크기를 제한하는 방법으로 제약 조건을 추가한다.
- 정규화 선형회귀에서는 제약조건의 종류에 따라 Ridge회귀, Lasso회귀, ElasticNet회귀모형이 일반적으로 사용된다.

1. 릿지 회귀(Ridge Regression)

$$\hat{\beta} = \arg\min\left(\sum_i \epsilon_i^2 + \lambda \sum_j \beta_j^2\right)$$

- 릿지 회귀모형은 가중치들의 제곱합을 최소화 하는 것을 제약조건으로 추가하는 기법이다.
- 릿지 회귀모형에서는 가중치의 모든 원소가 0에 가까워지는 것을 원하며, 이를 위해 회귀모델에 사용하는 규제 방식을 L2규제(Penalty)라고 한다.

2. 라쏘 회귀(Lasso Regression)

$$\hat{\beta} = \arg\min\left(\sum_i \epsilon_i^2 + \lambda \sum_j |\beta_j|\right)$$

- 라쏘 회귀모형은 가중치 절대값의 합을 최소화하는 것을 제약조건으로 추가하는 기법이다.
- 라쏘 회귀에서 사용하는 규제 방식을 L1 규제(Penalty)라고 한다.

개념 +

엘라스틱넷(ElasticNet)

엘라스틱넷은 릿지와 라쏘 회귀를 절충한 모델입니다.

✓ 핵심 개념체크

✓35회 기출 출★★★★★ 난★★★☆☆

48. 다음 중 Lasso 회귀모형에 대한 설명으로 부적절한 것은?

① 회귀계수에 비례하여 가중치를 부여하는 방식이다.
② 중요한 변수를 선택하고 불필요한 변수를 제거하는 효과가 있다.
③ penalty 조정 파라미터가 존재한다.
④ L2 penalty를 사용한다.

Lasso 회귀모형은 L1 penalty를 사용하여 가중치를 조정하며, 불필요한 변수를 제거하고 중요한 변수를 선택하는 데 효과적이다. L2 penalty는 Ridge 회귀모형에서 사용된다.

정답 48. ④

⑧ 연속형 모델의 성능 평가

1. 회귀모형의 평가지표

평가지표	계산식	지표의 의미
SSE	$\sum_{i=1}^{n}(y_i - \hat{y}_i)^2$	• 오차제곱합(Error Sum of Square) • 예측값과 실제값의 차이(오차)의 제곱합 • 회귀모형 평가에서 많이 사용되는 지표
AE	$\frac{1}{n}\sum_{i=1}^{n}(y_i - \hat{y}_i)$	• 평균오차(Average Error) • 예측한 결과값들의 평균 오류 • 예측값들이 평균적으로 미달하는지 초과하는지 확인
MSE	$\frac{1}{n}\sum_{i=1}^{n}(y_i - \hat{y}_i)^2$	• 평균제곱오차(Mean Squared Error) • 예측오차 제곱합들의 평균 • 큰 오차는 더욱 크게, 작은 오차는 상대적으로 작게 반영
MAE	$\frac{1}{n}\sum_{i=1}^{n}|y_i - \hat{y}_i|$	• 평균절대오차(Mean Absolute Error) • 예측오차 절댓값들의 평균 • 절댓값 사용으로 오차간 상쇄효과 예방 • 계산이 쉽고 이해가 용이
RMSE	$\sqrt{\frac{1}{n}\sum_{i=1}^{n}(y_i - \hat{y}_i)^2}$	• 평균제곱근오차(Root Mean Squared Error) • 평균제곱오차(MSE)의 제곱근 값 • MSE로 평가 시 수치가 커지는 것을 제곱근을 취하여 보정 • 종속변수와 동일한 단위로 설명하기 쉽고, 표준편차처럼 예측이 얼마나 벗어났는지에 대한 정보를 제공하므로 가장 일반적으로 이용
MAPE	$\frac{100}{n}\sum_{i=1}^{n}\left|\frac{y_i - \hat{y}_i}{y_i}\right|$	• 평균절대백분율오차(Mean Absolute Percentage Error) • 실제값에 대한 오차의 백분율 • 오차 평균의 크기가 다른 모델 비교 용이

✓ 핵심 개념체크

✓18회 기출 출 ★★★★★ 난 ★★★★★

49. 다음 회귀 모델의 예측 결과를 기반으로 MSE를 계산할 때, 올바른 값은?

```
Actual = [12, 25, 35]
Forecast = [10, 28, 33]
```

① 5.67
② 4.25
③ 7.33
④ 9.25

MSE(Mean Squared Error)는 예측값과 실제값의 차이를 제곱한 후 평균을 구하는 지표이다. 주어진 데이터에서 오차(Error)는 [2, -3, 2]이다. 이를 제곱하면 [4, 9, 4]가 되고, 합계는 17이고, 데이터 개수 3으로 나누어 평균값을 구하면 5.67이 나온다.

정답 49. ①

4장 통계 분석

4절 시계열 분석

 #시계열자료 #정상성 #시계열분석 #평활법 #시계열모형 #분해시계열 #ARIMA모형 #백색잡음

출제빈도 **F5** 난이도 **D4**

○ 학습 목표

- 시계열 자료를 이해한다.
- 정상 시계열과 비정상 시계열을 구분할 수 있다.
- ARIMA모형과 분해 시계열 분석을 할 수 있다.
- R 프로그램을 통해 시계열 분석과 예측을 할 수 있다.

○ 눈높이 체크

✓ 시계열 자료는 어떻게 구분할까요?

시간의 흐름에 따라 관찰된 데이터를 시계열 데이터 또는 시계열 자료라고 합니다. 이러한 시계열 자료에는 주식가격 데이터, 실업률, 기후데이터 등 우리 주위에서 많이 찾아볼 수 있습니다.

✓ 시계열 자료의 정상성을 구분할 수 있나요?

대부분의 시계열 자료는 비정상성 데이터 입니다. 시계열 자료를 통해 미래를 예측하기 위해서는 비정상성 데이터를 정상성 데이터로 변형하여 분석모형을 설계할 수 있습니다. 그렇다면 정상성의 기준이 무엇일까요? 본문에서 자세히 확인해 보도록 하겠습니다.

✓ 시계열 분석에 대해 알고 계신가요?

시계열 분석은 시계열 자료를 통해 미래를 예측하거나 시계열 데이터의 특성을 파악하는 것을 의미합니다. 시계열 분석은 자기회귀모형과 이동평균모형으로 구분됩니다.

✓ 회귀분석을 이해하고 계신가요?

시계열 분석은 통계분석의 한 방법이며 고급통계분석에 해당됩니다. 시계열 분석을 이해하기 위해서는 회귀분석과 상관분석에 대해 이해하고 계셔야 합니다. 간단히 내용을 확인하고 강의에 들어가면 훨씬 쉽게 내용을 이해할 수 있을 것 입니다.

출제포인트

시계열 자료와 정상성은 유사 개념을 구별하는 비교·선택형 문항으로 자주 출제되는 주제이며, 2025년 시험에서는 5문제가 출제되었습니다. 비정상·정상 시계열의 구분, 정상성의 조건 (평균·분산·공분산의 안정성) 등을 중심으로 기본 개념을 정리해 두기 바랍니다.

개념 +

차분

- 차분은 현시점 자료에서 전 시점 자료를 빼는 것을 말합니다.
- **일반차분** : 바로 전 시점의 자료를 빼는 방법입니다.
- **계열차분** : 여러 시점 전의 자료를 빼는 방법으로 주로 계절성을 갖는 자료를 정상화 하는데 사용합니다.

❶ 시계열 자료와 정상성

1. 시계열 자료

가. 개요

- 시간의 흐름에 따라 관찰된 값들을 시계열 자료라 한다.
- 시계열 데이터의 분석을 통해 미래의 값을 예측하고 경향, 주기, 계절성 등을 파악하여 활용한다.

나. 시계열 자료의 종류

1) 비정상 시계열 자료
- 시계열 분석을 실시할 때 다루기 어려운 자료로 대부분의 시계열 자료가 이에 해당한다.

2) 정상 시계열 자료
- 비정상 시계열을 핸들링해 다루기 쉬운 시계열 자료로 변환한 자료이다.

2. 정상성

가. 평균이 일정할 경우

- 모든 시점에 대해 일정한 평균을 가진다.
- 평균이 일정하지 않은 시계열은 차분(Difference)을 통해 정상화할 수 있다.

나. 분산이 일정할 경우

- 분산도 시점에 의존하지 않고 일정해야 한다.
- 분산이 일정하지 않을 경우 변환(Transformation)을 통해 정상화할 수 있다.

다. 공분산도 단지 시차(s)에만 의존, 실제 특정 시점(t)에는 의존하지 않는다.

> **참고**
>
> **정상 시계열의 모습**
>
> $y_t=0.5+0.5y_{t-1}+e_t, \ e_t \sim iidN(0,1) \quad y_t=0.5+0.9y_{t-1}+e_t$

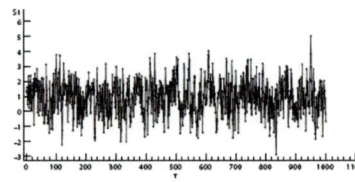

$E(Y_t)$ [일정한 평균]
$Var(Y_t) = \sigma^2$ [일정한 분산]
$Cov(y_t, y_{t+s}) = Cov(y_t, y_{t+s})\gamma_s$ [공분산은 t가 아닌 s에 의존함]

> **참고**

정상 시계열의 특징

- 정상 시계열은 어떤 시점에서 평균과 분산 그리고 특정한 시차의 길이를 갖는 자기공분산을 측정하더라도 동일한 값을 갖는다.
- 정상 시계열은 항상 그 평균값으로 회귀하려는 경향이 있으며, 그 평균값 주변에서의 변동은 대체로 일정한 폭을 갖는다.
- 정상 시계열이 아닌 경우 특정 기간의 시계열 자료로부터 얻은 정보를 다른 시기로 일반화 할 수 없다.

✅ 핵심 개념체크

✔32회 기출 출★★★★★ 난★★☆☆☆

50. 시계열 데이터는 시간에 따라 관측된 값을 나타낸다. 다음 중 시계열 데이터에 대한 설명으로 부적절한 것은?

① 시계열 데이터 모델링은 탐색 목적과 예측 목적으로 나눌 수 있다.
② 계절변동은 짧은 기간 동안 반복적으로 나타나는 주기적인 패턴을 의미한다.
③ 잡음(noise)은 무작위적인 변동이지만 일반적으로 그 원인은 알려져 있다.
④ 시계열 분석은 계절적 패턴과 추세를 설명하고 외부 요인과 관련된 모델을 구축하는 데 목적이 있다.

시계열 데이터는 시간의 흐름에 따라 연속적으로 관측된 데이터를 의미하며 탐색 목적과 예측 목적으로 나뉜다. 특히 잡음은 시계열 데이터에서 불규칙하고 예측 불가능한 변동을 의미하며 측정 오류, 외부 요인의 영향, 모델링되지 않은 변수 등 다양한 요인이 잡음의 원인이 될 수 있기 때문에 이러한 요인들을 모두 파악하기는 어렵다.

✔32회 기출 출★★★★★ 난★☆☆☆☆

51. 시간의 흐름에 따라 관측된 데이터는 특정 유형으로 구분된다. 다음 중 이에 해당하는 데이터 유형은 무엇인가?

① 질적 자료(Qualitative Data)
② 시계열 자료(Time Series Data)
③ 양적 자료(Quantitative Data)
④ 횡단면 자료(Cross-sectional Data)

시간에 따라 관측된 데이터는 시계열 자료로 구분된다. 질적 자료는 범주형 데이터, 양적 자료는 수치형 데이터, 횡단면 자료는 특정 시점에서의 데이터를 의미한다.

✔35회 기출 출★★★★★ 난★★★★★

52. 시계열 데이터의 정상성(stationary)은 분석에 중요한 요소이다. 다음 중 시계열 데이터의 정상성에 대한 설명으로 가장 적절하지 않은 것은?

① 정상 시계열 데이터는 평균과 분산이 시간에 따라 변하지 않는 특성을 가진다.
② 비정상 시계열 데이터를 정상으로 변환하기 위해서는 로그 변환이나 차분을 사용할 수 있다.
③ 정상성을 확인하기 위해 시계열 데이터의 분산과 평균을 시각적으로 확인하거나 통계적 검정을 사용할 수 있다.
④ 시계열 자료가 정상성을 만족하는지 판단하기 위해 시계열 자료 그림을 통해 자료의 이상점 등을 살핀다.

시계열 자료의 이상점은 정상성을 판단하는 주요 기준이 아니다. 정상성 판단은 평균, 분산의 시간적 변화 및 ADF 검정과 같은 통계적 검정을 통해 이루어진다. 나머지 시계열 데이터에 대한 설명은 모두 올바르다.

정답 50. ③ 51. ② 52. ④

❷ 시계열자료 분석방법

1. 분석방법론

- 회귀분석(계량경제)방법, Box-Jenkins 방법, 지수평활법, 시계열 분해법 등이 있다.

> - 수학적 이론모형 : 회귀분석(계량경제)방법, Box-Jenkins 방법
> - 직관적 방법 : 지수평활법, 시계열 분해법으로 시간에 따른 변동이 느린 데이터 분석에 활용
> - 장기 예측 : 회귀분석방법 활용
> - 단기 예측 : Box-Jenkins 방법, 지수평활법, 시계열 분해법 활용

참고

자료 형태에 따른 분석방법

가. 일변량 시계열분석

- Box-Jenkins(ARMA), 지수 평활법, 시계열 분해법등이 있다.
- 시간(t)을 설명변수로 한 회귀모형주가, 소매물가지수 등 하나의 변수에 관심을 갖는 경우의 시계열분석

나. 다중 시계열분석

- 계량경제 모형, 전이함수 모형, 개입분석, 상태공간 분석, 다변량 ARIMA 등
- 여러 개의 시간(t)에 따른 변수들을 활용하는 시계열 분석

2. 이동평균법

가. 개념

- 과거로부터 현재까지의 시계열 자료를 대상으로 일정 기간별 이동평균을 계산하고, 이들의 추세를 파악하여 다음 기간을 예측하는 방법
- 시계열 자료에서 계절변동과 불규칙 변동을 제거하여 추세변동과 순환변동만 가진 시계열로 변환하는 방법으로도 사용된다.

$$F_{n+1} = \frac{1}{m}(Z_n + Z_{n-1} + ... + Z_{n-m+1}) = \frac{1}{m}\sum_{t}^{n} Z_t, \ t = n - m + 1$$

- m은 이동평균을 계산할 특정 기간, Z_n은 가장 최근 시점의 데이터
- n개의 시계열 데이터를 m기간으로 이동평균하면 n-m+1개의 이동평균 데이터가 생성된다.

나. 특징

- 간단하고 쉽게 미래를 예측할 수 있으며, 자료의 수가 많고 안정된 패턴을 보이는 경우 예측의 품질(Quality)이 높다.
- 특정 기간 안에 속하는 시계열에 대해서는 동일한 가중치를 부여한다.
- 이동평균법에서 가장 중요한 것은 적절한 기간을 사용하는 것, 즉, **적절한 m의 개수를 결정하는 것**이다.

비기의 학습팁

이동평균법은 일반적으로 시계열 자료에 뚜렷한 추세가 있거나 불규칙변동이 심하지 않은 경우 짧은 기간(m의 개수가 적음)의 평균을 사용, 반대로 불규칙 변동이 심한 경우 긴 기간(m의 개수가 많음)의 평균을 사용합니다.

3. 지수평활법

가. 개념

- 일정 기간의 평균을 이용하는 이동평균법과 달리 모든 시계열 자료를 사용하여 평균을 구하며, 시간의 흐름에 따라 최근 시계열에 더 많은 가중치를 부여하여 미래를 예측하는 방법이다.

$$\begin{aligned}F_{n+1} &= \alpha Z_n + (1-\alpha)F_n \\ &= \alpha Z_n + (1-\alpha)[\alpha Z_{n-1} + (1-\alpha)F_{n-1}] \\ &= \alpha Z_n + \alpha(1-\alpha)Z_{n-1} + (1-\alpha)^2 F_{n-1} \\ &= \alpha Z_n + \alpha(1-\alpha)Z_{n-1} + (1-\alpha)^2[\alpha Z_{n-2} + (1-\alpha)F_{n-2}] \\ &= \alpha Z_n + \alpha(1-\alpha)Z_{n-1} + \alpha(1-\alpha)^2 Z_{n-2} + \alpha(1-\alpha)^3 Z_{n-3} + \ldots \end{aligned}$$

- 여기서 F_{n+1}은 n시점 다음의 예측값, α는 지수평활계수, Z_n은 n시점의 관측값이다.

> **비기의 학습팁**
>
> 지수평활법은 단순지수평활법과 이중지수평활법이 있습니다. 지수평활법은 불규칙변동의 영향을 제거하는 효과가 있으며, 중기 예측이상에 주로 사용됩니다. 단, 단순 지수평활법의 경우, 장기추세나 계절변동이 포함된 시계열의 예측에는 적합하지 않을 수 있습니다.

나. 특징

- 단기간에 발생하는 불규칙 변동을 평활하는 방법
- 자료의 수가 많고, 안정된 패턴을 보이는 경우일수록 예측 품질이 높다.
- 지수평활법에서 가중치의 역할을 하는 것은 지수평활계수(α)이며, 불규칙변동이 큰 시계열의 경우 지수평활계수는 작은 값을, 불규칙변동이 작은 시계열의 경우, 큰 값의 지수평활계수를 적용한다. (평균적으로 α 값이 0.05에서 0.3사이)
- 지수평활계수는 예측오차(실제 관측치와 예측치 사이의 잔차제곱합)를 비교하여 예측오차가 가장 작은 값을 선택하는 것이 바람직하다.
- 지수평활계수는 과거로 갈수록 지속적으로 감소한다.

✓ 핵심 개념체크

✓33회 기출 출★★★★☆ 난★★★★☆

53. 평활법(Smoothing Method)은 시계열 데이터를 조정하여 패턴을 분석하고 예측하는 데 사용된다. 다음 중 평활법에 대한 설명으로 부적절한 것은?

① 이동평균법은 시계열 데이터가 일정한 주기를 갖고 반복적인 패턴을 보일 때 효과적으로 사용할 수 있다.
② 이동평균법은 시계열에서 계절 변동과 추세를 제거하고 순환 변동만 남기는 방식으로 데이터를 변환한다.
③ 단순지수평활법은 계절성과 추세가 없는 시계열 데이터에서 변동성을 줄이는 데 사용된다.
④ 이중지수평활법은 평균을 평활하는 매개변수와 추세를 평활하는 또 다른 매개변수를 사용하는 방법이다.

이동평균법(Moving Average Method)은 단기적인 변동만을 제거하여 추세를 식별하는 데 사용되며 계절 변동이나 추세를 제거하는 방식으로 데이터를 변환하지는 않는다. 또한 반복 패턴을 가지는 데이터에서 노이즈를 제거해 전체적인 흐름을 파악하는 데 유용하다. 이중지수평활법(Double Exponential Smoothing)은 추세가 있는 시계열 데이터에 적합하다.

정답 53. ②

③ 시계열 모형

1. 자기회귀 모형(AR모형, Autoregressive Model)

- p 시점 전의 자료가 현재 자료에 영향을 주는 모형이다.

$$Z_t = \Phi_1 Z_{t-1} + \Phi_2 Z_{t-2} + \cdots + \Phi_p Z_{t-p} + \alpha_t$$

- AR(1) : $Z_t = \Phi_1 Z_{t-1} + \alpha_t$
- AR(2) : $Z_t = \Phi_1 Z_{t-1} + \Phi_2 Z_{t-2} + \alpha_t$

참고
- Z_t : 현재 시점의 시계열 자료
- $Z_{t-1}, Z_{t-2}, \cdots, Z_{t-p}$: 이전, 그 이전 시점 p의 시계열 자료
- Φ_p : p 시점이 현재에 어느 정도 영향을 주는지를 나타내는 모수
- α_t : 백색잡음과정(White Noise Process), 시계열 분석에서 오차항을 의미한다.

- 자기상관함수(ACF)는 빠르게 감소, 부분자기함수(PACF)는 어느 시점에서 절단점을 가진다. (ACF가 빠르게 감소하고, PACF가 3시점에서 절단점을 갖는 그래프가 있다면, 2시점 전의 자료까지 현재에 영향을 미치는 AR(2) 모형이라 볼 수 있다.)

- AR(2) 모형의 자기상관함수(ACF)와 부분자기상관함수(PACF)

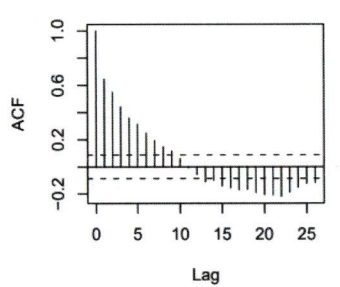
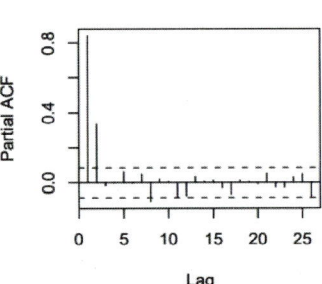

참고

자기상관함수와 부분자기상관함수

자기상관함수 (ACF: AutoCorrelation Function)
- 시계열 분석에서 시간의 흐름에 따른 자기상관관계를 나타내며, 특정한 시점이 아닌, 시간의 흐름에 따른 변수 간의 상관관계 변화입니다.
- 시계열 자료가 시간의 흐름에 따라 일정한 패턴을 보인다면, 변수들이 자기상관성을 가지고 있다고 할 수 있습니다.

부분자기상관함수 (PACF: Partial ACF)
- 서로 다른 두 시점 사이의 관계를 분석할 때 중간에 있는 값들의 영향을 제외시킨 상관관계 개념입니다.
- 추가적으로 편자기상관함수라고도 칭합니다.

출제포인트

시계열 모형은 개념을 구분하는 비교·선택형 문항으로 자주 출제되는 주제이며, 2025년 시험에서는 3문제가 출제되었습니다. AR·MA·ARIMA 등 기본 모형의 이름과 특징을 간단히 구분할 수 있도록 정리해 두시기 바랍니다.

개념 +

백색잡음(White Noise)

백색잡음은 평균이 0, 분산이 σ^2, 자기공분산이 0인 확률적 과정입니다. 백색잡음은 서로 독립적인 시계열 데이터로 구성되며, 이를 강(strictly) 백색잡음 과정이라고 합니다. 특히 이 백색잡음 과정이 정규분포를 따를 경우에는 가우시안(Gaussian) 백색잡음과정이라고 하며, 각 시점의 값이 독립적으로 정규분포를 따릅니다.

2. 이동평균 모형(MA모형, Moving Average Model)

- 유한한 개수의 백색잡음의 결합이므로 언제나 정상성을 만족한다.

$Z_t = \alpha_t - \theta_1 \alpha_{t-1} - \theta_2 \alpha_{t-2} - \cdots - \theta_p \alpha_{t-p}$

> **참고**
> - Z_t : 현재 시점의 시계열 자료
> - α_t : 현재 시점의 백색 잡음(오차)
> - $\alpha_{t-1}, \alpha_{t-2}, \cdots, \alpha_{t-p}$: 각각 한 단계, 두 단계, ..., p단계 이전의 오차
> - $\theta_1, \theta_2, \cdots, \theta_p$: 각 과거 오차에 대한 계수

MA(1) : $Z_t = \alpha_t - \theta_1 \alpha_{t-1}$

MA(2) : $Z_t = \alpha_t - \theta_1 \alpha_{t-1} - \theta_2 \alpha_{t-2}$

- AR모형과 반대로 ACF에서 절단점을 갖고, PACF가 빠르게 감소한다.
- MA(2) 모형의 자기상관함수(ACF)와 편자기상관함수(PACF)

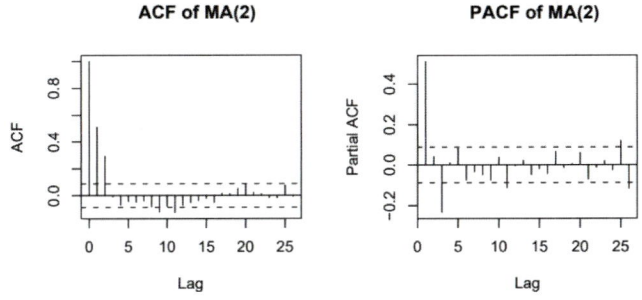

비기의 학습팁
이동평균모형은 현재 관측값이 과거 오차의 가중합으로 표현됩니다.

비기의 학습팁
MA(1) 모형은 한 단계, MA(2) 모형은 두 단계 이전의 오차까지 반영하는 경우를 의미합니다.

비기의 학습팁
p는 AR 모형, q는 MA모형과 관련이 있는 차수입니다.

3. 자기 회귀 누적 이동 평균 모형
(ARIMA(p,d,q) 모형, Autoregressive Integrated Moving Average Model)

- ARIMA 모형은 비정상 시계열 모형이므로, 차분이나 변환을 통해 AR모형이나 MA모형, 이 둘을 합친 ARMA 모형으로 정상화할 수 있다.
- 시계열 $\{Z_t\}$의 d번 차분한 시계열이 ARMA(p, q) 모형이면, 시계열 $\{Z_t\}$는 차수가 p, d, q인 ARIMA 모형, 즉 ARIMA(p, d, q) 모형을 갖는다고 한다.
- d=0 이면 ARMA(p, q) 모형이라 부르고, 이 모형은 정상성을 만족한다. (ARMA(0,0)일 경우 정상화가 불필요하다) p=0 이면 IMA(d, q)모형이라고 부르고, d번 차분하면 MA(q) 모형을 따른다. q=0 이면 ARI(p, d) 모형이라 부르며, d번 차분한 시계열이 AR(p) 모형을 따른다.

> **예시**
> - ARIMA(0, 1, 1)의 경우에는 1 차분 후 MA(1) 활용
> - ARIMA(1, 1, 0)의 경우에는 1 차분 후 AR(1) 활용
> - ARIMA(1, 1, 2)의 경우에는 1 차분 후 AR(1), MA(2), ARMA(1, 2) 선택 활용
> → 이런 경우 가장 간단한 모형을 선택하거나 AIC를 적용하여 점수가 가장 낮은 모형을 선정한다.

4. 분해 시계열

- 시계열에 영향을 주는 일반적인 요인을 시계열에서 분리해 분석하는 방법을 말하며 회귀분석적인 방법을 주로 사용한다.
- 분해식의 일반적 정의
  $$Z_t = f(T_t, S_t, C_t, I_t)$$

> **참고**
>
> **추세요인 (Trend, T_t)**
> 장기간에 걸쳐 자료가 전반적으로 증가하거나 감소하는 장기적 방향을 나타내는 요인
> - 인구 증가, 기술 발전, 물가 상승 등과 같이 시간이 지날수록 꾸준히 위나 아래로 움직이는 흐름을 의미
> - 추세는 직선 형태뿐 아니라, 곡선(이차식)이나 지수적인 증가·감소 형태로 나타날 수 있음
>
> **계절요인 (Seasonal, S_t)**
> 1년 이내의 짧고 규칙적인 주기로 반복되는 변동을 나타내는 요인
> - 요일·월·분기·계절 등 정해진 주기에 따라 매년 비슷한 시점에 반복되는 패턴을 의미
> - 예) 주말에 매출 증가, 여름에 아이스크림 판매가 증가, 겨울에 난방비가 증가 등
> - 반복 주기가 짧고 규칙적이기 때문에 다른 요인에 비해 비교적 예측이 용이
>
> **순환요인 (Cyclical, C_t)**
> 수년 단위의 비교적 긴 기간에 걸쳐, 장기 추세선 주변을 오르내리는 파동적 변동을 나타내는 요인
> - 경기 호황과 불황처럼, 정확한 주기 및 크기가 일정하지 않은 장기적인 순환 패턴을 의미
> - 계절요인보다 주기가 훨씬 길고 규칙성이 약하며, 경우에 따라 뚜렷한 반복이 나타나지 않을 수도 있음
> - 주로 경기·정책·금융 환경 등 경제 전반의 변화와 관련되어 나타나는 경우가 많다.
>
> **불규칙요인 (Irregular, I_t)**
> 추세·계절·순환 변동으로 설명되지 않는 단기적이고 예측 불가능한 우연적 변동을 나타내는 요인
> - 뚜렷한 패턴이나 주기가 없으며, 예측하기 어려운 임의적인 변동을 의미
> - 예) 자연재해, 갑작스러운 사고나 질병, 일시적인 행사·파업 등
> - 불규칙요인이 크게 나타나면 예측모형의 안정성이 낮아질 수 있다.

5. R을 이용한 시계열 분석

- 영국 왕들의 사망 시 나이 데이터를 이용한 시계열분석

> - 영국 왕 42명의 사망 시 나이 예제는 비계절성을 띄는 시계열 자료
> - 비계절성을 띄는 시계열 자료는 트렌드 요소, 불규칙 요소로 구성
> - 20번째 왕까지는 38세에서 55까지 수명을 유지하고, 그 이후부터는 수명이 늘어서 40번째 왕은 73세까지 생존

1) 분해 시계열

가) 자료 읽기 및 그래프 그리기

```
> library(tseries)
> library(forecast)
> library(TTR)
> king <- scan("http://robjhyndman.com/tsdldata/misc/kings.dat",skip=3)
> king.ts <- ts(king)
> plot.ts(king.ts)
```

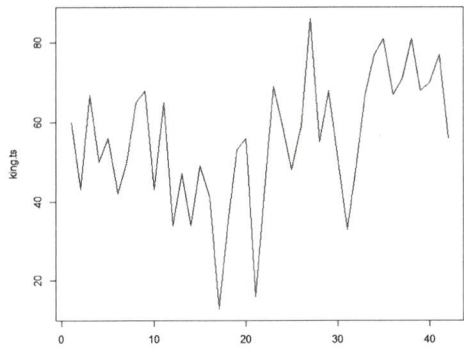

나) 3년마다 평균을 내서 그래프를 부드럽게 표현

```
> king.sma3 <- SMA(king.ts, n=3)
> plot.ts(king.sma3)
```

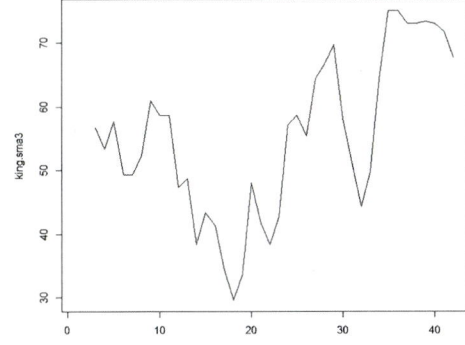

다) 8년마다 평균을 내서 그래프를 부드럽게 표현

```
> king.sma8 <- SMA(king.ts, n=8)
> plot.ts(king.sma8)
```

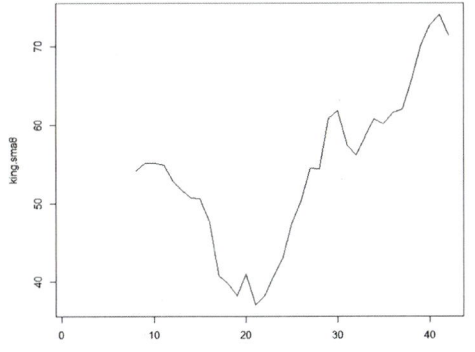

2) ARIMA 모델

가) 개요

- ARIMA 모델은 정상 시계열에 한해 사용한다.
- 비정상 시계열 자료는 차분해 정상성으로 만족하는 조건의 시계열로 바꿔준다.
- 이전 그래프에서 평균이 시간에 따라 일정치 않은 모습을 보이므로 비정상 시계열이다. 따라서 차분을 진행한다.
- 1차 차분 결과에서 평균과 분산이 시간에 따라 의존하지 않음을 확인한다.
- ARIMA(p,1,q)모델이며 차분을 1번 해야 정상성을 만족한다.

```
> king.ff1 <- diff(king.ts, differences=1)
> plot.ts(king.ff1)
```

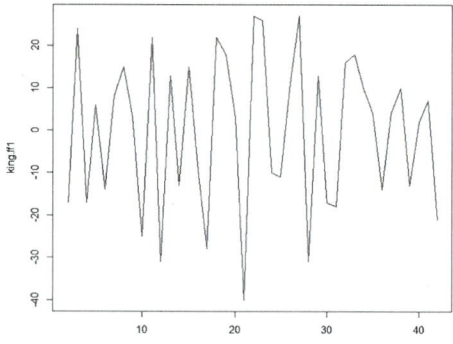

나) ACF와 PACF를 통한 적합한 ARIMA 모델 결정

① ACF

- lag는 0부터 값을 갖는데, 너무 많은 구간을 설정하면 그래프를 보고 판단하기 어렵다.
- ACF값이 lag 1인 지점 빼고는 모두 점선 구간 안에 있다.

```
> acf(king.ff1, lag.max=20)
> acf(king.ff1, lag.max=20, plot=FALSE)

Autocorrelations of series 'king.ff1', by lag

    0      1      2      3      4      5      6      7      8      9     10
1.000 -0.360 -0.162 -0.050  0.227 -0.042 -0.181  0.095  0.064 -0.116 -0.071
   11     12     13     14     15     16     17     18     19     20
0.206 -0.017 -0.212  0.130  0.114 -0.009 -0.192  0.072  0.113 -0.093
```

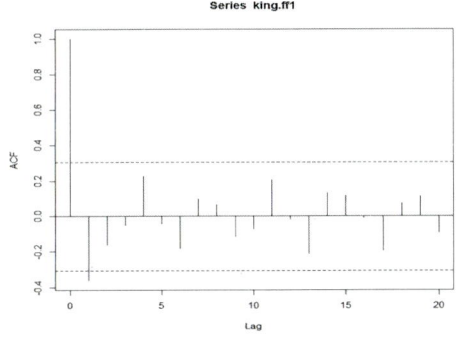

② PACF : PACF 값이 lag 1, 2, 3에서 점선 구간을 초과하고 음의 값을 가지며 절단점은 lag 4이다.

```
> pacf(king.ff1, lag.max=20)
> pacf(king.ff1, lag.max=20, plot=FALSE)

Partial autocorrelations of series 'king.ff1', by lag

     1      2      3      4      5      6      7      8      9     10
-0.360 -0.335 -0.321  0.005  0.025 -0.144 -0.022 -0.007 -0.143 -0.167
    11     12     13     14     15     16     17     18     19     20
 0.065  0.034 -0.161  0.036  0.066  0.081 -0.005 -0.027 -0.006 -0.037
```

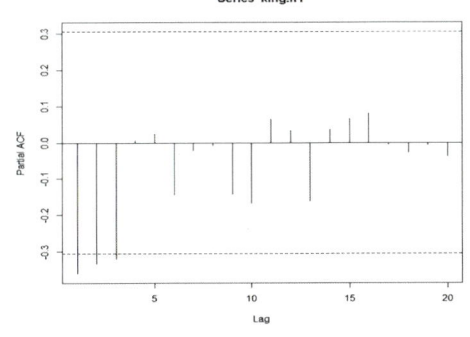

다) 종합

- ARMA 후보 모델을 생성

① ARMA(3,0) 모델 : PACF 값이 lag4에서 절단점을 가짐. AR(3)모형

② ARMA(0,1) 모델 : ACF 값이 lag2에서 절단점을 가짐. MA(1)모형

③ ARMA(p,q) 모델 : 그래서 AR모형과 MA모형을 혼합

라) 적절한 ARIMA모형 찾기

- forecast 패키지에 내장된 auto.arima() 함수 이용
- 영국 왕의 사망 나이 데이터의 적절한 ARIMA모형은 ARIMA(0,1,1)이다.

```
> auto.arima(king)
Series: king
ARIMA(0,1,1)

Coefficients:
           ma1
        -0.7218
s.e.     0.1208

sigma^2 estimated as 236.2:  log likelihood=-170.06
AIC=344.13   AICc=344.44   BIC=347.56
```

마) 예측

- 42명의 영국왕 중에서 마지막 왕의 사망시 나이는 56세
- 43번째에서 52번째 왕까지 10명의 왕의 사망시 나이를 예측한 결과 67.75살로 추정된다.
- 5명 정도만 예측하고 싶다면, 옵션에 h=5를 입력한다.
- 신뢰 구간은 80%~95% 사이

R 코드 예시

```
> king.arima<- arima(king, order=c(0, 1, 1))
> king.forecasts <- forecast(king.arima,  h = 5)
> king.forecasts
   Point Forecast    Lo 80    Hi 80    Lo 95     Hi 95
43       67.75063 48.29647 87.20479 37.99806   97.50319
44       67.75063 47.55748 87.94377 36.86788   98.63338
45       67.75063 46.84460 88.65665 35.77762   99.72363
46       67.75063 46.15524 89.34601 34.72333  100.77792
47       67.75063 45.48722 90.01404 33.70168  101.79958
```

핵심 개념체크

✓34회 기출 출★★★★★ 난★★★★☆

54. 시계열 모형에 대한 설명으로 적절한 것을 고르시오.

① ARIMA 모형은 차분(d)과 자기회귀(AR)만을 결합하여 사용하며, 이동평균(MA)은 포함되지 않는다.
② 분해시계열은 데이터의 계절성을 분리하는 방법이며, 트렌드 성분은 크게 고려하지 않는다.
③ ARIMA 모형에서는 정상성 조건이 항상 만족되므로, 비정상성을 다룰 필요가 없다.
④ ARIMA 모형에서 p=0일 때, IMA(d,q) 모형이라고 부르고, d번 차분하면 MA(q)모형을 따른다.

ARIMA 모형은 비정상성을 다루기 위해 차분(d)을 사용하며, 특정 조건에서 단순한 MA 모형으로 변환될 수 있으며 MA를 포함한다. 분해시계열은 트렌드 성분을 고려한다.

✓ 31회 기출 출 ★★★★★ 난 ★★★☆☆

55. 시계열의 요소분해법은 시계열 데이터를 구성하는 다양한 변동 요소를 분리하여 분석의 이해도를 높이기 위한 기법이다. 다음 중 분해 요소에 대한 설명이 부적절한 것은?

① 추세변동은 시계열 데이터가 시간의 흐름에 따라 지속적으로 증가하거나 감소하는 경향을 보여주는 요소이다.

② 계절변동은 특정 주기를 따라 반복적으로 발생하는 패턴을 나타내는 변동 요소이다.

③ 순환변동은 경기나 산업의 변화에 의해 나타나는 비정기적이고 중장기적인 변동을 의미한다.

④ 불규칙변동은 불규칙하게 변동하는 급격한 환경 변화, 천재지변 같은 것으로 발생하는 변동을 말한다.

순환변동은 명백한 경제적이나 자연적인 이유 없이 알려지지 않은 주기를 가지고 변화하는 요소로, 경기나 산업의 변화에 의해 나타나는지는 알 수 없다. 이는 계절변동처럼 고정된 주기로 반복되는 것이 아니라, 불규칙적인 길이의 주기를 가질 수 있으며, 외부 요인과의 상관성을 찾기 어려운 특징을 가진다.

✓ 39회 기출 출 ★★★★★ 난 ★★☆☆☆

56. 시계열 데이터를 분석할 때는 주요 패턴을 분해하여 이해한다. 다음 중 분해 시계열의 구성 요인으로 포함되지 않는 것은?

① 정상요인 ② 계절요인
③ 추세요인 ④ 순환요인

정상요인은 데이터가 시간의 흐름에 따라 일정한 통계적 특성을 유지하는 것을 의미하며 시계열 분해의 구성 요소에 포함되지 않는다. 계절요인, 추세요인, 순환요인은 시계열 데이터를 분석하고 분해할 때 주요한 구성 요소로 사용된다.

✓ 32회 기출 출 ★★★★★ 난 ★★★★☆

57. 다음 설명에 맞는 시계열 모델은 무엇인가?

1. 시계열 모델 중 자기 자신의 과거값을 사용하여 설명하는 모형
2. 백색 잡음의 현재값과 자기 자신의 과거값의 선형 가중합으로 이루어진 정상확률 모형
3. 모형에 사용하는 시계열 자료의 시점에 따라 1차, 2차, ..., p차 등을 사용하나 정상시계열 모형에서는 주로 1, 2차를 사용함

① AR (자기회귀 모형, Autoregressive Model)
② MA (이동 평균 모형, Moving Average Model)
③ ARMA (자기회귀이동평균 모형, Autoregressive Moving Average Model)
④ ARIMA (자기회귀누적이동평균 모형, Autoregressive Integrated Moving Average Model)

자기회귀 모형은 자신의 과거값을 설명 변수로 사용하며, 선형 가중합으로 시계열을 설명한다. MA는 과거 오차를 사용하고 ARMA는 AR과 MA를 결합한 모형이며, ARIMA는 비정상 시계열을 분석하는 모형이다.

✓ 37회 기출 출 ★★★★★ 난 ★★★★★

58. 다음 중 이동평균(MA) 모형에 대한 설명으로 가장 적절한 것은?

① MA 모형은 시계열의 장기적 추세를 모델링하는 방식이다.
② MA 모형은 비선형 결합으로 구성된다.
③ ACF, PACF 형태는 AR 모형의 ACF, PACF 형태와 반대이다.
④ MA 모형은 정상성 조건을 반드시 충족하지 않아도 된다.

MA 모형의 ACF는 특정 시차에서 급격히 감소하고, PACF는 지수적으로 감소하는 형태를 보이며 이는 AR 모형의 ACF, PACF와 반대이다. MA 모형은 시계열의 장기적 추세를 모델링하지 않으며 비선형 결합이 아니라 선형 결합으로 구성되고, 정상성을 충족해야 한다.

정답 54. ④ 55. ③ 56. ① 57. ① 58. ③

4장 통계 분석

5절 다차원척도법

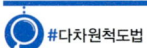

출제빈도 F2 난이도 D5

학습 목표

- 다차원 척도법(MDS)의 목적을 이해한다.
- 다차원 척도법과 군집분석의 차이점을 이해한다.
- 다차원 척도법의 종류를 구분할 수 있다.

눈높이 체크

✓ **다차원 척도법을 들어보셨나요?**

다차원 척도법(Multi Dimensional Scaling, MDS)은 군집분석과 같이 개체들을 대상으로 변수들을 측정한 후, 개체들 사이의 유사성/비유사성을 측정하여 개체들을 2차원 또는 3차원 공간상에 점으로 표현하는 분석 방법입니다.

✓ **군집분석과 다차원 척도법의 차이점이 무엇인지 아시나요?**

두 분석 방법 모두 유사성 거리를 사용한다는 점에서 헷갈릴 수 있지만, 다차원 척도법은 객체 간 유사성이나 거리를 시각적으로 표현하기 위해 저차원 공간에 점으로 배치하는 기법이고, 군집분석은 유사성이 높은 객체들을 그룹으로 묶어 계층적 구조나 비계층적 군집을 형성하는 데 초점을 둔다는 차이점이 있습니다.

✓ **왜 스트레스 값(Stress)이라고 불릴까요?**

스트레스 값(Stress)이란, 부적합도를 수치화한 지표로, 저차원 공간에서 원래 데이터의 거리(유사성)를 얼마나 잘 표현하지 못했는지를 나타냅니다. "스트레스 값"이라고 불리는 이유는, 이 지표가 "모델이 데이터를 얼마나 잘 표현하지 못했는지(즉, 얼마나 '스트레스'를 받고 있는지)"를 나타내기 때문입니다. 다차원 척도법은 고차원 데이터를 저차원으로 줄이면서 원래 데이터의 거리 관계를 최대한 보존하려고 합니다. 하지만 이 과정에서 필연적으로 왜곡이 생기며, 이 왜곡 정도를 "스트레스"라는 이름으로 표현한 것입니다. 스트레스 값이 높으면 모델이 데이터를 제대로 표현하지 못해 "압박감을 느끼는" 상태라고 볼 수 있습니다.

❶ 다차원척도법

- 객체간 근접성(Proximity)을 시각화하는 통계기법이다.
- 군집분석과 같이 개체들을 대상으로 변수들을 측정한 후에 개체들 사이의 유사성/비유사성을 측정하여 개체들을 2차원 공간상에 점으로 표현하는 분석방법이다.
- 개체들을 2차원 또는 3차원 공간상에 점으로 표현하여 개체들 사이의 집단화를 시각적으로 표현하는 분석방법이다.

출제포인트
다차원척도법은 여러 회차에 걸쳐 꾸준히 출제되는 주제이며, 2025년 시험에서도 2문제가 출제되었습니다. 거리 기반 차원 축소 라는 핵심 개념과 목적·원리를 함께 숙지해 두시기 바랍니다.

비기의 학습팁
다차원척도법(MDS)은 고차원 데이터를 저차원 공간에 시각적으로 표현하는 분석 기법으로, 데이터 간의 유사성을 이용하여 각 데이터를 저차원 공간에 배치하는 데 사용합니다.

🔍 핵심 개념체크

✓ 41회 기출 출★★★★★ 난★★★★☆
59. 다차원척도법(MDS)에 대한 설명 중 적절하지 않은 것은 무엇인가?

① 고차원 데이터를 저차원으로 축소할 수 있다.
② 유사도 또는 거리 데이터를 시각적으로 표현한다.
③ 데이터 간 상대적 거리를 보존하려 한다.
④ 다차원척도법(MDS)은 상대적 거리를 실수의 범위에서 완전히 보존할 수 있는 분석 기법이다.

다차원 척도법(MDS)은 데이터 간의 유사성이나 거리 정보를 활용하여 고차원의 데이터를 저차원(주로 2차원 또는 3차원) 공간에 시각적으로 표현하는 차원 축소 기법이다. MDS의 목표는 축소된 저차원 공간에서도 원래 데이터가 가지고 있던 상대적 거리를 최대한 보존하는 것이지만, 차원이 축소되는 과정에서 정보 손실이 불가피하므로 거리를 실수의 범위에서 완전히 보존하는 것은 불가능하다. MDS는 이 손실을 최소화하는 방향으로 최적화하는 분석 기법이다.

정답 59. ④

비기의 학습팁

다차원척도법과 군집분석(5장 6절)은 헷갈리기 쉽습니다. 둘 다 유사성과 거리를 사용한다는 비슷한 특징이 있지만 목적과 방법에서 큰 차이가 있습니다. 다차원척도법은 데이터를 시각적으로 표현하고 관계를 이해하는 데 초점을 두지만 군집분석은 데이터를 그룹해 패턴이나 구조를 찾는데 초점을 둡니다.

비기의 학습팁

부적합도는 고차원 데이터의 거리 또는 유사성을 저차원 공간에서 얼마나 잘 표현하는지를 측정하는 지표로, 원래 데이터의 거리와 MDS로 얻은 저차원 공간에서의 거리 간의 차이를 나타냅니다.

❷ 다차원척도법 목적

- 데이터 속에 잠재해 있는 패턴(Pattern), 구조를 찾아내고, 그 구조를 소수 차원의 공간에 기하학적으로 표현한다.
- 데이터 축소(Data Reduction)의 목적으로 다차원척도법을 이용한다. 즉, 데이터에 포함되는 정보를 끄집어내기 위해서 다차원척도법을 탐색수단으로써 사용한다.
- 다차원척도법에 의해서 얻은 결과를, 데이터가 만들어진 현상이나 과정에 고유의 구조로서 의미를 부여한다.

❸ 다차원척도법의 방법과 종류

- 개체들의 거리 계산에는 **유클리드 거리행렬을 활용**한다.

$$d_{ij} = \sqrt{(x_{i1} - x_{j1})^2 + \cdots + (x_{iR} - x_{jR})^2}$$

- 관측대상들의 상대적 거리의 정확도를 높이기 위해 적합 정도를 스트레스값(Stress Value)으로 나타낸다.

$$S = \sqrt{\frac{\sum_{i=1,j=1}^{n}(d_{ij} - \hat{d}_{ij})^2}{\sum_{i=1,j=1}^{n}(d_{ij})^2}}$$

(d_{ij}=관측대상i부터 j까지 실제거리, $\hat{d}_{ij}$ = 프로그램에 의해 추정된 거리)

- 최적모형의 적합은 부적합도를 최소로 하는 방법으로 일정 수준 이하로 될 때까지 반복해서 수행하여, 최종적으로 적합된 모형으로 제시한다. 이 때 부적합도에는 S-Stress를 사용하기도 한다.

Stress	적합도 수준
0	완벽(Perfect)
0.05 이내	매우 좋은(Excellent)
0.05~0.10	만족(Satisfactory)
0.10~0.15	보통(Acceptable, but Doubt)
0.15 이상	나쁨(Poor)

1. 계량적 MDS(Metric MDS)

- 데이터가 **구간척도나 비율척도인 경우 활용**한다.(전통적인 다차원척도법) N개의 케이스에 대해서 p개의 특성변수가 있는 경우, 각 객체들 간의 유클리드 거리행렬을 계산하고 개체들간의 비유사성 S(거리제곱 행렬의 선형함수)를 공간 상에 표현한다.

> **비기의 학습팁**
>
> 계량적 MDS는 측정 MDS라고도 하며, 거리의 크기를 보존하는 방식으로, 거리 정보가 정확하게 반영됩니다.

사례

cmdscale 사례

- MASS package의 eurodist 자료를 이용한다.
- 유럽의 21개 도시들 사이의 거리를 측정한다.
- cmdscale을 이용하여 2차원으로 21개 도시들을 매핑한다.
- 종축은 북쪽 도시를 상단에 표시하기 위해 부호를 바꾼다.

```
> library(MASS)
> loc <- cmdscale(eurodist)
> x <- loc[, 1]
> y <- -loc[, 2]
> plot(x, y, type="n", asp=1, main="Metric MDS")
> text(x, y, rownames(loc), cex=0.7)
> abline(v=0, h=0, lty=2, lwd=0.5)
```

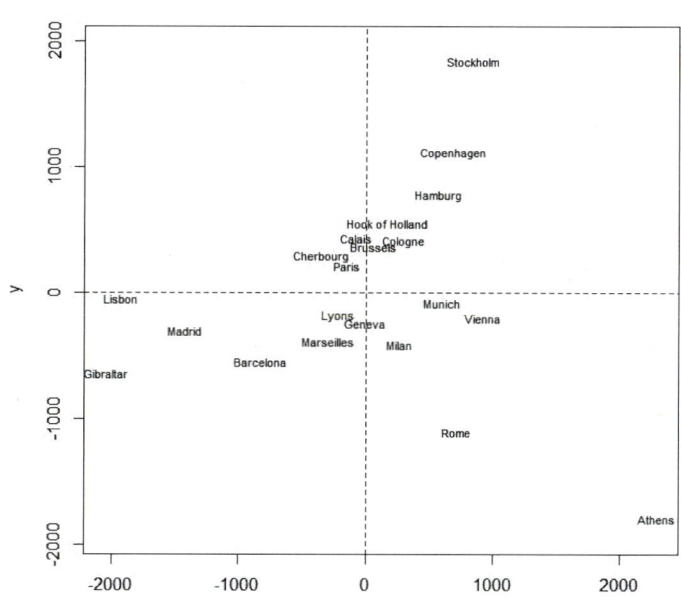

> **비기의 학습팁**
>
> 비계량적 MDS는 비측정 MDS 라고도 하며, 거리의 순위만을 고려하여, 데이터 간의 상대적인 순서를 유지합니다.

2. 비계량적 MDS(nonmetric MDS)

- 데이터가 **순서척도**인 경우에 활용한다. 개체들 간의 거리가 순서로 주어진 경우에는 순서척도를 거리의 속성과 같도록 변환(Monotone Transformation)하여 거리를 생성한 후 적용한다.

사례

isoMDS 사례

- MASS package의 Swiss 자료를 이용하여 2차원으로 도시들을 매핑한다.
- 1888년경의 스위스연방 중 47개의 불어권 주의 토양의 비옥도 지수와 여러 사회경제적 지표를 측정한 자료이다.

```
> library(MASS)
> data(swiss)
> swiss.x <- as.matrix(swiss[, -1])
> swiss.dist <- dist(swiss.x)
> swiss.mds <- isoMDS(swiss.dist)
> plot(swiss.mds$points, type="n")
> text(swiss.mds$points, labels=as.character(1:nrow(swiss.x)))
> abline(v=0, h=0, lty=2, lwd=0.5)
```

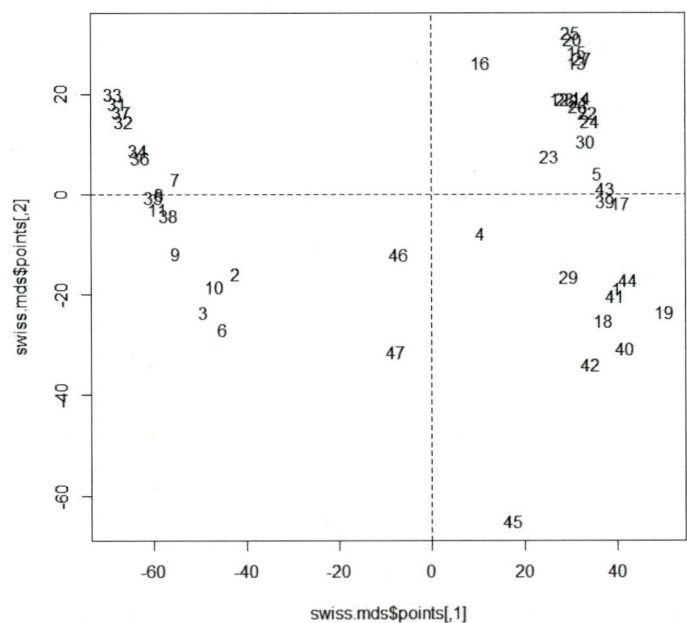

사례

sammon 사례

```
> swiss.x <- as.matrix(swiss[, -1])
> swiss.sammon <- sammon(dist(swiss.x))
> plot(swiss.sammon$points, type="n")
> text(swiss.sammon$points, labels=as.character(1:nrow(swiss.x)))
> abline(v=0, h=0, lty=2, lwd=0.5)
```

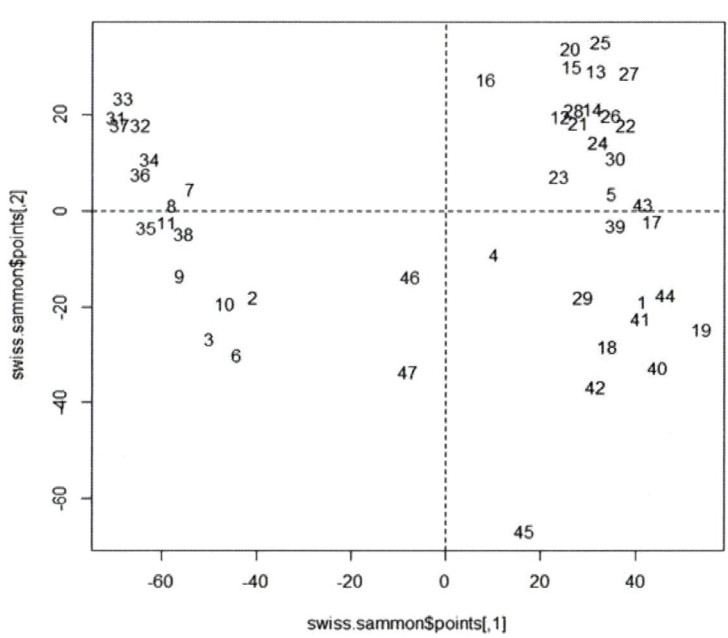

핵심 개념체크

36회 기출

60. 다차원척도법에 대한 설명으로 가장 적절하지 않은 것은?

① 데이터에 잠재해 있는 패턴이나 구조를 찾아내는 것이다.
② 찾아낸 구조나 패턴을 소수 차원의 공간에 기하학적으로 표현한다.
③ 개체들 사이의 유사성과 비유사성을 측정하여 차원을 축소하기 위해 사용한다.
④ 데이터의 그룹화를 목적으로 사용한다.

다차원척도법(MDS)은 데이터의 유사성과 비유사성을 기반으로 고차원 데이터를 저차원 공간에 기하학적으로 표현하여 잠재적인 패턴과 구조를 시각화하는 기법이다. 이는 차원 축소를 주요 목적으로 하며, 데이터의 구조를 이해하는 데 사용된다. 반면 데이터 그룹화는 군집 분석과 같은 다른 기법의 주된 목적에 해당하므로 "데이터 그룹화를 목적으로 사용한다"는 다차원척도법에 적절하지 않다.

정답 60. ④

4장 통계 분석
6절 주성분 분석

출제빈도 F4 난이도 D4

 #주성분분석 #평균고유값방법 #결과해석

학습 목표
- 주성분분석에 대해 이해한다.
- 다중공선성의 영향력에 대해 이해한다.
- 주성분분석과 요인분석을 구분할 수 있다.

눈높이 체크

✓ **주성분분석에서 다중공선성은 어떻게 다루어질까요?**

> 주성분 분석(PCA)에서 다중공선성은 변수들 간에 강한 상관관계가 있는 상태를 말하며, PCA는 이러한 다중공선성을 효과적으로 해결할 수 있는 방법입니다. 다중공선성으로 인해 데이터에 중복된 정보가 많을 때, PCA는 이를 정리해서 데이터의 핵심적인 정보만 남기고 불필요한 중복을 없애주며, 이 과정을 통해 주성분들이 서로 독립적이 되도록 변환됩니다.

✓ **주성분분석과 요인분석은 어떻게 다를까요?**

> 주성분분석과 요인분석은 모두 데이터의 차원을 줄이고 숨겨진 패턴을 찾는 데 사용되지만, 목적과 접근 방식에서 차이가 있습니다. 주성분분석(PCA)은 데이터의 분산을 최대한 보존해 주요 정보를 추출하고 단순화하는 데 초점이 있으며, 요인분석은 변수들 간의 상관관계를 설명하는 잠재 요인을 찾아내 데이터의 원인 구조를 해석하는 데 중점을 둡니다.

✓ **주성분분석은 주로 어떤 상황일 때 효과적일까요?**

> 주성분분석은 변수가 너무 많아 분석이 어렵거나 복잡할 때 데이터를 단순화하는 데 효과적입니다. 데이터를 줄이면서도 중요한 정보는 그대로 유지하기 때문에, 복잡한 데이터를 이해하거나 그림으로 표현하려고 할 때 특히 유용합니다. 쉽게 말해, 많은 데이터를 깔끔하고 요약된 형태로 바꾸는 데 적합한 방법입니다.

❶ 주성분 분석

- 주성분 분석(Principal Component Analysis, PCA)은 여러 변수들의 변량을 '주성분(Principal Component)'이라는 **서로 상관성이 높은 변수들의 선형결합**으로 만들어 기존의 상관성이 높은 변수들을 요약, 축소하는 기법이다.
- 첫 번째 주성분으로 전체 변동을 가장 많이 설명할 수 있도록 하고, 두 번째 주성분으로는 첫 번째 주성분과는 상관성이 없어서(낮아서) 첫 번째 주성분이 설명하지 못하는 나머지 변동을 정보의 손실 없이 가장 많이 설명할 수 있도록 변수들의 선형조합을 만든다.

비기의 학습팁

주성분분석(PCA)은 고차원의 데이터를 저차원 공간으로 변환하는 방법으로 데이터의 분산(변동)을 최대한 유지하면서 차원을 축소하는 방법입니다.

핵심 개념체크

✔ 34회 기출 출★★★★★ 난★★★★☆

61. 주성분분석에 대한 설명 중 적절하지 않은 것은 무엇인가?

① 주성분분석은 데이터의 차원을 축소하여 변수 간 상관관계를 시각적으로 확인할 수 있는 방법이다.
② 주성분분석은 원래의 변수들이 설명하는 총 변동의 대부분을 보존하는 새로운 주성분들을 생성한다.
③ 주성분분석을 통해 얻은 주성분은 원본 변수들과는 독립적인 새로운 변수들로, 데이터의 구조를 단순화하는 데 유용하다.
④ p개의 변수를 중요한 m(<p)개의 주성분으로 요약하여 전체 변동 대부분을 설명할 수 있다.

PCA를 통해 생성된 주성분은 원래 변수들의 선형 결합으로 구성되며, 원래 변수와는 완전히 독립적인 관계가 아니다. 주성분은 원래 변수 간의 상관관계를 줄이거나 제거하지만, 변수들로부터 유도된 새로운 변수라는 점에서 완전히 독립적이지 않다.

✔ 38회 기출 출★★★★★ 난★★☆☆☆

62. 다음은 특정 통계 분석 방법에 대한 설명이다. 이를 가장 잘 설명하는 기법은 무엇인가?

- 데이터의 변수를 축소하면서도 정보의 손실을 최소화하는 방법
- 기존 변수들의 선형 결합을 통해 새로운 변수들을 생성함
- 축소된 차원으로도 주요한 패턴이나 특성을 유지하며 분석이 가능함

① 군집 분석   ② 회귀 분석
③ 주성분 분석   ④ 판별 분석

주성분 분석은 데이터의 차원을 줄이면서 정보 손실을 최소화하는 방법으로, 여러 변수를 선형 결합해 새로운 변수(주성분)를 생성하는 기법이다. 이를 통해 변수 축소와 차원 감소에 효과적으로 활용될 수 있다. 한편, 군집 분석, 회귀 분석, 판별 분석은 각각 서로 다른 분석 목적을 가진 별도의 통계 분석 기법이다.

정답 61. ③ 62. ③

❷ 주성분분석의 목적

- 여러 변수들 간에 내재하는 상관관계, 연관성을 이용해 **소수의 주성분으로 차원을 축소**함으로써 데이터를 이해하기 쉽고 관리하기 쉽게 해준다.
- 다중공선성이 존재하는 경우, **상관성이 없는(적은) 주성분으로 변수들을 축소**하여 모형 개발에 활용된다. **회귀분석** 등의 모형 개발 시 입력변수들간의 상관 관계가 높은 **다중공선성(Multicollinearity)**이 존재할 경우 모형이 잘못 만들어져 문제가 생긴다.
- 연관성이 높은 변수를 주성분분석을 통해 차원을 축소한 후에 **군집분석을 수행하면 군집화 결과와 연산속도를 개선**할 수 있다.
- 기계에서 나오는 다수의 센서데이터를 주성분분석으로 차원을 축소한 후에 시계열로 분포나 추세의 변화를 분석하면 기계의 고장(Fatal Failure) 징후를 사전에 파악하는데 활용하기도 한다.

평가지표	지표의 의미
공분산 (Covariance)	공분산은 두 연속형 변수가 함께 변하는 방향과 정도를 나타내는 지표로, 각 변수의 원래 분산 구조와 변화 패턴을 반영해 두 변수 간의 관련성을 파악하는 데 활용된다.
공분산행렬 (Covariance Matrix)	공분산행렬은 여러 변수 간 공분산 값을 행과 열에 배치해 구성한 정방행렬로, 전체 연산을 해도 형태가 변하지 않는 대칭적 구조를 가진다. 이를 통해 변수들 사이의 상호 변동 관계를 한 번에 파악할 수 있다.
고유벡터 (Eigen Vectors)	고유벡터는 공분산행렬 A가 선형변환을 수행할 때, 변환 전·후에도 방향이 바뀌지 않는 특수한 벡터를 의미한다. 즉, 선형변환의 결과가 원래 벡터의 단순한 상수배 형태로 나타나는 이 벡터는, 행렬의 구조적 성질을 파악하는 데 핵심적인 역할을 한다.
고유값 (Eigen Values)	고유값은 특정 고유벡터가 선형변환을 거칠 때, 그 벡터의 크기가 얼마나 비례적으로 변하는지를 나타내는 값이다. 즉, 변환 전·후 길이 변화 비율을 수치로 표현한 값으로, 고유벡터가 얼마만큼 확대되거나 축소되는지를 결정하는 스케일 역할을 한다.

개념 ➕

특이값분해

특이값분해(Singular Value Decomposition, SVD)는 행렬대수학에서 행렬을 세 개의 행렬의 곱으로 분해하는 수학적 이론입니다. 통계학에서는 이를 행렬을 특이값과 직교행렬로 분해하여 데이터의 구조를 이해하고 차원 축소를 수행하는데 사용합니다. 현재는 차원 축소 외에도 노이즈 제거와 같은 신호처리, 이미지 압축과 같은 저장 공간 절약, 잠재 요인 추출을 통한 추천 시스템에 사용되고 있습니다.

비기의 학습팁

특이값은 행렬대수학에서 나오는 개념으로 시험에서는 주성분분석에서 사용된다는 것만 기억해도 좋습니다.

✅ 핵심 개념체크

✔ 20회 기출 ★★★★★ 난★★★★★

63. 다음 중 특이값 분해(Singular Value Decomposition)의 주요 응용 분야가 아닌 것은?

① 데이터 압축 ② 이미지 복원
③ 암호화 ④ 추천 시스템

> SVD는 데이터 압축, 이미지 복원, 추천 시스템 등에서 널리 활용되며, 데이터의 차원을 줄이거나 패턴을 발견하는 데 매우 유용하다. 그러나 암호화는 보안 및 암호 기술에 초점이 맞춰진 분야로, SVD와는 직접적인 관련이 없다.

정답 63. ③

❸ 주성분분석 vs 요인분석

1. 요인분석의 정의

- 등간척도(혹은 비율척도)로 측정한 두 개 이상의 변수들에 잠재되어 있는 공통인자를 찾아내는 기법이다.

2. 공통점

- 모두 데이터를 축소하는데 활용된다. 원래 데이터를 활용해서 몇 개의 새로운 변수들을 만들 수 있다.

3. 차이점

가. 생성된 변수의 수

- 요인분석은 몇 개라고 지정 없이(2 or 3, 4, 5 ⋯.) 만들 수 있다.
- 주성분분석은 제1주성분, 제2주성분, 제3주성분 정도로 활용한다.(대개 4개 이상은 넘지 않음)

나. 생성된 변수의 이름

- **요인분석**은 분석자가 **요인의 이름을 명명**한다.
- **주성분분석**은 주로 **제1주성분, 제2주성분** 등으로 표현된다.

다. 생성된 변수들 간의 관계

- 요인분석은 새 변수들은 기본적으로 대등한 관계를 갖고 '어떤 것이 더 중요하다' 라는 의미는 요인분석에서는 없다. 단, 분류/예측에 그다음 단계로 사용된다면 그때 중요성의 의미가 부여된다.
- 주성분분석은 제1주성분이 가장 중요하고, 그다음 제2주성분이 중요하게 취급된다.

라. 분석 방법의 의미

- 요인분석은 목표 변수를 고려하지 않고 그냥 데이터가 주어지면 변수들을 비슷한 성격들로 묶어서 새로운 잠재변수들을 만든다.
- 주성분분석은 목표 변수를 고려하여 목표 변수를 잘 예측/분류하기 위하여 원래 변수들의 선형 결합으로 이루어진 몇 개의 주성분(변수)들을 찾아내게 된다.

> **비기의 학습팁**
>
> 주성분분석과 요인분석은 둘 다 차원을 축소하는 데 활용된다는 큰 공통점이 있지만, 명확한 차이가 있습니다. 생성된 변수의 수와 이름, 생성된 변수들 간의 관계와 분석 방법의 의미에 따라 어떤 차이가 있는 지 확인하고 넘어가면 좋습니다.

❹ 주성분의 선택법

- 주성분분석의 결과에서 누적기여율(Cumulative Proportion)이 85%이상이면 주성분의 수로 결정할 수 있다.

```
Importance of components :
                          PC1     PC2     PC3     PC4     PC5
Standard deviation        1.6618  1.2671  0.7420  0.25311 0.13512
Proportion of Variance    0.5523  0.3211  0.1101  0.01281 0.00365
Cumulative                0.5523  0.8734  0.9835  0.99635 1.00000
```

- Scree Plot을 활용하여 고윳값(Eigenvalue)이 수평을 유지하기 전단계로 주성분의 수를 선택한다.

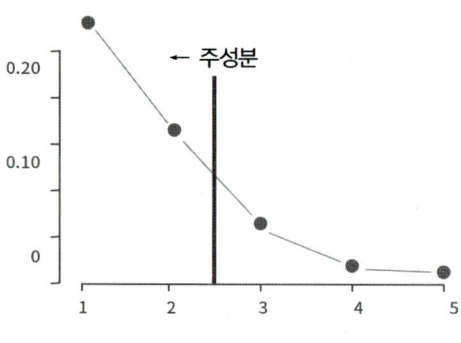

Scree Plot

비기의 학습팁

Scree Plot은 주성분 분석(PCA)에서 주성분의 고윳값을 시각적으로 나타낸 그래프로 주성분의 수에 따라 고윳값이 어떻게 변화하는지를 보여주는 그래프입니다. 일반적으로 고윳값이 급격히 감소하다가 완만해지는 지점을 찾고 그 지점이 되기 전의 주성분의 수를 차원의 수로 선택합니다.

비기의 학습팁

고윳값(Eigenvalue)은 행렬대수학에서 나오는 개념으로 시험에서는 주성분분석에서 각 주성분의 중요도를 판단하는 기준으로 사용된다는 것만 기억하고 넘어가도 좋습니다.

✅ 핵심 개념체크

✓30회 기출 출★★★★★ 난★★★★☆

64. 다음 중 주성분분석(PCA)에서 각 주성분의 중요도를 판단하는 기준으로 가장 적절한 것은?

① 고윳값(Eigenvalue)
② 주성분의 평균값(Mean of Principal Components)
③ 데이터의 표준편차(Standard Deviation of Variables)
④ 특이값(Singular Value)

주성분분석(PCA)에서 각 주성분의 중요도는 고윳값(Eigenvalue)을 기준으로 판단한다. 고윳값은 해당 주성분이 데이터의 총 분산에서 차지하는 비율을 나타내며, 값이 클수록 중요도가 높다. 평균값, 표준편차, 특이값은 중요도를 직접적으로 판단하는 기준이 아니다.

❺ 주성분분석 결과해석

1. USArrests 자료

- 1973년 미국 50개주의 100,000명의 인구 당 체포된 세 가지 강력범죄수 (Assault, Murder, Rape)와 각 주마다 도시에 거주하는 인구의 비율(%)로 구성되어 있다.
- 변수들 간의 척도의 차이가 상당히 크기 때문에 상관행렬을 사용하여 분석한다.
- 특이치 분해를 사용하는 경우 자료 행렬의 각 변수의 평균과 제곱의 합이 1로 표준화되었다고 가정할 수 있다.

가. 4개의 변수들 간의 산점도

```
> library(datasets)
> data(USArrests)
> pairs(USArrests, panel = panel.smooth, main = "USArrests data")
```

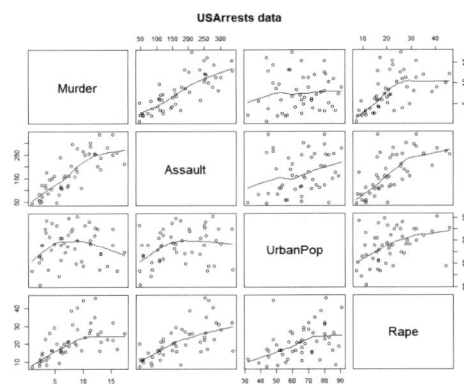

- Murder와 UrbanPop 비율 간의 관련성이 작아 보인다.

나. summary

- 제1주성분과 제2주성분까지의 누적 분산비율은 대략 86.8%로 2개의 주성분 변수를 활용하여 전체 데이터의 86.8%를 설명할 수 있다.
- 주성분들에 의해 설명되는 변동의 비율은 Scree Plot 을 통해 확인 가능하다.

```
> US.prin <- princomp(USArrests, cor = TRUE)
> summary(US.prin)
> screeplot(US.prin, npcs=4, type="lines")

Importance of components :
                          Comp.1     Comp.2     Comp.3     Comp.4
Standard deviation     1.5748783  0.9948694  0.5971291  0.41644938
Proportion of Variance 0.6200604  0.2474413  0.0891408  0.04335752
Cumulative Proportion  0.6200604  0.8675017  0.9566425  1.00000000
```

다. Loading

- 네 개의 변수가 각 주성분 Comp.1-Comp.4까지 기여하는 가중치가 제시된다.
- 제1주성분에는 네 개의 변수가 평균적으로 기여한다.
- 제2주성분에서는 (Murder, Assault)와 (UrbanPop, Rape)의 계수의 부호가 서로 다르다.

```
> loadings(US.prin)
Loadings :
                Comp.1    Comp.2    Comp.3    Comp.4
Murder          0.536     0.418     0.341     0.649
Assault         0.583     0.188     0.268    -0.743
UrbanPop        0.278    -0.873     0.378     0.134
Rape            0.543    -0.167    -0.818

                Comp.1    Comp.2    Comp.3    Comp.4
SS loadings     1.00      1.00      1.00      1.00
Proportion Var  0.25      0.25      0.25      0.25
Cumulative Va   0.25      0.50      0.75      1.00
```

라. Scores

- 각 주성분 Comp.1-Comp.4의 선형식을 통해 각 지역(record)별로 얻은 결과를 계산한다.

```
> US.prin$scores
                Comp.1         Comp.2         Comp.3         Comp.4
Alabama         0.98556588     1.13339238     0.44426879     0.156267145
Alaska          1.95013775     1.07321326    -2.04000333    -0.438583440
Arizona         1.76316354    -0.74595678    -0.05478082    -0.834652924
Arkansas       -0.14142029     1.11979678    -0.11457369    -0.182810896
California      2.52398013    -1.54293399    -0.59855680    -0.341996478
Colorado        1.51456286    -0.98755509    -1.09500699     0.001464887
Connecticut    -1.35864746    -1.08892789     0.64325757    -0.118469414
Delaware        0.04770931    -0.32535892     0.71863294    -0.881977637
Florida         3.01304227     0.03922851     0.57682949    -0.096284752
Georgia         1.63928304     1.27894240     0.34246008     1.076796812
Hawaii         -0.91265715    -1.57046001    -0.05078189     0.902806864
Idaho          -1.63979985     0.21097292    -0.25980134    -0.499104101
Illinois        1.37891072    -0.68184119     0.67749564    -0.122021292
Indiana        -0.50546136    -0.15156254    -0.22805484     0.424665700
Iowa           -2.25364607    -0.10405407    -0.16456432     0.017555916

중략
```

마. 제 1-2주성분에 의한 행렬도

- 조지아, 메릴랜드, 뉴 멕시코 등은 폭행과 살인의 비율이 상대적으로 높은 지역이다.
- 미시간, 텍사스 등은 강간의 비율이 높은 지역이다.
- 콜로라도, 캘리포니아, 뉴저지 등은 도시에 거주하는 인구의 비율이 높은 지역이다.
- 아이다호, 뉴 햄프셔, 아이오와 등의 도시들은 도시에 거주하는 인구의 비율이 상대적으로 낮으면서 3대 강력범죄도 낮다.

```
arrests.pca <- prcomp(USArrests, center = TRUE, scale. = TRUE)
biplot(arrests.pca, scale=0)
```

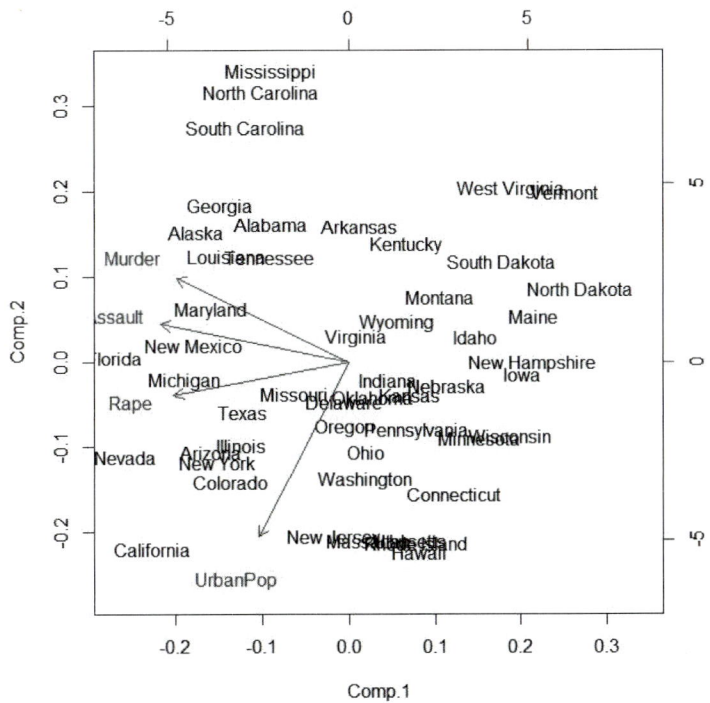

핵심 개념체크

✓ 34회 기출 출★★★★☆ 난★★★★☆

65. 아래는 1988년 서울올림픽에서의 여자 육상 7종 경기의 기록 데이터를 사용한 주성분분석 결과이다. 다음 설명 중 주성분 분석의 특징과 부합하지 않는 것은?

```
> heptathion_pca <-prcomp(heptathion2[,-score], scales=TRUE)
> summary(heptathion_pca)

importance of components:
```

	PC1	PC2	PC3	PC4	PC5	PC6	PC7
Standard deviation	2.079	0.948	0.911	0.641	0.544	0.317	0.242
Portion of Variance	0.618	0.128	0.119	0.044	0.042	0.016	0.009
Cumulative preportion	0.618	0.746	0.865	0.931	0.973	0.990	1.000

① 첫 번째 주성분으로 자료를 축소할 때 전체 분산의 61.8%가 설명된다.
② 두 개의 주성분으로 자료를 축약할 때 전체 분산의 12.8%가 설명 가능하다.
③ 정보손실율이 20% 이하가 되도록 축약하려면 세 개의 주성분을 사용하는 것이 적합하다.
④ 첫 번째 주성분이 가장 큰 분산을 가지며, 이는 주성분분석에서 일반적인 특성이다.

> 주성분 분석 결과에서 첫 번째 주성분(PC1)은 전체 분산의 61.8%를 설명하고 가장 큰 분산을 가지며, 이는 주성분 분석의 일반적인 특성이다. 두 번째 주성분(PC2)은 전체 분산의 12.8%를 설명하는 것은 맞지만, 두 개의 주성분으로 자료를 축약할 때의 설명량은 누적 분산 비율(Cumulative preportion)인 74.6%를 설명하는 것으로 해석되어야 한다. 세 번째 주성분까지 누적 비율이 86.5%를 차지하므로, 정보 손실율을 20% 이하로 줄이려면 세 개의 주성분을 사용하는 것이 적합하다.

✓ 38회 기출 출★★★★★ 난★★☆☆☆

66. 아래 주성분분석의 결과에서 첫 번째 주성분은 전체 분산의 몇 %를 설명하고 있는가?(단, 반올림하여 소수점 첫째자리까지 표현하시오)

	Comp.1	Comp.2	Comp.3	Comp.4
Standard deviation	1.5574873	0.9943214	0.5943221	0.4123679
Proportion of Variance	0.5748331	0.2321003	0.1834561	0.0096105
Cumulative Proportion	0.5748331	0.8069334	0.9903895	1.00000000

① 99.43%　　　　　② 80.69%
③ 57.48%　　　　　④ 23.21%

> 주성분분석 결과에서 "Proportion of Variance"는 각 주성분이 전체 분산에서 설명하는 비율을 나타낸다. 첫 번째 주성분(Comp.1)의 분산 비율은 0.5748331로 주어져 있으며, 이를 백분율로 변환하면 57.48%이다.

✓25회 기출 출★★★★☆ 난★★★☆☆

67. 다음 headsize 데이터는 25개 가구에서 첫 번째와 두 번째 성인 아들의 머리길이(head)와 머리 폭(breadth)을 보여준다. 이에 대한 설명 중 가장 부적절한 것은?

```
> head(headsize)
     head1 breadth1 head2 breadth2
[1,]   191      155   179      145
[2,]   195      149   201      152
[3,]   181      148   185      149
[4,]   183      153   188      149
[5,]   176      144   171      142
[6,]   208      157   192      152
> str(headsize)
 num [1:25, 1:4] 191 195 181 183 176 208 189 197 188 192 ...
 - attr(*, "dimnames")=List of 2
  ..$ : NULL
  ..$ : chr [1:4] "head1" "breadth1" "head2" "breadth2"
> out<-princomp(headsize)
> print(summary(out),loadings=TRUE)
Importance of components:
                         Comp.1   Comp.2   Comp.3   Comp.4
Standard deviation         15.1     5.42     4.12    3.000
Proportion of Variance      0.8     0.10     0.06    0.032
Cumulative Proportion       0.8     0.91     0.97    1.000

Loadings:
         Comp.1  Comp.2  Comp.3  Comp.4
head1     0.570   0.693  -0.442
breadth1  0.406   0.219   0.870  -0.173
head2     0.601  -0.633  -0.209  -0.441
breadth2  0.386  -0.267           0.881
```

① 주성분 분석의 결과를 보여준다.
② 첫 두 개의 주성분으로 전체 데이터 분산의 91%를 설명할 수 있다.
③ 두 번째 주성분은 네 개의 원변수와 양의 상관관계를 가진다.
④ 네 개의 주성분을 사용하면 전체 데이터 분산을 모두 설명할 수 있다.

주성분 분석에서 두 번째 주성분은 보통 첫 번째 주성분과 직교하며, 원변수와의 상관관계가 양의 값만 가진다고 단정할 수 없다. 제시된 결과는 주성분 분석을 수행하여 도출된 데이터의 특성을 보여주며, Comp.2의 누적 분산 비율이 0.91이므로, 두 개의 주성분으로 90%의 분산을 설명할 수 있다. Comp.4 또한 누적 분산 비율이 1.000이므로, 전체 데이터의 분산을 모두 설명할 수 있다.

3과목 | 4장
데이터 분석

모바일로 풀기

정답과 해설 : 368p

윤박사 분석

(주)데이터에듀가 보유하고 있는 전회차(1회~43회)의 기출복원문제를 중심으로 최근 4년(2021~2024년)의 출제경향을 분석해서 가장 좋은 문제를 선별하여 예상문제 62개를 구성하였습니다.

실제 기출의 장별 출제 빈도를 반영하여 가장 많이 출제되는 절에 대해 〈2절 통계분석〉 20문제, 〈3절 회귀분석〉 17문제를 수록하였으며, 다음으로 많이 출제되는 절에 대해 〈4절 시계열분석〉 10문제, 〈1절 통계분석의 이해〉 7문제, 〈6절 주성분분석〉 7문제를 수록하였습니다. 비교적 잘 출제되지 않는 다차원척도법은 1문제를 수록하였습니다.

문제의 난이도는 출제 난이도에 맞게 4단계가 가장 많도록 배치하였으며, 다음으로 5단계, 3단계 순으로 문제를 배치하였습니다.

3과목 4장은 통계 분석의 기초 내용부터 회귀분석과 시계열분석 등 통계의 어려운 개념까지 다양한 난이도로 문제가 출제됩니다. 그렇지만 동영상 강의를 중심으로 내용을 차근차근 공부하고 예상문제와 모의고사 문제를 오답노트로 관리하면서 공부하면 14문제 중 10문제는 충분히 맞출 수 있습니다.

✓ 36회 기출

01 A 고등학교에서 B과목의 상위 2%의 상급반을 운영한다고 한다. 상급반에 들어가려고 할 때, B과목의 최저 점수는 몇점인가? (단, 상위 2% 일 때 z = 2.05, 평균점수 = 85, 표준편차 = 5)

① 88.25
② 90.25
③ 92.25
④ 95.25

✓ 39회 기출

02 확률변수 X가 이산형 확률변수이며, 그 확률질량함수 f(x)가 주어졌을 때, X의 기댓값을 구하는 식으로 옳은 것은?

① $\int x^2 f(x)dx$
② $\sum x f(x)$
③ $\int x^3 f(x)dx$
④ $\sum (x-\mu)^2 f(x)$

✓ 15회 기출 출★★★★★ 난★★★★☆

03 확률이란 "특정사건이 일어날 가능성의 척도"라고 정의할 수 있다. 통계적 실험을 실시할 때 나타날 수 있는 모든 결과들의 집합을 표본공간이라고 하고, 사건이란 표본공간의 부분집합을 말한다. 다음 중 확률 및 확률분포에 대한 설명으로 가장 부적절한 것은?

① 모든 사건의 확률값은 0과 1사이에 있다.
② 서로 배반인 사건들의 합집합의 확률은 각 사건들의 확률의 합이다.
③ 두 사건 A, B가 독립이라면 사건 B의 확률은 A가 일어난다는 가정하에서의 B의 조건부 확률과 동일하다.
④ 확률변수 X가 구간 또는 구간들의 모임인 숫자 값을 갖는 확률분포함수를 이산형확률밀도함수라 한다.

✓ 19회 기출 출★★★★★ 난★★☆☆☆

04 표본공간은 어떤 실험이나 시도의 결과로 나올 수 있는 모든 가능한 결과의 집합이다. 사건이란 표본공간의 부분집합을 말한다. 다음 중 확률 및 확률분포에 관한 설명으로 부적절한 것은?

① (사건 A가 일어나는 경우의 수)/(일어날 수 있는 모든 경우의 수)를 P(A)라 할 때 이를 A의 수학적 확률이라 한다.
② 한 사건 A가 일어날 확률을 P(A)라 할 때 n번의 반복시행에서 사건 A가 일어난 횟수를 r 이라하면, 상대도수 r/n는 n이 커짐에 따라 확률 P(A)에 가까워짐을 알 수 있다. P(A)를 사건 A의 통계적 확률이라 한다.
③ 두 사건 A, B가 독립일 때, 사건 B의 확률은 A가 일어났다는 가정 하에서의 B의 조건부 확률과는 다르다.
④ 표본공간에서 임의의 사건 A가 일어날 확률 P(A)는 항상 0과 1사이에 있다.

✓ 33회 기출 출 ★★★★★ 난 ★★★★☆

05 아래의 확률을 알고 있다고 가정할 때, 질병을 가지고 있다고 진단한 사람이 실제로 질병을 가진 사람일 확률은?

> – 전체 인구 중 해당 질병을 가지고 있는 사람은 10%
> – 진단 결과 전체 인구 중 20%가 해당 질병을 가지고 있다고 진단됨
> – 해당 질병을 가지고 있는 사람의 90%는 질병을 가지고 있는 것으로 진단됨

① 0.9　　　　　　② 0.8
③ 0.45　　　　　　④ 0.3

✓ 30회 기출 출 ★★★★★ 난 ★★★★☆

06 다음 설명에 맞는 확률 분포는 무엇인가?

> 주어진 단위 시간 또는 영역에서 어떤 사건의 발생 횟수를 나타내는 이산형 확률 분포

① 이항 분포(Binomial Distribution)

② 정규 분포(Normal Distribution)

③ 포아송 분포(Poisson Distribution)

④ 균등 분포(Uniform Distribution)

✓ 33회 기출 출 ★★★★★ 난 ★★★★☆

07 모집단이 정규분포를 따르고 분산이 알려져 있으며 모평균에 대한 95% 신뢰수준 하에서 신뢰구간이 아래와 같을 때 다음 중 가장 부적절한 해석을 고르시오.

$$50 \pm 1.96 \frac{1}{\sqrt{100}} = (49.804, 50.196)$$

① 모집단의 표준편차는 1이다.

② 표본의 개수는 100개이고, 그 표본평균은 50이다.

③ 신뢰구간 내에 실제 평균값이 포함되어 있지 않을 수도 있다.

④ 동일 모집단에서 동일한 방법과 개수로 다시 표본을 추출하면, 새로운 표본의 신뢰구간도 기존과 동일하다.

✓ 46회 기출 출 ★★★★★ 난 ★★★☆☆

08 히스토그램의 특성에 대한 설명으로 옳지 않은 것은 무엇인가?

① 설정된 계급간에 동일한 값이 서로 겹치는 경우는 발생하지 않는다.
② 히스토그램은 표본이 작을수록 분포를 정확히 표현할 수 있다.
③ 봉우리가 여러 개인 데이터는 다양한 조건에서 수집될 수 있다.
④ 히스토그램의 그래프 모양은 비정규적일 수 있다.

✓ 39회 기출 출 ★★★★★ 난 ★★★★☆

09 데이터 분석에서는 다양한 통계량을 사용하여 자료의 특성을 설명한다. 다음 중 위치 모수에 대한 설명으로 옳지 않은 것은?

① 표본평균은 표본 내 관측값들의 합을 관측값의 수로 나눈 값이다.
② 중앙값은 자료를 크기 순으로 배열했을 때 가운데 위치하는 값으로, 이상치의 영향을 덜 받는다.
③ 최빈값은 가장 많이 등장한 값으로, 명목형 데이터의 중심 경향을 파악하는 데 유용하다.
④ p-백분위수는 전체 자료 중 p번째 순위에 해당하는 값을 의미한다.

✓ 34회 기출 출 ★★★★★ 난 ★★☆☆☆

10 데이터의 분포와 특성을 시각화하는 상자 그림(Box Plot)에 대한 설명으로 부적절한 것을 고르시오.

① 상자 그림은 최솟값, 최댓값, 1사분위수, 중앙값, 3사분위수의 다섯 가지 통계량을 사용하여 시각화한다.
② 이상치를 판단하기에는 적합하지 않다.
③ 사분위수를 쉽게 확인할 수 있도록 시각화한다.
④ 데이터의 분포 범위를 시각적으로 확인할 수 있다.

✓ 37회 기출 출★★★★★ 난★★★★☆

11 통계적 가설검정에 대한 설명으로 가장 적절하지 않은 것은?

① 양측 검정에서 대립 가설은 두 가지 방향을 고려한 것이다.

② 귀무가설을 기각하면 연구 결과가 통계적으로 유의미하다고 결론을 내린다.

③ p-value가 작을수록 해당 검정통계량의 관측값은 귀무가설을 더 지지하는 것으로 해석할 수 있다.

④ 제1종 오류는 귀무가설이 참일 때 이를 기각하는 오류이다.

✓ 17회 기출 출★★★★★ 난★★★★☆

12 Wage 데이터에서 wage에 대한 t-test를 실시하였다. 다음 설명 중 부적절한 것은?

```
> t.test(Wage$wage,mu=100)

        One Sample t-test

data: Wage$wage
t = 15.362, df = 2999, p-value < 2.2e-16
alternative hypothesis: true mean is not equal to 100
95 percent confidence interval:
 110.2098 113.1974
sample estimates:
mean of x
 111.7036
```

① 한 집단의 평균에 대한 t-test(one sample t-test) 결과이다.

② 양측검정 결과를 보여주고 있다.

③ t-test의 자유도는 2,999이다.

④ 평균에 대한 95% 신뢰구간은 귀무가설에서 설정한 평균의 참값을 포함한다.

13 수면 보조제의 효과를 측정하기 위해 무작위로 선정된 20명의 환자들에게 두 종류의 보조제 (group)를 투여하고, 수면 시간 증감(extra)을 분석하였다. 아래 결과에 근거할 때, 다음 중 부적절한 설명은 무엇인가?

```
> sleep
   extra group ID
1    0.7     1  1
2   -1.6     1  2
3   -0.2     1  3
4   -1.2     1  4
5   -0.1     1  5
6    3.4     1  6
7    3.7     1  7
8    0.8     1  8
9    0.0     1  9
10   2.0     1 10
11   1.9     2  1
12   0.8     2  2
13   1.1     2  3
14   0.1     2  4
15  -0.1     2  5
16   4.4     2  6
17   5.5     2  7
18   1.6     2  8
19   4.6     2  9
20   3.4     2 10
> t.test(sleep$extra)

    One Sample t-test

data: sleep$extra
t = 3.413, df = 19, p-value = 0.002918
alternative hypothesis: true mean is not equal to 0
95 percent confidence interval:
 0.5955845 2.4844155
sample estimates:
mean of x
     1.54
```

① 평균 수면 증가량이 0이라고 할 가능성을 유의수준 5% 기준으로 기각할 수 있다.

② 관찰된 데이터에서 평균 수면 증가량은 1.54로 나타났다.

③ 평균 수면 증가량의 95% 신뢰구간은 약 0.6에서 2.5로 추정된다.

④ 수면유도제 2가 수면유도제 1보다 효과적이다.

14 모분산을 추론하는 과정에서 다음 설명 중 옳지 않은 것은?

① 모분산을 사용하여 모집단 내 데이터의 일관성을 평가할 수 있다.
② 정규모집단으로부터 n개를 단순임의 추출한 표본의 분산은 자유도가 n-1인 t분포를 따른다.
③ 비정규분포를 따르는 모집단에서도, 충분히 큰 표본을 통해 모분산에 대한 검정을 할 수 있다.
④ 서로 다른 두 그룹의 분산이 동일한지를 확인하는 검정에서 사용되는 통계량은 F-분포를 따른다.

15 70명의 실험자를 대상으로 A, B 두 종류의 수면 유도제를 복용 전과 후의 평균 체중 비교에 대한 분석을 수행하고 있다. 90% 신뢰구간을 구하고자 할 때, 아래의 빈칸 (A), (B)에 순서대로 들어갈 숫자를 고르시오.

$$\overline{D} \pm t_{(A)} \frac{S_D}{\sqrt{(B)}}$$

① (A) : 0.1, (B) : 70
② (A) : 0.1, (B) : 71
③ (A) : 0.05, (B) : 70
④ (A) : 0.05, (B) : 71

16 가설 검정에서 제 1종 오류(Type I Error)는 중요하게 고려된다. 다음 중 제1종 오류에 대한 설명으로 적합한 것은?

① 귀무가설(H_0)이 참일 때, 이를 참으로 판정한다.
② 귀무가설(H_0)이 거짓일 때, 이를 참으로 판정한다.
③ 귀무가설(H_0)이 참일 때, 이를 거짓으로 판정한다.
④ 귀무가설(H_0)이 거짓일 때, 이를 거짓으로 판정한다.

✓ 39회 기출 출★★★★★ 난★★★★☆

17 표본의 통계량을 사용하여 모집단의 모수를 추론하는 것을 추정이라고 한다. 여러 가지 추정법 중 가장 적절하지 않은 설명은?

① 점 추정은 표본의 통계량을 사용하여 모집단의 모수를 하나의 값으로 추정하는 방법이다.
② 최대우도 추정은 주어진 데이터를 가장 잘 설명하는 모수값을 찾는 방법이다.
③ 구간 추정은 모집단의 모수를 가설을 통해 추정하는 방법이다.
④ 베이지안 추정은 사전 확률을 이용하여 모수를 추정하는 방법이다.

✓ 22회 기출 출★★★★★ 난★★★★☆

18 아래는 남학생과 여학생이 좋아하는 과일에 대한 빈도교차표이다. 전체에서 1명을 뽑았을 때, 그 학생이 남학생일 때 사과를 좋아할 확률은 얼마인가?

	사과	딸기
남학생	30	40
여학생	10	20

① 3/10 ② 4/10
③ 3/7   ④ 6/10

✓ 17회 기출 출★★★★★ 난★★★★☆

19 교차분석은 2개 이상의 변수를 결합하여 자료의 빈도를 살펴보는 기법이다. 다음 중 교차분석에 대한 설명으로 부적절한 것은 무엇인가?

① 범주의 관찰도수에 비교될 수 있는 기대도수를 계산한다.
② 교차분석은 두 문항 모두 범주형 변수가 아니어도 사용할 수 있으며, 두 변수 간 관계를 보기 위해 실시한다.
③ 교차분석은 교차표를 작성하여 교차빈도를 집계할 뿐 아니라 두 변수들 간의 독립성 검정을 할 수 있다.
④ 기대빈도가 5 미만인 셀의 비율이 20%를 넘으면 카이제곱분포에 근사하지 않으며 이런 경우 표본의 크기를 늘리거나 변수의 수준을 합쳐 셀의 수를 줄이는 방법 등을 사용한다.

✓ 18회 기출 출★☆☆☆☆ 난★★★★☆

20 Chickwts는 71마리의 병아리들에게 서로 다른 모이(feed)를 6주간 먹인 후 무게(weight)를 측정한 자료이다. 아래는 첨가물 그룹 간 평균 무게에 차이가 있는지 검정하기 위해 분산분석을 한 결과이다. 설명이 가장 부적절한 것은?

```
> summary(aov(weight~feed, chickwts))
            Df  Sum Sq  Mean Sq  F value  Pr(>F)
feed         5  231129   46226    15.37   5.94e-10 ***
Residuals   65  195556    3009
---
Signif. codes:  0 '***' 0.001 '**' 0.01 '*' 0.05 '.' 0.1 ' ' 1
```

① 귀무가설은 "첨가물 그룹 간의 평균이 모두 동일하다"이다.

② 첨가물의 개수는 5개다.

③ 유의수준 0.05하에서 첨가물 그룹 간의 무게 평균이 동일하지 않다는 통계적으로 유의한 증거가 있다.

④ 위의 가설검정은 F-통계량을 기반으로 한다.

✓ 36회 기출 출★★★★☆ 난★★★★☆

21 표본들이 서로 관련된 경우 짝지어진 두 관찰치의 크고 작음을 표시하여 그 두 분포의 차이에 대한 가설을 검증하는 비모수 검정 방법은?

① 카이제곱 검정 (Chi-Square Test)

② 부호 검정(Sign test)

③ t-검정 (t-test)

④ Z-검정 (Z-Test)

✓ 31회 기출 출★★★★★ 난★★★☆☆

22 다음 중 두 변수의 순위를 기준으로 단조 관계를 측정하며, 비선형적인 관계도 나타낼 수 있는 상관계수는 무엇인가?

① 피어슨 상관계수

② 자카드 인덱스

③ 스피어만 상관계수

④ 켄달의 타우 상관계수

✓ 38회 기출 출★★★★★ 난★★☆☆☆

23 다음 중 스피어만 상관계수에 대한 설명으로 부적절한 것은?

① 비선형적인 상관관계는 나타내지 못한다.
② 두 변수를 순위로 변환한 후 순위 간의 상관계수로 정의한다.
③ −1과 1사이의 값을 가진다.
④ 0은 상관관계가 없음을 의미한다.

✓ 38회 기출 출★★★★★ 난★☆☆☆☆

24 아래는 Sales와 TV 광고 예산 간의 관계를 나타내는 그래프이다. 그래프를 해석한 내용으로 적절하지 않은 것은?

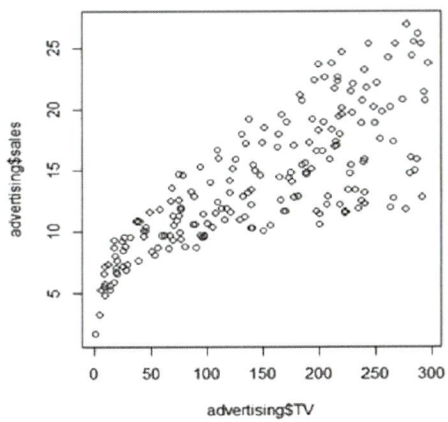

① TV 광고 예산이 증가할수록 Sales가 증가하는 경향이 있다.
② TV 광고 예산과 Sales의 관계는 선형적이다.
③ TV 광고 예산이 증가함에 따라 Sales의 분산은 동일하다.
④ TV 광고 예산이 증가할수록 Sales의 분포가 더 넓어진다.

✓ 15회 기출 출★★★★★ 난★★★☆☆

25 다음 중 상관계수에 대한 설명으로 가장 부적절한 것은?

① 피어슨 상관계수는 두 변수 간의 선형관계의 크기를 측정한다.
② 스피어만 상관계수는 두 변수 간의 비선형적인 관계도 측정 가능하다.
③ 피어슨 상관계수와 스피어만 상관계수는 −1과 1사이의 값을 가진다.
④ 피어슨 상관계수는 두 변수를 순위로 변환시킨 후 두 순위 사이의 스피어만 상관계수로 정의된다.

✓ 10회 기출 출★★★★★ 난★★★☆☆

26 데이터 프레임 attitude에 대해 아래와 같이 R 명령을 적용하고 결과를 얻었다. 다음 설명 중 가장 부적절한 것은?

```
> cor(attitude)
            rating    complaints  privileges  learning    raises      critical    advance
rating      1.0000000 0.8254176   0.4261169   0.6236782   0.5901390   0.1564392   0.1550863
complaints  0.8254176 1.0000000   0.5582882   0.5967358   0.6691975   0.1877143   0.2245796
privileges  0.4261169 0.5582882   1.0000000   0.4933310   0.4454779   0.1472331   0.3432934
learning    0.6236782 0.5967358   0.4933310   1.0000000   0.6403144   0.1159652   0.5316198
raises      0.5901390 0.6691975   0.4454779   0.6403144   1.0000000   0.3768830   0.5741862
critical    0.1564392 0.1877143   0.1472331   0.1159652   0.3768830   1.0000000   0.2833432
advance     0.1550863 0.2245796   0.3432934   0.5316198   0.5741862   0.2833432   1.0000000
```

① 모든 변수들 사이에 양(+)의 상관관계가 존재한다.
② rating과 complaints 사이에 가장 강한 상관관계가 존재한다.
③ critical과 learning 사이의 상관관계가 가장 약하다.
④ 모든 변수의 분산이 1이다.

✓ 14회 기출 출★★★★★ 난★★★★☆

27 Carseats 데이터프레임은 400개 상점에서 판매 중인 유아용 카시트에 대한 자료이다. 이 데이터의 일부 변수들의 상관분석 결과로 가장 부적절한 것은?

```
> rcorr(as.matrix(Carseats[,c(1:6,8)]),type="pearson")
            Sales   CompPrice   Income  Advertising Population  Price   Age
Sales       1.00    0.06        0.15    0.27        0.05        -0.44   -0.23
CompPrice   0.06    1.00        -0.08   -0.02       -0.09       0.58    -0.10
Income      0.15    -0.08       1.00    0.06        -0.01       -0.06   0.00
Advertising 0.27    -0.02       0.06    1.00        0.27        0.04    0.00
Population  0.05    -0.09       -0.01   0.27        1.00        -0.01   -0.04
Price       -0.44   0.58        -0.06   0.04        -0.01       1.00    -0.10
Age         -0.23   -0.10       0.00    0.00        -0.04       -0.10   1.00

n= 400

P
            Sales   CompPrice   Income  Advertising Population  Price   Age
Sales               0.2009      0.0023  0.0000      0.3140      0.0000  0.0000
CompPrice   0.2009                      0.1073  0.6294      0.0584      0.0000  0.0451
```

Income	0.0023	0.1073		0.2391	0.8752	0.2579	0.9258
Advertising	0.0000	0.6294	0.2391	0.0000		0.3743	0.9276
Population	0.3140	0.0584	0.8752	0.0000		0.8087	0.3948
Price	0.0000	0.0000	0.2579	0.3743	0.8087		0.0411
Age	0.0000	0.0451	0.9258	0.9276	0.3948	0.0411	

① Sales와 CompPrice 간의 상관계수는 유의하지 않다.
② Sales와 가장 강한 상관관계를 보이는 변수는 Price이다.
③ Price가 올라갈수록 Sales는 낮아지는 경향이 있다.
④ Sales와 Price는 양의 선형관계를 가진다.

37회 기출

28 회귀분석은 변수들 간의 관계를 이해하고 예측하는 데 유용한 방법이다. 다음 중 회귀분석에 대한 설명으로 가장 적절한 것은?

① 회귀분석은 종속변수와 독립변수 간의 관계를 비선형적으로 분석하는 방법이다.
② 회귀분석은 여러 개의 종속변수와 여러 개의 독립변수 간의 관계를 분석하는 방법이다.
③ 관찰된 연속형 변수들에 대해 두 변수 사이의 모형을 추정한 뒤 변수 간 관계를 파악한다.
④ 회귀분석에서는 종속변수의 변화로 독립변수의 변화를 예측할 수 있다.

18회 기출

29 다중 회귀분석에서 가장 적합한 회귀모형을 찾기 위한 과정의 설명으로 가장 부적절한 것은?

① 독립변수의 수가 많아지면 모델의 설명력이 증가하지만 모형이 복잡해지고, 독립변수들 간에 서로 영향을 미치는 다중공선성의 문제가 발생하므로 상대적인 조정이 필요하다.
② 회귀식에 대한 검정은 독립변수의 기울기(회귀계수)가 0이 아니라는 가정을 귀무가설, 기울기가 0인 것을 대립가설로 놓는다.
③ 잔차의 독립성, 등분산성 그리고 정규성을 만족하는지 확인해야 한다.
④ 회귀분석의 가설검정에서 p값이 0.05보다 작은 값이 나와야 통계적으로 유의한 결과로 받아들일 수 있다.

✓37회 기출 출★★★★★ 난★★★★★

30 다음 중 회귀분석 과정에서 일반적으로 검토하지 않는 사항은?

① 예측 변수의 다중공선성을 확인하기 위해 분산팽창계수(VIF)를 계산한다.

② 모형의 설명력을 확인하기 위해 −1에서 1사이의 값을 갖는 결정계수를 확인한다.

③ 잔차의 정규성을 검토하기 위해 Q−Q 플롯을 그려 시각적으로 평가한다.

④ 잔차의 등분산성을 확인하기 위해 브레쉬−페이건 검정을 수행한다.

✓12회 기출 출★★★★★ 난★★★☆☆

31 아래는 결과를 생성한 잔차도이다. 다음 중 어떤 회귀분석의 가정이 위배되었다고 판단할 수 있을지 고르시오.

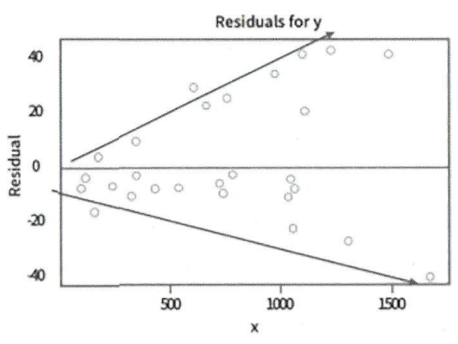

① 선형성   ② 독립성   ③ 등분산성   ④ 비상관성

✓14회 기출 출★★★★☆ 난★★★★☆

32 아래는 회귀분석의 결과 출력되는 output의 일부이다. 다음 중 Outstate의 t값을 구하는 계산식으로 적절한 것은?

```
Coefficients:
            Estimate   Std.Error
(Intercept) 3.145e-01  2.456e+00
PrivateYes  3.556e+00  1.855e+00
Top10perc   7.853e-01  6.537e+00
Outstate    1.579e-01  1.775e-02
```

① 0.1579/0.01775   ② 1.579/1.775

③ 15.79/177.5   ④ 1.579/0.1775

33 Credit 데이터는 400명의 신용카드 고객에 대해 신용카드 대금(Balance)과 소득(Income), 학생 여부(Student=Y/N)를 포함한다. 아래 회귀 분석 결과를 바탕으로 가장 부적절한 설명은 무엇인가?

```
Call:
lm(formula = Balance ~ Income + Student + Income:Student, data = Credit)

Residuals:
    Min      1Q  Median      3Q     Max
-773.39 -325.70  -41.13  321.65  814.04

Coefficients:
                  Estimate Std.  Error t value Pr(>|t|)
(Intercept)        200.6232      33.6984   5.953  5.79e-09 ***
Income               6.2182       0.5921  10.502  < 2e-16 ***
StudentYes         476.6758     104.3512   4.568  6.59e-06 ***
Income:StudentYes   -1.9992       1.7313  -1.155   0.249
---
Signif. codes: 0 '***' 0.001 '**' 0.01 '*' 0.05 '.' 0.1 ' ' 1

Residual standard error: 391.6 on 396 degrees of freedom
Multiple R-squared: 0.2799, Adjusted R-squared: 0.2744
F-statistic: 51.3 on 3 and 396 DF,  p-value: < 2.2e-16
```

① 모형에서 Income은 Balance와 양의 관계를 갖고 있다.

② Student 여부에 따른 Balance의 변화는 Income과 무관하다.

③ Income과 Student 여부의 교호작용은 통계적으로 유의하지 않다.

④ Income이 증가함에 따라 커지는 Balance의 증가분이 학생 여부에 따라 유의적인 차이가 있다.

34 다음은 speed와 dist 데이터를 사용한 회귀 분석 결과에 대한 해석이다. 이 중 가장 적절하지 않은 것은?

```
> summary(lm(dist~speed, data=cars))

Call:
lm(formula = dist ~ speed, data = cars)

Residuals:
    Min     1Q  Median     3Q    Max
-29.069 -9.525 -2.272  9.215 43.201

Coefficients:
            Estimate Std. Error t value Pr(>|t|)
(Intercept) -17.5791     6.7584  -2.601   0.0123 *
speed         3.9324     0.4155   9.464 1.49e-12 ***
---
Signif. codes: 0 '***' 0.001 '**' 0.01 '*' 0.05 '.' 0.1 ' ' 1

Residual standard error: 15.38 on 48 degrees of freedom
Multiple R-squared: 0.6511,    Adjusted R-squared: 0.6438
F-statistic: 89.57 on 1 and 48 DF,  p-value: 1.49e-12
```

① speed 변수가 1 증가하면 dist 변수는 평균적으로 3.9324 증가한다고 해석할 수 있다.

② 회귀모형의 결정계수는 약 65.11%로, speed 변수가 dist 변동성의 약 65.11%를 설명한다.

③ 회귀모형은 유의수준 0.05에서 통계적으로 의미 있는 결과를 보여준다.

④ speed와 dist 간의 상관계수 값은 0보다 크다.

✓ 15회 기출 출★★★★☆ 난★★★☆☆

35 College 데이터프레임은 777개의 미국 소재 대학의 각종 통계치를 포함하고 있다. 각 대학에 재학하는데 필요한 비용이 졸업률(Grad.Rate)에 미치는 영향을 알아보기 위해 등록금(Outstate), 기숙사비(Room.board), 교재구입비(Books), 그 외 개인지출비용(Personal)을 활용하기로 했다. 다음 중 아래의 결과물에 대한 설명으로 가장 부적절한 것은?

```
> summary(lm(Grad.Rate~Outstate+Room.Board+Books+Personal,data=College))
Call:
lm(formula = Grad.Rate ~ Outstate + Room.Board + Books + Personal,    data = College)
Residuals:
    Min     1Q  Median     3Q     Max
-47.732 -8.817  -0.169   8.404  51.823
Coefficients:
              Estimate Std. Error t value Pr(>|t|)
(Intercept) 42.0238625  2.7721270  15.159  < 2e-16 ***
Outstate     0.0020530  0.0001693  12.124  < 2e-16 ***
Room.Board   0.0014194  0.0006108   2.324 0.020396 *
Books       -0.0010694  0.0031341  -0.341 0.733032
Personal    -0.0026798  0.0007929  -3.380 0.000762 ***
---
Signif. codes:  0 '***' 0.001 '**' 0.01 '*' 0.05 '.' 0.1 ' ' 1
Residual standard error: 13.97 on 772 degrees of freedom
Multiple R-squared:  0.3416,    Adjusted R-squared:  0.3382
F-statistic: 100.1 on 4 and 772 DF,  p-value: < 2.2e-16
```

① 모든 설명변수에 대한 회귀계수 값이 유의하다.
② 위의 회귀모형은 대학의 졸업률을 설명하는데 유의하다.
③ 위의 회귀모형은 대학 졸업률의 변동성을 약 34.16% 설명한다.
④ 회귀모형의 가정을 만족하는지는 판단할 수 없다.

✓ 31회 기출 출★★★★★ 난★★★☆☆

36 다음 중 다중공선성 문제에 대한 설명으로 가장 부적절한 것은?

① 다중공선성 문제를 해결하기 위해 모델에 포함된 변수를 선택적으로 축소할 수 있다.
② 다중공선성 문제는 상관관계가 높은 변수들 간의 정보 중복에서 발생한다.
③ 두 변수의 VIF값이 "1"에 가까우면 회귀식의 기울기는 완만하다.
④ 다중공선성이 심할 경우, 정규화 회귀나 릿지 회귀와 같은 대안적인 방법을 고려할 수 있다.

37 아래는 근로자의 임금 등에 대한 데이터 분석 결과이다. 다음 중 아래 자료에 대한 설명으로 가장 적절하지 않은 것을 고르시오.

```
> summary(Wage[,c("wage", "age", "jobclass")])

     wage              age            jobclass
 Min.   : 20.09   Min.   :18.00   1. Industrial:1544
 1st Qu.: 85.38   1st Qu.:33.75   2. Information:1456
 Median :104.92   Median :42.00
 Mean   :111.70   Mean   :42.41
 3rd Qu.:128.68   3rd Qu.:51.00
 Max.   :318.34   Max.   :80.00

> model <- lm(wage ~ age + jobclass + age * jobclass, data = Wage)
> summary(model)

Call:
lm(formula = wage ~ age + jobclass + age * jobclass, data = Wage)

Residuals:
     Min      1Q  Median      3Q     Max
-105.656 -24.568  -6.104  16.433 196.810

Coefficients:
                          Estimate Std. Error t value Pr(>|t|)
(Intercept)                73.52831    3.76133  19.548  < 2e-16 ***
age                         0.71966    0.08744   8.230 2.75e-16 ***
jobclass2. Information     22.73086    5.63141   4.036 5.56e-05 ***
age:jobclass2. Information -0.16017    0.12785  -1.253     0.21
---
Signif. codes:  0 '***' 0.001 '**' 0.01 '*' 0.05 '.' 0.1 ' ' 1

Residual standard error: 40.16 on 2996 degrees of freedom
Multiple R-squared:  0.07483,   Adjusted R-squared:  0.07391
F-statistic: 80.78 on 3 and 2996 DF,  p-value: < 2.2e-16
```

① 직업군이 동일할 때, 나이가 많을수록 임금이 올라가는 경향이 보인다고 해석할 수 있다.

② 나이가 동일할 때, Information 직군이 Industrial 직군에 비해 평균적으로 임금이 높다.

③ 나이에 따라 두 직군 간의 임금의 평균 차이가 유의하게 변하지 않는다고 할 수 있다.

④ 위의 회귀식은 유의수준 0.05에서 임금의 변동성을 설명하는 데 유의하지 않다.

✓ 46회 기출

38 다중 회귀분석에서 결정계수의 특성으로 옳지 않은 것은 무엇인가?

① 다중 회귀분석에서 결정계수는 독립변수의 수가 많아질수록 자동적으로 증가하는 경향이 있으며, 이는 실제로 모형의 설명력이 증가한 것이 아닐 수 있다.
② 결정계수가 0.9라는 것은 독립변수가 종속변수의 변동성을 90% 설명하고 있다는 의미이며, 이는 대부분의 경우 모형이 데이터를 잘 설명하고 있음을 나타낸다.
③ 다중 회귀분석에서 결정계수는 독립변수의 수에 의존하지 않고 항상 독립변수의 유의성에 따라 조정된 값을 나타난다.
④ 결정계수의 값이 높다고 해서 반드시 모형이 종속변수를 정확하게 예측할 수 있는 것은 아니며, 외적 타당성 문제로 인해 다른 데이터셋에 적용할 때 설명력이 떨어질 수 있다.

✓ 30회 기출

39 다음 중 회귀모형의 영향력 진단 지표에 대한 설명으로 부적절한 것은?

① 쿡의 거리는 특정 관측치가 제거되었을 때 최소제곱 추정치의 변화를 표준화한 척도이다.
② 영향점은 값이 비교 대상보다 매우 크거나 작아 회귀계수에 영향을 미치는 관측치를 의미한다.
③ DFBETAS는 특정 회귀계수 추정치에 대한 관측치의 영향을 나타내며, 절댓값이 클수록 영향력이 크다.
④ DFFITS는 특정 관측치의 예측값 변화만을 측정하는 지표로, y의 예측만을 평가한다.

✓ 38회 기출

40 아래의 Hitters 데이터프레임은 1986,1987 시즌 메이저리그 야구 선수 322명에 대한 데이터를 분석한 내용이다. 아래의 결과에 대한 설명으로 부적절한 것은?

```
> summary(Hitters$Salary)
   Min.  1st Qu.  Median   Mean  3rd Qu.   Max.    NA's
   67.5   190.0   425.0   535.9   750.0   2460.0   59
```

① Salary의 평균은 535.9이다.
② Salary의 분포는 왼쪽 꼬리가 긴 분포를 가질 것이다.
③ 결측된 Salary 값은 59명에 대해 존재한다.
④ Salary는 연속적인 수치 변수로, 양적 변수이다.

41 Hitters 데이터셋은 메이저리그의 선수 322명에 대한 타자 기록으로 20여개의 변수를 포함하고 있다. 아래의 회귀모형은 변수 선택을 위해 수행한 분석 결과의 일부이다. 다음 중 이 결과에 대한 설명으로 부적절한 것은?

```
> model<-lm(Salary~., data=Hitters)
> step(model, direction="backward")
Start: AIC=3046.02
Salary ~ AtBat + Hits + HmRun + Runs + RBI + Walks + Years +
    CAtBat + CHits + CHmRun + CRuns + CRBI + CWalks + League +
    Division + PutOuts + Assists + Errors + NewLeague

            Df Sum of Sq      RSS    AIC
- CHmRun     1      1138 24201837 3044.0
- CHits      1      3930 24204629 3044.1
- Years      1      7869 24208569 3044.1
- NewLeague  1      9784 24210484 3044.1
- RBI        1     16076 24216776 3044.2
- HmRun      1     48572 24249272 3044.6
- Errors     1     58324 24259023 3044.7
- League     1     62121 24262821 3044.7
- Runs       1     63291 24263990 3044.7
- CRBI       1    135439 24336138 3045.5
- CAtBat     1    159864 24360564 3045.8
<none>                   24200700 3046.0
- Assists    1    280263 24480963 3047.1
- CRuns      1    374007 24574707 3048.1
- CWalks     1    609408 24810108 3050.6
- Division   1    834491 25035190 3052.9
- AtBat      1    971288 25171987 3054.4
- Hits       1    991242 25191941 3054.6
- Walks      1   1156606 25357305 3056.3
- PutOuts    1   1319628 25520328 3058.0
```

① 전진선택법을 통한 변수선택을 하고 있다.

② 모든 설명변수가 포함된 모형에서 시작한다.

③ 매 단계에서 가장 설명력이 낮은 변수를 제거한다.

④ 한번 제거된 변수는 다시 모형에 포함될 수 없다.

✓ 35회 기출 출★★★★☆ 난★★★☆☆

42 회귀분석에서 결정계수를 사용하여 모형의 설명력을 확인할 때, 결정계수의 특성으로 적절하지 않은 것은 무엇인가?

① 결정계수는 0에서 1의 값을 가진다.

② 결정계수가 높을수록 회귀 모형이 데이터에 잘 적합된다는 의미다.

③ 종속변수와 독립변수 사이의 표본 상관계수값과 같다.

④ 결정계수는 전체 변동 중 회귀식으로 설명되는 변동의 비율을 나타낸다.

✓ 23회 기출 출★★☆☆☆ 난★★★☆☆

43 다음 중 lasso 회귀모형에 대한 설명으로 부적절한 것은?

① 모형에 포함된 회귀계수들의 절댓값의 크기가 클수록 penalty를 부여하는 방식이다.

② 자동적으로 변수선택을 하는 효과가 있다.

③ Lambda 값으로 penalty의 정도를 조정한다.

④ L2 penalty를 사용한다.

✓ 31회 기출 출★★☆☆☆ 난★★★★★

44 아래는 회귀 모델의 예측 결과이다. 예측값의 정확도를 평가하기 위해 MAPE를 계산할 때, 올바른 값은 무엇인가?

```
Actual = [12, 25, 35]
Forecast = [10, 28, 33]
```

① 10%   ② 11.46%

③ 25%   ④ 50%

✓ 16회 기출 출★★★★★ 난★☆☆☆☆

45 다음 중 시간의 흐름에 따라 관측된 데이터에 관한 것으로 적절한 것은?

① 질적자료

② 시계열자료

③ 양적자료

④ 횡단면자료

✓25회 기출 출★★★★★ 난★★★☆☆

46 다음 중 시계열 데이터에 대한 설명으로 가장 부적절한 것은?

① 시계열 데이터의 모델링은 다른 분석모형과 같이 탐색 목적과 예측 목적으로 나눌 수 있다.
② 짧은 기간 동안의 주기적인 패턴을 계절변동이라 한다.
③ 잡음(noise)은 무작위적인 변동이지만 일반적으로 원인은 알려져 있다.
④ 시계열분석의 주 목적은 외부인자와 관련해 계절적인 패턴, 추세와 같은 요소를 설명할 수 있는 모델을 결정하는 것이다.

✓38회 기출 출★★★★★ 난★★★☆☆

47 다음 중 아래에서 설명하고 있는 시계열 자료의 특성은?

> 가. 평균이 일정하다.
> 나. 분산이 시점에 의존하지 않는다.
> 다. 공분산은 단지 시차에만 의존하고 실제 어느 시점 t, s에는 의존하지 않는다.

① 정상성 (Stationarity)
② 계절성 (Seasonality)
③ 자기회귀성 (Autoregressiveness)
④ 비정상성 (Non-Stationarity)

✓13회 기출 출★★☆☆☆ 난★★★★☆

48 아래는 시계열 데이터를 분석하기 위한 절차들이다. 다음 중 시계열 데이터의 분석 절차 순서로 가장 적절한 것은?

> ㉠ 시간 그래프 그리기
> ㉡ 추세와 계절성을 제거하기
> ㉢ 잔차를 예측하기
> ㉣ 잔차에 대한 모델 적합 하기
> ㉤ 예측된 잔차에 추세와 계절성을 더하여 미래를 예측하기

① ㉠-㉡-㉣-㉢-㉤
② ㉠-㉢-㉡-㉣-㉤
③ ㉠-㉣-㉢-㉡-㉤
④ ㉠-㉡-㉢-㉣-㉤

✓ 26회 기출 출★★★★★ 난★★★★☆

49 다음 중 시계열 데이터를 조정하여 예측하는 평활법(Smoothing method)에 대한 설명으로 적절하지 않은 것은?

① 이동평균법이란 시계열 데이터가 일정한 주기를 갖고 비슷한 패턴으로 움직이고 있는 경우에 적용시킬 수 있는 방법이다.
② 이동평균법은 시계열자료에서 계절변동과 추세변동을 제거하여 순환변동만 가진 시계열자료로 변환하는 방법이다.
③ 단순지수평활법은 추세나 계절성이 없어 평균이 변화하는 시계열에 사용하는 방법이다.
④ 이중지수평활법은 평균을 평활하는 모수와 함께 추세를 나타내는 식을 다른 모수로 평활하는 방법이다.

✓ 37회 기출 출★★★★★ 난★★★★★

50 적합한 ARIMA 모델을 결정하는 방법에 대해 다음 설명 중 가장 적절한 것은?

① ARIMA 모델에서 차분을 포함하지 않은 경우에는 ACF와 PACF가 동일한 패턴을 보이며, 이는 모든 시계열 데이터에서 일반적인 현상이다.
② 특정 시계열 데이터에서 외부 요인의 영향을 제거하면 ACF와 PACF 해석은 더욱 복잡해지며, 종종 정확한 모델 식별이 불가능해진다.
③ ACF가 특정 지점 이후로 서서히 감소하고 PACF가 3에서 급격히 변하는 경우, ARIMA(2, 0, 3) 모델이 적합하다.
④ ACF 값은 급격히 감소하고 PACF의 절단점이 3인 경우, ARMA(2, 0) 모델로 정의할 수 있다.

✓ 32회 기출 출★★★★★ 난★★☆☆☆

51 다음 설명에 맞는 방법은 무엇인가?

> 시계열에 영향을 주는 일반적인 요인을 시계열에서 분리해 분석하는 방법

① 분해
② 회귀 분석
③ 차분
④ 예측

✓ 45회 기출 출★★☆☆☆ 난★★★☆☆

52 시계열 데이터 분석에 대한 설명으로 옳지 않은 것은 무엇인가?

① 시계열 데이터의 요소분해법은 일반적으로 추세, 계절변동, 순환변동, 불규칙변동을 포함한다.
② 잡음은 시계열 데이터에서 예측 가능한 변동으로, 주로 측정 오류에 의해 발생한다.
③ 계절변동은 매년 같은 시기에 반복되는 패턴으로, 사계절의 변화에 따라 발생할 수 있다.
④ 시계열 데이터의 주 목적은 패턴을 설명하거나 예측할 수 있는 모델을 결정하는 것이다.

✓ 36회 기출 출★★★★★ 난★★★☆☆

53 다음 설명에 맞는 용어는 무엇인가?

- 시계열 모델 중 자기 자신의 과거 값을 사용하여 설명하는 모형임
- 백색 잡음의 현재값과 자기 자신의 과거값의 선형 가중합으로 이루어진 정상확률 모형
- 모형에 사용하는 시계열 자료의 시점에 따라 1차, 2차, …, p차 등을 사용하나 정상시계열 모형에서는 주로 1, 2차를 사용함

① 자기회귀 모형 (Autoregressive Model, AR)
② 이동평균 모형 (Moving Average Model, MA)
③ 자기회귀누적이동평균 모형 (Autoregressive Integrated Moving Average Model, ARIMA)
④ 지수평활법 (Exponential Smoothing)

✓ 39회 기출 출★★★★★ 난★★★★★

54 시계열 분석은 시간에 따라 변하는 데이터를 분석하는 방법이다. 다음 중 시계열 분석에 대한 설명으로 가장 적절한 것은?

① 정상성을 만족하는 시계열 자료는 모든 시점에서 일정한 평균과 선형적으로 증가하는 분산을 가진다.
② 자기상관모형(AR)과 이동평균모형(MA) 모두 분석 대상의 시계열 자료가 정상성을 따른다고 가정한다.
③ 자기상관모형은 ACF 그래프가 특정 시점 이후 급격히 감소하는 특성을 보인다.
④ ARIMA 모형은 정상성을 만족하는 시계열 자료만을 대상으로 한다.

✓36회 기출 출★★★★☆ 난★★★★★

55 다차원척도법에 대한 설명으로 가장 부적절한 내용은?

① 데이터 간 유사도 또는 거리 정보를 기반으로 작동한다.
② 저차원 시각화를 통한 해석 용이성을 제공한다.
③ 개체들 사이의 유사성과 비유사성을 측정하여 차원을 축소하기 위해 사용한다.
④ 유사성을 극대화하고 변동성을 최소화하기 위해 사용된다.

✓37회 기출 출★★★★★ 난★★★★☆

56 다음 중 주성분분석(PCA)에 대한 설명으로 가장 부적절한 것은?

① 주성분분석은 데이터의 차원을 축소하는 데 주로 사용된다.
② 주성분분석은 비지도학습 방법에 포함된다.
③ 주성분은 서로 독립적이며, 직교성이 유지된다.
④ 원변수의 선형결합 중 가장 분산이 작은 것을 제1주성분(PC1)으로 설정한다.

✓39회 기출 출★★★★★ 난★★☆☆☆

57 다음 중 주성분 분석에 대한 설명으로 부적절한 것은?

① 다중공선성 문제가 발생하는 회귀분석에서 대안으로 사용될 수 있다.
② 서로 상관성이 높은 변수들의 선형결합을 만들어서 변수들을 축소하여 해석상의 구조적 문제를 해결하기 위해 사용한다.
③ 데이터의 주요 특성을 유지하며 차원을 줄여 시각화와 이상치 탐지에 활용한다.
④ 주성분분석은 종속변수의 정보를 활용하여 예측 정확도를 높이는 대표적인 지도학습 기법으로, 회귀나 분류 문제를 직접 해결하는 데 사용된다.

✓33회 기출 출★★★★★ 난★★★★☆

58 다음 중 주성분 회귀분석에 대한 설명으로 부적절한 것을 고르시오.

① 주성분을 사용하여 차원을 축소하고 이를 회귀 분석에 활용하며, 자료의 시각화에도 유용하다.
② 주성분은 변수들의 선형결합으로 구성되며, 서로 직교하므로 회귀 분석의 독립변수로 적합하다.
③ 주성분의 개수는 고윳값(Eigenvalue)이 큰 주성분부터 선택하여 정할 수 있다.
④ 고유치 분해 과정에서 개별 고유치의 분해 불가능성을 기준으로 주성분 개수를 정한다.

✓ 31회 기출 출★★★☆☆ 난★★★★☆

59 아래는 주성분 분석을 수행한 결과이다. 두 번째 주성분은 전체 분산의 몇 %를 설명하고 있는가?

```
                        Comp1.   Comp2.   Comp3.   Comp4.
Standard deviation      1.5574   0.9943   0.5943   0.4123
Proportion of Variance  0.5748   0.2321   0.1835   0.0096
Cumulatrive Proportion  0.5748   0.8069   0.9903   1.0000
```

① 80.69% ② 57.48%
③ 23.21% ④ 18.35%

✓ 13회 기출 출★★★☆☆ 난★★★★☆

60 주성분분석은 p개의 변수들을 중요한 m(p)개의 주성분으로 표현하여 전체 변동을 설명하는 방법을 사용한다. 다음 중 주성분 개수(m)를 선택하는 방법에 대한 설명으로 가장 부적절한 것은?

① 전체 변이 공헌도(percentage of total variance)방법은 전체 변이의 70, 90% 정도가 되도록 주성분의 수를 결정한다.
② 평균 고윳값(average eigenvalue)방법은 고윳값들의 평균을 구한 후 고윳값이 평균값 이상이 되는 주성분을 제거하는 방법이다.
③ Scree graph를 이용하는 방법은 고윳값의 크기순으로 산점도를 그린 그래프에서 감소하는 추세가 원만해지는 지점에서 1을 뺀 개수를 주성분의 개수로 선택한다.
④ 주성분은 주성분을 구성하는 변수들의 계수 구조를 파악하여 적절하게 해석되어야 하며, 명확하게 정의된 해석 방법이 있는 것은 아니다.

✓ 11회 기출 출★★★★☆ 난★★☆☆☆

61 다음은 4개의 변수를 가진 데이터프레임 USArrests에 주성분분석을 적용해서 얻은 결과이다. 변수들의 전체 변동의 80% 이상을 설명하기 위해 필요한 최소 주성분의 숫자는 몇 개인가?

```
> summary(prcomp(USArrests, scale=TRUE))
Importance of components:
                        PC1      PC2      PC3      PC4
Standard deviation      1.5749   0.9949   0.59713  0.41645
Proportion of Variance  0.6201   0.2474   0.08914  0.04336
Cumulative Proportion   0.6201   0.8675   0.95664  1.00000
```

① 1개 ② 2개
③ 3개 ④ 4개

62 아래는 다섯 종류의 오렌지 나무에 대한 연령(age)와 둘레(circumstence)를 측정한 자료이다. 다음 중 아래에 대한 설명 중 가장 적절하지 않은 것은?

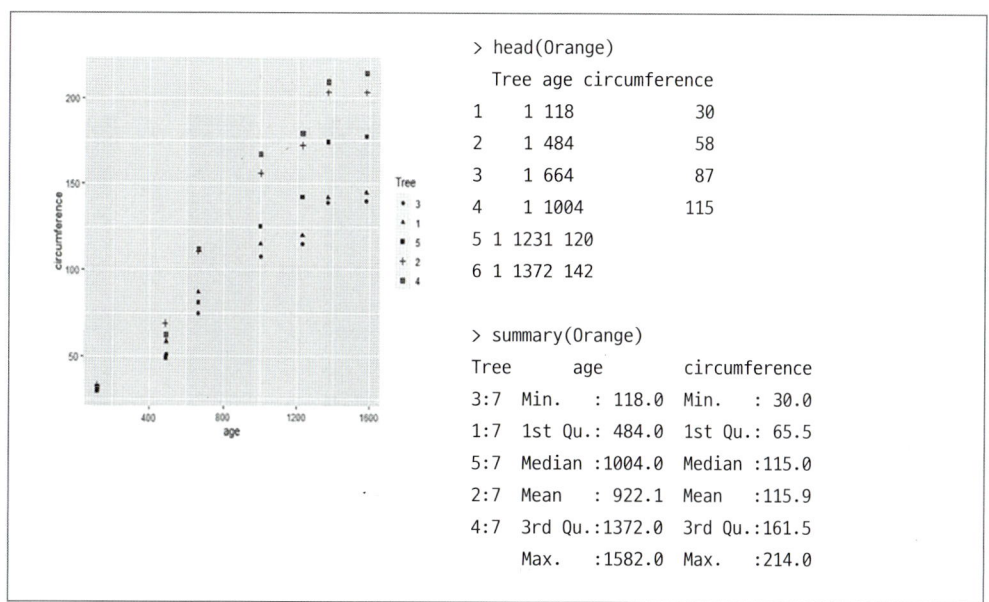

① 연령이 증가할수록 둘레가 증가하는 경향이 있다.

② 나무 연령의 평균값은 922.1이다.

③ 나무 종류별로 둘레에 유의한 차이가 있다.

④ 나무 둘레의 평균값은 115.9이다.

3과목 | 데이터 분석
정답 및 해설

01	④	11	③	21	②	31	③	41	①	51	①	61	②
02	②	12	④	22	③	32	①	42	③	52	②	62	③
03	④	13	④	23	①	33	④	43	①	53	①		
04	③	14	②	24	③	34	①	44	②	54	②		
05	③	15	③	25	④	35	①	45	②	55	④		
06	③	16	③	26	③	36	④	46	③	56	③		
07	④	17	③	27	④	37	④	47	①	57	④		
08	②	18	③	28	③	38	③	48	③	58	③		
09	③	19	③	29	③	39	④	49	③	59	③		
10	②	20	②	30	②	40	②	50	④	60	②		

01. 상위 2%에 해당하는 점수를 구하기 위해 Z-점수 공식인 $X=\mu+Z\sigma$ 를 사용한다. 평균(μ) = 85, 표준편차(σ) = 5, Z-값 = 2.05이므로 X=85+2.05×5=85+10.25=95.25 이다. (**정답 : ④**)

02. 이산형 확률변수 X의 기댓값 E(X)는 확률질량함수 f(x)를 이용해, X가 가질 수 있는 모든 값 x에 그 값이 일어날 확률 f(x)를 곱한 뒤 이를 모두 더한 값으로 정의 되며, 이를 수식으로 표현하면 다음과 같다. $E(X)=\sum xf(x)$ (**정답 : ②**)

03. 확률은 0과 1 사이의 값을 가지며, 서로 배반인 사건들의 합집합에 대한 확률은 각 사건 확률의 합으로 계산한다. 두 사건이 독립이면 조건부확률은 원래 확률과 같다. 또한 이산형·연속형 확률변수는 각각 확률질량함수와 확률밀도함수로 표현한다. 확률변수 X가 어떤 구간 또는 여러 구간의 모임에서 정의된 실수 값을 취한다면 연속형 확률변수에 해당하며, 이때의 분포는 연속형 확률밀도함수로 표현된다. (**정답 : ④**)

04. 독립사건의 경우, 사건 A가 일어났을 때 B의 조건부확률 P(B|A)는 B의 확률 P(B)와 동일하다. 따라서 조건부확률과 다르다는 설명은 잘못되었다. (**정답 : ③**)

05. 베이즈 정리를 사용해 계산한다. 질병 보유 확률 P(D) = 0.10, 진단 결과 P(T) = 0.20, 질병이 있을 때 양성 판정 확률은 P(T|D)=0.90 이므로 질병을 가진 사람이 실제로 진단된 확률 P(D|T)는 0.45 이다. (**정답 : ③**)

06. 제시된 신뢰구간은 모분산을 알고 있을 때 모평균에 대한 95% 신뢰구간으로, 이 식에서 50은 표본평균, $\sqrt{100}$은 표본 크기, 분자 1은 모집단 표준편차를 의미한다. 신뢰구간은 같은 모집단, 표본 크기, 신뢰수준이라면 계산 방법과 구간의 폭은 일정하지만, 표본을 새로 추출하면 표본평균이 달라질 수 있으므로 중심값은 달라질 수 있다. (**정답 : ③**)

07. 신뢰구간은 동일한 모집단에서 동일한 표본 크기와 신뢰수준을 사용하는 경우, 계산 방식과 폭은 동일하지만, 새로운 표본을 추출하면 표본평균이 달라질 수 있으므로 신뢰구간의 중심값도 달라질 수 있다. 따라서 선택지 4는 부적절한 해석이다. (**정답 : ④**)

08. 히스토그램은 표본의 수가 많을수록 실제 모집단의 분포 형태에 더 가깝게 표현된다. 표본이 작으면 데이터의 수가 부족하여 분포의 형태를 정확히 파악하기 어렵거나 왜곡될 수 있다. 따라서 표본이 작을수록 분포를 정확히 표현한다는 2번의 설명은 옳지 않다. (**정답 : ②**)

09. 백분위수는 자료를 정렬한 후, p%에 해당하는 위치의 값을 의미하며 p번째 순위라는 표현은 혼란을 줄 수 있으며 정확하지 않다. 표본평균은 가장 기본적인 위치 모수로, 산술 평균의 정의에 해당하고 중앙값은 자료를 크기 순으로 배열했을 때 가운데 위치하는 값이며 최빈값은 가장 많이 등장한 값이다. (**정답 : ④**)

10. 상자그림(Box plot)은 데이터를 시각화하여 최솟값, 최댓값, 사분위수, 중앙값 등을 쉽게 시각화하는 방법이며 이상치(outlier)를 식별하는 데 유용하다. (**정답 : ②**)

11. 대립가설은 단측검정(한 방향) 또는 양측검정(두 방향)으로 설정할 수 있다. 귀무가설 기각 시 결과는 통계적으로 유의미하고 p-value가 작을수록 귀무가설을 기각할 가능성이 크며 제1종 오류는 귀무가설이 참인데도 이를 기각하는 오류이다. (**정답 : ③**)

12. 주어진 t-test 결과는 단일 집단의 평균을 검정하는 one-sample t-test이고 양측검정 결과를 보여주며, 자유도가 2,999임을 정확히 반영하고 있다. 결과에 따르면, p-value가 유의수준보다 매우 작아 귀무가설(평균이 100)을 기각할 수 있다. 관찰된 평균은 111.7036으로, 95% 신뢰구간(110.2098에서 113.1974)은 귀무가설에서 설정한 평균값(100)을 포함하지 않는다. (**정답 : ④**)

13. 해당 분석은 대응표본 t검정의 결과로, 수면 시간의 평균 증감량이 0과 다른지를 검정하는 데 초점이 맞춰져 있다. 결과에서 t값과 p값(p = 0.002918)은 귀무가설(평균 수면 증가량이 0)을 유의수준 5%에서 기각할 수 있음을 보여준다. 평균 수면 증가량은 1.54로 나타났고, 95% 신뢰구간은 약 0.6에서 2.5로 추정되어 실제 평균값이 이 범위 내에 있을 가능성이 높다. 그러나 주어진 분석에서는 수면유도제 1과 2를 비교한 결과를 제공하지 않으며, 데이터는 수면 시간 증감의 평균을 검정하는 데 초점이 맞춰져 있다. (**정답 : ④**)

14. 정규모집단에서 표본의 분산이 따르는 분포는 자유도가 n-1인 카이제곱 분포이다. t분포는 평균을 추론할 때 사용되는 분포이며, 분산 검정과는 관련이 없다. 모분산은 모집단 내 데이터의 일관성을 평가하며, 비정규분포에서도 표본이 충분히 크면 중심극한정리에 의해 검정이 가능하다. 또한, 두 그룹의 분산 동질성 검정에서는 F-분포를 사용한다. (**정답 : ②**)

15. 90% 신뢰구간에서 유의수준(α)은 1-0.9=0.1이며, 양측 검정이므로 $\alpha/2$ = 0.05가 된다. 이때 표본의 크기 n은 70이므로 (A): 0.05, (B): 70이 정답이다. 유의수준 0.1을 잘못 계산하거나 표본의 크기를 잘못 설정하면 결과가 달라지므로 정확한 값을 넣어야 한다. (**정답 : ③**)

16. 제1종 오류(Type I Error)는 "귀무가설(H_0)이 참일 때 이를 거짓으로 판정하는 오류"를 의미한다. 이는 통계적 검정에서 유의수준(α)로 설정되며, 귀무가설이 사실임에도 이를 기각하게 되는 오류다. 나머지 선택지들은 귀무가설이 거짓일 때 참으로 판정하는 오류인 제2종 오류나 틀린 사례를 말하고 있다. (**정답 : ③**)

17. 구간 추정은 모집단의 모수를 신뢰구간을 통해 추정하는 방법이며, 가설을 통해 추정하지 않는다. 점 추정은 모수를 하나의 값으로 추정하고, 최대우도 추정은 데이터를 가장 잘 설명하는 모수값을 찾는 방법이다. 베이지안 추정은 사전 확률을 활용하여 모수를 추정하는 기법으로, 불확실성을 반영하는 특징이 있다. (정답 : ③)

18. 조건부 확률을 계산하기 위해서는 "남학생일 때"라는 조건에 따라 사과를 좋아하는 남학생의 비율을 구해야 한다. 남학생 중에서 사과를 좋아하는 학생은 30명이고, 전체 남학생의 수는 30명(사과) + 40명(딸기) = 70명이다. 따라서 남학생일 때 사과를 좋아할 확률은 3/7이다. (정답 : ③)

19. 교차분석은 두 변수가 모두 범주형이어야 사용할 수 있는 분석 기법으로 "두 문항 모두 범주형 변수가 아니어도 사용할 수 있다"라는 설명은 부적절하다. 교차분석에서는 관찰도수와 기대도수를 비교하여 독립성 검정을 수행하고, 카이제곱 검정에 기대빈도가 5 미만인 셀이 많을 경우 표본 크기를 늘리거나 셀의 수를 줄이는 등의 조치가 필요하다.
(정답 : ②)

20. 분산분석(ANOVA)은 집단 간 평균 차이를 검정하기 위한 방법으로, 여기서 귀무가설은 "첨가물 그룹 간 평균이 모두 동일하다"라는 가설이다. 결과에서 Pr()F가 5.94e-10으로 매우 작아, 유의수준 0.05 하에서 귀무가설을 기각할 수 있다. 또한, ANOVA는 F-통계량을 사용하여 집단 간 분산과 집단 내 분산의 비율을 계산해 검정을 수행한다. 그러나 첨가물 그룹의 개수는 피드(feed)의 Df 값에서 확인할 수 있는데, Df가 5라는 것은 그룹의 개수가 6개임을 나타낸다. (정답 : ②)

21. 짝지어진 두 관찰치의 차이를 검정하는 비모수 검정 방법은 부호 검정(Sign Test)이다. 부호 검정은 크고 작음을 표시하여 분포의 차이를 검정하며, 정규성을 가정하지 않는다. 카이제곱 검정은 범주형 데이터의 독립성 검정에 사용되며, t-검정과 Z-검정은 정규분포를 가정하는 모수적 검정 방법이다. (정답 : ②)

22. 스피어만 상관계수는 두 변수의 순위를 기준으로 단조 관계를 측정하며 비선형적 관계도 평가할 수 있다. 피어슨 상관계수는 선형 관계만 측정하고, 자카드 인덱스는 이항 변수에서 사용된다. 켄달의 타우는 순위를 기반으로 상관관계를 측정하지만, 계산 방식이 스피어만과 다르다. (정답 : ③)

23. 스피어만 상관계수는 비선형적인 단조 관계를 측정할 수 있으므로 비선형적인 상관관계를 나타낼 수 있다. 또한 스피어만 상관계수는 두 변수를 순위로 변환해 상관관계를 측정하며, 값은 -1에서 1 사이를 가지며 0은 상관관계가 없음을 의미한다. (정답 : ①)

24. 그래프는 TV 광고 예산(advertising$TV)과 매출(advertising$Sales) 간의 관계를 나타낸 산점도로, TV 광고 예산이 증가할수록 매출이 증가하는 경향을 보인다. 이 관계는 데이터가 대체로 직선 패턴을 따르고 있어 선형적이라고 볼 수 있다. 하지만 TV 광고 예산이 증가함에 따라 Sales 값의 분포가 점점 넓어지고 있는 것으로 보인다. 이는 광고 예산이 낮을 때보다 높을 때 Sales 값의 변동성이 더 크다는 것을 나타내며, Sales의 분산이 일정하지 않다는 것을 의미한다.
(정답 : ③)

25. 피어슨 상관계수와 스피어만 상관계수는 모두 두 변수 간의 관계를 평가하는 방법이지만, 피어슨 상관계수는 두 변수를 순위로 변환시킨 후 스피어만 상관계수로 정의되지 않는다. 피어슨 상관계수는 두 변수의 선형 관계를 측정하는 지표이며, 순위 변환과는 무관하다. 스피어만 상관계수는 비선형적 단조 관계를 평가할 수 있고, 두 계수 모두 값의 범위는 -1과 1 사이이다. (정답 : ④)

26. 상관계수(correlation)는 두 변수 간 선형 관계를 측정하는 값으로, -1에서 1 사이의 값을 가진다. 주어진 결과에서 모든 상관계수는 양수(+)이므로 모든 변수들 사이에 양의 상관관계가 존재한다는 설명은 적절하다. 또한, rating과 complaints 사이의 상관계수는 0.825로 가장 강한 양의 상관관계를 나타내며, critical과 learning 사이의 상관계수는 0.115로 가장 약한 관계를 보여준다. 그러나 상관계수는 변수 간 관계를 측정하는 지표이며, 변수의 분산(variance)과는 별개이다. 상관행렬은 변수의 분산이 1이라고 보장하지 않으며, 이를 위해서는 데이터가 표준화(standardized)되어야 한다. (**정답** : ④)

27. 주어진 상관분석 결과에서 Sales와 Price의 상관계수는 -0.44로 음의 값을 가지며, 이는 Price가 증가할수록 Sales가 감소하는 음의 선형관계가 존재한다는 것을 의미한다. 또한, p-value는 0.0000으로 유의수준 0.05 이하이므로 이 상관관계는 통계적으로 유의하다. 반면, Sales와 CompPrice의 상관계수는 0.06으로 매우 약하고, p-value가 0.2009로 유의수준 0.05보다 크기 때문에 유의하지 않다는 설명은 적절하다. Sales와 가장 강한 상관관계를 보이는 변수는 Price(-0.44)이며, 이는 다른 변수들의 상관계수보다 절댓값이 크기 때문이다. (**정답** : ④)

28. 회귀분석은 연속형 변수 간의 관계를 분석하는 방법으로, 관찰된 연속형 변수들에 대해 두 변수 사이의 모형을 추정한 뒤 변수 간 관계를 파악한다. 회귀분석은 독립변수와 종속변수의 관계를 파악하고 예측에 활용하지만, 비선형 관계를 다루는 것은 비선형 회귀 분석이다. 또한, 회귀분석은 종속변수의 변화를 설명하기 위해 독립변수를 사용하는 것이지, 종속변수로 독립변수를 예측하는 것이 아니다. (**정답** : ③)

29. 회귀식에 대한 검정은 독립변수의 기울기(회귀계수)가 0이 아니라는 가정을 대립가설, 기울기가 0인 것을 귀무가설로 놓는다. 다중 회귀분석에서는 설명력이 높아질수록 다중공선성 문제가 발생할 수 있으므로 적절한 조정이 필요하고, 잔차의 독립성, 등분산성, 정규성 등 기본 가정이 검토되어야 한다. (**정답** : ②)

30. 결정계수(R^2)는 -1에서 1이 아닌 0과 1 사이의 값을 가지며, 모형이 데이터의 변동을 얼마나 잘 설명하는지 나타내는 척도이다. 다중공선성은 분산팽창계수(VIF)를 통해 확인하고, 잔차의 정규성과 등분산성은 Q-Q 플롯과 브레쉬-페이건 검정을 통해 검토한다. (**정답** : ②)

31. 잔차도는 회귀분석의 가정이 잘 충족되었는지를 확인하는 중요한 도구이며 등분산성(homoscedasticity)이란 오차의 분산이 독립변수의 모든 값에 대해 일정해야 한다는 가정이다. 주어진 잔차도에서 x축의 값이 증가함에 따라 잔차(Residual)의 범위가 넓어지고 있다. 이는 잔차의 분산이 x 값에 따라 달라진다는 것을 의미하며, 등분산성이 위배되었음을 나타낸다. 선형성은 반응변수(y)와 설명변수(x)가 선형적 관계에 있음을 의미하고, 독립성은 잔차들이 서로 독립임을 가정하며, 비상관성은 잔차 간 상관관계가 없음을 가정한다. (**정답** : ③)

32. t-값은 회귀계수의 추정치(Estimate)를 그에 해당하는 표준오차(Standard Error)로 나누어 계산한다. 주어진 회귀 결과에서 Outstate 변수의 추정치(Estimate)는 0.1579이고, 표준오차(Standard Error)는 0.01775이다. (**정답** : ①)

33. 회귀분석 결과에서 Income:StudentYes는 Income과 학생 여부(Student)의 교호작용 항으로, 이 계수의 p-value는 0.249로 나타나 유의수준 0.05를 넘는다. 이는 교호작용 항이 통계적으로 유의하지 않다는 것을 의미하며, 학생 여부에 따라 Income이 Balance에 미치는 영향이 유의하게 달라진다고 볼 수 없다. Income의 계수는 6.2182로 양수이며, 이는 Income이 증가할수록 Balance도 증가한다는 것을 의미한다. 또한, StudentYes의 계수는 양수로 나타나 학생 여부에 따라 Balance가 더 높아지는 경향이 있지만, 이는 Income과는 무관하게 나타난 효과이다. 마지막으로 교호작용 항이 유의하지 않다는 결론은 통계적으로 뒷받침되므로 적절한 설명이다. (**정답** : ④)

34. 주어진 회귀 분석 결과를 보면 speed의 회귀계수는 3.9324로 양수이며, 이는 speed가 1 증가할 때 dist가 평균적으로 약 3.9324만큼 증가한다는 것을 의미한다. 또한 회귀모형의 결정계수(R-squared)는 0.6511로, speed 변수가 dist 변동성의 약 65.11%를 설명한다는 해석은 적절하다. 회귀모형의 F-통계량과 p-value(1.49e-12)도 유의수준 0.05 이하에서 회귀모형이 통계적으로 유의하다는 것을 뒷받침한다. 그러나 상관계수에 대한 언급은 회귀 분석 결과에서 직접적으로 확인된 것이 아니다. 회귀계수가 양수라고 해서 상관계수가 0보다 크다고 단정할 수 없으며, 이를 위해 별도의 상관분석을 수행해야 한다. (정답 : ④)

35. 회귀 분석 결과에서 설명변수(독립변수)들의 유의성을 확인하기 위해 Pr(>|t|) 값을 살펴보면, Books의 p-value는 0.733032로 유의수준 0.05를 크게 초과한다. 이는 Books 변수의 회귀계수가 통계적으로 유의하지 않다는 것을 의미한다. 회귀모형의 p-value는 < 2.2e-16로 매우 작아 모형이 통계적으로 유의함을 보여주고 Multiple R-squared 값이 0.3416으로, 회귀모형이 졸업률의 변동성 중 약 34.16%를 설명하며 회귀모형의 가정(선형성, 등분산성, 독립성 등)을 만족하는지는 잔차도나 기타 진단 도구를 통해 확인해야 하므로 현재 결과만으로는 판단할 수 없다. (정답 : ①)

36. (정답 : ③)

비기봇 해설

다중공선성은 회귀 분석에서 독립 변수들 간의 높은 상관관계로 인해 발생하는 문제입니다. 이는 회귀계수의 불안정성을 초래하며, 모델의 해석을 어렵게 만듭니다.

1. 다중공선성 문제를 해결하기 위해 모델에 포함된 변수를 선택적으로 축소할 수 있다.

: 다중공선성 문제는 독립 변수 간의 높은 상관관계로 인해 발생하며, 이를 해결하기 위해 변수 선택 또는 축소 기법을 사용할 수 있습니다. 변수 선택 방법으로는 단계적 선택법(Stepwise Selection), 후진 제거법(Backward Elimination) 등이 있고, 주성분 분석(PCA)을 통해 변수들을 변환하여 새로운 변수로 축소할 수도 있습니다.

2. 다중공선성 문제는 상관관계가 높은 변수들 간의 정보 중복에서 발생한다.

: 다중공선성은 독립 변수들 간의 상관관계가 높아질 때 발생합니다. 이는 정보의 중복으로 이어져 모델이 특정 변수의 고유한 영향을 정확히 추정하지 못하게 됩니다. 예를 들어, 온도와 습도처럼 밀접하게 관련된 변수를 함께 회귀모형에 포함하면 다중공선성이 나타날 가능성이 높습니다.

3. 두 변수의 VIF값이 '1'에 가까우면 회귀식의 기울기는 완만하다.

: VIF(Variance Inflation Factor)는 특정 독립 변수와 나머지 독립 변수들 간의 상관관계를 정량적으로 평가합니다. VIF 값이 1에 가까우면 해당 변수와 나머지 변수들 간의 상관관계가 없다는 것을 의미합니다. 그러나 VIF 값과 회귀식의 기울기(회귀계수의 크기) 사이에는 직접적인 연관이 없습니다. 회귀식의 기울기는 데이터의 스케일 및 변수 단위에 따라 달라지며, 다중공선성과는 관련이 없습니다.

4. 다중공선성이 심할 경우, 정규화 회귀나 릿지 회귀와 같은 대안적인 방법을 고려할 수 있다.

: 정규화 회귀(Regularized Regression)는 다중공선성 문제를 완화하기 위해 사용되는 방법입니다. 릿지 회귀(Ridge Regression)는 L2 정규화를 통해 회귀계수의 크기를 제한하여 공선성 문제를 줄이고 모델의 일반화를 개선합니다. 라쏘 회귀(Lasso Regression)는 L1 정규화를 사용하여 변수 선택과 공선성 완화를 동시에 수행할 수 있습니다.

37. 회귀모형의 전체 유의성을 평가하기 위해 F-statistic과 p-value를 확인해야 한다. 주어진 결과에서 F-statistic = 80.78, p-value는 < 2.2e-16로 매우 작아 유의수준 0.05에서 귀무가설(회귀모형이 유의하지 않다)을 기각할 수 있다. 이는 회귀모형이 유의하다는 것을 의미한다. 나이(age)의 계수는 0.71966으로 양수이며, 이는 직업군이 동일할 때 나이가 많을수록 임금이 올라가는 경향이 있음을 나타낸다. jobclass2. Information의 계수는 22.73086으로 양수이며, 이는 동일한 나이일 때 Information 직군이 Industrial 직군에 비해 평균적으로 임금이 높다는 것을 보여준다. age:jobclass2. Information의 교호작용 항의 p-value는 0.21로 유의수준 0.05를 초과하므로, 나이에 따라 두 직군 간 임금의 평균 차이가 유의하게 변하지 않는다는 해석도 적절하다. (정답 : ④)

38. 다중 회귀분석에서 결정계수는 독립변수의 수가 증가하면 보통 증가하는 경향이 있으며, 이는 실제 설명력과는 다를 수 있다. 이 문제를 해결하기 위해 수정된 결정계수(adjusted R^2)를 사용하며, 이는 독립변수의 수와 표본 크기를 고려하여 조정된 값을 나타낸다. 따라서, 결정계수와 수정된 결정계수는 일반적으로 동일한 값을 갖지 않는다. 나머지 선택지들은 다중 회귀분석에서 결정계수의 특성을 적절하게 설명하고 있다. (정답 : ③)

39. (정답 : ④)

비기봇 해설

회귀모형의 영향력 진단 지표는 특정 관측치가 회귀모형에 미치는 영향을 평가하는 데 사용됩니다. DFFITS는 특정 관측치가 회귀모형의 예측값에 미치는 영향을 평가하는 지표로, 예측값 변화뿐만 아니라 회귀계수의 변화도 고려합니다.

1. 쿡의 거리는 특정 관측치가 제거되었을 때 최소제곱 추정치의 변화를 표준화한 척도이다.

: 쿡의 거리는 회귀모형에서 특정 관측치가 제거될 경우 전체 회귀모형의 예측값과 회귀계수 추정치에 미치는 영향을 종합적으로 평가합니다. 이는 잔차와 레버리지(관측치가 얼마나 극단적인지)를 결합한 지표로, 값이 클수록 해당 관측치가 모형에 큰 영향을 미친다는 것을 나타냅니다.

2. 영향점은 값이 비교 대상보다 매우 크거나 작아 회귀계수에 영향을 미치는 관측치를 의미한다.

: 영향점은 값이 이상치(outlier)일 수도 있지만, 반드시 이상치와 동일한 개념은 아닙니다. 영향점은 회귀계수 추정치에 상당한 영향을 미칠 가능성이 높은 데이터로 정의됩니다.

3. DFBETAS는 특정 회귀계수 추정치에 대한 관측치의 영향을 나타내며, 절댓값이 클수록 영향력이 크다.

: DFBETAS는 개별 관측치가 특정 회귀계수에 미치는 영향을 나타냅니다. 절댓값이 클수록 해당 관측치의 영향력이 크다는 의미입니다.

4. DFFITS는 특정 관측치의 예측값 변화만을 측정하는 지표로, y의 예측만을 평가한다.

: DFFITS는 특정 관측치가 예측값뿐만 아니라 회귀모형의 추정 과정에 미치는 영향을 평가하는 지표입니다. 즉, 단순히 y의 예측 변화만을 측정하는 것이 아니라 전체적으로 모델에 미치는 영향을 포함합니다.

40. 주어진 summary(Hitters$Salary) 결과를 보면, Salary 변수의 최소값(Min.)은 67.5, 1사분위수(1st Qu.)는 190, 중앙값(Median)은 425, 3사분위수(3rd Qu.)는 750, 최댓값(Max.)은 2460이다. 이러한 값들의 분포로 볼 때, 중앙값보다 평균(535.9)이 더 크며, 최댓값이 매우 큰 값으로 분포를 끌어올리고 있다. 이는 Salary가 오른쪽 꼬리가 긴 분포(positive skewness)를 가질 가능성을 나타낸다. NA's는 59로 나타나 Salary 변수에서 결측값이 59개 존재하고 Salary는 연속적인 수치 변수로, 양적 변수에 해당한다. (정답 : ②)

41. step(model, direction="backward")은 후진제거법(backward elimination)을 사용하고 있음을 나타낸다. 후진제거법은 모든 설명변수가 포함된 모형에서 시작하여, 매 단계에서 가장 설명력이 낮은(즉, 제거했을 때 AIC의 증가가 가장 적은) 변수를 제거하며 최적의 모형을 선택하는 방법이다. 후진제거법의 특성상 한번 제거된 변수는 다시 모형에 포함되지 않는다. (정답 : ①)

42. 결정계수(R^2)는 종속변수의 변동 중 회귀식으로 설명되는 변동의 비율을 나타내며, 표본 상관계수의 제곱 값과 동일할 수 있지만, 둘은 같은 개념이 아니다. R^2는 0에서 1 사이 값을 가지며, 값이 높을수록 모형이 데이터를 잘 설명한다.(정답 : ③)

43. Lasso 회귀는 L1 penalty를 사용해 회귀계수들의 절댓값 합에 패널티를 부여하며, 일부 계수를 0으로 만들어 변수 선택 효과를 가져온다. 반면, L2 penalty는 Ridge 회귀에서 사용되며, 계수들의 제곱합에 패널티를 부여한다. (정답 : ④)

44. MAPE(평균 절대 백분율 오차)는 예측값과 실제값 간의 오차를 백분율로 나타내는 척도로, 다음 공식을 사용해 계산한다.
MAPE $= \frac{1}{n}\sum_{i=1}^{n}\left|\frac{A_i - F_i}{A_i}\right| \times 100$ (여기서, A_i 는 실제값, F_i 예측값)
이를 계산하면 아래와 같다.
MAPE $= \frac{1}{3}\left(\left|\frac{12-10}{12}\right| + \left|\frac{25-28}{25}\right| + \left|\frac{35-33}{35}\right|\right) \times 100 = \frac{16.67 + 12.00 + 5.71}{3} \times 100 = 11.46$　　(정답 : ②)

45. 시계열자료는 시간에 따라 순차적으로 수집된 데이터를 의미하며, 패턴이나 추세 분석, 예측에 활용된다. 질적자료는 범주형 데이터, 양적자료는 수치형 데이터를 의미하며, 횡단면자료는 특정 시점의 데이터를 나타낸다. (정답 : ②)

46. 시계열 데이터는 시간의 흐름에 따라 관측된 데이터를 다루며, 일반적으로 탐색 목적과 예측 목적으로 모델링이 이루어진다. 짧은 기간 동안 반복되는 패턴은 계절 변동이라고 하며, 잡음(noise)은 무작위적 변동으로 원인이 알려지지 않은 경우가 일반적이다. 또한, 시계열분석의 주요 목적은 데이터의 계절 패턴, 추세 등을 설명하거나 예측할 수 있는 적절한 모델을 결정하는 데 있다. (정답 : ③)

47. 평균이 일정하고 분산이 시점에 의존하지 않으며 공분산이 시차에만 의존하는 특성은 정상성(Stationarity)이다. 정상성은 시계열 데이터 분석의 기본 가정이며, 비정상성을 해결하기 위해 차분이나 변환 등의 기법이 사용된다. 계절성은 특정 주기에 반복되는 패턴을 의미한다. (정답 : ①)

48. 시계열 데이터 분석 절차는 시간 그래프 그리기로 데이터를 시각화하고 추세와 계절성을 제거하여 잔차를 분리한 뒤 잔차를 예측하고, 잔차에 모델을 적합시킨다. 마지막으로 미래 예측 시 제거된 추세와 계절성을 더해 결과를 도출하여 진행된다. (정답 : ④)

49. 평활법은 시계열 데이터를 조정하여 예측하기 위해 사용하는 방법으로, 대표적으로 이동평균법, 단순지수평활법, 이중지수평활법 등이 있다. 이동평균법은 시계열 데이터에서 불규칙 변동을 줄이고 추세를 파악하기 위한 방법으로, 특정 주기를 기준으로 평균을 계산하여 변동성을 줄이는 데 사용된다. 단순지수평활법은 계절성과 추세를 고려하지 않은 데이터를 평활화하는 데 사용되며, 이중지수평활법은 추가적으로 추세를 반영하기 위한 모수를 포함한다. (정답 : ②)

50. (정답 : ④)

비기봇 해설

적합한 ARIMA 모델을 결정하는 핵심은 ACF(자기상관 함수)와 PACF(부분 자기상관 함수)의 패턴을 관찰하여 AR(자기회귀), MA(이동평균), 또는 ARMA 모델을 식별하는 것입니다.

1. ARIMA 모델에서 차분을 포함하지 않은 경우에는 ACF와 PACF가 동일한 패턴을 보이며, 이는 모든 시계열 데이터에서 일반적인 현상이다.

: ACF와 PACF는 각각 다른 정보를 제공합니다. ACF는 전체 시계열의 상관 구조를, PACF는 AR 구조를 보여주며, 차분을 포함하지 않아도 ACF와 PACF가 동일한 패턴을 보이지 않습니다. 따라서 틀린 설명입니다.

2. 특정 시계열 데이터에서 외부 요인의 영향을 제거하면 ACF와 PACF 해석은 더욱 복잡해지며, 종종 정확한 모델 식별이 불가능해진다.

: 외부 요인의 영향을 제거하면 시계열 데이터가 더 정규화되고, ACF와 PACF 해석이 더 쉬워지는 경우가 많으므로 해당 선택지는 일반적인 시계열 분석 원칙에 맞지 않습니다. 따라서 틀린 설명입니다.

3. ACF가 특정 지점 이후로 서서히 감소하고 PACF가 3에서 급격히 변하는 경우, ARIMA(2, 0, 3) 모델이 적합하다.

: ACF와 PACF만으로 ARIMA 모델에서 정확한 AR 및 MA 차수를 판단할 수 없습니다. 설명대로라면 AR 차수는 PACF의 절단점과 관련되므로, ARIMA(2, 0, 3)이라는 결론은 적절하지 않습니다.

4. ACF 값은 급격히 감소하고 PACF의 절단점이 3인 경우, ARMA(2, 0) 모델로 정의할 수 있다.

: ACF가 급격히 감소하면 MA 차수가 작거나 없음을 의미하며, PACF의 절단점이 3이라면 AR 차수가 2임을 나타냅니다. 따라서 주어진 조건에 적합한 모델은 ARMA(2, 0)이며, 정답입니다.

51. 시계열 분석에서 분해법은 데이터에 내재된 추세, 계절변동, 불규칙 변동과 같은 요인을 분리하여 각 요소를 분석하는 방법이다. 회귀 분석은 데이터 간 관계를 설명하기 위한 모델링 기법이며, 차분은 비정상성을 제거하기 위해 데이터를 변환하는 과정에 사용된다. 예측은 미래의 값을 추정하기 위한 과정으로, 분해와는 구체적인 목적이 다르다.

(정답 : ①)

52. 시계열 데이터 분석에서 잡음 또는 불규칙 변동은 예측 가능한 패턴이 아닌, 예외적인 사건이나 예측 불가능한 우연적인 요인에 의해 발생하는 변동 성분이다. 이는 예측 가능한 변동 성분인 추세, 계절 변동 등과 구분되며, 주로 예측 불가능한 잔차로 간주된다. 따라서 '잡음이 예측 가능한 변동'이라는 설명은 시계열 분석의 기본 요소 분해 개념에 비추어 옳지 않다. (정답 : ②)

53. 자기회귀 모형(AR)은 현재 값을 자기 자신의 과거 값의 선형 가중합으로 설명하는 정상확률 모형이다. 백색 잡음과 자신의 과거 값으로 데이터를 모델링하며, AR 모델은 주로 정상성을 만족하는 데이터를 대상으로 한다. 이동평균 모형(MA)은 백색 잡음의 현재 값과 과거 백색 잡음의 가중합으로 시계열을 모델링하며, ARIMA는 비정상성을 제거하기 위해 차분 과정을 포함한다. 지수평활법은 추세나 계절성 등을 평활화하여 데이터 변동을 분석한다. (정답 : ①)

54. (정답 : ②)

비기봇 해설

시계열 분석은 시간에 따라 변하는 데이터의 패턴을 분석하여 미래를 예측하는 방법론입니다. 정상성은 시계열 분석에서 중요한 개념으로, 평균과 분산이 시간에 따라 변하지 않는 특성을 의미합니다.

1. 정상성을 만족하는 시계열 자료는 모든 시점에서 일정한 평균과 선형적으로 증가하는 분산을 가진다.

: "선형적으로 증가하는 분산"은 정상성이 아니라 비정상성을 나타냅니다. 예를 들어, 분산이 시간에 따라 증가한다면 데이터는 스케일이 달라지며, 이는 정상성을 위배합니다.

2. 자기상관모형(AR)과 이동평균모형(MA) 모두 분석 대상의 시계열 자료가 정상성을 따른다고 가정한다.

: 자기상관모형(AR)과 이동평균모형(MA)은 정상성을 가정합니다. 자기상관모형(AR)은 현재의 값을 과거 값들의 선형 조합으로 표현하고, 이동평균모형(MA)은 현재 값을 과거 오차 항들의 선형 조합으로 표현합니다. 이는 정상성을 가정하여 시계열 모델을 구축하는 기본적인 방법론입니다.

3. 자기상관모형은 ACF 그래프가 특정 시점 이후 급격히 감소하는 특성을 보인다.

: ACF(자기상관함수)는 이동평균모형(MA)에서 특정 시점 이후 급격히 감소하는 특성을 보입니다. 자기상관모형(AR)에서는 ACF가 지수적으로 감소하거나 진동하면서 천천히 줄어듭니다.

4. ARIMA 모형은 정상성을 만족하는 시계열 자료만을 대상으로 한다.

: ARIMA 모형은 비정상성을 가진 시계열 자료에도 적용할 수 있도록 설계된 모델입니다. 따라서 정상성만을 요구하지 않습니다.

55. 다차원척도법은 데이터 간 유사도 또는 거리 정보를 기반으로 차원을 축소하여 시각적 해석을 용이하게 하는 기법이다. 개체들 간의 유사성과 비유사성을 측정하여 저차원 공간에서의 위치를 정하고, 주로 시각화를 목적으로 한다. 다차원척도법은 유사성을 유지하면서 고차원 데이터를 저차원으로 축소하는 방법이지, 변동성을 최소화하는 것이 주된 목적이 아니므로 옳지 않은 설명이다. (정답 : ④)

56. 주성분분석(PCA)은 데이터의 분산을 최대한 보존하는 선형 결합을 찾아 차원을 축소하는 비지도학습 방법이다. 주성분은 서로 직교하며 독립적이므로 다중공선성을 해결할 수 있다. 제1주성분은 원변수의 선형결합 중 가장 많은 분산을 설명하는 방향으로 설정되며, 가장 작은 분산을 설명하는 것이 아니다. (정답 : ④)

57. 주성분분석(PCA)은 서로 상관성이 높은 변수들을 선형 결합하여 차원을 축소하고, 데이터의 주요 특성을 유지하면서 시각화 및 이상치 탐지에 활용하는 비지도학습 기법이다. 또한 다중공선성 문제가 발생하는 회귀 분석에서 대안으로 사용될 수 있다. 하지만 PCA는 입력과 출력 간의 명확한 종속 관계를 학습하지 않으므로 지도학습법이 아니다.

(정답 : ④)

58. (정답 : ④)

비기봇 해설

주성분 회귀 분석은 주성분 분석을 통해 차원을 축소하고, 회귀 분석에 활용하는 방법입니다. 주성분은 변수들의 선형결합으로 구성되며, 서로 직교하므로 회귀 분석의 독립변수로 적합합니다.

1. 주성분을 사용하여 차원을 축소하고 이를 회귀 분석에 활용하며, 자료의 시각화에도 유용하다.

: 주성분을 사용하여 차원을 축소하고 회귀 분석에 활용하는 것은 주성분 회귀 분석의 핵심 개념이며, 자료의 시각화에도 유용합니다.

2. 주성분은 변수들의 선형결합으로 구성되며, 서로 직교하므로 회귀 분석의 독립변수로 적합하다.

: 주성분은 변수들의 선형결합으로 구성되고, 서로 직교하여 다중공선성을 해결할 수 있어 회귀 분석의 독립변수로 적합합니다.

3. 주성분의 개수는 고유값(Eigenvalue)이 큰 주성분부터 선택하여 정할 수 있다.

: 고유값은 각 주성분이 설명하는 분산의 크기를 나타냅니다. 고유값이 큰 주성분부터 선택하여 분석에 포함시키며, 설명력이 낮은 주성분은 제외합니다.

4. 고유치 분해 과정에서 개별 고유치의 분해 불가능성을 기준으로 주성분 개수를 정한다.

: 고유치 분해 과정에서 개별 고유치의 분해 불가능성을 기준으로 주성분 개수를 정한다는 설명은 부적절합니다. 주성분 개수는 고유값의 크기나 설명된 분산의 비율을 기준으로 선택합니다.

59. (정답 : ③)

 비기봇 해설

두 번째 주성분이 설명하는 분산의 비율은 "Proportion of Variance" 행의 Comp2 열에 해당합니다. 이는 23.21%로, 두 번째 주성분이 전체 데이터의 분산 중 23.21%를 설명하고 있음을 의미합니다.

1. 80.69%

: 누적 분산 비율을 나타내는 값으로 두 번째 주성분만의 설명력을 나타내지 않습니다. 이 값은 첫 번째와 두 번째 주성분이 합쳐서 설명하는 분산의 비율입니다.

2. 57.48%

: 첫 번째 주성분이 설명하는 분산의 비율로, 두 번째 주성분과는 관련이 없습니다. 이는 Comp1의 "Proportion of Variance"에 해당하는 값입니다.

3. 23.21%

: 두 번째 주성분이 설명하는 분산의 비율로, 정확한 답입니다. 이는 Comp2의 "Proportion of Variance"에 해당하는 값입니다.

4. 18.35%

: 세 번째 주성분이 설명하는 분산의 비율로, 두 번째 주성분과는 관련이 없습니다. 이는 Comp3의 "Proportion of Variance"에 해당하는 값입니다.

60. 주성분의 개수를 선택할 때, 평균 고윳값 방법은 고윳값이 평균 이상인 주성분을 선택하고 평균 이하인 주성분을 제거하는 방식이다. 나머지 방법들인 전체 변이 공헌도, Scree 그래프, 변수 계수 구조의 해석은 모두 적절한 주성분 개수 선택 기준에 해당한다. (정답 : ②)

61. 주성분분석(PCA)의 출력에서 Cumulative Proportion은 각 주성분이 누적적으로 설명하는 전체 변동의 비율을 나타낸다. 결과를 보면 PC1은 전체 변동의 62.01%를 설명하고 PC1 + PC2는 누적적으로 86.75%의 변동을 설명한다. 따라서 변수들의 전체 변동의 80% 이상을 설명하기 위해서는 PC1과 PC2 두 개의 주성분이 필요하다. (정답 : ②)

62. 제공된 데이터는 Tree(나무 종류), age(연령), circumference(둘레) 변수를 포함하며, 그래프와 요약 통계(summary) 결과를 통해 몇 가지 특성을 확인할 수 있다. 연령이 증가할수록 둘레가 증가하는 경향이 있다는 그래프에서 명확히 나타난다. 나무 연령이 증가함에 따라 둘레가 전반적으로 증가하는 패턴을 보인다. 나무 연령의 평균값은 922.1이고 나무 둘레의 평균값도 115.9로 summary 결과에 제시되어 있다. 그러나 나무 종류(Tree)에 따라 둘레에 유의한 차이가 있다는 언급은 데이터를 통해 명확히 확인되지 않는다. 주어진 정보에는 Tree별로 둘레의 차이가 유의미하다는 통계적 검정 결과(p-value 등)가 포함되어 있지 않다. (정답 : ③)

PART 03 데이터 분석

5장 정형 데이터 마이닝

17 DAY

○ 학습 목표

- 데이터 마이닝의 개념을 이해한다.
- 데이터 마이닝 방법론의 종류를 이해한다.
- 데이터 마이닝 절차를 이해한다.
- 데이터 마이닝을 위한 데이터 분할과 모형 평가를 할 수 있다.

○ 눈높이 체크

✓ **데이터 마이닝을 들어 보신 적이 있나요?**

> 최근 대용량 데이터를 활용하기 위해 데이터 마이닝 기술이 급성장하고 있습니다. 데이터 마이닝은 기존 통계와는 달리 대용량 데이터베이스 시스템에서 데이터들 간의 의미있는 패턴을 파악하거나 예측하여 의사결정에 활용하는 방법으로 CRM의 발전으로 급격히 성장하였습니다.

✓ **데이터 마이닝 방법론의 종류를 알고 계신가요?**

> 데이터 마이닝 방법론은 목적에 따라서 문제를 예측하는 것과 결과를 해석하는 것으로 구분되며, 데이터 마이닝의 종류로는 분류분석, 예측분석, 군집분석, 연관성분석 등 다양한 문제를 해결할 수 있도록 구성되어 있습니다.

✓ **데이터 마이닝 절차를 알고 계신가요?**

> 데이터 마이닝 절차는 통계분석에서 활용되는 절차와 비슷하지만 SAS에서 사용하고 있는 SEMMA 방법 그리고 SPSS, 테라데이타, 다임러, NCR 등에서 개발한 CRISP-DM 방법에 따라 데이터 마이닝을 진행할 수 있습니다.

5장 정형 데이터 마이닝

1절 데이터 마이닝의 개요

출제빈도 F5 난이도 D4

#데이터마이닝 #데이터마이닝목적 #지도학습 #비지도학습 #분석방법 #데이터마이닝추진단계 #데이터가공
#데이터분할 #모형평가방법 #홀드아웃방법 #k-폴드교차분석 #오분류표 #과대적합 #ROC곡선 #F1스코어 #이익도표

❶ 데이터 마이닝

1. 개요

- 데이터 마이닝은 대용량 데이터에서 의미 있는 패턴을 파악하거나 예측하여 의사결정에 활용하는 방법이다.

2. 통계분석과의 차이점

- 통계분석은 가설이나 가정에 따른 분석이나 검증을 하지만 **데이터 마이닝**은 다양한 수리 알고리즘을 이용해 데이터베이스의 **데이터로부터 의미있는 정보를 찾아내는 방법을 통칭**한다.

3. 종류

정보를 찾는 방법론에 따른 종류	분석대상, 활용목적, 표현방법에 따른 분류
• 인공지능(Artificial Intelligence) • 의사결정나무(Decision Tree) • K-평균 군집(K-means Clustering) • 연관분석(Association Rule) • 회귀분석(Regression) • 로짓분석(Logit Analysis) • 최근접 이웃법(k-Nearest Neighbor)	• 시각화분석(Visualization Analysis) • 분류(Classification) • 군집화(Clustering) • 예측(Forecasting)

4. 사용분야

- 병원에서 환자 데이터를 이용해서 해당 환자에게 발생 가능성이 높은 병을 예측
- 기존 환자가 응급실에 왔을 때 어떤 조치를 먼저 해야 하는지를 결정
- 고객 데이터를 이용해 해당 고객의 우량/불량을 예측해 대출적격 여부 판단
- 세관 검사에서 입국자의 이력과 데이터를 이용해 관세물품 반입 여부를 예측

이론 정복 강의

출제포인트

데이터 마이닝은 개념을 구분하는 비교·선택형 문항으로 자주 다뤄지는 주제이지만, 2025년 시험에서는 직접적으로 출제된 문항은 없었습니다. 다만 연관 지문 속에서 함께 등장할 수 있으므로, 데이터 마이닝의 정의와 주요 기법의 종류와 활용 분야를 함께 정리해 두시기 바랍니다.

개념 +

데이터 마이닝과 머신러닝

데이터 마이닝은 새로운 것이 아니라 머신러닝 이론에 그 뿌리를 두고 있습니다.

즉, 현실세계에서 데이터베이스에 감춰진 유용한 정보를 캐내고자 하는 마음이 머신러닝에서 사용된 기법을 데이터베이스에 응용하기 시작한 것입니다.

5. 데이터마이닝의 최근환경

- 데이터 마이닝 도구가 다양하고 체계화되어 환경에 적합한 제품을 선택하여 활용 가능하다.
- 알고리즘에 대한 깊은 이해가 없어도 분석에 큰 어려움이 없다.
- 분석 결과의 품질은 분석가의 경험과 역량에 따라 차이가 나기 때문에 분석 과제의 복잡성이나 중요도가 높으면 풍부한 경험을 가진 전문가에게 의뢰할 필요가 있다.
- 국내에서 데이터 마이닝이 적용된 시기는 1990년대 중반이다.
- 2000년대에 비즈니스 관점에서 데이터 마이닝이 CRM의 중요한 요소로 부각되었다.
- 대중화를 위해 많은 시도가 있었으나, 통계학 전문가와 대기업 위주로 진행되었다.

✅ 핵심 개념체크

✔13회 기출 출★★★★☆ 난★☆☆☆☆

1. 다음 중 대용량 데이터 속에서 숨겨진 지식 또는 새로운 규칙을 추출해 내는 과정을 일컫는 것은?

① 지식경영　　　　　　　　　② 의사결정지원시스템
③ 데이터웨어하우징　　　　　④ 데이터마이닝

> 데이터마이닝은 대용량 데이터에서 패턴, 규칙, 지식을 발견하는 과정이다. 지식경영은 조직의 지식을 관리하는 데 초점이 있으며, 의사결정지원시스템은 의사결정을 지원하는 시스템이고, 데이터웨어하우징은 데이터 저장과 관리를 위한 시스템이다.

✔31회 기출 출★★★☆☆ 난★★★★☆

2. 다음 중 비지도 학습 기법이 적합한 사례는 무엇인가?

가) 이미지 데이터를 분석해 각 이미지를 특정 카테고리로 자동 분류
나) 고객의 구매 이력을 분석해 유사한 상품을 추천
다) 과거 주택 거래 데이터를 분석해 주택 가격을 예측
라) 고객 구매 데이터를 바탕으로 유사한 행동 패턴을 가진 고객군을 도출
마) 장비 고장 데이터를 활용해 고장 발생 가능성을 예측

① 나, 다　　　　　　　　　　② 가, 라
③ 가, 다　　　　　　　　　　④ 나, 라

> 비지도 학습은 데이터에 라벨이 없는 경우 사용되며, 고객의 구매 이력을 바탕으로 유사 상품을 추천하거나 유사한 행동 패턴을 가진 고객군을 도출하는 데 적합하다. 가)와 다)는 분류와 예측 문제로 지도 학습에 해당하며, 마) 역시 지도 학습 문제이다.

정답 1. ④ 2. ④

❷ 데이터 마이닝의 분석 방법

Supervised Learning(지도학습)	Unsupervised Learning(비지도학습)
• 의사결정나무(Decision Tree) • 인공신경망 　(Artificial Neural Network, ANN) • 일반화 선형 모형 　(Generalized Linear Model, GLM) • 선형 회귀분석 　(Linear Regression Analysis) • 로지스틱 회귀분석 　(Logistic Regression Analysis) • 사례기반 추론 　(Case-Based Reasoning) • 최근접 이웃(k-Nearest Neighbor, kNN)	• OLAP(On-Line Analytical Processing) • 연관성 규칙 　(Association Rule Discovery, Market Basket) • 군집분석(k-Means Clustering) • SOM(Self Organizing Map)

출제포인트
데이터 마이닝의 분석 방법은 전반적으로 자주 출제되는 주제이지만, 최근 시험에서는 출제 비중이 상대적으로 낮은 편입니다. 그럼에도 시험의 기본 개념으로 반복해 다뤄지는 만큼, 지도학습 · 비지도학습의 종류와 특징은 반드시 숙지해 두시기 바랍니다.

❸ 분석 목적에 따른 작업 유형과 기법

목 적	작업유형	설 명	사용기법
예측 (Predictive Modeling)	분류 규칙 (Classification)	가장 많이 사용되는 작업으로 과거의 데이터로부터 고객 특성을 찾아내어 분류모형을 만들어 이를 토대로 새로운 레코드의 결과값을 예측하는 것으로 목표 마케팅 및 고객 신용 평가 모형에 활용됨	회귀분석, 판별분석, 신경망, 의사결정나무
기술 (Descriptive Modeling)	연관규칙 (Association)	데이터 안에 존재하는 항목 간의 종속관계를 찾아내는 작업으로, 제품이나 서비스의 교차 판매(Cross Selling), 매장진열(Display), 첨부우편(Attached Mailings), 사기적발(Fraud Detection) 등의 다양한 분야에 활용됨	동시발생 매트릭스
	연속규칙 (Sequence)	연관 규칙에 시간 관련 정보가 포함된 형태로, 고객의 구매 이력(History) 속성이 반드시 필요하며, 목표 마케팅(Target Marketing)이나 일대일 마케팅(One to One Marketing)에 활용됨	동시발생 매트릭스
	데이터 군집화 (Clustering)	고객 레코드들을 유사한 특성을 지닌 몇 개의 소그룹으로 분할하는 작업으로 작업의 특성이 분류규칙(Classification)과 유사하나 분석대상 데이터에 결과 값이 없으며, 판촉활동이나 이벤트 대상을 선정하는 데 활용됨	k-Means Clustering

비기의 학습팁
판별분석은 두 개 이상의 모집단에서 추출된 표본들이 지니고 있는 정보를 이용하여 이 표본들이 어느 모집단에서 추출된 것인지를 결정해 줄 수 있는 기준을 찾는 분석입니다.

✅ 핵심 개념체크

✓25회 기출   출★★★★★   난★★★★☆

3. 데이터 마이닝의 목적 중 사람, 상품에 관한 이해를 증가시키기 위한 것으로 데이터의 특징 및 의미를 표현 및 설명하는 기능을 무엇이라고 하는가?

① 기술(Description)　② 예측(Forecast)　③ 추정(Estimate)　④ 분류(Classification)

기술(Description)은 데이터를 분석해 특징과 패턴을 이해하고 설명하는 기능으로, 데이터를 요약하여 사람이 이해하기 쉽게 만드는 데 중점을 둔다. 반면, 예측(Forecast)은 미래의 결과를 예측하고, 추정(Estimate)은 특정 값의 추정치를 도출하며, 분류(Classification)은 데이터를 미리 정의된 그룹에 할당하는 기법이다.

정답 3. ①

④ 데이터 마이닝 추진단계

1. 1단계 : 목적 설정

- 데이터 마이닝을 통해 무엇을 왜 하는지 명확한 목적(이해관계자 모두 동의하고 이해할 수 있는)을 설정한다.
- 전문가가 참여해 목적에 따라 사용할 모델과 필요한 데이터를 정의한다.

2. 2단계 : 데이터 준비

- 고객정보, 거래정보, 상품 마스터정보, 웹로그 데이터, 소셜 네트워크 데이터 등 다양한 데이터를 활용한다.
- IT 부서와 사전에 협의하고 일정을 조율하여 데이터 접근 부하에 유의하여야 하며, 필요시 다른 서버에 저장하여 운영에 지장이 없도록 데이터를 준비한다.
- 데이터 정제를 통해 데이터의 품질을 보장하고, 필요시 데이터를 보강하여 충분한 양의 데이터를 확보한다.

3. 3단계 : 가공

- 모델링 목적에 따라 목적 변수를 정의한다.
- 필요한 데이터를 데이터 마이닝 소프트웨어에 적용할 수 있는 형식으로 가공한다.

4. 4단계 : 기법 적용

- 1단계에서 설정한 목적에 맞게 데이터 마이닝 기법을 적용하여 정보를 추출한다.

5. 5단계 : 검증

- 데이터 마이닝으로 추출된 정보를 검증한다.
- 테스트 데이터와 과거 데이터를 활용하여 최적의 모델을 선정한다.
- 검증이 완료되면 IT부서와 협의해 상시 데이터 마이닝 결과를 업무에 적용하고 보고서를 작성하여 추가수익과 투자대비성과(ROI)등으로 기대효과를 전파한다.

핵심 개념체크

✓18회 기출 출★★★★★ 난★★★★★

4. 데이터 마이닝 단계 중 모델링 목적에 따라 목적변수를 정리하고 필요한 데이터를 데이터 마이닝 소프트웨어에 적용할 수 있도록 준비하는 단계는 무엇인가?

① 데이터 마이닝 기법의 적용
② 목적 정의
③ 데이터 가공
④ 데이터 준비

데이터 가공은 모델링 목적에 따라 데이터를 정리하고 데이터 마이닝 소프트웨어에 적용할 수 있도록 준비하는 과정이다. 데이터 준비는 더 광범위한 단계를 포함하며, 목적 정의와 데이터 마이닝 기법의 적용은 다른 단계이다.

정답 4. ③

⑤ 데이터 마이닝을 위한 데이터 분할

- 전체 데이터를 학습용(training), 검증용(validation), 시험용(test) 데이터로 분할하여 사용한다.
- 학습용 데이터로 모형을 생성하고, 검증용 데이터로 모형을 조정한 뒤, 시험용 데이터로 최종적으로 모형의 성능과 일반화 능력을 평가한다. (예: 학습용 50%, 검증용 30%, 시험용 20% 등)

학습용 (Training Data, 50%)	추정용, 구축용 데이터라고도 하며, 데이터 마이닝 모델을 학습시키고 모형의 계수·가중치를 추정하는 데 활용함
검증용 (Validation Data, 30%)	학습된 모형의 과대적합·과소적합 여부를 확인하고, 하이퍼파라미터를 조정하는 등 모형을 미세 조정하는 데 활용함
시험용 (Test Data, 20%)	학습 및 검증 과정에 사용하지 않은 데이터로, 최종적으로 모형의 예측 성능과 일반화 능력을 평가하는 데 활용함

- 데이터의 양이 충분하지 않은 경우 홀드아웃(Hold-Out) 방법이나 k-fold 교차분석(Cross-Validation) 방법을 통해 데이터를 분할한다.

홀드아웃(Hold-Out) 방법	주어진 데이터를 랜덤하게 두 개의 데이터로 구분하여 사용하는 방법으로 주로 학습용과 시험용으로 분리하여 사용함
k-fold 교차분석 (Cross-Validation) 방법	주어진 데이터를 k개의 하부 집단으로 구분하여, k-1개의 집단을 학습용으로, 나머지 집단을 검증용으로 설정하여 학습함 k번 반복 측정한 결과를 평균낸 값을 최종값으로 사용한다. 주로 10-fold 교차분석을 많이 사용한다.

✔ 핵심 개념체크

✔ 17회 기출 출 ★★★★★ 난 ★★★★☆

5. 다음 중 데이터를 무작위로 두 집단으로 분리하여 실험데이터와 평가데이터로 설정하고 검정을 실시하는 모형 평가방법으로 적절한 것은?

① k-fold 교차 검정 ② ROC 그래프
③ 홀드아웃 방법 ④ 이익도표

> 홀드아웃 방법은 데이터를 학습용 데이터와 테스트용 데이터로 무작위로 분리하여 모델을 학습하고 평가하는 간단한 방법이다. K-fold 교차 검정은 데이터를 여러 개의 폴드로 나누어 교차 검증을 수행하는 방법이며, ROC 그래프와 이익도표는 성능 평가를 시각화하는 도구로 사용된다.

✔ 38회 기출 출 ★★★★★ 난 ★★★★★

6. 데이터 분할에 대한 설명 중 가장 부적절한 것은 무엇인가?

① 테스트용 데이터와 학습 데이터는 섞여서는 안된다.
② 학습용 데이터는 모델의 가중치를 조정하는 데 사용된다.
③ 테스트용 데이터는 모델 훈련 중간 모델의 성능 평가에 사용된다.
④ 데이터가 제한적인 경우, K-Fold 교차검증을 통해 다양한 학습-평가 조합을 활용한다.

> 테스트 데이터는 모델의 최종 평가에 사용되며 성능 평가에 사용되는 데이터는 학습 중간에 사용하는 검증용 데이터이다. 학습용 데이터는 모델 훈련에 사용되고, K-Fold 교차검증은 데이터가 제한적일 때 유용하다.

출제포인트

데이터 마이닝을 위한 데이터 분할은 지속적으로 다뤄지는 주제이지만, 2025년 시험에서는 직접적으로 출제된 문항은 없었습니다. 다만 관련 개념과 함께 지문에 포함될 수 있으므로, 데이터 분할 방식과 홀드아웃·k-fold 교차분석의 개념과 차이는 반드시 숙지해 두시기 바랍니다.

비기의 학습팁

홀드아웃에서는 데이터의 수가 적을 경우 각 데이터셋이 전체 데이터를 대표하지 못할 가능성이 큽니다.

개념 +

LOOCV(Leave-One-Out Cross-Validation)

- k-fold 교차검증은 데이터의 크기가 N인 전체 데이터셋을 k개의 집단으로 나눈 뒤, k개의 모델을 종합하여 최종 모델을 구축하는 방법입니다.
- LOOCV는 이와 달리 N개 데이터에서 N-1개 데이터를 훈련용 데이터로, 나머지 1개 데이터를 평가용 데이터로 모델을 종합하여 최종 모델을 구축하는 방법입니다.
- 하지만 N번의 훈련을 수행함으로써 수행 속도가 매우 느리다는 것이 단점입니다.

❻ 성과분석

1. 혼동행렬을 활용한 평가지표

구분		예측결과		오분류율(Error Rate) $\frac{FN+FP}{TN+TP+FN+FP}$
		Positive	Negative	
실제값	Positive	True Positive(TP)	False Negative(FN) Type II Error	민감도(재현율) (Sensitivity(Recall)) $\frac{TN}{TN+FP}$
	Negative	False Positive(FP) Type I Error	True Nagative(TN)	특이도(Specificity) $\frac{TN}{TN+FP}$
		정밀도(Precision) $\frac{TP}{TP+FP}$		정확도(Accuracy) $\frac{TN+TP}{TN+TP+FN+FP}$

출제포인트

성과분석은 꾸준히 출제되어 자주 다뤄지는 주제이며, 2025년 시험에서는 5문제가 출제되었습니다. 주요 평가지표의 수식과 해석, ROC Curve·이익도표·과대적합 개념을 중심으로 학습해 두시기 바랍니다.

가. 정확도(Accuracy) : 전체 사례 중에서 정답을 맞힌 비율

$$Accuracy = \frac{TN+TP}{TN+TP+FN+FP}$$

나. 오분류율(Error Rate) : 전체 사례 중에서 잘못 분류한 비율

$$Error\ Rate = 1 - Accuracy = \frac{FN+FP}{TN+TP+FN+FP}$$

다. 특이도(Specificity) : 실제 Negative 중에서 Negative를 올바르게 예측한 비율

$$Specificity = \frac{TN}{TN+FP}$$

라. 민감도(재현율, Sensitivity / Recall)
: 실제 Positive 중에서 Positive를 올바르게 예측한 비율 (TPR : True Positive Rate) 민감도를 재현율(Recall)이라고 부르기도 하며, 두 용어는 같은 의미이다.

$$Sensitivity\ (Recall) = \frac{TP}{TP+FN}$$

마. 정밀도(Precision) : 모델이 Positive라고 예측한 것들 중에서 실제로 Positive인 비율

$$Precision = \frac{TP}{TP+FP}$$

바. F1 Score
: 정밀도와 민감도(재현율)의 조화 평균으로, 두 지표를 하나의 값으로 통합해 분류 성능을 평가할 때 사용한다. 값이 1에 가까울수록 좋다.

$$F1 = 2 \times \frac{Precision \times Recall}{Precision + Recall}$$

비기의 학습팁

클래스 불균형
(Class Imbalance)

분류할 각 집단에 속하는 데이터의 수가 급격하게 차이가 있는 경우를 의미하며, 신용평가모형에서 우량고객과 불량고객의 수가 급격하게 차이가 있을 때가 이에 해당합니다. 오버 샘플링 또는 언더 샘플링 등의 해결 방안으로 처리합니다.

비기의 학습팁

F1 Score

정밀도(Precision)와 민감도(재현율, Recall)의 조화 평균을 나타내는 지표입니다. 범주 불균형 문제를 가지고 있는 데이터의 평가지표 시스템의 성능을 하나의 수치로 표현하기 위해 사용하는 점수로 0~1 사이의 값을 가지며 1에 가까울 수록 좋습니다.

사. F_β 점수(F-beta Score)

: F1 Score를 일반화한 지표로, β 값에 따라 정밀도와 민감도(재현율)의 중요도를 다르게 반영한다.

$$F_\beta = (1 + \beta^2) \times \frac{Precision \times Recall}{(\beta^2 \times Precision) + Recall}$$

- $\beta = 1 \to F1$ Score (둘을 동일 비중으로 반영)
- $\beta > 1 \to$ 민감도(재현율)을 더 중시
- $\beta < 1 \to$ 정밀도(Precision)를 더 중시

비기의 학습팁

코헨 카파 상관계수 (Cohen's Kappa Coefficient)

모델의 예측값과 실제값의 일치 여부를 판정하는 통계량으로 사용하며, 0~1사이의 범위를 가지고 1에 가까울수록 예측-실제값이 잘 일치합니다.

① $Accuracy = \frac{TP + TN}{n} = \frac{905}{1000} = 90.5\%$

② 모두 부정일 경우 Accuracy=98.5%로 정확도가 높아도 의미가 없다.

③ 이것을 보완하는 방법은 아래와 같다.

- 민감도 : True를 True로 판정하는 정도
- 특이도 : False를 False로 판정하는 정도

① ② ③ 모두 좋아야 좋은 모형으로 볼 수 있다.

2. ROC와 AUC

가. ROC Curve(Receiver Operating Characteristic Curve)

- ROC Curve란 가로축을 FPR(False Positive Rate, 1-특이도)값으로 두고, 세로축을 TPR(True Positive Rate, 민감도)값으로 두어 시각화한 그래프이다.

- 2진 분류(Binary Classification)에서 모형의 성능을 평가하기 위해 많이 사용되는 척도이다.

- 그래프가 왼쪽 상단에 가깝게 그려질수록 올바르게 예측한 비율은 높고, 잘못 예측한 비율은 낮음을 의미한다. 따라서 **ROC곡선 아래의 면적을 의미하는 AUROC(Area Under ROC)**값이 크면 클수록(1에 가까울수록) 모형의 성능이 좋다고 평가한다.

개념 +

ROC Curve의 기원

ROC는 제2차 세계대전 당시 레이더 신호 감지 성능을 분석하기 위해 개발되었습니다.

당시 문제는 '신호와 잡음을 얼마나 잘 구분하는가?' 였으며, 이 개념이 통신공학에서 데이터 분석으로 확장되었습니다.

ROC의 아이디어는 '신호탐지이론'에서 유래되었습니다.

- TPR(True Positive Rate, 민감도) : 1인 케이스에 대한 1로 예측한 비율
- FPR(False Positive Rate, 1-특이도) : 0인 케이스에 대한 1로 잘못 예측한 비율
- AUROC(Area Under ROC)를 이용한 정확도의 판단기준

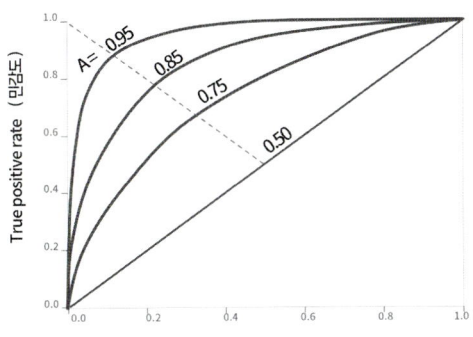

기준	구분
0.9 - 1.0	Excellent (A)
0.8 - 0.9	Good
0.7 - 0.8	Fair
0.6 - 0.7	Poor
0.5 - 0.6	Fail

비기의 학습팁

AUC가 1에 가까울수록 좋은 모델이지만, 완벽한 AUC(=1)는 과적합의 위험 신호일 수도 있습니다. 따라서 AUC만으로 모델 성능을 과대평가하지 말아야 합니다. 클래스 불균형 상황에서는 Precision-Recall Curve와 함께 해석이 필요합니다.

나. ROC Curve와 AUROC의 활용예시

등급	등급내인원	부도수	정상수	누적부도수	누적정상수	민감도	1-특이도	면적
10	1000	200	800	200	800	0.192308	0.089286	0.008585
9	1000	180	820	380	1620	0.365385	0.180804	0.025519
8	1000	160	840	540	2460	0.519231	0.274554	0.041466
7	1000	140	860	680	3320	0.655384	0.370536	0.056287
6	1000	100	900	780	4220	0.75	0.470982	0.070506
5	1000	80	920	860	5140	0.826923	0.573661	0.080956
4	1000	70	930	930	6070	0.894231	0.677455	0.089323
3	1000	50	950	980	7020	0.942308	0.783482	0.097361
2	1000	40	960	1020	7980	0.980769	0.890625	0.103022
1	1000	20	980	1040	8960	1	1	0.108323
총수	10000	1040	8960	1	1		AUROC=	0.681362

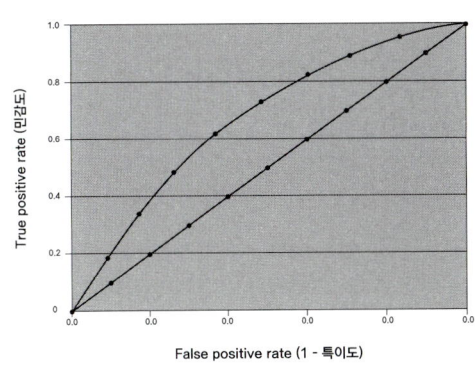

- AUROC =(AR+1)/2

=

- 80% 이상 - good
- 75% 이상 - moderate
- AR=2*AUROC-100%

다. R 실습 코드

- ROCR패키지는 Binary Classification만 지원가능

```
> library(rpart)
> library(party)
> library(ROCR)
> x <- kyphosis[sample(1:nrow(kyphosis), nrow(kyphosis), replace=F),]
> x.train <- kyphosis[1:floor(nrow(x)*0.75),]
> x.evaluate <- kyphosis[floor(nrow(x)*0.75):nrow(x),]
> x.model <- cforest(Kyphosis~Age+Number+Start, data=x.train)
> x.evaluate$prediction <- predict(x.model, newdata=x.evaluate)
> x.evaluate$correct <- x.evaluate$prediction == x.evaluate$Kyphosis
> print(paste("% of predicted classification correct", mean(x.evaluate$correct)))
> x.evaluate$probabilities <- 1- unlist(treeresponse(x.model,
    newdata=x.evaluate), use.names=F)[seq(1,nrow(x.evaluate)*2,2)]
```

- 그래프 ①

```
> pred <- prediction(x.evaluate$probabilities, x.evaluate$Kyphosis)
> perf <- performance(pred, "tpr", "fpr")
> plot(perf, main="ROC curve", colorize=T)
```

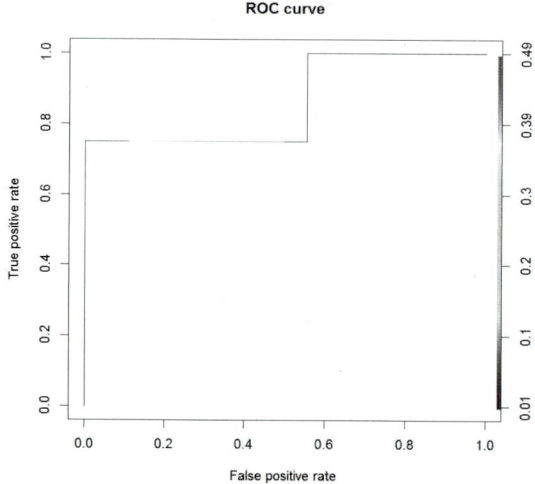

- 그래프 ②

```
> perf <- performance(pred, "lift", "rpp")
> plot(perf, main="lift curve", colorize=T)
```

비기의 학습팁

sample()
- 벡터 혹은 데이터 프레임에서 지정된 크기만큼 데이터를 무작위로 추출할 때 사용하는 R 함수입니다.

set.seed()
- 난수를 생성하고 다시 난수를 생성하면 다른 결과가 나옵니다. 이전과 동일한 난수를 생성하고 싶을 때 set.seed()를 사용해 지정 가능합니다.

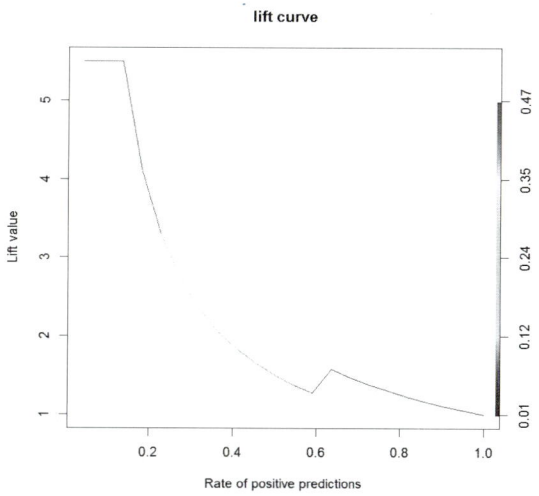

3. 이익도표(Lift chart)

가. 이익도표의 개념

- 이익도표는 분류모형의 성능을 평가하기 위한 척도로, 분류된 관측치에 대해 얼마나 예측이 잘 이루어졌는지를 나타내기 위해 임의로 나눈 각 등급별로 반응검출율, 반응률, 리프트 등의 정보를 산출하여 나타내는 도표이다.

- 2000명의 전체고객 중 381명이 상품을 구매한 경우에 대해 이익도표를 만드는 과정을 예로 들어보면, 먼저 데이터셋의 각 관측치에 대한 예측확률을 내림차순으로 정렬한다. 이후 데이터를 10개의 구간으로 나눈 다음 각 구간의 반응률(% response)을 산출한다. 또한 기준 향상도(Baseline Lift)에 비해 반응률이 몇 배나 높은지를 계산하는데 이것을 향상도(Lift)라고 한다.

- 이익도표의 각 등급은 예측확률에 따라 매겨진 순위이기 때문에, 상위 등급에서는 더 높은 반응률을 보이는 것이 좋은 모형이라고 평가할 수 있다.

나. 이익도표의 활용 예시

Rank	Predicted probability	Actual class
1	0.95	Yes
2	0.93	Yes
3	0.93	No
4	0.88	Yes
...	...	...

Decile	Frequency of "buy"	% Captured Response	% Response	Lift
1	174	174/381=45.6	174/200=87	87/19=4.57
2	110	110/381=28.8	110/200=55	55/19=2.89
3	38	38/381=9.9	38/200=19	19/19=1.00
4	14	14/381=3.6	14/200=7	7/19=0.36
5	11	11/381=2.8	11/200=5.5	5.5/19=0.28
6	10	10/381=2.6	10/200=5	5/19=0.26
7	7	7/381=1.8	7/200=3.5	3.5/19=0.18
8	10	10/381=2.6	10/200=5	5/19=0.26
9	3	3/381=0.7	3/200=1.5	1.5/19=0.07
10	4	4/381=1.0	4/200=2	2/19=0.10

Baseline Lift = 381/2000 = 19.05%

- 전체 2000명 중 381명이 구매
- Frequency of "buy" : 2000명 중 실제로 구매한 사람

개념 ➕

이익도표의 주요 지표

- 기준향상도(Baseline Lift) : 모든 데이터 중에서 실제로 반응한 데이터의 비율이며 전체 데이터셋에서 단 하나의 숫자로 얻어집니다. 랜덤모델은 모든 분위의 반응률이 기준향상도와 같습니다.
- 반응검출율(% Captured Response) : 각 구간별로 전체 반응 데이터에서 얼마나 큰 조각을 가져가는지에 대한 비율을 말합니다.
- 반응률(% Response) : 각 분위에 담긴 데이터 중에서 실제로 반응한 데이터가 얼마나 많은지의 비율을 나타냅니다.
- 향상도(Lift) : 각 구간별로 나타나는 반응율이 기준향상도와 비교할 때 몇 배나 더 큰지에 대한 값을 말합니다. 향상도는 비율이 아니므로 0~1 사이의 값에 한정되지 않습니다.

- % Captured Response : 반응검출율 = 해당 등급의 실제 구매자 / 전체 구매자
- % response : 반응률 = 해당 등급의 실제 구매자 / 200명
- Lift: 향상도 = 반응률 / 기본 향상도 좋은 모델이라면 Lift가 빠른 속도로 감소해야 한다.

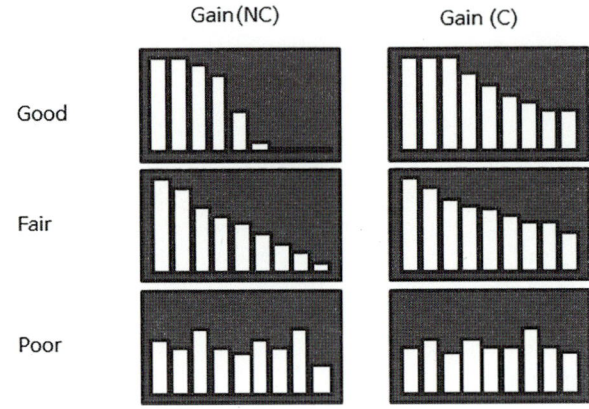

- 등급별로 향상도가 급격하게 변동할수록 좋은 모형이라고 할 수 있고, 각 등급별로 향상도가 균일하지 않으면 좋은 모형이라고 볼 수 없다.

비기의 학습팁

Bias-Variance Trade-Off

모델을 학습 시킬 때 Bias(편향)와 Variance(분산)가 최소화되도록 해야 되지만, 하나가 커지면 하나가 작아지고 하나가 작아지면 하나가 커지기 때문에 Bias와 Variance는 Trade-Off 관계가 있습니다.

참고

과적합-과대적합, 과소적합의 개념

- **과적합·과대적합(Overfitting)** : 모형이 학습용 데이터(Training Data)를 과하게 학습하여, 학습 데이터에 대해서는 높은 정확도를 나타내지만 테스트 데이터 혹은 다른 데이터에 적용할 때는 성능이 떨어지는 현상을 의미한다.
- **과소적합(Underfitting)** : 모형이 너무 단순하여 데이터 속에 내재되어 있는 패턴이나 규칙을 제대로 학습하지 못하는 경우를 의미한다.

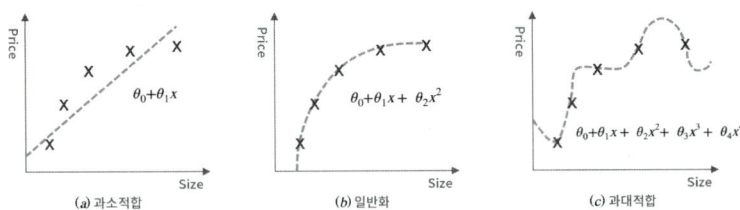

- **(a)과소적합** : Size가 증가함에 따라 Price도 증가하는 것은 잘 표현했지만 데이터의 특징을 정확하게 설명하지 못하고 지나치게 일반화했다고 볼 수 있다.
- **(b)일반화(Generalization)** : 데이터의 특징은 잘 설명하면서도 지나치게 학습하지 않았기 때문에 새로운 데이터를 입력하였을 때도 좋은 성능을 나타낼 수 있다.
- **(c)과대적합** : 각각의 데이터를 너무 정확하게 설명하였기 때문에 새로운 데이터에 해당 모형을 적용시킨다면 일반화가 힘들어 예측에 실패할 수 있다.

핵심 개념체크

✓38회 기출 출★★★★★ 난★★★★★

7. 아래 오분류표에서 F1-score를 구하시오.(값은 분수로 표기)

실제값		예측값		총합
		TRUE	FALSE	
실제값	TRUE	30	70	100
	FALSE	170	40	210
총합		200	110	310

① 1/10 ② 1/5
③ 3/10 ④ 2/5

F1-score는 분류 모델의 성능을 평가하는 지표 중 하나로, 정밀도(Precision)와 재현율(Recall)의 조화 평균이다. 위 모델에서 정밀도는 3/20이고 재현율은 3/10이다. 따라서 이 둘의 조화평균인 F1-score는 2×{(3/20×3/10)/(3/20+3/10)}의 값인 1/5로 계산된다.

✓37회 기출 출★★★★★ 난★★★★☆

8. 구축된 모델의 과대 또는 과소 적합에 대한 미세조정 절차를 위해 사용되는 데이터는?

① 학습용 데이터 (Training Data)
② 검증용 데이터 (Validation Data)
③ 라벨링 데이터 (Labeled Data)
④ 테스트 데이터 (Test Data)

검증용 데이터는 모델의 성능을 평가하고, 과대적합(overfitting)이나 과소적합(underfitting)을 방지하기 위해 하이퍼파라미터를 조정하는 데 사용된다. 학습용 데이터는 모델 훈련에 사용되고, 테스트 데이터는 최종적으로 모델의 성능을 평가하는 데 사용된다. 라벨링 데이터는 지도 학습에서 정답이 제공된 데이터를 뜻한다.

✓38회 기출 출★★★★★ 난★★★★☆

9. 데이터마이닝에서 자주 사용되는 분석모형 중에 분류모형이 많이 활용된다. 다음 중 분류 모형의 성능을 평가하는데 사용하는 방법이 아닌 것은?

① 덴드로그램 ② ROC 그래프
③ 누적 이익 도표 ④ 정밀도-재현율 곡선

덴드로그램은 계층적 군집 분석에서 사용되는 시각화 도구로, 분류 모형의 성능 평가에 사용되지 않는다. ROC 그래프, 누적 이익 도표, 정밀도-재현율 곡선은 분류 모형의 성능을 평가하는 데 사용되는 주요 방법이다.

✓32회 기출 출★★★★★ 난★★★★★

10. 다음 설명에 맞는 (   )에 들어갈 적절한 용어는 무엇인가?

> (   )는 분류 분석 모형을 사용하여 분류된 관측치가 각 등급별로 얼마나 포함되는지를 나타내는 도표이다.

① 혼동 행렬 (Confusion Matrix)
② 이익도표 (Lift Chart)
③ 상관 행렬 (Correlation Matrix)
④ 파이 차트 (Pie Chart)

혼동 행렬은 분류 모델의 성능을 평가하는 데 사용되며, 실제 값과 예측 값 간의 관계를 나타낸다. 이익도표는 모델의 유용성을 평가하는 데 사용되며, 상관 행렬은 변수 간의 상관관계를 나타낸다. 파이 차트는 데이터의 비율을 시각화하는 데 사용된다.

✓19회 기출 출★★★★★ 난★★★★☆

11. 오분류표(Confusion Matrix)를 사용하여 계산할 수 있는 평가 지표 중 민감도와 동일하며 모형의 완전성(Completeness)을 평가하는 지표는?

① F1 지표
② 정밀도(Precision)
③ 특이도(Specificity)
④ 재현율(Recall)

재현율은 실제로 양성인 데이터 중에서 모델이 양성으로 올바르게 예측한 비율로, 민감도와 동일한 개념이다. 정밀도는 양성으로 예측한 데이터 중에서 실제로 양성인 비율을 나타내며, F1 지표는 정밀도와 재현율의 조화 평균이다. 특이도는 음성인 데이터를 올바르게 음성으로 예측한 비율이다.

✓33회 기출 출★★★★★ 난★★★★☆

12. 오분류표(Confusion Matrix)를 활용하여 모형을 평가하는 지표 중 실제값이 FALSE인 관측치 중 예측치가 적중한 정도를 나타내는 지표는?

① 민감도
② 특이도
③ 정밀도
④ 재현율

특이도(Specificity)는 실제값이 FALSE인 관측치 중에서 모델이 올바르게 FALSE로 예측한 비율을 나타낸다. 민감도는 실제값이 TRUE인 관측치 중에서 모델이 올바르게 TRUE로 예측한 비율이고, 정밀도는 양성으로 예측된 것 중에서 실제 양성인 비율이다. 재현율은 민감도와 같은 개념이다.

5장 정형 데이터 마이닝

분류분석

출제빈도 F3 난이도 D5

 #분류분석 #예측분석 #로지스틱회귀분석 #모형검정 #k-최근접이웃법 #서포트벡터 #베이즈정리

○ 학습 목표

- 분류분석의 개요와 기법을 이해한다.
- 분류분석과 예측분석을 구분할 수 있다.
- 분류분석의 기법을 이해한다.

○ 눈높이 체크

✓ 분류분석에 대해 들어 본 적이 있나요?

분류분석은 레코드의 특정 속성의 값이 범주형으로 정해져 있으며 데이터의 실체가 어떤 그룹에 속하는지 예측하는데 사용되는 기법입니다. 사기방지모형, 이탈모형, 고객세분화 모형 등을 개발할 때 활용되는 데이터 마이닝 방법론입니다. 분류 기법에는 로지스틱회귀분석, 의사결정나무, 베이지안 분류, 인공신경망, SVM 등을 활용할 수 있습니다.

✓ 분류분석과 예측분석은 어떻게 다를까요?

분류분석과 예측분석은 데이터를 학습하고 패턴을 찾아 새로운 데이터를 예측한다는 공통점이 있지만, 목적과 출력되는 값의 유형에서 차이가 있습니다. 분류분석은 데이터를 범주(클래스)로 나누는 데 초점이 있습니다. 예를 들어, "이 학생이 시험에 합격할까?"라는 질문은 "예" 또는 "아니오"와 같은 이산적인 값을 도출하기 때문에 분류분석에 해당합니다. 예측분석은 데이터를 기반으로 미래의 값을 숫자나 연속적인 값으로 추정하는 데 초점이 있습니다. 예를 들어, "이 학생이 몇 점을 받을까?"라는 질문은 "60점", "76점"처럼 연속적인 값을 예측하기 때문에 예측분석에 해당합니다.

✓ 서포트 벡터 머신(SVM)에 대해 들어 본 적이 있나요?

서포트 벡터 머신(SVM)은 데이터를 분류하거나 예측하기 위한 도구로, 데이터를 나누는 가장 좋은 "선"이나 "경계"를 찾는 데 사용됩니다. 이 경계는 두 개의 그룹(예: 고양이 vs. 강아지)을 최대한 멀리 떨어뜨리도록 설정됩니다. 쉽게 말해, SVM은 "이 두 그룹을 나누려면 어디에 선을 그으면 가장 깔끔할까?"를 고민하는 알고리즘입니다. 이 경계를 설정할 때, 각 그룹에서 가장 가까운 데이터(서포트 벡터)를 기준으로 경계를 결정합니다.

❶ 분류분석과 예측분석

1. 정의

가. 분류분석의 정의

- 데이터가 어떤 그룹에 속하는지 예측하는데 사용되는 기법이다.
- 클러스터링과 유사하지만, 분류분석은 각 그룹이 정의되어 있다.
- 교사학습(Supervised Learning)에 해당하는 예측기법이다.

나. 예측분석의 정의

- 시계열분석처럼 시간에 따른 값을 이용해 앞으로의 매출 또는 온도 등을 예측하는 것
- 모델링을 하는 입력 데이터가 어떤 것인지에 따라 특성이 다르다.
- 여러 개의 다양한 설명변수(독립변수)가 아닌, 한 개의 설명변수로 생각하면 된다.

2. 공통과 차이점

가. 공통점

- 레코드의 특정 속성의 값을 미리 예측하는 점이다.

나. 차이점

- 분류 : 레코드(튜플)의 **범주형 속성**의 값을 예측하는 것이다.
- 예측 : 레코드(튜플)의 **연속형 속성**의 값을 예측하는 것이다.

3. 예시

가. 분류

- 학생들의 국어, 영어, 수학 점수를 통해 내신등급을 알아맞히는 것
- 카드회사에서 회원들의 가입 정보를 통해 1년 후 신용등급을 알아맞히는 것

나. 예측

- 학생들의 여러 가지 정보를 입력하여 수능점수를 알아맞히는 것
- 카드회사 회원들의 가입정보를 통해 연 매출액을 알아맞히는 것

다. 분류 모델링

- 신용평가모형 (우량, 불량)

- 사기방지모형 (사기, 정상)

- 이탈모형 (이탈, 유지)

- 고객세분화 (VVIP, VIP, GOLD, SILVER, BRONZE)

라. 분류 기법

- 로지스틱 회귀분석(Logistic Regression)

- **의사결정나무**(Decision Tree), CART(Classification and Regression Tree), C5.0

- 나이브 베이즈 분류(Naive Bayes Classification)

- **인공신경망**(Artificial Neural Network, ANN)

- 서포트 벡터 머신(Support Vector Machine, SVM)

- k 최근접 이웃(k-Nearest Neighbor, kNN)

- 규칙기반의 분류와 사례기반추론(Case-Based Reasoning)

핵심 개념체크

✓38회 기출 출★★★★☆ 난★★☆☆☆

13. 다음 중 생물 진화의 과정을 모방하여 근삿값에 가까운 해답을 도출하는 최적화 탐색 분류 분석 알고리즘은 무엇인가?

① 유전자 알고리즘 (Genetic Algorithm)

② 심층 신경망 (Deep Neural Network)

③ 의사결정나무 (Decision Tree)

④ 랜덤 포레스트 (Random Forest)

유전자 알고리즘은 자연 선택과 유전 법칙을 모방하여 최적화 문제를 해결하는 탐색 알고리즘이다. 심층 신경망은 복잡한 데이터 표현을 학습하는 데 사용되며, 의사결정나무와 랜덤 포레스트는 분류와 회귀 문제에 활용되지만, 생물 진화 과정을 모방하지 않는다.

정답 13. ①

❷ 로지스틱 회귀분석 (Logistic Regression)

1. 정의

- 반응변수가 범주형인 경우에 적용되는 회귀분석모형이다.
- 새로운 설명변수(또는 예측변수)가 주어질 때 반응변수의 각 범주(또는 집단)에 속할 확률이 얼마인지를 추정(예측모형)하여, 추정 확률을 기준치에 따라 분류하는 목적(분류모형)으로 활용된다.
- 이때 모형의 적합을 통해 추정된 확률을 사후확률(Posterior Probability)이라고 한다.

$$\log\left(\frac{P(y)}{1-P(y)}\right) = \alpha + \beta_1 x_1 + \ldots + \beta_k x_k$$

$$P(y) = P(y=1|x),\ x=(x_1,\ldots,x_k)$$

- $\exp(\beta_1)$의 의미는 나머지 변수가 주어질 때, x_1이 한 단위 증가할 때마다 성공(Y=1)의 오즈가 몇 배 증가하는지를 나타내는 값이다.

$$P(y) = \frac{\exp(\alpha+\beta_1 x_1+\ldots+\beta_k x_k)}{1+\exp(\alpha+\beta_1 x_1+\ldots+\beta_k x_k)} = \frac{1}{1+\exp[-(\alpha+\beta_1 x_1+\ldots+\beta_k x_k)]}$$

- 위 식은 다중로지스틱 회귀모형이며, 그래프의 형태는 설명변수가 한 개(x_1)인 경우 해당 회귀 계수 β_1의 부호에 따라 S자 모양($\beta_1>0$) 또는 역 S자 모양($\beta_1<0$)을 가진다.
- 표준 로지스틱 분포의 누적분포함수를 $F(x)$라 할 때

$$P(y) = F(\alpha+\beta_1 x_1+\ldots+\beta_k x_k)$$

위 식과 동일한 표현이며, 표준 로지스틱 분포의 누적분포함수로 성공의 확률을 추정한다.

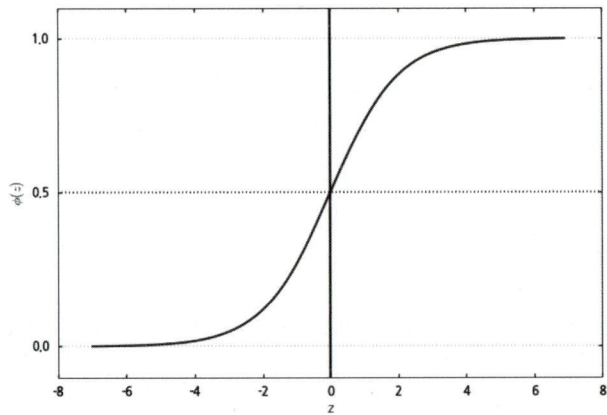

출제포인트

로지스틱 회귀분석은 자주 출제되는 빈출 주제이며, 2025년 시험에서는 3문제가 출제되었습니다. 오즈비 해석과 로짓 변환 등 핵심 개념을 정리하고 다른 회귀 모형과의 차이를 비교해 두시기 바랍니다.

개념 ➕

로지스틱 회귀분석 가정사항

- 독립변수 : 범주형 변수(연속형 변수를 더미변수 또는 인코딩으로 변환하여 사용) 혹은 연속형 변수
- 종속변수 : 범주형 변수(1개), 종속변수의 이항분포 근사 및 대표본(n이 300이상)
- 선형성 : 독립변수와 종속변수의 로그 오즈(log odds) 간에는 선형 관계
- 다중공선성 확인 : 독립변수 간 상관관계를 가지는 문제 최소화
- 독립성 만족 : 각 집단은 독립적 (독립성)
- 로지스틱회귀분석에서는 위 가정사항이 존재하지만, 종속변수의 이항분포만을 제외하면 분석에서 특별히 신경 쓰지 않습니다.

개념 ➕

더미변수화

더미변수화는 범주형 변수를 숫자로 변환하는 기법입니다. 예를 들어 "성별"에서 "남성=1"과 "여성=0"으로 변환하여 사용할 수 있습니다.

> **참고**

- 오즈비(Odds Ratio) : 오즈(Odds)는 어떤 사건이 일어날 확률을 일어나지 않을 확률로 나눈 값(여기서 성공확률을 실패확률로 나눈 값)이다. 오즈비는 서로 다른 집단의 오즈에 대한 비이다. (여기서 오즈비=브라질의 성공에 대한 오즈/한국의 성공에 대한 오즈) ex) 2002년에 한국과 브라질의 월드컵 16강 진출 성공 및 실패 확률과 각각의 오즈와 오즈비는 아래와 같다.

구 분	16강 성공 확률	16강 실패 확률
Brazil	0.8	0.2
Korea	0.1	0.9

$$\text{Odds}(Brazil) = \frac{0.8}{1-0.8} = \frac{0.8}{0.2} = 4 \quad \text{Odds}(Korea) = \frac{0.1}{1-0.1} = \frac{0.1}{0.9} = \frac{1}{9}$$

$$\text{Odds Ratio} = \frac{\text{Odds}(Brazil)}{\text{Odds}(Korea)} = \frac{4}{\frac{1}{9}} = 4 \times 9 = 36$$

- 오즈비가 36으로 나타나 브라질이 16강에 진출할 확률이 한국의 16강 진출 확률보다 36배 높다고 볼 수 있다.

- 선형회귀분석과 로지스틱 회귀분석의 비교

목 적	선형회귀분석	로지스틱 회귀분석
종속변수	연속형 변수	(0, 1)
계수 추정법	최소제곱법	최대우도추정법
모형 검정	F-검정, t-검정	카이제곱 검정(x^2-test)

> **참고**

최대 우도(가능도) 추정법(MLE : Maximum Likelihood Estimation)

- 모수가 미지의 θ인 확률분포에서 뽑은 표본(관측치) x들을 바탕으로 θ을 추정하는 기법이다.
- 우도(Likelihood)는 이미 주어진 표본 x들에 비추어봤을 때 모집단의 모수 θ에 대한 추정이 그럴듯한 정도를 말한다.
- 우도 L(θ|x)는 θ가 전제되었을 때 표본 x가 등장할 확률인 p(x|θ)에 비례한다.

개념 +

인코딩

- 원핫인코딩 : 각 범주마다 새로운 변수를 생성하는 변수화 기법. 예를 들어 "출생지"에서 "서울", "부산", "대구"의 3개의 범주가 있다면 이를 "서울", "부산", "대구" 변수로 만들어서 각 변수마다 값을 1과 0으로 구분하여 활용
- 라벨인코딩 : 각 범주를 수치로 대치하는 변수화 기법. 예를 들어 "출생지"에서 "서울", "부산", "대구"의 3개의 범주가 있다면 이를 각각 0, 1, 2로 변경하여 활용

비기의 학습팁

일반 선형회귀 모형과의 차이

일반 선형회귀는 X값의 변화에 따른 Y값의 변화를 알아내는 것으로 X가 1 증가할 때 Y는 회귀계수만큼 증가하는 것이며, 로지스틱 회귀는 Y가 성공일 확률에 대한 것을 선형 모델로 알아내는 것입니다.

2. R 프로그램을 통한 로지스틱 회귀분석

가. 예제1

1) 데이터 설명

- 림프절이 전립선 암에 대해 양성인지 여부를 예측하는 데이터

변수명	설 명
양성여부(r)	전립선암에 대한 양성 여부
age	환자의 연령
stage	질병 단계 : 질병이 얼마나 진행되어 있는지 나타내는 척도
grade	종양의 등급 : 진행의 정도
xray	X-선 결과
acid	특정한 부위에 종양이 전이되었을 때 상승되는 혈청의 인산염값

2) 분석 결과

```
> library(boot)
> data(nodal)
> a<-c(2,4,6,7)
> data <- nodal[,a]
> glmModel <- glm(r~., data=data, family="binomial")
> summary(glmModel)

Call: glm(formula = r ~ ., family = "binomial", data = data)
Deviance Residuals:
Min       1Q    Median      3Q       Max
-2.1231  -0.6620  -0.3039   0.4710   2.4892
Coefficients:
            Estimate Std. Error z value Pr(>|z|)
(Intercept)  -3.0518     0.8420  -3.624  0.00029 ***
stage         1.6453     0.7297   2.255  0.02414 *
xray          1.9116     0.7771   2.460  0.01390 *
acid          1.6378     0.7539   2.172  0.02983 *
--
Signif. codes:  0 '***' 0.001 '**' 0.01 '*' 0.05 '.' 0.1 ' ' 1
(Dispersion parameter for binomial family taken to be 1)
    Null deviance: 70.252  on 52  degrees of freedom
Residual deviance: 49.180  on 49  degrees of freedom
AIC: 57.18

Number of Fisher Scoring iterations: 5
```

- 2번째 변수인 양성여부를 종속변수로 두고 5개의 변수를 독립변수로 하여 로지스틱 회귀분석을 실시한 결과 age와 grade는 유의수준 5%하에서 유의하지 않아 이를 제외한 3개 변수 stage, xray와 acid 를 활용해서 모형을 개발한다.

- stage, xray와 acid의 추정계수는 유의수준 5% 하에서 유의하게 나타나므로 p(r=1)=1/(1+e-(-3.05+1.65stage+1.91xray+1.64acid))의 선형식이 가능하다.

나. 예제2

- glm( ) 함수를 활용하여 로지스틱 회귀분석을 실행한다.
- R 코드 : glm(종속변수 ~ 독립변수1+…+독립변수k, family=binomial, data=데이터셋명)

1) 분석결과

```
a<-iris[iris$Species=="setosa" | iris$Species=="versicolor",]
b<-glm(Species ~ Sepal.Length, data=a, family=binomial)
> summary(b)


Call :
glm(formula = Species ~ Sepal.Length, family = binomial, data = a )

Deviance Residuals :
    Min      1Q   Median      3Q      Max
-2.05501 -0.47395 -0.02829  0.39788  2.32915


Coefficients :
              Estimate Std. Error  z value  Pr( > |z|)
(Intercept)   -27.831     5.434    -5.122   3.02e-07 ***
Sepal.Length    5.140     1.007     5.107   3.28e-07 ***
---
Signif. codes :  0 '***' 0.001 '**' 0.01 '*' 0.05 '.' 0.1 ' ' 1


(Dispersion parameter for binomial family taken to be 1 )

  Null devianve : 138.629 on 99 degrees of freedom
Residual deviance : 64.211 on 98 degrees of freedom
AIC : 68.211

Number of Fisher Scoring iterations : 6
```

R 프로그램 결과 해석

- 종속변수: Species, 독립변수: Sepal.Length
- Sepal.Length가 한 단위 증가함에 따라 Species(Y)=2에 대한 오즈(Odds)가 exp(5.140)≈170배 증가함(β가 음수이면 감소를 의미한다.)
- Null deviance는 절편만 포함하는 모형의 완전 모형으로부터의 이탈도(Deviance)를 나타내며 p-값=P(x^2(99)>138.629)≈0.005으로 통계적으로 유의하므로 적합결여를 나타낸다.
- Residual deviance는 예측변수 Sepal.Length가 추가된 적합 모형의 이탈도를 나타낸다. Null deviance에 비해 자유도 1 증가에 따른 이탈도 감소량이 74.4로 큰 감소를 보이며, p-값=P(x^2(98)>64.211)≈0.997으로 통계적으로 유의하지 못해 귀무가설을 기각하지 못한다.
- 따라서 적합값이 관측된 자료를 잘 적합 한다고 말할 수 있다.

핵심 개념체크

✓ 39회 기출 출★★★★★ 난★★★☆☆

14. 아래의 로지스틱회귀모형에 대한 설명에서 괄호 안에 들어갈 단어는?

> 로지스틱 회귀모형에서 e^{β_1}의 의미는 $X_1, \cdots, X_n$이 주어질 때, X_1이 한 단위 증가할 때마다 성공($y=1$)의 (　)이/가 증가하는지를 나타낸다.

① 확률 (Probability)　　　　② 오즈 (Odds)
③ 로그 오즈 (Log Odds)　　　④ 오즈비 (Odds Ratio)

e^{β_1}는 로지스틱 회귀모형에서 독립변수가 한 단위 증가할 때 성공($y=1$)의 오즈가 얼마나 증가하는지를 나타낸다. 오즈는 사건이 발생할 확률과 발생하지 않을 확률의 비율이며, 확률이나 로그 오즈와는 구분된다.

✓ 30회 기출 출★★★★★ 난★★★★☆

15. 로지스틱 회귀분석은 독립 변수의 선형 결합을 이용하여 사건의 발생 가능성을 예측하는데 사용되는 통계기법이다. 다음 중 로지스틱 회귀모형의 모형 검정 방법으로 알맞은 것을 고르시오.

① 최소제곱법　　② 쌍측검정　　③ F-검정　　④ 카이제곱 검정

로지스틱 회귀분석에서 모형의 적합도를 평가하거나 변수의 유의성을 검정하는 데 카이제곱 검정이 사용된다. 최소제곱법은 회귀분석에 사용되며, 쌍측검정과 F-검정은 로지스틱 회귀모형의 검정 방법이 아니다.

✓ 25회 기출 출★★★★★ 난★★★★★

16. Default 데이터는 10,000명의 신용카드 고객에 대한 체납 여부(default)와 학생여부(student), 카드 잔고(balance), 연봉(income)을 포함하고 있다. 고객의 체납 확률을 예측하기 위한 아래 결과에 대한 설명으로 가장 부적절한 것은?

```
> summary(glm(default~.,data=Default,family="binomial"))

Call:
glm(formula = default ~ ., family = "binomial", data = Default)

Deviance Residuals:
    Min      1Q  Median      3Q     Max
-2.4691 -0.1418 -0.0557 -0.0203  3.7383

Coefficients:
              Estimate Std. Error z value Pr>|zi|
(Intercept) -1.087e+01  4.923e-01 -22.080  < 2e-16 ***
studentYes  -6.468e-01  2.363e-01  -2.738  0.00619 **
balance      5.737e-03  2.319e-04  24.738  < 2e-16 ***
income       3.033e-06  8.203e-06   0.370  0.71152
---
Signif. codes:  0 '***' 0.001 '**' 0.01 '*' 0.05 '.' 0.1 ' ' 1

(Dispersion parameter for binomial family taken to be 1)

    Null deviance: 2920.6  on 9999  degrees of freedom
Residual deviance: 1571.5  on 9996  degrees of freedom
AIC: 1579.5

Number of Fisher Scoring iterations: 8
```

① 로지스틱 회귀모형을 사용한 결과이다.
② 세 설명변수 모두가 체납확률을 예측하는데 유익한 영향이 있지는 않다.
③ 카드 잔고와 연봉이 동일한 수준일 때, 학생(studentYes)이 학생이 아닌 고객보다 체납확률이 높다.
④ 해당 분석 결과에 대한 분산분석표를 확인하기 위해서는 anova(model)를 실행하면 된다.

위 모델은 로지스틱 회귀모형이다. p-value를 살펴보면 studentYes와 balance는 유의수준 5% 내에서 체납 여부에 유의미한 영향을 미친다. 특히, balance는 p-value < 2e-16으로 매우 유의미하며 체납확률에 중요한 영향을 미치는 변수임을 나타낸다. 또한 studentYes의 계수가 -6.468e-01로 음수이므로 학생이 학생이 아닌 고객보다 체납확률이 낮음을 의미한다.

정답 14. ② 15. ④ 16. ③

❸ k-최근접 이웃법(k-Nearest Neighbor, k-NN)

이론 정복 강의

1. 원리

- 어떤 범주로 나누어져 있는 데이터 셋이 있을 때, 새로운 데이터가 추가된다면 이를 어떤 범주로 분류할 것인지를 결정할 때 사용할 수 있는 분류 알고리즘으로 지도 학습(Supervised Learning)의 한 종류이다.

- K-NN 알고리즘에서는 새로운 데이터의 클래스(범주)를 해당 데이터와 가장 가까이 있는 k개 데이터들의 클래스(범주)로 결정한다.

- 예를 들어 아래의 그림에서 '?'의 클래스를 구분하고자 한다. 주변에 있는 이웃의 개수를 k라고 했을 때, k=1로 설정할 경우 '?'는 안쪽의 작은 원으로 분류되고 k=3으로 설정할 경우 '?'는 바깥쪽의 큰 원으로 분류된다. 일종의 다수결과 같이 분류하고자 하는 데이터와 가장 가까운 이웃들이 주로 속해 있는 클래스(범주)를 선택하는 것이다.

> **비기의 학습팁**
>
> K-NN은 모형을 미리 만들지 않고, 새로운 데이터가 들어오면 그때부터 계산을 시작하는 Lazy Learning(게으른 학습)이 사용되는 지도 학습 알고리즘입니다. Lazy Learning(게으른 학습)이란 사전학습 없이 테스트 데이터가 주어졌을 때 최근접 이웃들을 찾아가는 학습방식 입니다.

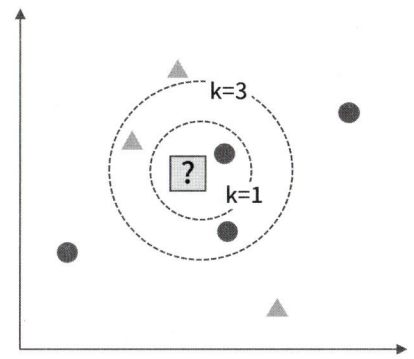

2. K의 선택

- k의 선택은 학습의 난이도와 데이터의 개수에 따라 결정될 수 있으며, 일반적으로는 훈련 데이터 개수의 제곱근으로 설정한다. k를 너무 크게 설정할 경우 과소적합(Underfitting)이 발생하며 k를 너무 작게 하면 과대적합(Overfitting)이 발생할 수 있다.

3. 이웃 간의 거리 계산 방법

- K-NN 알고리즘에서 최근접 이웃 간의 거리를 계산할 때 **유클리디안 거리(Euclidean dist)**, 맨하탄 거리(Manhattan dist), 민코우스키 거리(Minkowski dist)등을 사용할 수 있으며, 대표적으로는 **유클리디안 거리를 사용**한다.

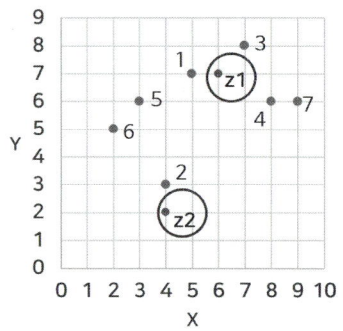

- 위 표와 같이 A, B의 두 가지 범주로 구분된 데이터 7개가 있을 때, K-NN 분류 알고리즘을 이용하여 z1과 z2 데이터는 어떤 범주에 속하는지 분류하고자 한다.

- 유클리디안 거리 공식을 이용해 z1, z2와 기존 7개의 데이터들 사이의 거리를 산출한다. k의 값을 3으로 설정하고 계산된 객체 간의 거리를 활용해 z1과 z2의 가장 인근에 있는 데이터들과 범주를 아래의 표와 같이 파악한다.

비기의 학습팁

거리 공식들은 6절 군집분석에서 자세히 다룰 예정입니다.

기존 객체들과의 거리							
	1	2	3	4	5	6	7
z_1	1.0	4.472	1.414	2.236	3.162	4.472	3.162
z_2	5.099	1.0	6.708	5.657	4.123	3.606	6.403

범주의 추정			
	인근객체	인근범주	추정범주
z_1	1, 3, 4	A, B, B	B
z_2	2, 5, 6	B, A, A	A

- z1 데이터의 이웃으로는 B범주에 속하는 데이터가 2개, A범주에 속하는 데이터가 1개이므로 z1은 B범주로 분류한다. 반면 z2 데이터의 이웃으로는 A범주에 속하는 데이터가 2개, B범주에 속하는 데이터가 1개이므로 z2는 A범주로 분류한다.

4. 장단점

장 점	단 점
• 사용이 간단함 • 범주를 나눈 기준을 알지 못해도 데이터를 분류할 수 있음 • 추가된 데이터의 처리가 용이함	• k값의 결정이 어려움 • 수치형 데이터가 아닐 경우 유사도를 정의하기 어렵다. 데이터 내에 이상치가 존재하면 분류 성능에 큰 영향을 받음

핵심 개념체크

✓ 29회 기출 출★★★★★ 난★★★★★

17. 다음 중 K-Nearest-Neighbor의 단점 중 옳지 않은 것은?

① k 값을 구하기 어렵다.

② 수치형 데이터만 분석이 가능하다.

③ 이상치에 영향을 많이 받는다.

④ 차원의 크기가 크면 계산량이 많아진다.

KNN은 수치형 데이터뿐만 아니라 범주형 데이터에도 적용 가능하다. 예를 들어, 범주형 데이터는 원핫 인코딩 후 해밍거리와 같은 거리 측도를 활용하여 적용할 수 있다. 나머지 선택지들은 실제 단점으로, k 값 설정이 어렵고, 이상치에 민감하며, 차원이 커질수록 계산량이 증가하는 문제가 있다.

정답 17. ②

❹ 서포트 벡터 머신 (Support Vector Machine, SVM)

1. 원리

- 서포트 벡터 머신은 지도학습 머신러닝 모델이며, 주로 회귀와 분류 문제 해결에 사용되는 비확률적 이진 선형 분류 모델을 생성한다.

- 기존 분류기가 오류율 최소화를 특징으로 한다면 SVM은 마진 최대화로 일반화 능력의 극대화를 추구하며, 마진이 가장 큰 초평면을 분류기(Classifier)로 사용할 때, 새로운 자료에 대한 오분류율이 가장 낮아진다.

- SVM 분류 모델은 데이터가 표현된 공간에서 분류를 위한 경계를 정의한다. 즉, 분류되지 않은 새로운 값이 입력되면 경계의 어느 쪽에 속하는지를 확인하여 분류 과제를 수행한다.

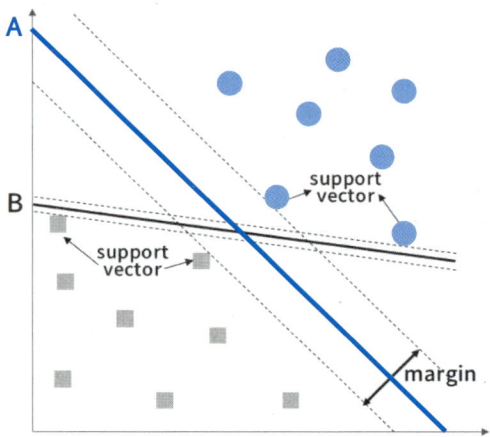

- 위 그림에서 원과 사각형을 구분 짓는 경계선은 아주 많이 생성될 수 있다. 수많은 경계선 중 SVM은 두 집단에 속한 각 데이터들 사이에서 가장 큰 폭을 가진 경계를 찾는다.

- A, B 경계면과 같이 데이터의 각 그룹을 구분하는 분류자를 결정 초평면(Decision Hyperplane) 이라고 한다. 각 그룹에 속한 데이터들 중에서도 초평면에 가장 가까운 데이터들이 결정 경계를 지지(Support)하기 때문에 이러한 데이터들을 서포트 벡터(Support Vector)라 한다. 서포트 벡터와 초평면 사이의 수직거리는 마진(Margin)이라고 한다.

- SVM은 이와 같이 고차원 혹은 무한 차원의 공간에서 마진(Margin)을 최대화하는 초평면(Maximum Margin Hyperplane : 최대 마진 초평면, MMH)을 찾아 분류와 회귀를 수행한다.

비기의 학습팁

SVM(서포트벡터머신)은 블라디미르 배프니크와 그의 동료에 의해 1992년에 최초로 정립된 선형과 비선형 분류, 회귀(예측) 및 이상값 분류에도 사용할 수 있는 패턴인식, 자료분석 등에 활용되는 지도학습 알고리즘입니다. 인공지능의 2차 암흑기는 서포트벡터머신과 같은 우수한 알고리즘의 등장도 원인이 되었습니다.

비기의 학습팁

서포트 벡터 (Support Vector)
두 집단을 구분하는 결정 초평면에 가장 가까이 위치한 데이터 점을 말하며, 초평면의 위치와 방향을 결정하는 핵심 데이터입니다.

마진 (Margin)
서로 다른 집단에 속한 서포트 벡터들 사이의 간격(폭)을 의미합니다. SVM은 이 마진이 최대가 되도록 경계를 설정하여 일반화 성능을 높입니다.

초평면 (Hyperplane)
n차원 공간에서 데이터를 구분하기 위해 설정하는 n-1차원 분리면으로, 두 집단을 나누는 결정 경계(Decision Hyperplane) 역할을 합니다.

2. 장단점

장 점	단 점
• 분류와 예측에 모두 사용할 수 있음 • 신경망 기법에 비해 과적합 정도가 낮음 • 예측의 정확도가 높음 • 저차원과 고차원의 데이터에 대해서 모두 잘 작동함 • 비선형 분리 데이터를 커널트릭을 사용해 분류 모델링 할 수 있음	• 데이터 전처리와 매개변수 설정에 따라 정확도가 달라질 수 있음 • 예측이 어떻게 이루어지는지에 대한 이해와 모델에 대한 해석이 어려움 • 대용량 데이터에 대한 모형 구축 시 속도가 느리며, 메모리 할당량이 큼

3. 커널함수

SVM(Support Vector Machine)의 커널 함수는 데이터를 고차원 공간으로 변환하여 비선형 데이터를 선형적으로 분리 가능하게 만드는 핵심 요소이다.

장 점	단 점
• 비선형 분리: 선형적으로 분리 불가능한 데이터를 고차원에서 분리 가능하게 함. • 계산 효율성: 커널 트릭으로 고차원 매핑을 직접 수행하지 않아 메모리와 계산 비용 절감.	• 적절한 커널과 하이퍼파라미터(예: γ, C) 선택이 중요하며, 이는 데이터에 따라 달라짐. • 복잡한 커널은 계산 비용이 높아질 수 있음.

◆ 핵심 개념체크

✓ 18회 기출

18. 다음 중 SVM에 대한 설명 중 틀린 것은?

① SVM은 저차원과 고차원의 데이터에 대해서 모두 잘 작동한다.
② SVM은 생성된 모델에 대한 해석이 어렵다.
③ SVM은 이진분류가 아니어도 적용이 가능하므로 여러 개의 선을 그을 수 있다.
④ SVM은 다른 분석 방법론들보다 계산과정이 빠르다.

SVM(Support Vector Machine)은 고차원 데이터에서도 효과적으로 작동하며, 이진분류뿐만 아니라 다중 분류에도 적용 가능하다. 하지만 SVM은 계산 과정이 복잡하고 대규모 데이터에 적용할 경우 학습 시간이 오래 걸릴 수 있다는 단점이 있다.

✓ 20회 기출

19. SVM(Support Vector Machine)에서 커널 함수의 역할은 무엇인가?

① 데이터의 차원을 축소한다.
② 데이터의 차원을 증가시킨다.
③ 데이터의 노이즈를 제거한다.
④ 데이터의 분포를 균등하게 만든다.

커널 함수는 데이터를 고차원 공간으로 변환하여 선형적으로 구분되지 않는 데이터를 선형적으로 분리 가능하게 만든다. 이는 차원을 축소하는 것이 아니라 차원을 확장하여 데이터 간의 패턴을 더 잘 찾을 수 있도록 돕는 역할을 한다.

정답 18. ④ 19. ②

❺ 나이브 베이즈 분류(Naive Bayes Classification)

1. 개념

- 나이브 베이즈 분류는 데이터에서 변수들에 대한 조건부 독립을 가정하는 알고리즘으로 클래스에 대한 사전 정보와 데이터로부터 추출된 정보를 결합하고, 베이즈 정리(Bayes' Theorem)를 이용하여 어떤 데이터가 특정 클래스에 속하는지를 분류하는 알고리즘이다.
- 텍스트 분류에서 문서를 여러 범주(ex. 스팸, 경제, 스포츠 등) 중 하나로 판단하는 문제에 대한 솔루션으로 사용될 수 있다.

2. 베이즈 정리(Bayes' Theorem)

- 나이브 베이즈 알고리즘의 기본이 되는 개념으로, 두 확률 변수의 사전 확률과 사후 확률 사이의 관계를 나타내는 정리이다.
- 사건 A와 B가 있을 때, 사건 B가 일어난 것을 전제로 한 사건 A의 조건부 확률을 구하고자 한다. 하지만 현재 가지고 있는 정보는 사건 A가 일어난 것을 전제로 한 사건 B의 조건부 확률, A의 확률, B의 확률뿐이다. 이 때, 원래 구하고자 했던 '사건 B가 일어난 것을 전제로 한 사건 A의 조건부 확률'을 다음과 같이 구할 수 있다는 것이 베이즈 정리(Bayes' Theorem)이다.

$$P(A|B) = \frac{P(B \cap A)}{P(B)} = \frac{P(A)P(B|A)}{P(B)} = \frac{P(A)P(B|A)}{P(A)P(B|A) + P(A^C)P(B|A^C)}$$

3. 작동원리

- 나이브 베이즈 분류는 하나의 속성값을 기준으로 다른 속성이 독립적이라 전제했을 때 해당 속성값이 클래스 분류에 미치는 영향을 측정한다.
- 속성값에 대해 다른 속성이 독립적이라는 가정을 클래스 조건 독립성(Class Conditional Independence)이라 한다.
- 데이터 셋이 특성(독립변수) $X=(X_1, X_2, ..., X_n)$을 담고 있고, k개의 클래스 라벨 $C_1, C_2, \cdots, C_k$ 이 있을 때, 다음 식을 만족한다.

$$P(C_i|X) > P(C_j|X), 1 \leq j \leq k, j \neq i$$

- 조건부 확률 $P(C_i|X)$ 이 최대일 경우를 찾으며, 다음과 같은 식으로 확률을 계산한다.

$$P(C_i|X) = \frac{P(C_i)P(X|C_i)}{P(X)}$$

- $P(X|C_i)$ 의 계산을 위해 클래스 조건 독립성을 두고 아래 식으로 계산한다.

$$P(X|C_i) = \prod_{k=1}^{n} P(X_k|C_i) = P(x_1|C_i) \times P(x_2|C_i) \times \cdots \times P(x_n|C_i)$$

개념 ➕

빈도 확률과 베이지안 확률

- 베이즈 이론은 확률을 해석하는 이론입니다. 통계학에서 확률은 크게 빈도 확률과 베이지안 확률로 구분할 수 있습니다. 빈도 확률은 객관적으로 확률을 해석하고 베이지안 확률은 주관적으로 확률을 해석합니다.
- 빈도 확률이란 사건이 발생한 횟수의 장기적인 비율을 의미합니다.
- 베이지안 확률은 사전확률과 우도확률을 통해 사후확률을 추정하는 정리입니다.

✓ 핵심 개념체크

✓**43회 기출** 출★★★★★ 난★★★★★

20. 다음은 베이즈 정리에 대한 설명이다. 내용이 가장 적절한 것은?

① 베이즈 정리는 연역적 추론 방법이다.
② 베이즈 정리 공식은 P(A|B) = (P(B|A) × P(B)) / P(A) 형태이다.
③ P(B|A)는 P(A|B)와 상호 교환이 가능하다.
④ 베이즈 정리는 과거 경험과 현재 증거를 기반으로 추정한다.

베이즈 정리는 확률을 추론하는 귀납적 방법으로, 과거의 경험(사전 확률)과 현재의 관찰된 증거를 조합하여 새로운 확률(사후 확률)을 추정하는 데 사용된다. 나머지 선택지도 잘못된 베이즈 정리의 정의 또는 공식이다.

정답 20. ④

5장 정형 데이터 마이닝

3절 의사결정나무 분석

출제빈도 **F3**   난이도 **D5**

#의사결정나무 #분리기준 #가지치기 #지니지수 #엔트로피

○ 학습 목표

- 의사결정나무(Decision Tree) 분석 방법론을 이해한다.
- 의사결정나무 분석 방법론의 종류별 특성을 이해한다.
- R 프로그램을 통해 의사결정나무 분석을 구현할 수 있다.

○ 눈높이 체크

✓ **의사결정나무 분석 방법을 알고 계신가요?**

> 의사결정나무 분석은 분류 함수를 의사결정 규칙으로 이뤄진 나무 모양으로 그리는 방법으로 의사결정 문제를 시각화해 의사결정이 이뤄지는 시점과 성과를 한 눈에 볼 수 있게 되어 있으며, 계산 결과가 의사결정나무에 직접 나타나기 때문에 분석이 간편합니다.

✓ **의사결정나무의 종류를 알고 계신가요?**

> 의사결정나무의 종류로는 가장 많이 활용되고 있는 CART(Classification and Regression Tree)과 C4.5와 C5.0 그리고 CHAID 등 다양한 문제를 해결할 수 있도록 의사결정나무가 발전되고 있습니다.

✓ **'나무의 가지치기'에 대해 들어본 적이 있나요?**

> 나무의 가지치기는 의사결정나무의 복잡도를 줄이고 성능을 개선하기 위해 나무의 일부 가지(노드)를 제거하는 과정입니다. '나무의 가지치기'라는 이름은 실제 나무를 다듬는 과정과 의사결정나무를 간소화하는 작업이 비슷하여 붙여진 이름입니다. 진짜 나무에서 영양분이 분산되거나 형태가 흐트러지는 것을 방지하기 위해 가지를 치듯, 의사결정나무에서도 불필요하거나 덜 중요한 가지(노드)를 제거하여 깔끔하고 일반화된 구조를 만들기 위해 나무의 가지치기를 수행합니다.

❶ 의사결정나무

1. 정의

- 의사결정나무는 분류함수를 의사결정 규칙으로 이루어진 **나무 모양으로 그리는 방법**이다.
- 나무구조는 연속적으로 발생하는 의사결정 문제를 **시각화**해 의사결정이 이루어지는 시점과 성과를 한눈에 볼 수 있게 한다.
- 계산 결과가 의사결정나무에 직접 나타나기 때문에 해석이 간편하다.
- 의사결정나무는 주어진 **입력값에 대하여 출력값을 예측하는 모형**으로 분류나무와 회귀나무 모형이 있다.

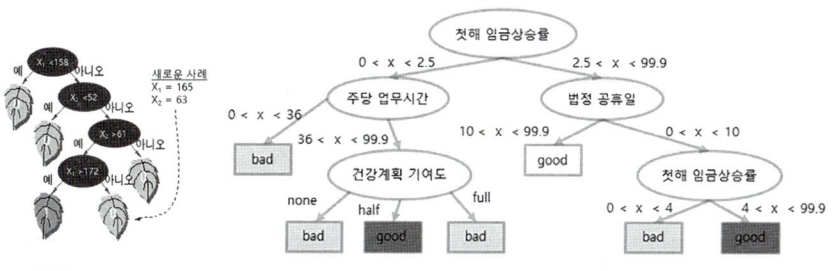

> **출제포인트**
>
> 의사결정나무는 최근 기출에서도 반복적으로 출제되는 빈출 주제이며, 2025년 시험에서는 2문제가 출제되었습니다. 의사결정나무의 정의·특징과 함께 분리 기준 및 가지치기 절차를 중점적으로 숙지해 두시기 바랍니다.

> **비기의 학습팁**
>
> 의사결정나무는 데이터의 어떤 기준을 바탕으로 분류 기준값을 정의하는지가 알고리즘의 성능에 큰 영향을 미칩니다. 올바른 분류를 위해서는 상위 노드에서 하위 노드로 갈수록 집단 내에서는 동질성이, 집단 간에는 이질성이 커져야 합니다.

참고

의사결정나무의 구성요소

- 뿌리마디(Root Node) : 시작되는 마디로 전체 자료를 포함
- 자식마디(Child Node) : 하나의 마디로부터 분리되어 나간 2개 이상의 마디들
- 부모마디(Parent Node) : 주어진 마디의 상위 마디
- 끝마디(Terminal Node) : 자식마디가 없는 마디
- 중간마디(Internal Node) : 부모마디와 자식마디가 모두 있는 마디
- 가지(Branch) : 뿌리마디로부터 끝마디까지 연결된 마디들
- 깊이(Depth) : 뿌리마디부터 끝마디까지의 중간마디들의 수

- 기대 집단의 사람들 중 가장 많은 반응을 보일 **고객의 유치방안을 예측**하고자 하는 경우에는 **예측력에 치중**한다.
- 신용평가에서는 심사 결과 부적격 판정이 나온 경우 고객에게 부적격 **이유를 설명**해야하므로 **해석력에 치중**한다.

2. 활용

활용방법	세부 설명
세분화	데이터를 비슷한 특성을 갖는 몇 개의 그룹으로 분할해 그룹별 특성을 발견함
분류	여러 예측변수들에 근거해 관측개체의 목표변수 범주를 몇 개의 등급으로 분류하고자 하는 경우에 사용하는 기법
예측	자료에서 규칙을 찾아내고 이를 이용해 미래의 사건을 예측하고자 하는 경우임
차원축소 및 변수선택	매우 많은 수의 예측변수 중에서 목표변수에 큰 영향을 미치는 변수들을 골라내고자 하는 경우에 사용하는 기법
교호작용효과 파악	여러 개의 예측들을 결합해 목표변수에 작용하는 규칙을 파악하고자 하는 경우에 사용
구간화	범주형 목표변수의 범주를 소수의 몇 개로 병합하거나 연속형 목표변수를 몇 개의 등급으로 이산화하고자 하는 경우에 사용

> **비기의 학습팁**
>
> 교호작용(Interaction)은 주로 실험계획법에서 두 개 이상의 요인들이 서로에게 미치는 영향으로, 각 요인의 수준 조합에 따라 결과에 나타나는 효과를 의미합니다. 즉, 요인들의 조합이 최적 조건에 영향을 줄 때, 그 조합의 영향력을 나타냅니다.

3. 장단점

장점	단점
• 결과를 누구에게나 설명하기 용이함 • 모형을 만드는 방법이 계산적으로 복잡하지 않음 • 대용량 데이터에서도 빠르게 만들 수 있음 • 비정상 잡음 데이터에 대해서도 민감함 없이 분류할 수 있음 • 한 변수와 상관성이 높은 다른 불필요한 변수가 있어도 크게 영향을 받지 않음 • 설명변수나 목표변수에 수치형변수와 범주형변수를 모두 사용 가능함 • 모형 분류 정확도가 높음	• 새로운 자료에 대한 과대적합이 발생할 가능성이 높음 • 분류 경계선 부근의 자료값에 대해서 오차가 큼 • 설명변수 간의 중요도를 판단하기 쉽지 않음

예시

- iris data에 대한 산점도 행렬

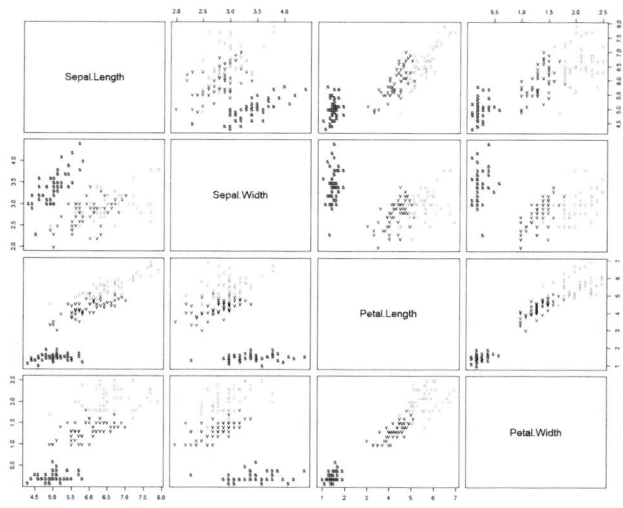

- tree 모형 만들기

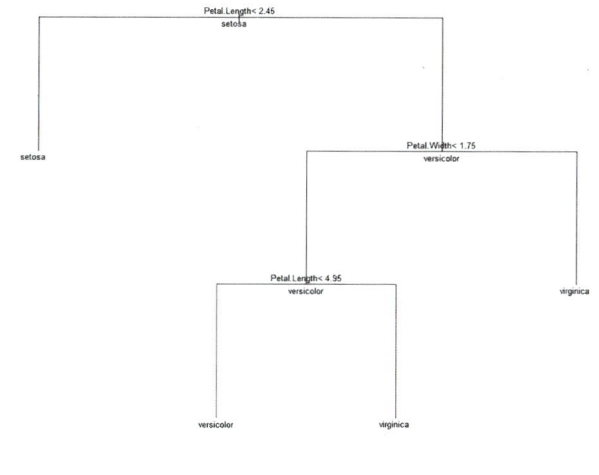

4. 분석과정

- 의사결정나무의 형성과정은 크게 성장(Growing), 가지치기(Pruning), 타당성 평가, 해석 및 예측으로 이루어진다.

가. 성장 단계

- 각 마디에서 적절한 최적의 분리규칙(Splitting Rule)을 찾아서 나무를 성장시키는 과정으로 적절한 정지규칙(Stopping Rule)을 만족하면 중단한다.

나. 가지치기 단계

- 오차를 크게 할 위험이 높거나 부적절한 추론규칙을 가지고 있는 가지 또는 불필요한 가지를 제거하는 단계이다.

다. 타당성 평가 단계

- 이익도표(Gain Chart), 위험도표(Risk Chart), 혹은 시험자료를 이용하여 의사결정나무를 평가하는 단계이다.

라. 해석 및 예측 단계

- 구축된 나무모형을 해석하고 예측모형을 설정한 후 예측에 적용하는 단계이다.

5. 나무의 성장

- 훈련자료를 $(x_i, y_i)\ i=1,2,\cdots,n$로 나타내자. 여기서 $x_i=(x_{i1}, \cdots\ x_{ip})$이다.
- 나무모형의 성장과정은 x 들로 이루어진 입력 공간을 재귀적으로 분할하는 과정이다.

$$R_1(j,A) = x_j \in A,\ R_2(j,A^c) = x_j \in A^c$$

가. 분리규칙(Splitting Rule)

- 분리 변수(Split Variable)가 연속형인 경우 : $A = x_j \leq s$
- 분리변수가 범주형 {1, 2, 3, 4}인 경우, A=1, 2, 4와 A^c=3으로 나눌 수 있다.
- 최적 분할의 결정은 불순도 감소량을 가장 크게 하는 분할이다.

$$\Delta i(t) = i(t) - p_L i(t_L) - p_R i(t_R),\ \ i(\text{t}) = \sum_{i \in t}(y_i - \overline{y}_t)^2$$

- 각 단계에서 최적 분리기준에 의한 분할을 찾은 다음 각 분할에 대하여도 동일한 과정을 반복한다.

나. 분리기준(Splitting Criterion)

- 이산형 목표변수

기준값	분리기준
카이제곱 통계량 p값	P값이 가장 작은 예측변수와 그 때의 최적분리에 의해서 자식마디를 형성
지니 지수	지니 지수를 감소시켜주는 예측변수와 그 때의 최적분리에 의해서 자식마디를 선택
엔트로피 지수	엔트로피 지수가 가장 작은 예측 변수와 이 때의 최적분리에 의해 자식마디를 형성

> **비기의 학습팁**
>
> 불순도는 자료들의 범주가 한 그룹 안에 얼마나 섞여 있는지를 나타내는 측도로서 분류가 잘 되어 하나의 범주로만 구성되어 있으면 불순도 값은 작고, 다양한 범주의 데이터로 구성되어 있으면 불순도 값은 큽니다.

- 연속형 목표변수

기준값	분리기준
분산분석에서 F 통계량	P값이 가장 작은 예측변수와 그 때의 최적분리에 의해서 자식마디를 형성
분산의 감소량	분산의 감소량을 최대화 하는 기준의 최적분리에 의해서 자식마디를 형성

다. 정지규칙(Stopping Rule)

- 더 이상 분리가 일어나지 않고, 현재의 마디가 끝마디가 되도록 하는 규칙이다.
- 정지기준(Stopping Criterion) : 의사결정나무의 깊이(Depth)를 지정, 끝마디의 레코드 수의 최소 개수를 지정한다.

6. 나무의 가지치기(Pruning)

- 너무 큰 나무모형은 자료를 과대적합하고 너무 작은 나무모형은 과소적합할 위험이 있다.
- 나무의 크기를 모형의 복잡도로 볼 수 있으며 최적의 나무 크기는 자료로부터 추정하게 된다. 일반적으로 사용되는 방법은 마디에 속하는 **자료가 일정 수(가령 5)이하**일 때 분할을 정지하고 **비용-복잡도 가지치기(Cost Complexity Pruning)를 이용**하여 성장시킨 나무를 가지치기하게 된다.

> 참고
>
> **과적합-과대적합, 과소적합**
>
>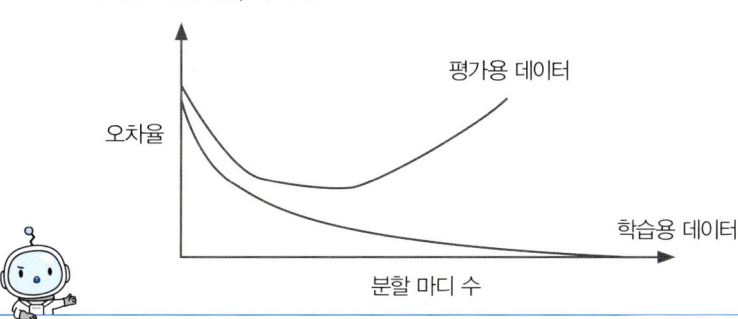

비기의 학습팁

정지 규칙은 트리가 지나치게 깊어지거나 과대적합(Overfitting)되는 것을 방지할 수 있습니다. 정치규칙의 예
- 뿌리마디로부터 일정 깊이에 도달하였을 경우
- 불순도의 감소량이 아주 작아 분리에 의미가 없는 경우
- 마디에 속하는 자료가 일정 수 이하인 경우
- 모든 자료들이 하나의 그룹에 속하는 경우

비기의 학습팁

의사결정나무의 성장이 끝났지만 모형이 너무 복잡한 경우 과적합이 발생할 수 있어 일부 가지를 적당히 제거하여 적당한 크기의 완성된 의사결정나무 모형으로 만들어줍니다. 의사결정나무는 가지치기의 비용 함수(Cost Function)를 최소로 하는 분기를 찾아내도록 학습합니다.

✅ 핵심 개념체크

✔ 15회 기출 ★★★★☆ 난★★★☆☆

21. 다음 중 의사결정 나무 모형에서 과대적합되어 현실 문제에 적용할 수 있는 적절한 규칙이 나오지 않는 현상을 방지하기 위해 사용되는 방법으로 가장 적절한 것은?

① 가지치기(Pruning)
② 스테밍(Stemming)
③ 정지규칙(Stopping rule)
④ 랜덤포레스트(Random forest)

가지치기는 의사결정나무의 과대적합을 방지하기 위해 불필요한 분기를 제거하는 작업이다. 정지 규칙은 의사결정 나무의 성장을 멈추는 규칙으로, 과대적합 방지에 일부 도움을 주나 가지치기보다 효과가 약할 수 있으며, 랜덤 포레스트는 앙상블 기법으로, 과대적합 방지에 효과적이지만 단일 의사결정 나무에는 적용되지 않는다. 스테밍은 자연어 처리 분야에서 단어의 어간을 추출하는 기법으로, 의사결정 나무와 관련이 없다.

✔ 34회 기출 ★★★★☆ 난★★★☆☆

22. 의사결정나무 모형에 대한 설명 중 적절하지 않은 것은?

① 의사결정나무 모형은 지도학습 모형으로 상향식 의사결정 흐름을 가지고 있다는 특징을 가지고 있다.
② 이익도표나 교차 타당성 같은 평가 기법을 사용해 모델의 성능을 평가할 수 있다.
③ 가지치기는 과적합 방지를 위해 불필요하거나 부적절한 분류 규칙을 제거하는 작업이다.
④ 대출 신용 평가, 의료 진단, 채무 불이행 예측 등 다양한 분야에서 활용될 수 있다.

의사결정나무 모형은 지도학습에 속하지만, 상향식이 아니라 하향식(top-down) 방식으로 데이터를 분류한다. 즉, 루트 노드에서 시작하여 리프 노드로 내려가는 방식이다. 2번 선택지는 모델 성능 평가에 사용되는 도구를 정확히 설명하며, 3번 선택지는 가지치기의 정의를, 4번 선택지는 의사결정나무의 활용 범위를 적절히 설명하고 있다.

✔ 40회 기출 ★★★★☆ 난★★★★★

23. 다음 중 의사결정나무와 가장 관련 없는 내용은 무엇인가?

① 지니 지수
② 결정 정지
③ 분기 기준
④ 가지 치기

의사결정나무는 데이터를 분류하거나 예측할 때 분기 기준을 사용하며, 가지 치기(pruning)를 통해 과적합을 방지한다. 지니 지수는 CART 알고리즘에서 불순도를 측정하는 기준으로 사용되므로 의사결정나무와 관련이 있다. 반면 결정 정지는 의사결정 과정을 멈추는 행위를 뜻하며, 이는 특정 알고리즘이나 프로세스에서 사용될 뿐 의사결정나무와 관련이 없다.

❷ 불순도의 여러 가지 측도

- 목표변수가 범주형 변수인 의사결정나무의 분류규칙을 선택하기 위해서는 카이제곱 통계량, 지니지수, 엔트로피 지수를 활용한다.

1. 카이제곱 통계량

- 카이제곱 통계량은 각 셀에 대한 ((실제도수−기대도수)의 제곱/기대도수)의 합으로 구할 수 있다.
- 기대도수 = 열의 합계 × 행의 합계 / 전체합계

$$\chi^2 = \sum_{i=1}^{k} \frac{(O_i - B_i)^2}{B_i}$$

(k : 범주의 수, O_i : 실제도수, B_i : 기대도수)

2. 지니지수

- 노드의 불순도를 나타내는 값이다.
- 지니지수의 값이 클수록 이질적(Diversity)이며 순수도(Purity)가 낮다고 볼 수 있다.

$$Gini(T) = 1 - \sum_{l=1}^{k} p_l^2$$

예제

아래 그림을 보고 지니지수(Gini Index)를 구하시오.

〈계산 결과〉
$$Gini = 1 - \left(\frac{3}{8}\right)^2 - \left(\frac{3}{8}\right)^2 - \left(\frac{1}{8}\right)^2 - \left(\frac{1}{8}\right)^2 = 0.69$$

〈계산 결과〉
$$Gini = 1 - \left(\frac{6}{7}\right)^2 - \left(\frac{1}{7}\right)^2 = 0.24$$

3. 엔트로피 지수

- 열역학에서 쓰는 개념으로 무질서 정도에 대한 측도이다.
- 엔트로피 지수의 값이 클수록 순수도(Purity)가 낮다고 볼 수 있다.
- 엔트로피 지수가 가장 작은 예측 변수와 이때의 최적분리 규칙에 의해 자식 마디를 형성한다.

$$Entropy(T) = -(\sum_{l=1}^{k} p_l \log_2 p_l)$$

출제포인트

불순도의 여러 가지 측도는 출제 빈도는 높지 않지만 개념 이해를 점검하는 용도로 간헐적으로 출제되는 주제이며, 2025년 시험에서는 1문제가 출제되었습니다. 시험의 기본 문항으로 자주 활용되는 지니지수의 개념과 계산·해석 방법은 반드시 숙지해 두시기 바랍니다.

개념 ➕

순수도

순수도는 같은 범주들끼리 얼마나 많이 포함되어 있는지를 의미합니다. 순수도가 높다는 것은 데이터가 같은 범주로 잘 묶여 있다는 의미이며, 이는 분류 정확도를 높입니다.

비기의 학습팁

확률이 0.5인 경우 불순도가 가장 높은 상태이며, 이때의 Entropy는 1이 됩니다. 확률이 0 또는 1인 경우는 Entropy 값이 0이 됩니다.

개념

이질성의 차이

지니지수 및 엔트로피 지수는 이질성이 작은 것이 분리가 잘 되는 것이고, 카이제곱 통계량의 p-value는 이질성이 큰 것이 분리가 잘 되는 것입니다.

예제

아래 그림을 보고 엔트로피 지수(Entropy Index)를 구하시오.

 〈계산 결과〉 $Entropy = -(0.25 \times \log_2 0.25) \times 4 = 2$

예제

- 아래와 같은 데이터가 있는 경우 기대도수는 80*210/300=56, 80*90/300=24

	Good	Bad	Total
Left	32 (56)	48 (24)	80
Right	178 (154)	42 (66)	220
Total	210	90	300

- 카이제곱 통계량

$$\frac{(56-32)^2}{56} + \frac{(24-48)^2}{24} + \frac{(154-178)^2}{154} + \frac{(66-42)^2}{66} = 46.75$$

- 지니지수 : 2(P(Left에서 Good)P(Left에서 Bad)P(Left)+P(Right에서 Good)P(Right에서 Bad) P(Right))

$$2 \times \left(\frac{32}{80} \times \frac{48}{80} \times \frac{80}{300} + \frac{178}{220} \times \frac{42}{220} \times \frac{220}{300}\right) = 0.3545$$

- 엔트로피 : 엔트로피(Left)P(Left) + 엔트로피(Right)P(Right)에서 엔트로피(Left) = −P(Left에서 Good)log2 P(Left에서 Good)

 $-\left(\frac{32}{80}\log_2\left(\frac{32}{80}\right) + \frac{48}{80}\log_2\left(\frac{48}{80}\right)\right) \times \frac{80}{300} - \left(\frac{178}{220}\log_2\left(\frac{178}{220}\right) + \frac{42}{220}\log_2\left(\frac{42}{220}\right)\right) \times \frac{220}{300} = 0.7747$

> 참고

지니지수를 이용한 최적의 분리 찾기

우측 자료 중 Temperature를 기준으로 분리하는 경우

- Left={Hot}, Right={Mild, Cold} 일 때,

	N	P	Total
Left	3	1	4
Right	3	7	10
Total	6	8	14

지니지수 = $2\left(\dfrac{1}{4} \times \dfrac{3}{4} \times \dfrac{4}{14} + \dfrac{3}{10} \times \dfrac{7}{10} \times \dfrac{10}{14}\right) = 0.4071$

- Left={Mild}, Right={Hot, Cold} 일 때,

	N	P	Total
Left	1	5	6
Right	5	3	8
Total	6	8	14

지니지수 = $2\left(\dfrac{1}{6} \times \dfrac{5}{6} \times \dfrac{6}{14} + \dfrac{5}{8} \times \dfrac{3}{8} \times \dfrac{8}{14}\right) = 0.3869$

- Left={Cold}, Right={Hot, Mild} 일 때,

	N	P	Total
Left	2	2	4
Right	4	6	10
Total	6	8	14

지니지수 = $2\left(\dfrac{2}{4} \times \dfrac{2}{4} \times \dfrac{4}{14} + \dfrac{5}{10} \times \dfrac{6}{10} \times \dfrac{10}{14}\right) = 0.4860$

- Humidity를 기준으로 분리하는 경우

	N	P	Total
Left	3	4	7
Right	3	4	7
Total	6	8	14

지니지수 = $2\left(\dfrac{3}{7} \times \dfrac{4}{7} \times \dfrac{7}{14} + \dfrac{3}{7} \times \dfrac{4}{7} \times \dfrac{7}{14}\right) = 0.4897$

- Windy를 기준으로 분리하는 경우

	N	P	Total
Left	4	4	8
Right	2	4	6
Total	6	8	14

지니지수 = $2\left(\dfrac{4}{6} \times \dfrac{2}{6} \times \dfrac{6}{14} + \dfrac{4}{8} \times \dfrac{4}{8} \times \dfrac{8}{14}\right) = 0.4762$

Temperature	Humidity	Windy	Class
Hot	High	False	N
Hot	High	True	N
Hot	High	False	P
Mild	High	False	P
Cold	Normal	False	P
Cold	Normal	True	N
Cold	Normal	True	P
Mild	High	False	N
Cold	Normal	False	N
Mild	Normal	False	P
Mild	Normal	True	P
Mild	High	True	P
Hot	Normal	False	N
Mild	High	True	P

- 모든 가능한 분리의 경우를 종합한 결과 Temperature 에서 Left={Mild}, Right={Hot, Cold}로 분리

> **핵심 개념체크**

✓ 29회 기출 [출]★★★☆☆ [난]★★★☆☆

24. 다음 중 지니지수의 설명 중 부적절한 것은?

① 지니지수는 '불확실성'을 의미하며 같은 특성을 가진 객체들끼리 잘 모여 있는지를 판단한다.
② 지니지수 값이 작을수록 이질적이며 순수도(purity)가 낮다고 할 수 있다.
③ 지니지수는 데이터의 통계적 분산 정도를 정량화해서 표현한 값이다.
④ 지니지수는 이진 분류로 나뉠 때 사용된다.

지니지수는 불확실성을 의미하며, 특정 클래스에 속하는 데이터가 얼마나 잘 분류되어 있는지를 나타내는 척도이다. 지니지수 값이 작을수록 데이터가 동일한 클래스에 포함될 가능성이 커지며, 이는 순수도가 높은 상태를 의미한다. 또한 지니지수는 데이터의 분산 정도를 정량화한 값으로, 데이터의 불확실성을 측정하기 위한 지표이며 주로 이진 분류 상황에서 사용 된다.

❸ 의사결정나무 알고리즘

1. CART

- 앞에서 설명한 방식의 가장 많이 활용되는 의사결정나무 알고리즘으로 불순도의 측도로 출력(목적) 변수가 범주형일 경우 지니지수를 이용, 연속형인 경우 분산을 이용한 이진분리(Binary Split)를 사용한다.
- 개별 입력변수 뿐만 아니라 입력변수들의 선형결합들 중에서 최적의 분리를 찾을 수 있다.

2. C4.5와 C5.0

- CART와는 다르게 각 마디에서 다지분리(Multiple Split)가 가능하며 범주형 입력변수에 대해서는 범주의 수만큼 분리가 가능하다.
- 불순도의 측도로는 엔트로피지수를 사용한다.

3. CHAID(CHi-Squared Automatic Interaction Detection)

- 가지치기를 하지 않고 적당한 크기에서 나무모형의 성장을 중지한다.
- 불순도의 측도로는 범주형인 경우 카이제곱 통계량, 연속형인 경우 F통계량을 사용한다.

4. ID3 (Iterative Dichotomiser 3)

- ID3는 분류 문제를 해결하기 위해 설계된 초기 의사결정나무 알고리즘으로, 데이터를 분할하는 기준으로 정보 이득(Information Gain)을 사용한다.
- 각 단계에서 최대 정보 이득을 제공하는 특성을 선택하여 데이터를 분할하고, 분류의 정확성을 높이는 방식으로 작동한다.
- ID3는 주로 범주형 데이터에 적합하며, 연속형 데이터를 처리하거나 과적합(overfitting)을 방지하는 기능은 부족하다.
- 간단하고 구현이 쉬워 초기에 많이 사용되었지만, ID3의 단점을 개선한 C4.5, C5.0, CART와 같은 후속 알고리즘의 등장으로 현재에는 직접적으로 널리 사용되지는 않는다.

5. QUEST (Quick, Unbiased, Efficient, Statistical Tree)

- QUEST는 빠르고 편향이 없는 의사결정나무 알고리즘으로, 통계적 테스트를 사용하여 데이터를 분할한다.

비기의 학습팁

의사결정나무 알고리즘의 대표적인 예인 CART, C4.5, C5.0, CHAID는 꼭 기억하세요.

- 기존 의사결정나무 알고리즘들이 가지는 특정 특성이나 값에 대한 편향을 줄이고, 데이터 불균형 문제에서도 안정적인 성능을 보이는 것이 특징이다.
- 또한, 계산 속도가 빠르고 메모리 사용이 효율적이어서 대규모 데이터셋을 처리하는 데 적합하다.
- QUEST는 간결한 트리를 생성하며, 분석 결과를 쉽게 해석할 수 있는 장점도 제공한다.

6. MARS (Multivariate Adaptive Regression Splines)

- MARS는 비선형 회귀 문제를 다루기 위해 설계된 알고리즘으로, 데이터를 여러 구간으로 나누고 각 구간에 대해 스플라인(spline)을 사용하여 적응적으로 모델링한다.
- 기존 회귀 트리와 유사한 방식으로 작동하지만, 선형 모델의 간단함과 비선형 데이터 처리 능력을 동시에 제공한다.
- 이 알고리즘은 높은 유연성과 해석 가능성을 갖추고 있으며, 특히 연속형 데이터와 변수 간 상호작용이 많은 경우 효과적이다.
- 그러나 복잡한 데이터셋에서는 과적합 위험이 있을 수 있으므로 적절한 하이퍼파라미터 튜닝이 필요하다.

✓ 핵심 개념체크

✓ 41회 기출 출★★★★★ 난★★★☆☆

25. 데이터 분할 시 연속형에서는 분산감소량, 범주형에서는 지니지수를 사용하는 분할 방법은 무엇인가?

① K-means　　　　② DBSCAN
③ CART　　　　　④ PCA

CART(Classification and Regression Trees)는 의사결정나무의 한 형태로, 연속형 데이터에서는 분산의 감소를 기준으로, 범주형 데이터에서는 지니 지수를 사용해 데이터의 불순도를 줄이는 방식으로 분할한다. K-means, DBSCAN, PCA는 각각 군집화와 차원 축소 기법이므로 적절하지 않다.

정답 25. ③

④ 의사결정나무 예시

1. party 패키지를 이용한 의사결정나무

- party 패키지는 의사결정나무를 사용하기 편한 다양한 분류 패키지 중 하나이다.
- 분실값을 잘 처리하지 못하는 문제를 갖고 있는 것이 단점이다.
- tree에 투입된 데이터가 표시가 되지 않거나 predict가 실패하는 경우 문제가 발생할 수 있다.

가. iris data를 이용한 분석

- iris data의 30%는 test data, 70% training data로 생성한다.

```
> idx <- sample(2, nrow(iris), replace=TRUE, prob=c(0.7, 0.3))
> train.data <- iris[idx==1,]
> test.data <- iris[idx==2,]
```

나. train.data를 이용하여 모형생성

```
> iris.tree <- ctree(Species~., data=train.data)
> plot(iris.tree)
```

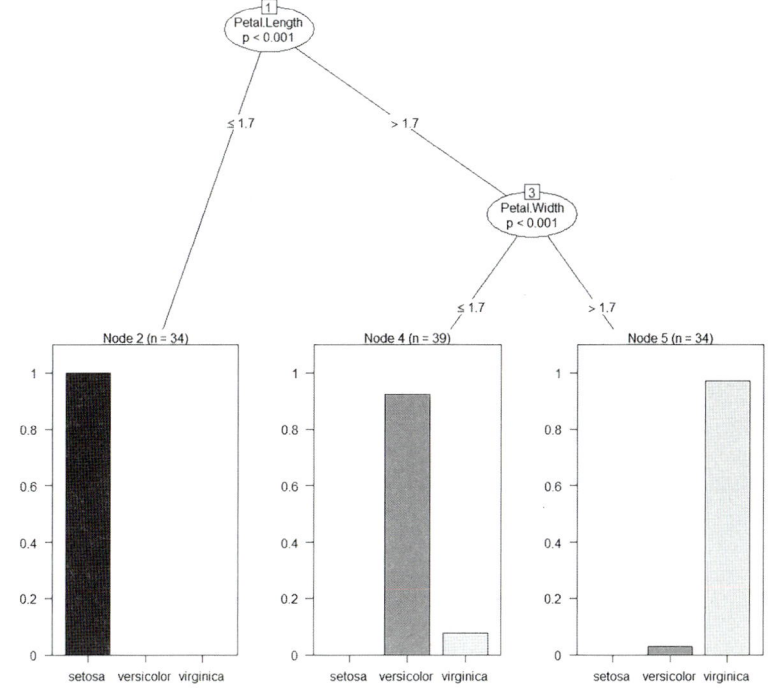

```
> plot(iris.tree, type="simple")
```

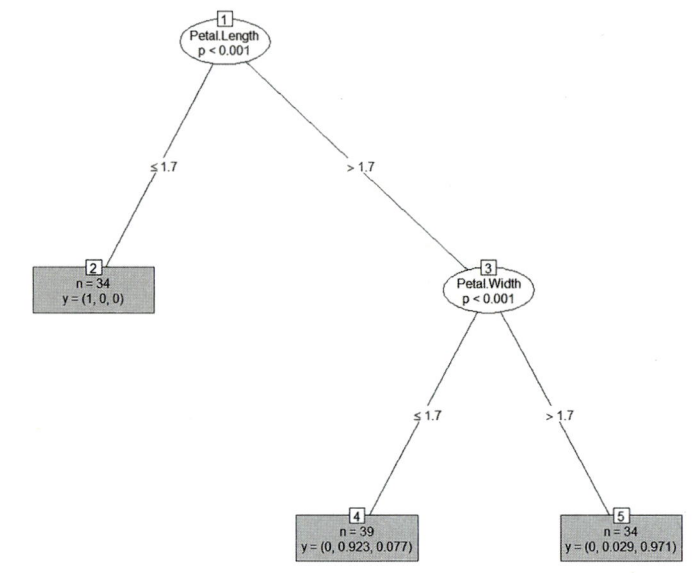

다. 예측된 데이터와 실제 데이터의 비교

```
> table(predict(iris.tree), train.data$Species)

            setosa versicolor virginica
  setosa        34          0         0
  versicolor     0         36         3
  virginica      0          1        33
```

라. test data를 적용하여 정확성 확인

```
> test.pre <- predict(iris.tree, newdata=test.data)
> table(test.pre, test.data$Species)

test.pre     setosa versicolor virginica
  setosa         14          0         0
  versicolor      2         13         2
  virginica       0          0        12
```

핵심 개념체크

✓ 18회 기출 출★★★★★ 난★★★★☆

26. 아래는 kyphosis라는 자료를 이용하여 의사결정나무 분석을 수행한 결과이다. 결과에 대한 해석으로 부적절한 것은?

```
> a<-rpart(Kyphosis~Age +Number+Start, data=kyphosis)
n= 81

node), split, n, loss, yval, (yprob)
      * denotes terminal node

1) root 81 17 absent (0.79012346 0.20987654)
  2) Start>=8.5 62 6 absent (0.90322581 0.09677419)
    4)   Start>=14.5 29 0 absent  (1.000000000.00000000)  *
    5) Start< 14.5 33 6 absent (0.81818182 0.18181818)
     10) Age< 55 12 0 absent (1.00000000 0.00000000) *
     11) Age>=55 21 6 absent (0.71428571 0.28571429)
       22) Age>=111 14 2 absent (0.85714286 0.14285714) *
       23) Age< 111 7 3 present 0.42857143 0.57142857) *
  3) Start< 8.5 19 8 present (0.42105263 0.57894737) *
> plot(a)
> text(a, use.n=T)
```

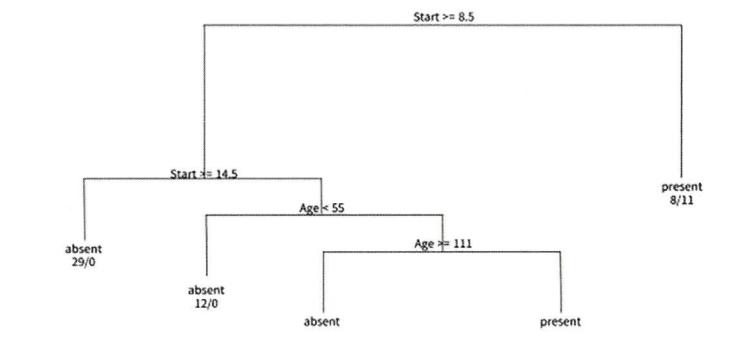

① 뿌리마디에서 아래로 내려갈수록 각 마디에서의 불순도는 점차 증가한다.

② 뿌리마디의 자료는 Start 변수를 이용하여 분리했을 때 present와 absent를 가장 잘 분리 시킬 수 있다.

③ 위 결과의 단계에서 멈추지 않고 추가로 가지를 생성한다면, 새로운 자료에 대한 예측력은 떨어질 수도 있다.

④ 이 자료에서 Start 변수의 값이 14.58이상인 관찰치는 Kyphosis 변수의 값이 모두 absent 였을 것이다.

의사결정나무는 뿌리마디(root node)에서 시작하여 특정 조건을 기준으로 데이터를 분할할 때마다 각 마디의 불순도는 줄어들며, 불순도가 최소화된 상태에서 최종 노드(터미널 노드)가 생성된다. 반면, 뿌리마디에서 Start 변수를 사용하여 가장 잘 분리했으며, 가지를 과도하게 확장하면 과적합이 발생해 새로운 데이터에 대한 예측력이 떨어질 수 있다. 또한 Start 값이 14.58 이상인 경우, 해당 노드는 모두 Kyphosis 값이 absent로 분류된 것을 확인할 수 있다.

정답 26. ①

5장 정형 데이터 마이닝

4절 앙상블 분석

출제빈도 F4   난이도 D3

 #앙상블 #붓스트랩 #배깅 #부스팅 #랜덤포레스트

학습 목표

- 앙상블 기법에 대해 이해한다.
- 배깅, 부스팅, 랜덤포레스트 기법의 차이를 이해한다.

눈높이 체크

✓ **앙상블 기법에 대해 알고 계신가요?**

분류분석 문제를 해결하기 위해 사용되고 있는 방법론 중 의사결정나무와 같은 방법론은 학습데이터에 너무 적합되어 테스트데이터에서는 좋은 정확도가 나타나지 못할 수도 있습니다. 이러한 과대적합/과소적합의 문제를 해결하기 위해 여러 개의 분류기를 활용하여 앙상블을 이루도록 만든 것이 데이터 마이닝 방법론의 앙상블 기법이라고 합니다.

✓ **앙상블 기법의 종류에는 어떤 것이 있을까요?**

앙상블 기법에는 배깅, 부스팅, 랜덤포레스트, 스태킹 등이 있습니다. 배깅은 여러 개의 붓스트랩의 자료를 통해 예측된 분류결과를 결합하는 방법입니다. 부스팅, 랜덤포레스트는 분류기들에 가중치를 주어 선형결합을 통해 최종 결과를 예측하는 방법입니다.

❶ 앙상블 (Ensemble)

1. 정의

- 주어진 자료로부터 여러 개의 예측모형들을 만든 후 예측모형들을 조합하여 하나의 최종 예측 모형을 만드는 방법으로 다중 모델 조합(Combining Multiple Models), 분류기 조합(Classifier Combination)이 있다.

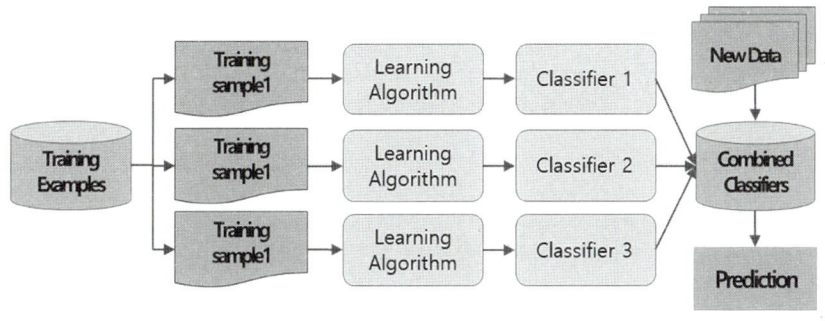

〈 앙상블 알고리즘 〉

출제포인트

앙상블은 유사 개념을 구별하는 비교·선택형 문항으로 자주 출제되는 주제이며, 2025년 시험에서는 2문제가 출제되었습니다. 배깅·부스팅·랜덤 포레스트 등의 학습 방식과 대표 알고리즘을 비교해 정리해 두시기 바랍니다.

비기의 학습팁

앙상블은 각각의 예측모형에서 독립적으로 산출된 결과를 종합하여 예측의 정확도를 향상시킬 수 있습니다. 종속변수의 형태에 따라 회귀분석과 분류 분석에 모두 적용할 수 있습니다.
앙상블 분석은 각 모델의 상호 연관성이 낮을수록 정확도가 향상되며, 전체적인 예측값의 분산을 감소시켜 정확도를 향상시킵니다.

2. 학습방법의 불안전성

- 학습자료의 작은 변화에 의해 예측모형이 크게 변하는 경우, 그 학습방법은 불안정하다.

- 가장 안정적인 방법으로는 1-Nearest Neighbor(가장 가까운 자료만 변하지 않으면 예측 모형이 변하지 않음), 선형회귀모형(최소제곱법으로 추정해 모형 결정)이 존재한다.

- 가장 불안정한 방법으로는 의사결정나무가 있다.

✅ 핵심 개념체크

✓36회 기출 출★★★★☆ 난★★★★★
27. 다음 중 앙상블 모형의 특징으로 적절하지 않은 것은?

① 여러 모델을 결합하기 때문에 원인 분석에는 적합하지 않다.
② 이상값에 대한 반응을 완화하여 대응력을 높일 수 있다.
③ 여러 모델의 결과를 종합하여 예측값의 변동성을 줄인다.
④ 각 모형의 상호 연관성이 높을수록 정확도가 향상된다.

앙상블 모형에서는 각 모형이 독립적일수록(상호 연관성이 낮을수록) 예측 성능이 향상된다. 상호 연관성이 높은 경우 모형 간의 다변성이 부족하여 앙상블의 이점을 살릴 수 없다. 나머지 선택지들은 앙상블 모형의 일반적인 특징을 정확히 설명하고 있다.

정답 27. ④

이론 정복 강의

출제포인트

배깅은 사례 제시형 문항으로 종종 등장하는 주제이며, 최근에는 앙상블 기법 내에서 다른 방법들과의 차이를 묻는 형태로 출제되고 있습니다. 배깅의 정의와 특징, 붓스트랩의 의미에 대한 내용은 반드시 숙지하시기 바랍니다.

❷ 배깅

- Breiman(1994)에 의해 제안된 배깅은 주어진 자료에서 여러 개의 붓스트랩(Bootstrap) 자료를 생성하고 각 붓스트랩 자료에 예측모형을 만든 후 결합하여 최종 예측모형을 만드는 방법이다. 붓스트랩(Bootstrap)은 주어진 자료에서 동일한 크기의 표본을 랜덤 복원추출로 뽑은 자료를 의미한다.

- 보팅(Voting)은 여러 개의 모형으로부터 산출된 결과를 다수결에 의해서 최종 결과를 선정하는 과정이다.

- 최적의 의사결정나무를 구축할 때 가장 어려운 부분이 가지치기(Pruning)이지만 배깅에서는 가지치기를 하지 않고 최대로 성장한 의사결정나무들을 활용한다.

- 훈련자료의 모집단 분포를 모르기 때문에 실제 문제에서는 평균예측모형을 구할 수 없다. 배깅은 이러한 문제를 해결하기 위해 훈련자료를 모집단으로 생각하고 평균예측모형을 구하여 분산을 줄이고 예측력을 향상시킬 수 있다.

비기의 학습팁

분석을 위한 데이터 모집단의 분포를 현실적으로 알 수 없습니다. 그러나 하나의 붓스트랩을 구성할 때 원본 데이터로부터 복원추출을 진행하기 때문에 붓스트랩은 알 수 없던 모집단의 특성을 더 잘 반영할 수 있습니다. 배깅은 모집단의 특성이 잘 반영되는 분산이 작고 좋은 예측력을 보여줍니다.

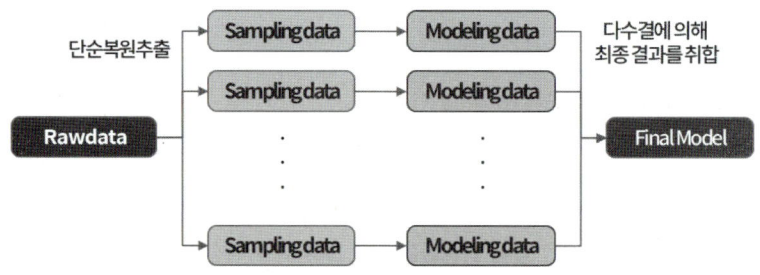

⟨ 배깅 알고리즘 ⟩

참고

보팅(Voting)

- 앙상블 학습 기법 중 하나로, 여러 모델의 예측 결과를 결합하여 최종 예측을 수행하는 방법이다.
- 하드 보팅은 각 모델의 예측에서 다수결을 통해 최종 결과를 결정하고 소프트 보팅은 각 모델이 예측한 확률값의 평균을 계산하여 가장 높은 확률을 가진 클래스를 선택한다.
- 보팅은 간단하면서도 성능을 안정적으로 향상시킬 수 있는 방법으로, 종속변수가 범주형 데이터일 경우 하드 보팅, 종속변수가 연속형 데이터일 경우 소프트 보팅을 많이 적용한다.

스태킹(Stacking)

- 여러 개의 모델(기본 모델 또는 기본 학습기)을 결합하여 예측 성능을 향상시키는 방법이다.
- 각 모델의 강점을 조합하여 일반화 성능을 개선하며, 특히 서로 다른 알고리즘을 결합할 때 효과적이다.
- 이 기법은 서로 다른 유형의 모델을 조합함으로써 개별 모델의 약점을 보완하고 예측 성능을 향상시킬 수 있으며, 유연성과 확장성이 뛰어나다.

핵심 개념체크

✓ 34회 기출 출 ★★★★★ 난 ★★★☆☆

28. 다음 중 데이터를 복원 추출하여 여러 번 샘플링한 후 각 샘플에서 생성된 모델의 결과를 결합해 최종 예측을 수행하는 앙상블 기법은?

① 배깅(bagging)
② 랜덤 포레스트(random forest)
③ 서포트 벡터 머신(support vector machine)
④ 부스팅(boosting)

배깅(Bootstrap Aggregating)은 데이터를 복원 추출로 여러 번 샘플링하여 각 샘플에서 모델을 생성하고, 이를 결합하여 예측 성능을 향상시키는 앙상블 기법이다. 랜덤포레스트는 배깅을 기반으로 한 기법이며, 서포트 벡터 머신과 부스팅은 배깅과 다른 방식의 알고리즘이다.

정답 28. ①

출제포인트

부스팅은 유사 개념을 구별하는 비교·선택형 문항으로 종종 출제되는 주제이며, 2025년 시험에서는 2문제가 출제되었습니다. 부스팅의 정의와 주요 특징은 반드시 숙지해 두시기 바랍니다.

❸ 부스팅

- 예측력이 약한 모형(Weak Learner)들을 결합하여 강한 예측모형을 만드는 방법이다.
- 부스팅 방법 중 Freund&Schapire가 제안한 **Adaboost**는 이진분류 문제에서 랜덤 분류기보다 조금 더 좋은 분류기 n개에 각각 가중치를 설정하고 n개의 분류기를 결합하여 최종 분류기를 만드는 방법을 제안하였다.(단, 가중치의 합은 1)
- 훈련오차를 빨리 그리고 쉽게 줄일 수 있다.
- 배깅에 비해 많은 경우 예측오차가 향상되어 Adaboost의 성능이 배깅보다 뛰어난 경우가 많다.

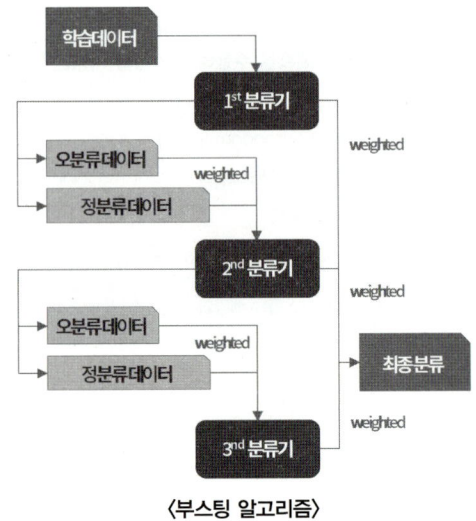

〈부스팅 알고리즘〉

개념 +

- **GBM(Gradient Boosting Machine)t:**
AdaBoost와 유사하지만 가중치 업데이트를 할 때, 경사 하강법 (Gradient Descent)를 이용하는 방법입니다.

- **XGBoost(Extreme Gradient Boosting):**
Gradient Boosted Decision Trees 알고리즘에 기반하여 분류, 회귀 등의 모델을 제공하며, GBM에 비해 빠른 수행 시간과 과적합 방지 기능을 가집니다.

- **LightGBM:**
Tree 기반 학습 알고리즘으로 기존의 다른 Tree 기반 알고리즘과 달리 leaf-wise 방식을 따르므로, 속도가 빠르며 큰 사이즈의 데이터를 다룰 수 있고 메모리를 적게 차지합니다.

✅ **핵심 개념체크**

✔ **31회 기출** 출★★★★★ 난★★★☆☆

29. 다음 중 분류가 잘못된 데이터에 더 높은 가중치를 부여하여 모델을 반복적으로 학습시키는 앙상블 기법은 무엇인가?

① 배깅(Bagging)
② 부스팅(Boosting)
③ 랜덤포레스트(Random Forest)
④ 스태킹(Stacking)

> 부스팅은 분류가 잘못된 데이터에 높은 가중치를 부여하며 모델을 반복적으로 학습시켜 성능을 향상시키는 기법이다. 배깅은 여러 샘플로 독립적으로 학습한 결과를 결합하는 방식이고, 랜덤포레스트는 배깅과 결정트리 기반의 앙상블 기법이다. 스태킹은 여러 모델의 예측 결과를 조합하는 기법이다.

정답 29. ②

❹ 랜덤 포레스트(Random Forest)

- Breiman(2001)에 의해 개발된 랜덤 포레스트는 의사결정나무의 특징인 분산이 크다는 점을 고려하여 배깅과 부스팅보다 더 많은 무작위성을 주어 **약한 학습기들을 생성한 후 이를 선형 결합하여 최종 학습기를 만드는 방법**이다.
- Random Forest 패키지는 Random Input에 따른 Forest of Trees를 이용한 분류방법이다.
- 랜덤한 Forest에는 많은 트리들이 생성된다.
- 수천 개의 변수를 통해 변수제거 없이 실행되므로 정확도 측면에서 좋은 성과를 보인다.
- 이론적 설명이나 최종 결과에 대한 해석이 어렵다는 단점이 있지만 예측력이 매우 높은 것으로 알려져 있다. 특히 입력변수가 많은 경우, 배깅과 부스팅과 비슷하거나 좋은 예측력을 보인다.

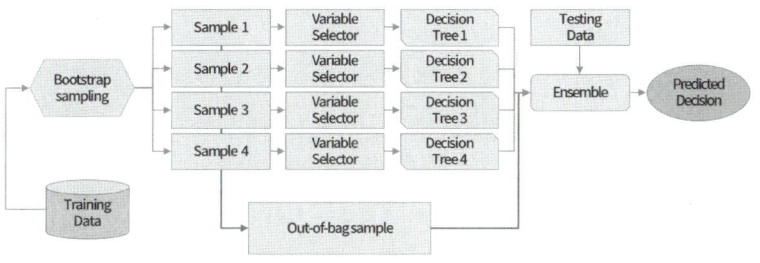

> **참고**
> 붓스트랩(Bootstrap)은 주어진 자료에서 단순랜덤 복원추출 방법을 활용하여 동일한 크기의 표본을 여러개 생성하는 샘플링 방법이다. 붓스트랩을 통해 100개의 샘플을 추출하더라도 **샘플에 한 번도 선택되지 않는 원데이터**가 발생할 수 있는데 **전체 샘플의 약 36.8%**가 이에 해당한다.

가) randomforest 패키지를 이용한 분석(iris data)

① 모형만들기

```
> idx <- sample(2, nrow(iris), replace=TRUE, prob=c(0.7, 0.3))
> train.data <- iris[idx==2,]
> test.data <- iris[idx==1,]
> r.f <- randomForest(Species~.,data=train.
 data,ntree=100,proximity=TRUE)
```

② 오차율 계산하기

```
> table(predict(r.f), train.data$Species)

             setosa    versicolor    virginica
setosa         16          0             0
versicolor      0         11             0
virginica       0          1            14
```

③ 그래프 그리기 - 1

```
> plot(r.f)
```

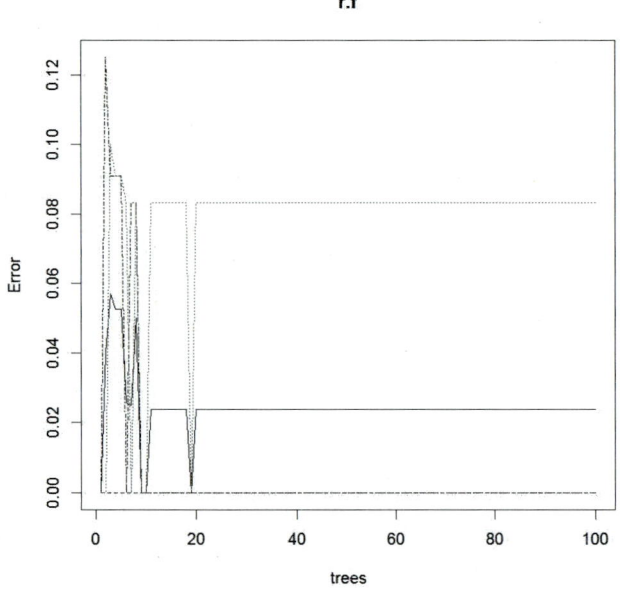

④ 그래프 그리기 - 2

```
> varImpPlot(r.f)
```

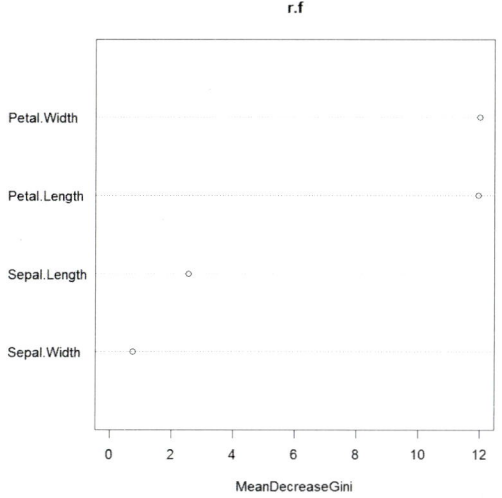

⑤ test data 예측

```
> pre.rf <- predict(r.f, newdata=test.data)
> table(pre.rf, test.data$Species)

pre.rf       setosa    versicolor    virginica
setosa         38          0             0
versicolor      0         30             9
virginica       0          1            28
```

⑥ 그래프 그리기 − 3

```
> plot(margin(r.f, test.data$Species))
```

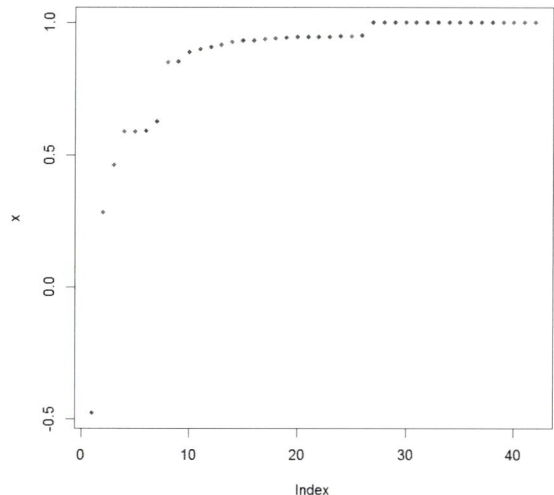

✅ 핵심 개념체크

✓ 43회 기출 출★★★★★ 난★★★★★

30. 앙상블(Ensemble) 모형에 대한 설명으로 가장 적절하지 않은 것은?

① 랜덤 포레스트는 분할에 사용될 예측변수를 중요도에 따라 선택하고, 선택한 변수 내에서 최적의 분할을 만들어 나가는 방법이다.

② 부스팅은 분류가 잘못된 데이터에 더 큰 가중을 주어 추출하는 방식이다.

③ 배깅은 원 데이터 집합으로부터 크기가 같은 여러 개의 부트스트랩 표본을 생성하고, 각 부트스트랩 표본에 대해 분류기를 생성한 후 그 결과를 앙상블 하는 방법이다.

④ 스태킹은 동일한 타입의 모델을 조합하는 방법들과는 달리 다양한 학습 알고리즘을 통해 구성한 모델을 조합하는 방법이다.

> 랜덤 포레스트는 중요도를 기준으로 변수를 선택하는 것이 아니라, 무작위로 선택된 일부 변수들에서 최적의 분할을 찾는 방식으로 작동한다. 스태킹(Stacking)은 다양한 학습 알고리즘을 통해 구성한 모델을 조합하는 방법이고, 부스팅은 잘못 분류된 데이터에 더 큰 가중치를 부여하여 개선하는 방식이다. 배깅은 부트스트랩 표본을 생성하고 여러 모델을 학습시켜 결과를 앙상블하는 기법이다.

정답 30. ①

5장 정형 데이터 마이닝
5절 인공신경망 분석

출제빈도 F4　난이도 D4

 #인공신경망 #시그모이드함수 #은닉층 #은닉노드 #역전파 #활성화함수 #ReLU #sigmod

○ 학습 목표
- 인공신경망에 대해 이해한다.
- 인공신경망 구축시 고려사항을 이해한다.
- R 프로그램을 통해 인공신경망 기법을 활용할 수 있다.
- R 프로그램을 통해 예측분석을 활용할 수 있다.

○ 눈높이 체크

✓ **인공신경망에 대해 알고 계신가요?**

인공신경망은 분류분석 문제를 해결하는데 상당히 높은 적중률을 보여주는 데이터 마이닝 기법 중 하나입니다. 인공신경망은 인간의 신경세포를 통한 학습방법에서 아이디어를 얻어 이를 디지털 네트워크 모형으로 구현하게 되었습니다. 인공신경망 모형은 비선형성 분류문제를 분류할 수 없어 한계에 부딪혔다가 다계층 퍼셉트론을 활용한 역전파 알고리즘이 개발되면서 급속히 발전하게 되었습니다.

✓ **인공신경망을 개발할 때 고려해야 할 사항은 어떤 것이 있을까요?**

인공신경망 모형 구축 시 입력변수는 구간화를 통해 범주형 변수로 이산화하여 적용하는 것이 유용하며 가중치는 0에 가까운 값에서 시작해서 높이는 것이 좋습니다. 또한 은닉층과 은닉노드의 수는 많으면 과대 적합, 적으면 과소 적합 할 수 있기 때문에 은닉층은 하나, 은닉노드는 적절히 많은 개수에서 줄여가는 것이 바람직합니다.

출제포인트

인공신경망 분석은 개념을 정확히 구분하는 비교형 문항으로 자주 출제되는 주제이며, 2025년 시험에서는 1문제가 출제되었습니다. 퍼셉트론 구조, 은닉층, 가중치 학습 등 기본 개념과 용어를 구분할 수 있도록 정리해 두시기 바랍니다.

개념 ➕

인공신경망의 발전

인공신경망의 등장과 발전으로 인하여 머신러닝을 넘어서 딥러닝이 등장했으며, 현재의 CNN, RNN등과 같은 다양한 알고리즘의 기반을 마련했습니다.

❶ 인공신경망 분석 (ANN)

1. 인공신경망의 정의

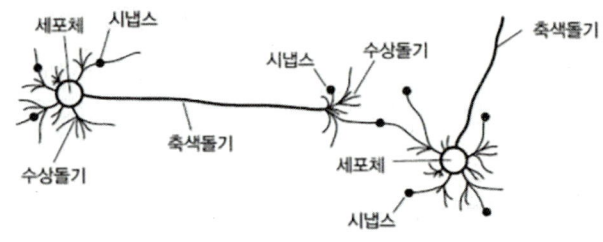

- 인간 뇌를 기반으로 한 추론 모델이다.
- 뉴런은 기본적인 정보처리 단위이다.

2. 인공신경망의 연구

- 1943년 매컬럭(McCullough)과 피츠(Pitts) : 인간의 뇌를 수많은 신경세포가 연결된 하나의 디지털 네트워크 모형으로 간주하고 신경세포의 신호처리 과정을 모형화하여 단순 패턴분류 모형을 개발했다.
- 헵(Hebb) : 신경세포(뉴런) 사이의 연결강도(Weight)를 조정하여 학습규칙을 개발했다.
- 로젠블럿(Rosenblatt, 1955) : 퍼셉트론(Perceptron)이라는 인공세포를 개발했다.
- 비선형성의 한계점 발생 : XOR(Exclusive OR, 베타적 논리합) 문제를 풀지 못하는 한계를 발견하였다.
- 홉필드(Hopfield), 럼멜하트(Rumelhart), 맥클랜드(McClelland) : **역전파알고리즘(Backpropagation)**을 활용하여 비선형성을 극복한 다층 퍼셉트론으로 새로운 인공신경망 모형이 등장했다.

3. 인간의 뇌를 형상화한 인공신경망

가. 인간 뇌의 특징

- 100억개의 뉴런과 6조 개의 시냅스의 결합체이다.
- 인간의 뇌는 현존하는 어떤 컴퓨터보다 빠르고 매우 복잡하고, 비선형적이며, 병렬적인 정보 처리 시스템과 같다.
- 적응성에 따라 '잘못된 답'에 대한 뉴런들 사이의 연결은 약화되고, '올바른 답'에 대한 연결이 강화된다.

나. 인간의 뇌 모델링

- 뉴런은 가중치가 있는 링크로 연결되어 있다.
- 뉴런은 여러 입력 신호를 받지만 출력 신호는 오직 하나만 생성한다.

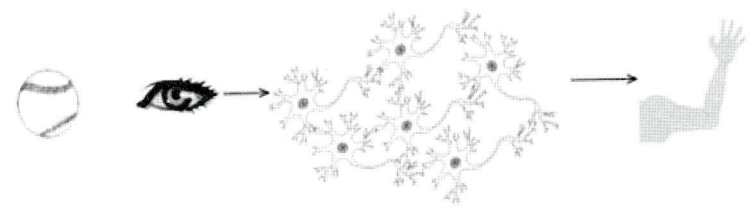

> **비기의 학습팁**
>
> 생물학적인 뉴런이 다른 여러 개의 뉴런으로부터 입력값을 받아서 세포체에 저장하다가 자신의 용량을 넘어서면 외부로 출력값을 내보내는 것처럼, 인공신경망의 노드(세포체)는 여러 입력값을 받아서 일정수준이 넘어서면 활성화되어 출력값을 내보냅니다.

4. 인공 신경망의 학습

- 신경망은 **가중치를 반복적으로 조정하며 학습**한다.
- 뉴런은 링크(Link)로 연결되어 있고, 각 링크에는 수치적인 가중치가 있다.
- 인공 신경망은 신경망의 가중치를 초기화하고 훈련 데이터를 통해 가중치를 갱신하여 신경망의 구조를 선택하고, 활용할 학습 알고리즘을 결정한 후 신경망을 훈련시킨다.

✓ 핵심 개념체크

✓30회 기출 출★★★★☆ 난★★☆☆☆

31. 다음 설명에 맞는 기법은 무엇인가?

> 데이터의 패턴을 발견하고 데이터 모델의 매개 변수를 자동으로 학습한다.
> 자체 알고리즘을 사용하여 시간이 경과함에 따라서 경험을 축적하면서 작업 성능이 향상된다.

① 선형 회귀 (Linear Regression)
② 주성분 분석 (Principal Component Analysis, PCA)
③ 인공신경망 분석 (Artificial Neural Network)
④ 분산분석 (ANOVA)

인공신경망은 데이터의 패턴을 발견하고, 매개 변수를 자동으로 학습하며, 훈련 데이터를 통해 시간이 지남에 따라 경험을 축적하면서 성능이 향상된다. 선형 회귀와 주성분 분석은 특정한 목적의 통계적 또는 수학적 기법이며, 분산분석은 평균 차이를 검정하는 데 사용되는 기법으로 머신러닝의 정의와 다르다.

정답 31. ③

출제포인트

인공신경망의 특징은 사례 제시형 문항으로 종종 등장하는 주제이며, 2025년 시험에서는 1문제가 출제되었습니다. 다른 예측 모형과 비교한 예측력·해석력·과적합 위험 등 장단점을 핵심 문장 위주로 간단히 정리해 두시기 바랍니다.

비기의 학습팁

인공신경망의 장/단점

장점
- 변수의 수가 많거나 입·출력 변수 간에 복잡한 비선형 관계에 유용합니다.
- 이상치 잡음에 대해서도 민감하게 반응하지 않습니다.
- 입력변수와 목적변수가 연속형이나 이산형인 경우 모두 처리 가능합니다.

단점
- 결과에 대한 해석이 쉽지 않습니다.
- 최적의 모형을 도출하는 것이 상대적으로 어렵습니다.
- 모형이 복잡하면 훈련 과정에 시간이 많이 소요됩니다.
- 데이터를 정규화하지 않으면 지역해(Local Minimum)에 빠질 위험이 있습니다.

❷ 인공신경망의 특징

1. 구조

- 입력 링크에서 여러 신호를 받아서 새로운 활성화 수준을 계산하고, 출력 링크로 신호를 보낸다.
- 입력신호는 미가공 데이터 또는 다른 뉴런의 출력이 될 수 있다.
- 출력신호는 문제의 최종적인 해(Solution)가 되거나 다른 뉴런에 입력 될 수 있다.

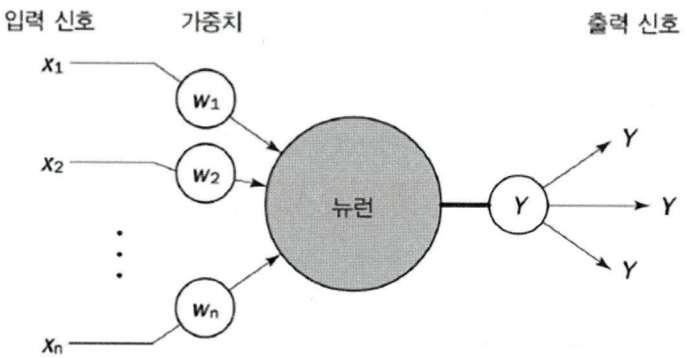

2. 뉴런의 계산

- 뉴런은 전이함수, 즉 활성화 함수(Activation Function)를 사용한다.
- 활성화 함수를 이용해 출력을 결정하며 입력신호의 가중치 합을 계산하여 임계값과 비교한다.
- 가중치 합이 임계값보다 작으면 뉴런의 출력은 −1, 같거나 크면 +1을 출력한다.

$$X = \sum_{i=1}^{n} x_i w_i$$

$$Y = \begin{cases} +1, & if \ X \geq \theta \\ -1, & if \ X < \theta \end{cases}$$

X 는 뉴런으로 들어가는 입력의 순 가중합

x_i 는 입력 i의 값

ω_i 는 입력 i의 가중치

n 은 뉴런의 입력 개수

Y 는 뉴런의 출력

3. 단일 뉴런의 학습(단층 퍼셉트론)

- 퍼셉트론은 선형 결합기와 하드 리미터로 구성된다.
- 초평면(Hyperplane)은 n차원 공간을 두개의 영역으로 나눈다.
- 초평면을 선형 분리 함수로 정의한다.

$$\sum_{i=1}^{n} x_i w_i - \theta = 0$$

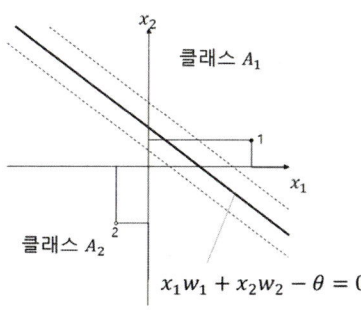

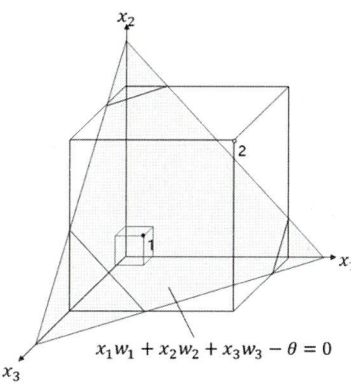

개념 ➕

단층 퍼셉트론의 한계

퍼셉트론은 AND, OR, NAND 게이트를 구분해 냈지만 XOR 게이트의 경우 선 하나로 표현이 가능하지 않습니다. XOR 게이트는 입력값 두 개가 서로 다른 경우에만 출력값이 1이 되고 입력값 두 개가 서로 같은 경우에는 출력값이 0이 되는 게이트이기 때문에 이를 직선 하나로 나누는 것은 불가능하므로 단층 퍼셉트론으로는 XOR 게이트를 구현할 수 없습니다. 이 문제를 다층퍼셉트론으로 해결할 수 있습니다.

◆ 핵심 개념체크

✔37회 기출 출★★★☆☆ 난★★★☆☆

32. 다음 중 신경망 모형에 대한 설명으로 가장 부적절한 것은?

① 피드포워드 신경망은 입력층에서 시작하여 정보가 출력층으로 전달되는 형태로, 딥러닝의 핵심 모델이다.
② 은닉층의 수와 뉴런의 개수는 신경망 모형에서 자동으로 설정되며, 뉴런의 수가 많으면 예측력이 좋아지나 뉴런 수가 적으면 입력 데이터를 충분히 표현하지 못하는 경우가 발생한다.
③ 다층 퍼셉트론은 기본적으로 여러 개의 은닉층을 포함하여 입력층과 출력층 간의 관계를 학습한다.
④ 역전파 알고리즘은 출력층에서 발생한 오차를 입력층으로 전달하며, 가중치를 조정하는 과정에서 중요한 역할을 한다.

은닉층의 뉴런 수와 개수는 자동으로 설정되지 않으며, 사용자가 설계해야 하는 하이퍼파라미터이다. 뉴런의 수가 많으면 과적합이 발생할 수 있고, 적으면 데이터의 복잡한 패턴을 표현하지 못할 수 있다. 나머지 선택지들은 피드포워드 신경망, 다층 퍼셉트론, 역전파 알고리즘의 특성을 올바르게 설명하고 있다.

정답 32. ②

❸ 활성화 함수

1. 활성화 함수의 정의

- 활성화 함수(Activation Function)는 신경망에서 입력값을 처리하여 출력값을 생성하는 함수로, 모델에 비선형성을 추가하여 복잡한 패턴을 학습할 수 있게 한다.
- 이를 통해 신경망은 단순한 선형 모델을 넘어서, 다양한 복잡한 관계를 모델링할 수 있다.
- 대표적인 활성화 함수로는 ReLU, Sigmoid, Softmax 등이 있으며, 각각의 특성에 따라 신경망의 학습 성능과 결과가 달라진다.
- Sigmoid와 같은 일부 활성화 함수는 기울기 소실 문제를 일으킬 수 있다.
- 기울기 소실 문제를 해결하기 위해 ReLU와 같은 활성화 함수가 사용된다.

2. 시그모이드 함수

- **시그모이드 함수**의 경우 로지스틱 회귀분석과 유사하며, 0~1의 확률값을 가진다.

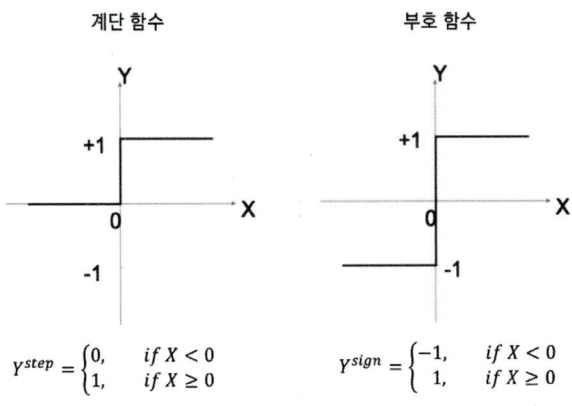

$$Y^{step} = \begin{cases} 0, & if\ X < 0 \\ 1, & if\ X \geq 0 \end{cases} \qquad Y^{sign} = \begin{cases} -1, & if\ X < 0 \\ 1, & if\ X \geq 0 \end{cases}$$

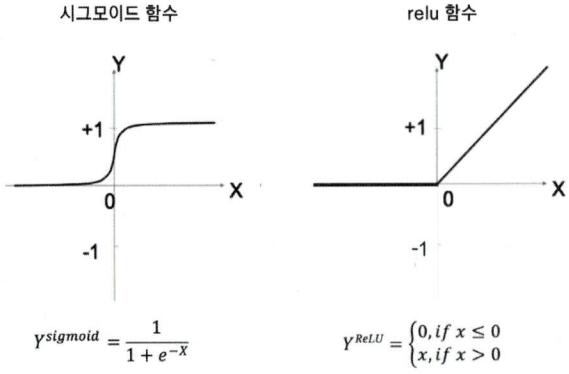

$$Y^{sigmoid} = \frac{1}{1+e^{-X}} \qquad Y^{ReLU} = \begin{cases} 0, if\ x \leq 0 \\ x, if\ x > 0 \end{cases}$$

출제포인트

활성화 함수는 개념과 관련 수식을 함께 구분하는 형태로 자주 출제되는 주제이며, 2025년 시험에서는 4문제가 출제되었습니다. 활성화 함수의 정의와 형태 및 특징을 중심으로 반드시 숙지해 두시기 바랍니다.

비기의 학습팁

- 어떤 활성화 함수를 사용하느냐에 따라 그 출력값이 달라지므로 적절한 활성화 함수를 사용하는 것이 중요합니다.
- 시그모이드 함수는 이진 분류 문제에 사용되며 선형적인 다층 퍼셉트론(Multilayer Perceptron)에서 비선형 값을 얻기 위해 사용합니다.
- 소프트맥스 함수는 다중 클래스 분류 문제에서 주로 사용하며 모든 출력값의 합이 1이 되도록 정규화합니다.
- ReLU 함수는 이미지 분류 및 다양한 문제에 사용되며 경사가 소실되지 않고 학습이 빠르게 진행되는 장점이 있습니다.

3. 소프트맥스(Softmax) 함수

- 표준화지수 함수로도 불리며, 출력값이 여러개로 주어지고 목표치가 다범주인 경우 각 범주에 속할 사후확률을 제공하는 함수이다.

$$y_i = \frac{\exp(z_j)}{\sum_{i=1}^{L} \exp(z_i)}, \quad j=1,...,L$$

4. ReLU 함수

- 입력값이 0이하는 0, 0이상은 x값을 가지는 함수이며, 최근 딥러닝에서 많이 활용하는 활성화 함수이다.

$$y^{\operatorname{Re}LU} = \begin{cases} 0, & if \ x \leq 0 \\ x, & if \ x > 0 \end{cases}$$

개념 +

기울기 소실
(Gradient Vanishing)

깊은 인공신경망에서 역전파 과정에서 입력층으로 갈수록 기울기가 점차 작아져 가중치 업데이트가 안되는 현상입니다. 이는 깊은 신경망에서 발생하며, 특히 네트워크가 깊어질수록 더 심각해집니다.

✓ 핵심 개념체크

✓35회 기출 출★★★★★ 난★★★★☆

33. 아래에서 설명하는 활성화 함수로 가장 적절한 것은?

> 단층 신경망에서 이 활성화 함수를 사용하면 출력값이 확률로 해석 가능하며, 로지스틱 회귀와 유사한 작동 원리를 가진다.

① 선형 함수   ② Softmax 함수
③ ReLU 함수   ④ 시그모이드 함수

시그모이드 함수는 출력값을 0과 1 사이로 변환하며, 로지스틱 회귀와 유사한 작동 원리를 가진다. 선형 함수는 값을 그대로 출력하고, Softmax 함수는 다중 클래스 분류에서 각 클래스의 확률을 계산하며, ReLU 함수는 음수를 0으로 변환한다.

✓36회 기출 출★★★★★ 난★★★★☆

34. 다음 중 신경망 모형에서 출력값이 여러 개이고 목표치가 다범주인 경우에 사용하는 활성화 함수는?

① 선형 활성화 (Linear Activation)
② ELU (Exponential Linear Unit)
③ ReLU (Rectified Linear Unit)
④ 소프트맥스(Softmax)

소프트맥스 함수는 출력값을 확률로 변환하여 다범주 분류 문제에 적합하다. 입력값의 지수 함수 비율로 각 클래스의 확률을 계산하여 모든 출력값의 합이 1이 되도록 보장한다. 선형 활성화 함수는 회귀 문제에 주로 사용되며, ELU와 ReLU는 주로 은닉층에서 활성화 함수로 사용된다.

정답 33. ④ 34. ④

④ 신경망 모형 구축 시 고려사항

1. 입력 변수

- 신경망 모형은 그 복잡성으로 인하여 입력 자료의 선택에 매우 민감하다.
- 입력변수가 범주형 또는 연속형 변수일 때 아래의 조건이 신경망 모형에 적합하다.

> 범주형 변수 : 모든 범주에서 일정 빈도 이상의 값을 갖고 각 범주의 빈도가 일정할 때
> 연속형 변수 : 입력변수 값들의 범위가 변수간의 큰 차이가 없을 때

- 연속형 변수의 경우 그 분포가 평균을 중심으로 대칭이 아니면 좋지 않은 결과를 도출하기 때문에 아래와 같은 방법을 활용한다.

> 변환 : 고객의 소득(대부분 평균미만이고 특정 고객의 소득이 매우 큼) – 로그변환
> 범주화 : 각 범주의 빈도가 비슷하게 되도록 설정

- 범주형 변수의 경우 가변수화하여 적용(남녀 : 1,0 또는 1, –1) 하고 가능하면 모든 범주형 변수는 같은 범위를 갖도록 가변수화 하는 것이 좋다.

2. 가중치의 초기값과 다중 최소값 문제

- 역전파 알고리즘은 초기값에 따라 결과가 크게 달라지므로 초기값의 선택은 매우 중요한 문제이다.
- 가중치가 0이면 시그모이드 함수는 선형이 되고 신경망 모형은 근사적으로 선형모형이 된다.
- 일반적으로 초기값은 0 근처로 랜덤하게 선택하므로 초기 모형은 선형모형에 가깝고, 가중치 값이 증가할수록 비선형모형이 된다.(초기값이 0이면 반복하여도 값이 전혀 변하지 않고, 너무 크면 잘못된 해에 수렴할 가능성이 높아 주의 필요)

3. 학습모드

가. 온라인 학습 모드(Online Learning Mode)

- 각 관측값을 순차적으로 하나씩 신경망에 투입하여 가중치 추정값이 매번 바뀐다.
- 일반적으로 속도가 빠르며, 특히 훈련자료에 유사값이 많은 경우 그 차이가 더 두드러진다.
- 훈련자료가 비정상성(Nonstationarity)과 같이 특이한 성질을 가진 경우가 좋다.

- 국소 최솟값에서 벗어나기가 더 쉽다.

나. 확률적 학습 모드(Probabilistic Learning Mode)

- 온라인 학습 모드와 같으나 신경망에 투입되는 관측값의 순서가 랜덤하다.

다. 배치 학습 모드(Batch Learning Mode)

- 전체 훈련자료를 동시에 신경망에 투입한다.

4. 은닉층(Hidden Layer)과 은닉노드(Hidden Node)의 수

- 신경망을 적용할 때 가장 중요한 부분이 모형의 선택이다.(은닉층의 수와 은닉노드의 수 결정)
- 은닉층과 은닉노드가 많으면 가중치가 많아져서 과대적합 문제가 발생한다.
- 은닉층과 은닉노드가 적으면 과소적합 문제가 발생한다.
- 은닉층의 수가 하나인 신경망은 범용 근사자(Universal Approximator)이므로 모든 매끄러운 함수를 근사적으로 표현할 수 있다. 그러므로 가능하면 은닉층은 하나로 선정한다.
- 은닉노드의 수는 적절히 큰 값으로 놓고 가중치를 감소(Weight Decay)시키며 적용하는 것이 좋다.

> **비기의 학습팁**
>
> **학습률(Learning Rate)**
> 학습률은 초기에는 큰 값으로 설정하고, 반복 학습 과정에서 최적해에 가까워질수록 0에 수렴하도록 조정됩니다.

5. 과대적합 문제

- 신경망에서는 많은 가중치를 추정해야 하므로 과대적합 문제가 빈번하다.
- 알고리즘의 조기종료와 가중치 감소 기법으로 해결할 수 있다.
- 모형이 적합하는 과정에서 검증오차가 증가하기 시작하면 반복을 중지하는 조기종료를 시행한다.
- 선형모형의 능형회귀와 유사한 가중치 감소라는 벌점화 기법을 활용한다.

> **비기의 학습팁**
>
> **포화문제**
> 작은 기울기는 곧 학습 능력이 제한된다는 것을 의미하고 이를 일컬어 신경망에 포화(Saturation)가 발생했다고 합니다. 이러한 포화가 일어나지 않게 하기 위해 입력값을 작게 유지해야 합니다.

> **참고**
> - 딥러닝(Deep Learning) : 머신 러닝(Machine Learning)의 한 분야로서 인공신경망의 한계를 극복하기 위해 제안된 심화신경망(Deep Neural Network)을 활용한 방법이다.
> - 딥러닝 소프트웨어 : 딥러닝 구동을 위한 SW에는 Tensorflow, Caffe, Theano, MXnet 등이 있다.
> - 딥러닝은 최근 음성과 이미지인식, 자연어처리, 헬스케어 등의 전반적인 분야에 활용되고 있다.

> **핵심 개념체크**

✓ 43회 기출 출 ★★★★☆ 난 ★★★★☆

35. 인공신경망 모형에서 가중치의 역할로 가장 적절한 것은?

① 데이터 차원 증대

② 입력 신호 강도 조절

③ 모형 복잡도 감소

④ 결과 데이터 크기 조절

가중치는 입력 신호의 중요도를 학습하는 과정에서 조절되며, 각 입력 노드의 영향을 반영하여 결과를 도출하는 데 핵심적인 역할을 한다. 나머지 선택지들은 가중치의 역할과는 무관하며, 데이터 차원 증대나 모형 복잡도 감소는 다른 기법에 해당한다.

❺ 신경망 모형의 확장

1. CNN(Convolutional Neural Network)

이론 정복 강의

Input image

Filter

Output array
Output [0][0] = (9*0) + (4*2) + (1*4) + (1*1) + (1* 0) + (1*1) + (2* 0) + (1*1)
= 0 + 8 + 1 + 4 + 1 + 0 + 1 + 0 + 1
= 16

그림 출처 : https://www.ibm.com/kr-ko

비기의 학습팁

풀링(Pooling) 계층은 CNN에서 사용되는 주요 구성 요소로, 특징 맵(feature map)의 크기를 줄여 계산 효율성을 높이고 과적합(overfitting)을 방지하는 역할을 합니다. 풀링은 공간적인 차원을 줄이면서도 중요한 특징을 보존하여 네트워크가 더 복잡한 데이터를 학습할 수 있도록 돕습니다.

- CNN은 합성곱 계층에서 특징을 추출하고 풀링 계층에서 데이터를 축소해 중요한 정보를 학습하는 딥러닝 모델이다.
- 이미지나 시각 데이터를 처리하기 위해 설계된 딥러닝 모델로 주로 이미지 분류, 객체 탐지, 얼굴 인식 등 컴퓨터 비전 분야에서 사용된다.

2. RNN(Recurrent Neural Network)

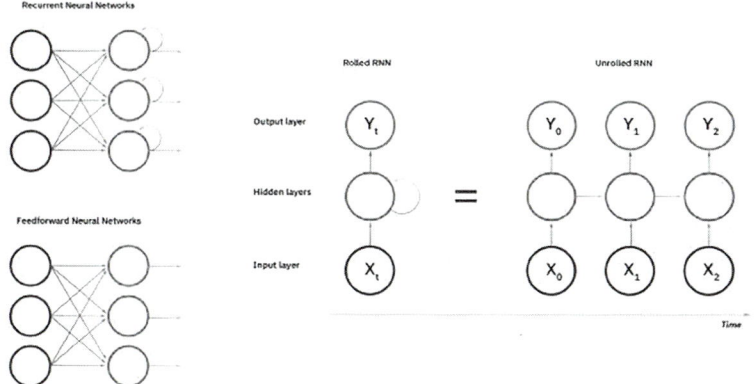

그림 출처 : https://www.ibm.com/kr-ko

- RNN은 순차적 데이터를 처리하기 위해 설계된 딥러닝 모델로, 이전 단계의 출력을 다음 단계로 전달하며 시계열 정보나 문장 구조를 학습한다.
- 순환 구조를 통해 데이터 간의 의존성을 파악할 수 있어 자연어 처리, 음성 인식, 시계열 예측 등에 활용된다.

- 그러나 장기 의존성 학습에 어려움이 있어 이를 개선한 LSTM과 GRU 같은 변형 모델도 많이 사용된다.

3. LSTM(Long Short-Term Memory)

비기의 학습팁

장기 의존성 문제(Long-Term Dependency Problem)은 순환신경망(RNN)에서 발생하는 대표적인 한계로, 입력 데이터의 길이가 길어질수록 초기 입력 정보가 사라지거나 희석되어 네트워크가 장기적인 패턴을 학습하기 어려운 현상입니다. 이는 특히 긴 문장이나 시계열 데이터와 같이 앞뒤의 문맥 연결이 중요한 작업에서 성능 저하로 이어집니다. 이 문제는 역전파 과정에서 기울기 소실 또는 기울기 폭발이 발생하기 때문이며 이를 해결하기 위해 LSTM이나 GRU와 같은 구조가 도입되었습니다.

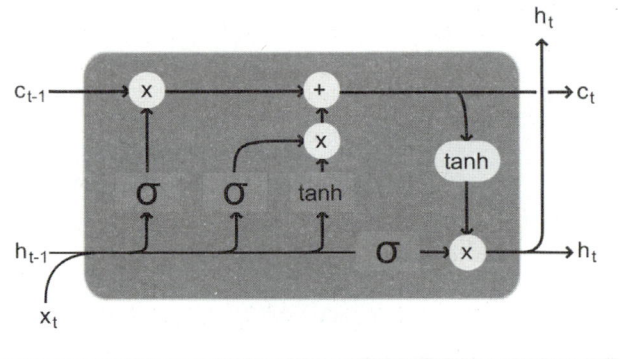

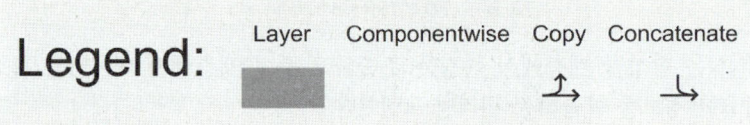

그림 출처 : https://ko.wikipedia.org/wiki/

- LSTM은 RNN의 한 유형으로 장기 의존성 문제를 해결하기 위해 설계된 모델이다.
- 내부에 셀 상태(cell state)와 게이트 구조(입력, 삭제, 출력 게이트)를 도입해 중요한 정보를 선택적으로 저장하거나 삭제하며 시계열 데이터의 장기적 관계를 효과적으로 학습할 수 있다.
- 자연어 처리, 음성 인식, 시계열 분석 등에서 널리 사용되며 RNN의 한계를 극복한 모델로 평가받는다.

4. GRU(Gated Recurrent Unit)

- GRU는 RNN의 변형 모델로 LSTM의 간소화된 버전이다.
- Update Gate와 Reset Gate라는 두 가지 Gate를 사용해 정보를 효율적으로 저장, 삭제하며 장기 의존성을 학습할 수 있다.
- LSTM보다 구조가 단순해 계산량이 적고 학습이 빠른 것이 특징으로 자연어 처리, 음성 인식, 시계열 데이터 분석 등 다양한 분야에서 활용된다.

5. GAN(Generative Adversarial Network)

- GAN은 생성 모델의 일종으로 두 개의 신경망(생성자와 판별자)이 서로 경쟁하며 학습하는 구조이다.
- 생성자는 새로운 데이터를 만들어내고 판별자는 생성된 데이터와 실제 데이터를 구별하며 이 과정에서 생성자는 점점 더 실제와 유사한 데이터를 생성하게 된다.
- 주로 이미지 생성, 스타일 변환, 데이터 보강 등 다양한 생성 작업에 활용되며 딥페이크나 예술 창작 분야에서도 주목받고 있다.

개념

GAN의 활용 사례

GAN으로 생성된 이미지가 미술 경매에서 실제 작품으로 판매된 사례가 있습니다. 2018년, Christie's 경매에서 GAN이 생성한 초상화 "Edmond de Belamy"가 약 43만 2천 달러(한화 약 5억 원)에 낙찰되며 GAN의 창의성에 대한 논쟁을 불러 일으켰습니다.

✓ 핵심 개념체크

✓38회 기출 출★★★★★ 난★★★★★

36. 전체 신경망 노드 중 무작위로 노드를 선정해 다수의 모형을 구성하여 학습하고 각 모형의 결과를 결합해 예측 및 분류하는 기법은?

① 부스팅(Boosting) 기법
② 드롭아웃(Dropout) 기법
③ 결정 트리(Decision Tree) 기법
④ 아다부스팅(Adaboosting) 기법

드롭아웃은 학습 과정에서 무작위로 일부 노드를 제거하여 과적합을 방지하고, 모델의 일반화 성능을 향상시키는 기법이다. 부스팅, 결정 트리, 아다부스팅은 앙상블 학습 기법에 해당하며, 드롭아웃과는 다른 방식이다.

정답 36. ②

5장 정형 데이터 마이닝

6절 군집분석

출제빈도 F5 난이도 D4

 #군집분석 #밀도기반군집분석 #유클리디안거리 #마할라노비스거리 #맨하튼거리 #민코우스키거리 #유사도측도 #최단연결법 #계층적군집분석 #군집화 #덴드로그램 #와드연결법 #최장연결법 #비계층적군집분석 #k-평균군집분석 #PAM #혼합분포군집모형 #EM알고리즘 #SOM #경쟁층 #자기조직화지도 #군집모형평가 #실루엣계수

○ **학습 목표**
- 군집분석에 대해 이해한다.
- 계층적 군집분석 알고리즘에 대해 이해한다.
- 비계층적 군집분석 알고리즘에 대해 이해한다.
- R 프로그램을 통해 군집분석을 활용할 수 있다.

○ **눈높이 체크**

✓ **군집분석에 대해 알고 계신가요?**

군집분석은 각 객체의 유사성을 측정하여 유사성이 높은 대상 집단으로 분류하는 분석 방법입니다. 통계분석 방법론 중 판별분석은 집단을 나누는 것은 같지만 사전에 집단을 알고 학습을 통해 집단을 분류하는 것이 군집분석과는 다른 점이라는 것을 알아야 합니다.

✓ **군집분석의 종류는 어떤 것이 있을까요?**

군집분석은 계층적 군집분석과 비계층적 군집분석으로 구분할 수 있습니다. 계층적 군집분석은 전통적인 군집분석 방법으로 군집의 개수를 제일 나중에 선정하게 되지만 비계층적 군집분석인 k-means 군집분석의 경우는 군집의 모양도 계층적이지 않지만 군집의 개수를 제일 먼저 선정하고 모형을 개발하는 방식이라는 점에서 차이가 있습니다.

✓ **k-Means 군집분석에 대해 알고 계신가요?**

k-Means 군집분석은 비계층적 군집분석의 대표적인 분석방법입니다. 분석방법의 적용이 용이하지만 가중치와 거리 정의가 어렵고 초기에 군집수를 결정하기 때문에 군집수를 바꾸면서 가능한 모형들을 반복적으로 만들어 최고의 군집을 선택하는 것이 중요합니다.

❶ 군집분석

1. 개요

- 각 객체(대상)의 유사성을 측정하여 유사성이 높은 대상 집단을 분류하고, 군집에 속한 객체들의 유사성과 서로 다른 군집에 속한 객체간의 상이성을 규명하는 분석 방법이다.
- 특성에 따라 고객을 여러 개의 배타적인 집단으로 나누는 것이다.
- 결과는 구체적인 군집분석 방법에 따라 차이가 나타날 수 있다.
- 군집의 개수나 구조에 대한 가정 없이 데이터 사이의 거리를 기준으로 군집화를 유도한다.
- 마케팅 조사에서 소비자들의 상품 구매 행동이나 라이프 스타일에 따른 소비자군을 분류하여 시장 전략 수립 등에 활용한다.

> **출제포인트**
> 군집분석은 매 회차 꾸준히 출제되는 주제이며, 2025년 시험에서는 4문제가 출제되었습니다. 군집분석의 목적과 주요 특징을 중심으로 개념을 정리해 두시기 바랍니다.

개념 ➕

군집분석의 다양한 활용

군집분석은 생물학에서는 종의 분류, 마케팅에서는 시장 세분화, 금융에서는 산업 분석 등 다양하게 활용되며 협업 필터링 같은 추천 서비스가 등장하는 기반을 제공합니다.

2. 특징

가. 요인분석과의 차이점

- 요인분석은 유사한 변수를 함께 묶어주는 것이 목적이다.

나. 판별분석과의 차이점

- 판별분석은 사전에 집단이 나누어져 있는 자료를 통해 새로운 데이터를 기존의 집단에 할당하는 것이 목적이다.

◆ 핵심 개념체크

✓ 12회 기출 출★★★★☆ 난★★☆☆☆

37. 150개의 식물 개체를 4개의 변수(꽃받침 길이, 꽃받침 폭, 꽃잎 길이, 꽃잎 폭)로 측정한 데이터를 사용하여 3개의 식물 군으로 구분하려 한다. 이 때 사용 가능한 분석 방법으로 적절한 것은 무엇인가?

① 회귀분석(Regression)
② 시계열분석(Time series Analysis)
③ 군집분석(Cluster Analysis)
④ 연관분석(Association Analysis)

군집분석은 사전 레이블이 없는 데이터를 유사성을 기반으로 그룹화하는 비지도 학습 기법이다. 회귀분석은 연속형 종속변수를 예측할 때 사용되고, 시계열분석은 시간적 순서를 고려한 데이터를 분석하며, 연관분석은 항목 간의 관계를 탐색한다.

✓ 17회 기출 출★★★★☆ 난★★★★☆

38. 군집분석은 비지도학습 기법 중 하나로 사전 정보 없이 자료를 유사한 대상끼리 묶는 방법이다. 다음 중 군집분석에 대한 설명으로 부적절한 것은?

① 군집분석에서는 군집의 개수나 구조에 대한 가정없이 다변량 데이터로부터 거리 기준에 의한 자발적인 군집화를 유도하지 않는다.
② 군집 결과에 대한 안정성을 검토하는 방법으로 교차 타당성을 이용할 수 있다. 데이터를 두 집단으로 나누어 각 집단에서 군집분석을 수행하고, 결과를 합쳐 전체 데이터로 군집 분석한 결과와 비교하여 유사하면 결과의 안정성이 있다고 할 수 있다.
③ 군집의 분리가 논리적인가를 살펴보기 위해서는 군집 간 변동의 크기 차이를 검토한다.
④ 개체를 분류하기 위한 명확한 기준이 존재하지 않거나 기준이 밝혀지지 않은 상태에서 유용하게 이용할 수 있다.

군집분석은 사전 가정 없이 데이터를 군집화하며, 거리 기준에 따라 자발적으로 군집화를 유도한다. 나머지 선택지는 군집 결과의 안정성, 군집 간 변동 검토, 개체 분류 기준의 유용성을 적절히 설명하고 있다.

❷ 거리

군집분석에서는 관측 데이터 간 유사성이나 근접성을 측정해 어느 군집으로 묶을 수 있는지 판단해야 한다.

1. 연속형 변수의 경우

- 유클리디안 거리(Euclidean Distance) : 데이터 간의 유사성을 측정할 때 많이 사용하는 거리로 통계적 개념이 내포되어 있지 않아 변수들의 산포 정도가 전혀 감안되어 있지 않다.

$$d(x,y) = \sqrt{(x_1-y_1)^2 + \ldots + (x_p-y_p)^2} = \sqrt{(x-y)'(x-y)}$$

- 표준화 거리(Statistical Distance) : 해당변수의 표준편차로 척도 변환한 후 유클리드안 거리를 계산하는 방법이다. 표준화하게 되면 척도의 차이, 분산의 차이로 인한 왜곡을 피할 수 있다.

$$d(x,y) = \sqrt{(x-y)'D^{-1}(x-y)} \ , \ D = diag\{s_{11}, \ldots, s_{pp}\}$$

- 마할라노비스(Mahalanobis) 거리 : 통계적 개념이 포함된 거리이며 변수들의 산포를 고려하여 이를 표준화한 거리(Standardized Distance)이다. 두 벡터 사이의 거리를 산포를 의미하는 표본공분산으로 나눠주어야 하며, 그룹에 대한 사전 지식 없이는 표본공분산(S)를 계산할 수 없으므로 사용하기 어렵다.

$$d(x,y) = \sqrt{(x-y)'S^{-1}(x-y)} \ , \ S = \{S_{ij}\} \text{는 공분산행렬}$$

- 체비셰프(Chebychev) 거리

$$d(x,y) = \max_i |x_i - y_i|$$

- 맨하탄(Manhattan) 거리 : 유클리디안 거리와 함께 가장 많이 사용되는 거리로 맨하탄 도시에서 건물 간 이동시 최단 거리를 구하기 위해 고안된 거리이다.

$$d(x,y) = \sum_{i=1}^{p} |x_i - y_i|$$

- 캔버라(Canberra) 거리

$$d(x,y) = \sum_{i=1}^{p} \frac{|x_i - y_i|}{|x_i| + |y_i|}$$

- 민코우스키(Minkowski) 거리 : 맨하탄 거리와 유클리디안 거리를 한번에 표현한 공식으로 L1 거리(맨하탄거리), L2 거리(유클리디안 거리)라 불리고 있다.

$$d(x,y) = [\sum_{i=1}^{p} |x_i - y_i|^m]^{1/m} \quad \begin{matrix} m=1 \\ m=2 \end{matrix}$$

> **비기의 학습팁**
>
> **자카드 계수 기반 유사도**
>
> Boolean 속성으로 이루어진 두 개의 오브젝트 A와 B에 대하여 A와 B가 교집합으로 1의 값을 가진 속성의 개수를 A와 B의 1의 합집합 개수로 나눈 값입니다.

2. 범주형 변수의 경우

- 자카드 거리

$$1 - J(A, B) = \frac{|A \cup B| - |A \cap B|}{|A \cup B|}$$

- 자카드 계수

$$J(A, B) = \frac{|A \cap B|}{|A \cup B|}$$

- 코사인 거리 : 텍스트 마이닝이나 정보 검색 분야에서 문서 간의 유사도를 측정하는 데 주로 사용되며, 유사도를 기준으로 분류 혹은 그룹화 할 때 유용하게 활용된다.(코사인 거리=1-코사인 유사도)

$$d_{\cos}(A, B) = 1 - \frac{A \cdot B}{\|A\|_2 \cdot \|B\|_2}$$

- 코사인 유사도 : 두 개체의 백터 내적의 코사인 값을 이용하여 측정된 벡터 간의 유사한 정도이다. 두 벡터 A, B에 대해 코사인유사도는 아래와 같이 정의된다.

$$\text{cosine similarity} = \frac{A \cdot B}{\|A\|_2 \cdot \|B\|_2}$$

> **예제**
>
> **코사인 거리**
>
> 2개의 문서에 포함된 단어별 회수가 아래 표와 같을 때, 2개 문서의 유사도를 측정하기 위해 코사인 거리를 구하면 다음과 같다.
>
> $$d_{\cos}(A, B) = 1 - \frac{[1,0,5] \cdot [4,7,3]}{\|[1,0,5]\|_2 \cdot \|[4,7,3]\|_2} = 1 - \frac{1 \times 4 + 0 \times 7 + 5 \times 3}{\sqrt{1^2 + 0^2 + 5^2} \times \sqrt{4^2 + 7^2 + 3^2}}$$
>
> $$= 1 - \frac{19}{\sqrt{26} \times \sqrt{74}} = 1 - \frac{19}{5.1 \times 8.6} \approx 1 - 0.43 \approx 0.57$$
>
> 〈문서별 단어 빈도표〉
>
>
>
> | Corpus | Life | Love | Learn |
> |---|---|---|---|
> | 문서 A | 1 | 0 | 5 |
> | 문서 B | 4 | 7 | 3 |

✅ 핵심 개념체크

✓ 18회 기출 | 출 ★★★★☆ | 난 ★★★★☆

39. 거리를 이용하여 데이터 간 유사도를 측정할 수 있는 척도는 데이터의 속성과 구조에 따라 적합한 것을 사용해야 한다. 다음 중 유사도 측도에 대한 설명으로 부적절한 것은?

① 유클리드 거리는 두 점을 잇는 가장 짧은 직선거리이다. 공통으로 점수를 매긴 항목의 거리를 통해 판단하는 측도이다.
② 맨하튼 거리는 각 방향 직각의 이동 거리 합으로 계산된다.
③ 표준화 거리는 각 변수를 해당 변수의 표준편차로 변환한 후 유클리드 거리를 계산한 거리이다. 표준화를 하게 되면 척도의 차이, 분산의 차이로 인한 왜곡을 피할 수 있다.
④ 마할라노비스 거리는 변수의 표준편차를 고려한 거리 측도이나 변수 간에 상관성이 있는 경우에는 표준화 거리 사용을 검토해야 한다.

마할라노비스 거리는 변수 간의 상관성을 고려하는 거리 측도로, 공분산 행렬을 사용하여 상관성을 반영한다. 변수 간 상관성이 있는 경우 오히려 표준화 거리 대신 마할라노비스 거리를 사용하는 것이 적절하다. 유클리드 거리는 두 점 사이의 가장 짧은 직선거리를 측정하며 맨하튼 거리는 각 축 방향으로 직각 이동 거리를 합산하여 계산한다.

✓ 31회 기출 | 출 ★★★★★ | 난 ★★★★☆

40. 다음 중 변수 간의 상관성을 고려하여 두 데이터 간의 통계적 거리를 계산하는 데 사용되는 방법은 무엇인가?

① 유클리디안 거리
② 맨해튼 거리
③ 마할라노비스 거리
④ 코사인 유사도

마할라노비스 거리는 변수 간의 상관성을 고려하여 데이터 간의 통계적 거리를 계산하는 방법이다. 유클리디안 거리와 맨해튼 거리는 상관성을 고려하지 않고 단순 거리 계산에 사용되며, 코사인 유사도는 방향성에 기반한 유사도 측정 방법이다.

✓ 36회 기출 | 출 ★★★★★ | 난 ★★★☆☆

41. 다음 중 아래 수식에 해당하는 거리 계산 방법은?

$$d(x,y) = \sum_{i=1}^{p} |x_i - y_i|$$

① 자카드 거리 (Jaccard Distance)
② 캔버라 거리 (Canberra Distance)
③ 코사인 유사도 (Cosine Similarity)
④ 맨하탄 거리 (Manhattan Distance)

맨하탄 거리는 두 점 사이의 직각 거리를 의미하며, 마치 맨해튼 거리의 블록을 따라 이동하는 것과 같아서 붙여진 이름이며, 각 차원에서의 절댓값 차이의 합으로 계산된다. 자카드 거리는 두 집합 간의 유사도를 측정하는 방법이고 캔버라 거리는 각 차원에서의 값의 차이를 해당 차원의 값의 합으로 나눈 값을 합하는 방식으로 계산되며 코사인 유사도는 두 벡터 사이의 코사인 값을 이용하여 유사도를 측정하는 방법이다.

✓ 39회 기출 | 출 ★★★★☆ | 난 ★★★★☆

42. 아래 데이터 셋 A, B 간의 유사성을 측정할 때 유클리드 거리를 구하는 방법으로 올바른 계산 값은 무엇인가?

구분	A	B
키	180	175
몸무게	65	70

① 0
② $\sqrt{8}$
③ $\sqrt{20}$
④ $\sqrt{50}$

유클리드 거리는 A와 B의 각 데이터(키와 몸무게)를 비교하여 차이를 제곱한 후 합산한 값의 제곱근을 구한다. 따라서 유클리드 거리는 $\sqrt{50}$ 이 된다.

정답 39. ④ 40. ③ 41. ④ 42. ④

출제포인트

계층적 군집분석은 최근 시험에서도 반복 출제되는 주제이며, 2025년 시험에서는 5문제가 출제되었습니다. 병합·분할 방식, 덴드로그램 해석, 연결 방법의 차이를 중심으로 핵심 개념을 비교·정리해 두시기 바랍니다.

직접 실습해보기
계층적 군집분석

비기의 학습팁

계층적 군집 절차

1. 개별 데이터를 군집으로 정의하여 데이터 수만큼의 군집을 지정합니다.
2. 각 군집과 군집 간 거리를 모두 계산합니다.
3. 가장 작은 거리를 갖는 두 개의 군집을 찾아 이를 하나의 군집으로 결합합니다.
4. 모든 데이터를 포함하는 하나의 군집이 형성될 때까지 2~3단계를 계속 반복합니다.

비기의 학습팁

최단연결법

사슬 모양으로 군집이 생길 수 있으며 고립된 군집을 찾는데 중점을 둔 방법입니다.

❸ 계층적 군집분석

1. 개요

- 계층적 군집방법은 n개의 군집으로 시작해 점차 군집의 개수를 줄여 나가는 방법이다.
- 계층적 군집을 형성하는 방법에는 합병형 방법(Agglomerative : Bottom-Up)과 분리형 방법(Divisive : Top-Down)이 있다.

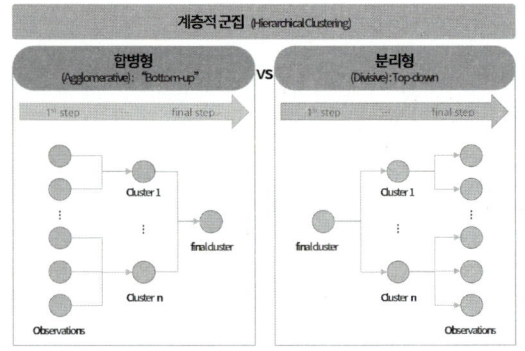

2. 최단연결법(Single Linkage)

- n×n 거리행렬에서 거리가 가장 가까운 데이터를 묶어서 군집을 형성한다.
- 군집과 군집 또는 데이터와의 거리를 계산 시 최단거리(min)를 거리로 계산하여 거리행렬 수정을 진행한다.
- 수정된 거리행렬에서 거리가 가까운 데이터 또는 군집을 새로운 군집으로 형성한다.

예제

최단연결법 ※거리 : 해석을 쉽게 하기 위해 유클리드 거리를 제곱한 값

〈데이터〉

	x1	x2
a	1	4
b	2	1
c	4	6
d	4	3
e	5	1

〈1차 거리행렬〉

	a	b	c	d
a				
b	10.00			
c	13.00	29.00		
d	10.00	8.00	9.00	
e	25.00	9.00	26.00	5.00

〈2차 거리행렬〉

	a	b	c
a			
b	10.00		
c	13.00	29.00	
de	10.00	8.00	9.00

〈3차 거리행렬〉

	a	c
a		
c	13.00	
bde	10.00	9.00

〈4차 거리행렬〉

	a
a	
bcde	10.00

3. 최장연결법(Complete Linkage)

- 군집과 군집 또는 데이터와의 거리를 계산할 때 최장거리(max)를 거리로 계산하여 거리행렬을 수정하는 방법이다.

비기의 학습팁
최장연결법
군집들의 내부 응집성에 중점을 둔 방법입니다.

예제

최장연결법 ※거리 : 해석을 쉽게 하기 위해 유클리드 거리를 제곱한 값

⟨데이터⟩

	x1	x2
a	1	4
b	2	1
c	4	6
d	4	3
e	5	1

⟨최장연결법⟩

⟨덴드로그램⟩

⟨1차 거리행렬⟩

	a	b	c	d
a				
b	10.00			
c	13.00	29.00		
d	10.00	8.00	9.00	
e	25.00	9.00	26.00	5.00

⟨2차 거리행렬⟩

	a	b	c
a			
b	10.00		
c	13.00	29.00	
de	25.00	9.00	26.00

⟨3차 거리행렬⟩

	a	c
a		
c	13.00	
bde	25.00	29.00

⟨4차 거리행렬⟩

	ac
ac	
bde	29.00

4. 평균연결법(Average Linkage)

- 군집과 군집 또는 데이터와의 거리를 계산할 때 평균(mean)을 거리로 계산하여 거리행렬을 수정하는 방법이다.

비기의 학습팁
평균연결법
계산량이 불필요하게 많아질 수 있습니다.

비기의 학습팁
중심연결법(Centroid Linkage)
두 군집의 중심간 거리를 군집간 거리로 하며, 군집이 결합될 때 새로운 군집의 평균은 가중평균을 통해 구해집니다.

예제

평균연결법 ※거리 : 해석을 쉽게 하기 위해 유클리드 거리를 제곱한 값

⟨데이터⟩

	x1	x2
a	1	4
b	2	1
c	4	6
d	4	3
e	5	1

⟨평균연결법⟩

⟨덴드로그램⟩

⟨1차 거리행렬⟩

	a	b	c	d
a				
b	10.00			
c	13.00	29.00		
d	10.00	8.00	9.00	
e	25.00	9.00	26.00	5.00

⟨2차 거리행렬⟩

	a	b	c
a			
b	10.00		
c	13.00	29.00	
de	17.50	8.50	17.50

⟨3차 거리행렬⟩

	a	c
a		
c	13.00	
bde	13.75	23.25

⟨4차 거리행렬⟩

	ac
ac	
bde	18.50

5장 정형 데이터 마이닝 453

5. 와드연결법(Ward Linkage)

- 군집 내 편차들의 제곱합을 고려한 방법이다.
- 군집 간 정보의 손실을 최소화하기 위해 군집화를 진행한다.

6. 군집과정

- 거리행렬을 통해 가장 가까운 거리의 객체들 간의 관계를 규명하고 덴드로그램을 그린다.
- 덴드로그램을 보고 군집의 개수를 변화해 가면서 적절한 군집 수를 선정한다.
- 군집의 수는 분석 목적에 따라 선정할 수 있지만 대부분 5개 이상의 군집은 잘 활용하지 않는다.
- 군집화 단계

1) 거리행렬을 기준으로 덴드로그램을 그린다.
2) 덴드로그램의 최상단부터 세로축의 개수에 따라 가로선을 그어 군집의 개수를 선택한다.
3) 각 객체들의 구성을 고려해서 적절한 군집 수를 선정한다.

예시

군집수 결정

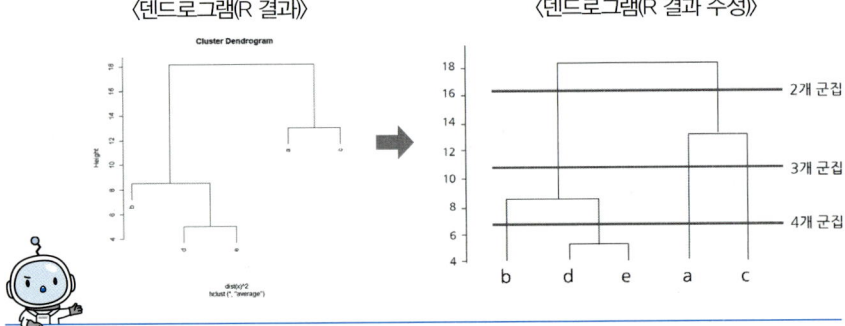

〈덴드로그램(R 결과)〉   〈덴드로그램(R 결과 수정)〉

개념 +

덴드로그램(Dendrogram)

덴드로그램은 계층적 군집분석에서 데이터의 군집화 과정을 시각적으로 나타낸 트리 형태의 다이어그램입니다. 이를 통해 군집 간의 관계와 데이터의 계층적 구조를 직관적으로 파악할 수 있으며 적절한 클러스터의 수를 결정하는 데 유용하게 사용됩니다.

비기의 학습팁

덴드로그램을 보고 군집의 수를 찾는 방법을 꼭 기억하시기 바랍니다.

핵심 개념체크

✓ 33회 기출

43. 계층적 군집분석 결과를 아래와 같이 덴드로그램으로 시각화하였다고 할 때, Tree의 높이 (height)가 60일 경우 나타나는 군집의 수는 몇 개 인가?

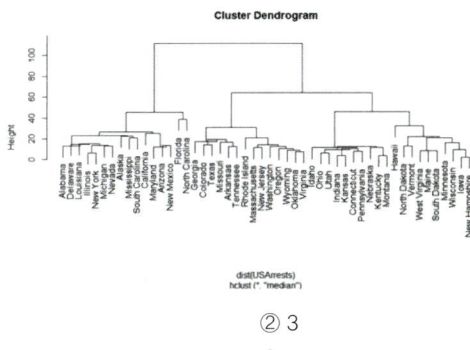

① 2　　　　　　　　　② 3
③ 4　　　　　　　　　④ 5

덴드로그램(Dendrogram)은 계층적 군집 분석 결과를 시각화한 그림으로, 각 데이터 포인트 간의 유사성을 나타내는 트리 구조이다. 덴드로그램에서 높이 60의 수평선을 그어보면, 이 선과 만나는 수직선의 개수가 곧 그 높이에서 생성되는 군집의 수를 의미한다. 문제의 덴드로그램에서 높이 60의 수평선을 그었을 때, 총 3개의 수직선과 만나게 된다.

✓ 38회 기출

44. 다음 중 군집 간 거리를 군집에 속한 개체 간의 거리 중 가장 먼 거리로 정의하는 군집분석의 연결법은 무엇인가?

① 최단연결법 (Single Linkage)
② 최장연결법 (Complete Linkage)
③ 평균연결법 (Average Linkage)
④ 중심연결법 (Centroid Linkage)

최장연결법은 두 군집 내의 가장 먼 개체 간의 거리를 기준으로 군집 간 거리를 정의한다. 최단연결법은 가장 가까운 개체 간의 거리를, 평균연결법은 모든 개체 간의 평균 거리를, 중심연결법은 군집의 중심 간 거리를 기준으로 한다.

정답 43. ② 44. ②

❹ 비계층적 군집분석

- 비계층적 군집분석은 데이터를 미리 정의된 개수의 클러스터로 나누는 군집 분석 기법이다.
- n개의 개체를 k개의 군집으로 나눌 수 있는 모든 가능한 방법을 점검해 최적화한 군집을 형성하는 것이며 데이터의 군집 개수를 사전에 설정하고, 알고리즘이 데이터를 해당 개수만큼 분할하는 방식으로 작동한다.

출제포인트
비계층적 군집분석은 출제 빈도는 높지 않지만, 개념 이해를 점검하는 용도로 다뤄지는 주제입니다. 2025년 시험에서는 직접적으로 출제된 문항은 없었으나, 군집분석 기본 문항과 함께 정의와 핵심 개념이 자주 함께 등장하므로 반드시 숙지해 두시기 바랍니다.

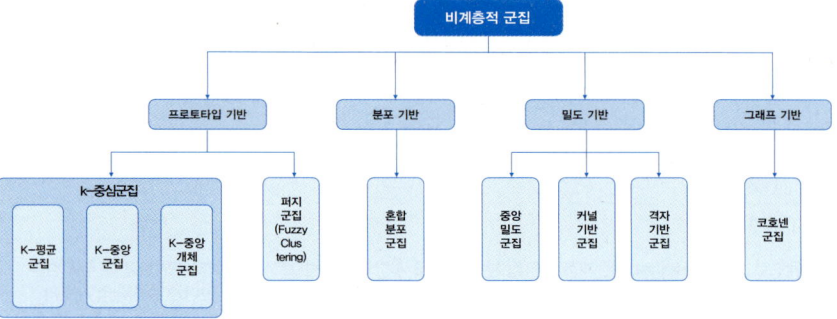

참고
- **프로토타입(Prototype) 기반 군집** : 미리 정해 놓은 각 군집에 각 데이터가 얼마나 유사한가를 가지고 군집을 진행합니다.
- **분포(Distribution) 기반 군집** : 각 데이터가 혼합분포 중 어느 모형으로부터 나왔을 확률이 높은지에 따라 군집을 진행합니다.
- **밀도(Density) 기반 군집** : 서로 근접하게 분포할 것이라는 가정을 기반 (높은 밀도)으로 군집을 진행합니다.
- **그래프(Graph) 기반 군집** : 신경망 기술을 활용하여 고차원의 데이터를 저차원의 뉴런으로 정렬한 후 지도의 형태로 형상화해서 군집을 진행합니다.

✓ 핵심 개념체크

✓17회 기출 출★★★★★ 난★★★☆☆

45. 비계층적 군집분석의 장점에 대한 설명이 잘못된 것은?

① 주어진 데이터의 내부 구조에 대한 사전 정보가 없어도 의미있는 결과를 얻을 수 있다.
② 다양한 형태의 데이터의 적용이 가능하다.
③ 분석방법의 적용이 용이하다.
④ 사전에 주어진 목적이 없으므로 결과 해석이 쉽다.

비계층적 군집분석은 알고리즘의 절차가 단순하기 때문에 다양한 데이터를 활용하며 계산 효율성이 높아 적용이 용이하고 사전 정보가 없더라도 의미 있는 결과를 얻을 수 있다. 그러나 결과 해석은 데이터의 특성과 클러스터링 목적에 크게 의존하기 때문에 사전에 주어진 목적이 없으면 오히려 결과 해석이 어려울 수 있다.

❺ K-means

1. 개요

- 주어진 데이터를 k개의 클러스터로 묶는 알고리즘으로, 각 클러스터와 거리 차이의 분산을 최소화하는 방식으로 동작한다.

단계 1. 원하는 군집의 개수 k와 초기 중심점(seed)을 설정한다.

단계 2. 각 데이터를 거리가 가장 가까운 중심점이 있는 군집에 할당한다.

단계 3. 각 군집에 속한 데이터를 기준으로 새로운 중심점을 계산한다.

단계 4. 모든 데이터의 군집 할당이 변하지 않을 때까지, 2단계와 3단계를 반복한다.

단계 5. 최종적으로 각 데이터는 k개의 클러스터로 분류되고, 군집 간 거리 차이의 분산이 최소화된다.

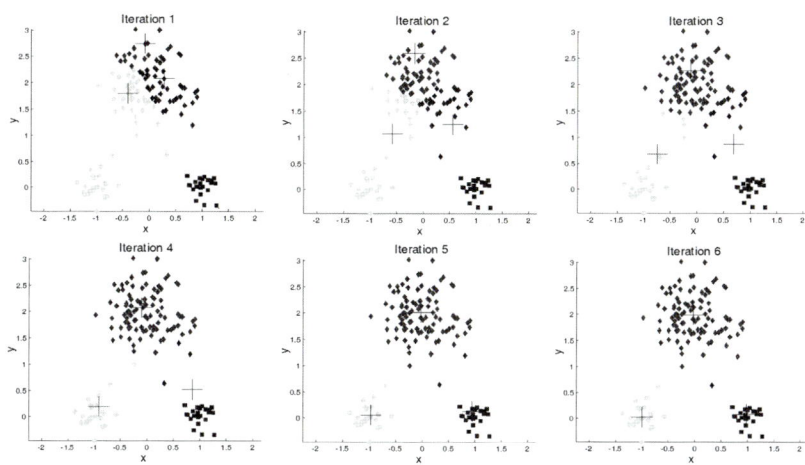

2. 특징

- 거리 계산을 통해 군집화가 이루어지므로 **연속형 변수에 활용이 가능**하다.
- K개의 **초기 중심값은 임의로 선택이 가능**하며 가급적이면 멀리 떨어지는 것이 바람직하다.
- 초기 중심값을 임의로 선택할 때 일렬(상하, 좌우)로 선택하면 군집 혼합되지 않고 층으로 나누어질 수 있어 주의하여야 한다. **초기 중심값의 선정에 따라 결과가 달라**질 수 있다.
- 초기 중심으로부터의 오차 제곱합을 최소화하는 방향으로 군집이 형성되는 **탐욕적(Greedy) 알고리즘**이므로 안정된 군집은 보장하나 최적이라는 보장은 없다.

> **출제포인트**
>
> K-means는 개념을 정확히 구분하는 비교·선택형 문항으로 자주 출제되는 주제이며, 2025년 시험에서는 4문제가 출제되었습니다. 중심점 업데이트 과정, 군집 수(k)의 의미, 초기값 민감성을 핵심 포인트로 정리해 두시기 바랍니다.

개념 ➕

K-medoids

K-medoids는 이상값에 민감한 K-평균 군집의 단점을 보완하기 위해 고안되었습니다. 군집 수행을 위한 알고리즘은 대체로 K-평균 군집과 유사하지만 다음과 같은 차이가 있습니다.

1. seed 값은 반드시 데이터 중에서 선택해야 합니다.
2. seed의 이동은 각 클러스터의 중심 또는 평균이 아닌 해당 클러스터에 속한 데이터 중에서 다른 데이터와의 거리 척도가 최소가 되는 데이터로 선택합니다.

K-medoids는 이상값에 민감하지 않다는 장점이 있으나, 각 클러스터에서 새로운 seed를 추출할 모든 데이터와 거리를 측정해야 하므로 군집 수행에 있어서 많은 시간을 필요로 한다는 단점이 있습니다.

장 점	단 점
• 알고리즘이 단순하며, 빠르게 수행되어 분석 방법 적용이 용이하다. • 계층적 군집분석에 비해 많은 양의 데이터를 다룰 수 있다. • 내부 구조에 대한 사전정보가 없어도 의미있는 자료구조를 찾을 수 있다. • 다양한 형태의 데이터에 적용이 가능하다.	• 군집의 수, 가중치와 거리 정의가 어렵다. • 사전에 주어진 목적이 없으므로 결과 해석이 어렵다. • 잡음이나 이상값의 영향을 많이 받는다. • 볼록한 형태가 아닌(Non-Convex) 군집이 (예를 들어 U형태의 군집) 존재할 경우에는 성능이 떨어진다. • 초기 군집 수 결정에 어려움이 있다.

3. k-평균 군집분석에서 최적의 k 찾기

가. Elbow 방법

- Elbow 방법이란 군집분석에서 군집 수를 결정하는 방법으로 군집 수에 따라 군집 내 총 제곱합을 플로팅하여 팔꿈치의 위치를 일반적으로 적절한 군집 수로 선택하는 방법이다.

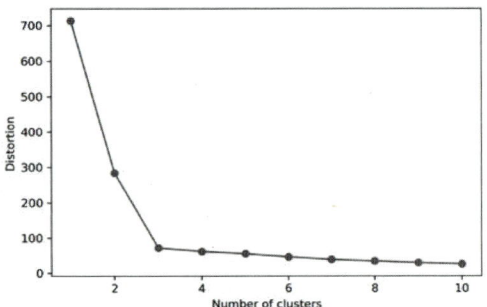

- 위의 그림처럼 x축의 클러스터 개수를 늘려가며 계산한 SSE 값을 y축에 두어 그래프를 그린다. SSE 값이 점점 줄어들다가 어느 순간 감소율이 급격히 줄어드는 부분이 생긴다. 그래프 모양을 보면 팔꿈치에 해당하는 부분이 최적의 클러스터 개수가 된다. 위의 그래프에서 2~4 사이의 값이 팔꿈치라고 판단하여 클러스터의 개수는 3이라고 할 수 있다.

> **핵심 개념체크**
>
> ✓15회 기출 출★★★★★ 난★★★☆☆
>
> **46. K-means 군집분석에 대한 설명으로 틀린 것은?**
>
> ① K-means 군집분석은 원하는 군집의 개수를 초기에 정하고 seed 중심으로 군집을 형성한다.
> ② K-means 군집분석은 각 개체를 가장 가까운 seed가 있는 군집으로 분류한다.
> ③ 군집으로 분류된 개체들의 정보를 활용하여 새로운 seed를 계산하면서 개체의 적용에 따른 seed의 변화를 관찰한다.
> ④ 95% 이상의 개체가 seed에 할당 되면 seed의 조정을 멈춘다.
>
> K-means 군집분석에서는 수렴 기준에 도달하거나 군집 중심의 변화가 없을 때까지 반복되며, 특정 비율 이상의 개체가 할당되었다고 조정을 멈추지 않는다. 나머지 선택지는 K-means 군집분석의 원리를 정확히 설명한다.

> **비기의 학습팁**
>
> Elbow 방법을 통해 최적의 군집수를 찾는 방법을 꼭 기억하시기 바랍니다.

❻ 혼합 분포 군집(Mixture Distribution Clustering)

1. 개요

- 모형 기반(Model-Based)의 군집 방법이며, 데이터가 k개의 모수적 모형(흔히 정규분포 또는 다변량 정규분포를 가정함)의 가중합으로 표현되는 모집단 모형으로부터 나왔다는 가정하에서 모수와 함께 가중치를 자료로부터 추정하는 방법을 사용한다.
- k개의 각 모형은 군집을 의미하며, 각 데이터는 추정된 k개의 모형 중 어느 모형으로부터 나왔을 확률이 높은지에 따라 군집의 분류가 이루어진다.
- 흔히 혼합모형에서의 모수와 가중치의 추정(최대가능도추정)에는 **EM 알고리즘**이 사용된다.

> **출제포인트**
> 혼합 분포 군집은 사례 제시형 문항으로 종종 등장하는 주제이지만, 최근에는 다소 쉬어가는 경향을 보입니다. 그러나 핵심 개념인 혼합 분포 군집 모형과 EM 알고리즘은 반드시 명확히 이해해 두시기 바랍니다.

2. 혼합 분포모형으로 설명할 수 있는 데이터의 형태

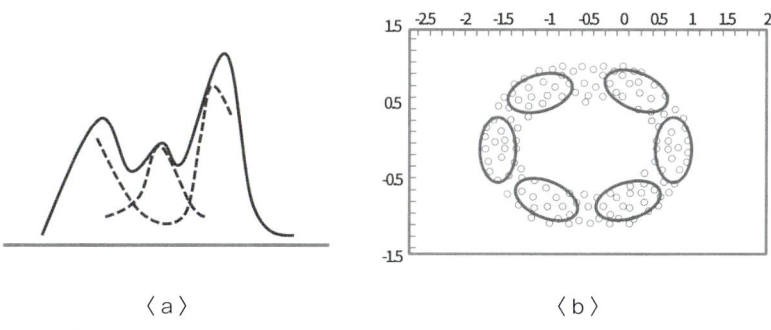

〈a〉　　　　　〈b〉

- (a)는 자료의 분포형태가 다봉형의 형태를 띠므로 단일 분포로의 적합은 적절하지 않으며, 대략 3개 정도의 정규분포 결합을 통해 설명될 수 있을 것으로 생각할 수 있다.
- (b)의 경우에도 여러 개의 이변량 정규분포의 결합을 통해 설명될 수 있을 것이다. 두 경우 모두 반드시 정규분포로 제한할 필요는 없다.

3. EM(Expectation-Maximization) 알고리즘의 진행 과정

- 각 자료에 대해 Z의 조건부분포(어느 집단에 속할 지에 대한)로부터 조건부 기댓값을 구할 수 있다.
- 관측변수 X와 잠재변수 Z를 포함하는 (X, Z)에 대한 로그-가능도함수(이를 보정된(Augmented) 로그-가능도함수라 함)에 Z 대신 상수값인 Z의 조건부 기댓값을 대입하면, 로그-가능도함수를 최대로 하는 모수를 쉽게 찾을 수 있다. (M-단계) 갱신된 모수 추정치에 대해 위 과정을 반복한다면 수렴하는 값을 얻게 되고, 이는 최대 가능도 추정치로 사용될 수 있다.

- E – 단계 : 잠재변수 Z의 기대치 계산
- M – 단계 : 잠재변수 Z의 기대치를 이용하여 파라미터를 추정

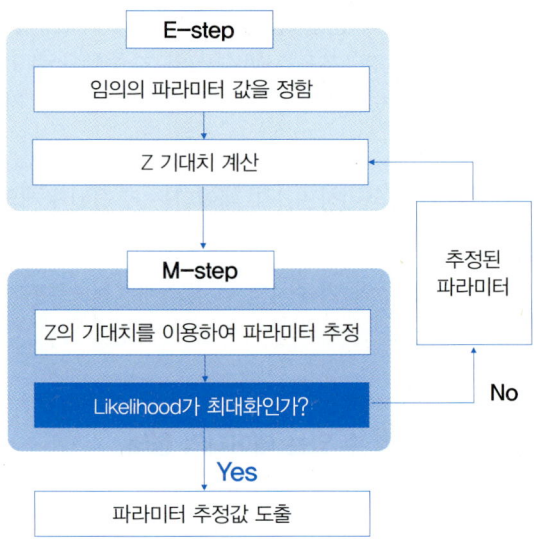

4. EM 알고리즘의 진행 과정

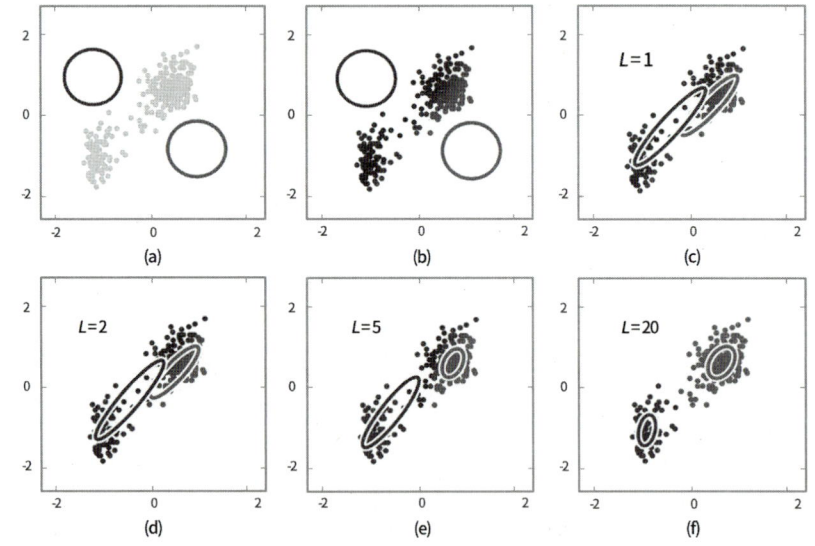

가. 혼합 분포 군집모형의 특징

- k-평균 군집의 절차와 유사하지만 **확률분포를 도입하여 군집을 수행**한다.
- 군집을 몇 개의 모수로 표현할 수 있으며, 서로 다른 크기나 모양의 군집을 찾을 수 있다.
- EM 알고리즘을 이용한 모수 추정에서 데이터가 커지면 수렴에 시간이 걸릴 수 있다.

개념 ➕

가능도와 로그-가능도 함수

- 가능도(Likelihood)는 '우도'라고도 표현하며 관측된 데이터가 특정 분포를 따를 가능성을 의미합니다.
- 로그-가능도 함수는 최대가능도에 로그함수를 취해서 차수나 지수를 단순화시킨 방법입니다. 가능도 함수의 로그 형태로 지수 형태를 갖는 함수식이나 미분과 같은 계산상의 편의를 위해서 사용하며 로그는 증가함수이기 때문에 로그-가능도 함수가 최대라는 것은 가능도가 최대인 것을 의미합니다.

- 군집의 크기가 너무 작으면 추정의 정도가 떨어지거나 어려울 수 있다.
- K-평균 군집과 같이 **이상치 자료에 민감**하므로 사전에 조치가 필요하다.

핵심 개념체크

✓35회 기출 출★★★☆☆ 난★★★☆☆

47. 다음 중 혼합분포군집 모형의 특징으로 부적절한 설명은?

① 각 군집은 특정 확률분포를 따른다고 가정한다.
② 군집의 특성은 평균과 분산을 통해 정의된다.
③ 대규모 데이터에서 계산 비용이 커지며 시간이 소요된다.
④ 군집의 크기가 작을수록 추정의 정도가 쉽다.

군집의 크기가 작아질수록 데이터의 분산이 커지거나 샘플 수가 부족해져 추정의 정확도가 낮아질 수 있다. 1번 선택지는 혼합분포군집의 기본 가정을, 2번 선택지는 군집의 정의 방식을, 3번 선택지는 대규모 데이터에서의 계산 비용 문제를 올바르게 설명하고 있다.

정답 47. ④

출제포인트

SOM은 개념을 구분하는 비교·선택형 문항으로 종종 출제되는 주제이며, 2025년 시험에서는 2문제가 출제되었습니다. 격자 구조, 이웃 개념, 시각화 중심 군집이라는 특징을 핵심 키워드로 묶어 정리해 두시기 바랍니다.

비기의 학습팁

자기조직화지도(SOM)의 과정

1. SOM의 노드에 대한 연결 강도(Weight)를 초기화합니다.
2. 입력 벡터와 경쟁 층 노드간의 거리 계산 및 입력 벡터와 가까운 노드를 선택합니다.
3. 경쟁에서 선택된 노드와 이웃 노드의 가중치(연결 강도)를 갱신합니다.
4. 일정 수에 도달할 때까지 2단계로 가서 반복합니다.

❼ SOM(Self Organizing Map)

1. 개요

- 자기조직화지도(Self Organizing Map, SOM) 알고리즘은 코호넨(Kohonen)에 의해 제시, 개발되었으며 코호넨 맵(Kohonen Maps)이라고도 알려져 있다.
- **SOM은 비지도 신경망으로 고차원의 데이터를 이해하기 쉬운 저차원의 뉴런으로 정렬**하여 지도의 형태로 형상화한다. 이러한 형상화는 입력 변수의 위치 관계를 그대로 보존한다는 특징이 있다. 다시 말해 실제 공간의 입력 변수가 가까이 있으면, 지도 상에도 가까운 위치에 있게 된다.

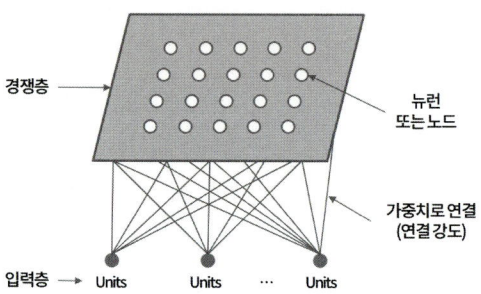

2. 구성

- SOM모델은 위의 그림과 같이 두 개의 인공신경망 층으로 구성되어 있다.

가. 입력층(Input Layer : 입력벡터를 받는 층)

- **입력 변수의 개수와 동일하게 뉴런 수가 존재**한다.
- 입력층의 자료는 학습을 통하여 경쟁층에 정렬되는데, 이를 지도(Map)라 부른다. 입력층에 있는 각각의 뉴런은 경쟁층에 있는 각각의 뉴런들과 연결되어 있으며, 이 때 완전 연결(Fully Connected)되어 있다고 한다.

나. 경쟁층(Competitive Layer : 2차원 격자(Grid)로 구성된 층)

- 입력벡터의 특성에 따라 벡터가 한 점으로 클러스터링 되는 층
- SOM은 경쟁 학습으로 각각의 뉴런이 입력 벡터와의 거리를 계산하여 연결 강도(Connection Weight)를 반복적으로 재조정하여 학습한다. 이 과정을 거치면서 연결강도는 입력 패턴과 가장 유사한 경쟁층 뉴런이 승자가 된다.
- 입력 층의 표본 벡터에 가장 가까운 프로토타입 벡터를 선택해 BMU(Best-Matching-Unit)라고 하며, 코호넨의 승자 독점의 학습 규칙에 따라 위상학적 이웃(Topological Neighbors)에 대한 연결 강도를 조정한다.
- 승자 독식 구조로 인해 경쟁층에는 승자 뉴런만이 나타나며, 승자와 유사한 연결 강도를 갖는 입력 패턴이 동일한 경쟁 뉴런으로 배열된다.

3. 특징

- 고차원의 데이터를 저차원의 **지도 형태로 형상화**하기 때문에 시각적으로 이해가 쉽다.
- 입력 변수의 위치 관계를 그대로 보존하기 때문에 실제 데이터가 유사하면 지도상에서 가깝게 표현된다. 이런 특징 때문에 패턴 발견, 이미지 분석 등에서 뛰어난 성능을 보인다.
- 역전파(Back Propagation) 알고리즘 등을 이용하는 인공신경망과 달리 단 하나의 전방 패스(Feed-Forward Flow)를 사용함으로써 속도가 매우 빠르다. 따라서, 실시간 학습처리를 할 수 있는 모형이다.

> **비기의 학습팁**
>
> **자기조직화지도(SOM)의 장단점**
>
> **장점**
> - 역전파 알고리즘을 사용하지 않는 순전파 방식이므로 속도가 매우 빠릅니다.
> - 저차원의 지도로 형상화되어 시각적 이해가 쉽습니다.
> - 패턴 발견 및 이미지 분석에서 성능이 우수합니다.
> - 입력 데이터에 대한 속성을 그대로 보존합니다.
>
> **단점**
> - 초기 학습률 및 초기 가중치에 많은 영향을 받습니다.
> - 경쟁층의 이상적인 노드의 개수를 결정하기 어렵습니다.

4. SOM과 신경망 모형의 차이점

구 분	신경망 모형	SOM
학습 방법	오차역전파법	경쟁학습방법
구 성	입력층, 은닉층, 출력층	입력층, 2차원 격자(Grid) 형태의 경쟁층
기계 학습 방법의 분류	지도학습 (Supervised Learning)	비지도 학습 (Unsupervised Learning)

✓ 핵심 개념체크

✓ 11회 기출 출★★★★☆ 난★★★☆☆

48. 다음 중 고차원의 데이터를 이해하기 쉬운 저차원의 뉴런으로 정렬화하여 지도의 형태로 형성화하는 클러스터링 방법으로 적절한 것은?

① 의사결정나무(Decision Tree)
② 연관규칙(Association Rule)
③ 랜덤포레스트(Random Forest)
④ 자기조직화지도(Self-Organizing Map)

자기조직화지도(SOM)는 고차원의 데이터를 저차원으로 정렬화하여 시각화할 수 있는 클러스터링 방법이다. 의사결정나무, 연관규칙, 랜덤포레스트는 클러스터링 기법이 아니다.

✓ 30회 기출 출★★★★☆ 난★★★★★

49. SOM은 비지도 신경망으로 고차원의 데이터를 이해하기 쉬운 저차원의 뉴런으로 정렬하여 지도의 형태로 형상화 한다. 다음 중 입력벡터의 특성에 따라 벡터가 한 점으로 클러스터링 되는 층은 어떤 층인가?

① 경쟁층(Competitive layer)
② 입력층(Input layer)
③ 은닉층(Hidden layer)
④ 출력층(Output layer)

경쟁층은 입력 벡터를 받아 고차원의 데이터를 저차원의 뉴런으로 매핑하여 클러스터링한다. 입력층은 원시 데이터를 받아들이는 층이고, 은닉층은 데이터의 비선형 변환을 담당하며, 출력층은 최종 결과를 출력하는 층이다.

⑧ 최신 군집분석 기법들

1. 밀도기반 군집(Density-Based Clustering)

- 밀도기반 군집은 데이터 포인트의 밀도 차이를 이용해 클러스터를 식별하는 방법으로, DBSCAN(Density-based spatial clustering of applications with noise)이 대표적이다.
- 밀도가 높은 영역을 클러스터로 간주하며, 밀도가 낮은 데이터는 잡음으로 처리하거나 다른 클러스터와 분리된다. 이 기법은 데이터의 모양에 구애받지 않고 비선형적인 클러스터도 효과적으로 탐지할 수 있어, 복잡한 분포나 잡음이 포함된 데이터에서도 유용하다.

2. 병합적 군집(Agglomerative Clustering)

- 병합적 군집은 계층적 군집 방법 중 하나로, 각 데이터를 개별 클러스터로 시작해 점진적으로 유사한 클러스터를 병합하며 계층 구조를 형성한다.
- 데이터 간의 유사도를 측정하기 위해 유클리드 거리와 같은 거리 척도를 사용하며, 병합 기준으로 단일 연결, 완전 연결, 평균 연결 등이 활용된다.
- 결과는 덴드로그램 형태로 표현되며, 데이터의 계층적 관계를 시각적으로 이해하는 데 유용하지만, 대규모 데이터에서는 계산 비용이 높을 수 있다.

3. 퍼지 군집(Fuzzy Clustering)

- 퍼지 군집은 데이터가 여러 클러스터에 동시에 속할 수 있도록 허용하는 군집 분석 기법으로, 각 데이터 포인트에 대해 클러스터 소속 확률(혹은 소속도)을 할당한다.
- 대표적인 알고리즘은 FCM(Fuzzy C-Means)으로, 각 데이터가 클러스터 중심에서의 거리에 따라 소속도가 결정된다.
- 이 방법은 데이터의 구분이 명확하지 않은 경우 유용하며, 이미지 처리, 패턴 인식 등 여러 분야에서 활용되지만 해석이 복잡하고 초기 매개변수 설정에 민감할 수 있다.

4. 스펙트럼 군집(Spectral Clustering)

- 스펙트럼 군집은 그래프 이론을 기반으로 데이터의 유사성을 행렬로 표현한 후, 이 행렬의 고유값과 고유벡터를 활용해 클러스터를 형성하는 기법이다.
- 데이터 간의 비선형적 관계를 효과적으로 처리하며, 복잡한 형태의 클러스터도 탐지할 수 있다. 주로 커널 기법과 결합하여 고차원 데이터나 비구조적

출제포인트

최신 군집분석 기법들은 전체적으로 출제 빈도는 높지 않지만, 최근 들어 출제 빈도가 다소 높아지는 추세입니다. 최근 출제 경향을 반영하여 최신 군집분석 기법의 종류를 중심으로 중점적으로 학습하시기 바랍니다.

개념 +

DBSCAN

DBSCAN 알고리즘은 밀도기반 군집분석의 한 방법으로 개체 간의 거리에 기반을 둔 다른 군집 방법 알고리즘과 다르게 개체들이 밀집한 정도에 기초해 군집을 형성합니다. K값을 정할 필요가 없으며 이상치에 의한 성능 하락을 완화할 수 있습니다.

데이터에 적용되며, 그래프 분할 문제나 이미지 분할, 네트워크 분석 등에 활용된다.

- 계산량이 많아 대규모 데이터에 적용 시 효율성이 떨어질 수 있다는 단점이 존재한다.

5. PAM(Partitioning Around Medoids)

- PAM은 군집 분석 기법 중 하나로, 데이터를 여러 클러스터로 나누는 방법이다. K-means와 비슷하지만, 중심점으로 평균 대신 실제 데이터 포인트인 'Medoids'를 선택하는 것이 특징이다.
- 이는 이상치나 노이즈에 더 강한 내성을 가지고 있어, 데이터가 이상치에 민감할 때 유리하다.
- PAM은 클러스터를 형성하기 위해 반복적으로 Medoid를 재선택하고, 각 데이터 포인트가 가장 가까운 Medoid에 할당되는 방식으로 진행되며, 주로 중간 규모의 데이터에서 효과적이며, 계산 비용이 상대적으로 높을 수 있다.

핵심 개념체크

✓36회 기출 출★★★★★ 난★★★☆☆

50. 군집분석 기법으로 가장 적절하지 않은 것은?

① K-Means Clustering
② 계층적 군집화 (Hierarchical Clustering)
③ Silhouette Coefficient
④ DBSCAN (Density-Based Spatial Clustering of Applications with Noise)

Silhouette Coefficient는 군집분석 기법이 아닌 군집의 품질을 평가하는 지표로, 데이터 포인트가 특정 군집에 얼마나 잘 속해 있는지를 측정한다. 반면 K-means Clustering, 계층적 군집화, DBSCAN은 실제 군집화를 수행하는 알고리즘이다.

정답 50. ③

❾ 군집모형 평가지표

1. 던 지수(Dunn Index)

- 군집 간 거리의 최솟값을 분자, 군집 내 요소 간 거리의 최댓값을 분모로 하는 지표로 DI 값이 클수록 군집이 잘 이루어진 것으로 볼 수 있다.

2. 실루엣(Silhouette)

- 실루엣(Silhouette) 기법은 실루엣 계수를 사용한 클러스터링의 품질을 정량적으로 계산 하는 방법이다.
- 실루엣(Silhouette) 계수는 한 클러스터 안에서 데이터들이 다른 클러스터와 비교해 얼마나 비슷한가를 나타내는 것으로 -1과 1 사이의 값을 가지며, 1에 가까울수록 완벽한 군집화가 이루어졌으며, -1에 가까울수록 군집화가 전혀 이루어지지 않은 경우이다.

비기의 학습팁

DI = 군집과 군집 사이 거리 중 최솟값 / 군집 내 데이터들 거리 중 최댓값 입니다.
분자가 클수록 군집 간의 거리가 멀고 분모가 작을수록 군집 내 데이터가 모여 있는 것을 의미합니다.

핵심 개념체크

✓ 29회 기출

51. 군집 모형 평가 기준 중 하나이며 군집의 밀집정도를 계산하는 방법으로 군집 내의 거리와 군집 간의 거리를 기준으로 군집 분할의 성과를 평가하는 것은 다음 중 무엇인가?

① 피어슨 상관 계수(Pearson Correlation Coefficient)
② ARI(Adjusted Rand Index)
③ NMI(Normalized Mutual Information)
④ 실루엣 계수(Silhouette Coefficient)

실루엣 계수는 군집 내 거리와 군집 간 거리의 비율을 계산하여 군집화의 품질을 평가하는 데 사용된다. 피어슨 상관 계수는 변수 간의 상관성을 측정하고, ARI와 NMI는 군집 결과의 유사성을 평가하는 지표이다.

정답 51. ④

5장 정형 데이터 마이닝

7절 연관분석

출제빈도 F5 | 난이도 D4

 #연관규칙측도 #지지도 #신뢰도 #향상도 #연관규칙장점 #연관규칙단점 #Apriori알고리즘

학습 목표

- 연관분석에 대해 이해한다.
- 연관분석의 측도를 이해한다.
- 연관규칙의 장점과 단점을 이해한다.
- R 프로그램을 통해 연관성분석을 적용할 수 있다.

눈높이 체크

✔ 연관성분석에 대해 알고 계신가요?

기업의 데이터베이스에서 상품의 구매, 서비스 등 일련의 거래 또는 사건들 간의 규칙을 발견하여 IF-THEN의 구조로 분석 결과의 연관성을 파악하는 데이터 마이닝 방법론이 연관성분석입니다.

✔ 연관성분석의 척도를 이해하고 계신가요?

연관성분석을 위한 측도인 지지도(Support), 신뢰도(Confidence) 그리고 향상도(Lift)를 활용하여 거래들 간의 연관성을 파악할 수 있습니다.

✔ 연관성분석의 장단점을 알고 계신가요?

연관성분석의 장점은 탐색적인 기법으로 결과를 쉽게 이해할 수 있다는 점과 거래 데이터를 바로 분석에 활용할 수 있다는 점입니다. 그리고 상당히 간단한 계산을 통해 분석한다는 것입니다. 이에 비해 단점은 품목수가 증가할 경우 분석을 위한 계산이 기하급수적으로 늘어나게 됩니다. 이로 인해 적절한 품목의 수를 결정하는 것이 어렵다는 단점이 있습니다.

출제포인트

연관규칙은 매 회차 꾸준히 출제되는 빈출 주제이며, 2025년 시험에서는 8문제가 출제되었습니다. 연관규칙의 개념과 특징, 각 측도들의 계산법을 명확히 이해하시기 바랍니다.

개념 +

장바구니 분석의 유래

'장바구니 분석'이라고도 하는 이유는 미국 마트에서 기저귀를 사는 고객은 맥주를 동시에 구매한다는 연관 규칙을 알아낸 것에 기인했습니다. 주로 거래되는 구매항목에 존재하는 품목들 간의 연관성 규칙을 추론할 때 사용하기 때문에 '장바구니 분석'이라고도 합니다.

❶ 연관규칙

1. 개념

- 연관성 분석은 흔히 장바구니 분석(Market Basket Analysis) 또는 서열분석(Sequence Analysis)이라고 불린다.
- 특별한 종속 변수를 두지 않는 비지도·탐색적 분석 기법으로, 계산이 비교적 단순해 실제 업무에서 활용하기 쉽다.
- 다만, 품목 수가 많아질수록 가능한 조합이 급격히 증가하여 연산 부담이 커질 수 있으며, 이를 줄이기 위해 유사한 품목을 묶거나 너무 세분화된 품목을 통합하기도 한다.
- 기업의 데이터베이스에서 상품의 구매, 서비스 등 일련의 거래 또는 사건들 간의 규칙을 발견하기 위해 적용한다.
- 장바구니 분석: 거래 내역에서 함께 구매되는 품목 간의 동시 발생 패턴을 찾는 분석 방법
- 서열분석: 고객 행동이나 거래가 발생하는 시간적 순서(시퀀스)를 분석하여 'A 후 B와' 와 같이 사건이 발생하는 순서를 분석하는 방법

2. 형태

- 조건과 반응의 형태(if-then)로 이루어져 있다.

> (Item set A) → (Item set B)
> If A then B : 만일 A가 일어나면 B가 일어난다.
>
> - '아메리카노를 마시는 손님 중 10%가 브라우니를 먹는다.'
> - '샌드위치를 먹는 고객의 30%가 탄산수를 함께 마신다.'

거래번호	품목
1154	아메리카노
	아이스카페모카
	허니브래드
	블루베리케이크
	치즈케이크
1155	카라멜마끼아또
	브라우니
	크림치즈베이글
1156	아메리카노
	탄산수
	크랜베리치킨샌드위치
1157	아메리카노
	카라멜마끼아또
	허니브래드

상품별 구매행렬표

	A	B	C	D	E	F	G	H	I	J
A	3	1	1	1	2	1	1	0	0	1
B	1	2	0	8	1	0	8	1	1	0
C	1	0	1	9	7	4	1	8	0	1
D	1	8	9	1	0	0	6	0	4	0
E	2	1	7	0	2	1	1	11	0	0
F	1	0	4	0	1	6	1	0	8	9
G	1	8	1	6	1	1	7	0	6	0
H	0	1	8	0	11	0	0	1	0	13
I	0	1	0	4	0	8	6	0	1	0
J	1	0	1	0	0	9	0	13	0	1

3. 측도

- 산업의 특성에 따라 지지도, 신뢰도, 향상도 값을 잘 보고 규칙을 선택해야 한다.

가. 지지도(Support)

- 전체 거래 중 항목 A와 항목 B를 동시에 포함하는 거래의 비율로 정의한다.

$$지지도 = P(A \cap B) = \frac{A와\ B가\ 동시에\ 포함된\ 거래수}{전체\ 거래수} = \frac{A \cap B}{전체}$$

> **비기의 학습팁**
> 지지도는 전체 거래중에서 X와 Y가 동시에 판매되는 사건을 의미하기 때문에 빈발항목집합으로 구분 가능합니다. 이때는 모든 경우의 수를 분석하는 것은 현실적으로 어려움이 있으므로 최소지지도를 설정해 이 값을 기준으로 규칙을 도출합니다.

나. 신뢰도(Confidence)

- 항목 A를 포함한 거래 중에서 항목 A와 항목 B가 같이 포함될 확률이다. 연관성의 정도를 파악할 수 있다.

$$신뢰도 = \frac{P(A \cap B)}{P(A)} = \frac{A와\ B가\ 동시에\ 포함된\ 거래수}{A를\ 포함하는\ 거래수} = \frac{지지도}{P(A)}$$

다. 향상도(Lift)

- A가 구매되지 않았을 때 품목 B의 구매확률에 비해 A가 구매됐을 때 품목 B의 구매확률의 증가 비이다. 연관규칙 A→B는 품목 A와 품목 B의 구매가 서로 관련이 없는 경우에 향상도가 1이 된다.

$$향상도 = \frac{P(B|A)}{P(B)} = \frac{P(A \cap B)}{P(A)P(B)}$$

$$= \frac{A와\ B가\ 동시에\ 포함된\ 거래수 \div 전체\ 거래수}{(A를\ 포함하는\ 거래수 \div 전체\ 거래수)(B를\ 포함하는\ 거래수 \div 전체\ 거래수)} = \frac{신뢰도}{P(B)}$$

> **비기의 학습팁**
> 향상도가 1보다 높아질수록 연관성이 높다고 할 수 있습니다. 이는 품목 A와 B 사이에 양의 관계가 있음을 의미하며 품목 A를 구매한 후에 품목 B를 구매할 확률이 품목 B를 단독으로 구매할 확률보다 더 높음을 나타냅니다. 향상도가 1보다 작으면 두 품목이 서로 음의 관계임을 의미합니다. 이는 품목 A를 구매한 후 품목 B를 구매할 확률이 품목 B를 단독으로 구매할 확률보다 낮음을 의미합니다.

항목	거래수	상대도수	확률
옥수수차	200	200+500+300+100=1100	76%
둥글레차	100	100+500+200+100=900	62%
율무차	50	50+300+200+100=650	45%
{옥수수차, 둥글레차}	500	500+100=600	41%
{옥수수차, 율무차}	300	300+100=400	28%
{둥글레차, 율무차}	200	200+100=300	21%
{옥수수차, 둥글레차, 율무차}	100	100	7%
전체 거래수	1450		

항목	P(A∩B)	P(A)	P(B)	신뢰도(Confidence) P(A∩B)/P(A)	향상도(Lift) P(A∩B)/P(A)*P(B)
옥수수차→둥글레차	41%	76%	62%	55%	88%
둥글레차→옥수수차	41%	62%	76%	67%	88%
율무차→둥글레차	21%	45%	62%	46%	74%
둥글레차→율무차	21%	62%	45%	33%	74%
옥수수차→율무차	28%	76%	45%	36%	81%
율무차→옥수수차	28%	45%	76%	62%	81%
{둥글레차, 율무차}→옥수수차	7%	21%	76%	33%	44%
{옥수수차, 율무차}→둥글레차	7%	28%	62%	25%	40%
{옥수수차, 둥글레차}→율무차	7%	41%	45%	17%	37%

4. 절차

- 최소 지지도보다 큰 집합만을 대상으로 높은 지지도를 갖는 품목 집합을 찾는 것이다.
- 처음에는 5%로 잡고 규칙이 충분히 도출되는지를 보고 다양하게 조절하여 시도한다.
- 처음부터 너무 낮은 최소 지지도를 선정하는 것은 많은 리소스가 소모되므로 적절하지 않다.
- 절차
  ① 최소 지지도 결정 → ② 품목 중 최소 지지도를 넘는 품목 분류 → ③ 2가지 품목 집합 생성 → ④ 반복적으로 수행해 빈발품목 집합을 찾음

5. 연관규칙의 장점과 단점

장 점	단 점(개선방안)

• 탐색적인 기법으로 조건 반응으로 표현되는 연관성 분석의 결과를 쉽게 이해할 수 있다.
• 강력한 비목적성 분석기법으로 분석 방향이나 목적이 특별히 없는 경우 목적변수가 없으므로 유용하게 활용 된다.
• 사용이 편리한 분석 데이터의 형태로 거래 내용에 대한 데이터를 변환 없이 그 자체로 이용할 수 있는 간단한 자료 구조를 갖는다.
• 분석을 위한 계산이 간단하다.
	• 품목수가 증가하면 분석에 필요한 계산은 기하급수적으로 늘어난다.
	  → 이를 개선하기 위해 유사한 품목을 한 범주로 일반화한다.
	  → 연관 규칙의 신뢰도 하한을 새롭게 정의해 실제 드물게 관찰되는 의미가 적은 연관 규칙은 제외한다.
	• 너무 세분화한 품목을 갖고 연관성 규칙을 찾으면 의미없는 분석이 될 수도 있다.
	  → 적절히 구분되는 큰 범주로 구분해 전체 분석에 포함시킨 후 그 결과 중에서 세부적으로 연관규칙을 찾는 작업을 수행할 수 있다.
	• 거래량이 적은 품목은 당연히 포함된 거래수가 적을 것이고, 규칙 발견 시 제외하기가 쉽다.
	  → 이런 경우, 그 품목이 관련성을 살펴보고자 하는 중요한 품목이라면 유사한 품목들과 함께 범주로 구성하는 방법 등을 통해 연관성 규칙의 과정에 포함 시킬 수 있다.

개념 +

비목적성 분석기법
명시적인 목표나 레이블 없이 데이터의 구조를 파악하거나 해석하기 위해 사용됩니다.
주로 군집화, 차원 축소, 이상치 탐지, 연관 규칙 학습 등의 기법을 포함합니다.

6. 순차패턴분석(Sequence Pattern Analysis)

- 동시에 구매될 가능성이 큰 상품군을 찾아내는 연관성분석에 시간이라는 개념을 포함시켜 순차적으로 구매 가능성이 큰 상품군을 찾아내는 것이다.
- 연관성분석에서의 데이터 형태에서 각각의 고객으로부터 발생한 구매시점에 대한 정보가 포함된다.

핵심 개념체크

✓ 35회 기출 출★★★★★ 난★★★★★

52. 다음 중 연관분석의 특징에 대한 설명으로 가장 적절한 것은?

① 거래 데이터의 양에 상관없이 계산 복잡도가 항상 일정하다.
② 세분화된 품목에 대해 연관 규칙을 찾으려 할 때 적절한 방법이다.
③ 연관분석은 모든 품목 간의 관계를 자동으로 도출하며, 항상 높은 정확도를 제공한다.
④ 조건 반응(if-then)으로 표현되는 연관분석의 결과를 이해하기 쉽다.

연관분석은 "A가 발생하면 B가 발생한다"와 같은 조건 반응 형태로 결과가 표현되어 해석이 용이하다. 거래 데이터는 양이 많아질수록 계산 복잡도가 증가하며 세분화된 데이터를 다루는 것은 연관분석보다 다른 기법이 적합하다. 또한 연관분석은 모든 관계를 자동으로 도출하는 것이 아니라 지지도와 신뢰도 등의 기준으로 선택된 규칙만을 도출한다.

✓ 38회 기출 출★★★★★ 난★★☆☆☆

53. 연관규칙의 장점에 대한 설명 중 부적절한 것을 고르시오.

① 최소 지지도와 최소 신뢰도를 설정하여 분석한다.
② 거래 내용에 대한 데이터를 변환 없이 그 자체로 이용할 수 있는 간단한 자료구조를 갖는 분석 방법이다.
③ 조건 반응(if-then) 형태로 표현되어 이해하기 쉽다.
④ 품목 수가 증가해도 분석에 필요한 계산이 늘어나지 않는다.

품목 수가 증가하면 가능한 품목 조합의 수가 급격히 증가하여 계산 복잡도가 늘어난다. 최소 지지도와 신뢰도 설정, 간단한 자료구조, 조건 반응 형태는 연관규칙의 실제 장점을 정확히 설명한다.

✓ 34회 기출 출★★★★★ 난★★★★★

54. 아래 거래 데이터를 바탕으로, 지지도가 25% 이상이고 신뢰도가 50% 이상인 연관 규칙을 고르시오.

물품	거래건수
{A}	10
{B}	5
{C}	25
{A, B, C}	5
{B, C}	20
{A, B}	20
{A, C}	15

① A → B
② A → C
③ C → B
④ C → A

지지도(support)와 신뢰도(confidence)는 연관 규칙의 성능을 평가하는 중요한 척도이다. 지지도는 전체 거래에서 특정 항목 집합이 얼마나 자주 함께 나타나는지를 나타낸다. 신뢰도는 특정 항목 집합이 발생했을 때, 다른 항목 집합이 얼마나 자주 함께 발생하는지를 나타냅니다. 각 항목의 지지도와 신뢰도를 계산하면 A → B는 25%, 50%이고 A → C는 20%, 40%이며 C → B는 25%, 약38%, C→A는 20%, 약 31%이다.

✓31회 기출 출★★★★★ 난★★★☆☆

55. 연관성 분석에서 특정 규칙의 중요도를 평가하기 위해 사용하는 측도(criterion) 중, 아래 설명에 해당하는 것으로 가장 적절한 것은?

① 지지도　　　　　　　　　② 신뢰도
③ 향상도　　　　　　　　　④ 민감도

> 지지도는 전체 데이터에서 특정 항목 집합이 동시에 발생하는 빈도를 나타내는 값으로, 데이터 전체 건수 대비 발생 빈도로 계산된다. 신뢰도는 조건부 확률을 의미하며, 향상도는 규칙의 유용성을 측정하는 비율이다. 민감도는 주로 분류 문제에서 사용되는 평가 지표이다.

✓31회 기출 출★★★★★ 난★★★★★

56. 아래의 거래 데이터를 바탕으로 연관 규칙 A→B의 향상도를 계산하시오.

물품	거래건수
{A}	100
{B, C}	100
{C}	100
{A, B, C, D}	50
{B, D}	200
{A, B, D}	250
{A, C}	200

① 33%　　　　　　　　　② 50%
③ 83%　　　　　　　　　④ 93%

> 향상도는 특정 항목(A)을 구매했을 때 다른 항목(B)을 구매할 확률이 얼마나 증가했는지를 나타내는 지표이다. 향상도는 P(B|A) / P(B) 로 계산하며 문제에서 P(B|A)는 A를 구매했을 때 B를 구매할 확률, P(B)는 전체 데이터에서 B를 구매할 확률로 나타난다. 따라서 정답은 약 83%가 된다.

정답 52. ④　53. ④　54. ①　55. ①　56. ③

❷ 최근 연관성분석 동향

이론 정복 강의

1. 개요

- 1세대 알고리즘인 Apriori나 2세대인 FP-Growth에서 발전하여 3세대의 FPV를 이용해 메모리를 효율적으로 사용함으로써 SKU 레벨의 연관성분석을 성공적으로 적용했다.
- 거래내역에 포함되어 있는 모든 품목의 개수가 n개 일 때, 품목들의 전체집합(Item Set)에서 추출할 수 있는 품목 부분집합의 개수는 $2^n - 1$(공집합 제외)개다. 그리고 가능한 모든 연관규칙의 개수는 $3^n - 2^{n+1} + 1$ 개다.
- 이 때 모든 가능한 품목 부분집합의 개수를 줄이는 방식으로 작동하는 것이 Apriori 알고리즘이며, 거래내역 안에 포함된 품목의 개수를 줄여 비교하는 횟수를 줄이는 방식으로 작동하는 것이 FP-Growth 알고리즘이다.
- 대용량 데이터에 대한 연관성분석이 불가능하다.
- 시간이 많이 걸리거나 기존 시스템에서 실행 시 시스템 다운되는 현상이 발생할 수 있다.

> **개념 +**
>
> **콘텐츠 기반 필터링**
> (Content Based Filtering)
>
> 사용자가 특정 아이템을 선호하는 경우 그 아이템과 비슷한 콘텐츠를 가진 다른 아이템을 추천해주는 방식입니다.
>
> **협업 필터링**
> (Collaborative Filtering)
>
> 많은 사용자로부터 얻은 기호에 따라 사용자들의 관심사들을 자동적으로 예측하게 해주는 방법입니다.

2. Apriori 알고리즘

가 Apriori 알고리즘 개념

- 연관 규칙을 찾기 위해 가능한 모든 아이템 조합을 탐색하면, 아이템 수가 늘어날수록 경우의 수가 폭발적으로 증가하는 문제가 있다.
- **Apriori 알고리즘은 '최소 지지도(Minimum Support)'를 기준으로 자주 등장하지 않는 아이템 집합을 조기에 제거하여 연산량을 줄이는 알고리즘**이다. 이렇게 남은 빈발 아이템 집합을 바탕으로 더 큰 크기의 후보 집합을 만들어 가며 연관 규칙을 확장한다.
  ※ 여전히 다수의 조합을 계산해야 하므로, 아이템 수가 매우 많을 경우에는 계산 부담이 커질 수 있다.

나 Apriori 알고리즘 절차

1. **최소 지지도 기준을 설정한다.**
2. 거래 데이터에서 각 단일 품목의 지지도를 계산하고, 기준 이상인 품목만 남겨 **1-빈발 아이템집합**을 만든다.
3. 남은 품목들을 조합하여 **2-아이템 후보 집합**을 생성하고, 지지도를 계산해 기준 미만 후보는 제거한다.
4. 같은 과정을 반복하여 **3개, 4개 이상의 아이템 후보 집합**을 생성 및 평가하면서, 최소 지지도를 만족하는 **빈발 아이템집합과 연관 규칙**을 단계적으로 확장한다.

> **개념 +**
>
> **항목집합(Itemset)**
>
> 하나 이상의 항목 모음이며 k-항목집합은 k개 항목 들이 포함된 항목집합(Superset)입니다.
>
> **최소 지지도(Min Support)**
>
> 빈발항목 집합이 되기 위한 최소 지지도입니다.
>
> **빈발항목집합**
> (Frequent Item Set = Superset)
>
> 최소 지지도를 만족하는 k개의 항목들이 포함된 항목 집합(Superset)입니다.
>
> **1-Frequent Item set**
>
> 1개의 항목집합 중 최소 지지도를 만족하는 항목 집합입니다.

3 FP-Growth 알고리즘

- FP-Growth 알고리즘은 **후보 빈발항목집합을 생성하지 않고, FP-Tree(Frequent Pattern Tree)를 만든 후** 분할정복 방식을 통해 Apriori 알고리즘 보다 더 빠르게 빈발항목집합을 추출할 수 있는 방법이다.

- **Aprirori 알고리즘의 약점을 보완**하기 위해 고안된 것으로 데이터베이스를 스캔하는 횟수가 작고, 빠른 속도로 분석이 가능하다.

> **핵심 개념체크**
>
> ✔34회 기출 출★★★★☆ 난★★★★★
>
> **57. 연관 분석 알고리즘인 Apriori의 분석 순서를 다음과 같이 나타낸다. 이 과정에서 올바른 순서를 순서대로 나열한 것은?**
>
> > 가. 빈발 품목 집합을 찾기 위한 최소 지지도를 설정한다.
> > 나. 3개의 품목 집합을 결합하여 최소 지지도를 넘는 집합을 찾는다.
> > 다. 최소 지지도를 초과하는 품목 집합을 반복적으로 찾는다.
> > 라. 각 품목에서 최소 지지도를 초과하는 2개의 품목 집합을 찾는다.
> > 마. 개별 품목 중에서 최소 지지도를 초과하는 모든 품목을 찾는다.
>
> ① 가-나-다-라-마
> ② 가-나-마-다-라
> ③ 가-마-다-라-나
> ④ 가-마-나-다-라
>
> Apriori 알고리즘의 분석 순서는 (가) 최소 지지도를 설정 → (마) 개별 품목 중 최소 지지도를 초과하는 모든 품목을 찾음 → (다) 최소 지지도를 초과하는 품목 집합을 반복적으로 찾음 → (라) 최소 지지도를 초과하는 2개의 품목 집합을 찾음 → (나) 3개 이상의 품목 집합을 결합하여 최소 지지도를 넘는 집합을 찾음으로 이루어진다.

❸ 연관성분석 활용방안

- 장바구니 분석의 경우는 실시간 상품추천을 통한 교차판매에 응용한다.
- 순차패턴 분석은 A를 구매한 사람인데 B를 구매하지 않은 경우, B를 추천하는 교차판매 캠페인에 사용한다.

> **핵심 개념체크**
>
> ✔31회 기출 출★★★★☆ 난★★★☆☆
>
> **58. 소매점의 상품 추천 시스템, 물건 배열, 교차판매 등에 활용하기 가장 적합한 데이터 마이닝 기법은 무엇인가?**
>
> ① 데이터 분류(Classification)
> ② 데이터 예측(Prediction)
> ③ 연관분석(Association Analysis)
> ④ 데이터 군집화(Clustering)
>
> 연관분석은 항목 간의 관계를 탐색하여 상품 추천, 교차판매 등의 응용 분야에 적합하다. 데이터 분류는 주로 클래스 라벨을 예측하는 데 사용되며, 데이터 예측은 연속형 값을 예측하는 데 적합하다. 군집화는 비슷한 특성을 가진 그룹을 찾아내는 기법으로, 연관분석과는 다르다.

❹ 연관성분석 예제

1. 분석 내용

- Groceries 데이터셋은 식료품 판매점의 1달 동안의 POS 데이터이며, 총 169개의 제품과 9835건의 거래건수를 포함하고 있다. 거래내역을 inspect 함수로 확인할 수 있으며, apriori함수로 최소지지도와 신뢰도는 각각 0.01, 0.3으로 설정한 뒤 연관규칙분석을 실시했다.

R 프로그램

```
data(Groceries)
inspect(Groceries[1:3])
rules<-apriori(Groceries,parameter = list (support = 0.01, confidence = 0.3))
inspect(sort(rules,by=c("lift"),decreasing=TRUE)[1:20])
```

출제포인트

연관성분석 예제는 사례 제시형 문항으로 종종 등장하는 주제이며, 2025년 시험에서는 2문제가 출제되었습니다. 연관성분석 결과표를 보고 규칙의 의미와 지표 값을 해석하는 연습을 중심으로 정리해 두시기 바랍니다.

2. 분석 결과

```
> data(Groceries)
> inspect(Groceries[1:3])
    items
[1] {citrus fruit,
     semi-finished bread,
     margarine,
     ready soups}
[2] {tropical fruit,
     yogurt,
     coffee}
[3] {whole milk}
> apriori(Groceries,parameter = list (support = 0.01, confidence = 0.3))
Apriori
Parameter specification:
 confidence minval smax arem  aval originalSupport maxtime support minlen
        0.3    0.1    1 none FALSE            TRUE       5    0.01      1
 maxlen target   ext
     10  rules FALSE

Algorithmic control:
 filter tree heap memopt load sort verbose
    0.1 TRUE TRUE  FALSE TRUE    2    TRUE

Absolute minimum support count: 98

set item appearances ...[0 item(s)] done [0.00s].
set transactions ...[169 item(s), 9835 transaction(s)] done [0.00s].
sorting and recoding items ... [88 item(s)] done [0.01s].
creating transaction tree ... done [0.00s].
checking subsets of size 1 2 3 4 done [0.00s].
writing ... [125 rule(s)] done [0.00s].
creating S4 object  ... done [0.00s].
set of 125 rules
```

- apriori 알고리즘으로 연관규칙분석을 실행한 결과 총 88개의 아이템으로 연관규칙을 만들어냈으며 125개의 Rule이 발견되었다.

- 규칙의 수가 너무 적으면 지지도와 신뢰도를 낮추고, 너무 많으면 지지도와 신뢰도를 높여야 한다.

- 향상도를 기준으로 내림차순으로 정렬한 후 상위 5개의 규칙을 확인해봤을 때, rhs의 제품만 구매할 확률에 비해 lhs의 제품을 샀을 때 rhs 제품도 구매할 확률이 약 3배 가량 높다(Lift > 3 이기 때문에). 따라서 rhs와 lhs 제품들간 결합상품 할인쿠폰 혹은 품목배치 변경 등을 제안할 수 있다.

```
> inspect(sort(rules,by=c("lift"),decreasing=TRUE)[1:20])
     lhs                                   rhs                  support    confidence  lift      count
[1]  {citrus fruit,other vegetables}    => {root vegetables}    0.01037112 0.3591549   3.295045  102
[2]  {tropical fruit,other vegetables}  => {root vegetables}    0.01230300 0.3427762   3.144780  121
[3]  {beef}                             => {root vegetables}    0.01738688 0.3313953   3.040367  171
[4]  {citrus fruit,root vegetables}     => {other vegetables}   0.01037112 0.5862069   3.029608  102
[5]  {tropical fruit,root vegetables}   => {other vegetables}   0.01230300 0.5845411   3.020999  121
[6]  {other vegetables,whole milk}      => {root vegetables}    0.02318251 0.3097826   2.842082  228
[7]  {whole milk,curd}                  => {yogurt}             0.01006609 0.3852140   2.761356   99
[8]  {root vegetables,rolls/buns}       => {other vegetables}   0.01220132 0.5020921   2.594890  120
[9]  {root vegetables,yogurt}           => {other vegetables}   0.01291307 0.5000000   2.584078  127
[10] {tropical fruit,whole milk}        => {yogurt}             0.01514997 0.3581731   2.567516  149
[11] {yogurt,whipped/sour cream}        => {other vegetables}   0.01016777 0.4901961   2.533410  100
[12] {other vegetables,whipped/sour cream} => {yogurt}          0.01016777 0.3521127   2.524073  100
[13] {tropical fruit,other vegetables}  => {yogurt}             0.01230300 0.3427762   2.457146  121
[14] {root vegetables,whole milk}       => {other vegetables}   0.02318251 0.4740125   2.449770  228
[15] {whole milk,whipped/sour cream}    => {yogurt}             0.01087951 0.3375394   2.419607  107
[16] {citrus fruit,whole milk}          => {yogurt}             0.01026945 0.3366667   2.413350  101
[17] {onions}                           => {other vegetables}   0.01423488 0.4590164   2.372268  140
[18] {pork,whole milk}                  => {other vegetables}   0.01016777 0.4587156   2.370714  100
[19] {whole milk,whipped/sour cream}    => {other vegetables}   0.01464159 0.4542587   2.347679  144
[20] {curd}                             => {yogurt}             0.01728521 0.3244275   2.325615  170
```

핵심 개념체크

✓ 41회 기출 출 ★★★★★ 난 ★★★★☆

59. 다음은 Groceries 데이터셋에 대한 연관 규칙을 분석한 결과이다. 옳은 설명을 모두 고르시오.

```
>inspect(sort(rules, by=c("lift"), decreasing=TRUE)[1:20])
      lhs                    rhs        support     confidence  lift      count
[1]  {감귤류, 기타 채소}    => {뿌리 채소}  0.01037112  0.3591549   3.295045  102
[2]  {열대 과일, 기타 채소} => {뿌리 채소}  0.01230300  0.3427762   3.144780  121
[3]  {소고기}              => {뿌리 채소}  0.01738688  0.3313953   3.040367  171
[4]  {감귤류, 뿌리 채소}    => {기타 채소}  0.01037112  0.5862069   3.029608  102
[5]  {열대 과일, 뿌리 채소} => {기타 채소}  0.01230300  0.5845411   3.020999  121
[6]  {기타 채소, 전유}      => {기타 채소}  0.02318251  0.3097826   2.842082  228
[7]  {전유, 응유}           => {요거트}    0.01006609  0.3852140   2.761356  99
```

가. {감귤류, 기타 채소} => {뿌리 채소} 규칙의 지지도는 0.01037112이며, 이는 전체 트랜잭션 중 약 1.04%에서 이 규칙이 발생함을 의미한다.

나. {전유, 응유} => {요거트} 규칙의 신뢰도는 0.3852140이며, 이는 전유와 응유를 동시에 구매한 고객 중 약 38.52%가 요거트도 구매했음을 의미한다.

다. {소고기} => {뿌리 채소} 규칙의 향상도는 3.140367로, 이는 뿌리 채소 구매 확률이 소고기를 구매했을 때 약 3.14배 증가함을 의미한다.

라. {감귤류, 뿌리 채소} => {기타 채소} 규칙은 신뢰도가 가장 높은 규칙이다.

① 가, 다
② 나, 라
③ 나, 다, 라
④ 가, 나, 라

{감귤류, 기타 채소} => {뿌리 채소} 규칙의 지지도는 0.01037112로, 이는 전체 트랜잭션 중 약 1.04%에서 이 규칙이 발생함을 의미한다. {전유, 응유} => {요거트} 규칙의 신뢰도는 0.385214로, 이는 전유와 응유를 동시에 구매한 고객 중 약 38.52%가 요거트를 구매했음을 의미한다. {소고기} => {뿌리 채소} 규칙의 향상도(lift)는 3.040367로, 뿌리 채소의 구매 확률이 소고기를 구매했을 때 약 3.04배 증가한다. 그러나 문제에서 향상도가 3.1403670이라고 틀린 설명을 하고 있다. {감귤류, 뿌리 채소} => {기타 채소} 규칙의 신뢰도는 0.5862069로, 주어진 규칙 중 가장 높은 신뢰도임이 확인된다.

정답 59. ④

3과목 | 5장
데이터 분석

모바일로 풀기

정답과 해설 : 496p

🔍 윤박사 분석

데이터에듀가 보유하고 있는 전회차(1회~43회)의 기출복원문제를 중심으로 최근 5년(2021~2025년)의 출제경향을 분석해서 가장 좋은 문제를 선별하여 예상문제 64개를 구성하였습니다.

실제 기출의 장별 출제 빈도를 반영하여 가장 많이 출제되는 절에 대해 〈6절 군집분석〉 20문제, 〈1절 데이터마이닝 개요〉 13문제, 〈7절 연관분석〉 10문제를 수록하였으며, 그 외의 절은 5문제 정도로 골고루 수록하였습니다.

문제의 난이도는 출제 난이도에 맞게 4단계가 가장 많도록 배치하였으며, 다음으로 5단계, 3단계 순으로 문제를 배치하였습니다.

3과목 5장은 정형 데이터마이닝의 주요 분석 방법론의 개념부터 활용까지 다양한 난이도로 문제가 출제됩니다. 그렇지만 동영상 강의를 중심으로 내용을 차근차근 공부하고 예상문제와 모의고사 문제를 오답노트로 관리하면서 공부하면 14문제 중 10문제는 충분히 맞출 수 있습니다.

✔ 16회 기출 출 ★★★☆☆ 난 ★★☆☆☆

01 다음 중 기업이 보유하고 있는 거래 데이터, 고객 데이터 등과 기타 외부 데이터를 포함하는 모든 데이터를 기반으로 새로운 규칙 등을 발견하고 이를 실제 비즈니스 의사결정 등에 유용한 정보로 활용하고자 하는 일련의 작업을 무엇이라고 하는가?

① 회귀분석
② 데이터마이닝
③ 데이터웨어하우징
④ 의사결정지원시스템

✔ 31회 기출 출 ★★★☆☆ 난 ★★☆☆☆

02 다음 설명에 맞는 텍스트 마이닝의 작업은 무엇인가?

> 어근에 차이가 있더라도 관련이 있는 단어들을 동일한 어간으로 매핑이 될 수 있도록 정해진 규칙에 따라 단어에서 어간을 분리하여 공통 어간을 가지는 단어를 묶는 작업

① 형태소 분석 (Morphological Analysis)
② 어간 추출 (Stemming)
③ 표제어 추출 (Lemmatization)
④ 구문 분석 (Syntax Analysis)

✓ 46회 기출 출★★★☆☆ 난★★★★★

03 데이터 마이닝 추진 단계에서 데이터 가공 단계의 특징으로 옳은 것은 무엇인가?

① 데이터 정제
② 목적 변수 정의
③ 데이터 수집
④ 모델 검증

✓ 16회 기출 출★★☆☆☆ 난★★★★★

04 다음 데이터 마이닝의 대표적인 기능 중 이질적인 모집단을 세분화하는 기능으로 적절한 것은?

① 분류분석
② 모수추정
③ 군집분석
④ 연관분석

✓ 32회 기출 출★★★☆☆ 난★★★★☆

05 다음 중 k-폴드 교차검증(k-fold Cross Validation)에 대한 설명으로 가장 적절하지 않은 것은?

① 모형이 데이터에 과적합하는 문제를 해결하기 위한 방법이다.
② K=2인 경우, LOOCV(Leave-One-Out Cross-Validation)이라고 한다.
③ 하나의 그룹을 검증용 셋(Validation set)으로, K-1개 그룹을 훈련용 셋(Train set)으로 사용하여 K번 반복 측정하고 결과를 평균낸 값을 최종 평가로 사용한다.
④ 데이터 셋을 K개의 그룹으로 분할한다.

✓ 16회 기출 출★★★☆☆ 난★★★☆☆

06 Hitters 데이터셋은 메이저리그에서 활약하는 322명의 선수에 대한 타자 기록으로 연봉을 비롯한 20개의 변수를 포함하고 있다. 아래는 모형적합에 앞서 데이터를 Train set과 Test set으로 분할하는 과정이다. 다음 중 아래에 대한 설명으로 가장 부적절한 것은?

```
set.seed(1112)
train<-sample(1:nrow(Hitters), nrow(Hitters)/2)
Ytrain<-subset(Hitters[train,], select=Salary)
Xtrain<-subset(Hitters[train,], select=-Salary)
Ytest<-subset(Hitters[-train,], select=Salary)
Xtest<-subset(Hitters[-train,], select=-Salary)
```

① 50:50으로 데이터를 분할하고 있다.
② 50%의 데이터(Train set)를 사용하여 모형을 학습하고 나머지 50%의 데이터(Test set)로 모형을 평가하기 위한 사전작업이다.
③ 모형 학습과 평가를 동일한 데이터셋에 진행하면 모형이 과적합 될 수 있다.
④ 일반적으로 Test set에 대한 모형평가 결과가 Train set에 대한 모형평가 결과보다 좋다.

✓ 36회 기출 출★★★★★ 난★★★★★

07 아래의 오분류표를 이용하여 계산한 F1-score 값은? (단, 값은 분수로 나타내시오.)

실제값 \ 예측치	TRUE	FALSE	합계
TRUE	30	70	100
FALSE	60	40	100
합계	90	110	200

① 6/19   ② 3/19   ③ 2/9   ④ 6/17

✓ 34회 기출 출★★★★★ 난★★★★☆

08 이진 분류 모델의 성능을 평가하는 ROC 그래프에서 완벽히 분류한 모형의 좌표로 적합한 것은?

① (0, 0)   ② (0, 1)   ③ (1, 0)   ④ (1, 1)

✓ 14회 기출 출 ★★★★★ 난 ★★★★☆

09 과대적합(Overfitting)은 통계나 기계학습의 모델에서 변수가 너무 많아 모델이 복잡하고 과대하게 학습될 때 주로 발생한다. 다음 중 과대 적합에 대한 설명으로 가장 부적절한 것은?

① 생성된 모델이 훈련 데이터에 너무 최적화되어 학습하여 테스트 데이터의 작은 변화에 민감하게 반응하는 경우는 발생하지 않는다.
② 학습 데이터가 모집단의 특성을 충분히 설명하지 못할 때 자주 발생한다.
③ 변수가 너무 많아 모형이 복잡할 때 생긴다.
④ 과대적합이 발생할 것으로 예상되면 학습을 종료하고 업데이트하는 과정을 반복해 과대적합을 방지할 수 있다.

✓ 36회 기출 출 ★★★★★ 난 ★★★★☆

10 모형의 성능을 평가하기 위해 다양한 방법이 사용되며, 이는 데이터 분석과 기계 학습에서 중요한 단계 중 하나이다. 다음 중 모형의 성능을 평가하기 위한 방법으로 적절하지 않은 것은?

① 홀드 아웃 방법(Hold-out method)
② 오분류표(Confusion Matrix)
③ 엔트로피(Entropy)
④ k-fold 교차검증(k-fold Cross validation)

✓ 15회 기출 출 ★★★★★ 난 ★★★★★

11 이익도표(Lift)를 작성함에 있어 평가도구 중 %Captured Response를 표현한 계산식으로 올바른 것은?

① 해당집단에서 목표변수의 특정범주 빈도 / 전체 목표변수의 특정범주 빈도 x 100
② 해당집단에서 목표변수의 특정범주 빈도 / 해당집단에서 전체 빈도 x 100
③ 전체에서 목표변수의 특정범주 빈도 / 전체 빈도 x 100
④ 해당집단의 %Response / BASE line Lift x 100

✓ 34회 기출 출★★★★★ 난★★☆☆☆

12 다음 오분류표를 기반으로 계산한 재현율(Recall)은 무엇인가?

		예측치		합계
		TRUE	FALSE	
실제값	TRUE	40	60	100
	FALSE	60	40	100
	합계	100	100	200

① 0.2 ② 0.35 ③ 0.4 ④ 0.6

✓ 22회 기출 출★★★★★ 난★★★★☆

13 아래는 오분류표를 나타낸 것이다. 다음 중 특이도(Specificiy)는 얼마인가?

실제값 \ 예측치	TRUE	FALSE	합계
TRUE	30	70	100
FALSE	60	40	100
합계	90	110	200

① 3/10 ② 4/10 ③ 13/20 ④ 7/11

✓ 13회 기출 출★★★★☆ 난★★★★☆

14 다음 중 반응 변수가 범주형인 경우 예측모형의 주목적으로 가장 적절한 것은?

① 연관 분석

② 분류

③ 시뮬레이션

④ 최적화

✓ 31회 기출 출 ★★★★★ 난 ★★★★★

15 아래는 붓꽃 데이터를 활용하여 특정 분류 분석을 수행한 결과이다. 이에 대한 설명으로 가장 옳지 않은 것은?

```
a<-iris[iris$Species=="setosa" | iris$Species=="versicolor",]
b<-glm(Species ~ Sepal.Length, data=a, family=binomial)
> summary(b)

Call:
glm(formula = Species ~ Sepal.Length, family = binomial, data = a)

Deviance Residuals :
    Min       1Q    Median       3Q      Max
-2.05501  -0.47395 -0.02829  0.39788  2.32915

Coefficients:
              Estimate Std.  Error z   value    Pr( > |z|)
(Intercept)    -27.831       5.434   -5.122    3.02e-07 ***
Sepal.Length     5.140       1.007    5.107    3.28e-07 ***
---
Signif. codes : 0 '***' 0.001 '**' 0.01 '*' 0.05 '.' 0.1 ' ' 1

(Dispersion parameter for binomial family taken to be 1)

    Null deviance : 138.629 on 99 degrees of freedom
Residual deviance : 64.211 on 98 degrees of freedom
AIC : 68.211

Number of Fisher Scoring iterations : 6
```

① iris의 setosa와 versicolor 두 종을 구분하기 위해 이항 로지스틱 회귀 모형으로 분석하였다.

② Residual deviance는 예측변수 Sepal.Length가 추가된 적합 모형의 이탈도를 나타내며, Null deviance에 비해 자유도 1 기준으로 이탈도가 크게 감소해 관측값에 잘 적합한다고 볼 수 있다.

③ Sepal.Length의 회귀계수는 매우 유의미하며, Sepal.Length가 한 단위 증가할 때 versicolor일 오즈가 약 5.14배 증가한다고 해석할 수 있다.

④ Sepal.Length의 p-값이 거의 0에 가까우므로 이 변수는 setosa와 versicolor를 분류하는 데 매우 유의미한 변수임을 알 수 있다.

✓ 19회 기출 출★★★★★ 난★★★★☆

16 다음 설명에 맞는 (ㄱ)과 (ㄴ)에 들어갈 용어는 무엇인가?

> 로지스틱 회귀 분석에서 회귀계수가 설명변수가 한 단위 증가할 때, 종속변수가 1일 확률에 대한 (ㄱ)이/가 (ㄴ) 배 만큼 변화(증가 또는 감소)한다.

① (ㄱ) : 오즈 (Odds) / (ㄴ) : b (여기서, b는 설명변수의 회귀계수)

② (ㄱ) : 오즈비 (Odds Ratio) / (ㄴ) : exp(b) (여기서, b는 설명변수의 회귀계수)

③ (ㄱ) : 오즈 (Odds) / (ㄴ) : exp(b) (여기서, b는 설명변수의 회귀계수)

④ (ㄱ) : 오즈비 (Odds Ratio) / (ㄴ) : b (여기서, b는 설명변수의 회귀계수)

✓ 25회 기출 출★★★★★ 난★★★★☆

17 Default 데이터셋은 10,000명의 신용카드 고객에 대한 연체여부(default:1-default,0-not default), 카드대금 납입 후 남은 평균 카드잔고(balance), 연봉(income)을 포함하고 있다. 아래는 연체 가능성을 95% 신뢰수준으로 모형화한 결과이다. 다음 설명이 부적절한 것은 무엇인가?

```
> model<-glm(default~balance+income, data=Default, family="binomial")
> summary(model)

Call:
glm(formula = default ~ balance + income, family = "binomial",
    data = Default)

Deviance Residuals:
    Min      1Q   Median      3Q     Max
-2.4725 -0.1444 -0.0574 -0.0211  3.7245

Coefficients:
              Estimate Std. Error z value Pr(>|z|)
(Intercept) -1.154e+01  4.348e-01 -26.545  < 2e-16 ***
balance      5.647e-03  2.274e-04  24.836  < 2e-16 ***
income       2.081e-05  4.985e-06   4.174 2.99e-05 ***
---
Signif. codes: 0 '***' 0.001 '**' 0.01 '*' 0.05 '.' 0.1 ' ' 1

(Dispersion parameter for binomial family taken to be 1)

    Null deviance: 2920.6 on 9999 degrees of freedom
Residual deviance: 1579.0 on 9997 degrees of freedom
AIC: 1585

Number of Fisher Scoring iterations: 8
```

① 로지스틱 회귀모형의 적합 결과이다.

② balance는 default를 설명하는데 통계적으로 유의하다.

③ balance가 높을수록 default 가능성이 높다.

④ income이 높을수록 default 가능성이 낮다.

✓ 15회 기출 ★★★★★ 난★★★★★

18 다음 중 로지스틱 회귀모형에서 설명 변수가 한 개인 경우 해당 회귀 계수의 부호가 0보다 작을 때 표현되는 그래프의 형태로 적절한 것은?

① S자 그래프

② 양의 선형 그래프

③ 역 S자 그래프

④ 음의 선형 그래프

✓ 36회 기출 ★★★★★ 난★★★★☆

19 두 정수 x1과 x2는 다음과 같은 기본조건을 가진다.
{ x1 | 6 ≤ x1 ≤ 8 }
{ x2 | 2 ≤ x2 ≤ 5 }
A=3, B=8 이라고 할 때, 아래의 분류체계에 따라 최종적으로 E 노드에 해당하는 (x1, x2)의 값은 무엇인가?

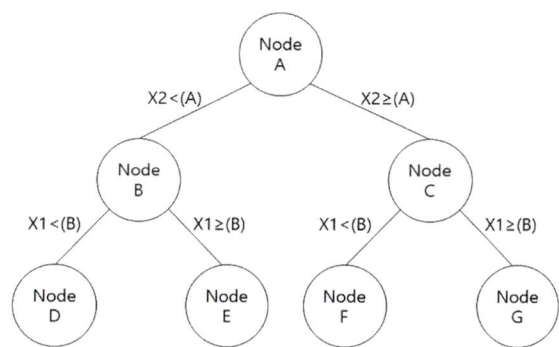

① x1=8, x2=2

② x1=7.5, x2=2.5

③ x1=6, x2=4.5

④ x1=7, x2=5

✓ 18회 기출 출★★★★★ 난★★★★☆

20 아래는 kyphosis라는 자료를 이용하여 의사결정나무 분석을 수행한 결과이다. 결과에 대한 해석으로 부적절한 것은?

```
> a<-rpart(Kyphosis~Age +Number+Start, data=kyphosis)
n= 81

node), split, n, loss, yval, (yprob)
      * denotes terminal node

1) root 81 17 absent (0.79012346 0.20987654)
  2) Start>=8.5 62 6 absent (0.90322581 0.09677419)
    4) Start>=14.5 29 0 absent  (1.000000000.00000000) *
    5) Start< 14.5 33 6 absent (0.81818182 0.18181818)
      10) Age< 55 12 0 absent (1.00000000 0.00000000) *
      11) Age>=55 21 6 absent (0.71428571 0.28571429)
        22) Age>=111 14 2 absent (0.85714286 0.14285714) *
        23) Age< 111 7 3 present 0.42857143 0.57142857) *
  3) Start< 8.5 19 8 present (0.42105263 0.57894737) *
> plot(a)
> text(a, use.n=T)
```

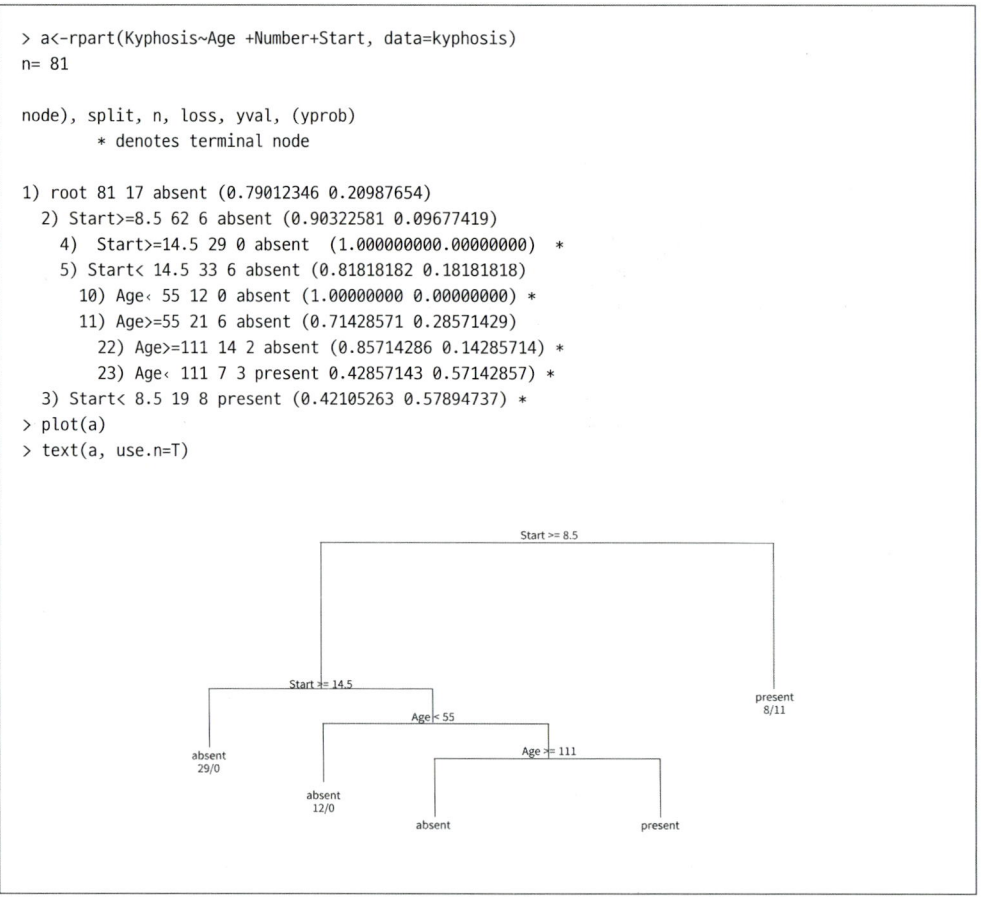

① 뿌리마디에서 아래로 내려갈수록 각 마디에서의 불순도는 점차 증가한다.

② 뿌리마디의 자료는 Start 변수를 이용하여 분리했을 때 present와 absent를 가장 잘 분리시킬 수 있다.

③ 위 결과의 단계에서 멈추지 않고 추가로 가지를 생성한다면, 새로운 자료에 대한 예측력은 떨어질 수도 있다.

④ 이 자료에서 Start 변수의 값이 14.5이상인 관찰치는 Kyphosis 변수의 값이 모두 absent였을 것이다.

✓ 17회 기출 출 ★★★★☆ 난 ★★★★☆

21 다음 중 의사결정나무 모형의 학습 방법에 대한 설명으로 부적절한 것은 무엇인가?

① 이익도표 또는 검정용 자료에 의한 교차타당성 등을 이용해 의사결정나무를 평가한다.
② 분리 변수의 P차원 공간에 대한 현재 분할은 이전 분할에 영향을 받지 않고 이루어지며, 공간을 분할하는 모든 직사각형들이 가능한 순수하게 되도록 만든다.
③ 각 마디에서의 최적 분리규칙은 분리변수의 선택과 분리기준에 의해 결정된다.
④ 가지치기는 분류 오류를 크게 할 위험이 높거나 부적절한 규칙을 가지고 있는 가지를 제거하는 작업이다.

✓ 34회 기출 출 ★★★☆☆ 난 ★★★☆☆

22 다음 설명에 맞는 지표는 무엇인가?

> 불순도를 측정하는 지표로, 노드의 불순도를 나타내는 값이다. 클수록 이질적이고 순수도가 낮다고 볼 수 있으며, CART에서 목적변수가 범주형일 경우 사용한다.

① 지니지수 (Gini Index)
② 엔트로피 (Entropy)
③ 평균제곱오차 (Mean Squared Error)
④ 크로스 엔트로피 (Cross Entropy)

✓ 25회 기출 출 ★★★☆☆ 난 ★★★★☆

23 아래 집단에 대해 지니지수(Gini Index)는 얼마인가?

> ● ◆ ◆ ● ●

① 1 ② 2 ③ 1/2 ④ 12/25

✓ 34회 기출 출 ★★★★☆ 난 ★★★☆☆

24 다음 중 앙상블 기법에 대한 설명으로 적절한 것을 고르시오.

① 앙상블 기법에서 모델들이 서로 강하게 연관될수록 성능이 향상된다.
② 앙상블 기법은 분산을 유지함으로써 예측 정확도를 높이는 데 효과적이다.
③ 대표적인 앙상블 기법은 배깅, 부스팅이 있다.
④ 랜덤 포레스트는 앙상블 기법 중 비지도학습 기반으로 작동한다.

✓ 38회 기출 출★★★☆☆ 난★★★☆☆

25 아래에서 설명하는 앙상블 모형은 무엇인가?

> 원 데이터 집합으로부터 크기가 같은 표본을 여러 번 단순 임의 복원추출하여 각 표본에 대해 분류기를 생성 한 후 그 결과를 앙상블하는 방법

① 배깅(bagging)

② 에이다부스트(AdaBoost)

③ 스태킹(Stacking)

④ 랜덤포레스트(random forest)

✓ 33회 기출 출★★★★☆ 난★★★★☆

26 앙상블 모형은 여러 예측 모형을 결합하여 성능을 개선하는 기법이다. 다음 중 앙상블 모형에 대한 설명으로 적절하지 않은 것은?

① 배깅은 주어진 자료로 여러 붓스트랩 자료를 생성하고 각 자료에서 생성된 예측 모형을 결합하여 최종 모형을 만든다.

② 부스팅은 배깅과 유사하며, 각 자료에 동일한 가중치를 부여한 후 여러 예측 모형을 결합하는 방식이다.

③ 랜덤 포레스트(Random Forest)는 배깅에 무작위성을 추가하여 여러 약한 학습기를 결합하여 강력한 학습기를 만든다.

④ 앙상블 모형은 데이터를 학습하여 예측을 수행하며, 교사학습법(Supervised Learning)의 한 방법이다.

✓ 36회 기출 출★★★☆☆ 난★★☆☆☆

27 아래에서 설명하는 앙상블 방법은 무엇인가?

> – 배깅에 랜덤 과정을 추가한 방법이다.
> – 원자료로부터 부트스트랩 샘플을 추출하고 각 부트스트랩 샘플에 대해 형성해 나간다는 점에서 배깅과 유사하다.
> – 각 노드마다 예측변수를 임의로 추출하고, 추출된 변수 내에서 최적의 분할을 생성한다.

① 랜덤 포레스트 (Random Forest) ② 부스팅 (Boosting)

③ 배깅 (Bagging) ④ 스태킹 (Stacking)

✓ 37회 기출 출★★★☆☆ 난★★★★☆

28 데이터에 관측치가 d개 있을 때, 각 관측치가 학습용 데이터로 선정될 확률이 $\frac{1}{d}$라고 가정하자. 학습용 데이터를 구성하기 위해 d번의 랜덤 샘플링을 수행했을 때, 특정 관측치가 학습용 데이터에 포함되지 않을 확률은?

① $\left(1-\frac{1}{d}\right)$ ② $\left(1-\frac{1}{d}\right)^d$ ③ $\left(1-\frac{1}{d}\right)^{\frac{1}{d}}$ ④ $\frac{1}{(1-\frac{1}{d})^d}$

✓ 32회 기출 출★★★★☆ 난★☆☆☆☆

29 다음 설명에 맞는 데이터 마이닝 기법은 무엇인가?

동물의 뇌신경계를 모방하여 분류(또는 예측)을 위해 만들어진 모형

① 의사결정나무 (Decision Tree)
② 인공신경망 (Artificial Neural Networks)
③ 로지스틱 회귀 (Logistic Regression)
④ 서포트 벡터 머신 (Support Vector Machine)

✓ 17회 기출 출★★★☆☆ 난★★☆☆☆

30 신경망 모형은 자신이 가진 데이터로부터 반복적인 학습과정을 거쳐 패턴을 찾아내고 이를 일반화하는 예측방법이다. 다음 중 신경망 모형에 대한 설명으로 부적절한 것은 무엇인가?

① 피드 포워드 신경망은 정보가 전방으로 전달되는 것으로 생물학적 신경계에서 나타나는 형태이며 딥러닝에서 가장 핵심적인 구조 개념이다.
② 은닉층의 뉴런 수와 개수는 신경망 모형에서 자동으로 설정된다.
③ 일반적으로 인공신경망은 다층 퍼셉트론을 의미한다. 다층 퍼셉트론에서 정보의 흐름은 입력층에서 시작하여 은닉층을 거쳐 출력층으로 진행된다.
④ 역전파 알고리즘은 연결강도를 갱신하기 위해 예측된 결과와 실제값의 차이인 에러의 역전파를 통해 가중치를 구하는데서 시작되었다.

✓ 33회 기출 출 ★★★★★ 난 ★★★★☆

31 다음 설명에 맞는 함수는 무엇인가?

> 신경망 모형에서 출력값 z가 여러 개로 주어지고 목표치가 다범주인 경우, 각 범주에 속할 사후 확률을 제공하여 출력 노드에 주로 사용되는 함수

① 시그모이드 함수 (Sigmoid Function)
② 소프트맥스 함수 (Softmax Function)
③ 하이퍼볼릭 탄젠트 함수 (Tanh Function)
④ ReLU 함수 (Rectified Linear Unit)

✓ 36회 기출 출 ★★★★★ 난 ★★★☆☆

32 인공신경망 모형에서 활성함수인 시그모이드(sigmoid)의 함수의 결과값으로 올바른 것은?

① −0.5 또는 0.5
② 0 또는 0.9
③ $0 \leq y \leq 1$
④ $-1 \leq y \leq 1$

✓ 33회 기출 출 ★★★★☆ 난 ★★☆☆☆

33 신경망 모형의 학습을 위한 역전파 과정에서 오차를 더 줄일 수 있는 가중치가 존재함에도 기울기가 0이 되어버려 더 이상 학습이 진행되지 않는 문제를 나타내는 용어는 무엇인가?

① 과적합 (Overfitting)
② 기울기 소실 (Vanishing Gradient)
③ 기울기 폭주 (Exploding Gradient)
④ 초기화 문제 (Initialization Problem)

✓ 41회 기출 출 ★★★★☆ 난 ★★★☆☆

34 다음 중 다층인공신경망에서 노드의 개수가 적을 경우 발생하는 특징으로 가장 적절한 것은?

① 계산 복잡도가 증가한다.
② 의사결정과 설명이 복잡해진다.
③ 과적합이 발생 가능성이 작아 진다.
④ 학습 시간이 길어진다.

✓ 38회 기출 출★★★★☆ 난★★★☆☆

35 군집분석은 데이터 내의 숨겨진 그룹을 찾아내는 기법이다. 다음 설명 중 부적절한 것은 무엇인가?

① 군집분석에서는 독립변수 간의 관계를 분석하며 별도의 반응변수는 필요하지 않다.

② 계층적 군집 분석은 데이터를 병합하거나 나누는 방식으로 군집을 형성한다.

③ 집단 간 이질성과 집단 내 동질성이 모두 낮아지는 방법으로 군집을 만든다.

④ 군집화 방법에는 밀도기반 접근법과 중심점 기반 접근법 등이 포함된다.

✓ 21회 기출 출★★★★☆ 난★★★☆☆

36 다음 군집화 방법 중 DBSCAN, DENCLUE 기법 등 임의적인(Arbitrarity) 모양의 군집 탐색에 가장 효과적인 방법은?

① 밀도기반 군집

② 모형기반 군집

③ 격자기반 군집

④ 커널기반 군집

✓ 15회 기출 출★★★★☆ 난★★★★☆

37 군집분석에서는 관측값들이 얼마나 유사한지 또는 유사하지 않은지를 측정할 수 있는 측도가 필요하다. 다음 중 유사도 측도에 대한 설명으로 가장 부적절한 것은?

① 유클리드 거리는 데이터 간의 절대적인 거리를 기반으로 유사도를 측정한다.

② 코사인 거리는 두 단위 벡터의 내적을 이용하여, 단위 벡터의 내각의 크기로 유사도를 측정한다.

③ 자카드는 Boolean 속성으로 이루어진 두 객체 간의 유사도 측정에 사용된다.

④ 피어슨 상관계수는 각 객체의 데이터 집합이 직선으로 표현되는 정도를 측정한다.

✓ 30회 기출 출★★★★☆ 난★★★★☆

38 계층적 군집 방법에서 두 개체(또는 군집) 간의 거리(또는 비유사성)를 정의할 때, 변수의 표준화와 변수 간의 상관성을 동시에 고려한 통계적 거리로 적합한 것은?

① 유클리디안 거리(Euclidean distance)

② 민코우스키 거리(Minkowski distance)

③ 마할라노비스 거리(Mahalanobis distance)

④ 코사인 유사도(Cosine similarity)

35회 기출

39 아래 두 데이터 셋 A와 B의 유사성을 맨하탄 거리로 계산하면?

물품	A	B
키	180	175
몸무게	65	70

① 0　　② 10　　③ $\sqrt{8}$　　④ $\sqrt{40}$

30회 기출

40 다음 중 민코우스키 거리(Minkowski distance)의 정의로 적합한 수식을 고르시오.

① $(x,y) = \sum_{i=1}^{p}(x_i - y_i)^2$

② $(x,y) = \left(\prod_{i=1}^{p}|x_i - y_i|\right)^{\frac{1}{p}}$

③ $(x,y) = \sqrt{\sum_{i=1}^{p}|x_i - y_i|}$

④ $(x,y) = \left(\sum_{i=1}^{p}|x_i - y_i|^m\right)^{\frac{1}{m}}$

37회 기출

41 계층적 군집분석 결과를 아래와 같이 덴드로그램으로 시각화하였다고 할 때 Tree의 높이(height)가 40일 경우 나타나는 군집의 수를 쓰시오.

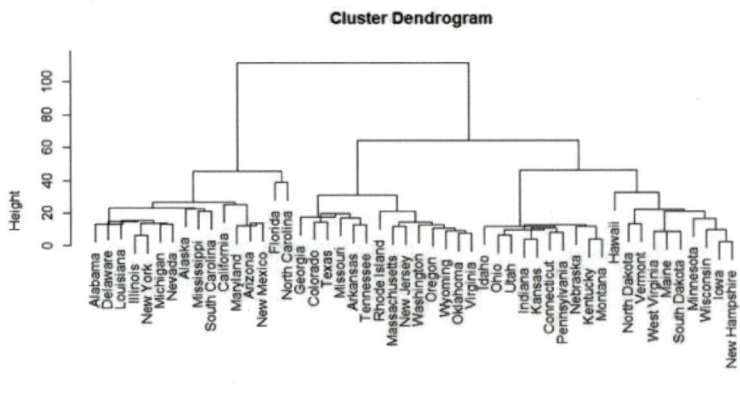

① 2개　　② 3개　　③ 4개　　④ 5개

✓ 19회 기출 출★★★★★ 난★★★☆☆

42 계층적 군집분석 수행 시 두 군집을 병합하는 방법 가운데 병합된 군집의 오차제곱합이 병합 이전 군집의 오차제곱합의 합에 비해 증가한 정도가 작아지는 방향으로 군집을 형성하는 방법은?

① 단일연결법　　② 중심연결법　　③ 와드연결법　　④ 완전연결법

✓ 19회 기출 출★★★★★ 난★★★★☆

43 아래는 학생들의 키와 몸무게를 정규화한 데이터이다. 최단연결법을 통해 학생들을 3개의 군집으로 나누고자 한다.(유클리디안 거리 사용) 다음 중 가장 적절한 것은?

사람	(키, 몸무게)
A	(1, 5)
B	(2, 4)
C	(4, 6)
D	(4, 3)
E	(5, 3)

① (A,C), (B), (D,E)　　② (A,D), (B), (C,E)
③ (A,E), (C), (B,D)　　④ (A,B), (C), (D,E)

✓ 11회 기출 출★★★★★ 난★★★☆☆

44 아래 그림은 평균연결법을 통한 계층적 군집화 예제이다. 데이터 분석 목적 상 Height값을 1.5를 기준으로 하위 군집을 구성할 때 다음 중 생성된 하위 군집을 가장 잘 나타낸 것은?

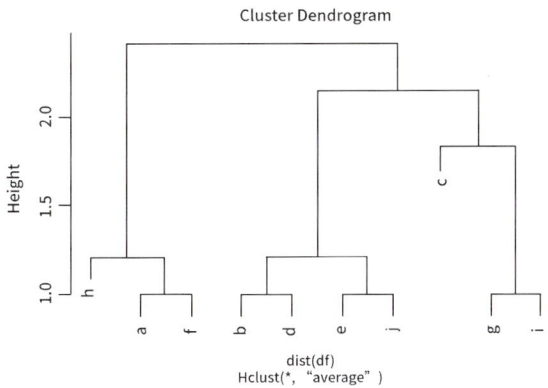

① {h,a,f}, {b,d}, {e,j}, {c}, {g,i}
② {h,a,f}, {b,d}, {e,j}, {c,g,i}
③ {h,a,f}, {b,d,e,j}, {c,g,i}
④ {h,a,f}, {b,d,e,j}, {c}, {g,i}

✓ 13회 기출 출★★☆☆☆ 난★☆☆☆☆

45 비계층적 군집 방법의 기법인 k-means Clustering의 경우 이상값(Outlier)에 민감하여 군집 경계의 설정이 어렵다는 단점이 존재한다. 이러한 단점을 극복하기 위해 등장한 비계층적 군집 방법으로 가장 적절한 것은?

① PAM(Partitioning Around Medoids)
② 혼합 분포 군집(Mixture Distribution Clustering)
③ Density based Clustering
④ Fuzzy Clustering

✓ 16회 기출 출★★☆☆☆ 난★★★☆☆

46 다음 중 이상값 자료에 민감한 k-평균 군집의 단점을 보완하기 위해 평균 대신 사용되는 것으로 적절한 것은?

① 중앙값   ② 최대값   ③ 조화평균   ④ 가중평균

✓ 39회 기출 출★★★★☆ 난★★★★☆

47 다음은 k-평균 군집분석의 수행 절차이다. 아래에서 순서가 가장 적절한 것은?

> 가. 각 데이터를 가장 가까운 초기 중심점에 할당한다.
> 나. 중심점 위치의 변화가 매우 작아지거나 사전에 정한 반복 횟수에 도달할 때까지 진행한다.
> 다. 군집의 초기 중심으로 k개의 데이터를 무작위로 선택한다.
> 라. 군집 내 데이터를 기준으로 중심 위치를 새롭게 계산한다.

① 다 → 라 → 가 → 나
② 가 → 다 → 라 → 나
③ 가 → 라 → 다 → 나
④ 다 → 가 → 라 → 나

✓ 14회 기출 출★★★★☆ 난★★★★☆

48 다음 중 k-means 군집의 단점으로 가장 부적절한 것은?

① 볼록한 형태가 아닌 군집이 존재하면 성능이 떨어진다.
② 사전에 주어진 목적이 없으므로 결과 해석이 어렵다.
③ 잡음이나 이상값에 영향을 많이 받는다.
④ 한번 군집이 형성되면 군집내 객체들은 다른 군집으로 이동할 수 없다.

✓ 37회 기출 출★★★☆☆ 난★★★★☆

49 혼합분포모형의 최대 가능도 추정량(Maximum Likelihood Estimation)을 계산하기 위한 알고리즘으로 가장 적절한 것은?

① k-means 알고리즘
② Naive Bayes 알고리즘
③ EM 알고리즘
④ Decision Tree 알고리즘

✓ 23회 기출 출★★★☆☆ 난★★★★☆

50 다음 중 EM 알고리즘의 진행 과정 중 임의의 파라미터 값을 정한 후, Z의 기대치를 계산하는 단계는 무엇인가?

① 파라미터 추정 단계
② E-단계
③ M-단계
④ 조건부 기댓값 대입 단계

✓ 35회 기출 출★★★★☆ 난★★★★★

51 SOM(Self-Organizing Map) 모델에 대한 설명으로 적절하지 않은 것은 무엇인가?

① SOM은 데이터의 군집화를 위한 신경망 모델이다.
② 입력층의 뉴런은 경쟁층에 있는 뉴런들과 부분적으로(locally) 연결되어 있다.
③ 경쟁 학습 방식을 사용하여 뉴런 간 연결 강도를 조정한다.
④ SOM은 입력 데이터에 비선형적인 구조를 반영하는 데 사용된다.

✓ 38회 기출 출★★★★☆ 난★★★☆☆

52 다음 중 고차원의 데이터를 이해하기 쉬운 저차원의 뉴런으로 변환하여 지도 형태로 구성하는 클러스터링 기법은 무엇인가?

① 주성분 분석(Principal Component Analysis, PCA)
② 랜덤포레스트(Random Forest)
③ K-평균 군집화(K-means clustering)
④ 자기조직화지도(Self-Organizing Map)

✓ 40회 기출 출★★★☆☆ 난★★★★★

53 군집분석 시 데이터의 단위가 다를 경우 사용하는 기법으로 가장 부적절한 것은?

① 정규화 (Normalization)

② 표준화 (Standardization)

③ 원핫 인코딩 (One-Hot Encoding)

④ 스케일링 (Scaling)

✓ 34회 기출 출★★☆☆☆ 난★★★☆☆

54 군집분석의 품질을 정량적으로 평가하는 대표적인 지표로 군집 내의 데이터 응집도(cohesion)와 군집간 분리도(separation)를 계산하여 군집 내의 데이터의 거리가 짧을수록, 군집 간 거리가 멀수록 값이 커지며 완벽한 분리일 경우 1의 값을 가지는 지표는?

① 실루엣 계수 (Silhouette Score)

② 다빈치 지수 (Davies-Bouldin Index)

③ 칼린스키-하라바즈 지수 (Calinski-Harabasz Index)

④ 엘보우 방법 (Elbow Method)

✓ 32회 기출 출★★★★★ 난★★★★☆

55 아래의 표는 A,B,C,D 네 품목의 거래 전표이다. 연관규칙 'A→B'의 신뢰도(Confidence)를 구하시오.

물품	거래건수
{A}	100
{B, D}	100
{C}	100
{A, B, C, D}	50
{B, C}	200
{A, B, D}	250
{A, D}	200

① 20%   ② 30%   ③ 40%   ④ 50%

✓ 33회 기출 출★★★★★ 난★★☆☆☆

56 연관규칙 분석은 품목 간 관계를 분석하는 데 사용된다. 다음 중 연관규칙 분석의 단점으로 가장 적절하지 않은 것은?

① 품목 수가 많아질수록 계산량이 급격히 증가한다.
② 세부적인 품목으로 연관규칙을 분석할 경우 의미 없는 결과가 도출될 수 있다.
③ 거래 빈도가 적은 품목은 규칙 발견에서 제외될 가능성이 높다.
④ 품목 간의 연관성이 없더라도 직접적인 인과 관계를 정확히 설명할 수 있다.

✓ 36회 기출 출★★★★★ 난★★★★★

57 다음 중 연관분석에 대한 특징으로 가장 적절하지 않은 것은?

① 데이터 탐색이 주요 목적일 때도 유용하게 활용될 수 있다.
② 분석을 위한 계산이 복잡하다는 단점이 있다.
③ 품목이 지나치게 세분화되면 의미 없는 결과를 도출할 수 있다.
④ 분석 결과는 "만약 A라면 B일 확률"과 같은 형태로 표현된다.

✓ 37회 기출 출★★★★★ 난★★★★★

58 연관분석은 상품 간의 관계를 파악하는 데 유용한 기법이다. 다음 설명 중 부적절한 것을 고르시오.

① Apriori 알고리즘은 최소지지도 조건을 만족하는 항목집합을 찾고, 이를 통해 신뢰도와 향상도가 높은 연관규칙을 도출하는 방법이다.
② 연관분석은 판매 데이터를 바탕으로 특정 상품과 함께 자주 구매되는 다른 상품의 패턴을 찾는 데서 시작된다.
③ 두 품목이 서로 독립적이라면, 향상도 값은 항상 1로 나타난다.
④ 사건들이 어떤 순서로 일어나고 이 사건들 사이에 연관성을 알아내는 것이 시차 연관분석이지만 원인과 결과의 형태로 해석되지는 않는다.

✓ 23회 기출 출★★★★★ 난★★★★★

59 아래는 피자와 햄버거의 거래 관계를 나타낸 표로, Pizza/Hamburgers는 피자/햄버거를 포함하는 거래 수를 의미하고 (Pizza)/(Hamburgers)는 피자/햄버거를 포함하지 않은 거래 수를 의미한다. 아래 표에서 피자 구매와 햄버거 구매에 대해 설명한 것으로 가장 적절한 것은 무엇인가?

	Pizza	(Pizza)	합계
Hamburgers	2,000	500	2,500
(Hamburgers)	1,000	1,500	2,500
합계	3,000	2,000	5,000

① 지지도가 0.6로 전체 구매 중 햄버거와 피자가 같이 구매되는 경향이 높다.
② 정확도가 0.7로 햄버거와 피자의 구매 관련성은 높다.
③ 향상도가 1보다 크므로 햄버거와 피자 사이에 연관성이 높다고 할 수 있다.
④ 연관 규칙 중 "햄버거 → 피자"보다 "피자 → 햄버거"의 신뢰도가 더 높다.

✓ 39회 기출 출★★★★★ 난★★★☆☆

60 연관규칙 분석에서 품목 A의 거래수가 50, 품목 B의 거래수가 30, 품목 A, B가 동시에 포함된 거래수가 20, 전체 거래수가 100일 때 품목 A, B의 지지도를 계산하시오.(단, 반올림하여 소수점 첫째자리까지 표현하시오.)

① 0.2   ② 0.3   ③ 0.5   ④ 0.8

✓ 21회 기출 출★★★★★ 난★★☆☆☆

61 아래는 쇼핑몰의 거래내역이다. 연관 규칙 "우유 → 커피"에 대한 지지도(Support)는 얼마인가?

품목	거래건수
우유	10
커피	20
{우유, 커피}	30
{커피, 초코렛}	40
전체 거래수	100

① 0.1   ② 0.2   ③ 0.3   ④ 0.4

62. 아래는 커피, 우유, 녹차에 대한 거래 전표이다. 연관규칙 '커피→우유'의 향상도(Lift)를 구하시오. (단, 나누어 떨어지지 않을 경우 소수 점 첫째 자리에서 반올림)

품목	거래건수
{커피}	100
{우유}	100
{녹차}	100
{커피, 우유, 녹차}	50
{우유, 녹차}	200
{커피, 우유}	250
{커피, 녹차}	200

① 0.33 ② 0.55 ③ 0.83 ④ 1

63. 다음 중 R에서 연관성 분석을 위해 apriori함수를 활용하여 연관 규칙을 생성하였다. 다음 중 생성된 연관 규칙을 보기 위해 사용되는 함수로 가장 적절한 것은?

① sort()

② arule()

③ inspect()

④ apriori()

64. 소매점에서 상품 배열을 최적화하거나 교차판매를 촉진하기 위해 활용할 수 있는 적절한 데이터 마이닝 기법은?

① 텍스트 마이닝(text mining)

② 회귀분석(regression analysis)

③ 연관분석(association analysis)

④ 차원 축소(dimensionality reduction)

3과목 | 데이터 분석
정답 및 해설

모바일로 풀기

01	②	11	①	21	②	31	②	41	④	51	②	61	③
02	②	12	③	22	①	32	③	42	③	52	④	62	③
03	②	13	②	23	④	33	②	43	④	53	③	63	③
04	③	14	②	24	③	34	④	44	④	54	①	64	③
05	②	15	③	25	①	35	③	45	①	55	④		
06	④	16	③	26	②	36	①	46	①	56	④		
07	①	17	④	27	①	37	④	47	④	57	②		
08	②	18	②	28	②	38	②	48	④	58	④		
09	②	19	③	29	②	39	②	49	③	59	③		
10	③	20	①	30	②	40	④	50	②	60	①		

01. 데이터마이닝은 기업이 보유한 내부 데이터와 외부 데이터를 분석하여 패턴, 규칙, 관계 등을 발견하고 이를 비즈니스 의사결정에 활용하는 일련의 과정이다. 회귀분석은 특정 변수 간의 관계를 설명하거나 예측하기 위한 통계적 방법이고, 데이터웨어하우징은 데이터를 통합하고 관리하는 과정이며, 의사결정지원시스템은 분석 결과를 바탕으로 의사결정을 지원하는 시스템이다. (**정답 : ②**)

02. 어간 추출(Stemming)은 단어의 형태가 다르더라도 공통된 의미를 가진 어근을 동일한 형태로 변환하기 위한 작업이다. 형태소 분석은 문장을 형태소 단위로 나누는 작업이고, 표제어 추출은 단어를 사전에 기재된 기본형으로 변환하는 작업이다. 구문 분석은 문장의 문법적 구조를 분석하는 작업으로 어간 추출과는 관련이 없다. (**정답 : ②**)

03. 데이터 가공 단계는 데이터 마이닝 과정에서 모델링 목적에 따라 목적 변수를 정의하는 단계로, 이는 데이터를 데이터 마이닝 소프트웨어에 맞게 변환하여 준비하는 과정을 포함한다. 따라서, '목적 변수 정의'가 데이터 가공 단계의 핵심 특징이다. 데이터 정제와 데이터 수집은 이보다 앞선 데이터 준비 및 이해 단계의 특징이며, 모델 검증은 분석 및 평가 단계의 특징이다. (**정답 : ②**)

04. 군집분석은 데이터 내의 이질적인 모집단을 동질적인 하위집단으로 나누는 데이터 마이닝 기법이다. 분류분석은 레이블이 지정된 데이터를 학습하여 새로운 데이터를 분류하는 작업이고, 모수추정은 통계적 방법으로 모집단의 모수를 추정하는 기법이다. 연관분석은 데이터 항목들 간의 관계를 찾는 데 사용된다. (**정답 : ③**)

05. k-폴드 교차검증은 데이터를 K개의 그룹으로 나누고, 각 그룹을 한 번씩 검증 데이터로 사용하는 방법이다. 이 과정은 K번 반복되며, 결과를 평균내어 모형의 성능을 평가한다. LOOCV(Leave-One-Out Cross Validation)는 K=2가 아니라 K=N인 경우를 의미하며, 이는 데이터 셋의 크기가 K와 같아 각 데이터 포인트가 검증 데이터로 한 번씩 사용되는 방식이다. (정답 : ②)

06. 주어진 코드는 Hitters 데이터셋을 Train set과 Test set으로 50:50으로 분할하는 작업을 수행하고 있다. 이는 모형이 과적합(overfitting)되는 것을 방지하기 위한 일반적인 접근 방법이다. nrow(Hitters)/2로 데이터셋의 절반을 샘플링하고 나머지를 Test set으로 설정하고 있다. 모형 학습과 평가를 동일한 데이터셋에 진행하면 과적합의 위험이 있으므로 데이터를 분할하는 작업은 적절하다. 일반적으로 Train set에서의 성능은 Test set에서의 성능보다 더 높다. 이는 Train set에서 모형이 학습된 데이터에 최적화되어 있기 때문이며, Test set에서는 학습되지 않은 데이터에 대한 일반화된 성능을 평가하기 때문에 성능이 더 낮아지는 경향이 있다. (정답 : ④)

07. F1-score를 계산하기 위해 정밀도(Precision)와 재현율(Recall)을 먼저 구한 뒤, 이를 바탕으로 F1-score를 계산한다. 정밀도는 30/(30+60) = 1/3 이며 재현율은 30/(30+70) = 3/10이다. 이 둘의 조화평균을 구하면 2×{(정밀도×재현율)/(정밀도+재현율)} 이므로 정답은 6/19 이다. (정답 : ①)

08. ROC 그래프에서 좌표 (0, 1)은 완벽한 분류를 나타낸다. 이 좌표는 FPR(False Positive Rate)이 0이고 TPR(True Positive Rate)이 1인 경우로, 모든 양성 데이터를 정확히 분류하면서도 거짓 양성이 없는 이상적인 모델을 의미한다. (0, 0)과 (1, 0)은 낮은 성능을 나타내며, (1, 1)은 무작위 분류와 가까운 결과이다. (정답 : ②)

09. 과대적합은 모델이 훈련 데이터에 지나치게 최적화되어 테스트 데이터에서 일반화 성능이 떨어지는 현상이다. 과대적합은 주로 훈련 데이터의 특징을 과도하게 학습하거나, 변수의 수가 많아 모델이 지나치게 복잡해질 때 발생한다.
(정답 : ①)

10. 모형의 성능 평가에는 홀드아웃 방법, 오분류표, k-폴드 교차검증 등 다양한 방법이 사용된다. 홀드아웃 방법은 데이터를 학습용과 검증용으로 나누어 평가하며, 오분류표는 분류 모델의 성능을 평가하는 데 사용된다. k-폴드 교차검증은 데이터를 여러 그룹으로 나누어 평가하는 방법이다. 엔트로피는 데이터의 불확실성을 측정하는 개념으로, 모형 성능 평가 방법이 아니다. (정답 : ③)

11. 이익도표(Lift) 작성에서 %Captured Response는 목표 변수의 특정 범주에 대해 특정 집단이 차지하는 비율을 나타낸다. 이를 계산하기 위해서는 "해당 집단에서 목표변수의 특정범주 빈도"를 "전체 목표변수의 특정범주 빈도"로 나누고, 100을 곱한다. (정답 : ①)

12. 재현율은 TP/(TP+FN) 으로 계산한다. 따라서 정답은 0.40이다. (정답 : ③)

13. 특이도는 TN/(TN+FP) 으로 계산한다. 따라서 정답은 4/100이다. (정답 : ②)

14. 반응 변수가 범주형인 경우, 예측 모형의 주목적은 각 관측치가 특정 범주에 속할 확률을 예측하고 이를 기반으로 범주를 할당하는 것이다. 이는 분류(Classification)의 주된 목표로, 로지스틱 회귀, 의사결정나무 등이 대표적이다. 연관 분석은 항목 간의 관계를 탐구하는 데 사용되며, 시뮬레이션은 시스템의 동작을 모사하는 기법이고, 최적화는 주어진 제약 조건 내에서 최적의 해를 찾는 과정이다. (정답 : ②)

15. 회귀계수의 검정에서 p-값은 거의 0으로 Sepal.Length가 매우 유의한 변수임을 알 수 있으며, 이 값이 양수이므로 Sepal.Length가 한 단위 증가함에 따라 versicolor일 오즈가 증가한다. 오즈 증가율은 exp(5.140)≈170배로, 약 5.14배 증가한다고 해석한 것은 회귀계수 자체를 오즈로 잘못 해석한 것이므로 틀린 설명이다. (**정답 : ③**)

16. 로지스틱 회귀 분석에서 회귀계수(b)는 설명변수가 한 단위 증가할 때 종속변수의 로그 오즈가 얼마나 증가하는지를 나타낸다. 이를 지수화한 값 exp(b)는 오즈비(Odds Ratio)로, 종속변수가 1일 확률에 대해 오즈가 몇 배 만큼 변화(증가 또는 감소) 하는지를 표현한다. 따라서 (ㄱ)은 오즈(Odds), (ㄴ)은 exp(b)이다. (**정답 : ③**)

17. 주어진 출력은 로지스틱 회귀 분석 결과로, 종속변수는 default(연체 여부)이며, 독립변수는 balance와 income이다. balance의 계수는 5.647e-03이며, p-value가 매우 작아(2e-16) 통계적으로 유의하다. 따라서 balance는 default를 설명하는데 통계적으로 유의하다. balance의 계수가 양수이므로, balance가 높을수록 default 가능성이 증가한다는 해석도 적절하다. 그러나 income의 계수는 2.081e-05로 양수이며, 이는 income이 증가할수록 default 가능성이 증가한다는 것을 의미한다. (**정답 : ④**)

18. 로지스틱 회귀모형에서 설명 변수가 한 개인 경우, 회귀 계수의 부호가 음수면 그래프는 역 S자 형태를 나타낸다. 이는 설명 변수가 증가함에 따라 종속 변수의 성공 확률이 감소하는 관계를 의미한다. 양의 선형 그래프나 음의 선형 그래프는 선형 회귀에서 나타나는 형태이며, S자 그래프는 양의 회귀 계수에서 나타나는 로지스틱 회귀의 일반적인 형태이다. (**정답 : ③**)

19. E 노드에 도달하려면 먼저 루트 노드 A에서 왼쪽 가지인 X2 < A를 따라야 한다. A = 3이므로 X2 < 3을 만족해야 하고, 기본조건 2 ≤ x2 ≤ 5, x2 ∈ 정수에서 가능한 값은 x2 = 2뿐이다. 다음으로 B 노드에서 오른쪽 가지인 X1 ≥ B를 따라야 한다. B = 8이며, 기본조건 6 ≤ x1 ≤ 8, x1 ∈ 정수이므로 이 조건을 만족하는 값은 x1 = 8뿐이다. 따라서 E 노드에 해당하는 값은 (x1, x2) = (8, 2)이고, 정답은 ①번이다. (**정답 : ①**)

20. 의사결정나무에서 불순도(impurity)는 분할 후 각 노드의 순도가 증가하도록 설계된다. 즉, 뿌리마디(root node)에서 분할이 이루어질수록 각 자식 노드에서 불순도는 감소하는 것이 일반적이다. 뿌리마디의 자료는 Start 변수를 이용하여 분리했으며, 이는 가장 좋은 분리 기준(불순도 감소를 최대로 만드는 변수)으로 선택되었다. 가지치기 없이 계속적으로 가지를 생성하면 모형이 과적합(overfitting)되어 새로운 자료에 대한 예측이 감소한다. Start 변수의 값이 14.5 이상인 경우, 해당 관찰치에서는 Kyphosis 값이 모두 absent였음을 출력에서 확인할 수 있다. (**정답 : ①**)

21. 의사결정나무 모형은 데이터를 여러 기준에 따라 반복적으로 분할하여 예측하거나 분류하는 데 사용된다. 분리 변수의 선택은 이전 분할의 영향을 받으며, 각 단계에서 최적의 분리 규칙을 통해 분할이 이루어진다. 나머지 설명들은 이익도표나 교차타당성 평가, 가지치기의 역할 등 의사결정나무의 특징을 적절히 설명하고 있다. (**정답 : ②**)

22. (**정답 : ①**)

비기봇 해설

불순도를 측정하는 지표로, 노드의 불순도를 나타내는 값은 지니지수입니다. 이는 CART(Classification and Regression Tree)에서 범주형 변수의 불순도를 측정하는 데 사용되며, 값이 클수록 이질적이고 순수도가 낮음을 의미합니다.

1. 지니지수 (Gini Index)

: 지니지수는 불순도를 측정하는 지표로, 각 클래스의 비율을 이용해 계산됩니다. 값이 작을수록 데이터가 더 순수하며, 주로 CART에서 목적변수가 범주형일 때 사용됩니다.

2. 엔트로피 (Entropy)

: 엔트로피 역시 불순도를 측정하는 지표로 사용되지만, 지문에서는 CART 알고리즘과 관련된 지니지수를 설명하고 있습니다. 엔트로피는 주로 ID3 또는 C4.5 알고리즘에서 사용됩니다.

3. 평균제곱오차 (Mean Squared Error)

: 평균제곱오차는 회귀 분석에서 사용되는 지표로, 예측값과 실제값의 차이를 제곱하여 평균을 계산합니다. 범주형 변수의 불순도와는 관련이 없습니다.

4. 크로스 엔트로피 (Cross Entropy)

: 크로스 엔트로피는 주로 분류 문제에서 확률 기반 모델(예: 로지스틱 회귀, 신경망)에서 사용되며, 지문에서 설명한 불순도 측정과는 거리가 있습니다.

23. 지니 지수(Gini Index)는 분류 모델에서 데이터 집합의 불순도(impurity)를 측정하는 지표로, 각 범주의 비율을 제곱해 모두 더한 값을 1에서 빼서 구한다. 값이 1에 가까울수록 여러 범주가 고르게 섞여 있어 불순도가 높고, 값이 0에 가까울수록 한 범주로 치우쳐 순수도가 높음을 의미한다. 문제에서 주어진 집단에는 총 5개의 항목이 있으며, 이 중 원(circle)이 3개, 다이아몬드(diamond)가 2개이다. 따라서 원의 비율은 3/5, 다이아몬드의 비율은 2/5이고, 비율 제곱의 합은 $(3/5)^2 +(2/5)^2$ = 9/25+4/25 = 13/25이다. 따라서 지니 지수는 1-13/25=12/25로 계산되며, 이 집단의 지니 지수는 12/25이다. (정답 : ④)

24. 앙상블 기법은 여러 예측 모형을 결합하여 예측 성능을 향상시키는 방법으로, 대표적인 기법으로 배깅(Bagging)과 부스팅(Boosting)이 있다. 모델 간의 강한 연관성은 오히려 과적합을 유발할 수 있으므로, 앙상블 기법에서는 모델 간 독립성을 유지하는 것이 중요하다. 랜덤 포레스트는 앙상블 기법의 일종이지만, 비지도학습이 아닌 교사학습에 기반한다. (정답 : ③)

25. 배깅(Bagging)은 원 데이터에서 복원추출한 여러 표본을 생성하고, 각 표본에 대해 독립적인 분류기를 학습한 뒤 이를 결합하여 최종 예측을 수행하는 앙상블 방법이다. 에이다부스트(AdaBoost)는 각 반복에서 잘못 예측한 데이터에 가중치를 부여하는 방식이며, 스태킹(Stacking)은 서로 다른 예측 모형의 결과를 결합하는 방식이다. 랜덤 포레스트는 배깅에 무작위성을 추가한 기법이다. (정답 : ①)

26. 부스팅은 배깅과는 달리 이전 단계에서 잘못 예측된 데이터에 더 높은 가중치를 부여하고, 이후 단계에서 이를 수정하는 방식으로 동작한다. 배깅, 랜덤 포레스트, 그리고 앙상블 모형에 대한 나머지 설명들은 모두 적절하다. 부스팅은 데이터에 차별적인 가중치를 부여하여 성능을 개선한다는 점에서 배깅과 차이가 있다. (정답 : ②)

27. 랜덤 포레스트(Random Forest)는 배깅에 무작위성을 추가한 방법으로, 각 노드마다 무작위로 선택된 변수들 내에서 최적의 분할을 수행한다. 이는 모델의 분산을 줄이고 일반화 성능을 향상시키는 데 효과적이다. 부스팅은 이전 단계의 오류를 수정하는 방식이며, 배깅은 무작위성을 포함하지 않는다. 스태킹은 여러 모형의 결과를 결합하여 최종 예측을 생성하는 기법이다. (정답 : ①)

28. 특정 관측치가 학습용 데이터에 포함되지 않을 확률은 해당 관측치가 각 랜덤 샘플링에서 선택되지 않을 확률 $\left(1-\dfrac{1}{d}\right)^d$ 로 계산된다. (정답 : ②)

29. 인공신경망(Artificial Neural Networks)은 동물의 뇌신경계를 모방하여 분류와 예측에 사용되는 모델이다. 의사결정나무는 데이터를 분할하여 예측을 수행하며, 로지스틱 회귀는 확률 기반의 분류 모형이고, 서포트 벡터 머신은 초평면을 사용해 데이터를 분류하는 기법이다. (정답 : ②)

30. 신경망 모형에서 은닉층의 뉴런 수와 개수는 설계자가 실험적으로 설정해야 하며, 자동으로 결정되지 않는다. 피드 포워드 신경망은 딥러닝에서 중요한 구조로 정보가 전방으로만 흐르는 특징을 가지며, 다층 퍼셉트론은 입력층, 은닉층, 출력층을 통해 정보를 처리한다. 역전파 알고리즘은 오차 역전파를 통해 가중치를 갱신하는 방법으로 신경망 학습의 핵심이다. (정답 : ②)

31. (정답 : ②)

비기봇 해설

신경망 모형에서 다범주 분류 문제를 해결하기 위해 각 범주에 속할 사후 확률을 제공하는 함수는 소프트맥스 함수입니다. 이는 여러 출력값을 받아 각 범주에 대한 확률을 계산하여, 총합이 1이 되도록 정규화하는 역할을 합니다.

1. 시그모이드 함수 (Sigmoid Function)

: 시그모이드 함수는 이진 분류 문제에 주로 사용되며, 출력값을 0과 1 사이로 변환합니다. 다범주 분류 문제에서는 적합하지 않습니다.

2. 소프트맥스 함수 (Softmax Function)

: 소프트맥스 함수는 여러 출력값을 받아 각 범주에 대한 확률을 계산하여 총합이 1이 되도록 정규화합니다. 다범주 분류 문제에 적합한 함수입니다.

3. 하이퍼볼릭 탄젠트 함수 (Tanh Function)

: 하이퍼볼릭 탄젠트 함수는 출력값을 -1과 1 사이로 변환하며, 주로 이진 분류나 회귀 문제에 사용됩니다. 다범주 분류 문제에서는 적합하지 않습니다.

4. ReLU 함수 (Rectified Linear Unit)

: ReLU 함수는 음수를 0으로 변환하고 양수는 그대로 출력하는 활성화 함수로, 주로 은닉층에서 사용됩니다. 확률을 제공하는 기능은 없습니다.

32. 시그모이드 함수의 출력값은 입력값의 범위에 관계없이 항상 0과 1 사이의 값을 갖는다. 이는 출력값을 확률처럼 해석할 수 있게 한다. -0.5 또는 0.5, 0 또는 0.9, -1 ≤ y ≤ 1은 시그모이드 함수의 특성과 맞지 않는다. (정답 : ③)

33. (정답 : ②)

비기봇 해설

신경망 모형의 학습에서 기울기 소실 문제는 역전파 과정에서 기울기가 점점 작아져 0에 가까워지면서 학습이 멈추는 현상을 의미합니다. 이는 주로 깊은 신경망에서 발생하며, 가중치가 업데이트되지 않아 학습이 진행되지 않는 문제를 야기합니다.

1. 과적합 (Overfitting)

: 과적합은 모델이 학습 데이터에 지나치게 적응하여 새로운 데이터에 대한 일반화 성능이 저하되는 현상입니다. 과적합은 학습 데이터와 테스트 데이터의 성능 차이에 대한 문제이며, 기울기가 0이 되어 학습이 멈추는 기울기 소실과는 무관합니다.

2. 기울기 소실 (Vanishing Gradient)

: 역전파 과정에서 활성화 함수의 도함수가 매우 작은 값을 가질 때, 기울기(Gradient)가 점점 작아져 0에 가까워지는 현상을 기울기 소실이라고 합니다. 이로 인해 가중치 업데이트가 거의 이루어지지 않으면서 학습이 정체됩니다.

3. 기울기 폭주 (Exploding Gradient)

: 기울기 폭주는 기울기 소실과 반대되는 문제로, 값이 0에 가까워지는 대신 매우 큰 값을 가지는 경우를 나타냅니다. 이 문제는 주로 순환 신경망(RNN)과 같은 깊은 네트워크에서 발생하며, 기울기를 안정화하기 위해 Gradient Clipping 등의 기술이 사용됩니다.

4. 초기화 문제 (Initialization Problem)

: 초기화 문제는 학습 시작 시 가중치의 초기값을 부적절하게 설정하여 기울기 소실 또는 폭주를 유발하는 문제입니다. 초기값이 너무 작으면 기울기 소실로 이어지고, 초기값이 너무 크면 기울기 폭주로 이어질 수는 있으나, 초기화 문제는 기울기가 0이 되어 학습이 멈추는 기울기 소실을 직접 설명하는 용어는 아닙니다.

34. 다층 인공신경망에서 노드(특히 은닉 노드)의 개수가 적으면 모델이 표현할 수 있는 패턴이 제한되어 구조가 단순해지고, 그만큼 과적합 발생 가능성이 상대적으로 줄어든다. 또한 노드 수가 적을수록 파라미터 수가 감소하므로 계산 복잡도가 낮아지고 학습 시간도 단축되며, 반대로 노드 수가 많아질수록 모델이 복잡해져 의사결정 구조와 설명이 더 어려워진다. **(정답 : ③)**

35. 군집분석은 집단 내 동질성을 높이고 집단 간 이질성을 증가시키는 것을 목표로 한다. 독립변수 간의 관계 분석은 반응변수가 없다는 점에서 적절하며, 계층적 군집분석은 병합과 분할 방식으로 이루어진다. 또한 밀도기반 및 중심점 기반 접근법은 군집화 기법의 일부이다. **(정답 : ③)**

36. 밀도기반 군집화(DBSCAN, DENCLUE)는 밀도가 높은 영역을 군집으로 정의하며, 임의적인 모양의 군집 탐색에 효과적이다. 모형기반 군집은 군집이 특정 분포를 따른다고 가정하며, 격자기반 군집은 격자 공간에서 데이터를 분할한다. 커널기반 군집은 커널 밀도 추정 기법을 사용한다. **(정답 : ①)**

37. 피어슨 상관계수는 두 변수 간의 선형 관계를 측정하는 방식으로, 데이터 간의 유사성을 측정하는 데 직접 사용되지 않는다. 유사도 측도는 일반적으로 두 객체 간의 거리나 유사한 특성 정도를 수치화하는 것이며, 피어슨 상관계수는 상관분석의 도구로 분류된다. **(정답 : ④)**

38. **(정답 : ③)**

비기봇 해설

계층적 군집 방법에서 두 개체 간의 거리를 정의할 때 변수의 표준화와 변수 간의 상관성을 동시에 고려하는 통계적 거리는 "마할라노비스 거리"입니다. 이는 변수들 간의 공분산을 고려하여, 서로 다른 척도를 가진 변수들 간의 거리 계산에 적합합니다.

1. 유클리디안 거리(Euclidean distance)

: 변수의 표준화나 상관성을 고려하지 않고 단순한 직선 거리를 계산합니다. 이는 변수 간의 척도가 다를 경우 적합하지 않습니다.

2. 민코우스키 거리(Minkowski distance)

: 유클리디안 거리를 일반화한 형태로, 특정 p값에 따라 다양한 거리를 계산할 수 있지만 변수 간의 상관성을 반영하지 않습니다.

3. 마할라노비스 거리(Mahalanobis distance)

: 변수의 표준화와 상관성을 고려하여 거리 계산에 적합합니다. 이는 변수 간의 공분산을 반영하여 보다 정확한 거리 측정이 가능합니다.

4. 코사인 유사도(Cosine similarity)

: 두 벡터 간의 각도를 측정하여 유사성을 평가하며, 거리보다는 방향성을 중시합니다. 이는 거리 측정보다는 유사성 측정에 사용됩니다.

39. 맨하탄 거리(Manhattan Distance)는 두 데이터 간의 절대 거리 합을 계산한다. 따라서 180−175 =5 와 70−65 =5 의 합인 10이 정답이다. **(정답 : ②)**

40. 민코우스키 거리(Minkowski distance)는 두 점 간의 거리 측정을 일반화한 공식으로, m이 1이면 맨하탄 거리, m이 2이면 유클리드 거리가 된다. 선택지 중 올바른 수식은 $(x,y) = \left(\sum_{i=1}^{p} |x_i - y_i|^m \right)^{\frac{1}{m}}$ 이다. (**정답** : ④)

41. 계층적 군집분석의 덴드로그램에서 Tree의 높이(height)를 기준으로 군집을 나눌 때, height = 40에서 잘린다면 덴드로그램에서 5개의 군집이 형성된다. (**정답** : ④)

42. 와드연결법(Ward's method)은 군집을 병합할 때, 병합된 군집의 오차제곱합(ESS, Error Sum of Squares)이 병합 전보다 적게 증가하도록 군집을 형성한다. 단일연결법은 가장 가까운 두 관측치의 거리를 기준으로, 중심연결법은 군집의 중심 간 거리를 기준으로 군집을 병합하며, 완전연결법은 가장 먼 두 관측치 간 거리를 기준으로 한다. (**정답** : ③)

43. 최단연결법(Single Linkage)을 사용하여 학생들을 3개의 군집으로 나누기 위해 유클리디안 거리를 계산하고, 단계적으로 군집을 형성한다. 가장 거리가 가까운 D와 E가 결합되고 그 다음으로 가까운 거리인 B와 A가 결합되어 최종적으로 (A,B), (C), (D,E)인 3개의 군집이 형성 된다. (**정답** : ④)

44. 계층적 군집화를 통해 생성된 덴드로그램에서 주어진 Height 값 1.5를 기준으로 가지를 나누어 군집을 생성한다. height = 1.5 기준으로 군집 분리를 하면 h,a,f는 한 군집을 형성, b,d,e,j는 한 군집으로 묶임, c는 독립적으로 남음, g,i는 한 군집으로 묶이므로 4번 선택지가 정답이다. (**정답** : ④)

45. PAM은 k-means 클러스터링에서 이상값에 민감한 단점을 극복하기 위해 평균 대신 중앙값(medoids)을 사용하여 군집을 형성한다. 혼합 분포 군집은 데이터가 특정 분포를 따른다고 가정하며, Density-based Clustering은 밀도 기반 방법이고, Fuzzy Clustering은 데이터가 여러 군집에 속할 수 있도록 하는 기법이다. 이상값 문제 해결에는 PAM이 적합하다. (**정답** : ①)

46. k-means 군집은 평균을 중심으로 데이터를 분할하므로 이상값에 민감하다. 이를 보완하기 위해 평균 대신 중앙값을 사용하면 이상값의 영향을 줄일 수 있다. 최대값, 조화평균, 가중평균은 이상값의 영향을 줄이는 데 적합하지 않다.
(**정답** : ①)

47. k-means 군집분석의 절차는 군집의 초기 중심으로 k개의 데이터를 무작위로 선택하고 각 데이터를 가장 가까운 초기 중심점에 할당하며 군집 내 데이터를 기준으로 중심 위치를 새롭게 계산한다. 마지막으로 중심점의 변화가 매우 작아지거나 정해진 반복 횟수에 도달할 때까지 반복한다. (**정답** : ④)

48. k-means 군집화는 각 데이터가 가장 가까운 군집 중심으로 반복적으로 재할당되므로, 군집 내 객체들이 다른 군집으로 이동할 가능성이 항상 존재한다. 나머지 선택지들은 k-means의 단점으로, 비볼록 형태의 군집 성능 저하, 결과 해석의 어려움, 이상값과 잡음에 민감함 등이 있다. (**정답** : ④)

49. (정답 : ③)

 비기봇 해설

혼합분포모형의 최대 가능도 추정량을 계산하기 위해서는 EM 알고리즘이 적합합니다. EM 알고리즘은 관측되지 않은 데이터가 있는 경우에도 최대 가능도 추정을 수행할 수 있는 알고리즘으로, 혼합분포모형의 매개변수를 추정하는 데 자주 사용됩니다.

1. k-means 알고리즘

: k-means는 클러스터링 알고리즘으로, 데이터를 k개의 군집으로 분할합니다. 이는 혼합분포모형과는 달리 각 데이터 포인트가 특정 군집에만 속한다고 가정하므로 확률적 추정을 포함하지 않습니다.

2. Naive Bayes 알고리즘

: Naive Bayes는 베이즈 정리를 기반으로 한 분류 알고리즘으로, 클래스 간의 조건부 확률을 계산합니다. 이는 혼합분포모형의 최대 가능도 추정을 수행하는 알고리즘이 아닙니다.

3. EM 알고리즘

: EM 알고리즘은 혼합분포모형의 최대 가능도 추정을 위한 대표적인 알고리즘으로, 다음과 같은 과정을 반복하며, 수렴할 때까지 MLE를 계산합니다.

- E-Step(기대 단계): 숨겨진 변수의 기대값을 계산합니다.
- M-Step(최대화 단계): 숨겨진 변수의 기대값을 고정하여 매개변수를 최적화합니다.

4. Decision Tree 알고리즘

: Decision Tree는 데이터 분류와 회귀 분석에 사용되는 비확률적 알고리즘으로, 최대 가능도 추정과는 관련이 없습니다.

50. EM 알고리즘의 E-단계는 현재의 파라미터 값을 바탕으로 Z의 기대값(잠재 변수의 분포)을 계산하는 단계이다. 이후 M-단계에서 파라미터 값을 업데이트하며, 이 과정을 반복하여 수렴에 도달한다. "파라미터 추정 단계"와 "조건부 기댓값 대입 단계"는 명확하지 않은 설명으로, EM 알고리즘의 공식 단계명과는 맞지 않다. (**정답** : ②)

51. (정답 : ②)

 비기봇 해설

SOM(Self-Organizing Map)은 데이터의 군집화를 위한 신경망 모델로, 경쟁 학습 방식을 사용하여 뉴런 간의 연결 강도를 조정합니다. 그러나 입력층의 뉴런은 경쟁층에 있는 뉴런들과 부분적으로 연결되어 있지 않고, 모든 입력 뉴런이 경쟁층의 모든 뉴런과 연결되어 있습니다.

1. SOM은 데이터의 군집화를 위한 신경망 모델이다.

: SOM은 데이터의 군집화 및 시각화에 사용되는 대표적인 신경망 모델로, 고차원 데이터를 저차원(2D 또는 3D)으로 변환하여 데이터의 구조를 시각적으로 이해할 수 있도록 돕습니다.

2. 입력층의 뉴런은 경쟁층에 있는 뉴런들과 부분적으로(locally) 연결되어 있다.

: SOM에서 입력층의 뉴런은 경쟁층의 모든 뉴런과 완전 연결(fully connected) 구조를 가집니다. 이 연결은 데이터의 학습과 군집화에 사용되며, 부분적 연결은 SOM의 구조와 일치하지 않습니다.

3. 경쟁 학습 방식을 사용하여 뉴런 간 연결 강도를 조정한다.

: SOM은 경쟁 학습(Competitive Learning)을 통해 각 뉴런이 입력 데이터에 얼마나 가까운지(유사성)를 기준으로 학습합니다. 가장 가까운 뉴런(BMU, Best Matching Unit)과 이웃 뉴런들의 가중치를 조정하는 방식으로 학습이 이루어집니다.

4. SOM은 입력 데이터에 비선형적인 구조를 반영하는 데 사용된다.

: SOM은 비선형 구조를 반영하여 데이터를 저차원 공간에 투영하기 때문에, 복잡한 데이터의 내재적 패턴을 이해하는 데 유용합니다.

52. SOM(Self-Organizing Map)은 고차원의 데이터를 이해하기 쉬운 저차원의 지도 형태로 변환하는 군집화 기법이다. 주성분 분석(PCA)은 선형 변환을 통해 데이터의 차원을 축소하는 방법이고, 랜덤포레스트는 앙상블 학습 기법이며, k-means는 중심 기반의 군집화 방법이다. (정답 : ④)

53. 군집분석에서 데이터의 단위가 다를 경우, 정규화(Normalization), 표준화(Standardization), 스케일링(Scaling) 등의 방법을 사용해 변수의 스케일 차이를 조정한다. 원핫 인코딩은 범주형 데이터를 수치형으로 변환하는 기법으로, 단위 조정과 직접적으로 관련이 없다. (정답 : ③)

54. (정답 : ①)

비기봇 해설

군집 품질 평가를 위한 대표적인 지표로 실루엣 계수는 응집도와 분리도를 동시에 고려하여 군집화 결과를 측정합니다.

1. 실루엣 계수 (Silhouette Score)

: 실루엣 계수는 각 데이터 포인트의 평균 응집 거리와 분리 거리를 계산하여 군집화 품질을 측정합니다. 군집 내 데이터 간 거리가 짧고, 군집 간 데이터 간 거리가 멀수록 실루엣 계수 값이 커집니다. 완벽한 분리일 경우 1의 값을 가지며, 군집 품질을 정량적으로 평가하는 데 자주 사용됩니다.

2. 다빈치 지수 (Davies-Bouldin Index)

: 다빈치 지수는 군집의 분산과 군집 중심 간 거리를 고려하여 군집 품질을 평가하지만, 낮은 값이 좋은 군집 품질을 나타냅니다. 지문에서 설명한 "1의 값을 가지는 지표"와는 다릅니다.

3. 칼린스카-하라바즈 지수 (Calinski-Harabasz Index)

: 칼린스카-하라바즈 지수는 군집 간 거리와 군집 내 거리의 비율을 측정하며, 값이 클수록 군집 품질이 우수함을 나타냅니다. 그러나 실루엣 계수와는 다른 방식으로 계산됩니다.

4. 엘보우 방법 (Elbow Method)

: 엘보우 방법은 군집 수를 결정하기 위한 시각적 기법으로, 군집 품질을 정량적으로 평가하지 않습니다. 군집 수에 따른 왜곡(WCSS, Within-Cluster Sum of Squares) 변화를 관찰하여 최적의 군집 수를 찾는 데 사용됩니다.

55. 신뢰도는 A와 B를 동시에 포함하는 거래 건수Support(A∩B)를 A를 포함하는 모든 거래 건수Support(A)로 나눈 값이다. 따라서 300/600 =0.5, 50% 가 정답이다. (정답 : ④)

56. 연관규칙 분석은 품목 간의 관계를 파악하고 규칙을 도출하는 데 유용하지만, 통계적 연관성을 기반으로 하므로 품목 간의 인과 관계를 정확히 설명할 수 없다. 나머지 선택지들은 연관규칙 분석의 단점으로, 계산량 증가, 거래 빈도가 낮은 품목의 배제 가능성, 세분화된 품목 분석 시 의미 없는 결과 도출 등의 문제가 실제로 존재한다. (정답 : ④)

57. 연관분석은 데이터 탐색에 유용하고, 분석 결과는 "A라면 B일 확률"과 같은 형태로 표현되며, 품목의 지나친 세분화 시 의미 없는 결과를 초래할 수 있다. 또한 연관분석은 효율적인 알고리즘(Apriori, FP-Growth 등)을 통해 계산 복잡도를 줄일 수 있으므로 계산이 복잡하다는 설명은 부적절하다. (정답 : ②)

58. 시차 연관분석은 사건 간의 시간적 순서를 고려한 연관 분석 기법이다. 원인과 결과를 형태로 해석할 수는 있으나, 반드시 인과 관계를 보장하는 것은 아니다. 나머지 선택지들은 Apriori 알고리즘의 핵심 과정, 연관분석의 기본 개념 및 독립성 가정(향상도가 1인 경우 독립적)을 적절히 설명하고 있다. (정답 : ④)

59. 지지도는 피자와 햄버거를 동시에 구매한 거래 비율로 40%이다. 신뢰도는 햄버거 구매 시 피자를 구매할 확률이 80%, 피자 구매 시 햄버거를 구매할 확률이 66.7%이다. 향상도는 1.3이므로 햄버거와 피자 구매 간의 양의 연관성이 존재한다고 볼 수 있다. 정확도는 관련이 없는 값이다. 따라서 3번 선택지가 올바르다. (**정답** : ③)

60. 지지도는 특정 품목이 거래에 포함된 비율로 계산되며, 품목 A와 B의 지지도는 두 품목이 동시에 포함된 거래 비율이다. 주어진 조건에서 A와 B가 동시에 포함된 거래수는 20이며, 전체 거래수는 100이므로 지지도는 0.20이다.

(**정답** : ①)

61. Support(우유→커피)는 우유와 커피를 포함하는 거래 수를 전체 거래 수로 나눈 값이다. 우유와 커피를 포함한 거래 수는 30이고 전체 거래 수 는 100 이므로 정답은 0.30이 된다. (**정답** : ③)

62. 향상도는 $\dfrac{\frac{300}{1000}}{\frac{600}{1000} \times \frac{600}{1000}} = \dfrac{5}{6} = 0.8333\cdots$ 이므로 0.83이다. (**정답** : ③)

63. R의 apriori 함수를 사용해 연관 규칙을 생성한 후, 생성된 규칙을 보기 위해서는 inspect() 함수를 사용한다. sort()는 규칙을 정렬하는 데 사용되고, arule()은 존재하지 않는 함수이며, apriori()는 규칙을 생성하는 데 사용된다. (**정답** : ③)

64. 연관분석은 소매점에서 상품 배열을 최적화하거나 교차판매를 촉진하기 위해 활용되는 대표적인 데이터 마이닝 기법이다. 텍스트 마이닝은 텍스트 데이터를 분석하는 데 사용되며, 회귀분석은 연속형 변수 간 관계를 분석하는 기법이다. 차원 축소는 데이터의 차원을 줄이는 데 활용된다. (**정답** : ③)

데이터분석 준전문가
모의고사(ADsP)

| 출제   데이터에듀
| 문항수   객관식 : 50

제 1회 모의고사
제 2회 모의고사
제 3회 모의고사

데이터분석 준전문가 모의고사 1회

출제 데이터에듀
문항수 객관식 : 50 (각 2점)

윤박사 분석

㈜데이터에듀가 보유하고 있는 전 회차(1회~47회)의 기출복원문제를 중심으로 최근 5년(2021~2025년)의 출제경향을 분석해서 가장 비슷한 유형으로 50문제를 선별하여 모의고사를 구성하였습니다. 난이도는 최근 5년 동안의 문제 난이도를 유지하면서 4등급을 상대적으로 조금 더 많이 구성하여 어려운 문제에 적응할 수 있도록 하였습니다.

각 과목별로 1과목은 4등급(4문제)을 조금 많이 출제했고, 2과목은 3등급(4문제)을 중심으로 4등급(2문제), 5등급(2문제)을 조금 어렵게 출제했고, 3과목은 4등급(15문제), 3등급(7문제)을 중심으로 기출과 비슷한 난이도로 출제하였습니다.

모의고사 1회를 풀고 70점 이상 받는다면 실제 시험에서 60점 이상 받을 가능성이 높고, 과목별로 약한 부분과 틀린 문제를 추가 학습하는 것이 중요합니다.

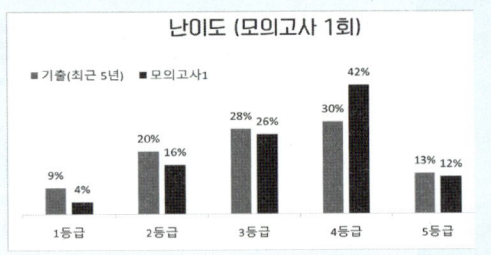

과목1. 데이터 이해 – 10문항

✔11회 기출 출★★★☆☆ 난★★★☆☆

01. 빅데이터 시대에는 데이터를 많이 확보했거나 확보할 수 있는 기업이 혁신을 시도하거나 경쟁력과 생산성 향상을 도모하기에 유리하다. 다음 보기 중 이러한 속성에 부합되기 어려운 기업 분류는?

① 신용카드회사
② 여행회사
③ B2B기업
④ 이동통신사

✔43회 기출 출★★★★☆ 난★★☆☆☆

02. 다음 중 비정형 데이터가 아닌 것은?

① 유튜브 영상
② 유튜브 영상의 썸네일 사진
③ 유튜브 영상의 좋아요 수
④ 유튜브 영상의 댓글

✓ 6회 기출 출★★★★☆ 난★★★☆☆

03. 데이터와 정보의 차이를 구분하는 것은 중요하다. 다음 중 정보에 대한 예로 가장 부적절한 것은?

① 평균 구매액 ② 주문 수량 ③ 베스트셀러 ④ 우량 고객

✓ 11회 기출 출★★★★☆ 난★★★☆☆

04. 다음 중 빅데이터의 가치 산정이 어려운 이유의 사례로 보기 어려운 것은?

① 전기차 배터리 충전 정보를 충전소 최적지 선정과 같은 2차적 목적에 활용
② 은행 대출심사 알고리즘 작동 원리 이해의 어려움
③ 구글 검색에서 나타나는 것과 같은 데이터의 반복적 재사용
④ 독자의 전자책 독서 순서 정보가 저자의 글쓰기 방식에 영향을 주는 현상

✓ 33회 기출 출★★★★☆ 난★★★☆☆

05. 다음 설명에 맞는 용어는 무엇인가?

> **아래**
> 기업의 의사결정 과정을 지원하기 위한 주제 중심적이고 통합적이며 시간성을 가지는 비휘발성 데이터의 집합을 (   )라고 한다.

① 데이터베이스 (Database)
② 데이터 마트 (Data Mart)
③ 데이터 웨어하우스 (Data Warehouse)
④ 비즈니스 인텔리전스 (Business Intelligence)

✓ 33회 기출 출★★★★★ 난★★★★☆

06. 사물끼리 정보를 주고 받는 사물인터넷 시대를 빅데이터의 관점에서 바라볼 때 다음 중 사물인터넷의 의미로 가장 적절한 것은?

① 모든 것의 데이터화(Datafication)
② 서비스 지능화(Intelligent Service)
③ 분석 고급화(Advanced Analytics)
④ 정보 공유화(Information Sharing)

✓ 41회 기출 출★★★★☆ 난★☆☆☆☆

07. 빅데이터는 데이터의 형태와 처리 방식에 변화를 가져온다. 다음 중 빅데이터 변화 양상에 대한 설명으로 옳지 않은 것은 무엇인가?

① 사전처리에서 사후처리로
② 인과관계에서 상관관계
③ 데이터의 질에서 데이터의 양
④ 비정형데이터에서 정형데이터로

08. 빅데이터 시대의 위기 요인을 해결하기 위한 통제방안을 모두 선택한 것으로 가장 적절한 것은?

> 아래
>
> 가. 사용자 책임 명확화
> 나. 잘못된 데이터 활용
> 다. 알고리즘 공개
> 라. 데이터 중복 허용

① 가, 나
② 가, 다
③ 나, 다
④ 다, 라

09. 다음 개인정보 비식별화 기술 중 아래에서 설명하고 있는 것으로 가장 적절한 것은?

> 아래
>
> 개인정보의 주요 식별요소를 다른 값으로 대체하여 개인식별을 어렵게 만드는 기술

① 가명처리(Pseudonymization)
② 데이터삭제(Data Reduction)
③ 범주화(Data Suppression)
④ 데이터마스킹(Data Masking)

10. 데이터 분석 직무에서는 기술적인 스킬과 함께 소프트 스킬도 중요하다. 다음 중 소프트 스킬에 해당하는 항목을 모두 고르시오.

> 아래
>
> 가. 문제 해결 능력
> 나. 프로그래밍 능력
> 다. 데이터 분석 능력
> 라. 커뮤니케이션 능력
> 마. 비판적 사고

① 가, 나, 라
② 나, 다, 마
③ 다, 라, 마
④ 가, 라, 마

과목2. 데이터 분석 기획 – 10문항

✓ **41회 기출** 출★★★★☆ 난★★★☆☆

11. 분석 방법과 대상에 따른 접근 방식 중 옳지 않은 것은 무엇인가?

① 분석 대상을 알고 방법을 모르면 솔루션을 이용할 수 있다.
② 분석 대상과 방법을 모르면 인사이트를 찾아야 한다.
③ 분석 방법만 알면 인사이트를 찾을 수 있다.
④ 대상과 분석 방법을 알면 최적화가 가능하다.

✓ **43회 기출** 출★★★★☆ 난★★★☆☆

12. 데이터 표준화에 대한 설명으로 올바른 것은?

① 표준화 활동은 한 번 설정되면 변경할 필요가 없으며, 지속적인 모니터링이 필요하지 않다.
② 데이터 표준화는 상호 검증이 가능하도록 점검 프로세스를 포함해야 한다.
③ 데이터 저장소 관리에서는 반드시 시스템과 분리된 독립적인 저장소를 운영해야 한다.
④ 데이터 표준화는 데이터의 정확성과 완성도를 유지하기 위해 특정 언어로만 명명 규칙을 설정해야 한다.

✓ **41회 기출** 출★★☆☆☆ 난★★★★☆

13. KDD 분석 절차 중 아래 보기 설명에 해당하는 것은?

> **아래**
> 분석 목적에 맞게 데이터의 변수를 생성, 선택하고 데이터의 차원을 축소하는 과정

① 데이터 선택　　② 데이터 전처리
③ 데이터 변환　　④ 모델링

✓ **30회 기출** 출★★★★☆ 난★★☆☆☆

14. 분석 과제를 발굴하기 위한 접근법 중 하향식 접근방법의 과정이 아닌 것은?

① 기업의 내/외부 환경을 포괄하는 비즈니스 모델과 외부 사례를 기반으로 문제를 탐색한다.
② 기업내부의 과거 데이터를 무조건 결합 및 활용한다.
③ 식별된 비즈니스 문제를 데이터의 문제로 변환하여 정의한다.
④ 도출된 분석 문제나 가설에 대한 대안을 과제화하기 위해 타당성을 평가한다.

✓ **17회 기출** 출★★★★☆ 난★★★★★

15. 분석기회 발굴의 범위 중 시장 니즈 탐색 관점에서 고객 니즈의 변화에 해당하는 것이 아닌 것은?

① 고객　　② 채널
③ 영향자들　　④ 대체재

✓ 30회 기출 출★★★★★ 난★★★★☆

16. 분석 과제를 도출하기 위한 상향식 접근방식에 대한 설명으로 옳지 않은 것은?

① 상향식 접근방식의 데이터 분석은 비지도 학습방법에 의해 수행된다.
② 분석적으로 사물을 인식하려는 'Why' 관점에서 접근한다.
③ 인과관계로부터 상관관계분석으로의 이동이라는 변화를 만들었다.
④ 사물을 있는 그대로 인식하는 'What' 관점에서 접근한다.

✓ 28회 기출 출★★★★★ 난★★★☆☆

17. 다음 중 분석 마스터 플랜과 ISP의 관계로 부적절한 것은?

① 기업 및 공공기관에서는 시스템의 중장기 로드맵을 정의하기 위한 정보전략계획인 ISP를 수행한다.
② ISP는 분석 마스터 플랜과 달리 시스템 구축 우선순위를 결정하는 등의 중장기 마스터 플랜을 수립한다.
③ 분석 마스터 플랜은 데이터 분석 기획의 특성을 고려하여 수행한다.
④ 분석 마스터 플랜은 ISP와는 다르게 인프라와 모델링에 집중하는 방법이다.

✓ 29회 기출 출★★★★★ 난★★★★★

18. 다음 분석 성숙도 모델의 설명 중 다른 수준의 단계는 무엇인가?

① 분석 COE 조직 운영
② 전문 담당부서에서 수행
③ 분석기법 도입
④ 관리자가 분석 수행

✓ 34회 기출 출★★★★★ 난★★☆☆☆

19. 다음 중 빈칸에 공통으로 들어갈 알맞은 단어는 무엇인가?

> **아래**
> ( )란 전사차원의 모든 데이터에 대하여 정책 및 지침, 표준화, 운용조직 및 책임 등의 표준화된 관리체계를 수립하고 운영을 위한 프레임워크(Framework) 및 저장소(Repository)를 구축하는 것을 말한다. 특히 마스터 데이터(Master Data), 메타 데이터(Meta Data), 데이터 사전(Data Dictionary)은 ( )의 중요한 관리 대상이다.

① 데이터 거버넌스 (Data Governance)
② 데이터 품질 관리 (Data Quality Management)
③ 데이터 분석 (Data Analytics)
④ 데이터 보안 (Data Security)

✓ 43회 기출 출★★★★☆ 난★★★☆☆

20. 데이터분석 조직구조 중 옳은것은?

① 기능형 - 현업업무부서의 분석업무와 전사업무가 통합되어 효율성이 높다.
② 집중형 - 별도 분석조직이 없고 해당 업무부서에서 집중해서 분석을 수행한다.
③ 분산형 - 분석 인력들을 현업부서로 직접 배치하여 분석업무를 수행한다.
④ 혼합형 - 중앙 분석 조직과 현업부서 간의 협력이 거의 필요하지 않다.

과목3. 데이터 분석 - 30문항

✓ 41회 기출 출★★★☆☆ 난★★☆☆☆

21. 데이터 정제를 위해 결측값의 인식이 중요하다. 다음 중 결측값에 대한 설명으로 가정 적절하지 않은 것은?

① 잘 사용되지 않는 특정한 숫자나 문자로 결측값을 표시하기도 한다.
② 결측값 처리 여부가 데이터 분석의 속도에 영향을 미치지 않는다.
③ 결측값은 분석 결과의 정확도에 영향을 미칠 수 있다.
④ 결측값이 많으면 분석 결과가 왜곡되어 신뢰성이 떨어질 수 있다.

✓ 30회 기출 출★★★☆☆ 난★★★☆☆

22. 이상치를 찾는 것은 데이터 분석에서 데이터 전처리를 어떻게 할지 검정할 때 사용할 수 있다. 다음 중 상자그림을 이용하여 이상치를 판정하는 방법에 대한 설명으로 가장 부적절한 것은?

① IQR = Q3-Q1 이라고 할 때, Q1-1.5*IQR〈x〈Q3+1.5*IQR을 벗어나는 x를 이상치라고 규정한다.
② 평균으로부터 3*표준편차 범위를 벗어나는 것들을 비정상이라 규정하고 제거한다.
③ 이상치는 변수의 분포에서 벗어난 값으로 상자 그림을 통해 확인할 수 있다.
④ 이상치는 분포를 왜곡할 수 있으나 실제 오류 인자인지에 대해서는 통계적으로 판단하지 못하기 때문에 제거여부는 실무자들을 통해서 결정하는 것이 바람직하다.

✓ 35회 기출 출★★★★★ 난★★★☆☆

23. 다음 중 아래의 확률분포를 가진 확률변수 X의 평균값으로 가장 적절한 것은?

x	1	2	3	4
f(x)	0.5	0.3	0.2	0

① 1.5
② 1.7
③ 3
④ 5

✓ 42회 기출 출★★★★★ 난★★★★☆

24. 신용 평가 시스템의 진단 결과를 바탕으로, '신용 불량'으로 진단된 사람이 실제로 신용 불량일 확률을 계산하시오.

> **아래**
> 전체 중 실제로 신용이 불량한 사람 : 15%
> 신용 평가 시스템을 통해 "신용 불량"으로 분류된 사람 : 25%
> 실제로 신용 불량인 사람들 중 "신용 불량"으로 평가 받은 사람 : 80%

① 32% ② 48%
③ 55% ④ 65%

✓ 16회 기출 출★★★★★ 난★★★★☆

25. 아래는 근로자의 임금(wage)과 교육수준(1. HS Grad 2, HS Grad. 3,some College, 4. College Grad, 5. Advanced Degree)의 관계를 나타낸 그래프이다. 다음 중 아래에 대한 설명으로 부적절한 것은?

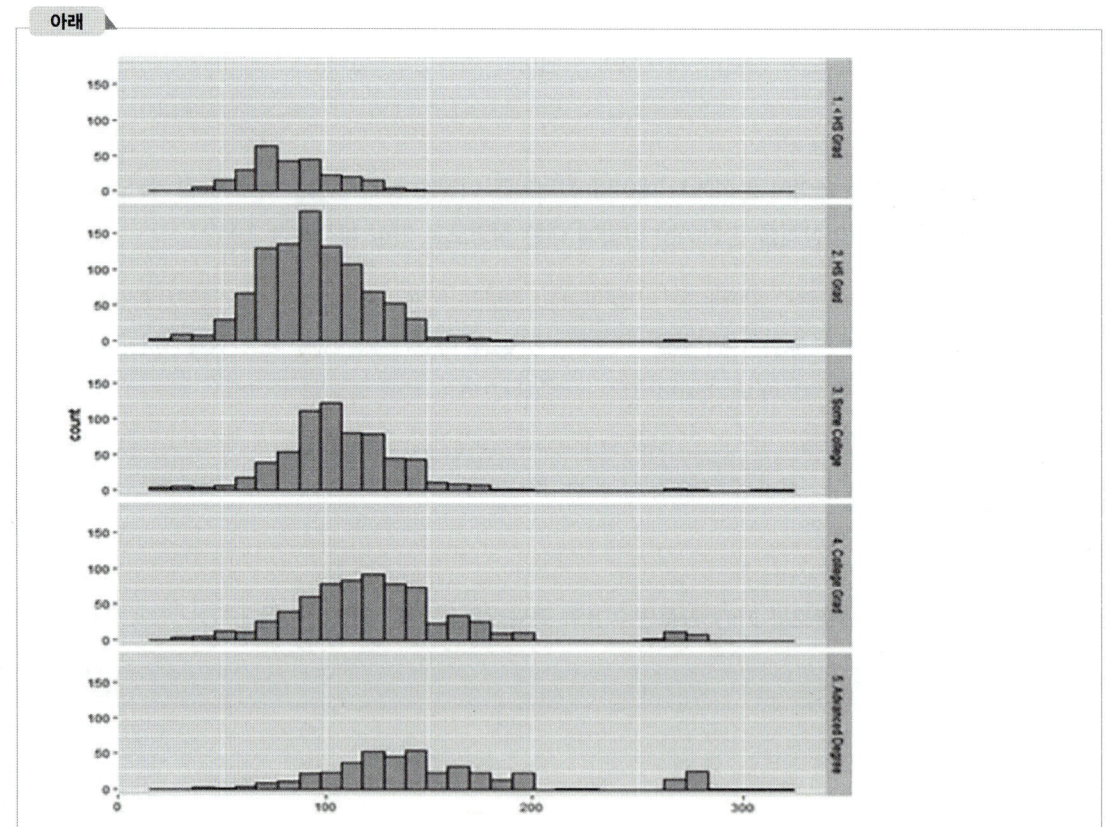

① 각 학력 수준에 따라 임금의 분포를 나타낸다.
② 학력 수준이 높아질수록 임금은 높아지는 경향이 있다.
③ 각 막대의 높이는 임금 수준을 나타낸다.
④ 5. Advanced Degree 그룹의 임금 분포는 이상치가 존재한다.

✓29회 기출

26. Default 데이터셋은 10000명의 신용카드 고객에 대한 카드대금 연체여부(default=Yes/No), 학생여부(student=Yes/No)를 포함한다. 아래의 독립성 검정 결과 중 틀린 것은?

아래

```
> table(Default$default,Default$student)

      No   Yes
 No  6850 2817
 Yes  206  127

> chisq.test(Default$default,Default$student)

Pearson's Chi-squared test with Yates' continuity correction

data:  a
X-squared = 12.117, df = 1, p-value = 0.0004997
```

① 카이제곱 검정은 범주형 데이터를 대상으로 범주 간의 차이를 분석한다.
② 귀무가설은 '학생과 비학생의 연체율은 같다.' 이다.
③ 학생과 비학생 간에 연체의 차이가 5% 유의수준에서 존재한다.
④ 학생과 비학생 간의 연체는 서로 독립이다.

✓33회 기출

27. 다음 가설검정 용어 중 '귀무가설이 옳은데도 이를 기각하는 확률의 크기'를 나타내는 용어는 무엇인가?

① 제 2종 오류
② 검정통계량
③ 기각역
④ 유의수준

✓44회 기출

28. 비모수 검정으로 적절하지 않는 것은 무엇인가?

① 윌-콕슨 순위합 검정(Wilcoxon rank-sum test)
② Run 검정(Run test)
③ 부호 검정(Sign test)
④ F 검정(F-test)

✓ 39회 기출 출★★★★★ 난★★★★☆

29. 회귀분석에서 잔차의 정규성은 중요한 가정 중 하나이다. 다음 중 잔차의 정규성 검토에 대한 설명으로 옳지 않은 것은?

① 정규확률그림(Q-Q Plot)은 잔차의 정규성을 시각적으로 평가할 때 사용된다.
② 잔차가 정규성을 만족하는지 히스토그램이나 산점도를 통해 확인할 수 있다.
③ 정규성을 검정하기 위한 통계적 방법으로 Kolmogorov-Smirnov test가 있다.
④ 정규성 가정을 충족하지 못한 경우 상관계수가 높은 변수를 제거하여 해결할 수 있다.

✓ 38회 기출 출★★★★★ 난★★★☆☆

30. 다음 회귀분석 결과를 분석한 내용으로 적절한 것을 고르시오.

아래

```
> summary(lm(weight~Time, data=ChickWeight))

Call:
lm(formula = weight ~ Time, data = ChickWeight)

Residuals:
     Min      1Q   Median      3Q      Max
-138.331 -14.536   0.926   13.533  160.669

Coefficients:
             Estimate  Std. Error  t value  Pr(>|t|)
(Intercept)   27.4674     3.0365    9.046   <2e-16 ***
Time           8.8030     0.2397   36.725   <2e-16 ***
---
Signif. codes:  0 '***' 0.001 '**' 0.01 '*' 0.05 '.' 0.1 ' ' 1

Residual standard error: 38.91 on 576 degrees of freedom
Multiple R-squared: 0.7007,    Adjusted R-squared: 0.7002
F-statistic: 1349 on 1 and 576 DF, p-value: < 2.2e-16
```

① 유의수준 5% 하에서 Time 계수는 통계적으로 유의하지 않다.
② 독립변수는 weight이며, 종속변수는 Time이다.
③ Time이 1씩 증가할 때마다 weight가 8.8030씩 증가한다.
④ R-squared의 값이 0.7007로 0.05보다 크므로 회귀모형은 유의하지 않다고 할 수 있다.

✓ 31회 기출 출★★★★★ 난★★★★★

31. 다음 중 다중공선성(multicollinearity)에 대한 설명으로 가장 부적절한 것은?

① 다중공선성 문제를 해결하기 위해 중요하지 않으면서 다른 변수와 상관성이 높은 변수를 제거한다.
② 표본수가 증가해도 VIF에서 일반 결정계수는 크게 변하지 않는다.
③ 두 변수의 VIF 값이 "1"에 가까우면 회귀식의 기울기는 완만하다.
④ 구조적 다중공선성의 문제가 있는 경우에는 데이터의 평균 중심을 변화시킨다.

✓ 17회 기출 출★★★★☆ 난★★★★☆

32. 다음 중 회귀분석에서 나온 결정계수(R^2)에 대한 설명으로 옳지 않은 것은?

① 총제곱의 합 중 설명된 제곱의 합의 비율을 뜻한다.
② 종속변수에 미치는 영향이 적은 독립변수가 추가된다면 결정계수는 변하지 않는다.
③ R^2의 값이 클수록 회귀선으로 실제 관찰치를 예측하는데 정확성이 높아진다.
④ 독립변수와 종속변수 간의 표본 상관계수 r의 제곱값과 같다.

✓ 26회 기출 출★★★★★ 난★★★★☆

33. 다음 시계열 분석의 기초가 되는 개념인 정상성(Stationarity)의 특징에 관한 설명이다. 설명이 옳지 않은 것은?

① 평균이 일정하다. 즉 모든 시점에 대한 일정한 평균을 가진다.
② 시계열 분석에서 비정상 시계열 자료는 시계열 분석을 할 수 없다.
③ 분산도 시점에 의존하지 않는다.
④ 공분산은 단지 시차에만 의존하고 실제 어느 시점 t, s에는 의존하지 않는다.

✓ 38회 기출 출★★★★★ 난★★★★★

34. 다음 중 백색잡음에 대한 설명으로 가장 적절한 것은?

① 시계열 데이터의 비정상성을 나타낸다.
② 특정 시계열 데이터의 모든 백색잡음에 대한 합은 0에 수렴한다.
③ 백색잡음은 오차항으로 측정되며 확률변수로 간주되지 않는다.
④ 백색잡음의 평균은 일반적으로 1로 나타난다.

✓ 39회 기출 출★★★★☆ 난★★★☆☆

35. 여러 대상 간의 거리가 주어져 있을 때, 대상들을 동일한 상대적 거리를 가진 실수 공간의 점들로 배치시키는 방법을 무엇이라 하는가?

① 주성분 분석 (PCA)
② 군집 분석 (Clustering)
③ 다차원 척도법 (MDS)
④ 회귀 분석 (Regression)

✓ 30회 기출 출★★★☆☆ 난★★★★☆

36. 다음 중 주성분 개수(m)를 선택하는 방법에 대한 설명으로 부적절한 것은?

① 전체 변이 공헌도 방법에서는 전체 변이의 70~90% 정도를 설명하도록 주성분의 개수를 결정한다.
② 평균 고윳값(average eigenvalue)방법은 고윳값들의 평균을 구한 후 고윳값이 평균값 이상이 되는 주성분을 제거하는 방법이다.
③ Scree graph 방법은 고윳값 크기의 감소 추세가 완만해지는 지점에서 주성분 개수를 선택한다.
④ 주성분의 계수 구조를 바탕으로 적절히 해석되어야 하지만, 명확히 정의된 해석 방법은 없다.

✓ 40회 기출 출★★★★★ 난★★★★★

37. Fb지표에 대한 설명 중 옳은 것은?

① Fb가 0일 경우, precision과 recall이 동일한 가중치를 갖는다.
② Fb가 2일 경우, recall에 2배 가중치를 두어 평균한다.
③ Fb가 0.5일 경우, precision에 2배 가중치를 두어 평균한다.
④ Fb가 커질수록 recall의 비중이 증가한다.

✓ 42회 기출 출★★★★☆ 난★★★☆☆

38. 보험금 신청 고객의 사기 여부("yes" 또는 "no")를 예측하기에 적절하지 않은 분류 모델은 무엇인지 고르시오.

① 선형회귀분석
② 나이브 베이지안 분류
③ 인공신경망
④ SVM

39. Default 데이터는 10,000명의 신용카드 고객에 대한 체납 여부(default)와 학생여부(student), 카드 잔고(balance), 연봉(income)을 포함하고 있다. 고객의 체납 확률을 예측하기 위한 아래 결과에 대한 설명으로 가장 부적절한 것은?

```
> summary(glm(default~.,data=Default,family="binomial"))

Call:
glm(formula = default ~ ., family = "binomial", data = Default)

Deviance Residuals:
    Min       1Q   Median       3Q      Max
-2.4691  -0.1418  -0.0557  -0.0203   3.7383

Coefficients:
              Estimate Std. Error  z value Pr>|zi|
(Intercept) -1.087e+01  4.923e-01  -22.080  < 2e-16 ***
studentYes  -6.468e-01  2.363e-01   -2.738  0.00619 **
balance      5.737e-03  2.319e-04   24.738  < 2e-16 ***
income       3.033e-06  8.203e-06    0.370  0.71152
---
Signif. codes:  0 '***' 0.001 '**' 0.01 '*' 0.05 '.' 0.1 ' ' 1

(Dispersion parameter for binomial family taken to be 1)

    Null deviance: 2920.6  on 9999  degrees of freedom
Residual deviance: 1571.5  on 9996  degrees of freedom
AIC: 1579.5

Number of Fisher Scoring iterations: 8
```

① 로지스틱 회귀모형을 사용한 결과이다.
② 카드 잔고와 연봉이 동일한 수준일 때, 학생(studentYes)이 학생이 아닌 고객보다 체납확률이 낮다.
③ 세 설명변수 모두 체납확률을 예측하는데 유의한 영향이 있다.
④ 동일한 신분과 연봉 수준일 때 카드 잔고가 높을수록 체납 확률이 높다.

✓ 38회 기출 출★★★☆☆ 난★★★★☆

40. 의사결정나무를 이용한 분류에서 각 분기의 지니지수를 계산하는 과정이 있다. 다음 중 B 분기의 지니지수 값으로 가장 적절한 것은?

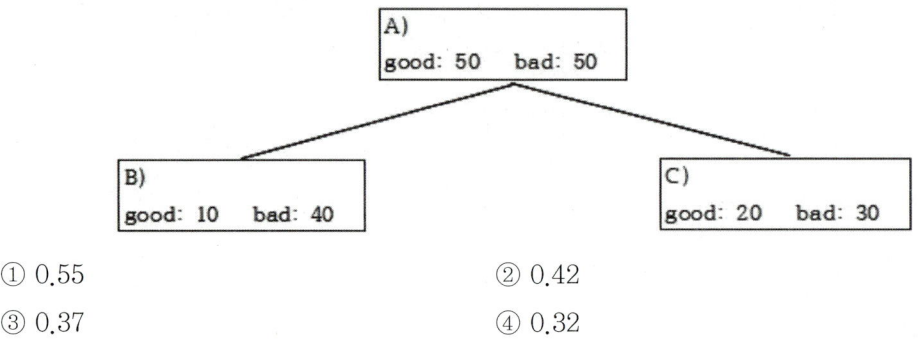

① 0.55   ② 0.42
③ 0.37   ④ 0.32

✓ 25회 기출 출★★★★☆ 난★★☆☆☆

41. 다음 중 앙상블 기법이라고 할 수 없는 것은?

① 시그모이드
② 부스팅
③ 배깅
④ 랜덤포레스트

✓ 40회 기출 출★★★★☆ 난★★★★☆

42. 아래 보기의 신경망 모형에 대한 문제점을 해결한 방법으로 가장 적절하지 않은 것은?

> **아래**
>
> 다층 신경망 모형에서 은닉층의 개수를 너무 많이 설정하면 역전파 과정에서 앞쪽 은닉층의 가중치가 조정되지 않아, 신경망에 대한 학습이 제대로 되지 않는다.

① Xavier 가중치 초기화
② ReLU 활성화 함수
③ 기울기 소실 문제
④ LSTM, GRU 와 같은 순환 신경망 구조

✓ 37회 기출 출★★★★★ 난★★★☆☆

43. 신경망 모형에서는 입력 데이터를 처리하여 다음 층으로 전달하기 위해 특정 함수를 사용한다. 다음 중 이러한 함수로 적절한 것은?

① 소프트웨어 모듈 함수
② 활성화 함수
③ 상태 전이 함수
④ 군집화 규칙 함수

✓ 16회 기출 출 ★★★★☆ 난 ★★★★☆

44. nci.data는 64개 암세포주에 대한 6830개 유전자 microarray 데이터이다. 아래는 이 자료를 이용한 군집분석 결과이다. 다음 중 아래 결과에 대한 설명으로 가장 부적절한 것은?

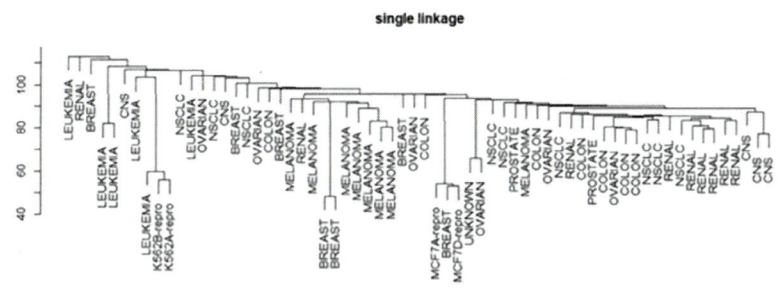

① 최단 연결법을 사용한 계층적 군집분석 방법이다.
② 두 군집 사이의 거리를 각 군집에서 하나의 관측값을 뽑았을 때 나타날 수 있는 거리의 최소값으로 측정한다.
③ 사슬모양의 군집이 생길 수 있다.
④ 평균연결법에 비해 계산량이 많다.

✓ 40회 기출 출 ★★★★☆ 난 ★★★★☆

45. 다음 수식을 통해 구할 수 있는 데이터 간 거리는 무엇인가?

> 아래
> $$d(x,y) = \left(\sum_{i=1}^{p} |x_i - y_i^m|\right)^{\frac{1}{m}}$$
> 단, m은 1과 2가 아님

① 자카드 거리
② 민코프스키 거리
③ 맨하탄 거리
④ 표준화 거리

✓ 35회 기출 출 ★★☆☆☆ 난 ★★★★☆

46. 다음 중 군집분석에 대한 설명으로 가장 적절하지 않은 것은?

① 분할적 군집은 데이터를 사전에 정의된 군집 수로 나누며, 초기 군집의 설정이 결과에 큰 영향을 미칠 수 있다.
② 중심 기반 군집화 알고리즘으로, 초기 중심을 임의로 설정하고 데이터 점들을 가장 가까운 중심에 할당하는 과정을 반복한다.
③ k-medoid는 실제 데이터 값 중에서 중심점을 선택하므로 이상값에 강하지만, 계산량이 k-평균법보다 많아질 수 있다.
④ 밀도 기반 클러스터링(DBSCAN) 모델은 밀도 있게 연결된 데이터 집합을 동일한 군집으로 판단하는 방법이지만 k-평균법 모델처럼 오목한 형태의 데이터 세트에서는 군집 특성을 잘 찾아내지 못한다.

✓ 18회 기출 출★★★★☆ 난★★★★☆

47. SOM은 비지도 신경망으로 고차원의 데이터를 이해하기 쉬운 저차원의 뉴런으로 정렬하여 지도 형태로 형상화하는 방법이다. 다음 중 SOM 방법에 대한 설명으로 부적절한 것은?

① SOM은 입력변수의 위치 관계를 그대로 보존한다는 특징이 있다. 이러한 SOM의 특징으로 인해 입력 변수의 정보와 그들의 관계가 지도상에 그대로 나타난다.

② SOM을 이용한 군집분석은 인공신경망의 역전파 알고리즘을 사용함으로써 수행 속도가 빠르고 군집의 성능이 매우 우수하다.

③ SOM 알고리즘은 고차원의 데이터를 저차원의 지도 형태로 형상화하기 때문에 시각적으로 이해하기 쉬울 뿐 아니라 변수의 위치 관계를 그대로 보존하기 때문에 실제 데이터가 유사하면 지도상 가깝게 표현된다.

④ SOM은 경쟁 학습으로 각각의 뉴런이 입력 벡터와 얼마나 가까운가를 계산하여 연결강도를 반복적으로 재조정하여 학습한다. 이와 같은 과정을 거치면서 연결강도는 입력 패턴과 가장 유사한 경쟁층 뉴런이 승자가 된다.

✓ 46회 기출 출★★★★★ 난★★☆☆☆

48. 연관 분석에서 사용되는 주요 측정 지표에 대한 설명으로 옳지 않은 것은 무엇인가?

① 지지도는 특정 항목 집합이 전체 거래 중 얼마나 자주 발생하는지를 나타내는 지표이다.
② 신뢰도는 특정 항목이 포함된 거래에서 다른 항목도 포함될 확률을 계산하여 제공한다.
③ 향상도는 특정 연관 규칙이 우연히 발생할 가능성을 평가하는 지표로, 값이 높을수록 규칙의 유용성을 나타낸다.
④ 지지도가 낮을수록 해당 항목 간의 결합이 강력함을 나타내며, 마케팅 전략 수립에 유리하다.

✓ 39회 기출 출★★★★★ 난★★☆☆☆

49. 아래 설명에 해당하는 데이터 마이닝 방법론에 대한 설명으로 가장 적절한 것은?

> **아래**
> 거래 데이터에서 특정 항목의 발생이 다른 항목의 발생에 어떤 영향을 미치는지 패턴을 찾아내는 것

① 회귀분석
② 예측
③ 이상탐지
④ 연관분석

50. 식료품 판매점의 한 달 매출관련 Groceries 데이터셋에 대해 연관규칙분석을 실시한 자료이다. 다음 중 옳지 않은 것을 고르시오.

아래

```
> data(Groceries)
> inspect(Groceries[1:3])
         items
{1} {citrus fruit,
    semi-finished bread,
    margarine,
    ready soups}
{2} {tropical fruit,
    yogurt,
    coffee}
{3} {whole milk}
> apriori(Groceries,parameter = list (support = 0.01, confidence = 0.3))
Apriori

Parameter specification:
confidence minval smax arem aval originalSupport maxtime support minlen
       0.3    0.1    1 none FALSE TRUE              5    0.01      1
maxlen target    ext
    10  rules FALSE

Algorithmic control:
filter tree heap memopt load sort verbose
   0.1 TRUE TRUE  FALSE TRUE    2    TRUE

Absolute minimum support count: 98

0.01

set item appearances ...[0 item(s)] done [0.00s].
set transactions ...[169 item(s), 9835 transaction(s)] done [0.00s].

sorting and recoding items ... [88 item(s)] done [0.01s].
creating transaction tree ... done [0.00s].
checking subsets of size 1 2 3 4 done [0.00s].
writing ... [125 rule(s)] done [0.00s].
creating S4 object ... done [0.00s].
set of 125 rules
```

① 최소 지지도(support) 0.01과 최소 신뢰도(confidence) 0.3이 적용되어 총 125개의 규칙이 생성되었다.
② 생성된 규칙의 최대 길이(maxlen)는 10으로 설정되어 있으며, 이는 아이템 조합이 최대 10개까지 포함될 수 있음을 의미한다.
③ 최소 지지도를 통해 확인된 전체 아이템의 개수는 98개이다.
④ 생성된 규칙은 모두 신뢰도가 0.3 이상이어야 한다.

제1회 모의고사 답안

데이터 분석 준전문가 자격검정 시험

【 객관식 정답 】

01	③	11	②	21	②	31	③	41	①
02	③	12	②	22	②	32	②	42	③
03	②	13	②	23	②	33	②	43	②
04	②	14	②	24	②	34	②	44	④
05	③	15	④	25	③	35	③	45	②
06	①	16	②	26	④	36	③	46	④
07	④	17	④	27	④	37	④	47	②
08	②	18	①	28	④	38	①	48	④
09	①	19	①	29	④	39	④	49	④
10	④	20	③	30	③	40	④	50	③

영역	맞은 개수
데이터 이해	/10
데이터 분석 기획	/10
데이터 분석	/30

모바일로 풀기

---

1 데이터 이해
10문항

01. 빅데이터의 활용은 데이터를 많이 수집하고 고객 접점이 높은 기업에 유리하다. 신용카드회사나 이동통신사는 대규모 고객 데이터를 보유하며 실시간 거래 데이터를 수집하기 때문에 혁신에 활용하기 유리하며 여행회사는 고객의 선호나 여행 패턴 데이터를 확보할 수 있다. 반면, B2B 기업은 기업 간 거래에 초점이 맞춰져 있어 데이터 수집량과 접점이 상대적으로 적어 빅데이터 활용에 어려움을 겪을 수 있다.

02. 비정형 데이터는 영상, 이미지, 텍스트 등 구조화되지 않은 데이터를 의미하며, 유튜브 영상과 썸네일 사진, 댓글은 모두 비정형 데이터에 해당된다. 반면 '유튜브 영상의 좋아요 수'는 수치화된 정량적 데이터로 정형 데이터에 해당된다.

03. 정보는 데이터를 가공하여 특정 목적에 유용한 형태로 변환한 결과이다. '주문 수량'은 단순한 데이터로, 추가적인 가공 없이 정보로 활용하기 어렵기 때문이다. 반면, 다른 선택지들은 데이터를 분석하거나 가공하여 유의미한 인사이트를 제공하는 정보이다.

04. 빅데이터의 가치는 주로 데이터의 활용 가능성과 예상하지 못한 방식으로 재사용되는 사례에 의해 복잡하게 산정된다. 그러나 "은행 대출심사 알고리즘 작동 원리 이해의 어려움"은 가치 산정의 문제가 아니라 기술적 복잡성과 관련된 문제이다. 즉, 이는 데이터 활용의 가치 산정보다는 알고리즘의 투명성 부족에 따른 이해의 어려움 문제이다.

05. 데이터 웨어하우스는 주제 중심적이고 통합적이며 시간성을 가지는 비휘발성 데이터의 집합으로, 기업 의사결정을 지원하기 위한 시스템이다. 데이터베이스는 실시간 거래 데이터 저장에 사용되며, 데이터 마트는 데이터 웨어하우스의 하위 개념으로 일부 주제에 집중한다. 비즈니스 인텔리전스는 데이터 분석 및 시각화를 포함하는 개념이다.

06. 사물인터넷은 모든 사물이 인터넷에 연결되어 데이터를 생성하고 교환하는 것을 의미한다. 이 과정에서 모든 것의 데이터화가 이루어지며, 이를 통해 빅데이터가 수집되고 분석된다. 서비스 지능화, 분석 고급화, 정보 공유화는 사물인터넷과 관련된 내용이지만 빅데이터 관점에서 가장 핵심은 데이터화다.

07. 빅데이터는 다양한 형태의 데이터를 다루며, 정형 데이터뿐만 아니라 비정형 데이터(텍스트, 이미지 등)의 중요성이 더욱 커지는 특징이 있다. 따라서 "비정형 데이터에서 정형 데이터로"라는 설명은 빅데이터의 변화 양상에 적합하지 않다.

08. 빅데이터 시대의 위기 요인을 해결하기 위해 사용자 책임 명확화와 알고리즘 공개는 중요한 해결책이다. 반면 잘못된 데이터 활용은 위기 요인의 원인이며, 데이터 중복 허용도 부정확성을 초래할 수 있어 적절한 해결책이 아니다.

09. 보기에서 설명하고 있는 기술은 가명처리에 해당한다. 가명처리는 데이터 분석과 활용 목적에서 원본 데이터를 유지하면서도 식별 가능성을 최소화하기 위한 개인정보 비식별화 기술이다. 데이터 삭제는 데이터를 완전히 제거하는 것이고, 범주화와 데이터 마스킹은 특정 데이터를 그룹화하거나 숨기는 기술로 설명과 다르다.

10. 소프트 스킬은 기술적 도구나 프로세스를 다루는 하드 스킬과 달리, 문제를 창의적으로 해결하거나 팀원과 효과적으로 소통하는 데 필요한 비기술적 역량이다. 보기에서 소프트 스킬에 해당하는 항목은 문제 해결 능력, 커뮤니케이션 능력, 비판적 사고이다.

2 데이터 분석 기획
10문항

11. 분석 대상과 방법을 모두 모를 경우, 발견(Discovery) 단계에 해당한다. 이는 데이터 탐색, 패턴 발견, 문제 정의와 같은 과정을 포함하며, 단순히 "인사이트를 찾아야 한다"는 설명은 부적절하다. 발견(Discovery)은 분석 초기 단계에서 새로운 정보를 정의하고 구조화하는 데 초점을 둔다.

12. 데이터 표준화는 데이터를 일관성 있고 신뢰성 있게 관리하기 위한 활동으로, 데이터 정의, 명명 규칙, 코드 표준 등을 포함한다. 올바른 데이터 표준화는 상호 검증을 통해 데이터의 정확성과 통일성을 유지해야 한다. 따라서 상호 검증이 가능하도록 점검 프로세스를 포함하는 것이 중요하다.

13. 보기에서 설명하는 과정은 데이터 변환에 해당한다. 데이터 변환은 KDD(Knowledge Discovery in Databases) 분석 절차에서 데이터를 분석 가능하도록 변형하는 과정으로, 변수 생성, 차원 축소, 데이터 통합 등이 포함된다. 데이터 선택은 분석에 필요한 데이터를 고르는 단계이며, 전처리는 데이터 정제 과정, 모델링은 분석 모델을 적용하는 단계다.

14. 하향식 접근법은 비즈니스 모델과 외부 사례를 바탕으로 문제를 탐색하고, 데이터를 통해 문제를 정의하며 타당성을 평가하는 방식이다. 내부 데이터를 무조건 결합하는 것은 비효율적이고 하향식 접근법과는 거리가 있다.

15. 시장 니즈 탐색은 고객, 채널, 영향자들에 초점을 맞춘다. 고객은 제품과 서비스의 주요 대상이며, 채널은 제품이 전달되는 경로, 영향자는 구매에 영향을 미치는 요소를 의미한다. 대체재는 시장 경쟁 환경과 관련된 요소로, 고객 니즈의 변화와는 직접적인 관련이 없다.

16. 상향식 접근방식은 'What' 관점에서 사물을 있는 그대로 인식하며, 명확한 가설 없이 패턴을 발견하는 데 중점을 두기 때문에 비지도 학습 방법이 주로 활용된다. 'Why' 관점은 하향식 접근법에서 사용되는 방식이다.

17. 분석 마스터 플랜은 데이터 분석 기획 및 실행 전략을 포함하며, ISP는 정보 전략 계획으로 시스템 구축의 우선순위와 관련된 전략이다. 인프라와 모델링에 집중하는 것은 ISP와도 관련될 수 있기 때문에 분석 마스터 플랜과 ISP를 분리하는 설명으로 적절하지 않다.

18. 분석 성숙도 모델은 도입, 활용, 확산, 최적화 단계로 구분된다. 관리자가 분석을 수행하는 것과 전문 담당 부서에서 분석을 수행하고 분석 기법을 도입하는 것은 활용 단계에 해당한다. 분석 COE 조직 운영은 분석이 전사적으로 확산되는 '확산 단계'의 특징이다.

19.

비기봇 해설

데이터 거버넌스는 전사적인 데이터 관리 체계를 수립하고 운영하는 프레임워크를 구축하는 것을 의미합니다. 이는 마스터 데이터, 메타 데이터, 데이터 사전 등을 포함한 모든 데이터의 정책, 지침, 표준화를 관리하는 체계입니다.

1. 데이터 거버넌스 (Data Governance)

: 데이터 거버넌스는 데이터를 조직적으로 관리하기 위한 표준화된 체계를 구축하고, 데이터의 책임과 권한을 명확히 정의하는 것을 목표로 합니다. 마스터 데이터, 메타 데이터, 데이터 사전 관리가 데이터 거버넌스의 주요 영역이므로 문제의 설명과 일치합니다.

2. 데이터 품질 관리 (Data Quality Management)

: 데이터 품질 관리는 데이터의 정확성, 일관성, 완전성을 보장하기 위한 활동을 의미합니다. 이는 데이터 거버넌스의 일부 활동으로 포함될 수 있지만, 문제에서 언급된 정책, 지침, 표준화된 관리체계를 포괄적으로 설명하지는 않습니다.

3. 데이터 분석 (Data Analytics)

: 데이터를 해석하고 인사이트를 도출하는 과정으로, 데이터 관리 체계와는 직접적인 관련이 없습니다.

4. 데이터 보안 (Data Security)

: 데이터 보안은 데이터의 무결성과 기밀성을 유지하며, 불법 접근을 방지하기 위한 활동을 의미합니다. 문제에서 언급된 전사적 데이터 관리와는 다른 개념입니다.

20. 분산형 조직 구조는 분석 인력을 현업부서에 배치하여 분석을 실행함으로써 실무 중심의 효율성을 제공한다. 기능형 조직은 부서 간 분석 업무가 통합되지 않아 전사적 분석 수행이 어려울 수 있고 집중형 조직은 중앙에 독립된 분석 조직이 있어 분석 업무를 전담하여 관리한다. 혼합형은 중앙 분석 조직과 현업 부서 간 협력이 강조된다.

3 데이터 분석
30문항

21. 결측값은 데이터 분석에서 매우 중요한 요소로, 적절히 처리하지 않으면 분석 결과의 정확도와 신뢰성을 떨어뜨릴 수 있다. 잘 사용되지 않는 숫자나 문자로 결측값을 표시하는 것은 데이터에서 흔히 사용하는 방법 중 하나이며 결측값이 많을 경우 분석 결과가 왜곡되며, 신뢰성이 떨어질 수 있다. 그러나 결측값을 처리하지 않으면 데이터 전처리나 분석 단계에서 추가적인 계산이 필요해 분석 속도에도 영향을 미친다.

22. 상자그림은 데이터의 이상치를 시각적으로 탐지하는 대표적인 방법으로, 사분위 범위(IQR)를 이용해 이상치를 판정한다. 이상치는 Q1에서 1.5×IQR 아래이거나 Q3에서 1.5×IQR 이상으로 벗어나는 값으로 정의된다. 상자그림은 통계적으로 오류 인자인지는 판별하지 못하므로 제거 여부는 실무자가 결정해야 한다.

23. 확률변수 X의 평균값(기대값 E [X])은 아래의 공식으로 계산된다. $E(X) = \sum x_i f(x_i)$ 이므로 1×0.5 + 2×0.3 + 3×0.2 + 4×0 = 1.7이 정답이다.

24. 신용 불량으로 진단된 사람이 실제로 신용 불량일 확률은 "정밀도"를 계산하는 문제다. 이는 신용 불량으로 진단된 사람 중 실제로 신용 불량인 사람의 비율로 계산된다. 전체 중 신용 불량이 실제로 발생한 확률이 15%이며, 신용 불량으로 평가된 사람이 25%이고, 이 중 80%가 실제 신용 불량이라면 계산식은 (0.8 × 0.15) / 0.25 = 48%이다.

25. 주어진 그래프는 히스토그램 형태로 각 학력 수준별로 임금의 분포를 보여준다. 각 막대의 높이는 특정 구간 내 임금 근로자의 빈도(count)를 나타내며, 막대의 높이가 임금 수준 자체를 의미하지 않는다. Advanced Degree 그룹에서 평균 임금이 가장 높고, High School 졸업 그룹은 가장 낮은 평균 임금을 가지므로 학력 수준과 임금은 양의 상관관계를 가진다. Advanced Degree 그룹의 임금 분포는 오른쪽 꼬리가 길게 분포하고 쌍봉 형태를 나타내고 있어 이상치가 발생할 가능성이 높다.

26. 주어진 데이터는 학생 여부와 연체 여부 간의 관계를 카이제곱 독립성 검정을 통해 분석한 결과이다. 카이제곱 검정은 범주형 데이터를 대상으로 두 범주 간의 차이를 분석하며, 귀무가설은 "학생 여부와 연체 여부는 서로 독립이다"로 설정된다. 결과에서 p값이 0.0004997로 0.05보다 작아 귀무가설을 기각하며, 이는 학생과 비학생 간 연체 여부가 독립적이지 않음을 의미한다. 학생 여부에 따라 연체 여부에 차이가 있음을 5% 유의수준에서 확인할 수 있다.

27. 유의수준은 귀무가설이 참인데도 이를 기각하는 오류, 즉 제1종 오류가 발생할 확률을 의미한다. 검정통계량은 가설 검정에서 사용하는 값이고, 기각역은 검정통계량이 귀무가설을 기각하는 구간이다. 제2종 오류는 귀무가설이 거짓일 때 이를 기각하지 못하는 확률로, 유의수준과는 다른 개념이다.

28. 비모수 검정은 데이터가 특정 분포를 따른다는 가정을 하지 않고 수행하는 통계적 검정 방법이다. 반면, F 검정(F-test)은 분산 분석(ANOVA)이나 회귀 분석의 유의성을 검정할 때 사용되는 방법으로, 자료가 정규분포를 따르고 분산이 균등하다는 모수적 가정 하에 수행되는 모수 검정이다.

29. 잔차의 정규성은 회귀분석에서 중요한 가정이며, 이를 확인하기 위해 정규확률그림(Q-Q Plot), 히스토그램, 산점도 등이 사용된다. Kolmogorov-Smirnov 검정은 정규성을 평가하기 위한 통계적 방법이다. 그러나 정규성을 충족하지 못한 경우 상관계수가 높은 변수를 제거하는 것은 정규성과 직접적인 관련이 없다.

30. 주어진 분석 결과에서 Time 변수의 계수는 8.8030으로 나타났으며, p값이 매우 작아 유의수준 0.05에서 통계적으로 유의하다. 이는 Time이 1씩 증가할 때마다 weight가 평균적으로 8.8030씩 증가함을 의미한다. 독립변수는 Time, 종속변수는 weight이며, R-squared 값이 0.7007로 모델이 데이터의 변동성을 70.07% 설명하고 있음을 나타낸다.

31. 다중공선성은 독립변수 간 상관관계가 높아 회귀분석의 결과 해석에 어려움을 초래하는 문제이다. 이를 해결하기 위해 중요하지 않으면서 상관성이 높은 변수를 제거하는 것이 일반적이다. 표본 수가 증가해도 VIF 값은 일반적으로 크게 변하지 않으며, 구조적 다중공선성 문제의 경우 평균 중심화를 통해 해결할 수 있다. 그러나 VIF 값이 1에 가까운 것은 독립변수 간 상관성이 낮음을 의미하며, 이는 회귀식의 기울기와 직접적인 관계가 없다.

32. 결정계수는 총제곱합 중 설명된 제곱합의 비율을 나타내며, 독립변수와 종속변수 간 관계를 설명하는 정도를 나타낸다. 값이 클수록 회귀선이 관찰치 예측에 정확하다는 것을 의미하며, 독립변수와 종속변수 간의 상관계수 제곱값과 같다. 그러나 독립변수가 추가되면 설명력이 작더라도 결정계수는 증가할 가능성이 있으므로 독립변수가 추가되어도 변하지 않는다는 설명은 부적절하다.

33. 정상성은 시계열 분석의 중요한 가정으로, 평균, 분산, 공분산이 일정해야 한다. 평균과 분산이 일정하고 공분산이 시차에만 의존한다면 정상성을 만족한다고 본다. 그러나 비정상 시계열 데이터도 차분이나 변환을 통해 정상성을 만족시킬 수 있으며, 이를 기반으로 시계열 분석을 수행할 수 있다.

34.

비기봇 해설

백색잡음은 시계열 데이터에서 평균이 0이고, 서로 독립적인 오차항을 의미합니다. 이는 시계열 모델에서 예측되지 않는 랜덤한 변동을 나타내며, 모든 백색잡음의 합은 0에 수렴하는 특성을 가집니다.

1. 시계열 데이터의 비정상성을 나타낸다는 것은 백색잡음의 정의와 맞지 않습니다. 백색잡음은 시계열 데이터의 랜덤한 변동을 나타내며, 비정상성과는 관련이 없습니다.
2. 백색잡음의 합이 0에 수렴한다는 것은 백색잡음의 특성 중 하나입니다. 이는 백색잡음이 평균이 0인 독립적인 오차항으로 구성되어 있기 때문입니다.
3. 백색잡음은 확률변수로 간주됩니다. 이는 시계열 모델에서 예측되지 않는 랜덤한 변동을 설명하기 위해 사용되며, 오차항으로 측정됩니다.
4. 백색잡음의 평균은 0입니다. 이는 백색잡음의 정의에 부합하며, 평균이 1로 나타난다는 설명은 잘못된 것입니다.

35.

다차원 척도법(MDS)은 주어진 거리 데이터를 바탕으로 점들 간의 상대적 거리를 보존하는 방식으로 실수 공간에 점들을 배치하는 방법이다. 주성분 분석은 고차원 데이터를 저차원 데이터로 축소하는 기법이며, 군집 분석은 데이터 그룹화를 목적으로 한다. 회귀 분석은 종속변수와 독립변수 간 관계를 모델링하는 방법이다.

36.

비기봇 해설

주성분 개수 선택 방법은 주성분 분석에서 중요한 단계로, 데이터의 차원을 줄이면서도 최대한의 정보를 유지하는 것이 목표입니다.

1. 전체 변이 공헌도 방법은 주성분이 데이터 변이를 얼마나 설명하는지를 기준으로 개수를 결정하는 방법으로, 일반적으로 70~90%의 변이를 설명하도록 선택합니다. 주성분 분석에서 가장 많이 사용되는 기준 중 하나입니다.
2. 평균 고윳값 방법은 고윳값의 평균을 계산한 후, 평균 이상인 고윳값을 가진 주성분을 선택하는 방법입니다. 고윳값이 평균 이상인 주성분은 데이터 변이를 잘 설명하므로 제거하는 것이 아니라 반드시 선택해야 합니다.
3. Scree graph 방법은 고윳값의 크기를 내림차순으로 나열한 그래프에서 감소 추세가 완만해지는 지점(엘보우 포인트, Elbow Point)을 기준으로 주성분 개수를 결정합니다. 고윳값의 감소 폭이 급격한 구간 이후의 주성분은 데이터 변이에 대한 기여도가 적기 때문에, 감소 추세가 완만해지는 지점을 기준으로 주성분을 선택합니다.
4. 주성분의 계수(고유벡터)를 바탕으로 데이터의 의미를 해석하는 과정은 PCA에서 중요한 단계입니다. 주성분 해석은 데이터와 분석자의 판단에 따라 달라질 수 있으며, 표준화된 절대적 기준이 없습니다.

37.

비기봇 해설

Fb 지표는 precision과 recall의 중요도를 조절하여 모델의 성능을 평가하는 지표입니다. 식은 아래와 같습니다.

$$F_\beta = (1+\beta^2) \cdot \frac{\text{Precision} \cdot \text{Recall}}{(\beta^2 \cdot \text{Precision}) + \text{Recall}}$$

이때, β는 Precision과 Recall의 중요도를 조정하는 파라미터를 의미하며, 상황에 따라 아래와 같이 해석될 수 있습니다.

- $\beta = 1$: Precision과 Recall이 동일한 비중으로 고려됨 (F1 스코어)
- $\beta > 1$: Recall의 비중 증가
- $\beta < 1$: Precision의 비중 증가

1. Fb가 0일 경우, Precision과 Recall이 동일한 가중치를 갖는다.

: $\beta = 0$일 경우 Fb 지표는 계산되지 않으며, Precision과 Recall의 가중치가 동일하지 않습니다. 실제로 $\beta = 1$일 때에만 동일한 가중치를 가집니다.

2. Fb가 2일 경우, recall에 2배 가중치를 두어 평균한다.

: $\beta=2$일 경우, Recall의 중요도가 4배 증가합니다. 이는 β의 제곱에 따라 가중치가 조정되기 때문입니다. Recall에 2배 가중치를 둔다는 설명은 잘못되었습니다.

3. Fb가 0.5일 경우, precision에 2배 가중치를 두어 평균한다.

: $\beta=0.5$일 경우, Precision의 중요도가 $(1/(0.5^2)=4)$배 증가합니다. 따라서 Precision에 2배 가중치를 둔다는 설명은 정확하지 않습니다.

4. Fb가 커질수록 recall의 비중이 증가한다.

: β가 커질수록 β의 제곱값이 증가하므로, Recall의 중요도가 더 커집니다. 이는 β 값을 조정하여 특정 지표(예: Recall)에 더 큰 비중을 두고 모델을 평가하려는 의도를 반영합니다.

38. 보험금 사기 여부는 Yes/No와 같은 범주형 데이터로, 분류 모델이 적합하다. 나이브베이지안, 인공신경망, SVM은 모두 분류 모델로 사용할 수 있지만, 선형회귀분석은 연속형 종속변수를 예측하는 데 사용되므로 적절하지 않다.

39. 로지스틱 회귀모형의 결과로 각 변수의 p값을 통해 변수의 유의성을 확인할 수 있다. 학생 여부와 카드 잔고는 유의수준 0.05에서 유의한 변수로 나타났으며, studentYes의 계수가 $-6.468e-01$로 음수인 것을 보면 학생일 때 체납 확률이 더 낮음을 의미한다. 카드 잔고(balance)는 $5.737e-03$의 양수 계수를 가지므로, 카드 잔고가 증가할수록 체납 확률이 높아진다. 반면 연봉(income)은 p 값이 0.71152로 유의하지 않아 체납 확률에 유의미한 영향을 미치지 않는다.

40. 주어진 그림에서 지니지수는 $1 - (p(good)^2 + p(bad)^2)$로 구한다. B분기에서 good은 10 bad는 40이므로 $p(good) = 0.2$, $p(bad) = 0.8$로 나타나며 지니지수는 0.32가 된다.

41. 앙상블 기법은 여러 개의 모델을 결합하여 성능을 개선하는 방법으로, 대표적인 예로 부스팅, 배깅, 랜덤포레스트가 있다. 시그모이드는 신경망에서 사용되는 활성화 함수로, 앙상블 기법과는 무관하다.

42. 다층 신경망에서 은닉층을 너무 많이 설정하면, 역전파(backpropagation) 과정에서 앞쪽 은닉층의 가중치가 제대로 조정되지 않아서 학습이 어려워지는 현상이 발생할 수 있다. Xavier 가중치 초기화는 초기 가중치를 조정해 문제를 완화하며, ReLU 활성화 함수는 기울기 소실을 줄이는 데 효과적이다. LSTM과 GRU는 주로 순환 신경망(RNN)에서 시퀀스 데이터 처리와 관련된 기울기 소실 문제를 해결하기 위한 구조이다. 기울기 소실 문제 자체는 해결책이 아니라 문제의 원인이다.

43.

비기봇 해설

신경망 모형에서는 입력 데이터를 처리하여 다음 층으로 전달하기 위해 활성화 함수를 사용합니다. 활성화 함수는 입력 신호를 비선형 변환하여 다음 층으로 전달하는 역할을 하며, 신경망의 학습과 일반화 능력을 향상시킵니다.

1. 소프트웨어 모듈 함수: 소프트웨어 모듈 함수는 소프트웨어 개발에서 사용되는 개념으로, 신경망의 데이터 처리와는 관련이 없습니다. 신경망 모형의 층 간 데이터 전달과는 무관한 개념입니다.

2. 활성화 함수: 활성화 함수는 신경망 모형에서 입력 데이터를 비선형 변환하여 다음 층으로 전달하는 역할을 합니다. 이는 신경망의 학습 능력을 높이고 복잡한 패턴을 학습할 수 있도록 도와줍니다.

3. 상태 전이 함수: 상태 전이 함수는 주로 상태 기계나 마르코프 모델에서 사용되는 개념으로, 신경망의 층 간 데이터 전달과는 관련이 없습니다. 신경망 모형의 활성화와는 다른 개념입니다.

4. 군집화 규칙 함수: 군집화 규칙 함수는 데이터 군집화에 사용되는 함수로, 신경망의 층 간 데이터 전달과는 관련이 없습니다. 신경망 모형의 활성화와는 무관한 개념입니다.

44. 주어진 이미지를 기반으로 군집분석 결과를 설명하면 다음과 같다. 최단 연결법(single linkage)은 두 군집 사이의 거리를 각 군집에서 하나의 관측값을 선택해 나타낼 수 있는 거리의 최소값으로 측정하며, 이 방법의 특성상 사슬모양(cluster chaining)이 생길 수 있다. 그러나 평균 연결법(mean linkage)이나 다른 연결법에 비해 계산량이 적다.

45.

비기봇 해설

민코프스키 거리 공식 내의 지표는 아래와 같이 해석됩니다.

- p: 데이터의 차원
- m: 거리 계산 방식의 파라미터 (1 이상)
- m=1: 맨하탄 거리
- m=2: 유클리드 거리

1. 자카드 거리

: 자카드 거리는 두 집합 간의 유사성을 측정하는 지표로, 교집합과 합집합의 비율로 계산됩니다. 이는 주어진 민코프스키 거리 공식과 무관합니다.

2. 민코프스키 거리

: 주어진 수식은 민코프스키 거리의 일반적인 형태를 나타냅니다. m 값을 조정하여 맨하탄 거리, 유클리드 거리 등 다양한 거리 척도를 표현할 수 있습니다.

3. 맨하탄 거리

: 맨하탄 거리는 민코프스키 거리의 특별한 경우로, m=1일 때 나타납니다. 그러나 문제에서 m이 1과 2가 아닌 경우를 명시했으므로, 이 선택지는 부적절합니다.

4. 표준화 거리

: 표준화 거리는 데이터의 각 차원을 표준화한 후 거리 계산에 사용하는 방식으로, 민코프스키 거리 공식과는 다릅니다. 보통 z-점수 표준화와 함께 사용됩니다.

46.

비기봇 해설

군집분석은 데이터를 비슷한 특성을 가진 그룹으로 묶는 기법이며, 각 방법마다 특성과 강점, 한계가 다릅니다.

1. 분할적 군집은 데이터를 사전에 정의된 군집 수로 나누며, 초기 군집의 설정이 결과에 큰 영향을 미칠 수 있다.

: 분할적 군집은 데이터를 k개의 군집으로 나누는 방식으로, 초기 설정(군집 수나 중심값)에 따라 결과가 크게 달라질 수 있습니다. 이는 대표적으로 k-평균 군집에서 나타나는 현상으로, 옳은 설명입니다.

2. 중심 기반 군집화 알고리즘으로, 초기 중심을 임의로 설정하고 데이터 점들을 가장 가까운 중심에 할당하는 과정을 반복한다.

: 초기 중심을 설정한 후, 각 데이터 점을 가장 가까운 중심에 할당하고, 중심값을 갱신하는 과정을 반복합니다. 이는 중심 기반 군집화의 대표적인 특징이므로 정확한 설명입니다.

3. k-medoid는 실제 데이터 값 중에서 중심점을 선택하므로 이상값에 강하지만, 계산량이 k-평균법보다 많아질 수 있다.

: k-medoid는 중심점을 실제 데이터 값 중에서 선택하기 때문에 이상값(outlier)에 강한 특성을 가지며, 이는 k-평균 군집화와의 중요한 차이점입니다. 다만, 중심점 선택과 데이터 간 거리 계산 과정에서 추가적인 계산량이 필요하기 때문에 계산 부담이 더 클 수 있습니다. 따라서 이 선택지도 적절한 설명입니다.

4. 밀도 기반 클러스터링(DBSCAN) 모델은 밀도 있게 연결된 데이터 집합을 동일한 군집으로 판단하는 방법이지만 k-평균법 모델처럼 오목한 형태의 데이터 세트에서는 군집 특성을 잘 찾아내지 못한다.

: DBSCAN은 밀도 기반 알고리즘으로, 밀도가 낮은 영역을 군집 경계로 설정하여 복잡한 비오목(Non-Convex) 형태의 데이터에서도 군집을 잘 찾아낼 수 있는 강점이 있습니다. k-평균 군집화는 오목한(Convex) 형태의 데이터에서만 잘 작동하는 한계가 있지만, DBSCAN은 이러한 한계를 극복한 알고리즘입니다. 따라서 이 설명은 DBSCAN의 특성을 잘못 기술하고 있습니다.

47. SOM(Self-Organizing Map)은 경쟁 학습 기반의 비지도 학습 방법으로 역전파 알고리즘을 사용하지 않는다. 고차원의 데이터를 저차원의 지도 형태로 시각화하며, 입력 변수 간의 관계를 보존하는 특징이 있다. 또한 유사한 데이터는 지도상에서 가깝게 배치되므로 시각적으로 이해하기 쉽다.

48. 연관 분석에서 주요 지표로는 지지도, 신뢰도, 향상도가 있으며, 지지도는 빈도, 신뢰도는 조건부 확률, 향상도는 규칙의 유용성을 보여준다. 그러나 지지도가 낮다는 것은 항목 집합이 거의 발생하지 않는다는 의미이므로, 결합이 강력하다고 볼 수 없으며 마케팅 전략에도 불리하다.

49. 연관분석은 데이터에서 항목 간의 연관 관계를 탐지하는 기법으로, 거래 데이터의 패턴을 분석하는 데 사용된다. 대표적으로 장바구니 분석이 이에 해당한다. 회귀분석은 연속형 변수 간의 관계를 모델링하고, 예측은 미래의 값을 예측하는 방법이며, 이상탐지는 비정상적인 데이터를 탐지하는 기법이다.

50. 제공된 자료에 따르면 최소 지지도는 0.01, 최소 신뢰도는 0.3으로 설정되어 총 125개의 규칙이 생성되었다. 규칙의 최대 길이(maxlen)는 10으로, 하나의 규칙에 최대 10개의 아이템 조합이 포함될 수 있음을 의미한다. 로그에 나타난 'Absolute minimum support count: 98'은 전체 아이템 수가 아니라, 최소 지지도(0.01)를 거래 건수(9835)에 적용한 결과로서 최소 거래 건수를 뜻한다. 실제로 support 기준을 충족한 아이템의 개수는 로그 메시지 "sorting and recoding items ... [88 item(s)]"에서 확인되며, 이는 88개의 아이템이 조건을 만족했음을 의미한다.

데이터 분석 준전문가 모의고사 2회

모바일로 풀기

출제 데이터에듀
문항수 객관식 : 50 문항 (각 2점)

윤박사 분석

㈜데이터에듀가 보유하고 있는 전 회차(1회~47회)의 기출복원문제를 중심으로 최근 5년(2021~2025년)의 출제경향을 분석해서 가장 비슷한 유형으로 50문제를 선별하여 모의고사를 구성하였습니다. 난이도는 최근 5년 동안의 문제 난이도에 비해 4등급(21문제)과 3등급(19문제)을 상대적으로 조금 더 많이 구성하여 중간 난이도 문제에 적응할 수 있도록 하였습니다.

각 과목별로 1과목은 3등급(5문제), 4등급(3문제)을 조금 많이 출제했고, 2과목도 3등급(5문제), 4등급(4문제)을 많이 출제해서 어렵게 구성했습니다. 3과목은 4등급(14문제), 3등급(9문제)을 중심으로 기출과 비슷한 난이도로 출제하였습니다.

모의고사 2회를 풀고 70점 이상 받는다면 실제 시험에서 60점 이상 받을 가능성이 높고, 과목별로 약한 부분과 틀린 문제를 추가 학습하는 것이 중요합니다.

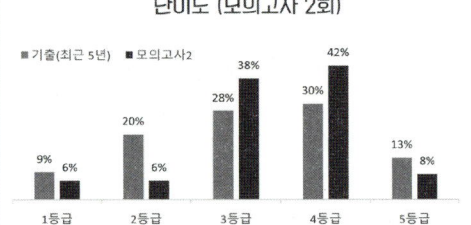

과목1. 데이터 이해 - 10문항

✓ **40회 기출** 출 ★★★★★ 난 ★★★☆☆

01. 데이터베이스의 주요 특징 중 적절하지 않은 것은?

① 데이터의 최신성 보장
② 응용 프로그램 종속성
③ 데이터의 독립성 유지
④ 다중 사용자 지원

✓ **34회 기출** 출 ★★★★☆ 난 ★★★☆☆

02. 다음 설명에 맞는 용어는 무엇인가?

> **아래**
> 데이터 가공 및 상관관계의 이해를 통해 패턴을 인식하고 그 의미를 부여하는 데이터

① 데이터 (Data)
② 정보 (Information)
③ 지식 (Knowledge)
④ 지혜 (Wisdom)

✓ 9회 기출

03. 아래와 같은 SQL 문장을 사용할 때, 출력되는 결과로 옳은 것은?

> 아래
>
> select customer_name 고객명 , e_customer_name 고객 영문명
>
> from customer
>
> where e_customer_name like '_A%';

① 영문명이 A로 시작하는 고객들의 이름

② 영문명에 A를 포함한 고객들의 비율

③ 위치 상관없이 영문명에 A를 포함하는 고객들의 이름

④ 영문명에 두 번째 문자가 A인 고객들의 이름

✓ 42회 기출

04. 각 산업 분야별 내부 데이터베이스에 대한 설명으로 옳은 것은?

① 제조부문에서는 인공지능과 로봇의 발전으로 대기업 위주로 ERP 시스템이 발전하고 있다.

② KMS란 각종 관리 시스템의 경영자원을 하나의 시스템으로 재구축한 것이다.

③ 유통부문에서는 IT의 환경변화 때문에 CRM과 SCM의 구축이 어려움을 겪고 있다.

④ 금융부문에서는 IMF 이후 업무 프로세스 효율화나 통합시스템 구축으로 확산되었다.

✓ 43회 기출

05. 빅데이터에 대한 과거에서 현재로의 변화로 틀린 것은?

① 인과관계에서 상관관계

② 사후처리에서 사전처리

③ 표본조사에서 전수조사

④ 질보단 양

✓ 40회 기출

06. 빅데이터 분석 활용으로 인한 산업의 다양한 변화에 대한 설명으로 적절하지 않은 것은?

① 맞춤형 서비스 제공

② 기업 매출 상승 강화

③ 소비성향 예측 강화

④ 의사 결정 속도 향상

✓ 25회 기출

07. 다음 중 딥러닝과 가장 관련 없는 분석 기법은?

① CNN   ② LSTM   ③ SVM   ④ Autoencorder

✓ 31회 기출 출★★★☆☆ 난★★★★☆

08. 일차원적 분석을 통해서도 해당 부서나 업무 영역에서는 상당한 효과를 얻을 수 있다. 다음 중 업무 영역과 분석 사례의 연결이 가장 부적절한 것은?

① 마케팅관리 - 상점과 가게 위치 선정
② 재무 관리 - 거래처 선정
③ 공급체인 관리 - 적정 재고량 결정
④ 인력관리 - 이직 인력 예측

✓ 36회 기출 출★★★☆☆ 난★☆☆☆☆

09. 데이터 사이언스에 대한 설명으로 가장 적절하지 않은 것은?

① 데이터를 분석하여 의미 있는 인사이트를 도출하는 학문이다.
② 정형 데이터를 대상으로 총체적 접근법을 사용한다.
③ 데이터 분석과 이를 효과적으로 전달하는 방법론까지 포괄하는 개념이다.
④ 기업의 전략적 목표를 지원하며, 사업성과를 높이는 데 기여할 수 있다.

✓ 22회 기출 출★★★★★ 난★★★☆☆

10. 데이터 사이언티스트가 효과적인 분석 모델 개발을 위해 고려해야 하는 사항으로 가장 부적절한 것은?

① 분석모델이 예측할 수 없는 위험을 살피기 위해 현실세계를 돌아보고 분석을 경험과 세상에 대한 통찰력과 함께 활용한다.
② 가정들과 현실의 불일치에 대해 끊임없이 고찰하고 모델의 능력에 대해 항상 의구심을 가진다.
③ 분석의 객관성에 의문을 제기하고 분석 모델에 포함된 가정과 해석 개입 등의 한계를 고려한다.
④ 넓은 시각에서 모델 범위 바깥의 요인들을 판단할 수 있도록 가능한 많은 과거 상황 데이터를 모델에 포함한다.

과목2. 데이터 분석 기획 - 10문항

✓ 18회 기출 출★★★★☆ 난★★★☆☆

11. 아래 (가)와 (나)에 순서대로 들어갈 내용으로 적절한 것은?

> **아래**
> 분석은 분석 대상(What) 및 분석 방법(How)에 따라서 4가지로 나눌 수 있다. 분석 대상이 명확하게 무엇인지 모르는 경우에는 기존 분석 방식을 활용하여 (가)을(를) 도출해냄으로써 문제의 도출 및 해결에 기여하거나 (나) 접근법으로 분석 대상 자체를 새롭게 도출할 수 있다.

① 최적화 - 통찰
② 솔루션 - 통찰
③ 통찰 - 발견
④ 발견 - 솔루션

✓ 39회 기출 출★★★★☆ 난★★★☆☆

12. 다음은 분석 방법론에 대한 설명이다. 이에 해당하는 방법론은 무엇인가?

> **아래**
> 이것은 반복을 통하여 점진적으로 개발하는 방법으로써 처음 시도하는 프로젝트에 적용이 용이하지만 관리 체계를 효과적으로 갖추지 못한 경우 복잡도가 상승하여 프로젝트 진행이 어려울 수 있다.

① 폭포수 모델 (Waterfall Model)
② V-모델 (V-Model)
③ 나선형 모델 (Spiral Model)
④ 프로토타이핑 모델 (Prototype Model)

✓ 42회 기출 출★★★☆☆ 난★★★★☆

13. CRISP-DM 프로세스에서 모델링 단계의 올바른 순서를 나타낸 것은 무엇인가?

① 모델링 기법 선택 – 모델 평가 – 테스트 계획 설계
② 모델 평가 – 테스트 계획 설계 – 모델링 기법 선택
③ 모델링 기법 선택 – 테스트 계획 설계 – 모델 평가
④ 테스트 계획 설계 – 모델링 기법 선택 – 모델 평가

✓ 30회 기출 출★★★★★ 난★★★★☆

14. 분석 과제를 발굴하기 위한 접근법 중 상향식 접근방식의 특징으로 올바른 것은?

① 타당성 검토의 과정을 거치며 경제적, 데이터 및 기술적 타당도 등이 있다.
② 일반적으로 상향식 접근 방식의 데이터 분석은 지도학습 방법에 의해 수행된다.
③ Design thinking 중 Define 단계에 해당한다.
④ 인사이트 도출한 후 반복적인 시행착오를 통해서 수정하며 문제를 도출하는 일련의 과정이다.

✓ 43회 기출 출★★★★☆ 난★★★★☆

15. 분석과제에서 고려해야할 5가지 요소관련 내용으로 틀린 것은?

① Accuracy는 모델과 실제 값과의 차이를 평가하는 정확도이다.
② 최적의 분석을 위해서는 Accuracy와 Precision 중 하나를 우선적으로 고려해야 한다.
③ Precision은 모델을 지속적으로 반복했을 때의 편차의 수준을 말한다.
④ 분석의 안정성을 확보하기 위해서는 정확도를 높이는 것보다 정밀도가 중요하다.

✓ 41회 기출 출★★★☆☆ 난★★★☆☆

16. 아래 보기가 설명하는 용어는 무엇인가?

> **아래**
> "조직의 자원을 효율적으로 배분하고 관리하기 위해 사용하는 전략적 과정이다."
> "ERP를 통해 재무, 인사, 생산, 유통 등 기업의 모든 자원을 통합적으로 관리할 수 있도록 지원합니다."

① 조달
② 프로젝트 통제
③ 자원 계획
④ 커뮤니케이션

✓ 23회 기출 출★★★★☆ 난★☆☆☆☆

17. 분석과제의 우선순위 선정 시 시급성과 난이도를 모두 우선순위로 둘 때 가장 먼저 추진해야 하는 것은?

① 시급성 – 현재, 난이도 – Difficult
② 시급성 – 현재, 난이도 – Easy
③ 시급성 – 미래, 난이도 – Easy
④ 시급성 – 미래, 난이도 – Difficult

✓ 19회 기출 출★★★☆☆ 난★★★★☆

18. 마스터 플랜 수립 시점에서 데이터 분석의 지속적인 적용과 확산을 위한 거버넌스 체계의 구성 요소가 아닌 것은?

① Process
② System
③ Organization
④ Data Resource

✓ 36회 기출 출★★★★★ 난★★★☆☆

19. 분석 수준 진단은 분석 환경과 관련된 여러 요소를 파악하는 과정이다. 다음 중 분석 수준 진단의 대상으로 적절하지 않은 것은?

① 분석 성과에 대한 조사
② 분석 인프라에 대한 조사
③ 분석 인력 및 조직에 대한 조사
④ 분석 업무 수행에 대한 조사

✓ 41회 기출 출★★★★★ 난★★★☆☆

20. 조직이 6가지 분석 구성요소를 갖추고, 현재 부분적으로 도입되어 지속적으로 확대되는 조직은 분석 유형 수준 중 어디에 속하는가?

① 도입형
② 확산형
③ 고도화형
④ 최적화형

과목3. 데이터 분석 – 30문항

21. chickwts 데이터프레임은 여섯가지 종류의 닭 사료 첨가물(feed)과 각 사료를 먹인 닭의 무게(weight)를 변수로 가진다. 아래의 결과에 대한 설명으로 적절하지 않은 것은?

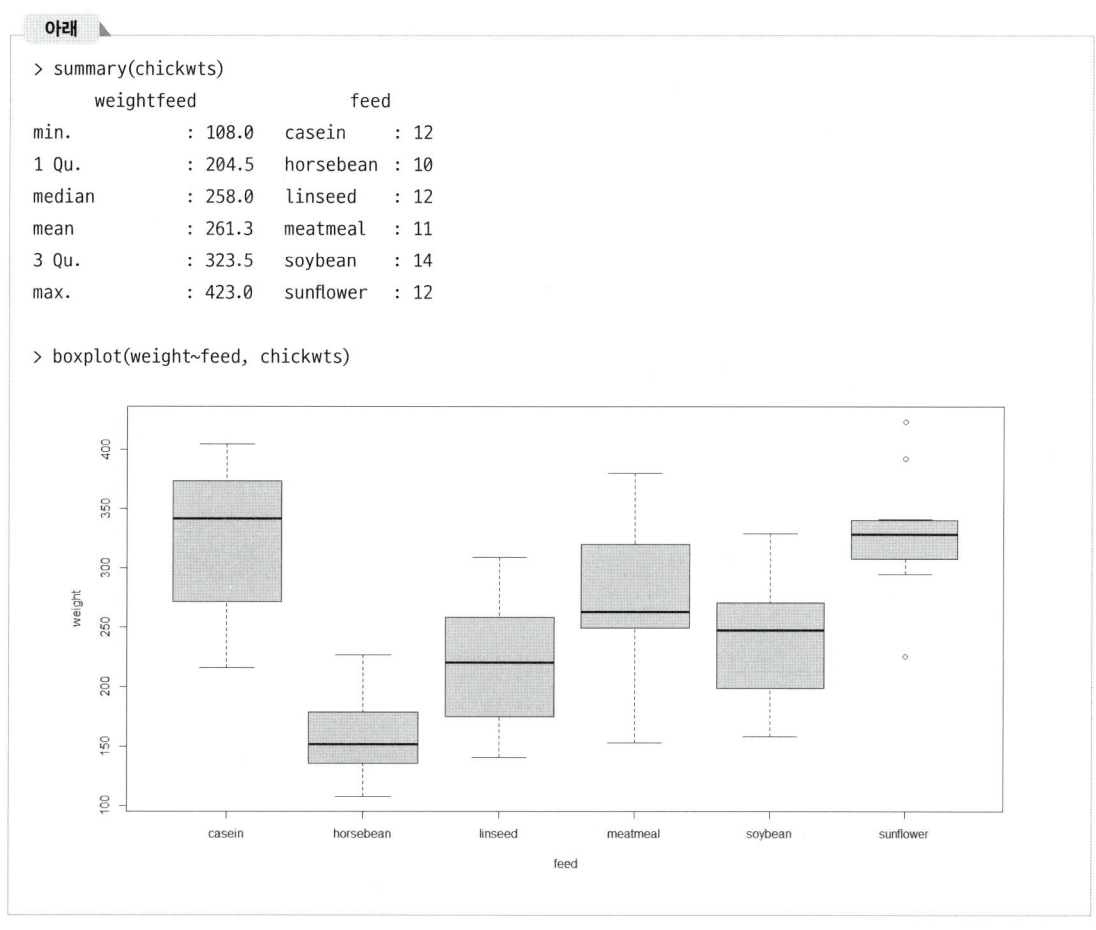

① casein 그룹의 중앙값이 그룹들 중에서 가장 큰 값을 보인다.

② 이상값이 존재하지 않는다.

③ Meatmeal 그룹과 Linseed 그룹의 Weight의 평균이 유의한 차이가 있는지 알 수 없다.

④ Horsebean 그룹에서 Weight가 150보다 작은 개체가 약 50%에 달한다.

✓ 42회 기출 출★★★☆☆ 난★★★★☆

22. 다음 중 결측치 처리 단계에서 결측값을 보완하거나 처리하는 방법에 대한 설명으로 적절하지 않은 것은 무엇인가?

① 평균대치법은 관측값이 있는 값들만으로 평균을 구해 대치한다.
② 단순확률대치법은 관측값이 존재하는 데이터를 통해 회귀모델을 만들어 사용한다.
③ completes analysis는 결측값을 포함한 레코드를 완전히 삭제한다.
④ 다중대치법은 여러 번 대치하여 여러 개의 가상 자료를 도출한다.

✓ 42회 기출 출★★★☆☆ 난★★★★☆

23. 이상치를 탐지하는 시스템을 활용한 것으로 가장 적합한 것을 고르시오.

① 부정구매 방지시스템
② 품질관리 시스템
③ 금융사기 탐지 시스템
④ 병원 응급 상황 판단 시스템

✓ 38회 기출 출★★★★★ 난★★★☆☆

24. 다음 중 확률 및 확률분포에 관한 설명으로 부적절한 것은?

① 사건 A가 일어나는 경우의 수를 모든 가능한 경우의 수로 나눈 값을 P(A)라 할 때 이를 A의 수학적 확률이라 한다.
② 어떤 사건 A의 확률 P(A)가 주어졌을 때, n번의 실험에서 사건 A가 r번 발생했다고 할 때, 상대도수 r/n은 n이 커짐에 따라 P(A)에 근접하게 된다.
③ 두 사건 A, B가 독립일 때, 사건 B의 확률은 A가 일어났다는 가정 하에서의 B의 조건부 확률과는 다르다.
④ 확률론에서 임의의 사건 A가 일어날 확률 P(A)는 항상 0 이상 1 이하의 값을 가진다.

✓ 36회 기출 출★★★★★ 난★★★☆☆

25. 소득 수준과 같이 정규 분포를 따르지 않고 오른쪽 꼬리가 긴(right-skewed)분포를 나타내는 자료의 평균과 중앙값의 관계로 옳은 것은 무엇인가?

① 자료의 크기에 따라 평균과 중앙값의 차이가 달라진다.
② 평균이 중앙값보다 큰 경향을 보인다.
③ 평균과 중앙값이 거의 동일한 값을 가지는 경우가 많다.
④ 평균은 중앙값보다 작게 나타나는 경우가 일반적이다.

26. 아래는 근로자의 임금 등에 대한 데이터 분석 결과이다. 다음 중 유의수준 0.05에서 이에 대한 설명으로 가장 적절하지 않은 것은?

```
> summary(Wage[,c("wage", "age", "jobclass")])
     wage              age            jobclass
 Min.   : 20.09   Min.   :18.00   1. Industrial:1544
 1st Qu.: 85.38   1st Qu.:33.75   2. Information:1456
 Median :104.92   Median :42.00
 Mean   :111.70   Mean   :42.41
 3rd Qu.:128.68   3rd Qu.:51.00
 Max.   :318.34   Max.   :80.00

> model <- lm(wage ~ age + jobclass + age * jobclass, data = Wage)
> summary(model)

Call:
lm(formula = wage ~ age + jobclass + age * jobclass, data = Wage)

Residuals:
     Min       1Q   Median       3Q      Max
 -105.656  -24.568   -6.104   16.433  196.810

Coefficients:
                          Estimate Std. Error t value Pr(>|t|)
(Intercept)               73.52831    3.76133  19.548  < 2e-16 ***
age                        0.71966    0.08744   8.230 2.75e-16 ***
jobclass2. Information    22.73086    5.63141   4.036 5.56e-05 ***
age:jobclass2. Information -0.16017    0.12785  -1.253     0.21
---
Signif. codes:  0 '***' 0.001 '**' 0.01 '*' 0.05 '.' 0.1 ' ' 1

Residual standard error: 40.16 on 2996 degrees of freedom
Multiple R-squared:  0.07483,   Adjusted R-squared:  0.07391
F-statistic: 80.78 on 3 and 2996 DF,  p-value: < 2.2e-16
```

① 직업군이 동일할 때, 나이가 많을수록 임금이 올라가는 경향이 있다.

② 나이가 동일할 때, Information 직군이 Industrial 직군에 비해 평균적으로 임금이 높다.

③ 나이에 따라 두 직군 간의 임금의 평균 차이가 유의하게 변하지 않는다.

④ 위의 회귀식은 유의수준 0.05에서 임금의 변동성을 설명하는데 유의하지 않다.

✓ 32회 기출 출 ★★★★★ 난 ★★☆☆☆

27. 다음 중 자료의 중앙 50% 데이터들이 흩어진 정도를 의미하는 것은?

① 중앙값(Median)

② 사분위수 범위(Interquantile Range)

③ 표준편차(Standard Deviation)

④ 평균(Mean)

✓ 43회 기출 출 ★★★★★ 난 ★★★★★

28. 71개 관측치의 평균에 대한 90% 신뢰구간의 빈칸을 구하시오.

> 아래
> $$\left(\overline{X} - 빈칸 \cdot \frac{S}{\sqrt{n}}, \overline{X} + 빈칸 \cdot \frac{S}{\sqrt{n}}\right)$$

① $t_{70,\ 0.95}$

② $t_{71,\ 0.95}$

③ $t_{70,\ 0.90}$

④ $t_{71,\ 0.90}$

✓ 44회 기출 출 ★★★★☆ 난 ★★★☆☆

29. 다음 보기 중 비모수 검정의 특징이 모두 옳은 것들로 구성되어 있는 것은?

> 아래
> a) 모집단의 분포에 대해 아무런 제약을 가하지 않는다.
> b) 관측된 자료가 특정 분포를 따른다고 가정할 수 없는 경우에 이용된다.
> c) 비모수 검정은 모든 데이터가 연속형일 때 사용할 수 있다.
> d) 자료가 30개 미만일 때도 유용하다.

① a, b, c

② a, b, d

③ b, c, d

④ a, c, d

✓ 30회 기출 출 ★★★★★ 난 ★★★★☆

30. 다음 중 데이터의 정규성을 확인하는 데 적절하지 않은 방법은 무엇인가?

① 히스토그램

② Q-Q plot

③ Shapiro-Wilk test

④ Durbin-Watson test

31. 아래는 자동차의 연비(mpg)를 종속변수로 회귀분석을 수행한 결과에 대한 설명이다. 다음 중 가장 적절하지 않은 것은?

아래

```
> model<-lm(mpg~hp+drat+wt, data=mtcars)
> summary(model)

Call:
lm(formula = mpg ~ hp + drat + wt, data = mtcars)

Residuals:
    Min      1Q  Median      3Q     Max
-3.3598 -1.8374 -0.5099  0.9681  5.7078

Coefficients:
             Estimate Std. Error t value Pr(>|t|)
(Intercept) 29.394934   6.156303   4.775 5.13e-05 ***
hp          -0.032230   0.008925  -3.611 0.001178 **
drat         1.615049   1.226983   1.316 0.198755
wt          -3.227954   0.796398  -4.053 0.000364 ***
---
Signif. codes:  0 '***' 0.001 '**' 0.01 '*' 0.05 '.' 0.1 ' ' 1

Residual standard error: 2.561 on 28 degrees of freedom
Multiple R-squared:  0.8369,     Adjusted R-squared:  0.8194
F-statistic: 47.88 on 3 and 28 DF,  p-value: 3.768e-11
```

① 회귀식은 종속변수 mpg, 독립변수 hp, drat, wt로 모델을 추정하였다.

② 회귀모형의 p-값은 유의수준 0.05보다 작으므로 통계적으로 매우 유의하다.

③ drat는 유의수준 5%에서 유의하지 않으므로 최종적인 회귀모형은 mpg = 29.394934 − 0.032230×hp −3.227954wt이다.

④ 추정된 회귀모형의 수정된 결정계수는 0.8194이다.

32. 다음은 SWISS의 출산율(Fertility)과 다양한 변수들과의 인과관계를 분석하기 위해 다변량회귀분석을 수행한 결과이다. 결과를 가장 잘못 설명한 것은?

아래

```
> summary(lm(Fertility~., data=swiss))

Call:
lm(formula = Fertility ~ ., data = swiss)

Residuals:
     Min       1Q   Median       3Q      Max
-15.2743  -5.2617   0.5032   4.1198  15.3213

Coefficients:
                 Estimate Std. Error t value Pr(>|t|)
(Intercept)      66.91518   10.70604   6.250 1.91e-07 ***
Agriculture      -0.17211    0.07030  -2.448  0.01873 *
Examination      -0.25801    0.25388  -1.016  0.31546
Education        -0.87094    0.18303  -4.758 2.43e-05 ***
Catholic          0.10412    0.03526   2.953  0.00519 **
Infant.Mortality  1.07705    0.38172   2.822  0.00734 **
---
Signif. codes:  0 '***' 0.001 '**' 0.01 '*' 0.05 '.' 0.1 ' ' 1

Residual standard error: 7.165 on 41 degrees of freedom
Multiple R-squared: 0.7067, Adjusted R-squared: 0.671
F-statistic: 19.76 on 5 and 41 DF, p-value: 5.594e-10
```

① Examination의 p-value가 0.05보다 작으므로, 이를 제거하여 모델 단순화를 고려해야 한다.

② 독립변수들 중 Education의 p-value가 가장 낮으므로, Fertility에 대한 강한 설명 변수가 될 수 있다.

③ 모델의 Adjusted R-squared 값이 0.671이므로, 주어진 모델을 통해 데이터를 67.1% 설명할 수 있다.

④ Fertility를 설명하기 위해 5개의 독립변수를 활용한 다변량회귀모형은 통계적으로 유의하다.

✓ 46회 기출 출★★★★★ 난★★★☆☆

33. 시계열 데이터 분석에 대한 설명으로 옳지 않은 것은 무엇인가?

① 시계열 데이터에서 정상성을 확인하는 주요 방법 중 하나는 평균과 분산이 시간에 따라 일정하게 유지되는지를 시각적으로 분석하는 것이다.
② 비정상성을 가진 시계열 데이터는 로그 변환이나 차분과 같은 방법을 통해 정상성 데이터로 변환할 수 있으며, 이는 예측 모델을 설계하는 데 중요한 과정이다.
③ ARIMA 모형은 비정상 시계열 데이터를 분석할 수 있지만, 이는 차분(d)을 통해 비정상성을 정상성으로 변환한 후에 가능하다.
④ 시계열 데이터의 이상점은 정상성을 판단하는 핵심 기준이 되며, 이 이상점을 통해 데이터의 평균과 분산의 변화를 확인할 수 있다.

✓ 39회 기출 출★★★★★ 난★★☆☆☆

34. 시계열 분석에서 ARIMA 모형은 데이터의 정상성을 확보하기 위해 차분 과정을 포함한다. 다음은 특정 ARIMA 모형에 대한 설명이다. 아래 모형은 ARIMA에서 ARMA로 정상화할 때 몇 번 차분을 하였는가?

> 아래
>
> ARIMA(p, d, q) = ARIMA(1, 2, 3)

① 1   ② 2
③ 5   ④ 4

✓ 40회 기출 출★★★★★ 난★★★★☆

35. 시계열 데이터의 분해 요인 중 설명이 가장 적절하지 않은 것은?

① 시계열 데이터는 장기적인 변화를 나타내는 추세 요인을 포함한다.
② 계절 요인은 주기적으로 반복되는 패턴을 설명하며, 특정 시점에 영향을 미친다.
③ 순환 요인은 경제적 주기(예: 경기 호황과 불황)와 같은 장기적이고 주기적인 상승/하락 패턴을 설명한다.
④ 환경 요인은 외부 환경의 변화로 인한 비주기적 변동을 설명한다.

✓ 34회 기출 출★★★★★ 난★★★★☆

36. 주성분분석은 차원의 단순화를 통해 서로 상관되어 있는 변수들 간의 복잡한 구조를 분석하는 것이 목적이다. 다음 중 주성분분석에 대한 설명으로 적절하지 않은 것은 무엇인가?

① 다변량 자료를 저차원 주성분 공간에 표현하여 이상치(Outlier) 탐색에 활용한다.
② 변수들끼리 상관성이 있는 경우, 해석상의 복잡한 구조적 문제가 발생하는데 이를 해결하기 위해 사용한다.
③ 회귀분석에서 다중공선성(Multicollinearity)의 문제를 해결하기 위해 활용한다.
④ p개의 변수들을 중요한 m(p)개의 주성분으로 표현하여 전체 변동을 설명하는 것으로 m개의 주성분은 원래 변수와는 관계없이 생성된 변수들이다.

✓ 37회 기출 출★★★★☆ 난★★★☆☆

37. 아래는 4개의 변수를 가진 데이터프레임에서 주성분분석(PCA) 결과이다. 첫 번째 주성분 식으로 가장 적절한 것은?

아래

```
> prcomp(USArrests, scale=TRUE)
Standard deviations (1, .., p=4):
[1] 1.5748783 0.9948694 0.5971291 0.4164494

Rotation (n x k) = (4 x 4):
            PC1   PC2   PC3   PC4
Murder    -0.54 -0.42  0.34  0.65
Assault   -0.58 -0.19  0.27 -0.74
UrbanPop  -0.28  0.87  0.38  0.13
Rape      -0.54  0.17 -0.82  0.09
```

① PC 1 = −0.54×Murder − 0.58×Assault − 0.28×UrbanPop − 0.54×Rape
② PC 1 = 1.57×Murder + 0.99×Assault + 0.60×UrbanPop + 0.42×Rape
③ PC 1 = 0.54×Murder + 0.58×Assault + 0.28×UrbanPop + 0.54×Rape
④ PC 1 = −0.54×Murder − 0.19×Assault + 0.38×UrbanPop + 0.09×Rape

✓ 31회 기출 출★★★☆☆ 난★★★☆☆

38. 아래의 데이터 마이닝 분석 예제 중 비지도(Unsupervised) 분석을 수행해야 하는 예제는?

아래

가. 우편물에 인쇄된 우편번호 판별 분석을 통해 우편물을 자동으로 분류
나. 고객의 과거 거래 구매 패턴을 분석하여 고객이 구매하지 않은 상품을 추천
다. 동일 차종의 수리 보고서 데이터를 분석하여 차량 수리에 소요되는 시간을 예측
라. 상품을 구매할 때 그와 유사한 상품을 구매한 고객들의 구매 데이터를 분석하여 쿠폰을 발행

① 나, 다
② 가, 라
③ 가, 다
④ 나, 라

✓ 46회 기출 출★★★★☆ 난★★★★★

39. 인공신경망에서 과대적합 문제를 해결하기 위해 사용되는 방법이 아닌 것은 무엇인가?

① 원-핫 인코딩
② 드롭아웃
③ 조기 종료
④ 정규화

40. 다음은 두 붓꽃의 꽃받침 길이를 setosa와 versicolor로 종을 구분하여 분류 분석을 시행한 이항 로지스틱 회귀 모델이다. 이 모델을 해석한 것으로 옳지 않은 것은?

아래

```
a<-iris[iris$Species=="setosa" | iris$Species=="versicolor",]
b<-glm(Species ~ Sepal.Length, data=a, family=binomial)
> summary(b)


Call:
glm(formula = Species ~ Sepal.Length, family = binomial, data = a)

Deviance Residulas :
    Min      1Q   Median      3Q     Max
-2.05501 -0.47395 -0.02829 0.39788 2.32915

Coefficients:
              Estimate Std. Error z value   Pr( > |z|)
(Intercept)   -27.831       5.434  -5.122    3.02e-07 ***
Sepal.Length    5.140       1.007   5.107    3.28e-07 ***
---
Signif. codes : 0 '***' 0.001 '**' 0.01 '*' 0.05 '.' 0.1 ' ' 1

(Dispersion parameter for binomial family taken to be 1)

    Null devianve : 138.629 on 99 degrees of freedom
Residual deviance : 64.211 on 98 degrees of freedom
AIC : 68.211

Number of Fisher Scoring iterations : 6
```

① Sepal.Length의 p-value가 낮기 때문에 이 변수는 setosa와 versicolor를 구분하는 데 유의미하다.

② AIC 값이 높을수록 모델의 적합도가 높음을 의미하며, 이 모델의 AIC 값은 68.211로 상대적으로 높은 편이다.

③ Sepal.Length의 회귀 계수가 양수이므로, Sepal.Length가 증가할수록 setosa가 아닐 확률이 증가한다.

④ intercept는 Sepal.Length가 0일 때의 versicolor일 확률의 로그 오즈를 나타낸다.

✓ 41회 기출

41. 다음 오분류표를 참고하여 민감도를 나타낸 계산식은 무엇인가?

	실제 양성 (Positive)	실제 음성 (Negative)	합계
예측 양성 (Positive)	True Positive (TP)	False Positive (FP)	예측 양성 합계
예측 음성 (Negative)	False Negative (FN)	True Negative (TN)	예측 음성 합계
합계	실제 양성 합계	실제 음성 합계	전체 합계

① TP/(TP + FN)
② TP/(TP + FP)
③ TN/(TN + FP)
④ FP/(FP + FN)

✓ 14회 기출

42. 로지스틱 회귀모형은 독립변수(x)와 종속변수(y) 사이의 관계를 설명하는 모형으로서 종속변수가 범주형 (y=0 또는 y=1)값을 갖는 경우에 사용하는 방법이다. 다음 중 로지스틱 회귀모형에 대한 설명으로 가장 부적절한 것은?

① 이진 종속변수에 선형회귀모형을 적용하면 예측값이 확률 범위를 벗어날 수 있기 때문에, 이러한 문제를 해결하기 위해 로지스틱 회귀모형을 사용한다.
② 로지스틱 회귀모형은 클래스가 알려진 데이터에서 설명변수들을 이용하여 각 관측치가 특정 클래스에 속할 확률을 추정하는 데 사용할 수 있다.
③ 종속변수 y 대신 로짓(Logit)이라 불리는 상수를 사용하여 로짓을 설명변수들의 선형함수로 모형화하기 때문에 이 모형을 로지스틱 회귀모형이라고 한다.
④ Odds(오즈)란 클래스 1에 속할 확률 p와 클래스 0에 속할 확률 1−p의 비로, Odds = p/(1−p)로 나타낸다.

✓ 41회 기출

43. 다음은 의사결정나무의 가지를 분류하는 기준인 지니지수에 대한 설명이다. 보기 중 설명이 가장 적절한 것은 무엇인가?

① 지니지수는 데이터의 불순도 측정에 사용할 수 없다.
② 지니지수가 1에 가까울수록 불순수도가 최소이다.
③ 지니지수가 낮을수록 데이터가 불순하다.
④ 지니지수가 0일 때 순수도가 최대이다.

✓ **37회 기출** 출★★★★☆ 난★★★★☆

44. 아래에서 설명하는 앙상블 기법은?

> **아래**
> - 여러 개의 학습용 데이터(train data)를 만들어 각 데이터마다 매번 분류기를 생성한 뒤 그 분류기 결과를 통합한다.
> - 학습용 데이터는 원 데이터에서 크기가 같은 표본으로 재추출하되 이전 단계에 만들어진 분류기에서 분류가 잘 되지 않은 데이터에 그 다음 학습용 데이터 생성 시 더 큰 가중치를 준다.

① 의사결정나무(Decision Tree)
② 배깅(Bagging)
③ 부스팅(Boosting)
④ 랜덤 포레스트(Random Forest)

✓ **40회 기출** 출★★★★★ 난★★★★☆

45. 다음 인공신경망의 활성화 함수에 대한 설명 중 가장 적절한 것은?

① 시그모이드 함수는 −1에서 1 사이의 값을 출력한다.
② 소프트맥스 함수는 출력값을 확률로 변환하여 다중 클래스 분류에 사용된다.
③ ReLU 함수는 양수 입력에 대해 0을 출력한다.
④ 쌍곡탄젠트 함수는 0~1 사이의 값을 출력하며 시그모이드 함수와 관련이 있다.

✓ **32회 기출** 출★★★★☆ 난★★★★☆

46. 거리를 이용하여 데이터 간 유사도를 측정할 수 있는 척도는 데이터의 속성과 구조에 따라 적합한 것을 사용해야 한다. 다음 중 유사도 측도에 대한 설명으로 부적절한 것은?

① 유클리드 거리는 두 점을 잇는 가장 짧은 직선거리이다. 공통으로 점수를 매긴 항목의 거리를 통해 판단하는 측도이다.
② 맨하튼 거리는 각 방향 직각의 이동 거리 합으로 계산된다.
③ 표준화 거리는 각 변수를 해당 변수의 표준편차로 변환한 후 유클리드 거리를 계산한 거리이다. 표준화를 하게 되면 척도의 차이, 분산의 차이로 인해 왜곡을 피할 수 있다.
④ 마할라노비스 거리는 변수의 표준편차를 고려한 거리 측도이나 변수 간에 상관성이 있는 경우에는 표준화 거리 사용을 검토해야 한다.

✓ 35회 기출 출★★★☆☆ 난★★★☆☆

47. 다음은 혼합모델을 추정하는 과정에서 사용된 EM 알고리즘의 수렴 그래프이다. 이 그래프를 해석한 결과로 가장 적절한 것은?

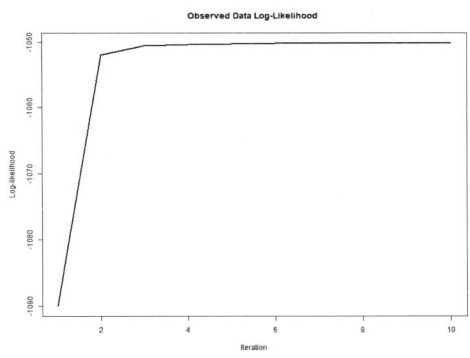

① 반복횟수 2회만에 로그-가능도 함수가 최대가 되었다.
② 로그-가능도 값은 반복 횟수가 증가함에 따라 발산한다.
③ 최적화 과정에서는 반복 없이 초기 값으로만 로그-가능도가 결정된다.
④ 정규혼합분포가 2가지로 관찰되었다.

✓ 42회 기출 출★★★☆☆ 난★★★★☆

48. DBSCAN은 군집분석에 사용되는 알고리즘이다. 이와 관련하여 설명이 가장 적절하지 않은 것은?

① 차원이 매우 높은 데이터에서는 거리가 매우 비슷해지기 때문에 다차원 자료의 경우 '차원의 저주'로 인해 유용하지 않다.
② 군집의 밀도가 낮은 영역은 노이즈로 간주하고, 군집에 포함되지 않는 점들을 이상치나 노이즈로 처리한다.
③ 초기 군집수 k를 설정해야 한다.
④ 밀도 기반 군집화 알고리즘으로 임의 형태의 군집을 잘 탐지할 수 있다.

✓ 34회 기출 출★★★★★ 난★★★★☆

49. 연관 분석은 데이터 내의 항목 간 관계를 탐색하는 데 유용하다. 다음 중 연관 분석의 장점으로 적합하지 않은 것은?

① 결과가 조건 반응(if-then) 형태로 표현되어 해석이 용이하다.
② 분석에 목적변수가 필요 없으므로 다양한 데이터에 적용할 수 있다.
③ 품목 세분화에 관계없이 의미있는 규칙 발견이 가능하다.
④ 계산 과정이 비교적 간단하여 대규모 데이터에도 적용 가능하다.

✓ 38회 기출 출★★★★★ 난★★★★☆

50. 아래의 거래 내역에서 연관규칙 사과 → 딸기에 대한 향상도로 옳은 것은?

항목	거래수
사과	40
딸기	20
포도	30
사과, 딸기	20
사과, 포도	40
딸기, 포도	10
사과, 딸기, 포도	40
전체거래 수	200

① 0.5/(0.7 × 0.45)

② 0.3/(0.2 × 0.1)

③ 0.3/(0.7 × 0.45)

④ 0.1/(0.2 × 0.1)

제 2회 모의고사 답안

데이터 분석 준전문가 자격검정 시험

【 객관식 정답 】

01	②	11	③	21	②	31	③	41	①
02	②	12	③	22	②	32	①	42	③
03	④	13	③	23	③	33	④	43	④
04	④	14	④	24	③	34	②	44	③
05	②	15	②	25	②	35	④	45	②
06	②	16	③	26	④	36	③	46	④
07	③	17	②	27	②	37	①	47	①
08	②	18	④	28	①	38	④	48	③
09	②	19	①	29	②	39	①	49	③
10	④	20	②	30	④	40	②	50	③

영역	맞은 개수
데이터 이해	/10
데이터 분석 기획	/10
데이터 분석	/30

모바일로 풀기

---

1 데이터 이해
10문항

01. 데이터베이스의 핵심 특징은 데이터의 독립성, 최신성, 다중 사용자 지원 등이다. 응용 프로그램 종속성은 데이터와 프로그램이 밀접하게 결합된 상황으로, 현대 데이터베이스 시스템의 목표인 데이터 독립성과 상반된다.

02. 정보(Information)는 데이터를 분석하고 패턴을 인식하여 그 의미를 부여한 결과물이다. 데이터(Data)는 가공되지 않은 단순한 사실이나 수치로, 이를 처리하거나 분석하지 않은 상태다. 지식(Knowledge)은 정보를 활용하여 도출된 이해나 통찰로, 특정 상황에서 유용한 결정을 내리는 데 도움을 줄 수 있다. 지혜(Wisdom)는 지식을 바탕으로 판단력과 통찰을 발휘하여 최적의 결정을 내리는 것을 의미한다.

03. SQL 문장에서 LIKE '_A%'는 두 번째 문자가 A로 시작하는 패턴을 찾는 조건이다. 밑줄(_)은 특정 위치의 한 문자를 의미하며, %는 뒤에 이어지는 문자가 무엇이든 상관없다는 의미다. 따라서 두 번째 문자가 A인 고객들의 이름이 출력된다.

04. 금융 부문에서는 IMF 이후 위기 대응을 위해 프로세스 효율화와 시스템 통합이 중요한 과제로 대두되었다. 제조 부문은 대기업 중심으로 ERP에서 CRM으로 발전하고 있고, 유통 부문은 CRM과 SCM 도입이 확대되고 있다. 각종 관리 시스템의 경영자원을 하나의 시스템으로 재구축하는 것은 KMS가 아닌 ERP에 대한 설명이다.

05. 빅데이터 시대에는 사전처리보다는 사후처리가 강조된다. 데이터의 양이 폭발적으로 증가하면서 데이터 수집 후 즉시 분석하는 것이 아니라 저장된 데이터를 나중에 분석하는 형태가 일반적이다. 인과관계에서 상관관계, 표본조사에서 전수조사, 질보단 양의 흐름은 빅데이터의 특징이다.

06. 빅데이터 분석은 맞춤형 서비스 제공, 소비 성향 예측, 의사결정 속도 향상 등 다양한 산업적 변화를 가져온다. 하지만 기업 매출 상승은 빅데이터 활용의 간접적인 결과일 뿐, 직접적으로 강화되는 요소라고 단정하기 어렵다.

07. CNN(합성곱 신경망), LSTM(장단기 메모리), Autoencoder는 모두 딥러닝 모델에 속한다. 반면 SVM(서포트 벡터 머신)은 비선형 분류와 회귀에 사용되는 기계 학습 기법으로, 딥러닝과는 직접적인 연관이 없다.

08. 재무 관리는 자금 흐름, 비용 절감, 투자 분석 등과 관련된 영역이며, 거래처 선정은 공급망 관리(SCM) 영역에 더 가깝다. 마케팅 관리에서 상점 위치 선정, 공급체인 관리에서 적정 재고량 결정, 인력관리에서 이직 인력 예측은 모두 업무 영역과 적절히 연결된다.

09. 데이터 사이언스는 정형 데이터뿐만 아니라 비정형 데이터까지 포함해 분석하는 학문이다. 데이터를 분석하여 인사이트를 도출하고, 이를 전달하는 방법론까지 포함하며 기업의 전략적 목표 달성과 사업 성과에 기여하는 폭넓은 개념이다.

10. 모델에 너무 많은 데이터를 포함하면 오히려 과적합(overfitting) 문제를 일으킬 수 있다. 분석 모델은 가정과 현실의 불일치를 검토하고, 분석의 한계를 인지하며 경험과 통찰력을 바탕으로 개발되어야 한다. 과도하게 많은 데이터는 모델의 범용성을 저하시킬 수 있다.

2 데이터 분석 기획
10문항

11. 분석 대상이 명확하지 않을 경우 기존 분석 방법을 활용하여 통찰을 도출하거나 발견 접근법을 통해 분석 대상 자체를 새롭게 규명한다. 통찰은 데이터로부터 의미를 도출하는 과정이며, 발견은 숨겨진 패턴이나 문제를 찾아내는 접근법을 의미한다.

12. 나선형 모델은 반복을 통해 점진적으로 개발하는 방법론이다. 초기 프로젝트에 적용하기 쉬운 장점이 있지만 관리 체계가 미흡하면 복잡도가 증가해 프로젝트 진행이 어려울 수 있다. 폭포수 모델은 순차적 진행 방식이며, V-모델은 폭포수 모델을 확장한 테스트 중심의 구조화된 모델이고, 프로토타이핑 모델은 초기 시제품을 만들어 요구사항을 파악하는 방식이다.

13. CRISP-DM의 모델링 단계에서는 먼저 분석에 사용할 모델링 기법을 선택한 후 테스트를 설계하고, 마지막으로 모델을 평가한다. 모델링 기법 선택이 첫 단계인 이유는 데이터 특성과 목표에 맞는 기법을 적용해야 하기 때문이다. 테스트 계획과 모델 평가는 이후 단계에서 이루어진다.

14. 상향식 접근방식(Bottom-Up Approach)은 데이터를 중심으로 분석을 시작하여 문제를 정의하고 해결 방안을 도출하는 방식이다. 주로 데이터에서 발견된 패턴이나 인사이트를 기반으로 문제를 정의하고, 반복적이고 점진적인 과정을 통해 분석 과제를 발굴한다.

15. Accuracy와 Precision은 분석 과제 수행 시 서로 트레이드 오프(Trade-off) 관계가 존재할 수 있지만, 항상 하나만 선택해야 하는 것이 아니라, 분석 목적에 따라 균형을 맞춰야 한다. 따라서 둘 중 하나만 우선적으로 고려해야 한다는 설명은 틀린 문장이다.

16. 자원 계획은 조직이 ERP를 통해 재무, 인사, 생산, 유통 등 모든 자원을 통합적으로 관리하고 효율적으로 배분하기 위한 전략적 과정이다. 조달은 자원을 외부에서 확보하는 과정이며, 프로젝트 통제는 프로젝트 관리의 일환이다. 커뮤니케이션은 정보 전달 및 공유를 위한 관리 요소다.

17. 시급성과 난이도가 모두 우선순위의 기준이 되면 현재 시급하면서도 난이도가 낮은 과제부터 먼저 추진하는 것이 효율적이다. 이는 빠른 성과 도출이 가능하며, 조직의 부담을 줄이면서 추진력을 확보할 수 있다.

18. 거버넌스 체계의 핵심 구성 요소는 프로세스, 시스템, 조직이다. 프로세스는 데이터 활용의 절차를 의미하고, 시스템은 이를 지원하는 기술적 환경, 조직은 데이터 분석의 실행 주체를 의미한다. Data Resource(데이터 자원)는 분석을 위한 데이터 자체를 의미하며, 거버넌스의 구성 요소와는 직접적이지 않다.

19. 분석 수준 진단은 조직의 분석 역량을 평가하고 분석 환경을 개선하기 위해 수행되는 과정이다. 이 과정에서는 분석 인프라, 분석 인력 및 조직, 분석 업무 수행 방식과 같은 요소들을 조사하여, 분석 환경의 전반적인 상태를 파악한다. 분석 성과에 대한 조사는 분석 수준 진단보다는 분석 결과 평가나 성과 관리와 관련된 활동에 해당하므로, 분석 수준 진단의 대상으로 보기 어렵다.

20. 확산형 조직은 데이터 분석의 초기 단계를 넘어 분석이 일부 도입되고 지속적으로 확산되는 상태를 의미한다. 도입형은 분석을 막 시작한 단계이며, 고도화형은 분석 역량이 조직 전반에 자리 잡은 상태, 최적화형은 분석이 완전히 최적화된 단계이다.

3 데이터 분석
30문항

21. casein 그룹은 다른 사료 첨가물 그룹들에 비해 중앙값이 상대적으로 높은 값을 보이는 그룹 중 하나이며, 실제 chickwts 데이터의 사료별 중앙값을 살펴보면 casein 그룹이 모든 그룹 중 중앙값이 가장 높음을 확인할 수 있다. 단순히 그래픽 요약이나 기술 통계만으로 유의성 검정을 할 수 없기 때문에 박스플롯을 통해 Meatmeal 그룹과 Linseed 그룹의 평균 차이가 통계적으로 유의한지 알 수 없다. 또한 Horsebean 그룹의 중앙값이 약 153 근처로, 이는 150 이하에 해당하는 개체들이 약 절반 정도 존재할 수 있음을 의미한다. chickwts 데이터의 박스플롯을 살펴보면, 일부 그룹에서 상자 또는 수염 밖에 점 형태로 표시된 이상치들이 존재하는 것을 확인할 수 있다. 따라서 이상값이 존재하지 않는다는 설명은 틀렸다.

22. 단순확률대치법은 결측값을 보완하기 위해 확률적 기법을 사용하는 방법으로, 회귀모델을 사용하는 것은 다중대치법에 가깝다. 평균대치법은 관측값이 있는 값들로 평균을 구해 대체하고, completes analysis는 결측값이 있는 레코드를 완전히 삭제하며, 다중대치법은 여러 번 대체하여 여러 개의 가상 자료를 도출하는 방식이다.

23. 이상치 탐지(Anomaly Detection)는 정상적인 패턴과 다르게 나타나는 이례적 데이터를 식별하는 기법이다. 대표적인 활용 분야는 금융 사기 탐지, 네트워크 침입 감지, 의료 이상 상태 경고 등이다. 특히 금융 분야에서는 정상 거래와 다른 비정상적 패턴을 빠르게 감지해 사기를 예방하므로 가장 대표적인 사례에 해당한다.

24. 두 사건 A와 B가 독립이라면 A가 발생하더라도 B의 조건부 확률은 P(B)와 동일하다. 즉, P(B|A) = P(B)가 성립한다. 다른 선택지들은 확률론의 기본 개념으로, 사건의 수학적 확률, 상대도수의 수렴, 확률의 범위(0과 1 사이)는 모두 옳은 설명이다.

25. 오른쪽 꼬리가 긴(right-skewed) 분포에서는 극단적으로 큰 값이 평균에 영향을 주기 때문에 평균이 중앙값보다 크게 나타나는 경향이 있다. 중앙값은 데이터의 중간값으로 극단값의 영향을 받지 않기 때문에 평균보다 작아지기 쉽다.

26. 회귀분석 결과를 보면, 모델의 전체 유의성 p값은 매우 작으며, 이는 회귀식이 임금 변동을 설명하는 데 통계적으로 유의하다는 의미이다. 또한 나이(age)의 계수는 양수이며 p값이 통계적으로 유의하므로, 같은 직업군 내에서 나이가 많을수록 임금이 증가하는 경향을 보인다고 해석할 수 있다. 직업군(jobclass) 변수에서 Information 직군은 Industrial 직군에 비해 유의하게 높은 임금 수준을 보이며, 그 차이는 나이에 따른 변화(interaction)의 유의성이 없으므로 나이에 따라 두 직군 간 평균 임금 차이가 유의하게 변하지 않는다고 해석할 수 있다.

27. 사분위수 범위(IQR)는 데이터의 3사분위수(Q3)에서 1사분위수(Q1)를 뺀 값으로, 중앙 50% 데이터가 흩어진 정도를 나타낸다. 표준편차는 전체 데이터의 분산 정도를 나타내며 평균과 중앙값은 중심 위치를 나타낸다.

28. 표본 크기가 71개이므로 자유도(df)는 n-1=70이다. 신뢰구간을 계산할 때, t-값은 누적 확률에 따라 결정되며, 90% 신뢰수준에서는 양쪽의 나머지 10%를 양 끝에 5%씩 나누게 된다. 따라서, t-값은 누적 확률 95%를 기준으로 선택되며, 자유도는 70이다.

29. 비모수 검정은 모집단의 분포 형태에 대한 가정을 하지 않고 수행하는 통계 검정 방법이다. 정규성을 가정하기 어려운 경우나 표본 수가 적을 때 유용하며, 순위나 범주형 자료 등에도 적용 가능하다. c는 연속형 데이터에만 쓸 수 있다는 잘못된 설명으로, 비모수 검정의 유연성을 오해하고 있다.

30. Durbin-Watson 검정은 시계열 데이터의 자기상관(오차항 간 상관관계)을 검정하는 방법으로 정규성 검토와는 무관하다. 정규성 확인을 위해 히스토그램과 Q-Q plot은 시각적 방법으로 사용되며, Shapiro-Wilk 검정은 통계적으로 정규성을 검정하는 방법이다.

31. 제시된 회귀모형은 mpg를 종속변수로, hp, drat, wt를 독립변수로 한 선형회귀 모델의 결과다. 회귀식 추정 결과를 보면 hp와 wt는 p-값이 0.05 이하로 유의하게 나타나지만 drat는 p-값이 대략 0.1987로 5% 유의수준에서 통계적으로 유의하지 않다. 변수 제거는 모델 단순화를 위한 추가적 검증 과정을 거쳐야 하며, 단순히 p-값이 유의하지 않다는 이유만으로 바로 '최종적인 모델'을 제시하기는 적절하지 않으며 drat를 제외하고 다시 회귀분석을 수행하면 추정된 상수항과 hp, wt의 회귀계수가 바뀔 수 있다.

32. 다변량 회귀분석 결과에서 특정 독립변수의 p-value가 설정된 유의수준(α)보다 크다는 것은 해당 변수가 종속변수를 설명하는 데 통계적으로 유의하지 않음을 의미한다. 제시된 결과에서 Examination 변수의 p-value는 0.31546으로, 일반적인 유의수준(α=0.05)보다 훨씬 크다. 따라서 'p-value가 0.05보다 작다'는 설명은 사실과 다르며, 'p-value가 크므로 통계적 유의성이 부족하여 모델 단순화를 위해 제거를 고려해야 한다'고 설명하는 것이 옳다.

33. 시계열 데이터에서 정상성을 판단하는 주요 기준은 데이터의 평균과 분산이 시간에 따라 변하지 않는지를 확인하는 것이다. 시계열 데이터의 이상점은 비정상성을 나타낼 수 있지만, 정상성을 판단하는 핵심 기준은 아니다. 정상성 판단은 주로 평균, 분산의 시간적 변화 및 ADF(Augmented Dickey-Fuller) 검정과 같은 통계적 기법을 사용하여 이루어진다.

34.

비기봇 해설

ARIMA 모형은 비정상 시계열 데이터를 정상 시계열로 변환한 뒤, ARMA(AutoRegressive Moving Average) 모형을 적용하는 방식입니다.

ARIMA 모형의 각 요소는 다음과 같습니다.

- p: 자기회귀(AR, AutoRegressive) 항의 차수
- d: 차분 횟수 (Differencing)
- q: 이동평균(MA, Moving Average) 항의 차수

차분은 데이터의 추세(Trend)를 제거하여 평균과 분산이 일정한 정상 시계열(Stationary Time Series)로 변환하기 위한 과정으로, d가 ARIMA 모형이 정상성을 확보하기 위해 수행한 차분 횟수를 나타냅니다. 주어진 ARIMA(1, 2, 3)를 해석하면 아래와 같습니다.

- p=1: 자기회귀 항이 1차수
- d=2: 2번의 차분이 수행되었음을 의미
- q=3: 이동평균 항이 3차수

따라서, 정상성을 확보하기 위해 2번 차분이 수행되었으며, ARIMA 모형은 ARMA(1, 3) 모형으로 변환됩니다.

35. 시계열 데이터의 전통적인 요소 분해법(Decomposition)은 주로 추세(Trend), 계절(Seasonality), 순환(Cyclical), 불규칙/잔차(Irregular/Residual)의 네 가지 요인을 포함한다. 외부 환경의 변화로 인한 비주기적이고 예측 불가능한 변동은 불규칙 변동 또는 잔차에 해당하며, 이를 별도의 주요 분해 요인으로 환경 요인이라고 명시하여 설명하지는 않는다.

36. 주성분은 원래 변수의 선형 결합으로 생성되며, 원래 변수와 관계가 있다. 따라서 주성분은 원래 변수와 관계없이 생성된다는 설명은 부적절하다. 나머지 설명은 주성분 분석의 특징을 정확히 나타낸다.

37. 주성분분석의 결과로 주어진 rotation 행렬은 각 변수별 주성분의 계수를 나타낸다. 각 열(column)은 해당 주성분(PC) 방향 벡터의 계수를 의미하고, 각 행(row)은 원 변수에 대한 해당 주성분의 계수를 나타낸다. 제공된 rotation에 따르면 PC1은 다음과 같이 주어지며 Murder의 PC1 계수: −0.54, Assault의 PC1 계수: −0.58, UrbanPop의 PC1 계수: −0.28, Rape의 PC1 계수: −0.54 이들을 바탕으로 식을 세우면 PC1=−0.54×Murder−0.58×Assault−0.28×UrbanPop−0.54×Rape가 된다.

38. 비지도 학습은 정답(라벨)이 없는 경우에 데이터를 분석하여 패턴, 관계, 그룹을 발견하는 데 초점을 맞춘다. 고객의 구매 패턴이나 상품 추천은 군집 분석이나 연관 분석과 같은 비지도 학습 기법을 활용한다. 반면 우편물 분류와 수리 시간 예측은 지도 학습에 해당한다.

39. 과대적합(Overfitting) 문제는 인공신경망이 훈련 데이터에 너무 잘 적응하여 새로운 데이터에 대한 예측 성능이 떨어지는 현상이다. 이를 해결하기 위해 모형의 복잡도를 제어하거나 훈련을 조절하는 기법들(예: 드롭아웃, 조기 종료, 정규화)이 사용된다. 반면, 원-핫 인코딩(One-Hot Encoding)은 범주형 변수를 컴퓨터가 처리할 수 있는 형태(0과 1로 구성된 벡터)로 변환하는 데이터 전처리 기법일 뿐, 신경망의 복잡도를 제어하여 과대적합 문제를 직접적으로 해결하는 방법은 아니다.

40.

비기봇 해설

이항 로지스틱 회귀 모델은 종속 변수가 이항 범주형일 때, 독립 변수와의 관계를 확률적으로 모델링하는 방법입니다.

1. Sepal.Length의 p-value가 낮기 때문에 이 변수는 setosa와 versicolor를 구분하는 데 유의미하다.

: Sepal.Length의 p-value는 3.28×10^{-7}로 매우 낮습니다. 이는 일반적으로 0.05보다 작으므로, Sepal.Length가 setosa와 versicolor를 구분하는 데 유의미한 변수임을 나타냅니다.

2. AIC 값이 높을수록 모델의 적합도가 높음을 의미하며, 이 모델의 AIC 값은 68.211로 상대적으로 높은 편이다.

: AIC는 모델의 적합도를 평가하는 지표로, 값이 낮을수록 적합도가 높음을 의미합니다. 문제의 설명에서 AIC 값이 "높을수록 적합도가 높다"는 잘못된 해석이며, 또한 주어진 모델에서는 다른 모델의 AIC 값이 주어지지 않았으므로 "높다" 또는 "낮다"는 점을 판단할 수 없습니다.

3. Sepal.Length의 회귀 계수가 양수이므로, Sepal.Length가 증가할수록 setosa가 아닐 확률이 증가한다.

: Sepal.Length의 회귀 계수는 5.140으로 양수입니다. 이는 Sepal.Length가 증가할수록 versicolor일 확률이 증가하고, setosa일 확률이 감소함을 의미하므로, 옳은 설명입니다.

4. Intercept는 Sepal.Length가 0일 때의 versicolor일 확률의 로그 오즈를 나타낸다.

: 로지스틱 회귀 모델에서 Intercept는 독립 변수가 0일 때 종속 변수의 확률에 대한 로그 오즈를 나타냅니다. 주어진 모델에서도 Intercept는 해당 정의와 일치하므로 이 설명은 적절합니다.

41. 민감도(Sensitivity), 또는 재현율(Recall)은 실제 양성인 데이터 중에서 모델이 양성으로 올바르게 예측한 비율을 나타내며, 민감도를 나타내는 계산식은 TP/(TP+FN) 이다. 높은 민감도는 모델이 대부분의 양성 사례를 올바르게 예측했음을 의미한다

42. 로지스틱 회귀모형은 종속변수의 값이 0과 1로 구분되는 이진 분류 문제에 사용된다. 로짓은 오즈비(Odds)를 로그 함수로 변환한 값이며, 로짓을 설명변수들의 선형 결합으로 모델링한다. 그러나 로짓은 상수가 아니라 종속변수를 확률적 관점에서 표현한 함수이므로 상수로 표현된다는 설명은 틀린 내용이다. 오즈는 클래스 1에 속할 확률 p와 클래스 0에 속할 확률 (1−p) 의 비율로 정의되며, 이는 Odds = p / (1−p) 로 나타낸다. 클래스 유사성을 기반으로 데이터를 분류하는 기능 역시 로지스틱 회귀모형의 특징 중 하나이다.

43.

 비기봇 해설

지니 지수는 데이터의 불순도를 측정하기 위한 지표입니다. G=0일 경우, 완전히 순수한 상태, 즉 모든 데이터가 동일한 클래스에 속한다는 의미이며, 데이터가 여러 클래스에 균등하게 분포될수록 불순도가 증가하고, G 값도 증가한다는 특징이 있습니다.

1. 지니 지수는 데이터의 불순도 측정에 사용할 수 없다.

: 지니 지수는 데이터의 불순도를 측정하는 데 널리 사용되는 지표로, 특히 의사결정나무의 가지 분할 기준으로 활용됩니다. 지니 지수 공식의 p는 각 클래스에 속하는 데이터의 비율을 나타냅니다. 불순도를 측정할 수 없다는 설명은 틀린 설명이며, 지니 지수는 불순도 측정에 적합한 지표입니다.

2. 지니 지수가 1에 가까울수록 불순수도가 최소이다.

: 지니 지수는 1에 가까울수록 불순도가 최대임을 의미합니다. 모든 클래스가 균등하게 분포된 경우 지니 지수는 최대값을 가지며, 이는 불순한 상태를 나타냅니다. 따라서 이 설명은 잘못되었습니다.

3. 지니 지수가 낮을수록 데이터가 불순하다.

: 지니 지수가 낮을수록 데이터는 한 클래스에 집중되어 있어 순수도가 높아지게 됩니다. 데이터가 하나의 클래스에 집중되어 있을수록 지니 지수는 낮아집니다. 따라서 부적절한 설명입니다.

4. 지니 지수가 0일 때 순수도가 최대이다.

: 지니 지수가 0인 경우, 모든 데이터가 동일한 클래스에 속하며 완전히 순수한 상태를 나타냅니다. 이 상태에서는 데이터가 한 클래스에 집중되어 있어 불순도가 전혀 없고, 순수도가 최대가 됩니다. 따라서 이 설명이 가장 적절합니다.

44. 부스팅은 여러 개의 약한 학습기를 순차적으로 학습시키며 이전 단계에서 분류가 잘 되지 않은 데이터에 더 큰 가중치를 부여해 성능을 향상시키는 앙상블 기법이다. 원본 데이터를 크기가 같은 표본으로 재추출하는 배깅(Bagging)과 달리, 부스팅은 각 단계의 학습 오류를 보완하는 방식으로 동작한다. 의사결정나무는 단일 모델이기 때문에 앙상블과는 다르며, 랜덤 포레스트(Random Forest)는 배깅을 기반으로 여러 개의 의사결정나무를 결합하는 방법이다.

45.

 비기봇 해설

활성화 함수는 인공신경망에서 출력값을 비선형으로 변환하여 모델이 복잡한 문제를 학습할 수 있도록 도와주는 역할을 합니다.

1. 시그모이드 함수는 −1에서 1 사이의 값을 출력한다.

: 시그모이드 함수는 출력값이 0에서 1 사이입니다. 주로 이진 분류 문제에서 사용되며, 입력값을 확률 값으로 변환합니다.

2. 소프트맥스 함수는 출력값을 확률로 변환하여 다중 클래스 분류에 사용된다.

: 소프트맥스 함수는 다중 클래스 분류 문제에서 각 클래스에 대해 확률값을 계산합니다. 모든 출력값의 합이 1이 되도록 변환하기 때문에, 각 클래스에 속할 확률을 명확히 제공하며, 분류 문제에 적합한 활성화 함수입니다. 이 설명은 정확합니다.

3. ReLU 함수는 양수 입력에 대해 0을 출력한다.

: ReLU 함수는 양수 입력값을 그대로 출력하며, 음수 입력값에 대해서만 0을 출력합니다. 이는 신경망에서 활성화 함수로 자주 사용되는 특성으로, "양수 입력에 대해 0을 출력한다"는 잘못된 설명입니다.

4. 쌍곡탄젠트 함수는 0~1 사이의 값을 출력하며 시그모이드 함수와 관련이 있다.

: 쌍곡탄젠트(Tanh) 함수는 출력값이 −1에서 1 사이입니다. 시그모이드 함수와 비슷한 특성을 가지지만, 출력 범위가 다릅니다. 따라서 잘못된 설명입니다.

46. 유클리드 거리는 두 점 간의 가장 짧은 직선거리를 의미하며, 일반적으로 가장 많이 사용되는 거리 척도다. 맨하튼 거리는 직각 방향으로의 이동 거리를 합산하여 계산하는 방식으로 도로망 거리와 비슷한 개념이다. 표준화 거리는 변수를 해당 변수의 표준편차로 표준화한 후 유클리드 거리를 계산하므로 척도와 분산 차이로 인한 왜곡을 방지할 수 있다. 하지만 마할라노비스 거리는 변수 간의 상관관계를 고려한 거리 척도로, 상관성이 있는 데이터를 분석하는 데 유용하다.

47.

비기봇 해설

EM 알고리즘은 혼합 모델에서 최적의 매개변수를 추정하기 위해 반복적으로 로그-가능도(Log-Likelihood)를 최대화하는 과정을 수행합니다.

1. 반복횟수 2회만에 로그-가능도 함수가 최대가 되었다.

: 그래프에서 로그-가능도 값이 반복 횟수 2회 이후 거의 변하지 않으며 수렴하는 것을 확인할 수 있습니다. 이는 EM 알고리즘이 2번의 반복만에 로그-가능도 함수의 최대값에 도달했음을 의미합니다. 수렴 후에는 매개변수가 더 이상 크게 변경되지 않아, 알고리즘이 안정화되었음을 나타냅니다.

2. 로그-가능도 값은 반복 횟수가 증가함에 따라 발산한다.

: 로그-가능도 값은 발산하지 않습니다. EM 알고리즘은 로그-가능도 값을 점진적으로 증가시키며, 일정 반복 이후 수렴하게 됩니다. 그래프에서도 반복 횟수가 증가하면서 로그-가능도가 안정적인 값을 유지하는 것을 확인할 수 있으므로, 이 설명은 부적절합니다.

3. 최적화 과정에서는 반복 없이 초기 값으로만 로그-가능도가 결정된다.

: EM 알고리즘은 초기 값을 기준으로 시작하지만, 반복 과정을 통해 매번 로그-가능도 값을 증가시키며 최적화를 수행합니다. 그래프에서 초기 값에서 출발하여 반복적으로 로그-가능도가 증가하고 수렴하는 과정을 명확히 볼 수 있으므로, 이 설명은 틀렸습니다.

4. 정규혼합분포가 2가지로 관찰되었다.

: 정규혼합분포의 개수는 그래프에서 확인할 수 있는 정보가 아닙니다. 이 정보는 모델 설정에 따라 결정되며, 주어진 그래프에서는 로그-가능도 함수의 수렴 과정만 보여줄 뿐, 혼합분포의 개수는 알 수 없습니다.

48.

비기봇 해설

DBSCAN은 초기 군집 수를 설정하지 않고, 반경 거리(ε)와 최소 점의 수(MinPts)를 설정하여 군집화를 수행합니다.

1. 차원이 매우 높은 데이터에서는 거리가 매우 비슷해지기 때문에 다차원 자료의 경우 '차원의 저주'로 인해 유용하지 않다.

: 차원이 높은 데이터에서는 데이터 간의 거리가 비슷해지는 현상(차원의 저주)이 발생합니다. DBSCAN은 거리를 기반으로 밀도를 계산하므로, 차원이 높은 데이터에서는 효율성이 떨어질 수 있습니다. 따라서 이 설명은 DBSCAN의 한계점을 정확히 짚은 적절한 설명입니다.

2. 군집의 밀도가 낮은 영역은 노이즈로 간주하고, 군집에 포함되지 않는 점들을 이상치나 노이즈로 처리한다.

: DBSCAN은 밀도가 낮은 데이터 포인트를 노이즈로 간주하고, 군집에 포함하지 않습니다. 이 과정에서 군집에 속하지 않는 점들은 이상치로 처리될 수 있습니다. 이러한 특성은 DBSCAN이 이상치 탐지에 유용한 알고리즘으로 평가되는 이유 중 하나입니다.

3. 초기 군집수 k를 설정해야 한다.

: DBSCAN은 초기 군집수를 설정하지 않습니다. 대신, 사용자가 설정하는 두 가지 매개변수인 반경 거리(ε)와 최소 이웃 점의 수(MinPts)를 기반으로 군집화를 수행합니다. 초기 군집수를 설정해야 한다는 설명은 k-평균(k-means)과 같은 알고리즘에 해당하며, DBSCAN과는 맞지 않습니다.

4. 밀도 기반 군집화 알고리즘으로 임의 형태의 군집을 잘 탐지할 수 있다.

: DBSCAN은 밀도 기반 접근 방식을 사용하여 복잡한 모양의 군집도 탐지할 수 있는 강점을 가집니다. 이는 구형(Convex) 형태의 군집만 탐지 가능한 k-평균과의 차별점입니다.

49. 연관 분석은 데이터 내 항목 간의 관계를 탐색하는 분석 기법으로, 대표적으로 장바구니 분석이 있다. 결과가 조건-반응(if-then) 형태로 표현되기 때문에 해석이 용이하며, 목적변수가 필요 없기 때문에 다양한 데이터에 적용할 수 있다. 또한 계산 과정이 비교적 간단하여 대규모 데이터에도 적용할 수 있다. 그러나 데이터의 품목 세분화나 분석 목표에 따라 발견되는 규칙의 품질과 유용성이 달라질 수 있기 때문에 의미 있는 규칙 발견이 항상 보장되지 않는다.

50. 향상도(Lift)는 다음과 같이 계산된다. Lift(A→B)= Support(A∩B) / Support(A)×Support(B) 해당 공식에서 A에는 사과, B에는 딸기를 대입하여 풀이할 수 있다. A∩B = 0.3, A = 0.7, B = 0.45 이므로 향상도를 옳게 계산한 식은 3번이다.

데이터 분석 준전문가 모의고사 3회

출제 데이터에듀
문항수 객관식 : 50 (각 2점)

윤박사 분석

㈜데이터에듀가 보유하고 있는 전 회차(1회~47회)의 기출복원문제를 중심으로 최근 5년(2021~2025년)의 출제경향을 분석해서 가장 비슷한 유형으로 50문제를 선별하여 모의고사를 구성하였습니다. 난이도는 최근 5년동안의 문제 난이도와 유사하게 분포하도록 구성했고 5등급(10문제)을 상대적으로 많이 구성하여 최고 난이도 문제에 적응할 수 있도록 하였습니다.

각 과목별로 1과목은 2등급(3문제), 3등급(3문제)을 집중 출제하고, 2과목도 2등급(4문제), 3등급(3문제), 4등급(3문제)으로 출제해서 시험과 비슷한 수준으로 구성했습니다. 특히 3과목은 4등급(10문제), 5등급(8문제), 3등급(7문제)을 출제하여 아주 어렵게 문제를 구성하였습니다.

모의고사 3회의 3과목에서 22문제 이상 맞춘다면 실제 시험에서 60점 이상 받을 가능성이 높고, 기출문제를 통해 과목별로 약한 부분과 틀린 문제를 추가 학습하면 효과적으로 학습할 수 있을 것입니다.

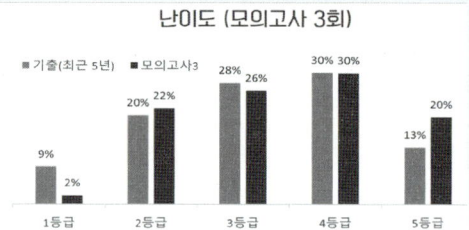

과목1. 데이터 이해 – 10문항

✓ 42회 기출   출 ★★★★☆   난 ★★★☆☆

01. 다음은 DIKW 피라미드의 각 요소들을 예시를 들어 설명한 내용이다. 옳지 않은 설명은 무엇인가?

① D: 광어 양식장에서 수온, 산소포화도, 강수량과 같은 기초 데이터가 수집되었습니다.

② I: 수온이 어제보다 1도 높고, 산소포화도가 낮아지면서 광어의 먹이 섭취량 감소와 상관관계가 있다는 분석 결과가 나왔습니다.

③ K: 수온 상승과 산소포화도 감소가 먹이 섭취량 감소로 이어질 가능성이 높으므로, 먹이 양을 조절하는 것이 적절합니다.

④ W: 오늘은 카메라를 통해 광어의 행동이 빨라지면 먹이를 주기로 했습니다.

✓ 5회 기출   출 ★★★★★   난 ★★★★☆

02. 데이터베이스의 일반적인 특징에 대한 설명으로 가장 부적절한 것은?

① 데이터베이스는 여러 사용자가 서로 다른 목적으로 데이터를 공동으로 이용할 수 있도록 구성되어 있다.

② 데이터베이스는 조직 전체에서 사용되는 관련 데이터를 중복을 최소화하여 한 곳에 모아 관리하는 통합된 데이터이다

③ 데이터베이스는 변화하는 데이터로 데이터의 삽입, 삭제, 갱신을 한다고 하더라도 항상 현재의 정확한 데이터를 유지해야 한다.
④ 데이터베이스는 검색기능을 가지고 있으므로 다양한 방법으로 필요한 정보를 검색할 수 있다.

✓35회 기출 출★★★★☆ 난★★★★☆

03. 다음 설명에 맞는 용어는 무엇인가?

> 아래
>
> 문자, 기호, 음성, 화상, 영상 등 상호 연관된 다수의 콘텐츠를 정보 처리 및 정보통신 기기에 의하여 체계적으로 수집·축적하여 다양한 용도와 방법으로 이용할 수 있도록 정리한 정보의 집합체

① 데이터베이스 (Database)
② 데이터 웨어하우스 (Data Warehouse)
③ 멀티미디어 (Multimedia)
④ 클라우드 컴퓨팅 (Cloud Computing)

✓29회 기출 출★★★☆☆ 난★★★★★

04. 아래의 SQL 함수 중 그룹함수를 적용해서 나온 결과값 중 원하는 조건에 부합하는 자료만 산출 할 때 사용하는 함수는?

① WHERE
② ORDER BY
③ GROUP BY
④ HAVING

✓43회 기출 출★★★★★ 난★★★☆☆

05. 빅데이터 출현 배경으로 옳은 것은 모두 고르시오.

> 아래
>
> 가. 대량의 데이터가 축적
> 나. 휴대폰 및 클라우드의 발전
> 다. 블록체인 기술의 탄생
> 라. 분석처리 기술 발전

① 가, 나
② 가, 다
③ 나, 다, 라
④ 가, 나, 라

✓ 33회 기출 출★★★★☆ 난★★★☆☆

06. 다음 중 빅데이터 분석 활용의 효과로 가장 적절하지 않은 것은?

① 서비스 산업의 확대와 제조업의 축소
② 상품 개발과 조립 비용의 절감
③ 운송 비용의 절감
④ 새로운 수익원의 발굴 및 활용

✓ 43회 기출 출★★★★☆ 난★★☆☆☆

07. 빅데이터 테크닉에 대한 설명 중 틀린 것은?

① 메인식사와 디저트 구매 간의 관계를 찾는 데 사용 - 연관규칙학습
② 유튜브 광고비와 상품 매출액 간의 관계를 설명 - 회귀분석
③ 백화점 고객을 세분화하여 다이렉트 마케팅 활용 - 유형분석
④ 택배 경로를 최적화하기 위해 사용하는 방법 - 주성분분석

✓ 42회 기출 출★★★★★ 난★★★★★

08. 빅데이터 활용 시 빈번하게 발생하는 문제인 데이터의 오용의 해결방법으로 적절한 것은 무엇인가?

① 제공자 동의에서 사용자 책임으로 전환
② 알고리즘에 대한 접근권의 제공
③ 개인정보 접근 제한 강화
④ 데이터 사용 기간 설정

✓ 21회 기출 출★★★☆☆ 난★★☆☆☆

09. 빅데이터와 데이터 사이언스의 미래를 위한 외부 환경적 측면에서 인문학의 열풍의 원인을 설명한 것 중 옳지 않은 것은?

① 단순세계화에서 복잡한 세계화로 변화하는 과정에서 인문학의 중요성을 인식하여야 한다.
② 비즈니스의 화두가 글로벌 네트워크를 통한 대량 공급으로 변함에 따라 가격 인하 정책의 성공을 위해서는 인문학이 중요하다.
③ 비즈니스 중심이 제품생산에서 서비스로 이동함에 따라 인문학의 중요성이 증가하고 있다.
④ 경제와 산업의 논리가 생산에서 시장 창조로 변화하면서 인문학의 중요성이 증가하고 있다.

✓ 6회 기출 출★★★☆☆ 난★★☆☆☆

10. 인문학 열풍 중 최근 사회경제적 환경의 변화가 아닌 것은?

① 복잡한 세계화에서 단순한 세계화로 변화했다.
② 비즈니스의 중심이 제품생산에서 서비스로 이동되었다.
③ 경제와 산업의 논리가 생산에서 시장창조로 바뀌었다.
④ 기존 사고의 틀을 벗어나 문제를 바라보고 창의적으로 문제를 해결하는 능력이 요구되고 있다.

과목2. 데이터 분석 기획 – 10문항

✓ **42회 기출** 출★★★★☆ 난★★☆☆☆

11. 데이터 분석 준비 시 고려해야 할 사항 중 중요도가 가장 낮은 것은 무엇인가?

① 분석데이터
② 분석업무 파악
③ 분석비용
④ 인력 및 조직

✓ **40회 기출** 출★★★★☆ 난★★★★☆

12. 빅데이터 분석 프로젝트의 기획 단계에서는 체계적인 접근이 필요하다. 다음 중 분석 기획 단계의 올바른 순서는 무엇인가?

① 프로젝트 범위 설정 – 데이터 분석 프로젝트 정의 – 프로젝트 수행 계획 수립 – 데이터 분석 위험 식별
② 프로젝트 수행 계획 수립 – 데이터 분석 프로젝트 정의 – 프로젝트 범위 설정 – 데이터 분석 위험 식별
③ 프로젝트 수행 계획 수립 – 프로젝트 범위 설정 – 데이터 분석 프로젝트 정의 – 데이터 분석 위험 식별
④ 데이터 분석 위험 식별 – 프로젝트 범위 설정 – 데이터 분석 프로젝트 정의 – 프로젝트 수행 계획 수립

✓ **40회 기출** 출★★★★☆ 난★★★☆☆

13. 하향식 문제 해결법에 대한 설명 중 올바르지 않은 것은 무엇인가?

① 상위 개념에서 단계별로 세부적으로 접근한다.
② 전체적인 관점의 기준 모델을 활용하여 빠짐없이 문제를 도출하고 분해하여 하위 문제로 나눈다.
③ 프로토타입을 이용해 문제 해결의 초기 모델을 설계한다.
④ 문제의 전체 구조를 정의하고 단계적으로 분석한다.

✓ **21회 기출** 출★★★★☆ 난★★☆☆☆

14. 하향식 데이터 분석 기획에서 문제 탐색 단계에 대한 설명으로 가장 부적절한 것은?

① 빠짐없이 문제를 도출하고 식별하는 것이 중요
② 문제를 해결함으로써 발생하는 가치에 중점을 두는 것이 중요
③ 비즈니스 모델 캔버스는 문제 탐색 도구로 활용
④ 문제 탐색은 유스케이스 활용보다는 새로운 이슈탐색이 우선

✓ 18회 기출 출★★★☆☆ 난★★★★☆

15. 다음 중 분석 프로젝트 관리에 대한 설명으로 가장 부적절한 것은?

① 분석 프로젝트 관리는 프로젝트관리 지침(KSA ISO 21500:2013)을 가이드로 활용할 수 있다.
② 데이터 분석 모델의 품질을 평가하기 위해서 SPICE를 활용할 수 있다.
③ 분석 프로젝트의 일정계획 수립 시 데이터 수집에 대한 철저한 통제와 관리가 필요하다.
④ 분석 프로젝트의 최종 결과물이 분석 보고서 형태 또는 시스템인지에 따라 프로젝트 관리에 차이가 있다.

✓ 31회 기출 출★★★★★ 난★★★★☆

16. 다음 중 마스터 플랜 수립 시 우선순위를 설정하는 기준으로 가장 적절하지 않은 것은?

① 전략적 목표와의 연계성
② 데이터 우선 순위
③ 프로젝트의 실행 가능성
④ 투자 대비 성과(Return on Investment)

✓ 32회 기출 출★★★☆☆ 난★★☆☆☆

17. 다음 중 빅데이터 분석 ROI 계산에서 투자비용 요소로 가장 적절하지 않은 것은?

① Variety
② Velocity
③ Volume
④ Value

✓ 38회 기출 출★★★★★ 난★★☆☆☆

18. 아래에서 설명하는 분석 준비도 진단의 영역은?

> 아래
> – 운영시스템 데이터 통합
> – EAI, ETL 등 데이터 유통 체계
> – 분석 전용 서버 및 스토리지
> – 빅데이터 분석 환경
> – 통계분석 및 비주얼 분석 환경

① 분석 인프라
② 분석 기법
③ 분석 문화
④ 분석 데이터

✓ 41회 기출 출★★★★★ 난★★★☆☆

19. 데이터 분석 거버넌스에 해당하지 않는 항목은 무엇인가?

① 데이터 품질 관리
② 예산 및 비용 집행
③ 데이터 보안 및 프라이버시
④ 분석 프로세스 표준화

✓ 31회 기출 출★★★★☆ 난★★★☆☆

20. 데이터 분석 조직구조의 설명으로 가장 부적절한 것은?

① 집중형 조직구조는 조직 내 별도의 분석 전담조직을 독립적으로 구성하는 것으로서 분석업무의 중복 또는 이원화의 이슈가 있다.
② 기능 중심의 조직구조는 별도의 분석전담조직을 구성하지 않고 해당 부서에서 직접 분석을 수행함으로써 국한된 분석 수행 이슈가 존재한다.
③ 분산 구조는 분석 조직의 인력을 현업부서에 배치하여 분석업무를 수행함으로써 분석이 집중되지 못해 신속한 실무적용이 어렵다.
④ 분석 조직은 분석 전문인력뿐만 아니라 도메인 전문가, IT 인력, 변화 관리 및 교육담당 인력으로 구성되어야 효율적인 운영이 가능하다.

과목3. 데이터 분석 – 30문항

✓ 37회 기출 출★★★☆☆ 난★★★★★

21. 다음 중 텍스트 마이닝에 대한 설명으로 가장 부적절한 것은?

① 단어 사전은 분석 대상이 되는 모든 단어를 포함한 목록이다.
② 텍스트 마이닝에서는 문서 분류, 감성 분석, 주제 모델링 등이 주요 기능이다.
③ 텍스트 분석에서 평가 지표로 F1-score, AUC, ROC 등이 사용된다.
④ 데이터 마이닝 절차를 거치기 전의 비구조화된 단계를 코퍼스(corpus)라고 한다.

✓ 10회 기출 출★★★☆☆ 난★★★☆☆

22. 파생변수는 사용자가 특정 조건을 만족하거나 특정 함수에 의해 값을 만들어 의미를 부여한 변수이다. 다음 중 파생변수의 설명으로 적절한 것은?

① 파생변수는 매우 주관적인 변수일 수 있으므로 논리적 타당성을 갖춰야 한다.
② 파생변수는 많은 모델에서 공통적으로 많이 사용될 수 있다.
③ 파생변수는 재활용성이 높다.
④ 파생변수는 다양한 모델을 개발해야 하는 경우, 효율적으로 사용할 수 있다.

✓ **41회 기출** 출★★★★☆ 난★★☆☆☆

23. 상자수염그림은 탐색적 자료 분석에 활용도가 높은 시각화 기법이다. 다음 상자 수염 그림을 해석한 것으로 옳지 않은 것을 고르시오.

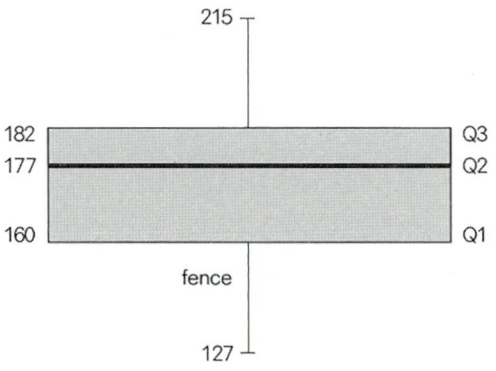

① 평균은 177이다.
② 177에서 182사이에 전체 데이터의 25%가 집중되어 있다.
③ IQR은 22이다.
④ 데이터에 126이 존재 한다면 그 값은 이상치로 간주된다.

✓ **36회 기출** 출★★★★★ 난★★★★☆

24. 이산형 확률변수 x가 1, 2, 4로 주어졌을 때, p(x = 1)이 0.4로 나타났다. p(x = 2)의 확률은 얼마인가? (단, 기댓값은 2.4)

① 0.2
② 0.25
③ 0.3
④ 0.35

✓ **17회 기출** 출★★★★★ 난★★☆☆☆

25. 통계분석에서 자료를 수집하고 그 수집된 자료로부터 어떤 정보를 얻고자 하는 경우에는 항상 수집된 자료가 특정한 확률분포를 따른다고 가정한다. 다음 중 연속형 확률분포가 아닌 것은?

① 이항분포
② 정규분포
③ t분포
④ F분포

17회 기출 출★★★★★ 난★★★★☆

26. Wage 데이터셋에 대한 아래 요약통계량에 대한 설명으로 가장 부적절한 것은 무엇인가?

아래

```
> summary(Wage[,c("wage","education")])
     wage                    education
 Min.   : 20.09   1. < HS Grad      :268
 1st Qu.: 85.38   2. HS Grad        :971
 Median :104.92   3. Some College   :650
 Mean   :111.70   4. College Grad   :685
 3rd Qu.:128.68   5. Advanced Degree:426
 Max.   :318.34
```

① wage의 최소값은 20.09 이다.
② 교육수준은 5개의 그룹으로 구분된다.
③ wage는 범주형 변수이다.
④ education은 순서형 변수이다.

39회 기출 출★★★★★ 난★★☆☆☆

27. 아래는 닭의 무게에 대한 t-test 검정 결과를 통해 도출된 통계정보이다. 다음 중 잘못된 설명은 무엇인가?

아래

```
> t.test(chickwts$weight)

        One Sample t-test

data: chickwts$weight
t = 28.202, df = 70, p-value < 2.2e-16
alternative hypothesis: true mean is not equal to 0
95 percent confidence interval:
 242.8301 279.7896
sample estimates:
mean of x
 261.3099
```

① 닭 무게의 점 추정량은 약 261.3이다.
② 99% 신뢰구간을 구하기 위해서는 "conf.level=0.99" 라는 옵션을 사용할 수 있다.
③ 95% 신뢰구간은 242.8에서 279.8이다.
④ 전체 관측치 수는 70개이다.

28. 다음 중 중심극한정리(Central Limit Theorem)에 대한 설명으로 가장 부적절한 것은?

① 여러 통계적 방법론에는 정규데이터가 필요하지만 중심극한정리를 사용하면 비정규적인 모집단에도 이와 유사한 절차를 적용할 수 있다.
② 표본평균의 분포는 표본의 크기가 커짐에 따라 정규분포로 근사한다.
③ 모집단의 분포가 정규분포에 가까워져야 표본평균의 분포가 정규분포로 근사하게 된다.
④ 모집단의 분포가 대칭이면 표본의 크기가 작아도 되지만 모집단의 분포가 비대칭이면 표본의 크기가 30이상이 되어야 한다.

29. 아래 그림은 시계열 데이터 A~D의 패턴을 나타낸 것이다. 다음 시계열 그래프 중 정상 시계열로 판단되는 그래프는 무엇인가?

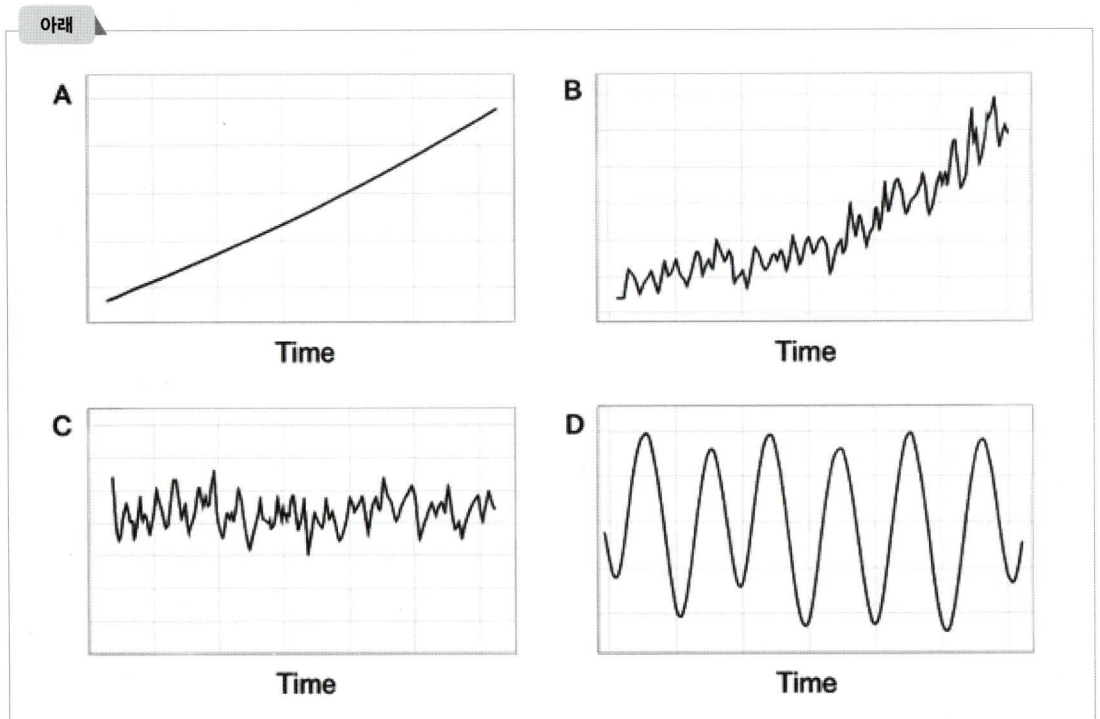

① A
② B
③ C
④ D

30. 선형회귀분석의 가정에 대한 설명으로 가장 적절한 것은?

① 정규성은 모든 관측치가 정규 분포를 따라야 한다는 것이다.
② 등분산성이란 모든 관측치에 대해 오차들의 분산이 일정한 것이다.
③ 독립성은 모든 변수들이 독립적인 분포를 가져야 한다는 것이다.
④ 자기상관은 모든 독립 변수들이 서로 상관되어 있어야 한다는 것이다.

31. 아래는 스위스의 47개 프랑스어 사용지역의 출산율(Fertility)과 관련된 변수들을 사용하여 얻은 결과이다. 회귀모형에 관한 다음 설명 중 가장 부적절한 것은?

아래

```
> summary(lm(Fertility~., data=swiss))

Call:
lm(formula = Fertility ~ ., data = swiss)

Residuals:
     Min      1Q  Median      3Q     Max
-15.2743 -5.2617  0.5032  4.1198 15.3213

Coefficients:
                 Estimate Std. Error t value Pr(>|t|)
(Intercept)      66.91518   10.70604   6.250 1.91e-07 ***
Agriculture      -0.17211    0.07030  -2.448 0.01873 *
Examination      -0.25801    0.25388  -1.016 0.31546
Education        -0.87094    0.18303  -4.758 2.43e-05 ***
Catholic          0.10412    0.03526   2.953 0.00519 **
Infant.Mortality  1.07705    0.38172   2.822 0.00734 **
---
Signif. codes:  0 '***' 0.001 '**' 0.01 '*' 0.05 '.' 0.1 ' ' 1

Residual standard error: 7.165 on 41 degrees of freedom
Multiple R-squared: 0.7067,    Adjusted R-squared: 0.671
F-statistic: 19.76 on 5 and 41 DF,  p-value: 5.594e-10
```

① 유의수준 0.05하에서 위의 회귀모형은 유의적으로 출산율을 설명한다.
② 위의 설명변수들은 출산율 변동의 원인임을 보여준다.
③ 위의 회귀모형은 출산율 변동의 70.67%를 설명한다.
④ 수정결정계수는 0.671이다.

✓ 35회 기출 출★★★★☆ 난★☆☆☆☆

32. 회귀분석에서 모든 독립변수 후보를 포함한 모형에서 시작하여 가장 적은 영향을 주는 변수를 하나씩 제거하면서 더 이상 유의하지 않은 변수가 없을 때까지 설명변수를 제거하는 방법은?

① 후진제거법 (Backward Elimination)
② 전진선택법 (Forward Selection)
③ 단계적 회귀법 (Stepwise Regression)
④ 교차검증 (Cross Validation)

✓ 39회 기출 출★★☆☆☆ 난★★★★★

33. 고객의 나이, 직업, 월 소득 등의 변수를 사용해 자동차 보험료를 예측하려고 한다. 이때 적합한 모형은?

① 능형 회귀모형(Ridge Regression Model)
② 의사결정트리모형(Decision Tree Model)
③ 로지스틱 회귀모형(Logistic Regression Model)
④ k-평균 군집화(K-means Clustering)

✓ 22회 기출 출★★★★★ 난★★★★☆

34. 다음 중 시계열 예측에서 정상성(Stationary)을 만족한다는 것이 의미하는 것은?

① 평균이 시점에 의존한다.
② 분산이 시점에 의존한다.
③ 공분산은 시차에 의존하지 않고, 특정 시점에 의존한다.
④ 분산이 시점에 의존하지 않는다.

✓ 41회 기출 출★★☆☆☆ 난★★★☆

35. 다음은 시계열 자료의 분석방법에 대한 설명이다. 보기 중 설명이 옳지 않은 것은 무엇인가?

① 지수 평활법은 단기 예측에 적합한 방법으로 간주된다.
② 이동평균법은 일정 구간의 데이터를 평균하여 트렌드를 파악한다.
③ 지수 평활법은 미래 예측을 위해 과거 자료에 동일한 가중치를 부여한다.
④ 시계열 데이터의 계절성 분석을 위해 계절 지수를 활용할 수 있다.

36. 다음 중 주성분 회귀분석에 대한 설명으로 가장 적절하지 않은 것은?

① 차원이 축소된 주성분으로 회귀분석에 적용하는 방법으로 자료의 시각화에 도움을 줄 수 있다.
② 변수들의 선형결합으로 이루어진 주성분은 서로 직교하며, 기존 자료보다 적은 수의 주성분들을 회귀분석의 독립변수로 설정할 수 있다.
③ 주성분의 개수는 고윳값(Eigenvalue)이 1보다 큰 주성분을 선택하여 개수를 정할 수 있다.
④ 개별 고유치의 분해 가능 여부를 판단하여 주성분의 개수를 정한다.

37. Data는 메이저리그에서 활약하는 263명의 선수에 대한 타자 기록으로 연봉(Salary)을 비롯한 17개의 변수를 포함하고 있다. 아래는 17개의 변수들을 사용하여 주성분분석을 시행한 결과이다. 다음 설명 중 잘못된 것은?

```
> pca=princomp(data,cor=TRUE)
> summary(pca)
Importance of components:
                          Comp.1    Comp.2    Comp.3    Comp.4    Comp.5     Comp.6     Comp.7     Comp.8     Comp.9
Standard deviation     2.7733967 2.0302601 1.3148557 0.9575410 0.84109683 0.72374220 0.69841796 0.50090065 0.42525940
Proportion of Variance 0.4524547 0.2424680 0.1016968 0.0539344 0.04161435 0.03081193 0.02869339 0.01475891 0.01063797
Cumulative Proportion  0.4524547 0.6949227 0.7966195 0.8505539 0.89216822 0.92298014 0.95167354 0.96643244 0.97707042
                          Comp.10      Comp.11     Comp.12     Comp.13     Comp.14     Comp.15     Comp.16
Standard deviation     0.363901982 0.312011679 0.243641510 0.232044829 0.163510472 0.1186398422 0.0693395039
Proportion of Variance 0.007789685 0.005726546 0.003491834 0.003167341 0.001572687 0.0008279654 0.0002828216
Cumulative Proportion  0.984860104 0.990586651 0.994078485 0.997245826 0.998818513 0.9996464785 0.9999293001
                          Comp.17
Standard deviation     3.466841e-02
Proportion of Variance 7.069994e-05
Cumulative Proportion  1.000000e+00
```

① 최소 80% 이상의 분산설명력을 갖기 위해서는 4개 이상의 주성분을 사용해야 한다.
② 가장 큰 분산설명력을 가지는 주성분은 전체 분산의 45.25%를 설명한다.
③ 공분산행렬을 사용하여 주성분 분석을 시행한 것이다.
④ 17차원을 2차원으로 축소한다면 잃게 되는 정보량은 약 30.5%이다.

38. 데이터 마이닝을 위한 데이터 분할에 대한 설명으로 틀린 것은 어느 것인가?

① 데이터를 학습용(Training), 검정용(Validation), 시험용(Test)으로 분리한다.
② 일반적으로 데이터 학습용, 검정용, 시험용 데이터는 50%, 30%, 20%로 정한다.
③ 데이터가 충분하지 않을 때는 학습용과 시험용 데이터만 구분하여 활용한다.
④ 통계학에 적용되는 교차검증(Cross-Validation)은 데이터 마이닝에서 활용할 수 없다.

✓ 42회 기출 출★★★★★ 난★★★★☆

39. 다음 오분류표에서 특이도를 구하시오.

		예측치		합계
		True	False	
실제값	True	200	400	600
	False	300	100	400
합계		500	500	1000

① 0.3   ② 0.2   ③ 0.4   ④ 0.25

✓ 40회 기출 출★★★★★ 난★★★☆☆

40. 다음 로지스틱 회귀분석코드를 보고 올바르게 해석한 것을 고르시오.

> 아래

```
> library(boot)
> data(nodal)
> a <- c(2,4,6,7)
> data <- nodal[,a]
> glmModel <- glm(r ~ ., data=data, family="binomial")
> summary(glmModel)

Call: glm(formula = r ~ ., family = "binomial", data = data)

Deviance Residuals:
    Min       1Q   Median       3Q      Max
-2.1231  -0.6620  -0.3039   0.4710   2.4892

Coefficients:
            Estimate Std. Error z value Pr(>|z|)
(Intercept)  -3.0518     0.8402  -3.624  0.00029 ***
stage         1.6453     0.7297   2.255  0.02414 *
xray          1.6910     0.6877   2.460  0.01388 *
acid          1.6378     0.7539   2.172  0.02903 *
---
Signif. codes:  0 '***' 0.001 '**' 0.01 '*' 0.05 '.' 0.1 ' ' 1

(Dispersion parameter for binomial family taken to be 1)

    Null deviance: 70.252  on 52  degrees of freedom
Residual deviance: 49.180  on 49  degrees of freedom
AIC: 57.18

Number of Fisher Scoring iterations: 5
```

① stage 변수의 계수가 양수이므로 stage가 증가할수록 r이 1일 가능성이 감소한다.

② xray변수의 p-value는 0.05보다 작기 때문에 r에 유의미한 영향을 미친다고 볼 수 있다.

③ acid 변수의 p-value가 3개 변수 중 가장 크므로 r에 가장 큰 영향력을 미치게 된다.

④ 모델의 AIC 값이 57.18로 낮기 때문에, 이 모델은 높은 적합도를 갖는다고 해석할 수 있다.

41. 의사결정나무 모형의 과대적합을 방지하기 위한 방법으로 옳지 않은 것은 무엇인가?

① 가지치기
② 스테밍
③ 정지규칙
④ 랜덤포레스트

42. 다음 중 배깅에 대한 설명으로 가장 적절한 것은?

① 배깅은 반복추출 방법을 사용하기 때문에 같은 데이터가 한 표본에 여러 번 추출될 수 있고, 어떤 데이터는 추출되지 않을 수도 있다.
② 배깅은 데이터의 고차원 표현을 저차원으로 축소하여 설명력을 높인다.
③ 배깅은 데이터 셋 간 유사성을 분석하여 그룹으로 묶는 데 사용된다.
④ 배깅은 분류 결과에서 특정 클래스에 대한 확률을 추정하여 신뢰도를 평가한다.

43. 모형의 평가를 위해 관측치를 한번 이상 훈련용 자료로 사용하는 복원 추출법(Sampling with Replacement)에 기반하는 붓스트랩(Bootstrap) 기법에서 일반적으로 훈련용 자료의 선정을 d번 반복할 때 하나의 관측치가 선정되지 않을 확률은 $(1-\frac{1}{d})^d$ 이다. d가 충분히 크다고 가정 할 때 훈련용 집합으로 선정되지 않아 검증용 자료로 사용되는 관측치의 비율은?

① 20.50%
② 28.80%
③ 34.20%
④ 36.80%

44. 신경망 모형은 동물의 뇌신경계를 모방하여 분류를 위해 만들어진 모형이다. 신경망의 학습 및 기억 특성들은 인간의 학습과 기억 특성을 닮았고 특정 사건으로부터 일반화하는 능력도 갖고 있다. 다음 중 신경망 모형에 대한 설명으로 부적절한 것은?

① 은닉층(Hidden Layer)의 뉴런 수와 개수를 정하는 것은 신경망을 설계하는 사람의 직관과 경험에 의존한다. 뉴런 수가 너무 많으면 과적합(Overfitting)이 발생하고 뉴런 수가 너무 적으면 입력 데이터를 충분히 표현하지 못하는 경우가 발생한다.
② 신경망 모형에서 뉴런의 주요 기능은 입력과 입력 강도의 가중합을 구한 다음 활성화 함수에 의해 출력을 내보내는 것이다. 따라서 입력 변수의 속성에 따라 활성화 함수를 선택하는 방법이 달라지게 된다.
③ 역전파(Back Propagation) 알고리즘은 신경망 모형의 목적함수를 최적화하기 위해 사용된다. 연결강도를 갱신하기 위해서 예측된 결과와 실제값의 차이인 에러(Error)를 통해 가중치를 조정하는 방법이다.
④ 신경망 모형은 입력 변수의 수가 많고, 이들 간에 복잡하고 비선형적인 관계가 존재하는 경우에도 효과적으로 패턴을 학습할 수 있다.

✓ 43회 기출 출★★★★☆ 난★★★★★

45. 인공신경망에서 가중치에 대한 설명으로 옳은 것은?

① 가중치 감소기법으로 과대적합 문제를 해결할 수 있다.

② 은닉층이 많으면 노드의 개수가 늘어나서 가중치 수가 줄어든다.

③ 가중치를 높여 모델이 복잡해지는 것을 막는다.

④ 가중치는 입력 변수의 영향력을 따로 조정하지는 않는다.

✓ 25회 기출 출★★★★☆ 난★★★☆☆

46. 아래 데이터 셋 A, B 간의 유사성을 맨하튼(Manhattan)거리로 계산하면 얼마인가?

	키	몸무게
A	165	65
B	170	70

① 25
③ 15
② 20
④ 10

✓ 37회 기출 출★★★★★ 난★★★☆☆

47. 데이터셋 x는 두 개의 변수와 5개의 관측치를 가지며 아래는 데이터와 관측치 간의 유클리드 거리를 나타낸다. 최단연결법을 사용하여 계층적 군집화를 할 때 첫 단계에서 형성되는 군집과 관측치 a와의 거리를 구하시오.

아래
```
> x
  x1 x2
a  1  4
b  2  1
c  4  6
d  4  3
e  5  1
> dist(x)
    a   b   c   d
b 3.2
c 3.6 5.4
d 3.2 2.8 3.0
e 5.0 3.0 5.1 2.2
```

① 2.2
③ 5
② 3.2
④ 5.4

✓ 30회 기출 출★★★★☆ 난★★★☆☆

48. 다음 중 k-평균 군집화(k-means clustering)에 대한 설명으로 적합하지 않은 것은?

① 한번 군집이 형성되면 군집에 속하는 개체들은 다른 군집으로 이동할 수 없다.
② 초기 군집 중심값은 임의로 설정된다.
③ 군집의 개수(k)를 사전에 지정해야 한다.
④ 이상값(outlier)에 민감한 경향이 있다.

✓ 33회 기출 출★★★★★ 난★★★★☆

49. 아래는 피자와 햄버거의 거래 관계를 나타낸 표로, Pizza/Hamburgers는 피자/햄버거를 포함하는 거래 수를 의미하고, (Pizza)/(Hamburgers)는 피자/햄버거를 포함하지 않은 거래 수를 의미한다. 아래 표에서 피자 구매와 햄버거 구매에 대한 설명으로 적절한 것을 고르시오.

	Pizza	(Pizza)	합계
Hamburgers	2,000	500	2,500
(Hamburgers)	1,000	1,500	2,500
합계	3,000	2,000	5,000

① 지지도는 0.6으로 전체 구매 중 햄버거와 피자가 같이 구매되는 경향이 높다.
② 정확도는 0.7로 햄버거와 피자의 구매 관련성은 높다고 볼 수 있다.
③ 향상도가 1보다 크므로 햄버거와 피자 사이에 연관성이 높다고 할 수 있다.
④ 연관규칙 중 "햄버거→피자"보다 "피자→햄버거"의 신뢰도가 더 높다고 할 수 있다.

✓ 42회 기출 출★★★☆☆ 난★★★★★

50. Apriori 알고리즘에 대한 설명으로 옳지 않은 것을 고르시오.

① 각 항목 간의 독립성을 가정한다.
② 높은 신뢰도와 최소지지도를 함께 고려한다.
③ 빈발 항목집단을 찾기 위해 최소 지지도라는 임계값을 설정한다.
④ 빈발하는 항목 집합을 기반으로 더 큰 항목 집합을 생성한다.

제 3회 모의고사 답안

데이터 분석 준전문가 자격검정 시험

【 객관식 정답 】

01	④	11	③	21	④	31	②	41	②
02	④	12	①	22	①	32	①	42	①
03	①	13	③	23	①	33	①	43	④
04	④	14	④	24	④	34	④	44	②
05	④	15	②	25	①	35	③	45	①
06	①	16	②	26	③	36	④	46	④
07	④	17	④	27	④	37	②	47	②
08	②	18	①	28	③	38	④	48	①
09	②	19	③	29	③	39	④	49	③
10	①	20	③	30	②	40	②	50	①

영역	맞은 개수
데이터 이해	/10
데이터 분석 기획	/10
데이터 분석	/30

모바일로 풀기

---

1 데이터 이해
10문항

01. Wisdom (지혜) 단계는 의사결정 및 실행을 포함하는 단계로, 구체적인 상황에 대한 통찰과 실행 전략이 포함된다. 그러나 "오늘은 카메라를 통해 광어의 행동이 빨라지면 먹이를 주기로 했습니다."는 단순히 행동에 대한 규칙 기반의 대응으로, 지혜 단계에 필요한 충분한 통찰과 전략적 사고가 포함되지 않았으므로 틀린 설명이다.

02. 데이터베이스(Database)는 데이터를 체계적으로 저장하고 관리하여 여러 사용자가 다양한 목적으로 데이터를 효율적으로 활용할 수 있도록 설계된 시스템이다. 검색 기능은 DBMS가 제공하는 운영·관리 기능으로, 데이터베이스의 본질적 성격을 나타내는 '일반적인 특징' 이라기보다 다양한 측면(정보 축적, 정보 이용 등)의 부가적 특성으로 보는 것이 더 적절하다.

03. 데이터베이스는 문자, 기호, 음성, 영상 등 다양한 형태의 콘텐츠를 체계적으로 수집하고 정리하여 여러 용도로 활용하는 정보의 집합체다. 멀티미디어는 콘텐츠를 표현하기 위한 목적으로 사용되고, 데이터 웨어하우스는 의사결정 지원을 위한 통합 데이터 저장소이며, 클라우드 컴퓨팅은 네트워크를 통해 데이터와 리소스를 제공하는 기술이다.

04. HAVING 절은 GROUP BY로 그룹화된 결과에 대해 조건을 걸 때 사용된다. WHERE는 개별 행에 대한 조건을 설정하며 그룹 함수에는 적용되지 않는다. ORDER는 결과를 정렬하고, GROUP BY는 데이터를 그룹화하는 데 사용된다. 따라서 그룹화된 결과에 조건을 적용하려면 HAVING을 사용해야 한다.

05. 빅데이터 출현 배경에는 기술적 발전과 환경 변화가 큰 영향을 미쳤다. 대량의 데이터가 축적된 점과 클라우드 및 휴대폰 기술 발전은 데이터 수집과 저장을 가능하게 했다. 또한 분석 처리 기술의 발전은 대규모 데이터를 빠르게 처리하고 의미를 도출할 수 있도록 도왔다. 블록체인 기술은 빅데이터와 관련 있지만, 출현 배경의 핵심 요소는 아니다.

06. 빅데이터 분석은 상품 개발 비용 절감, 운송 비용 최적화, 새로운 수익원 발굴 등 다양한 산업에서 효율성과 혁신을 가져온다. 그러나 제조업의 축소는 빅데이터 분석의 직접적 효과가 아니다. 빅데이터는 서비스 산업뿐만 아니라 제조업의 효율성과 경쟁력을 높이는 데에도 기여한다.

07. 택배 경로 최적화는 주로 최적화 알고리즘 및 경로 탐색 알고리즘에 의해 수행된다. 주성분 분석(PCA)은 데이터의 차원을 축소하여 중요한 변수를 도출하는 기법으로, 경로 최적화와는 관련이 없다. 연관규칙학습은 항목 간의 관계를 찾는 데 사용되며, 회귀분석은 두 변수 간의 관계를 설명하고, 유형분석은 고객이나 데이터를 세분화하는 데 활용된다.

08. 데이터 오용 문제는 개인정보 침해, 부정확한 데이터 활용 등으로 발생한다. 이를 해결하기 위해 알고리즘에 대한 접근권을 제공하여 알고리즘의 작동 원리와 데이터 처리 방식을 투명하게 공개하고, 예측 결과의 신뢰성을 검증할 수 있도록 해야 한다.

09. 인문학의 중요성은 빅데이터와 데이터 사이언스가 기술 중심에서 사람 중심으로 변화하는 환경에서 더욱 강조되고 있다. 특히, 비즈니스 중심이 서비스화와 시장 창조로 이동하면서, 사람들의 욕구와 행동을 이해하고 창의적인 아이디어를 발굴하는 인문학의 역할이 중요해지고 있다. 그러나 2번의 "글로벌 네트워크를 통한 대량 공급"과 "가격 인하 정책"은 인문학과 직접적인 관련이 적으며, 기술적 효율성과 경제 논리에 더 가까운 설명이다.

10. 최근의 사회경제적 환경은 단순한 세계화에서 복잡한 세계화로의 변화를 특징으로 한다. 이는 국가 간의 상호 의존성이 높아지고, 문화적·사회적 상호작용이 더욱 중요해진 것을 의미한다. 이와 더불어 비즈니스 중심의 변화, 시장 창조의 중요성, 그리고 창의적 문제 해결 능력에 대한 요구가 인문학의 중요성을 부각시키고 있다.

2 데이터 분석 기획
10문항

11. 데이터 분석 준비 단계에서는 분석에 필요한 데이터의 확보 여부와 품질, 분석 목적과 업무에 대한 이해, 그리고 이를 수행할 수 있는 인력과 조직의 준비 상태가 핵심이다. 분석비용은 중요 요소이기는 하나, 준비 단계에서의 우선순위는 상대적으로 낮으며 보통 실행 단계에서 조정·관리된다. 따라서 중요도가 가장 낮은 것은 분석비용이다.

12.

비기봇 해설

빅데이터 분석 프로젝트 기획 단계는 아래와 같은 단계로 진행됩니다.
1. **프로젝트 범위 설정**: 프로젝트 기획의 첫 단계로, 분석 대상 및 범위를 정의합니다. 이는 전체 프로젝트 방향성을 설정하는 기초 작업입니다.
2. **데이터 분석 프로젝트 정의**: 범위 설정 이후, 분석 프로젝트의 목적, 주요 목표, 기대 효과 등을 정의합니다. 이를 통해 프로젝트의 구체적인 실행 방향이 정해집니다.
3. **프로젝트 수행 계획 수립**: 앞선 모든 단계를 바탕으로 구체적인 일정, 리소스 할당, 분석 도구 선정 등의 실행 계획을 수립합니다.
4. **데이터 분석 위험 식별**: 프로젝트 실행 과정에서 발생할 수 있는 잠재적인 위험 요소(데이터 품질, 기술적 한계 등)를 미리 파악하여 대처 방안을 마련합니다.

13. 하향식 접근법은 문제를 전체적으로 구조화한 후 단계적으로 세부 문제를 도출하고 분석하는 방법이다. 상위 개념에서 하위 개념으로 내려가며 문제를 해결하는 구조적 방식이다. 반면 프로토타입을 이용한 초기 모델 설계는 하향식보다는 상향식 접근법에서 사용된다.

14. 하향식 접근법에서 문제 탐색 단계는 가능한 모든 문제를 빠짐없이 도출하고, 문제를 해결했을 때 발생하는 가치를 중점적으로 고려해야 한다. 비즈니스 모델 캔버스와 같은 도구를 활용하면 문제 탐색을 체계적으로 수행할 수 있다. 하지만 새로운 이슈 탐색만을 우선하는 것은 잘못된 접근이며, 유스케이스 활용 역시 중요한 방법론 중 하나이다.

15. 데이터 분석 프로젝트 관리에서는 SPICE(Software Process Improvement and Capability Determination)가 소프트웨어 프로세스의 품질 평가를 목적으로 사용되며, 데이터 분석 모델의 품질 평가와는 관련이 없다. 데이터 분석 모델의 품질 평가는 RMSE, AUC, Precision, Recall 등과 같은 성능 지표를 사용하여 평가한다.

16. 마스터 플랜 수립 시 전략적 목표와의 연계성, 프로젝트 실행 가능성, 투자 대비 성과(ROI) 등은 중요한 우선순위 기준이다. 반면 데이터 우선 순위는 개별 데이터의 우선 처리를 의미할 뿐 프로젝트의 전체적 성과와는 거리가 멀다.

17. 빅데이터의 ROI(투자 대비 수익)를 계산할 때 투자비용 요소는 데이터를 저장하고 처리하는 데 필요한 인프라, 기술, 인력 등의 비용으로 구성된다. 4번 Value는 ROI 계산에서 수익 요소로 분류되며, 투자비용 요소로 적절하지 않다.

18. 보기에서 진단된 영역은 분석 인프라로, 운영 시스템 데이터 통합, 데이터 유통 체계(EAI, ETL), 분석 전용 서버 및 스토리지, 빅데이터 분석 환경 등을 포함한다. 이는 데이터 분석이 원활하게 이루어질 수 있도록 뒷받침하는 기술적 환경을 의미한다.

19.

비기봇 해설

데이터 분석 거버넌스는 데이터의 체계적이고 일관된 관리를 통해 데이터 활용 가치를 극대화하는 데 중점을 둡니다.

1. 데이터 품질 관리

: 데이터 품질 관리는 데이터 분석 거버넌스의 핵심 요소 중 하나입니다. 데이터의 정확성, 완전성, 신뢰성을 유지하는 데 필수적입니다.

2. 예산 및 비용 집행

: 예산 및 비용 집행은 조직의 재정 관리와 관련된 사항으로, 데이터 거버넌스보다는 경영이나 재무 거버넌스의 영역에 더 가까운 개념입니다. 따라서 데이터 분석 거버넌스와는 직접적인 연관이 없습니다.

3. 데이터 보안 및 프라이버시

: 데이터 보안 및 프라이버시는 거버넌스에서 중요한 부분으로, 데이터 보호와 관련된 법적, 윤리적 요구사항을 준수하는 데 중점을 둡니다.

4. 분석 프로세스 표준화

: 분석 프로세스 표준화는 데이터 활용의 일관성을 유지하고, 프로세스 개선을 도모하기 위해 필요한 거버넌스 활동입니다.

20. 집중형 조직구조는 분석 전담 부서를 독립적으로 운영하여 업무의 효율이 높아지지만, 현업 부서와 분석업무의 중복 또는 이원화 가능성이 있다. 기능 중심의 조직구조는 부서별로 분석을 수행하지만 분석 범위가 국한될 수 있고, 분산형 구조는 분석 인력을 현업 부서에 배치해 신속한 액션을 취할 수 있다. 효율적 운영을 위해 분석 인력 외 도메인 전문가와 IT 인력이 필요하다.

3 데이터 분석
30문항

21. 코퍼스(corpus)는 텍스트 마이닝에서 분석 대상이 되는 텍스트 데이터의 모음을 의미한다. 코퍼스는 비구조화된 상태에서 수집되지만, 이를 정제하고 전처리하는 과정에서 구조화된 형태로 변환된다. 데이터 마이닝과는 구분되는 개념이다. 나머지 설명인 단어 사전, 문서 분류 및 감성 분석, 평가 지표(F1-score, AUC, ROC)는 텍스트 마이닝의 핵심 기능과 관련이 있다.

22. 파생변수는 기존 변수나 데이터를 가공하여 새로운 의미를 부여한 변수로, 분석의 목표에 따라 매우 주관적으로 정의될 수 있다. 따라서 논리적 타당성과 분석 목표와의 연관성을 유지하는 것이 중요하다. 파생변수는 다양한 모델에 공통적으로 사용되기보다는 특정 모델에 최적화되며, 재활용성이나 효율성은 경우에 따라 다를 수 있다.

23. 상자수염그림(Boxplot)은 최소값, 1사분위(Q1), 중앙값(Q2, Median), 3사분위(Q3), 최대값 및 이상치를 직관적으로 보여주는 그래프이며 평균값을 나타내지 않는다. 177에서 182 사이(중앙값과 3사분위수 사이)에 전체 데이터의 25%가 위치한다는 것은 사분위수 정의상 타당하며, IQR(3사분위−1사분위)=182−160=22이다. 한편 통상적으로 박스플롯에서 상·하한선은 Q1−1.5×IQR, Q3+1.5×IQR로 설정한 펜스(fence) 범위 안에 포함된 데이터를 이상치로 보지 않는다. 여기서 하한 펜스는 160−(1.5×22)=160−33=127이다. 만약 데이터에 126이 있다면 이는 하한 펜스(127)보다 작으므로 이상치로 간주될 수 있다.

24. 확률변수의 기댓값은 각 확률과 변수 값을 곱한 후 더한 값이다. 확률의 합은 1이어야 하므로 0.4+p2+p4 =1이고 기댓값 조건에 따라 세운 식은 0.4+2×p2+4×p4 = 2.4이므로 p2는 0.2이다.

25. 이항분포는 이산형 확률분포로, 성공과 실패 두 가지 결과 중 성공의 횟수를 다루는 분포다. 정규분포, t분포, F분포는 모두 연속형 확률분포에 속하며, 정규분포를 기반으로 다양한 통계적 검정에서 사용된다.

26. 주어진 요약통계량에서 wage는 최소값, 1사분위수, 중앙값, 평균, 3사분위수, 최대값이 모두 제시되어 있으며, 이는 wage가 연속형 수치변수임을 보여준다. 실제 Wage 데이터셋에서 wage는 임금이라는 연속형 변수이다. 반면 education은 "< HS Grad", "HS Grad", "Some College", "College Grad", "Advanced Degree"로 교육수준을 단계적으로 나눈 5개 그룹이며, 이는 명백히 수준에 따른 순서를 갖고 있다. 또한 wage의 최소값은 20.09이고 교육수준은 5개의 그룹으로 구분된다.

27. 주어진 결과에서 자유도(df)는 70이다. 일반적으로 일표본 t−검정에서 자유도(df)는 표본 크기 n−1과 같으므로, df = n−1 = 70이면 표본 크기 n은 71개이다. 점 추정량(mean of x)은 약 261.3으로 출력값과 일치하며, "conf.level=0.99" 옵션을 사용하면 99% 신뢰구간을 구할 수 있다는 것 역시 R t.test 함수의 일반적 사용법에 부합한다. 95% 신뢰구간은 242.8~279.8로 결과와 일치한다.

28. 중심극한정리는 모집단의 분포가 어떠하든지 표본 크기가 충분히 크면 표본평균의 분포가 정규분포에 가까워진다는 이론이다. 모집단의 분포가 정규분포에 가까워야만 한다는 설명은 잘못되었다. 일반적으로 표본 크기가 30 이상이면 비대칭인 모집단도 정규분포로 근사된다.

29. 정상 시계열(Stationary Time Series)이란 시간이 지나도 평균과 분산이 일정하고, 공분산이 시간 간격에만 의존하는 시계열을 의미한다. 네 개의 그래프 중 C는 뚜렷한 추세나 계절성이 없고, 변동폭이 일정하여 정상 시계열로 판단된다. D 그래프는 평균과 분산은 일정하지만 사인파의 모양으로 계절성과 같은 패턴을 포함하고 있어 정상시계열로 정의하기 힘들다.

30. 등분산성은 선형회귀분석의 가정 중 하나로, 모든 관측치에 대해 오차(잔차)의 분산이 일정해야 한다는 것을 의미한다. 선형회귀분석의 가정은 정규성, 선형성, 등분산성, 독립성을 포함한다. 정규성은 오차가 정규분포를 따라야 한다는 의미이며, 독립성은 오차들이 서로 독립적이어야 한다는 것을 뜻한다. 자기상관은 오차가 상관되지 않아야 하는 조건으로, 독립 변수 간 상관관계와는 다르다.

31. 회귀분석 결과에서 높은 결정계수나 유의한 회귀모형은 설명변수와 종속변수 간에 통계적으로 유의한 관계(상관관계)가 있음을 시사할 뿐, 인과관계(원인−결과 관계)를 확정지어 주지 않는다. 모형의 유의성을 평가하는 F−검정 결과 p−값이 매우 작으므로 (5.594e−10) 유의수준 0.05에서 모형이 통계적으로 유의하다. 결정계수가 약 0.7067로 총 변동의 약 70.67%를 설명한다는 진술은 실제 출력값과 일치한다. 수정된 결정계수(Adjusted R−squared)는 0.6710이다.

32. 후진제거법은 모든 독립변수를 포함한 상태에서 시작해 가장 적은 영향을 주는 변수를 하나씩 제거하면서 최적의 모형을 도출하는 방법이다. 반면 전진선택법은 변수를 하나씩 추가하고, 단계적 회귀법은 변수의 추가와 제거를 반복한다. 교차검증은 모델의 일반화 성능을 평가하는 기법이다.

33.

비기봇 해설

자동차 보험료를 예측하는 것은 주어진 입력 변수(나이, 직업, 월 소득 등)를 기반으로 연속적인 목표 변수(보험료)를 예측하는 작업입니다.

1. 능형 회귀모형(Ridge Regression Model)
: 능형 회귀는 다중회귀 분석에서 다중공선성을 줄이기 위해 L2 정규화를 적용한 회귀 모형입니다. 주어진 문제처럼 연속형 변수를 예측하는 회귀 문제에서는 능형 회귀가 가장 적절한 선택입니다. 특히, 고객의 여러 특성이 서로 상관관계를 가질 가능성이 높은 경우, 능형 회귀를 사용하면 모델의 과적합을 방지하면서 안정적인 예측이 가능합니다.

2. 의사결정트리모형(Decision Tree Model)
: 의사결정트리는 기본적으로 분류(Classification)와 회귀(Regression) 모두 가능한 모형입니다. 하지만, 일반적으로 분류 문제에 더 많이 활용됩니다.

3. 로지스틱 회귀모형(Logistic Regression Model)
: 로지스틱 회귀는 이진 분류 또는 다중 분류 문제에 사용되는 모델입니다. 자동차 보험료와 같은 연속형 값을 예측하기에는 적합하지 않습니다.

4. k-평균 군집화(K-means Clustering)
: k-평균 군집화는 비지도 학습 알고리즘으로, 데이터를 그룹화하는 데 사용됩니다. 예측 문제(회귀 문제)가 아닌 군집 문제에 적합하므로, 이 문제 자체와 맞지 않습니다.

34. 정상성은 시계열 분석의 중요한 가정으로 시점에 따라 통계적 특성이 변하지 않아야한다는 의미다. 즉, 정상성은 i) 평균이 일정하고 ii) 분산이 시점에 의존하지 않고 일정하며, iii) 공분산은 단지 시차에만 의존하고 시점 자체에는 의존하지 않는 것을 말한다. 모든 시점에서 동일한 평균을 가지는 것이 시점에 의존하지 않는다고 말할 수 있으므로 4번이 정답이다.

35. 지수 평활법은 과거 자료에 다른 가중치를 부여하여 미래 값을 예측하는 방법으로, 가장 최근 데이터에 더 큰 가중치를 준다. 이는 이동평균법과의 차이점으로 이동평균법은 일정 구간의 데이터를 평균하여 트렌드를 파악하는 방법이다. 계절성 분석에서는 계절 지수를 활용할 수 있다.

36. 주성분 회귀분석은 다중공선성 문제를 해결하기 위해 변수들을 선형결합하여 주성분으로 차원을 축소하고 회귀분석에 적용하는 방법이다. 주성분은 원 변수들의 선형결합으로 구성되며, 서로 직교(독립)한다. 보통 고유값(Eigenvalue)이 1보다 큰 주성분을 기준으로 개수를 결정한다. 그러나 개별 고유치의 분해 가능 여부는 주성분 개수를 결정하는 기준이 아니므로 부적절하다.

37. 해당 결과에서 princomp(data, cor=TRUE)라는 명령어로 주성분분석(PCA)을 수행했으므로, 공분산행렬이 아닌 상관행렬을 사용한 것이다. cor=TRUE 옵션은 변수들의 단위 차이를 제거하고 표준화된 변수를 사용하기 위해 상관행렬 기반으로 PCA를 실행하게 한다. 최소 80% 이상의 분산을 설명하려면 4개 이상의 주성분이 필요하고 가장 큰 분산설명력을 가지는 주성분(PC1)은 전체 분산의 약 45.25%를 설명하며 17차원에서 2차원으로 축소하면 누적설명력이 약 69.49%이므로 손실된 정보는 약 30.51%이다.

38. 교차검증(Cross-Validation)은 데이터를 학습용, 검증용, 시험용으로 나누어 모델 성능을 평가하는 방법으로, 데이터 마이닝에서도 널리 사용된다. 일반적으로 데이터는 50%를 학습용, 30%를 검증용, 20%를 시험용으로 나누며, 데이터가 부족할 때는 학습용과 시험용만 사용할 수도 있다.

39. 특이도는 실제값이 False인 경우를 올바르게 예측한 비율을 의미하며, 다음과 같이 계산된다.

$$\text{Specificity} = \frac{TN}{TN+FP} = \frac{100}{100+300} = 0.25$$

40.

비기봇 해설

로지스틱 회귀분석은 이진형 종속변수에 대해 독립변수와의 관계를 분석하며, p-value와 계수(sign), AIC 등 다양한 지표로 모델의 적합도와 변수의 유의성을 해석합니다.

1. stage 변수의 계수가 양수이므로 stage가 증가할수록 r이 1일 가능성이 감소한다.

: stage 변수의 계수는 1.6453으로 양수입니다. 계수가 양수라면 독립변수(stage)가 증가할수록 종속변수(r이 1일 가능성)가 증가합니다.

2. xray변수의 p-value는 0.05보다 작기 때문에 r에 유의한 영향을 미친다고 볼 수 있다.

: xray 변수의 p-value는 0.0112로 0.05보다 작습니다. 이는 xray 변수가 종속변수 r에 유의한 영향을 미친다는 것을 의미하며, 선택지 내용은 올바릅니다.

3. acid 변수의 p-value가 3개 변수중 가장 크므로 r에 가장 큰 영향력을 미치게 된다.

: p-value는 변수의 유의성을 평가하는 값이지, 영향력의 크기를 나타내는 값이 아닙니다. acid 변수의 p-value가 0.02983로 가장 크지만, 이는 통계적 유의성의 여부를 판단하는 값일 뿐, 영향력을 직접적으로 나타내는 지표는 아닙니다.

4. 모델의 AIC 값이 57.18로 낮기 때문에, 이 모델은 높은 적합도를 갖는다고 해석할 수 있다.

: AIC 값은 모델 간 비교에서 상대적 적합도를 평가할 때 사용됩니다. AIC 값이 낮을수록 적합한 모델임을 의미하지만, 절대적인 기준 없이 "높은 적합도"라고 단정할 수 없습니다. 주어진 AIC 값(57.18)에 대한 비교 대상이 없기 때문에 이 선택지는 부적절합니다.

41. 스테밍은 단어의 어근을 추출하는 자연어 처리 기법으로, 의사결정나무의 과대적합과는 관련이 없다. 가지치기는 의사결정나무의 불필요한 분기를 제거하여 과대적합을 방지하는 데 사용된다. 정지규칙은 트리의 성장을 멈추는 기준을 설정하는 방법이며, 랜덤 포레스트는 여러 개의 의사결정나무를 결합하여 예측 성능을 높이는 앙상블 기법이다. 따라서, 스테밍은 이 문맥에서 적절한 설명이 아니다.

42. 배깅(Bagging)은 Bootstrap Aggregating의 약자로, 복원 추출을 통해 여러 개의 표본 데이터를 만들고 각각의 모델을 학습한 뒤 결과를 결합하는 앙상블 기법이다. 같은 데이터가 여러 번 추출될 수 있으며 일부 데이터는 추출되지 않을 수도 있다.

43. 복원 추출법에 기반한 부트스트랩에서 관측치가 훈련용 데이터로 선택되지 않을 확률은 $((1-1/d)^d)$로 표현된다. 이때 d가 충분히 크면 이 확률은 약 36.8%로 수렴하게 된다. 이는 훈련용 자료에 포함되지 않는 비율이므로 검증용 자료의 비율이 된다.

44. 활성화 함수는 입력 변수가 아닌 출력 변수의 유형에 따라 결정되며, 이진 분류, 다중 클래스 분류, 회귀 문제에 따라 적절한 활성화 함수가 달라진다. 그 외 설명은 올바른 설명이다.

45.

비기봇 해설

가중치는 인공신경망에서 입력 데이터가 출력에 미치는 영향을 조정하는 요소로, 모델 학습의 핵심입니다.

1. 가중치 감소기법으로 과대적합 문제를 해결할 수 있다.

: 가중치 감소기법(L2 정규화)은 손실 함수에 가중치 제곱합을 추가하여 큰 가중치 값을 억제합니다. 이를 통해 모델이 과도하게 복잡해지는 것을 방지하고 과대적합 문제를 완화할 수 있습니다.

2. 은닉층이 많으면 노드의 개수가 늘어나서 가중치 수가 줄어든다.

: 은닉층이 많아질수록 노드 수와 가중치 수가 증가합니다. 가중치 수는 층과 노드가 늘어남에 따라 기하급수적으로 증가하므로, 이 설명은 틀렸습니다.

3. 가중치를 높여 모델이 복잡해지는 것을 막는다.

: 가중치를 높이는 것이 아니라, 가중치 값을 제한하거나 작게 만들어 모델의 복잡도를 줄이는 것이 과대적합 방지의 핵심입니다. 따라서 옳지 않은 설명입니다.

4. 가중치는 입력 변수의 영향력을 따로 조정하지 않는다.

: 가중치는 입력 변수별로 학습을 통해 조정되며, 각 변수의 중요도를 반영합니다. 즉, 입력 변수의 영향력을 따로 조정하는 역할을 합니다. 따라서 틀린 설명입니다.

46. 맨하튼(Manhattan) 거리는 좌표공간 상에서 두 점 사이의 거리로, 각 차원별 차이의 절대값을 모두 합하는 방식으로 계산한다.

$$\text{Manhattan Distance} = \sum_{i=1}^{2}|x_i - y_i| = |165-170| + |65-70| = 5+5 = 10$$

따라서 맨하튼 거리는 10이 된다.

47. 최단연결법(Single Linkage) 계층적 군집에서는 가장 가까운 두 점을 먼저 군집으로 묶는다. 위 거리들 중 최소 거리는 d와 e 사이의 2.2이다. 따라서 첫 단계에서 형성되는 군집은 (d, e) 군집이다. 다음으로, 새로 형성된 군집 (d, e)와 관측치 a와의 거리를 구하기 위해서는 Single Linkage의 정의에 따라 해당 군집에 속하는 어떤 점과 a의 거리가 가장 작은 값을 선택한다. 즉, a와 d, e 각각의 거리를 비교한다. dist(a, d) = 3.2, dist(a, e) = 5.0 이므로 3.2가 정답이 된다.

48.

비기봇 해설

k-평균 군집화는 군집 중심을 기준으로 데이터를 반복적으로 재배치하여 최적의 군집을 형성하는 알고리즘입니다. 따라서, 군집이 형성된 후에도 개체들은 다른 군집으로 이동할 수 있습니다.

1. 한번 군집이 형성되면 군집에 속하는 개체들은 다른 군집으로 이동할 수 없다.

– 이는 잘못된 설명입니다. k-평균 군집화는 반복적인 과정으로, 각 개체는 군집 중심값에 따라 다른 군집으로 이동할 수 있습니다.

2. 초기 군집 중심값은 임의로 설정된다.

– 이는 올바른 설명입니다. k-평균 군집화는 초기 군집 중심값을 임의로 설정하고, 이를 기반으로 반복적으로 군집을 형성합니다.

3. 군집의 개수(k)를 사전에 지정해야 한다.

– 이는 올바른 설명입니다. k-평균 군집화는 사전에 지정된 k 값에 따라 군집을 형성합니다.

4. 이상값(outlier)에 민감한 경향이 있다.

– 이는 올바른 설명입니다. k-평균 군집화는 평균을 기반으로 하기 때문에 이상값에 민감하게 반응할 수 있습니다.

49. 위 표를 통해 구한 지지도(Support) = Support(Pizza∩Hamburgers) = 0.4이고 신뢰도는 햄버거→피자"의 신뢰도는 0.8, "피자→햄버거"의 신뢰도는 0.4/0.6 = 0.666 이다. 향상도는 Lift(Hamburgers→Pizza) = Support(Hamburgers∩Pizza) / (Support(Hamburgers)Support(Pizza)) = 1.333 이므로 향상도가 1보다 크므로 Hamburgers와 Pizza 사이에는 양의 연관성이 있다고 할 수 있다. 정확도는 연관규칙에서 사용되지 않는다.

50. Apriori 알고리즘은 연관규칙 분석에서 사용되며, 항목 간의 관계를 발견하는 데 중점을 두므로 항목 간의 독립성을 가정하지 않는다. 오히려 항목 간의 빈발 패턴을 기반으로 연관 규칙을 도출한다. 높은 신뢰도(Confidence)와 최소 지지도(Support)를 함께 고려해 빈발 항목 집합을 찾고, 이를 기반으로 더 큰 항목 집합을 생성한다. 주어진 데이터 내에서 상관관계나 연관성을 찾아내는 것이 핵심이다.

제44회 데이터 분석 준전문가 기출 복원 문제 분석

• 검정일시 : 2025. 02. 22(토) / 10:00~11:30

윤박사 분석

44회 시험은 이전 시험(2021년~2024년)과 비교했을 때, 출제 경향은 비슷한 것으로 판단되며, 난이도는 약간 어려운 것으로 평가되었습니다.

1과목의 문제 출제 경향은 이전 시험에 비해 1장에서는 (41.0%→27.3%)로 문제가 적게 출제되었고, 2장(40.4%→45.5%)과 3장(18.6%→27.3%)에서 많이 출제되었으며, 난이도는 대부분 2.0등급으로 비슷하거나 조금 쉽게 출제 되었습니다.

2과목의 출제 경향은 이전 시험과 비슷하게 출제 되었으나, 난이도는 3.1등급 수준에서 4.0등급 수준까지 높아져서 어려움을 겪었습니다.

3과목 1, 2, 3장에서는 1문제가 출제되었으나, 4장 통계분석이 (45.3%→53.3%)로 상대적으로 많이 출제되었습니다. 난이도 (3.4→4.0등급)는 전반적으로 많이 어렵게 출제되었습니다.

전체적으로 44회 시험은 1과목은 쉽게 출제되었으나 2과목과 3과목에서 어렵게 출제되어 많은 수험생들의 탄식을 만들었던 시험이고 본 기출복원 문제에서 70점 이상 득점한다면 시험에서 합격 가능성이 높다고 예측합니다.

과목	장	절	절명	출제 (2021년~2024년) 문항수	분포(절)	분포(장)	44회 기출복원 문항수	분포(절)	분포(장)	출제난이도 2021~2024	44회 기출복원
1과목	1장	1	데이터와 정보	21	32.8%	41.0%	2	66.7%	27.3%	2.4	2.0
		2	데이터베이스 정의와 특징	14	21.9%		1	33.3%		2.1	2.0
		3	데이터베이스 활용	29	45.3%					2.9	
	2장	1	빅데이터의 이해	23	36.5%	40.4%			45.5%	2.2	
		2	빅데이터의 가치와 영향	13	20.6%		1	20.0%		2.2	2.0
		3	비즈니스 모델	9	14.3%		3	60.0%		1.9	2.3
		4	위기요인과 통제방안	16	25.4%		1	20.0%		2.6	2.0
		5	미래의 빅데이터	2	3.2%					2.5	
	3장	1	빅데이터 분석과 전략 인사이트	2	6.9%	18.6%			27.3%	4.0	
		2	전략 인사이트 도출을 위한 필요 역량	22	75.9%		3	100.0%		2.2	2.0
		3	빅데이터 그리고 데이터 사이언스 미래	5	17.2%					3.0	
2과목	1장	1	분석 기획 방향성 도출	20	22.7%	54.0%	1	20.0%	55.6%	3.1	4.0
		2	분석 방법론	26	29.5%		2	40.0%		3.1	3.0
		3	분석 과제 발굴	30	34.1%		2	40.0%		3.2	4.0
		4	분석 프로젝트 관리 방안	12	13.6%					3.1	
	2장	1	마스터 플랜 수립 프레임 워크	29	38.7%	46.0%	2	50.5%	44.4%	3.2	1.0
		2	분석 거버넌스 체계 수립	46	61.3%		2	50.5%		3.2	4.0
3과목	1장	1	데이터 분석 기법의 이해	7	17.5%	8.3%			3.3%	3.6	
	2장	1	R 기초	1	2.5%					4.0	
		2	입력과 출력								
		3	데이터 타입과 구조	7	17.5%					3.2	
	3장	1	데이터 변경 및 요약	8	20.0%		1	100.0%		2.8	4.0
		2	데이터 탐색	17	42.5%					3.2	
	4장	1	통계분석의 이해	49	22.5%	45.3%	4	25.0%	53.3%	3.2	3.0
		2	통계분석	56	25.7%		5	31.3%		3.2	3.6
		3	회귀분석	54	24.8%		4	25.0%		3.6	3.8
		4	시계열 분석	31	14.2%		2	12.5%		3.6	4.0
		5	다차원 척도법	5	2.3%					3.8	
		6	주성분분석	23	10.6%		1	6.3%		3.0	5.0
	5장	1	데이터 마이닝의 개요	47	21.1%	46.4%			43.3%	3.6	
		2	분류분석	19	8.5%		2	15.4%		3.7	4.5
		3	의사결정나무 분석	18	8.1%		1	7.7%		3.5	4.0
		4	앙상블 분석	23	10.3%		1	7.7%		3.0	4.0
		5	인공신경망 분석	22	9.9%					3.3	
		6	군집분석	58	26.0%		5	38.5%		3.2	4.4
		7	연관분석	36	16.1%		4	30.8%		3.4	4.3

ADsP 44회 기출 복원 문제

과목 I 데이터 이해 * 문항 수(10문항), 배점(문항 당 2점)

01. 이용자가 다양한 정보를 신속하게 획득하고 원하는 정보를 정확하게 찾아낼 수 있도록 하는 데이터베이스의 특징은 무엇인가?

① 정보 관리 측면
② 정보 기술 발전 측면
③ 정보 이용 측면
④ 사회경제적 측면

02. 데이터 양의 폭증으로 인해 데이터의 규모가 점점 커지고 있다. 다음 중 1제타바이트와 동일한 양을 가진 데이터의 단위는 무엇인가?

① 1024 EB
② 1024 YB
③ 1024 PB
④ 1024 TB

03. 다음 중 빅데이터 시대가 도래함에 따라 발생할 수 있는 빅데이터의 위기 요인과 그 해결 방안에 대한 내용 중 설명이 가장 부적절한 것은 무엇인가?

① 책임원칙훼손은 특정인의 '성향'에 따라 처벌하는 것이 아닌 '행동 결과'를 보고 처벌하는 것이 필요하다.
② 불투명한 알고리즘 사용으로 인해 사이트 노출이 차단되거나, 순위가 하위로 내려가는 현상이 발생된다.
③ 개인 사생활 침해에 대한 통제 방안으로 동의제를 책임제로 전환하자는 아이디어가 대두되고 있다.
④ 익명화 기술을 적용하면 개인 정보 침해 문제를 완전히 해결할 수 있으므로, 데이터 활용 시 개인 동의 없이도 자유롭게 활용 가능하다.

04. 다음 중 데이터에 대한 설명으로 옳지 않은 것은 무엇인가?

① 정형, 비정형, 반정형으로 구분할 수 있다.
② 이미지, 동영상은 비정형 데이터이다.
③ HTML은 정형 데이터의 예이다.
④ 데이터에 따라 분석 방법이 달라질 수 있다.

05. 일차원적 분석을 통해서도 해당 부서나 업무 영역에서는 상당한 효과를 얻을 수 있다. 다음 중 업무영역과 분석사례의 연결이 가장 부적절한 것은 무엇인가?

① 마케팅: 상점의 위치를 선정한다.
② 재무관리: 거래처를 관리한다.
③ 공급체인 관리: 적정 재고량을 결정한다.
④ 인력관리: 이직률을 예측한다.

06. "커피를 구매하는 사람이 탄산음료를 더 많이 사는가?"를 통해 항목 간의 관계를 파악하는 분석 방식은 무엇인가?

① 연관 분석
② 감정 분석
③ 회귀 분석
④ 군집 분석

07. 최근 빅데이터 시대를 맞아 주목받고 있는 데이터 사이언스에 대한 설명 중 가장 부적절한 것은 무엇인가?

① 데이터를 활용하여 유의미한 정보와 인사이트를 창출한다.
② 생성된 데이터를 바탕으로 데이터베이스를 구축한다.
③ 분석부터 설명 및 결과를 전달한다.
④ 통계학, 데이터마이닝, 기계학습 기법을 사용한다.

08. 다음 중 기온변화에 따른 판매량 변화 예측에 적합한 분석 방법은 무엇인가?

① 회귀분석
② 연관분석
③ 감성분석
④ 군집분석

출★★★★★ 난★☆☆☆☆
09. 다음 중 데이터 분석가에 대한 설명으로 잘못된 것은 무엇인가?

① 분석가는 비즈니스를 이해해야 한다.
② 분석가는 관리자를 함께할 수 없다.
③ 분석가는 비즈니스 분석 조정자의 역할을 수행한다.
④ 분석가는 데이터베이스 구축을 이해하고 활용할 수 있어야 한다.

출★★★★☆ 난★★☆☆☆
10. 다음 중 데이터의 가치 측정이 어려운 이유로 적절하지 않은 것은 무엇인가?

① 데이터를 누가, 언제 사용했는지 알기 어렵기 때문이다.
② 분석기술의 발전으로 과거에 불가능했던 데이터를 분석할 수 있게 되었기 때문이다.
③ 빅데이터는 기존에 존재하지 않던 새로운 가치를 창출하기 때문이다.
④ 데이터의 양이 증가함으로써 이를 분석하는 데이터 전문가가 많아졌기 때문이다.

과목 II 데이터 분석 기획   * 문항 수(10문항), 배점(문항 당 2점)

출★★★★☆ 난★★★☆☆
11. 아래는 빅데이터 분석 프로세스의 단계를 나열한 것이다. 다음 중 빅데이터 분석 프로세스를 순서대로 가장 적절하게 나열한 것은?

> **아래**
> 가. 데이터 준비
> 나. 분석 기획
> 다. 데이터 분석
> 라. 시스템 구현
> 마. 평가 및 전개

① 가-나-다-라-마
② 나-가-다-라-마
③ 가-다-나-마-라
④ 나-가-마-다-라

12. 다음 중 데이터 분석 거버넌스와 관련 없는 것은 무엇인가?

① 분석 인력(Human resource)
② 프로세스(Process)
③ 분석 조직(Organization)
④ 분석 기법(Technology)

13. 다음 중 난이도와 시급성을 고려하였을 때, 가장 먼저 착수할 과제로 적절한 것은 무엇인가?

① 난이도: 쉬움, 시급성: 현재
② 난이도: 쉬움, 시급성: 미래
③ 난이도: 어려움, 시급성: 현재
④ 난이도: 어려움, 시급성: 미래

14. 다음 중 전략적 통찰력이 있는 분석에 관한 내용을 모두 고른 것은 무엇인가?

> 아래
>
> 가. 성공적인 일차원적 분석을 통해 새로운 기회를 포착하기 위해 노력한다.
> 나. 직관과 전략, 경영 프레임워크, 경험을 혼합한 분석을 한다.
> 다. 기업 내부의 관점에서만 문제 해결 방안을 찾아본다.
> 라. 좁은 시각에서 벗어나 넓은 시각으로 문제를 바라본다.

① 가, 나
② 가, 나, 라
③ 가, 나, 다
④ 가, 라

15. 분석 기획 시 고려사항으로 올바르지 않은 것은 무엇인가?

① 데이터 분류
② 적절한 활용 방안과 유스케이스의 탐색
③ 장애요소에 대한 사전 계획 수립
④ 데이터 정합성 검증

16. 다음 중 CMMI 모델 기반의 분석 성숙도 단계 중 도입 단계에 해당하는 것은 무엇인가?

① 미래 결과 예측
② 실적 분석 및 통계 작성
③ 실시간 성과 분석
④ 경영진 분석 활용

17. 다음 중 상향식 접근법의 순서로 올바른 것은 무엇인가?

① 프로세스 분류 → 프로세스 흐름분석 → 분석요건 식별 → 분석 요건 정의
② 분석요건 식별 → 프로세스 분류 → 프로세스 흐름분석 → 분석 요건 정의
③ 분석 요건 정의 → 프로세스 분류 → 프로세스 흐름분석 → 분석요건 식별
④ 프로세스 흐름분석 → 분석요건 식별 → 프로세스 분류 → 분석 요건 정의

18. 다음 중 상향식 접근법의 특징으로 옳은 설명을 모두 고른 것은 무엇인가?

> 아래
> 가. 상향식 접근법은 인사이트와 지식을 얻는 Bottom-Up 접근방법이다.
> 나. 정확한 문제 해결을 위해 프로토타이핑을 이용한다.
> 다. 데이터를 통해서 패턴을 발견하고 통찰을 얻는다.
> 라. 상관관계보다 인과관계가 중요하다.

① 가, 다
② 가, 나
③ 가, 나, 다
④ 가, 라

19. 다음 중 데이터 관련 의사결정으로 옳은 것은 무엇인가?

① 데이터를 기반으로 생각하는 것이 근거가 없는 대안이나 다른 것보다 더 낫다.
② 직관과 경험에 의존하는 의사결정이 데이터 기반 의사결정보다 항상 효과적이다.
③ 데이터 분석 결과는 단순히 참고 자료일 뿐, 최종 결정은 개인의 주관적인 판단에 따라 이루어져야 한다.
④ 데이터 수집 및 분석 과정에서 발생하는 오류는 의사결정에 큰 영향을 미치지 않는다.

출★★★★★ 난★☆☆☆☆
20. 다음 중 과제 중심 데이터 분석에 대한 설명으로 옳지 않은 것은 무엇인가?

① 이행과제 분석에 전후관계를 고려하는 것보다는 데이터 획득이 선행되어야 한다.
② 데이터 분석을 통해 과제 수행의 효율성을 높일 수 있다.
③ 과제 목표 달성을 위한 핵심 성공 요인을 파악하는 것은 과제 성공에 필수적이다.
④ 과제 수행 중 발생할 수 있는 위험 요소를 예측하고 대비하는 것은 중요하다.

과목 Ⅲ 데이터 분석   * 문항 수(30문항), 배점(문항 당 2점)

정답과 해설 :654p

출★★★★☆ 난★★★★★
21. 주성분 분석에 대한 설명 중 잘못된 것은 무엇인가?

① 여러 변수들 간의 선형적인 관계를 파악하기 위한 통계 분석 방법이다.
② 상관된 변수들을 요약하여 데이터의 차원을 축소하는 기능을 가진다.
③ 차원 축소를 통해 주요 정보를 유지하면서 예측 분석에도 활용될 수 있다.
④ 주성분으로 변환된 새로운 변수들은 서로 상관관계가 존재하지 않는다.

출★★★★★ 난★★★★☆
22. 스피어만 상관 분석 방법으로 분석할 수 없는 것은 무엇인가?

① 명목척도
② 서열척도
③ 등간척도
④ 비율척도

출★★★★★ 난★★★☆☆
23. 모집단 개체에 '1, 2, ..., N'과 같은 일련번호를 부여한 후 첫 번째 표본으로부터 일정 간격으로 표본을 선택하는 추출 방법은 무엇인가?

① 단순무작위추출
② 계통추출
③ 층화추출
④ 집락추출

출★★★★★ 난★★★★★

24. 연관 분석의 장점이 아닌 것은 무엇인가?

① IF ~ Then 구조로 결과가 단순하여 해석이 쉽다.

② 비슷한 항목은 묶어서 분석하면 계산이 기하급수적으로 증가하는 것을 막을 수 있다.

③ 목적이 없어도 분석 가능하다.

④ 데이터를 변환하지 않고, 그대로 사용할 수 있어 간편하다.

출★★★★★ 난★★★★☆

25. 다음 k-NN의 특징 중 잘못된 설명은 무엇인가?

① 사전 학습 없이 새 데이터의 분류를 수행한다.

② 가장 가까운 k개의 데이터를 탐색한다.

③ 가장 가까운 이웃을 찾아 데이터를 탐색한다.

④ k개수가 클수록 과대적합의 가능성이 높아진다.

출★★★★★ 난★★★★★

26. 다음 중 아래 자료에 대한 설명으로 가장 적절하지 않은 것을 고르시오.

아래

```
> summary(Wage[,c("wage", "age", "jobclass")])
      wage             age           jobclass
 Min.   : 20.09   Min.   :18.00   1. Industrial :1544
 1st Qu.: 85.38   1st Qu.:33.75   2. Information:1456
 Median :104.92   Median :42.00
 Mean   :111.70   Mean   :42.41
 3rd Qu.:128.68   3rd Qu.:51.00
 Max.   :318.34   Max.   :80.00

> model <- lm(wage ~ age + jobclass + age * jobclass, data = Wage)
> summary(model)

Call:
lm(formula = wage ~ age + jobclass + age * jobclass, data = Wage)

Residuals:
     Min      1Q  Median      3Q     Max
-105.656 -24.568  -6.104  16.433 196.810

Coefficients:
                          Estimate  Std. Error  t value  Pr(>|t|)
(Intercept)               73.52831    3.76133   19.548   < 2e-16 ***
age                        0.71966    0.08744    8.230   2.75e-16 ***
jobclass2. Information    22.73086    5.63141    4.036   5.56e-05 ***
age:jobclass2. Information -0.16017    0.12785   -1.253   0.21
---
```

```
Signif. codes:  0 '***' 0.001 '**' 0.01 '*' 0.05 '.' 0.1 ' ' 1

Residual standard error: 40.16 on 2996 degrees of freedom
Multiple R-squared: 0.07483,    Adjusted R-squared: 0.07391
F-statistic: 80.78 on 3 and 2996 DF,  p-value: < 2.2e-16
```

① age와 jobclass의 교호작용은 유의하지 않다.

② Jobclass 별로 wage를 age로 표현하는 회귀식의 기울기는 같다.

③ Jobclass 별로 wage를 age로 표현하는 회귀식의 y축 절편은 같다.

④ Jobclass별로 age가 1 증가할때 wage가 증가하는 양은 같다.

27. 다음은 어떤 표본집단을 나타낸 상자그림이다. 옳지 않은 설명은 무엇인가?

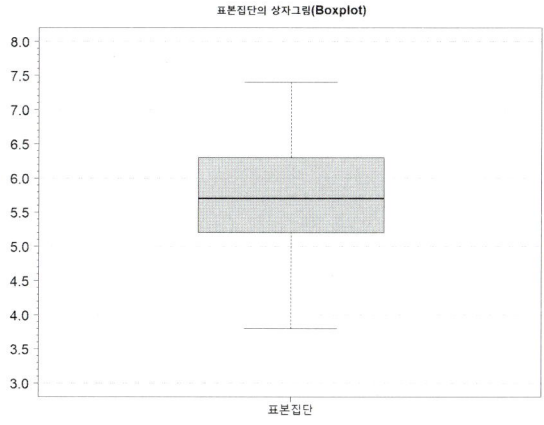

① 최댓값은 7.4이다.

② 5.2보다 작은 값이 25% 존재한다.

③ 평균보다 중앙값이 더 크다.

④ IQR은 1.1이다.

28. 비모수 검정으로 적절하지 않은 것은 무엇인가?

① 윌-콕슨 순위합 검정(Wilcoxon rank-sum test)

② Run 검정(Run test)

③ 만-휘트니 검정(Mann-Whitney U test)

④ t 검정(t-test)

29. 아래 그래프는 소득(Income)과 잔액(Balance) 간의 관계를 나타낸 것으로, 학생(Student) 여부에 따라 점선과 실선으로 구분되어 있다. 이 그래프에 대한 설명으로 옳지 않은 것은?

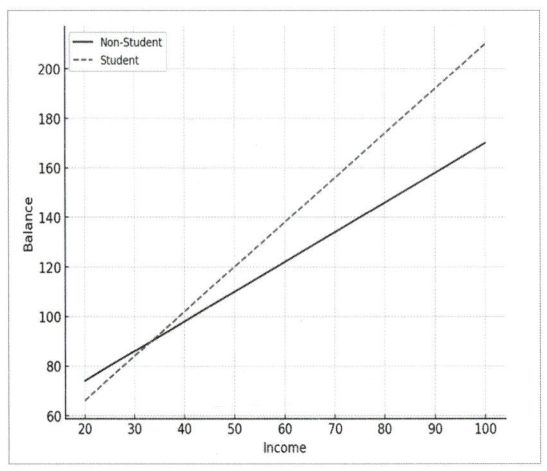

① 모형에서 Income은 Balance와 양의 관계를 갖고 있다.
② Income과 Balance는 Student 여부에 따라 그 기울기가 다르다.
③ Income과 Student 여부의 교호작용은 통계적으로 유의하지 않다.
④ Student의 경우, Income이 10증가함에 따라 Balance는 약 20정도 증가한다.

30. 다음 중 중심극한정리에 대한 설명으로 부적절한 것은 무엇인가?
① 표본평균에 관한 설명이다.
② 모집단이 정규분포를 따라야 한다.
③ 표본의 크기가 커질수록 표본평균의 분포가 정규분포에 가까워진다.
④ 모집단이 비대칭일수록 표본의 크기가 커야 한다.

31. 시계열 분석에 대한 설명으로 적절하지 않은 것은 무엇인가?
① 추세요인: 자료가 어떤 특정한 형태를 취할 때 추세요인이 있다고 한다.
② 계절요인: 고정된 주기에 따라 자료가 변화할 경우 계절요인이 있다고 한다.
③ 순환요인: 경제적이나 자연적인 이유 등 잘 알려진 주기를 가지고 자료가 변화할 때 순환요인이 있다고 한다.
④ 불규칙요인: 추세, 계절, 순환요인으로 설명할 수 없는 회귀 분석에서 오차에 해당하는 요인을 불규칙요인이라고 한다.

32. 아래는 남학생과 여학생이 좋아하는 과일에 대한 빈도 교차표이다. 전체에서 1명을 뽑았을 때, 그 학생이 남학생일 때 사과를 좋아할 확률은 얼마인가?

	사과	딸기
남학생	30	10
여학생	40	20

① $\frac{3}{5}$ ② $\frac{7}{10}$
③ $\frac{3}{4}$ ④ $\frac{3}{7}$

33. 다음 주어진 표에서 C의 지니계수를 계산하면 얼마인가?

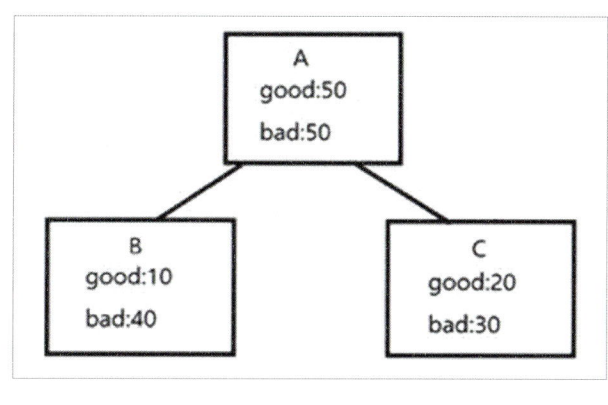

① 0.3 ② 0.4
③ 0.32 ④ 0.48

34. 시계열 데이터를 정상화하는 방법으로 가장 적절하지 않은 것은 무엇인가?
① 차분
② 정규화
③ 변환
④ 추세 제거

35. 다음 중 K-means 군집화에서 군집 개수를 정하기 위해 활용할 수 있는 그래프는 무엇인가?
① 오차 제곱합
② ROC 그래프
③ 집단내 제곱합 그래프
④ 향상도 곡선

36. 다음은 신용카드 고객의 채무불이행 여부(default: Yes/No)를 종속변수로, 카드 사용 잔액(balance)과 학생 여부(student: Yes/No)를 독립변수로 하여 로지스틱 회귀모형을 적합한 결과이다. 아래 결과에 대한 설명으로 가장 적절하지 않은 것은 무엇인가? ($e^{0.00574} = 1.0059$, $e^{-0.715} = 0.488$)

```
아래

Call:
glm(formula = default ~ balance + student, family = binomial,
    data = Default)

Deviance Residuals:
    Min       1Q    Median        3Q       Max
-2.4692   -0.1418   -0.0557   -0.0203    3.7383

Coefficients:
              Estimate  Std. Error  z value  Pr(>|z|)
(Intercept)  -1.070e+01  3.690e-01   -29.12   < 2e-16 ***
balance       5.740e-03  2.320e-04    24.75   < 2e-16 ***
studentYes   -7.150e-01  1.480e-01    -4.85   1.3e-06 ***
---
Signif. codes:  0 '***' 0.001 '**' 0.01 '*' 0.05 '.' 0.1 ' ' 1

(Dispersion parameter for binomial family taken to be 1)

    Null deviance: 2920.6  on 9999  degrees of freedom
Residual deviance: 1571.7  on 9997  degrees of freedom
AIC: 1578

Number of Fisher Scoring iterations: 8

> round(exp(coef(model1)), 4)
(Intercept)     balance   studentYes
     0.0000      1.0059       0.4887
```

① balance와 student 변수 모두 유의수준 0.01에서 통계적으로 유의하다.
② 학생 여부가 동일할 때, balance가 1 증가하면 채무불이행(default)의 오즈는 약 0.6% 증가한다.
③ balance가 동일할 때, 학생인 고객의 채무불이행 오즈는 비학생인 고객보다 약 48.9% 감소한다.
④ 위 결과로 분류 결과를 정확히 알 수 없다.

37. 두 변수 간 강한 상관관계가 있을 경우, 이 상관관계를 고려해서 거리를 계산할 때 사용하는 거리는 무엇인가?

① 유클리드 거리
② 표준화 거리
③ 맨해튼 거리
④ 마할라노비스 거리

38. 다음 중 회귀분석 시 독립변수들 간에 강한 상관관계가 나타나는 문제를 가리키는 용어로 옳은 것은 무엇인가?

① 다중공선성
② 회귀계수
③ 선형계수
④ 상관계수

39. 아래는 관광지의 방문 기록을 정리한 표이다. 표를 참고하여 A→B의 향상도(Lift)를 구하시오.

관광지	거래건수
{A}	10
{B}	12
{A, B}	3
전체 방문자 수	25

① 0.19
② 0.39
③ 0.52
④ 0.625

40. 다음 중 군집 분석에 관한 설명으로 옳지 않은 것은 무엇인가?

① 국어, 수학, 영어, 과학, 사회 점수를 기준으로 세집단을 나누려면 K-means를 사용해야 한다.
② 고차원 벡터에서 2차원 국가별로 군집분석을 하려면 SOM을 사용한다.
③ 혼합 군집 분석의 일부 기법에서는 데이터 포인트 간 또는 군집 간의 거리를 활용하여 군집을 형성하거나 연결 구조를 파악하기도 한다.
④ 사용자가 구매한 물품들을 분석해서 사용자들을 군집분석할 때 물품을 동시에 구매할 확률을 측정한다.

41. 비복원 무작위 추출 방식으로 1부터 100까지 번호가 부여된 100개의 대상을 10개씩 순서대로 10개 집단으로 나눈 후, 각 집단에서 1개씩 총 10개의 표본을 추출했을 때, 다음 중 잘못된 설명은 무엇인가?

① 1번 공이 표본에 뽑힐 확률은 $\frac{1}{10}$이다.
② 1번 공과 2번 공이 동시에 뽑힐 확률은 $\frac{1}{100}$이다.
③ 1번 공과 100번 공이 뽑힐 확률은 같다.
④ 1번 공과 2번 공이 동시에 뽑힐 확률과 99번 공과 100번 공이 동시에 뽑힐 확률은 같다.

42. 확률에 관련 내용 중 잘못 설명한 것은 무엇인가?

① 사건 A와 사건 B가 서로 독립일 때, 두 사건이 동시에 일어날 확률은 사건 A가 일어날 확률과 사건 B가 일어날 확률의 곱으로 계산된다.
② 한 사건 A가 일어날 확률을 P(A)라 할 때 n번의 반복시험에서 사건 A가 일어난 횟수를 r이라 하면, 상대도수는 r/n는 n이 커짐에 따라 확률 P(A)에 가까워짐을 알 수 있다.
③ 두 집단이 독립일 때 두 집단의 교집합은 두 집단의 합과 동일하다.
④ 조건부확률을 이용해 사전확률을 사후확률로 계산하는 것은 베이즈 이론이다.

43. 붓스트랩 진행과정에서 크기가 100인 데이터에 대해 100번의 독립적인 시행을 할 때, 특정 데이터가 단 한 번도 선택되지 않을 확률 확률은 얼마인가?

① $\frac{1}{100}$
② $1 - \left(\frac{1}{100}\right)^{99}$
③ $\left(1 - \frac{1}{100}\right)^{100}$
④ $1 - \left(1 - \frac{1}{100}\right)^{100}$

44. 아래는 오존(Ozone) 농도를 설명하기 위해 태양복사량(Solar.R), 풍속(Wind), 기온(Temp)을 독립변수로 포함한 선형 회귀모형을 적합한 결과이다. 각 변수의 회귀계수와 유의확률을 바탕으로 변수별 영향을 평가할 때, 다음 중 분석 결과에 대한 설명으로 옳지 않은 것은 무엇인가?

```
아래

Call:
lm(formula = Ozone ~ Solar.R + Wind + Temp, data = airquality)

Coefficients:
              Estimate  Std. Error  t value  Pr(>|t|)
(Intercept)  -64.3421    23.0547    -2.791   0.00623 **
Solar.R        0.0598     0.0232     2.580   0.01124 *
Wind          -3.3336     0.6544    -5.094   1.52e-06 ***
Temp           1.6521     0.2535     6.516   2.42e-09 ***
---
Residual standard error: 21.18 on 107 degrees of freedom
(42 observations deleted due to missingness)
Multiple R-squared: 0.6059,  Adjusted R-squared: 0.5948
F-statistic: 54.83 on 3 and 107 DF,  p-value: < 2.2e-16
```

① 총 111개의 데이터를 활용하여 회귀모형을 학습하였다.
② 독립변수들과 종속변수 사이에 인과관계가 존재한다고 판단할 수 있다.
③ 태양복사량과 풍속이 일정할 때, 기온이 높아질수록 오존 농도가 증가하는 경향이 있다고 해석할 수 있다.
④ 태양복사량이 증가할수록 오존 농도도 함께 증가하는 경향이 있으며, 이러한 영향은 통계적으로 유의한 것으로 나타난다.

45. 다음은 Apriori의 알고리즘의 분석 순서이다. 수행 순서를 올바르게 나열한 것은 무엇인가?

> **아래**
>
> 가. 최소 지지도를 설정한다.
> 나. 반복적으로 수행하여 최소 지지도가 넘는 빈발품복집합을 찾는다.
> 다. 찾은 개별 품목을 이용해 2가지 품목을 찾는다.
> 라. 개별품목 중에서 최소 지지도가 넘는 모든 품목을 찾는다.

① 가-라-다-나
② 가-다-라-나
③ 라-다-가-나
④ 가-라-나-다

46. 다음 중 요약 변수에 대한 설명으로 잘못된 것은 무엇인가?

① 많은 모델에서 공통으로 사용할 수 있어 재활용 가능성이 높다.
② 수집된 정보를 분석에 맞게 종합한 것이다.
③ 고객별, 지역별 합계를 구한 값으로 데이터 마트에서 중요한 변수이다.
④ 특정 조건을 만족하거나 특정 함수에 의해 값을 만들어 의미를 부여한 변수이다.

47. 다음 중 비모수 검정에 대한 설명으로 옳지 않은 것은?

① 데이터의 분포에 대한 가정이 필요하지 않다.
② 모수 검정방법에 비해 이상치의 영향을 적게 받는다.
③ 모집단이 정규 분포에 가까우면 비모수 검정이 모수 검정 결과보다 좋다.
④ 순위나 중앙값과 같은 비모수적 통계량을 사용한다.

48. 다음 중 계통 군집에서 군집 수를 선택하는 방법에 대한 설명으로 잘못된 것은?

① 덴드로그램을 이용하여 병합할 때, 군집 크기를 비교하여 합친다.
② 와드연결법(Ward's method)은 군집 내 오차제곱합(WSS)이 크게 증가하는 지점에서 군집을 나눈다.
③ 덴드로그램에서 높이가 급격히 증가하는 지점을 기준으로 적절한 군집 수를 선택할 수 있다.
④ 엘보우 방법(Elbow method)을 활용하여 군집 내 분산 감소율이 급격히 변화하는 지점에서 최적의 군집 수를 결정할 수 있다.

49. 다음 중 같은 집단 내에서 다른 원소들로 구성된 여러 표본들로 분석을 진행해도 동일한 결과가 나오는 특성은 무엇인가?

① 다양성
② 일반화
③ 정확성
④ 효율성

50. 아래는 쇼핑몰의 거래내역이다. 연관 규칙 우유→커피에 대한 신뢰도를 구하시오.

품목	거래건수
우유	40
커피	50
{우유, 커피}	30
{커피, 초콜릿}	20
전체 거래 수	100

① 0.75
② 0.5
③ 0.3
④ 0.625

제45회 데이터 분석 준전문가 기출 복원 문제 분석

• 검정일시 : 2025. 05. 17(토) / 10:00~11:30

윤박사 분석

45회 시험은 이전 시험(2021년~2024년)과 비교했을 때, 출제 경향이 특정 절에 치우쳐 출제되었고, 난이도는 44회 시험과 비슷한 수준이지만 약간 어려운 것으로 평가되었습니다.

1과목의 문제 출제 경향은 1장과 3장이 많이 줄고, 2장에 집중되어 출제되었는데 난이도는 2.4절이 조금 어렵게 출제되었고 나머지는 거의 2.0등급으로 출제되어 8문제 이상 득점이 가능할 것으로 판단됩니다.

2과목의 출제 경향은 이전 시험과 비슷하게 출제 되었으나, 난이도는 1.1절과 1.3절 그리고 2.2절은 더 쉽게 출제된 반면, 나머지는 더 어렵게 출제되어 난이도의 양극화가 나타나 7문제 이상 맞추기 쉽지 않았을 것으로 판단됩니다.

3과목 1, 2, 3장에서는 1문제도 출제되지 않았으며, 4장 통계분석이 (45.3%→56.7%)로 상대적으로 많이 출제되었습니다. 난이도 (3.4→3.8등급)는 44회보다는 쉬웠지만 여전히 전반적으로 많이 어렵게 출제되었습니다.

전체적으로 45회 시험은 44회 시험과 비슷하게 1과목은 쉽게 출제되었으나 2과목과 3과목에서 어렵게 출제되었으며, 44회와 비슷하게 본 기출복원 문제에서 70점 이상 득점한다면 시험에서 합격 가능성이 높다고 예측합니다.

과목	장	절	절명	출제 (2021년~2024년) 문항수	분포(절)	분포(장)	45회 기출복원 문항수	분포(절)	분포(장)	출제난이도 2021~2024	45회 기출복원
1과목	1장	1	데이터와 정보	21	32.8%	41.0%	1	33.3%	30.0%	2.4	2.0
		2	데이터베이스 정의와 특징	14	21.9%		1	33.3%		2.1	2.0
		3	데이터베이스 활용	29	45.3%		1	33.3%		2.9	2.0
	2장	1	빅데이터의 이해	23	36.5%	40.4%	2	28.6%	70.0%	2.2	2.5
		2	빅데이터의 가치와 영향	13	20.6%					2.2	
		3	비즈니스 모델	9	14.3%		3	42.9%		1.9	2.0
		4	위기요인과 통제방안	16	25.4%		2	28.6%		2.6	3.5
		5	미래의 빅데이터	2	3.2%					2.5	
	3장	1	빅데이터 분석과 전략 인사이트	2	6.9%	18.6%				4.0	
		2	전략 인사이트 도출을 위한 필요 역량	22	75.9%					2.2	
		3	빅데이터 그리고 데이터 사이언스 미래	5	17.2%					3.0	
2과목	1장	1	분석 기획 방향성 도출	20	22.7%	54.0%	2	33.3%	60.0%	3.1	1.5
		2	분석 방법론	26	29.5%		1	16.7%		3.1	4.0
		3	분석 과제 발굴	30	34.1%		2	33.3%		3.2	2.5
		4	분석 프로젝트 관리 방안	12	13.6%		1	16.7%		3.1	4.0
	2장	1	마스터 플랜 수립 프레임 워크	29	38.7%	46.0%	1	25.0%	40.0%	3.2	5.0
		2	분석 거버넌스 체계 수립	46	61.3%		3	75.0%		3.2	3.0
3과목	1장	1	데이터 분석 기법의 이해	7	17.5%	8.3%				3.6	
	2장	1	R 기초	1	2.5%					4.0	
		2	입력과 출력								
		3	데이터 타입과 구조	7	17.5%					3.0	
	3장	1	데이터 변경 및 요약	8	20.0%					2.8	
		2	데이터 탐색	17	42.5%					3.2	
	4장	1	통계분석의 이해	49	22.5%	45.3%	2	11.8%	56.7%	3.2	3.0
		2	통계분석	56	25.7%		6	35.3%		3.2	3.3
		3	회귀분석	54	24.8%		5	29.4%		3.6	3.4
		4	시계열 분석	31	14.2%		2	11.8%		3.6	3.5
		5	다차원 척도법	5	2.3%		1	5.9%		3.8	3.0
		6	주성분분석	23	10.6%		1	5.9%		3.0	4.0
	5장	1	데이터 마이닝의 개요	47	21.1%	46.4%	2	15.4%	43.3%	3.6	3.5
		2	분류분석	19	8.5%		1	7.7%		3.7	3.0
		3	의사결정나무 분석	18	8.1%		1	7.7%		3.5	5.0
		4	앙상블 분석	23	10.3%		1	7.7%		3.0	4.0
		5	인공신경망 분석	22	9.9%		1	7.7%		3.3	5.0
		6	군집분석	58	26.0%		5	38.5%		3.2	3.8
		7	연관분석	36	16.1%		2	15.4%		3.4	4.5

ADsP 45회 기출 복원 문제

과목 I 데이터 이해 * 문항 수(10문항), 배점(문항 당 2점)

01. DIKW 모델에 대한 설명으로 가장 적절하지 않은 것은 무엇인가?

① 지식(Knowledge)은 정보를 구조화하고 개인의 경험과 결합하여 내재화한 것이다.
② 지혜(Wisdom)는 지식의 축적과 통찰을 바탕으로 의사결정을 가능하게 하는 것이다.
③ 데이터(Data)는 지식과 아이디어가 결합된 창의적인 산물이다.
④ 정보(Information)는 데이터를 가공하여 의미를 부여한 것이다.

02. 빅데이터에 대한 설명으로 가장 적절하지 않은 것은 무엇인가?

① 빅데이터는 개인 맞춤화 서비스는 불가능하다.
② 빅데이터는 Volume, Variety, Veracity 등이 포함된다.
③ 빅데이터의 진실성은 Veracity와 관련된다.
④ 빅데이터는 다양한 출처에서 생성되며, 구조화되지 않은 데이터도 포함된다.

03. 다음 중 데이터베이스의 특징으로 적절하지 않은 것은 무엇인가?

① 데이터베이스의 특징에는 기계 가독성, 검색 가능성, 원격 조작성이 포함된다.
② 데이터베이스는 새로운 데이터를 쉽게 추가, 갱신, 삭제할 수 있다.
③ 데이터베이스는 네트워크를 통해 원격으로 접근하는 것이 가능하다.
④ 데이터베이스는 사용자 모두가 동일한 목적을 가지고 데이터를 활용하도록 설계된다.

04. 데이터의 일관성과 정확성을 유지하고 검증하는 DBMS의 특징은 무엇인가?

① 데이터의 가용성   ② 데이터의 무결성
③ 데이터의 효율성   ④ 데이터의 기밀성

05. 자동차 회사에서 엔지니어링과 에너지의 최적의 조합을 찾아내어 연료 효율성을 극대화하는 방법을 연구했다. 그 결과 연료절약형 차량을 설계할 수 있었다. 이때 사용된 알고리즘은 무엇인가?

① 연관분석
② 회귀분석
③ 유전자 알고리즘
④ 분류분석

06. 다음 중 개인정보 비식별화 기술에 대한 설명으로 가장 적절하지 않은 것은 무엇인가?

① 가명처리 – 개인 식별이 가능한 데이터에 대하여 직접적으로 식별할 수 없는 다른 값으로 대체하는 방법
② 데이터마스킹 – 개인 정보 식별이 가능한 특정 데이터 값을 삭제하는 방법
③ 범주화 – 단일 식별 정보를 해당 그룹의 대표값으로 변환하는 방법
④ 총계처리 – 개별 데이터 값을 총합 또는 평균값으로 대체하는 방법

07. 다음 중 빅데이터 분석 및 활용의 최종 목표로 가장 적절한 것은 무엇인가?

① 데이터를 분석하여 통찰을 얻고, 이를 기반으로 새로운 비즈니스 가치를 창출하는 것이다.
② 데이터를 중심으로 조직을 구성하고 운영 전략을 수립하는 데 활용하는 것이다.
③ 초고속 데이터 처리 기술을 개발하여 실시간 분석이 가능한 데이터 인프라를 마련하는 것이다.
④ 데이터 기반 의사결정을 통해 운영상의 비용을 절감하는 것을 궁극적인 목표로 삼는 것이다.

08. 다음 중 데이터 활용 사례로 적절하지 않은 것은 무엇인가?

① 사용자 분석을 통해 서비스 개선 방향을 제시한다.
② 구매 이력을 바탕으로 개인 맞춤형 상품을 추천한다.
③ 팬들의 반응 데이터를 분석해 콘서트의 노래 순서를 정한다.
④ 전문가와의 심층 면담으로 프로세스 절차를 개선한다.

09. 다음 중 빅데이터 정보를 활용하는 방식으로 가장 부적절한 것은 무엇인가?

① 개인정보를 대규모로 공유한다.
② 분석 목적에 맞게 익명 처리 및 개인정보 보호 조치를 한다.
③ 데이터 활용 시 법적·윤리적 규정을 준수한다.
④ 수집된 데이터를 기반으로 개인 맞춤형 서비스를 제공한다.

10. 빅데이터 시대의 위기 요인에 대한 해결 방안으로 적절하지 않은 것은 무엇인가?

① 개인정보 활용 동의를 강화한다.
② 개인정보 사용자의 책임을 강화한다.
③ 결과 기반 책임 원칙을 강화한다.
④ 알고리즘에 대한 접근권을 허용한다.

과목 II 데이터 분석 기획   * 문항 수(10문항), 배점(문항 당 2점)

11. 분석방법은 알고 있으나 그 대상을 모를 때 적용하는 분석 기획 유형으로 적합한 것은 무엇인가?

① 최적화
② 통찰
③ 솔루션
④ 발견

12. 상향식 접근 방법에 대한 설명 중 옳지 않은 것은 무엇인가?

① 문제(What)를 도출하고, 이를 해결할 방법(How)을 탐색한다.
② 세부 요소부터 시작하여 점차 전체 구조를 완성해 나간다.
③ 프로토타입을 만들고 반복적으로 개선해 나가는 방식이다.
④ 문제가 명확히 정의되어 있는 경우, 답을 찾는 기법이다.

13. 전사 차원의 모든 데이터 관리 정책 프로세스 운영 조직 등을 포함하는 표준화된 관리 체계는 무엇인가?

① 데이터 거버넌스
② 데이터 모델링
③ 데이터 마스터 플랜
④ 데이터 아키텍처

14. 데이터 분석 성숙도 모델 사분면에서 기업의 분석 업무 및 분석 기법은 부족하나, 조직 및 인력 등 준비도가 높아 데이터 분석을 바로 시행할 수 있는 기업의 분석 수준 진단 결과는 무엇인가?

① 준비형
② 도입형
③ 확산형
④ 정착형

15. 다음 중 과제 우선순위를 평가할 때 고려하는 기준으로, 본원적 업무와의 직접적인 연관성 및 해당 이슈가 해결되지 않았을 때 발생할 수 있는 위험이나 손실의 정도를 나타내는 것은 무엇인가?

① 시급성
② 기술 용이성
③ 전략적 필요성
④ 투자 용이성

16. 하향식 접근법 분석 과제 도출 단계를 순서대로 나열한 것은?

> 아래
>
> 가. 문제 정의
> 나. 문제 탐색
> 다. 해결방안 탐색
> 라. 타당성 검토

① 가-나-다-라
② 가-나-라-다
③ 나-가-다-라
④ 나-라-가-다

17. 분석 성숙도 진단 시 고려 대상이 아닌 것은 무엇인가?

① 비용 부문
② 비즈니스 부문
③ 조직역량 부문
④ IT 부문

18. 분석 과제에서 고려해야 할 5가지 요소와 관련된 내용으로 올바른 것은 무엇인가?

① 데이터의 양에 상관없이 분석 정확도는 일정하게 유지된다.
② 분석 방법을 고를 때 속도보다 정확도를 고려해야 한다.
③ 활용적 측면에서 정밀도, 안정적 측면에서 정확도가 중요하다.
④ 정확도를 높이면 복잡도가 상승할 수 있다는 것을 고려해야 한다.

19. 아래의 2가지를 설명하는 분석 태스크는 무엇인가?

> **아래**
>
> 데이터의 정합성을 검토하고 특성을 파악한다.
> 데이터를 시각화하고 요약하여 숨겨진 패턴 관계 이상값 등을 발견한다.

① 머신러닝 모델링
② 탐색적 데이터 분석
③ 모델 평가 및 검증
④ 데이터 전처리

20. 분석 기획 시 고려사항에 해당하지 않는 것은 무엇인가?

① 분석 수행에 필요한 비용 요소를 고려해야 한다.
② 최신 분석 기법을 무조건 사용하는 것이 가장 중요하다.
③ 분석 결과의 안정성과 신뢰성을 확보해야 한다.
④ 분석 결과를 이해하고 설명하기 쉬운 형태로 제시할 수 있어야 한다.

과목 III 데이터 분석   * 문항 수(30문항), 배점(문항 당 2점)

21. 다음 중 데이터의 예시와 척도가 가장 적절하게 연결된 것은 무엇인가?

① 몸무게(kg)는 이산형 척도이다.

② 고향이 수도권/비수도권인지는 명목척도이다.

③ 정수 0~5 중에 선택하는 것은 연속형 척도이다.

④ 교통사고의 확률은 순서형 척도이다.

22. 범주형 자료 분석에 대한 설명 중 틀린 것은 무엇인가?

① 범주의 특성에 따른 관찰 도수와 비교될 수 있는 기대 도수를 계산하여 사용한다.

② 동질성 검정은 관측 값들이 정해진 범주 내에서 서로 비슷하게 나타나고 있는지를 검정한다.

③ 적합도 검정은 도수표 내 관찰 도수의 분산과 기대도수 분산이 얼마나 일치하는지를 검정한다.

④ 독립성 검정은 서로 다른 요인들에 의해 분할 되어 있는 경우 그 요인들이 관찰값에 영향을 주는지 여부를 검정한다.

23. 기술통계와 관련된 설명 중 틀린 것은 무엇인가?

① 기술통계량으로는 평균, 중앙값 등이 포함된다.

② 결측치를 모두 0으로 변환하여 계산한다.

③ 기술통계는 데이터의 분포와 중심 경향성을 파악하는 데 사용된다.

④ 기술통계는 데이터의 산포도(분산, 표준편차 등)를 분석하는 데도 활용된다.

24. 시계열 데이터의 정상성을 확보할 수 있는 방법은 무엇인가?

① 차분

② 결측값 제거

③ 분산제곱통계량

④ 이상치 제거

25. 시계열 분해 요소에 대한 설명 중 잘못된 것은 무엇인가?

① 시간 흐름에 따라 이차함수 형태로 변하는 요인을 추세요인이라 한다.
② 고정된 주기에 따라 변하는 요인을 계절요인이라 한다.
③ 경제나 자연현상으로 설명되는 주기를 가지고 변하는 요인을 순환요인이라 한다.
④ 추세, 계절, 순환 요인으로 설명 불가능한 요인을 불규칙 요인이라고 한다.

26. 콜레스테롤 문항 회귀식으로 올바른 것은?

> 아래

```
> summary(model)

Call:
lm(formula = g ~ Mg, data = data)

Residuals:
          1          2          3          4          5
 -1.693e-14  1.727e-14  8.606e-15 -1.298e-15 -7.648e-15

Coefficients:
             Estimate  Std. Error   t value  Pr(>|t|)
(Intercept) 9.604e+01   5.917e-14  1.623e+15   < 2e-16 ***
Mg          1.970e+00   4.897e-16  4.023e+15   < 2e-16 ***
---
Signif. codes:  0 '***' 0.001 '**' 0.01 '*' 0.05 '.' 0.1 ' ' 1

Residual standard error: 1.549e-14 on 3 degrees of freedom
Multiple R-squared:  1,     Adjusted R-squared:  1
F-statistic: 1.618e+31 on 1 and 3 DF,  p-value: < 2.2e-16
```

① $f(x) = 96.04 + 1.97x$
② $f(x) = 1.97x^{96.04}$
③ $f(x) = 1.97 + 96.04x$
④ $f(x) = 96.04x^{1.97}$

27. 선형회귀분석의 가정에 대한 설명 중 옳지 않은 것은 무엇인가?

① 정규성: 잔차의 분포가 정규분포를 따른다.
② 독립성: 독립변수 간에는 서로 관련이 없다.
③ 등분산성: 모든 독립변수 값에 대해 오차항의 분산이 일정하다.
④ 선형성: 독립변수와 종속변수 간에는 선형관계가 있다.

28. 독립변수 후보 모두를 포함한 모형에서 변수를 하나씩 제거하는 변수선택법은 무엇인가?

① 전진 선택법   ② 후진 제거법
③ 단계별 선택법 ④ 전체 선택법

29. 주성분 분석에 대한 설명으로 틀린 것은 무엇인가?

① 원변수들에 가중치를 선형 결합하여 주성분을 산출한다.
② 로딩 벡터들은 서로 직교하여 내적 0을 이룬다.
③ 분산이 작은 주성분에 비중을 크게 둔다.
④ 주성분 간에는 상관관계가 없다.

30. 아래 주성분분석 결과에 대한 설명으로 틀린 것은 무엇인가?

```
> pca_result$rotation

Rotation:
           Comp.1     Comp.2    Comp.3    Comp.4    Comp.5    Comp.6    Comp.7
hurdles   -0.452871  0.157920 -0.045150  0.026538 -0.094949 -0.783341  0.380247
highjump  -0.377199  0.248074 -0.367779  0.679991  0.018798  0.999399 -0.433931
shot      -0.363075 -0.289407  0.676819  1.224317  0.511652  0.058598 -0.217629
run200m   -0.407850 -0.260384  0.083592 -0.361065 -0.649834  0.024956 -0.453384
longjump  -0.456232  0.055874  0.139317  0.111294 -0.184290  0.592029  0.612063
javelin         NA -0.841692 -0.471561  0.120799  0.135166 -0.022741  0.172947
run800m   -0.374595  0.224489 -0.395857 -0.604311  0.504321  0.155555 -0.098309

> hepthatlon_pca <- prcomp(hepthatlon_data, scale. = TRUE)
> summary(hepthatlon_pca)

Importance of components:
                    Comp.1  Comp.2  Comp.3  Comp.4  Comp.5  Comp.6  Comp.7
Standard deviation   2.43    1.09    0.72    0.67    0.49    0.27    0.01
Proportion of Var    0.67    0.13    0.09    0.06    0.03    0.01    0.00
Cumulative Prop      0.67    0.80    0.89    0.95    0.98    0.99    1.00
```

① 2개의 주성분으로 7개의 변수를 80% 이상 설명이 가능하다.
② Javelin 변수의 영향력이 가장 크다.
③ Comp.1의 로딩값이 큰 변수가 Comp.1에서 중요한 변수이다.
④ 첫 번째 주성분의 고유값은 약 5.9이다.

31. 다음은 Carseats 데이터셋의 요약 통계량이다. 이에 대한 해석으로 옳지 않은 것은?

```
> summary(Carseats)
     Sales          CompPrice         Income        Advertising       Population
 Min.   : 0.000   Min.   : 77    Min.   : 21.00   Min.   : 0.000   Min.   : 24.0
 1st Qu.: 5.390   1st Qu.:115    1st Qu.: 42.75   1st Qu.: 0.000   1st Qu.:100.0
 Median : 7.490   Median :125    Median : 69.00   Median : 5.000   Median :117.0
 Mean   : 7.496   Mean   :125    Mean   : 68.66   Mean   : 6.635   Mean   :115.8
 3rd Qu.: 9.320   3rd Qu.:135    3rd Qu.: 91.00   3rd Qu.:12.000   3rd Qu.:131.0
 Max.   :16.270   Max.   :175    Max.   :120.00   Max.   :29.000   Max.   :191.0

   ShelveLoc              Age           Education         Urban               US
 Length:400       Min.   :25.00    Min.   :10.0     Length:400        Length:400
 Class :character 1st Qu.:39.75    1st Qu.:12.0     Class :character  Class :character
 Mode  :character Median :54.50    Median :14.0     Mode  :character  Mode  :character
                  Mean   :53.32    Mean   :13.9
                  3rd Qu.:66.00    3rd Qu.:16.0
                  Max.   :80.00    Max.   :18.0
```

① Income 변수의 평균은 68.66이다.

② Sales의 25%는 Sales의 Q1값 보다 크다.

③ Population 변수의 최대값은 191이다.

④ Advertising 변수에서 적어도 25% 이상의 관측값은 0이다.

32. 상관계수에 대한 설명 중 틀린 것은 무엇인가?

① 상관계수가 −1일 때, 상관관계가 가장 약하다.

② 스피어만 상관계수는 순서척도에서 사용될 수 있다.

③ 상관계수는 변수들 간의 선형 관계를 측정한다.

④ 상관계수는 −1에서 1 사이의 값을 가진다.

33. 아래 상관관계 분석 결과에 대한 설명으로 옳지 않은 것은?

```
> cor(data)
              education    information     census       balance
education    1.00000000   -0.03157996   -0.8173500   -0.5321259
information -0.03157996    1.00000000    0.2576312   -0.2300757
census      -0.81734998    0.25763124    1.0000000    0.1582042
balance     -0.53212595   -0.23007571    0.1582042    1.0000000
```

① census와 information은 약한 양의 상관관계를 보인다.
② balance의 가장 높은 상관계수는 education과의 관계에서 나타난다.
③ education과 information 사이에는 거의 상관관계가 없는 것으로 분석된다.
④ education은 census보다 balance와 더 강한 상관관계를 가지는 것으로 나타났다.

34. 다음 중 회귀분석 Education 데이터의 검정 결과로 옳지 않은 것은 무엇인가?

```
> summary(lm(Fertility~., data=swiss))

Call:
lm(formula = Fertility ~ ., data = swiss)

Residuals:
     Min      1Q  Median      3Q     Max
-15.2743 -5.2617  0.5032  4.1198 15.3213

Coefficients:
                 Estimate Std. Error t value Pr(>|t|)
(Intercept)      66.91518   10.70604   6.250 1.91e-07 ***
Agriculture      -0.17211    0.07030  -2.448  0.01873 *
Examination      -0.25801    0.25388  -1.016  0.31546
Education        -0.87094    0.18303  -4.758 2.43e-05 ***
Catholic          0.10412    0.03526   2.953  0.00519 **
Infant.Mortality  1.07705    0.38172   2.822  0.00734 **
---
Signif. codes:  0 '***' 0.001 '**' 0.01 '*' 0.05 '.' 0.1 ' ' 1

Residual standard error: 7.165 on 41 degrees of freedom
Multiple R-squared: 0.7067,  Adjusted R-squared: 0.671
F-statistic: 19.76 on 5 and 41 DF,  p-value: 5.594e-10
```

① Agriculture는 5% 유의수준 하에서 통계적으로 유의하다.
② Education이 Fertility의 원인이다.
③ 모델의 설명력은 70.67%이다.
④ Adjusted R-squared 값은 67.1%이다.

출★★★★★ 난★★★★☆
35. 모델이 참이라고 예측한 것 중에서 실제로도 참인 것은 무엇인가?

① 정밀도
② 민감도
③ 재현율
④ 정확도

출★★★★☆ 난★★★☆☆
36. 다음 중 연속형 변수 간의 유사성 또는 거리를 측정하는 방법으로 적절하지 않은 것은 무엇인가?

① 마할라노비스 거리
② 맨하탄 거리
③ 유클리드 거리
④ 자카드 거리

출★★★★★ 난★★★☆☆
37. ROC 곡선으로 가장 효율적인 도형을 이끌어냈을 때의 x좌표와 y좌표의 값은 얼마인가?

① (0, 0)
② (0, 1)
③ (1, 0)
④ (1, 1)

출★★★★☆ 난★★★★☆
38. 다음 중 앙상블 기법인 배깅(Bagging)과 부스팅(Boosting)에 대한 설명으로 옳은 것은 무엇인가?

① 배깅은 재표본 추출을 사용하지 않는다.
② 부스팅은 잘못 분류된 데이터에 더 큰 가중치를 부여한다.
③ 배깅은 항상 단일 모형보다 높은 정확도를 보장한다.
④ 부스팅은 과적합 문제를 방지한다.

출★★★★☆ 난★★★★★
39. 인공신경망 모형 설명으로 옳지 않은 것은 무엇인가?

① 은닉층 개수가 많아진다고 해서 정확도 향상이 보장되지는 않는다.
② 은닉층마다 노드의 개수는 분석가가 직접 설정해야 한다.
③ 은닉층에서 사용하는 활성화 함수의 종류에 따라 선형적, 비선형적 모형 설계가 가능하다.
④ 설명력 있는 가중치를 선출할 수 있다.

40. 로지스틱 회귀분석의 적용 사례로 적절한 것은 무엇인가?

① 학생의 시험 점수 예측

② 마케팅의 성공여부 예측

③ 제품 출시 판매량의 예측

④ 정년 예측

41. 의사결정나무에 대한 설명으로 옳지 않은 것은 무엇인가?

① 최종 노드가 많아질수록 과대적합 발생 가능성이 커진다.

② 종속 변수가 연속형일 때 가지 분할에 분산을 수행할 수 있다.

③ 종속 변수가 범주형일 때 가지 분할에 엔트로피 지수를 활용할 수 있다.

④ 가지치기(Pruning)를 통해 학습 데이터 세트에서의 정확도를 높일 수 있다.

42. K-means에 대한 설명 중 틀린 것은?

① K 개수를 사용자가 직접 지정해야 한다.

② K-means 알고리즘은 이상치에 민감한 특성이 있다.

③ K-means는 중심점을 실제 데이터가 아닌, 군집 내 평균 좌표로 계산한다.

④ 군집 개수 K는 알고리즘이 데이터에 따라 자동으로 결정한다.

43. 다음 중 군집분석 알고리즘인 SOM(Self-Organizing Map)에 대한 설명 중 틀린 것은?

① 입력층과 경쟁층은 일부 뉴런끼리 부분적으로(locally connected) 연결된다.

② 복잡한 고차원 데이터를 저차원 격자 형태로 표현하는 알고리즘이다.

③ 각 뉴런이 반복적으로 경쟁하여 승자와 이웃이 학습된다.

④ 정보 흐름은 입력층에서 경쟁층으로 전달되는 순전파(feedforward) 방식이다.

44. 계층적 군집분석 결과를 아래와 같이 덴드로그램으로 시각화하였다고 할 때, Height=2일 경우 나타나는 클러스터의 개수는?

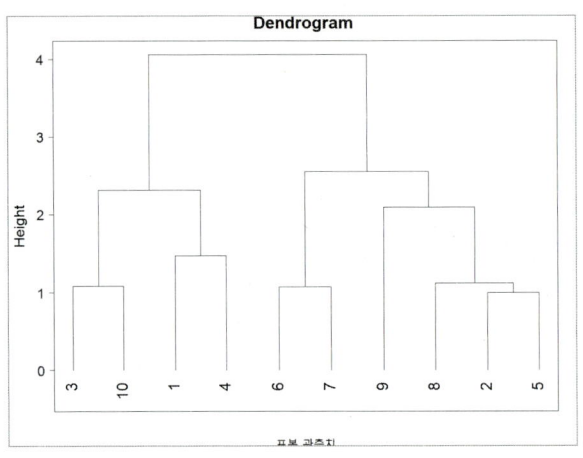

① 2개 ② 3개
③ 4개 ④ 5개

45. 연관분석에서 버터를 구매할 확률 대비 빵을 구매한 사람이 버터를 구매할 확률을 비교하는 지표와 수치는?

거래	품목
1	우유, 빵, 버터
2	우유, 빵, 콜라
3	빵, 버터, 콜라
4	우유, 콜라, 라면
5	빵, 버터, 라면

① 향상도 1.25 ② 향상도 0.25
③ 신뢰도 0.75 ④ 신뢰도 0.6

46. 연관분석 A → B일 경우, 지지도에 해당하는 보기는 무엇인가?

① 전체 중에 A를 구매할 확률
② 전체 중에 B를 구매할 확률
③ 전체 중에 A와 B 동시에 구매할 확률
④ A를 구매할 때, B를 구매할 확률

47. 군집분석에 대한 설명 중 옳지 않은 것은?

① 군집분석은 유사한 특성을 가진 객체들을 그룹으로 묶는 기법이다.
② 입력변수가 범주형일 경우 군집분석을 할 수 없다.
③ 비지도학습이므로 종속 변수가 필요 없는 분석이다.
④ 범주형으로 표현된 군집으로는 군집분석을 할 수 없다.

48. 다음 중 다차원 척도법(MDS)에 대한 설명 중 부적절한 것은?

① 다차원척도법은 차원 축소에 사용하는 방법이다.
② 다차원척도법은 개체 간의 위치를 파악하기 위해 거리 정보가 필요하다.
③ 유사도(또는 비유사도)를 보존하면서 고차원 데이터를 저차원 공간에 표현한다.
④ 다차원척도법을 통해 개체들의 절대적인 좌표 위치를 알 수 있다.

49. 다음 중 계통 추출법에 대한 설명으로 가장 적절한 것은?

① 일정한 간격을 두고 추출 단위를 선택하는 확률 표본 추출 방식이다.
② 표본이 모집단을 대표할 수 있도록 사전에 층을 구분하여 각 층에서 무작위로 추출하는 방식이다.
③ 조사를 통해 얻고자 하는 특성에 따라 임의로 표본을 구성하는 비확률 추출 방식이다.
④ 모집단 내 요소 간의 상관관계를 고려하여 두 개 이상의 기준을 동시에 활용해 추출하는 방식이다.

50. 다음 중 스피어만 상관분석과 피어슨 상관분석에 대한 설명으로 옳지 않은 것은?

① 피어슨 상관분석은 연속형 변수 간의 선형 관계를 측정할 때 주로 사용된다.
② 스피어만 상관분석은 등간 척도에서 선형 관계를 측정하는 데 적합하다.
③ 상관계수의 값은 −1에서 1 사이의 범위를 가진다.
④ 공분산은 단위의 영향을 받지만, 상관계수는 단위에 영향을 받지 않는다.

제46회 데이터 분석 준전문가 기출 복원 문제 분석

• 검정일시 : 2025. 08. 09(토) / 10:00~11:30

윤박사 분석

46회 시험은 이전 시험(2021년~2024년)과 비교했을 때, 출제 경향은 3과목 4장을 제외하면 대체로 유사하게 나타났으며, 비슷하게 출제되었고, 난이도는 3과목을 제외하면 비슷하거나 쉽게 출제되었다고 평가됩니다.

1과목의 문제 출제 경향은 이전 시험과 유사하게 나타났으며, 난이도는 3등급 이상의 문제가 4문제 정도 출제되었으나 8문제 정도는 충분히 맞출 수 있을 것으로 판단됩니다.

2과목의 출제 경향은 이전 시험과 반대로 1장(54.0%→44.4%)에 비해 2장(46.0%→55.6%)이 조금 더 많이 출제되었으나, 난이도는 전반적으로 3.3등급 이하로 쉽게 출제되어 6문제 이상은 맞출 수 있을 것으로 판단됩니다.

3과목은 4장 통계분석이 (45.3%→63.3%)로 44회보다 훨씬 더 많은 문제가 출제된 것을 확인할 수 있습니다. 다만, 난이도(3.4→3.6등급)는 44회나 45회보다는 쉽게 출제된 것으로 판단됩니다.

전체적으로 46회 시험은 44회나 45회 시험보다는 2과목과 3과목이 쉽게 출제되어 이전 시험과 비슷하거나 조금 어려운 수준으로 나타났으며 본 기출복원 문제에서 74점 이상 득점한다면 시험에서 충분히 합격 가능성이 있다고 예측합니다.

과목	장	절	절명	출제 (2021년~2024년)			46회 기출복원			출제난이도	
				문항수	분포(절)	분포(장)	문항수	분포(절)	분포(장)	2021~2024	46회 기출복원
1과목	1장	1	데이터와 정보	21	32.8%	41.0%	3	60.0%	45.5%	2.4	2.0
		2	데이터베이스 정의와 특징	14	21.9%		1	20.0%		2.1	3.5
		3	데이터베이스 활용	29	45.3%		1	20.0%		2.9	3.0
	2장	1	빅데이터의 이해	23	36.5%	40.4%			45.5%	2.2	1.5
		2	빅데이터의 가치와 영향	13	20.6%		1	20.0%		2.2	
		3	비즈니스 모델	9	14.3%		2	40.0%		1.9	4.0
		4	위기요인과 통제방안	16	25.4%		2	40.0%		2.6	1.0
		5	미래의 빅데이터	2	3.2%					2.5	
	3장	1	빅데이터 분석과 전략 인사이트	2	6.9%	18.6%			9.1%	4.0	
		2	전략 인사이트 도출을 위한 필요 역량	22	75.9%		1	100.0%		2.2	
		3	빅데이터 그리고 데이터 사이언스 미래	5	17.2%					3.0	
2과목	1장	1	분석 기획 방향성 도출	20	22.7%	54.0%	1	25.0%	44.4%	3.1	2.0
		2	분석 방법론	26	29.5%					3.1	3.0
		3	분석 과제 발굴	30	34.1%		3	75.0%		3.2	3.3
		4	분석 프로젝트 관리 방안	12	13.6%					3.1	2.0
	2장	1	마스터 플랜 수립 프레임 워크	29	38.7%	46.0%	1	20.0%	55.6%	3.2	3.0
		2	분석 거버넌스 체계 수립	46	61.3%		4	80.0%		3.2	1.5
3과목	1장	1	데이터 분석 기법의 이해	7	17.5%	8.3%	1	100.0%	3.3%	3.6	
	2장	1	R 기초	1	2.5%					4.0	
		2	입력과 출력								
		3	데이터 타입과 구조	7	17.5%					3.0	
	3장	1	데이터 변경 및 요약	8	20.0%					2.8	
		2	데이터 탐색	17	42.5%					3.2	3.0
	4장	1	통계분석의 이해	49	22.5%	45.3%	3	15.8%	63.3%	3.2	3.5
		2	통계분석	56	25.7%		6	31.6%		3.2	3.6
		3	회귀분석	54	24.8%		6	31.6%		3.6	4.0
		4	시계열 분석	31	14.2%		3	15.8%		3.6	4.0
		5	다차원 척도법	5	2.3%					3.8	4.0
		6	주성분분석	23	10.6%		1	5.3%		3.0	4.0
	5장	1	데이터 마이닝의 개요	47	21.1%	46.4%	1	10.0%	33.3%	3.6	2.7
		2	분류분석	19	8.5%					3.7	3.5
		3	의사결정나무 분석	18	8.1%					3.5	3.0
		4	앙상블 분석	23	10.3%		1	10.0%		3.0	4.0
		5	인공신경망 분석	22	9.9%		2	20.0%		3.3	3.4
		6	군집분석	58	26.0%		5	50.0%		3.2	4.0
		7	연관분석	36	16.1%		1	10.0%		3.4	4.3

ADsP 46회 기출 복원 문제

과목 I 데이터 이해 * 문항 수(10문항), 배점(문항 당 2점)

출★★★★☆ 난★☆☆☆☆
01. 다음 중 DIKW 피라미드에 대한 설명으로 옳게 짝지어진 것은?

> **아래**
> A) A마트는 100원에, B마트는 300원에 연필을 판매한다.
> B) A마트의 연필이 B마트보다 싸다.
> C) 상대적으로 저렴한 A마트에서 연필을 사야겠다.
> D) 다른 상품들도 A마트가 B마트보다 저렴할 것으로 판단된다.

① A 데이터, B 정보, C 지식, D 지혜
② A 지식, B 지혜, C 데이터, D 정보
③ A 정보, B 데이터, C 지혜, D 지식
④ A 데이터, B 지식, C 정보, D 지혜

출★★☆☆☆ 난★★★☆☆
02. 다음 중 데이터에 대한 설명으로 옳은 것은 무엇인가?

① 온도, 강수량 등과 같이 수치로 측정·표현되는 데이터는 정성적 데이터이다.
② 정성적 데이터는 정량적 데이터에 비해 저장, 분석 처리에 있어 더 많은 비용과 기술적 발전을 수반한다.
③ 빅데이터 분석에 많이 사용되는 사진, 음성, 영상 등의 데이터는 반정형 데이터이다.
④ 데이터는 주관적인 사실을 지닌다는 존재적 특성이 있고 추론의 근거가 된다는 당위성이 있다.

출★★★★★ 난★★★☆☆
03. 다음 중 데이터베이스의 일반적인 특징과 설명이 적절하게 연결된 것은?

① 통합된 데이터 - 동일한 내용의 데이터가 중복되어 있지 않다는 것을 의미한다.
② 저장된 데이터 - 저장된 데이터는 동일한 사용자가 다른 목적으로 사용한다.
③ 공용 데이터 - 동일한 사용자에게만 공유되는 데이터를 의미한다.
④ 변화하는 데이터 - 과거 이력을 항상 보존하므로 비휘발성의 특성을 지닌다.

출★★★★☆ 난★★☆☆☆
04. 데이터 관련 개념에 대한 설명 중 가장 적절하지 않은 것은 무엇인가?

① SQL은 데이터를 추가하고 수정·삭제·조회하는 데 사용하는 언어이다.
② OLTP는 데이터 조회와 보고서를 생성하고, OLAP는 거래처리를 주로 수행한다.
③ 데이터는 존재적 특성과 당위적 특성을 가지며, 형식에 따라 정량적 데이터와 정성적 데이터로 구분된다.
④ DBMS는 데이터베이스를 관리하는 소프트웨어이다.

출★★★★★ 난★★★★☆
05. 데이터베이스의 다양한 측면에서의 특징 중 정보의 축적과 전달 측면에서 옳지 않은 것은?

① 기계 가독성 : 대량의 정보를 일정한 형식에 따라 컴퓨터 등의 정보 처리 기기가 읽고 쓸 수 있도록 한다.
② 검색 가독성 : 다양한 방법으로 필요한 정보를 검색할 수 있다.
③ 원격 조작성 : 정보통신망을 통하여 원거리에서도 즉시 온라인으로 이용 가능하다.
④ 정보 이용성 : 정보 처리, 검색 관리 소프트웨어와 관련 하드웨어 그리고 정보 전송을 위한 네트워크 기술 발전을 견인한다.

출★★★★☆ 난★★★★☆
06. 아래의 데이터와 관련된 보기 중 설명이 옳은 것을 모두 고르시오.

> **아래**
> 가. OLTP는 다차원 데이터를 대화식으로 분석하고 복잡한 쿼리를 빠르게 처리하여 사용자에게 통찰을 제공하는 데이터 처리 기술이다.
> 나. ETL은 다양한 DBMS에서 데이터를 가져와 정리한 후, 분석에 적합한 형태로 최종 저장소에 저장하는 프로세스다.
> 다. 데이터 마이닝은 대량의 데이터에서 숨겨진 패턴과 규칙을 찾아내어 의사결정에 활용하는 기법이다.

① 가, 나
② 나, 다
③ 가, 나
④ 가, 나, 다

07. 빅데이터 출현 배경으로 옳은 것을 모두 고른 것은?

> 아래
> 가. 기업의 데이터 기반 혁신과 분석 가치에 대한 인식이 확대되면서 기업 내·외부에서 축적되는 데이터의 양이 급격히 증가하였다.
> 나. 컴퓨터 프로그래밍, 데이터 처리 프로세스가 지속적으로 발전하고, 하둡(Hadoop)과 같은 분산처리 기술이 등장하였다.
> 다. 아날로그 정보가 디지털 데이터로 전환되면서 수집과 저장이 용이해지고, 동시에 데이터 양도 크게 증가하였다.

① 가, 나
② 나, 다
③ 가, 다
④ 가, 나, 다

08. 다음 중 빅데이터가 만들어 내는 본질적인 변화로 옳은 것은?

① 전수조사 → 표본조사
② 데이터의 질 → 데이터의 양
③ 상관관계 → 인과관계
④ 사후처리 → 사전처리

09. 다음 중 분류 분석의 적용 사례로 옳지 않은 것은?

① 소득 수준·거래 이력 등을 활용한 대출 심사용 신용등급 분류
② 나이·몸무게·유전 정보를 고려한 당뇨병 보유 여부 예측
③ 위치·면적·연식 등을 활용한 아파트 매매가격 예측
④ 통화 패턴·서비스 이용 내역을 기반으로 한 고객 이탈 여부 예측

10. 빅데이터 시대의 위기 요인이 아닌 것은?

① 사생활 침해
② 책임 원칙 훼손
③ 기업 경쟁력 약화
④ 데이터 오용

과목 II 데이터 분석 기획 *문항 수(10문항), 배점(문항 당 2점)

11. 데이터 분석 도입에 대한 설명으로 적절하지 않은 것은?

① 데이터 수집·처리 과정에서 보안과 개인정보 보호를 고려해야 한다.
② 분석에 필요한 데이터의 품질과 적합성을 확보하는 것이 중요하다.
③ 핵심 분석이 아닌 여러 분석을 동시에 수행해야 한다.
④ 즉각적인 처리가 중요한 경우 분석 자동화 체계를 마련할 수 있다.

12. 분석 주제 유형에 대한 설명으로 적절한 것은?

① 분석 대상과 분석 방법을 모두 모르는 경우, 새로운 지식인 통찰(insight)을 통해 분석을 수행한다.
② 분석 대상과 방법을 모두 아는 경우, 개선을 통한 최적화(optimization) 방식으로 분석을 수행한다.
③ 분석 대상을 알고 있지만 분석 방법을 모르는 경우, 지식을 요약(summary)하여 분석을 수행한다.
④ 분석 대상은 모르지만 방법을 아는 경우, 발견(discovery)을 통해 분석 대상을 새롭게 찾아낸다.

13. 다음 중 CRISP-DM 분석 방법론에 대한 설명으로 적절한 것은?

① 업무 이해 - 데이터 이해 - 데이터 준비 - 모델링 - 평가 - 전개 단계로 진행된다.
② 분석 과정은 순차적으로 진행되며, 각 단계는 피드백을 통해 반복적으로 수행된다.
③ 전개 단계는 다양한 모델링 기법과 알고리즘을 선택하고 모델링 과정에서 사용되는 파라미터를 최적화해 나간다.
④ 모델링 단계에서는 프로젝트 목적에 부합하는지 평가하는 단계로 데이터 마이닝 결과를 최종적으로 수용할 것인지 판단한다.

14. 분석과제 정의서에 대한 내용으로 적절하지 않은 것은?

① 분석 프로젝트 계획서의 입력 자료가 된다.
② 내부 데이터만 분석 대상으로 포함한다.
③ 분석에 사용될 방법 등을 기술한다.
④ 결과 검증에 대한 출처를 명시한다.

15. 다음 문장에서 (ㄱ)과 (ㄴ)에 들어갈 용어를 바르게 짝지은 것은?

> **아래**
>
> 분석 과제의 주요 5가지 특성 관리 영역에서, (ㄱ)은 모델이 실제 값에 얼마나 근접하게 예측하는지를 나타내며, (ㄴ)은 동일한 예측을 여러 번 수행했을 때 결과가 얼마나 일관성 있게 나타나는지를 의미한다.

① ㄱ: 정확도, ㄴ: 정밀도
② ㄱ: 정밀도, ㄴ: 정확도
③ ㄱ: 정확도, ㄴ: 타당도
④ ㄱ: 신뢰도, ㄴ: 정밀도

16. 다음 중 상향식 접근법에 관한 설명으로 옳지 않은 것은 무엇인가?

① 문제 정의가 명확하지 않고, 새로운 유형의 문제에 적용할 수 있다.
② 분석 과정에서 주로 비지도 학습 기법을 활용하여 수행된다.
③ 사전에 명확한 구조와 충분한 데이터가 확보되어 있어야 한다.
④ 문제를 정확히 해결하기 위해 프로토타이핑 방식을 활용한다.

17. 하향식 접근법의 문제 탐색 단계에서 탐색 기법으로 틀린 것은?

① 분석 유즈케이스 정의
② 데이터 기반 탐색
③ 외부 참조모델 기반 탐색
④ 비즈니스 모델 기반 탐색

18. A 회사는 현재 고객 유지와 신규 고객 확보를 위한 두 가지 과제를 추진하려고 한다. 주어진 정보를 바탕으로 A회사가 가장 먼저 해결해야 할 과제는 무엇인가?

> **아래**
>
> 과제 1: 최근 이탈 위험이 높은 고객을 대상으로 한 긴급 유지 캠페인. 이는 시급성은 높지만 난이도가 낮아 빠른 실행과 즉각적인 효과 측정이 가능하다.
>
> 과제 2: 장기적인 브랜드 마케팅을 통한 충성 고객 확보 전략. 이는 시급성이 낮고 난이도가 높아 신중한 계획 수립과 장기간에 걸친 지속적인 투자가 필요하다.

① 과제1을 우선으로 수행한다.
② 과제2를 우선으로 수행한다.
③ 과제1과 과제2를 동시에 수행한다.
④ 현재 주어진 설명만으로는 우선순위를 정할 수 없다.

19. 분석 과제 우선순위 선정 기준으로 적절하지 않은 것은?

① 시급성은 전략적 중요도와 데이터 분석 비용에 의해 결정된다.
② 난이도는 준비도와 성숙도를 종합해 결정된다.
③ 분석 결과가 기업 성과에 미치는 영향과 기대 효과를 종합하여 우선순위를 결정한다.
④ 현재 시급하면서 난이도 높은 과제는 기업의 의사결정에 따라 우선순위가 바뀔 수 있다.

20. 다음 중 분석준비도의 요소로 적절하지 않은 것은?

① 재무 상태
② 인력 및 조직
③ IT인프라
④ 분석문화

과목 Ⅲ 데이터 분석   * 문항 수(30문항), 배점(문항 당 2점)

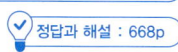

21. 다음 중 결측값(Missing Values)에 대한 설명으로 올바른 것은 무엇인가?

① 결측값을 포함한 데이터 행을 완전히 삭제하면, 데이터 분석의 정확도가 일관되게 향상되어 모델의 예측력과 신뢰도가 높아진다.
② 데이터의 수가 상대적으로 적거나 제한적인 경우, 결측값을 포함한 데이터를 삭제하는 것이 더 나은 분석 결과를 도출할 가능성을 높여준다.
③ 결측값을 특정 통계적 기법이나 도메인 지식을 활용하여 적절한 값으로 대치하면, 분석 결과가 왜곡되지 않고 완벽하게 보존될 수 있다.
④ 결측값을 대체하는 목적은 데이터의 정보 손실을 과도하게 초래하지 않도록 방지하고, 데이터셋의 완전성을 유지하여 분석의 신뢰성을 확보하는 데 있다.

출★★★★★ 난★★★★☆
22. 다음 중 가설 검정에 대한 설명으로 가장 적절하지 않은 것은 무엇인가?

① p-value는 귀무가설이 참일 때, 관측된 결과와 같거나 그보다 더 극단적인 결과가 나타날 확률이다.
② 제2종 오류는 대립가설이 참임에도 불구하고 귀무가설을 기각하지 않는 오류를 말한다.
③ P-value가 유의수준 0.05보다 작으면 대립가설을 기각한다.
④ 제 1종 오류와 제 2종 오류는 서로 trade-off 관계를 가진다.

출★★★☆☆ 난★★★★★
23. 다음 중 통계적 추론에 관한 내용 중 설명이 가장 적절하지 않은 것은?

① 2000년대생 중 30명을 표본으로 추출해서 계산한 표본표준편차로 모집단의 모표준편차를 추정할 수 있다.
② 표본 조사를 통해 얻은 30대 남성 체중(x)의 표본평균은 모집단의 모평균을 추정할 수 있다.
③ 신뢰구간을 구하기 위해서는 모집단의 분포를 먼저 가정하거나, 표본의 크기가 충분히 클 경우 중심극한정리를 적용해야 한다.
④ 모집단의 모수를 추정할 때, 점추정을 실시한 뒤에 점추정을 보완하기 위해 구간추정을 한다.

출★★★★★ 난★★☆☆☆
24. 다음 확률분포표에서 확률변수 X의 기댓값을 구하시오.

X	1	2	3	4
P(X)	0.4	0.3	0.2	0.1

① 2
② 3
③ 4
④ 5

25. 다음 회귀 분석 결과를 통해 결정계수(R^2)를 구하시오.

아래

```
> model ← lm(y ~ x)
> model

Call:
lm(formula = y ~ x)
Coefficients:
(Intercept)           x
     2.1000      1.5200

> anova(model)
Analysis of Variance Table

Response: y
          Df Sum Sq Mean Sq F value  Pr(>F)
x          1  30.00   30.00   12.00  0.008 **
Residuals  8  20.00    2.5
---
Signif. codes:  0 '***' .001 '**' 0.01 '*' 0.05 '.' 0.1 ' ' 1
```

① 0.4　　　　② 0.5　　　　③ 0.6　　　　④ 0.67

26. 다음은 임금(wage)에 대한 t-test 진행 결과이다. 결과를 가장 잘못 해석한 것은 무엇인가?

아래

```
> t.test(Wage$wage, mu = 100)

One Sample t-test

data:  Wage$wage
t = 15.362, df = 9999, p-value < 0.05
alternative hypothesis: true mean is not equal to 100
95 percent confidence interval:
 110.2098 113.1974
sample estimates:
mean of x
 111.7036
```

① 데이터를 통해 주장하고자 하는 대립가설은 "평균이 100과 같지 않다"이다.
② 유의확률 값이 유의수준 0.05보다 낮아 귀무가설이 기각되지 않는다.
③ 데이터를 통해 확인된 wage의 표본평균은 111.7036이다.
④ 모집단의 평균을 추정하기 위해 사용된 통계량은 t-검정이다.

27. 다음 중 데이터의 산포도를 나타내는 지표 중, 데이터의 중심에서 50% 데이터가 흩어진 정도를 나타내는 것은 무엇인가?

① 중앙값
② 사분위수 범위
③ 평균
④ 표준편차

28. 다음 중 다차원척도법(Multidimensional Scaling, MDS)의 활용 사례로 옳은 것은?

① 주택의 실거래가를 기반으로 지역별 평균 가격을 계산한다.
② 마케팅 캠페인별 매출 증가율을 비교 분석한다.
③ 넷플릭스 영화들의 유사도를 2차원 공간에 시각화 한다.
④ 월별 매출 데이터를 집계하여 관리 지표를 작성한다.

29. 독립변수 A와 B의 피어슨 상관계수가 0.8이다. p-값이 0.01일 때, 유의수준 0.05 하에서 상관계수에 관한 검정에 대한 설명으로 옳은 것은?

① A와 B는 양의 선형관계를 갖으며, 통계적 검정은 유의하다.
② A와 B는 음의 선형관계를 갖으며, 통계적 검정은 유의하다.
③ A와 B는 비선형 관계이며, 통계적 검정은 유의하지 않다.
④ A와 B는 비선형 관계이며, 통계적 검정은 유의하다.

30. 아래의 데이터에서 X,Y의 표본 공분산(Sample Covariance)은 얼마인가?

> **아래**
>
> X= {1, 2, 3, 4, 5}
> Y= {2, 4, 5, 6, 8}

① 0
② 2.8
③ 3
④ 3.5

31. 다음 중 주성분분석(PCA)에 대한 설명으로 가장 부적절한 것은?

① 주성분을 활용하여 고차원 데이터를 축소해서 회귀 분석에 활용하고, 자료의 시각화에도 효과적으로 사용할 수 있다.
② 주성분은 원래 변수들의 선형적 조합으로 형성되며, 상호 간 직교성을 유지하여 데이터의 분산 구조를 독립적으로 표현한다.
③ 주성분분석은 데이터 내 내재된 구조적 패턴을 식별하고 차원 축소를 수행하는 비지도 학습 기법에 해당한다.
④ 주성분 개수는 데이터의 수만큼 생성될 수 있으며, 차원 축소의 최대 범위를 결정한다.

32. 다음 중 데이터 마이닝 프로세스를 가장 잘 설명하는 것은?

① 목적 정의 → 데이터 준비 → 데이터 가공 → 기법 적용 → 검증
② 데이터 준비 → 목적 정의 → 데이터 가공 → 기법 적용 → 검증
③ 데이터 가공 → 목적 정의 → 데이터 준비 → 기법 적용 → 검증
④ 목적 정의 → 데이터 가공 → 데이터 준비 → 기법 적용 → 검증

33. 다음 중 상관 분석에 대한 설명으로 가장 적절하지 않은 것은?

① 피어슨 상관계수는 구간 또는 비율 척도를 가진 변수들 간의 선형관계를 측정한다.
② 스피어만 상관계수는 서열 척도 변수 또는 비선형 관계의 순위 기반의 관계를 측정한다.
③ 상관 분석은 두 변수 간 관계의 강도와 방향을 정량적으로 분석하는 통계기법이다.
④ 상관 분석은 독립 변수의 변동에 따른 종속변수의 값을 예측한다.

34. 정상성을 가진 시계열 모델의 특징에 대한 설명으로 옳은 것은?

① 시계열의 평균과 분산이 시간의 흐름에 따라 변하지 않고 일정하게 유지된다.
② 불규칙적인 변동 속에서도 일정한 방향성을 가진 추세가 나타난다.
③ 서로 다른 시점 간의 공분산은 두 시점 사이의 간격과 무관하게 항상 동일하다.
④ 일정한 주기를 가지고 반복되는 계절성이 존재한다.

35. 다음은 Default 데이터셋을 이용한 R 프로그램의 결과이다. 종속변수 default는 신용카드 사용자의 부도 여부를 나타내며, yes="부도", No="부도 없음" 을 의미한다. R 프로그램의 결과에 대한 해석에서 설명이 옳지 않은 것은?

> 아래

```
> summary(model)

Call:
glm(formula = default ~ balance + income, family = binomial(link = "logit"), data = Default)

Deviance Residuals:
    Min       1Q   Median       3Q      Max
-2.4725  -0.1444  -0.0574  -0.0211   3.7245

Coefficients:
              Estimate Std. Error z value Pr(>|z|)
(Intercept) -1.154e+01  4.348e-01 -26.545  < 2e-16 ***
balance      5.647e-03  2.274e-04  24.836  < 2e-16 ***
income       2.081e-05  4.985e-06   4.174 2.99e-05 ***
---
Signif. codes:  0 '***' 0.001 '**' 0.01 '*' 0.05 '.' 0.1 ' ' 1

(Dispersion parameter for binomial family taken to be 1)

    Null deviance: 2920.6  on 9999  degrees of freedom
Residual deviance: 1579.0  on 9997  degrees of freedom
AIC: 1585

Number of Fisher Scoring iterations: 8
```

① 이진 종속 변수를 대상으로 로지스틱 회귀분석 기법을 적용하여 도출된 결과물이다.

② 분석에 활용된 표본의 개수는 10,000개이다.

③ balance를 고정한 상태에서, income 변수는 유의수준 0.05에서 통계적으로 유의하며, income 이 증가할수록 부도 확률이 감소한다.

④ income을 고정한 상태에서, balance가 1 단위 증가하면 부도 확률의 오즈는 $e^{0.005647}$배 증가한다.

36. 다음 중 '분류 분석(Classification analysis)' 의 정의로 가장 올바른 것은?

① 주어진 범주(클래스)에 따라 관측값이 어느 그룹에 속할지를 예측하는 분석 기법이다.

② 여러 변인 간 발생 빈도 관계를 이용해 규칙을 찾는 분석 기법이다.

③ 사전 레이블 없이도 자동으로 집단을 찾아 분류하는 분석 기법이다.

④ 고객의 장바구니 상품 구매 패턴을 분석해 추천하는 분석 기법이다.

37. 신경망 모델에 대한 설명으로 적절하지 않은 것은?

① 렐루(ReLU) 함수를 활성화 함수로 사용할 때, 은닉층이 없는 인공신경망은 로지스틱 회귀 모형과 동일한 특성을 가진다.
② 은닉층이 없는 인공신경망은 선형 회귀 모형과 동일한 특성을 가진다.
③ 시그모이드(Sigmoid) 함수를 활성화 함수로 사용할 때, 은닉층이 없는 인공신경망은 로지스틱 회귀 모형과 동일한 특성을 가진다.
④ 렐루(ReLU) 함수를 사용하여 기울기 소실(Vanishing Gradient) 문제를 완화할 수 있다.

38. 다음과 같은 인공신경망 구조에서 총 연결 가중치(weight)의 수를 계산한 값으로 옳은 것은?

> 아래
>
> 입력층(Input Layer): 20개 노드
> 은닉층(Hidden Layer): 50개 노드
> 출력층(Output Layer): 3개 노드

① 1150　　　　　　　　　　② 1250
③ 1850　　　　　　　　　　④ 2000

39. 시그모이드(Sigmoid) 함수의 출력값 범위로 알맞은 것은?

① 0 또는 1
② -1 또는 1
③ $0 \leq y \leq 1$
④ $-1 \leq y \leq 1$

40. 다음 중 부스팅(Boosting)에 대한 설명으로 옳은 것은?

① 부스팅은 약한 학습기를 순차적으로 학습시키며, 이전 단계에서 오분류된 샘플의 영향(가중치)을 더 크게 반영해 성능을 향상한다.
② 부스팅은 부트스트랩 표본을 사용해 여러 모델을 병렬로 학습한 뒤 평균/다수결로 결합한다.
③ 부스팅은 각 모델을 독립적으로 학습시키며, 최종 단계에서만 결합하므로 이전 모델의 오분류 결과는 다음 모델 학습에 영향을 주지 않는다.
④ 부스팅에서는 이전 단계에서 정확히 분류된 샘플에 더 큰 가중치를 부여해 다음 모델이 이를 보완하도록 한다.

41. 다음 중 인공신경망(ANN)에 대한 설명으로 옳지 않은 것은?

① 은닉층의 수가 너무 많아지면 계산 복잡도가 증가한다.
② 은닉층의 수가 많을수록 모델의 학습에 걸리는 시간이 늘어난다.
③ 학습률(Learning rate)이 지나치게 낮으면 학습 속도가 느려질 수 있다.
④ 다층 신경망을 설계할 때, 모든 은닉층의 노드(node) 수는 동일하게 구성해야 한다.

42. 단층 퍼셉트론(MLP)에서 출력층의 결과가 다범주(multiclass)일 때 사용하는 활성화 함수는 무엇인가?

① Sigmoid 함수
② Tanh 함수
③ ReLU 함수
④ Softmax 함수

43. 다음 중 x축이 1-특이도(False Positive Rate), y축이 민감도(True Positive Rate)로 구성되고, 분류 모델의 성능을 시각적으로 평가하는데 사용되는 그래프는 무엇인가?

① 이원그래프
② 향상도 곡선
③ ROC 커브
④ 오차행렬

44. 다음 중 실제로 참인 데이터(Positive) 중에서 모델이 참(Positive)으로 예측한 비율을 나타내는 지표는 무엇인가?

① F1 score
② 정밀도
③ 재현율
④ 정확도

45. 분류 의사결정나무에서 나무를 성장시키기 위해 노드를 분할하는 기준으로 가장 적절하지 않은 것은 무엇인가?

① 지니지수
② 엔트로피 지수
③ 카이제곱 통계량
④ 잔차 제곱합

46. K-Means 군집 분석에서 초기 군집 중심(centroid)을 선택하는 방법으로 옳은 것은?

① 데이터셋 내 모든 변수의 중앙값(median)을 계산하여 선택한다.
② 데이터셋 내 모든 변수의 평균값(mean)을 계산하여 선택한다.
③ 데이터 집합에서 군집수만큼 데이터 포인트를 무작위로 추출하여 선택한다.
④ 데이터 집합에서 가장 많이 나타나는 값을 군집수만큼 선택한다.

47. 5건의 판매 내역을 대상으로 연관성 분석을 하려고 한다. 최소 지지도를 2로 설정했을 때, 다음 중 최대 길이의 빈발항목 집합으로 옳은 것은 무엇인가?

아래
{a, b}, {b, c, d}, {b, c, e}, {a, b, c, e, f}, {e, f}

① {a,b}
② {b,c}
③ {b,c,d}
④ {b,c,e}

48. 다음 중 연관분석에 관한 설명 중 옳지 않은 것은 무엇인가?

① A→B일 때, 향상도(lift)가 1보다 크면, B만 구매할 확률보다 A를 구매한 후 B를 구매할 확률이 더 높다.
② A→B일 때, 지지도보다 신뢰도가 더욱 중요한 지표이다.
③ 400명의 사람이 각각 1000개의 영화를 시청한 기록을 바탕으로 연관분석을 수행할 수 있다.
④ A→B의 지지도와 B→A의 지지도는 동일하다.

49. 다음 표는 특정 기간 동안 판매된 음료 구매 건수를 나타낸 것이다. "커피 → 우유"의 지지도(Support)를 구하시오.

품목	거래건수
커피	100
우유	100
녹차	100
커피, 우유, 녹차	50
우유, 녹차	200
커피 우유	250
커피, 녹차	200

① 0.25
② 0.3
③ 0.35
④ 0.5

50. 다음은 최장연결법을 이용하여 군집 분석을 수행한 결과를 표현한 덴드로그램이다. 분석 결과에 대한 설명으로 옳지 않은 것은 무엇인가?

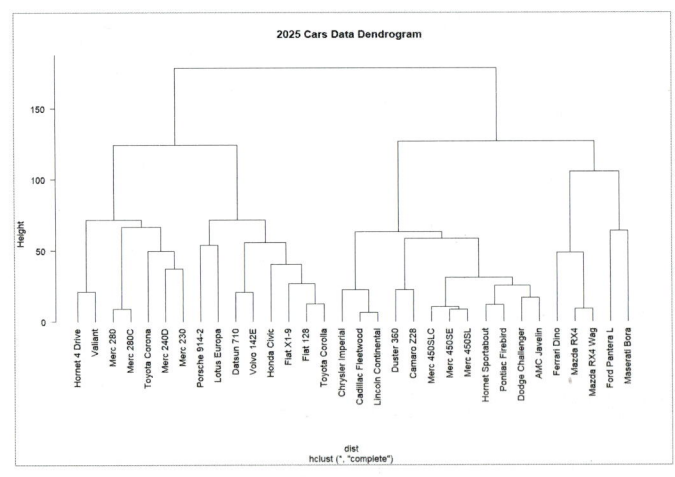

① 거리가 150일 때 군집의 개수는 2개로 구분된다.
② 이는 최장연결법을 활용한 계층적 군집 분석 방법에 해당한다.
③ 해당 데이터로 군집분석을 다시 수행하면 결과가 동일하게 나타난다.
④ Cadillac Fleetwood와 Lincoin Continental 세트와 Chrysler Imperial과의 평균 거리는 약 20이다.

제47회 데이터 분석 준전문가 기출 복원 문제 분석

• 검정일시 : 2025. 11. 02(일) / 10:00~11:30

윤박사 분석

47회 시험은 이전 시험(2021년~2024년)과 비교했을 때, 출제 경향이 거의 비슷하게, 난이도는 3과목을 제외하면 비슷하거나 쉽게 출제되었다고 평가됩니다.

1과목의 문제 출제 경향은 이전 시험과 유사하게 나타났으며, 2.3절과 2.4절의 난이도가 조금 높게 출제되었으나 7문제 정도는 충분히 맞출 수 있을 것으로 판단됩니다.

2과목의 출제 경향은 이전 시험과 비슷하게 나타났으며, 난이도 또한 이전 시험의 수준과 유사하거나 쉽게 출제되어 7문제 이상 득점이 가능할 것으로 판단됩니다.

3과목은 4장 통계분석이 (45.3%→53.3%)로 조금 더 많은 문제가 출제되었지만 크게 차이가 있지는 않았고, 난이도는 이전 시험과 유사한 수준이며 44회나 45회보다는 쉽게 출제된 것으로 판단됩니다.

전체적으로 47회 시험은 2025년 시행된 시험 중 가장 쉽게 출제된 것으로 판단되며, 본 기출복원 문제를 통해 76점 이상 득점한다면 시험에서 충분히 합격할 수 있을 것으로 예상됩니다.

과목	장	절	절명	출제 (2021년~2024년) 문항수	분포(절)	분포(장)	47회 기출복원 문항수	분포(절)	분포(장)	출제난이도 2021~2024	47회 기출복원
1과목	1장	1	데이터와 정보	21	32.8%	41.0%	2	66.7%	27.3%	2.4	2.7
		2	데이터베이스 정의와 특징	14	21.9%		1	33.3%		2.1	3.0
		3	데이터베이스 활용	29	45.3%					2.9	2.0
	2장	1	빅데이터의 이해	23	36.5%	40.4%			45.5%	2.2	
		2	빅데이터의 가치와 영향	13	20.6%		1	20.0%		2.2	2.0
		3	비즈니스 모델	9	14.3%		3	60.0%		1.9	4.0
		4	위기요인과 통제방안	16	25.4%		1	20.0%		2.6	3.5
		5	미래의 빅데이터	2	3.2%					2.5	
	3장	1	빅데이터 분석과 전략 인사이트	2	6.9%	18.6%			27.3%	4.0	
		2	전략 인사이트 도출을 위한 필요 역량	22	75.9%		3	100.0%		2.2	3.0
		3	빅데이터 그리고 데이터 사이언스 미래	5	17.2%					3.0	
2과목	1장	1	분석 기획 방향성 도출	20	22.7%	54.0%	1	20.0%	55.6%	3.1	3.0
		2	분석 방법론	26	29.5%		2	40.0%		3.1	
		3	분석 과제 발굴	30	34.1%		2	40.0%		3.2	3.0
		4	분석 프로젝트 관리 방안	12	13.6%					3.1	
	2장	1	마스터 플랜 수립 프레임 워크	29	38.7%	46.0%	2	50.0%	44.4%	3.2	3.0
		2	분석 거버넌스 체계 수립	46	61.3%		2	50.0%		3.2	3.0
3과목	1장	1	데이터 분석 기법의 이해	7	17.5%	8.3%			3.3%	3.6	3.0
	2장	1	R 기초	1	2.5%					4.0	
		2	입력과 출력								
		3	데이터 타입과 구조	7	17.5%					3.0	
	3장	1	데이터 변경 및 요약	8	20.0%		1	100.0%		2.8	
		2	데이터 탐색	17	42.5%					3.2	
	4장	1	통계분석의 이해	49	22.5%	45.3%	4	25.0%	53.3%	3.2	3.3
		2	통계분석	56	25.7%		5	31.3%		3.2	3.7
		3	회귀분석	54	24.8%		4	25.0%		3.6	3.7
		4	시계열 분석	31	14.2%		2	12.5%		3.6	3.3
		5	다차원 척도법	5	2.3%					3.8	
		6	주성분분석	23	10.6%		1	6.3%		3.0	5.0
	5장	1	데이터 마이닝의 개요	47	21.1%	46.4%			43.3%	3.6	3.0
		2	분류분석	19	8.5%		2	15.4%		3.7	
		3	의사결정나무 분석	18	8.1%		1	7.7%		3.5	
		4	앙상블 분석	23	10.3%		1	7.7%		3.0	4.0
		5	인공신경망 분석	22	9.9%					3.3	4.0
		6	군집분석	58	26.0%		5	38.5%		3.2	4.0
		7	연관분석	36	16.1%		4	30.0%		3.4	2.0

ADsP 47회 기출 복원 문제

과목 I 데이터 이해 * 문항 수(10문항), 배점(문항 당 2점)

출★★★☆☆ 난★★☆☆☆

01. 암묵지와 형식지의 상호작용을 통해 지식이 순환 및 확장되는 4단계 과정의 올바른 진행 순서를 고르시오.

① 공통화 – 표출화 – 연결화 – 내면화
② 표출화 – 공통화 – 내면화 – 연결화
③ 연결화 – 표출화 – 공통화 – 내면화
④ 내면화 – 연결화 – 표출화 – 공통화

출★★★★☆ 난★★★☆☆

02. DIKW 피라미드의 각 단계에 해당하는 사례 중 유형이 다른 하나는 무엇인가?

① 데이터에듀 카페의 2025년 2분기 매출이 전 분기 대비 15% 증가하였다.
② 데이터에듀 카페의 지난 8월 매출 중 30대 여성의 비중이 70%를 차지하였다.
③ 날씨가 따뜻해지고 지점 수가 증가하면서 다음 분기 매출이 약 3천만 원 증가할 것으로 예상된다.
④ 전국에 위치한 데이터에듀카페 20곳의 지난달 지점당 평균 매출 3억 원이었다.

출★★★★★ 난★★★☆☆

03. 다음은 데이터베이스의 특성에 대한 설명이다. 이 설명이 가장 잘 나타내는 데이터베이스의 측면은 무엇인가?

> **아래**
> 데이터베이스는 대량의 정보를 정보처리 기기가 읽고 쓸 수 있는 기계 가독성,
> 필요한 정보를 쉽게 찾을 수 있는 검색 가능성, 원거리에서도 활용할 수 있는 원격 조작성을 가진다.

① 정보의 축적 및 전달 측면
② 정보 이용 측면
③ 정보 관리 측면
④ 정보기술발달 측면

04. 다음 중 개인정보를 타인이 알아볼 수 없도록 식별정보를 제거하거나 변형하는 것을 의미하는 용어는 무엇인가?

① 정규화
② 표현화
③ 익명화
④ 시각화

05. 다음 중 빅데이터의 특징으로 가장 적절하지 않은 것은?

① 데이터의 규모
② 데이터의 다양성
③ 데이터의 생성 속도
④ 데이터의 가용성

06. 다음 중 연관분석에 대한 설명으로 적절하지 않은 것은 무엇인가?

① 장바구니 분석을 통해 함께 구매되는 품목 조합을 파악하는 데 활용된다.
② 교차진열·추천·프로모션 기획 등 마케팅 의사결정에 활용될 수 있다.
③ 연관규칙의 대표 지표로는 지지도와 신뢰도가 있으며, 규칙의 강도를 평가한다.
④ 연관분석은 변수 간 상관관계를 파악하는 분석 방법이다.

07. 다음 중 빅데이터 분석 기법과 그 활용 예시의 연결이 적절하지 않은 것은 무엇인가?

① 군집분석(Clustering) : 자동차의 성능을 높이기 위해 여러 설계안을 생성하고, 세대를 반복하며 최적의 조합을 찾았다.
② 연관분석(Association Analysis) : 마트에서 고객의 장바구니 데이터를 분석해 함께 구매되는 상품을 찾았다.
③ 감성분석(Sentiment Analysis) : SNS에 게시된 리뷰를 긍·부정으로 분류하였다.
④ 사회관계망분석(SNA, Social Network Analysis) : 온라인 커뮤니티의 사용자 관계를 그래프로 분석하였다.

08. 다음 중 빅데이터 위기요인과 통제방안에 대한 설명 중 옳지 않은 것은?

> **아래**
> 가. 사생활 침해 – 제공자 동의제에서 사용자 책임제로
> 나. 책임원칙훼손 – 알고리즘 접근 허용
> 다. 데이터 오용 – 결과 기반 책임

① 가
② 가, 나
③ 나, 다
④ 가, 나, 다

09. 다음 설명에 해당하는 데이터베이스 응용 시스템으로 가장 적절한 것은?

> **아래**
> 기업에서 발생하는 거래 데이터를 실시간으로 처리하고, 데이터의 입력 · 수정 · 삭제가 수시로 이루어지는 시스템이다.

① OLTP
② OLAP
③ CRM
④ SCM

10. 다음 중 데이터 사이언티스트(Data Scientist)에 대한 설명으로 적절하지 않은 것은 무엇인가?

① 데이터 사이언티스트는 데이터 분석을 적용할 도메인(산업 분야)에 대한 전문 지식이 필요하다.
② 데이터 사이언티스트는 분석 능력과 기술적 역량이 가장 중요하며, 의사소통 능력이나 협업 역량은 상대적으로 중요하지 않다.
③ 데이터 사이언티스트는 비즈니스 문제를 이해하고 이를 데이터 분석으로 해결할 역량이 요구된다.
④ 데이터 사이언티스트는 통계학, 컴퓨터공학 등 기술적 지식과 비즈니스 감각을 함께 갖추는 것이 바람직하다.

과목 II 데이터 분석 기획   * 문항 수(10문항), 배점(문항 당 2점)

11. 다음 중 분석 기획 단계에서 진행해야 하는 업무에 대한 설명으로 가장 적절하지 않은 것은 무엇인가?

① 프로젝트의 성패를 좌우하는 것은 분석 성능이므로 최대한 복잡한 모형을 설정한다.
② 분석 프로젝트에 맞는 적절한 유즈케이스를 찾고 활용한다.
③ 데이터의 유형에 따라 적용 가능한 솔루션과 분석 방법을 적용할 수 있도록 가용 데이터를 철저히 조사한다.
④ 프로젝트가 진행되면서 발생할 수 있는 장애요소들과 대처방안을 사전 계획으로 수립한다.

12. 다음 중 데이터 형태(정형·반정형·비정형 데이터)에 대한 설명으로 적절하지 않은 것은 무엇인가?

① 이메일, SNS 게시글, 보고서 등은 비정형 데이터에 해당한다.
② IoT 기기에서 생성되는 다양한 로그 데이터는 정형 데이터에 해당한다.
③ 데이터의 유형(정형·반정형·비정형)에 따라 처리 방식과 저장 구조가 달라진다.
④ 반정형 데이터는 태그나 구조를 일부 포함하므로 정형과 비정형의 중간 형태로 볼 수 있다.

13. 다음 중 데이터 분석 과정의 탐색(Exploration) 단계에 대한 설명으로 적절하지 않은 것은 무엇인가?

① 상세한 문제 해결 방안까지 구체적으로 설계해야 한다.
② 외부 참조 모델이나 사례를 참고하면 빠른 분석 기회를 얻을 수 있다.
③ 분석 대상 데이터의 특성과 품질을 검토하고, 주요 변수의 의미를 파악한다.
④ 탐색 단계의 결과를 바탕으로 분석 방향과 방법을 구체화한다.

14. 분석 과제를 발굴할 때 분석 대상이 명확하나 분석 방법이 명확하지 않은 경우에 해당하는 분석주제는 무엇인가?

① 최적화
② 통찰
③ 솔루션
④ 발견

15. 상향식 접근 방식에 대한 설명으로 옳지 않은 것은 무엇인가?

① 문제의 정의가 명확히 설정된 상태에서 진행되며, 해결책을 찾기 위한 분석이 이루어져야 하는 경우에 적합하다.
② 프로토타입을 빠르게 만들고 피드백으로 반복 개선하는 프로토타이핑을 자주 활용한다.
③ 비지도 학습(Unsupervised Learning) 방식이 자주 사용되며, 복잡하고 불명확한 환경에서도 유용하다.
④ 다양한 형태의 데이터 분석을 통해 잠재적인 패턴을 발견하고, 이를 바탕으로 새로운 통찰을 얻으려는 시도이다.

16. 다음 중 분석 마스터 플랜 수립으로 우선적으로 고려해야 하는 사항을 모두 고른 것은?

> **아래**
> 가. 전략적 중요도
> 나. 비즈니스 성과
> 다. 실행용이성

① 가, 나
② 나, 다
③ 가, 다
④ 가, 나, 다

17. 다음 중 〈아래〉에 해당하는 분석 성숙도 단계는?

> **아래**
> 분석이 막 시작되는 단계로, 일부 부서에서만 분석이 활용되며, 분석 환경과 시스템을 구축하기 시작하는 수준이다.

① 도입단계
② 활용단계
③ 확산단계
④ 최적화단계

18. 다음 중 분석 업무를 별도의 전담조직에서 맡아, 회사 차원의 우선순위에 따라 일괄 수행하는 조직구조는 무엇인가?

① 기능형 조직구조
② 집중형 조직구조
③ 분산형 조직구조
④ 혼합형 조직구조

19. 다음 중 데이터 거버넌스(Data Governance)에 대한 설명으로 적절하지 않은 것은 무엇인가?

① 데이터 품질, 표준, 보안 등 데이터 관리 전반에 대한 정책과 책임을 명확히 하는 체계이다.
② 데이터 거버넌스는 조직 전체의 데이터 관리 기준을 수립하고 통제하는 기능을 수행한다.
③ 데이터 거버넌스는 IT 부서와 협력하여 시스템·프로세스·관리 체계를 연계해 운영되어야 한다.
④ 데이터 거버넌스는 IT와 독립적으로 운영되어야 하며, 시스템과 프로세스가 별도로 관리된다.

20. 다음 중 분석 준비도(Analytics Readiness) 평가 요소에 포함되지 않는 것은 무엇인가?

① 분석에 활용할 데이터의 양과 품질 수준
② 분석을 수행할 인력과 조직 체계의 구축 정도
③ 분석에 투입할 비용 및 예산 확보 수준
④ 분석에 적용할 기법 및 알고리즘의 종류

과목 III 데이터 분석 * 문항 수(30문항), 배점(문항 당 2점)

21. 다음 중 절대적 영점(Absolute Zero)이 존재하는 척도는 무엇인가?

① 명목척도(Nominal Scale)
② 서열척도(Ordinal Scale)
③ 등간척도(Interval Scale)
④ 비율척도(Ratio Scale)

22. 다음 중 탐색적 데이터 분석(EDA, Exploratory Data Analysis)의 특성으로 적절하지 않은 것은 무엇인가?

① 변수의 척도나 단위를 재설정하고, 이상치나 결측치를 탐색한다.
② 데이터의 분포나 중심 경향(평균, 중앙값, 최빈값 등)을 파악한다.
③ 동일한 분석 결과를 얻기 위해 재현성을 검증하는 단계이다.
④ 그래프나 요약 통계를 통해 데이터를 직관적으로 이해하는 데 중점을 둔다.

23. 아래 boxplot에서 상한(최댓값)과 하한(최솟값)은 얼마인가?

> 아래
>
> Q1(1사분위수) = 4, Q3(3사분위수) = 12

① 하한 = −8, 상한 = 24
② 하한 = −6, 상한 = 22
③ 하한 = −4, 상한 = 20
④ 하한 = −2, 상한 = 18

24. 다음 중 가설검정에서 제 1종 오류(Type I Error)와 제 2종 오류(Type II Error)에 대한 설명으로 적절하지 않은 것은 무엇인가?

① 유의수준(α)은 1종 오류가 발생할 최소허용확률을 의미한다.
② 유의수준이 커질수록 귀무가설을 기각할 가능성이 높아져, 대립가설이 채택될 확률이 높아진다.
③ 1종 오류는 귀무가설이 참임에도 불구하고 이를 기각하는 오류이다.
④ 2종 오류는 대립가설이 참임에도 불구하고 귀무가설을 기각하지 못하는 오류이다.

25. 다음 중 표본조사에 대한 설명으로 잘못된 것을 고르시오.

① 표본추출로 표본오류는 완전히 제거할 수 없지만 비표본오류를 최소화하거나 없앨 수 있다.
② 확률표본추출은 모집단의 모든 구성원이 표본으로 뽑힐 동일한 확률을 가지도록 설계된 방법이다.
③ 비확률표본추출은 표본이 무작위로 추출되지 않으며, 표본 오차를 추정하기 어렵다.
④ 확률표본추출은 모집단 특성을 잘 반영하여 분석 결과의 해석에 차이가 거의 없는 방법이다.

26. 다음 분포에서 A, B, C에 해당하는 통계량의 연결로 옳은 것은?

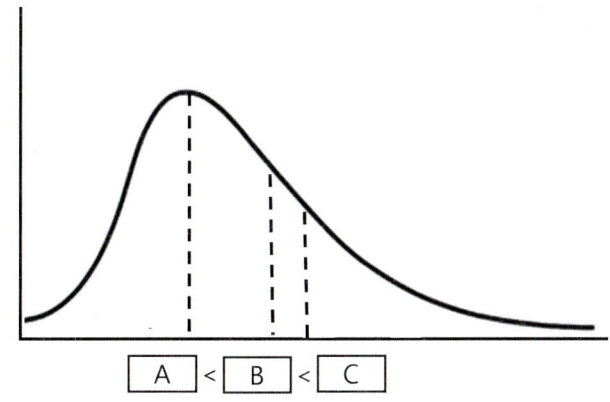

① A: 최빈값, B: 중앙값, C: 평균
② A: 중앙값, B: 평균, C: 최빈값
③ A: 평균, B: 중앙값, C: 최빈값
④ A: 최빈값, B: 평균, C: 중앙값

27. 다음 중 표본추출 방법에 대한 설명으로 옳지 않은 것은 무엇인가?

① 계통추출 – N개의 개체에 번호를 부여하고 k 간격으로 나눈 후 각 집단에서 임의로 추출한다.

② 층화추출 – 이질적인 특성을 가진 모집단에서 각 특성을 가진 개체를 골고루 포함시키기 위해 사용한다.

③ 군집추출 – 모집단을 몇 개의 군집으로 나눈 후 그중 임의의 군집을 선택하여 전체 혹은 임의로 몇 개를 추출하여 표본으로 사용한다.

④ 단순무작위추출 – N개의 개체에 각각 번호를 부여한 뒤 n개의 번호를 무작위로 뽑아 그 번호에 해당하는 개체를 표본으로 사용한다.

28. 다음 중 통계적 유의성(Statistical Significance)에 대한 설명으로 적절하지 않은 것은 무엇인가?

① p-value가 클수록 귀무가설을 기각할 가능성이 높아진다.

② 유의수준(α)은 귀무가설이 참일 때, 이를 잘못 기각할 최대 허용 확률이다.

③ 검정통계량이 임계값을 넘으면 귀무가설을 기각할 수 있다.

④ 통계적으로 유의하다는 것은 관측된 결과가 우연히 발생했을 가능성이 매우 낮다는 뜻이다.

29. 다음은 수면개선 프로그램 참여 여부에 따른 두 그룹(그룹1, 그룹2)의 수면시간 변화량을 나타낸 상자그림(Boxplot)이다. 이를 해석한 내용 중 부적절한 것은 무엇인가?

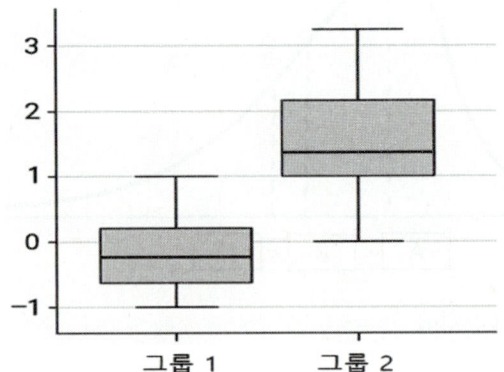

① 두 그룹 모두 이상치는 존재하지 않는다.

② 그룹1보다 그룹2의 효과가 더 높지만, 통계적 유의성을 파악할 수는 없다.

③ 그룹2는 왼쪽 꼬리가 긴 형태로 그래프로 나타내어진다.

④ 그룹1에서 적어도 25%는 수면시간이 오히려 감소했다.

30. 다음 중 주성분분석(PCA)의 목적으로 가장 적절하지 않은 것은 무엇인가?

① 변수들 간의 상관관계를 제거하여 독립된 축을 만드는 것
② 데이터의 차원을 축소하면서 정보 손실을 최소화하는 것
③ 각 주성분 간의 상관을 높여 설명력을 증가시키는 것
④ 고차원 데이터를 시각적으로 해석하기 쉽게 만드는 것

31. 다음 중 단순회귀모형에서 SSE가 20이고, 샘플이 10일때, MSE는 얼마인가?

① 0.20
② 2.00
③ 2.22
④ 2.50

32. 다중회귀분석에서 다중공선성 문제를 대처하기 위해 사용할 수 있는 방법으로 가장 적절하지 않은 것은 무엇인가?

① Ridge
② Elastic net
③ Lasso
④ Logistic

33. 다중회귀분석에서 다중공선성(Multicollinearity)에 대한 설명으로 적절하지 않은 것은 무엇인가?

① VIF(분산팽창지수) 값이 10 이상이면 독립변수 간 상관관계가 높다고 볼 수 있다.
② 다중공선성이 존재하면 회귀계수의 부호나 크기가 불안정해질 수 있다.
③ 다중공선성이 존재하더라도 회귀계수의 분산은 항상 같다.
④ 다중공선성이 심하면 예측력은 유지되어도 해석력은 떨어질 수 있다.

34. College 데이터는 777개의 미국 대학의 각종 통계치를 포함한다. 각 대학에 재학하는 비용이 졸업률(grade Rate)에 미치는 영향을 알아보기 위해 사립학교 여부(Private), 고교성적 상위 10% 학생비율(Top10perc), 등록금(Outstate), 기타지출(Expend)을 활용하기로 했다. 다음 중 아래의 결과물에 대한 설명으로 적절하지 않은 것은 무엇인가?

아래

```
> summary(College)
 Private      Top10perc       Outstate        Expend         Grad.Rate
 No :212    Min.   : 1.00   Min.   : 2340   Min.   : 3186   Min.   : 10.00
 Yes :565   1st Qu.:15.00   1st Qu.: 7320   1st Qu.: 6751   1st Qu.: 53.00
            Median :23.00   Median : 9990   Median : 8377   Median : 65.00
            Mean   :27.56   Mean   :10441   Mean   : 9660   Mean   : 65.46
            3rd Qu.:35.00   3rd Qu.:12925   3rd Qu.:10830   3rd Qu.: 78.00
            Max.   :96.00   Max.   :21700   Max.   :56233   Max.   :118.00

> summary(lm(Grad.Rate ~ . , data=College))

Call: lm(formula = Grad.Rate ~ . , data = College)

Residuals:
    Min      1Q  Median      3Q     Max
-47.317  -8.503  -0.245   7.741  58.760

Coefficients:
              Estimate Std. Error t value Pr(>|t|)
(Intercept) 39.413027  1.3579828  29.023  < 2e-16 ***
PrivateYes   2.9131163 1.3431005   2.169  0.030391 *
Top10perc    0.3209807 0.0379053   8.468  < 2e-16 ***
Outstate     0.0018820 0.0001988   9.467  < 2e-16 ***
Expend      -0.0004723 0.0001423  -3.320  0.000943 ***
---
Signif. codes: 0 '***' 0.001 '**' 0.01 '*' 0.05 '.' 0.1 ' ' 1

Residual standard error: 13.51 on 772 degrees of freedom
Multiple R-squared: 0.3843, Adjusted R-squared: 0.3811
F-statistic: 120.5 on 4 and 772 DF, p-value: < 2.2e-16
```

① Outstates 변수는 졸업률에 유의한 영향을 미치는 변수이다.

② 고교성적 상위 10% 학생의 비율이 높을수록 졸업률이 높다.

③ 다른 설명변수의 조건이 동일할 때 사립학교(Private Yes)의 경우 공립학교(Private No)에 비해 졸업률이 낮다.

④ 위의 모형은 유의수준 5% 하에서 유의하다.

35. 다음은 회귀분석을 수행한 결과에 대한 설명이다. 가장 적절하지 않은 것은 무엇인가?

```
> model<-lm(mpg ~ hp+drat+wt, data=mtcars)
> summary(model)

Call:
lm(formula = mpg ~ hp + drat + wt, data = mtcars)

Residuals:
    Min      1Q  Median      3Q     Max
-3.3598 -1.8374 -0.5099  0.9681  5.7078

Coefficients:
             Estimate Std. Error t value Pr(>|t|)
(Intercept) 29.394934   6.156303   4.775 5.13e-05 ***
hp          -0.032230   0.008925  -3.611 0.001178 **
drat         1.615049   1.226983   1.316 0.198755
wt          -3.227954   0.796398  -4.053 0.000364 ***

Signif. codes:  0 '***' 0.001 '**' 0.01 '*' 0.05 '.' 0.1 ' ' 1

Residual standard error: 2.561 on 28 degrees of freedom
Multiple R-squared: 0.8369, Adjusted R-squared: 0.8194
F-statistic: 47.88 on 3 and 28 DF, p-value: 3.768e-11
```

① 회귀식은 종속변수 mpg, 독립변수 hp, drat, wt로 추정하였다.
② 회귀모형의 p-값이 0.05보다 작으므로, 모형은 통계적으로 유의하다.
③ 변수 drat은 p-값이 0.05보다 크므로 유의하지 않으며, 따라서 최종 회귀식은 mpg = 29.39 − 0.03 × hp − 3.22 × wt 로 표현된다.
④ 추정된 회귀모형의 수정결정계수는 0.81로 설명력이 높다.

36. 다음 중 시계열 분석에 대한 설명으로 가장 적절하지 않은 것은 무엇인가?

① 백색잡음은 대표적인 비정상 시계열이다.
② 시계열의 정상성이 확인되면 ARMA 모형을 적용한다.
③ 평균이 일정하지 않은 비정상 자료는 차분을 통해 정상화한다.
④ 자기상관함수(ACF)와 부분자기상관함수(PACF)를 통해 시계열의 패턴과 모형 차수를 결정할 수 있다.

37. 두 변수의 비선형 관계를 분석하기 위해 사용할 수 있는 지표로 가장 적절한 것은 무엇인가?

① 스피어만 상관계수
② 피어슨 상관계수
③ 자카드 유사도
④ 코사인 유사도

38. 다음 중 ARIMA 모형에 대해 적절하지 않은 것은?

① ARIMA 모형은 데이터에 나타나는 추세 요인을 차분을 통해 효과적으로 반영하고 제거할 수 있다.
② 봄, 여름, 가을, 겨울의 계절 패턴이 있는 데이터는 SARIMA 모형을 사용해야 한다.
③ ARIMA 모형을 구축하기 위해서는 자기회귀 차수, 이동평균 차수, 그리고 차분 차수를 모두 결정해야 한다.
④ ARIMA 모형 구축 시 먼저 자기회귀의 차수를 결정한 후에 차분의 차수를 순차적으로 결정해야 한다.

39. Credit 데이터는 400명의 신용카드 고객에 대해 신용카드 대금(Balance)과 소득(Income), 학생 여부(Student=Y/N)를 포함한다. 아래 회귀 분석 결과를 바탕으로 가장 부적절한 설명은 무엇인가?

아래

```
Call:
lm(formula = Balance ~ Income + Student + Income:Student, data = Credit)

Residuals:
    Min      1Q  Median      3Q     Max
-773.39 -325.70  -41.13  321.65  814.04

Coefficients:
                   Estimate Std. Error t value Pr(>|t|)
(Intercept)        200.6232    33.6984   5.953 5.79e-09 ***
Income               6.2182     0.5921  10.502  < 2e-16 ***
StudentYes         476.6758   104.3512   4.568 6.59e-06 ***
Income:StudentYes   -1.9992     1.7313  -1.155    0.249
---
Signif. codes:  0 '***' 0.001 '**' 0.01 '*' 0.05 '.' 0.1 ' ' 1

Residual standard error: 391.6 on 396 degrees of freedom
Multiple R-squared: 0.2799, Adjusted R-squared: 0.2744
F-statistic: 51.3 on 3 and 396 DF, p-value: < 2.2e-16
```

① 다른 변수가 일정할 때, Income이 1단위 증가하면 Balance는 약 6.22 단위 증가하는 것으로 추정된다.
② Income을 통제한 후에도, 학생 여부와 신용카드 대금의 관계는 독립적이다.
③ Income이 증가함에 따라 커지는 Balance의 증가분이 학생과 비학생 사이에 통계적으로 유의적인 차이가 없다.
④ Income이 동일하다고 가정할 때 학생인 경우 비학생인 경우보다 평균적으로 신용카드 대금(Balance)이 약 476.68 만큼 더 높은 것으로 추정된다.

40. 다음 중 시계열 자료의 정상성(Stationarity)을 판단하기 위한 조건으로 적절하지 않은 것은 무엇인가?

① 시계열의 평균이 시간에 따라 일정하게 유지된다.
② 시계열의 분산이 일정하며 시점에 따라 변하지 않는다.
③ 서로 다른 시점 간의 공분산이 시간 차이에만 의존한다.
④ 시계열의 자기상관계수가 시간의 흐름에 따라 점차 감소한다.

41. 다음 중 인공신경망에서 분류(Classification) 문제에 사용되는 Softmax 활성화 함수로 옳은 것은 무엇인가?

① $f(z) = \frac{1}{(1+e^{-z})}$

② $f(z_i) = \frac{e^{z_i}}{\left(\sum_{j=1}^{k} e^{z_j}\right)}$

③ $f(z) = \frac{1}{\frac{e^{-z^2/2}}{(e^z+e^{-z})}}$

④ $f(z) = \frac{e^z+e^{-z}}{e^z-e^{-z}}$

42. 다음 중 앙상블(Ensemble) 학습에 대한 설명으로 부적절한 것은 무엇인가?

① 배깅(Bagging)은 데이터의 일부를 중복추출하여 여러 모델을 병렬로 학습시킨 후, 결과를 평균 또는 다수결로 통합한다.
② 부스팅(Boosting)은 모든 개별 모델에 동일한 가중치를 부여하여 순차적으로 학습한다.
③ 랜덤 포레스트(Random Forest)는 배깅 기법에 변수 무작위 선택을 결합한 결정트리 기반 앙상블 기법이다.
④ 앙상블 학습은 지도학습(Supervised Learning)에 속하는 대표적인 기법이다.

43. 다음 설명에 해당하는 활성화 함수는 무엇인가?

> **아래**
> 입력층이 직접 출력층으로 연결되는 인공 신경망에서 출력층의 노드가 1개일 때 이 활성화 함수를 사용하면 로지스틱 회귀 모형과 작동 원리가 동일해 진다.

① ReLU 함수
② 시그모이드 함수
③ 계단 함수
④ tanh 함수

44. 아래 오분류표를 보고 민감도를 구하시오.

		실제값		합계
		True	False	
예측치	True	200	100	300
	False	400	300	700
합계		600	400	1000

① 0.33
② 0.40
③ 0.66
④ 0.75

45. 혼합 분포 군집에서 최대 가능도 추정에 대한 것은?

① CART
② CHAID
③ EM 알고리즘
④ Apriori

46. 다음 중 아래의 스크릿 플랏을 보고 k-평균 군집분석에서 k구하시오.

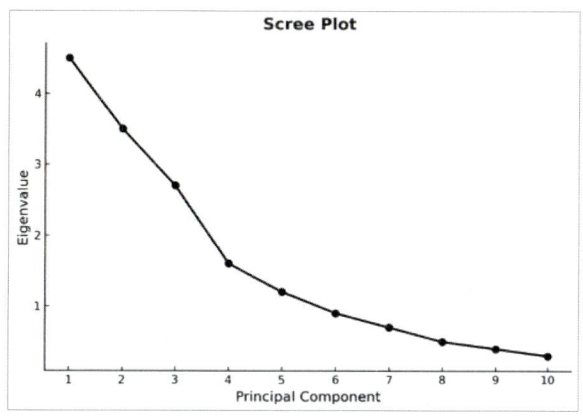

① 2
② 4
③ 6
④ 8

47. 다음 중 군집분석(Clustering) 기법의 특징에 대한 설명으로 적절하지 않은 것은 무엇인가?

① DBSCAN은 군집의 개수를 사전에 지정할 필요가 없으며, 밀도 기반의 비모수적 군집 방법이다.
② 혼합분포모형은 군집의 개수를 미리 정해두고, 각 데이터가 특정 확률로 군집에 속한다고 가정한다.
③ SOM은 고차원 데이터를 저차원 공간으로 축소하여 시각화하는 데 활용된다.
④ SOM의 출력층 노드 수는 학습을 하는 과정에서 자동으로 조정되어 최적의 노드 수를 확정한다.

48. 다음 중 군집분석(Clustering)에 관한 설명으로 옳지 않은 것은 무엇인가?

① 계층적 군집화(Hierarchical Clustering)는 각 개체를 하나의 군집으로 시작하여, 유사한 군집끼리 병합하면서 점차 군집 수를 줄여 나간다.
② K-평균 군집화(K-means Clustering)에서 초기 중심값(k값)의 설정은 결과에 영향을 주지 않는다.
③ 혼합분포군집(Gaussian Mixture Model)은 사전에 군집의 개수를 지정하고, 각 데이터가 특정 확률로 군집에 속한다고 가정한다.
④ DBSCAN(Density-Based Spatial Clustering of Applications with Noise)은 데이터 밀도에 따라 군집을 형성하며, 이상치를 효과적으로 탐지할 수 있다.

49. 다음 중 군집 내 편차들의 제곱합을 고려한 군집 연결 방법은 무엇인가?

① 최단연결법
② 최장연결법
③ 평균연결법
④ 와드연결법

50. 아래의 품목별 거래내역을 통해 우유와 커피의 지지도를 구하시오.

품목	거래건수
우유	30
커피	30
우유, 커피	30
우유, 초콜릿	20
전체	100

① 0.1
② 0.2
③ 0.3
④ 0.4

제 44회 기출 복원문제 답안

데이터 분석 준전문가 자격검정 시험

【 객관식 정답 】

01	③	11	②	21	①	31	③	41	②
02	①	12	④	22	①	32	③	42	③
03	④	13	①	23	②	33	④	43	③
04	③	14	②	24	②	34	②	44	②
05	②	15	④	25	④	35	③	45	①
06	①	16	②	26	③	36	③	46	④
07	②	17	②	27	③	37	④	47	③
08	①	18	③	28	④	38	①	48	①
09	②	19	②	29	③	39	②	49	②
10	④	20	①	30	②	40	④	50	①

영역	맞은 개수
데이터 이해	/10
데이터 분석 기획	/10
데이터 분석	/30

모바일로 풀기

1 데이터 이해
10문항

01. 이용자가 다양한 정보를 신속하게 획득하고 원하는 정보를 정확하게 찾아낼 수 있도록 하는 데이터베이스의 특징은 정보 이용 측면이다. 이는 데이터베이스가 사용자에게 필요한 정보를 효율적으로 제공하는 기능과 관련이 있다. 정보 이용 측면은 데이터의 검색, 접근성, 사용 편의성을 강조한다.

02. 데이터 단위는 바이트(Byte) → 킬로바이트(KB) → 메가바이트(MB) → 기가바이트(GB) → 테라바이트(TB) → 페타바이트(PB) → 엑사바이트(EB) → 제타바이트(ZB) → 요타바이트(YB) 순으로 증가하며, 바이트(Byte)를 기준으로, 상위 단위로 갈수록 1024배씩 증가한다. 1제타바이트(ZB)는 1024엑사바이트(EB)와 동일한 용량으로, 데이터 폭증 시대를 설명할 때 자주 등장하는 초대형 단위이다.

03.

 비기봇 해설

빅데이터 시대에는 데이터의 양과 다양성이 증가하면서 여러 가지 위기 요인이 발생할 수 있습니다. 이러한 위기 요인에는 개인 사생활 침해, 책임 원칙의 훼손, 데이터오용, 알고리즘의 불투명성, 등이 포함됩니다.

1. 책임원칙훼손은 특정인의 '성향'에 따라 처벌하는 것이 아닌 '행동 결과'를 보고 처벌하는 것이 필요하다.

: 책임 원칙은 개인의 행동 결과에 따라 책임을 묻는 것이 중요합니다. 이는 데이터 분석 결과에 따라 잘못된 처벌이 이루어지지 않도록 하는 데 필수적입니다.

2. 불투명한 알고리즘 사용으로 인해 사이트 노출이 차단되거나, 순위가 하위로 내려가는 현상이 발생된다.

: 알고리즘의 불투명성은 검색 엔진이나 소셜 미디어 플랫폼에서 콘텐츠의 노출 순위에 영향을 미칠 수 있습니다. 이는 사용자에게 불리한 결과를 초래할 수 있으며, 데이터 오용을 줄이고, 알고리즘의 투명성을 높이는 것이 필요합니다.

3. **개인 사생활 침해에 대한 통제 방안으로 동의제를 책임제로 전환하자는 아이디어가 대두되고 있다.**
: 개인 사생활 침해 문제를 해결하기 위해 동의제를 책임제로 전환하는 방안이 제안되고 있습니다. 이는 개인 정보 보호를 강화하는 데 기여할 수 있습니다.

4. **익명화 기술을 적용하면 개인 정보 침해 문제를 완전히 해결할 수 있으므로, 데이터 활용 시 개인 동의 없이도 자유롭게 활용 가능하다.**
: 익명화 기술은 개인 정보를 보호하는 데 유용하지만, 완전한 해결책은 아닙니다. 익명화된 데이터도 재식별될 가능성이 있으므로, 데이터 활용 시 여전히 개인의 동의가 필요합니다.

04. 데이터는 구조화 정도에 따라 정형, 반정형, 비정형 데이터로 구분된다. HTML은 일정한 태그 구조를 가지지만, 데이터베이스의 스키마처럼 고정된 구조를 가진 것은 아니므로 반정형 데이터에 해당한다.

05. 재무관리에서 가장 기본적인 일차원적 분석은 재무제표 분석이다. 기업의 재무제표 항목들을 통해 기업의 재무상태를 관리할 수 있다. 거래처 관리는 재무관리의 일차원적인 분석이라고 하기 보다는 운영관리 또는 매출채권 관리의 영역에 더 가깝다.

06. "커피를 구매하는 사람이 탄산음료를 더 많이 사는가?"와 같은 문제는 두 항목 간의 연관성을 탐색하는 분석으로, 이는 연관 분석에 해당한다. 연관 분석은 항목 간의 관계를 파악하여 특정 항목이 구매될 때 다른 항목이 함께 구매되는 패턴을 찾는 데 사용된다.

07. 데이터 사이언스는 데이터를 활용하여 유의미한 정보와 인사이트를 창출하고, 분석부터 설명 및 결과 전달까지 포함한다. 또한 통계학, 데이터마이닝, 기계학습 기법을 사용한다. 그러나 데이터베이스 구축은 데이터 엔지니어링(Data Engineering) 영역에 가깝기 때문에 데이터 사이언스의 본질과 거리가 있다.

08. 기온 변화와 판매량 변화처럼 연속형 변수 간의 관계를 분석하여 상관관계를 파악하려면 회귀분석이 가장 적합하다. 회귀분석은 독립변수(기온)가 종속변수(판매량)에 어떤 영향을 미치는지를 수치적으로 예측하는 통계적 기법이다. 연관분석, 감성분석, 군집분석은 각각 변수 간의 상관관계, 텍스트 감정 분석, 데이터 군집화를 목적으로 하므로 적합하지 않다.

09. 데이터 분석가는 단순히 데이터를 다루는 기술자에 그치지 않고, 비즈니스 이해력, 데이터 처리 역량, 의사소통 능력을 모두 갖춰야 한다. 특히 분석가는 관리자를 포함한 다양한 이해관계자와 협업하며, 분석 결과를 경영 의사결정에 반영하는 조정자(Bridge) 역할을 수행한다.

10. 데이터의 가치는 사용 시점, 활용 목적, 분석 기술 수준 등에 따라 달라지므로 정량적으로 측정하기 어렵다. 특히 데이터는 사용되지 않으면 가치가 없고, 누가·언제·어떻게 사용하느냐에 따라 가치가 달라지는 특성이 있다. 반면, 데이터 전문가의 수 증가와 데이터 가치 측정의 어려움은 직접적인 관련이 없으며, 데이터 전문가가 많아지는 것은 오히려 데이터 분석과 가치 측정에 긍정적인 영향을 미친다.

2 데이터 분석 기획
10문항

11. 빅데이터 분석 프로세스는 일반적으로 분석 기획 → 데이터 준비 → 데이터 분석 → 시스템 구현 → 평가 및 전개의 순서로 진행된다. 즉, 먼저 분석 목적을 명확히 설정하고(기획), 필요한 데이터를 확보·정제한 후(준비), 분석을 수행하고(분석), 결과를 시스템에 반영하며(구현), 마지막으로 분석 결과의 효과를 검토하고 개선·확산(평가 및 전개)하는 단계로 이어진다.

12. 데이터 분석 거버넌스는 데이터 분석 활동을 효과적·일관성 있게 관리하기 위한 체계로, 주로 인력(HR), 조직(Organization), 프로세스(Process), 기술 인프라 등 관리 구조와 운영 체계를 다룬다. '분석 기법(Technology)'은 분석 수행 방법론에 해당하므로, 거버넌스의 직접적 구성 요소는 아니다.

13. 과제 우선순위를 결정할 때는 시급성(urgency)과 난이도(difficulty)를 함께 고려한다. 가장 먼저 착수해야 할 과제는 즉시 수행이 필요한(시급성이 높은) 과제이면서, 빠르게 실행 가능한(난이도가 낮은) 과제이다.

14. 전략적 통찰력이 있는 분석(Strategic Insight Analysis)은 단순히 데이터를 기술적으로 해석하는 수준을 넘어, 비즈니스 전략과 의사결정에 직접적으로 연결될 수 있는 통찰을 도출하는 분석을 의미한다. 따라서 단순한 데이터 해석에서 벗어나 직관·전략적 사고·경영 프레임워크를 함께 고려하고, 넓은 시각에서 문제를 바라보는 태도가 필수적이다.

15. 분석 기획 단계에서는 무엇을, 왜, 어떻게 분석할 것인지에 대한 큰 방향을 설정한다. 이 단계의 핵심은 목표 정의, 활용 방안 탐색, 장애요소 사전 점검 등이며, 데이터의 정합성 검증은 분석 기획 이후의 '데이터 준비' 단계에서 수행된다.

16.

 비기봇 해설

CMMI 모델은 조직의 프로세스 성숙도를 평가하고 개선하기 위한 모델로, 여러 단계로 구성되어 있습니다. 도입 단계는 조직이 체계적인 프로세스 개선을 시작하는 초기 단계로, 주로 실적 분석과 통계 작성이 포함됩니다.

1. 데이터로 미래 결과 예측

: 미래 결과 예측은 데이터 분석의 고급 단계로, 과거 데이터를 기반으로 미래의 경향을 예측하는 것을 포함합니다. 이는 도입 단계보다는 더 높은 활용 단계에서 이루어집니다.

2. 실적 분석 및 통계 작성

: 실적 분석과 통계 작성은 조직이 프로세스 개선을 시작할 때 가장 먼저 수행하는 활동 중 하나 입니다. 이는 도입 단계에서 중요한 역할을 하며, 조직의 현재 상태를 파악하고 개선 방향을 설정하는 데 기여합니다.

3. 실시간 성과 분석

: 실시간 성과 분석은 데이터가 수집 되는 즉시 분석하여 즉각적인 피드백을 제공하는 것을 의미합니다. 이는 도입 단계보다는 더 발전된 단계인 확산 단계에서 이루어지는 활동입니다.

4. 경영진 분석 활용

: 경영진 분석에 활용하는 것은 데이터 분석 결과를 전략적 의사결정에 반영하는 것을 의미합니다. 이는 도입 단계보다는 더 높은 최적화 단계에서 이루어집니다.

17. 상향식 접근법은 세부적인 요소에서부터 시작하여 전체적인 구조를 완성하는 방식이다. 따라서 프로세스 분류, 프로세스 흐름분석, 분석요건 식별, 분석 요건 정의의 순서로 진행하는 것이 올바르다. 이 순서는 세부적인 프로세스의 이해에서 시작하여 점차적으로 분석의 요건을 정의하는 방향으로 나아간다.

18. 상향식 접근법(Bottom-Up Approach)은 데이터 중심으로 출발하여, 데이터 속에서 패턴을 발견하고 인사이트를 도출하는 방식이다. 이 과정에서는 명확한 목표보다 탐색적 분석과 프로토타입을 통해 점진적으로 문제를 정의하기 때문에, '가·나·다'의 설명이 모두 해당되며, '인과관계보다 상관관계 중심'으로 사고하기 때문에 '라'는 옳지 않다.

19. 데이터 기반 의사결정은 객관적 사실과 근거에 기반하여 결정을 내리는 접근 방식이다. 이는 직관이나 경험에만 의존하는 방식보다 논리적이고 재현 가능한 판단을 가능하게 한다.

20. 과제 중심 데이터 분석에서는 데이터 획득보다 이행과제의 전후관계 파악이 우선이다. 과제 간의 의존성, 선후관계, 우선순위를 먼저 분석한 후, 그에 맞는 데이터를 수집해야 효율적이다. 무작정 데이터를 수집하는 것이 아니라, 과제 분석을 통해 필요한 데이터가 무엇인지 파악한 후 수집해야 한다.

3 데이터 분석
30문항

21. 주성분 분석은 변수 간 상관관계를 이용해 새로운 축(주성분)을 생성하여 차원을 축소하는 기법이다. 즉, 변수 간의 단순한 선형관계를 알아보는 것이 아닌, 상관된 변수들을 결합하여 서로 독립적인(상관없는) 새로운 변수 집합으로 변환하는 것이 목적이다.

22. 스피어만 상관분석은 순서형(서열척도) 또는 연속형(등간·비율척도) 변수 간의 단조 관계(순위 상관)를 측정하는 비모수적 상관분석 방법이다. 따라서 순위 개념이 없는 명목척도 변수는 스피어만 상관 분석 방법으로 분석할 수 없다.

23. 모집단의 모든 개체에 일련번호를 부여하고, 처음 표본을 무작위로 선택한 뒤 일정한 간격(k)으로 표본을 뽑는 방법은 계통추출법이다. 이 방법은 단순무작위추출보다 간편하지만, 모집단에 일정한 주기가 존재할 경우 편의(Bias)가 생길 수 있다.

24. 연관 분석은 항목 간의 관계를 찾는 데이터 마이닝 기법으로, 결과가 단순해 해석이 쉽고 데이터 변환 없이 사용할 수 있다는 장점이 있다. 그러나, 비슷한 항목을 묶어 계산량을 줄이는 것은 연관 분석의 장점이 아닌, 계산 복잡성을 완화하기 위한 보완 방법이다.

25. k-NN 알고리즘은 새로운 데이터를 분류할 때 가장 가까운 k개의 이웃 데이터를 기준으로 판단하는 비모수적, 사례 기반 학습 기법이다. 이 알고리즘은 학습 과정이 별도로 필요 없으며, k값의 크기에 따라 모델의 일반화 성능이 달라진다. 그러나, k값이 클수록 모델이 더 많은 데이터를 고려하게 되어 과대적합의 가능성은 낮아진다.

26. 회귀분석 결과, Industrial 집단의 절편은 73.53이고 Information 집단의 절편은 22.73만큼 더 큰 96.26으로 나타났다. 이는 두 집단 간 절편이 통계적으로 유의한 차이를 보인다는 의미로, y축 절편이 같다는 설명은 부적절하다.

27. 상자그림(Box Plot)은 데이터의 중앙값, 사분위수, 이상값 등을 시각적으로 보여주는 도구이며, 평균값은 포함되지 않는다. 그래프를 해석해 보면 최댓값은 수염의 위쪽 끝 부분인 약 7.4로 확인되며, 제1사분위수(Q1)가 5.2이므로 5.2보다 작은 값이 전체 데이터의 25%를 차지한다고 볼 수 있다. 또한 제3사분위수(Q3)가 6.3이므로 사분위 범위(IQR)는 6.3 - 5.2 = 1.1로 계산된다. 반면, 박스플롯에서는 평균을 직접 확인할 수 없기 때문에 "평균보다 중앙값이 더 크다"는 설명은 부적절하다.

28. 비모수 검정은 모집단의 분포 형태(정규성 등)를 가정하지 않고, 데이터의 순위나 부호를 이용하여 통계적 차이를 검정하는 방법이다. 따라서 정규분포를 전제로 하는 t-검정은 비모수 검정이 아니다.

29. 그래프에서 Student(점선)와 Non-Student(실선)에 따라 Income이 증가할 때, Balance의 기울기(slope)가 서로 다르게 증가하는 것을 확인할 수 있다. 기울기가 다르다는 것은 Income의 효과가 Student 여부에 따라 달라진다는 의미이고 이것은 교호작용이 통계적으로 유의하다고 판단할 수 있습니다. 그래프에서 볼 때, Income이 10 증가할 때, Balance는 약 20 정도 증가하여 양의 관계를 갖고 있는 것을 확인할 수 있다.

30. 중심극한정리는 모집단의 분포 형태와 관계없이 표본의 크기가 충분히 크다면 표본평균의 분포가 정규분포에 가까워진다는 것이다. 따라서 모집단이 반드시 정규분포를 따라야 한다는 설명은 부적절하다.

31. 시계열 자료는 시간의 흐름에 따라 변화하는 데이터를 분석하는 기법이며, 그 변동 요인은 추세요인, 계절요인, 순환요인, 불규칙요인으로 구분된다. "잘 알려진 주기"는 계절요인의 정의에 해당하며, 순환요인은 불규칙적이고 장기적인 경제 변동처럼 주기가 일정하지 않은 경우를 의미한다.

32. 남학생 중 사과를 좋아하는 학생은 30명이고, 전체 남학생은 40명이다. 따라서 남학생일 때 사과를 좋아할 확률은 30/40으로, 약분하면 3/4이다.

33. 지니지수(Gini Index)는 데이터의 불확실성을 측정하여, 특정 클래스에 속한 데이터가 얼마나 잘 분류되어 있는지를 나타내는 지표이다. 지니지수 값이 작을수록 데이터가 한 클래스에 더 많이 속해 있어 순수도가 높다는 뜻이며, 주로 이진 분류에서 사용된다. 주어진 데이터에서 C의 Good과 Bad의 비율을 계산하면, Good은 20/(20+30)=0.4, Bad는 30/(20+30)=0.6이 된다. 이를 이용해 지니계수를 계산하면 $1 - (0.4^2 + 0.6^2) = 1 - (0.16 + 0.36) = 1 - 0.52 = 0.48$로, C의 지니계수는 0.48이다.

34. 시계열 데이터를 정상화하는 방법으로 가장 적절하지 않은 것은 '정규화'이다. 정규화는 데이터의 범위를 조정하는 방법으로, 시계열 데이터의 정상성을 확보하는 데 직접적인 영향을 주지 않는다. 반면 차분, 변환, 추세 제거는 시계열 데이터의 정상성을 확보하는 데 유용한 방법들이다.

35. K-means 군집화에서 적절한 군집 수(K)를 결정하기 위해 사용하는 대표적인 방법은 엘보우(Elbow) 기법이다. 이때 활용되는 그래프가 집단내 제곱합 그래프(WCSS, Within-Cluster Sum of Squares)로, 군집 수가 증가함에 따라 오차 제곱합이 감소하다가 감소 폭이 완만해지는 '팔꿈치(elbow)' 지점을 최적 군집 수로 판단한다.

36.

비기봇 해설

로지스틱 회귀모형에서 각 변수의 회귀계수는 오즈비에 영향을 미칩니다. 변수 X의 회귀계수가 β 일 때, X가 1 증가하면 오즈는 e^β 배가 로 변화합니다. 양수면 증가, 음수면 감소를 의미합니다.

1. balance와 student 변수 모두 유의수준 0.01에서 통계적으로 유의하다.

: 모형의 유의성은 p-value로 판단할 수 있습니다. 각 변수가 유의한지 확인하기 위해서는 p-값을 확인합니다. 모든 변수의 p-value는 <0.001로 매우 유의미하므로 0.01 이하의 유의수준에서도 유의하게 채택할 수 있습니다.

2. 학생 여부가 동일할 때, balance가 1 증가하면 채무불이행(default)의 오즈는 약 0.6% 증가한다.

: balance의 회귀계수는 0.005740이며, 오즈비는 $e^{0.00574} \approx 1.0059$입니다. 이를 백분율 변화로 해석하면, $(1.0059 - 1) \times 100 = 0.59\%$가 되므로 balance가 1 증가할 때 오즈는 약 0.6% 증가한다고 볼 수 있습니다.

3. balance가 동일할 때, 학생인 고객의 채무불이행 오즈는 비학생인 고객보다 약 48.9% 감소한다.

: studentYes의 오즈비는 $e^{-0.715} \approx 0.4887$입니다. 오즈 감소율은 $(1-0.4887) \times 100 \approx 51.1\%$이므로, 학생인 고객의 채무불이행 오즈는 비학생인 고객보다 약 51.1% 감소합니다. "48.9% 감소"가 아닌, 약 51.1% 감소라고 해석하는 것이 옳습니다.

4. 위 결과로 분류 결과를 정확히 알 수 없다.

: 출력 결과에서는 회귀계수, 유의성, 편차(deviance) 등 모형 적합 결과를 확인할 수 있습니다. 그러나, 실제 분류 성능(정확도, 재현율, AUC 등)을 확인하기 위해서는 예측값과 실제값을 비교한 혼동행렬 등의 추가 정보가 필요하므로, 결과로부터 분류 결과를 정확히 판단할 수 없으므로, 적절한 설명입니다.

37. 마할라노비스 거리는 단순히 두 점 간의 직선 거리(유클리드 거리)가 아닌, 데이터의 분산 구조와 변수 간 상관관계를 반영한 거리 측정법이다. 공분산 행렬의 역행렬을 이용하여 거리 계산에 상관성을 포함시키므로, 변수 간의 상관이 클수록 실제 거리보다 더 작은 값으로 조정되며, 단순 거리보다 더 정확한 유사도 판단이 가능하다.

38. 회귀분석에서 독립변수들은 서로 독립적일수록 모형의 신뢰성이 높다. 그러나 독립변수 간에 강한 선형적 상관관계가 존재하면, 한 변수가 다른 변수의 정보를 중복으로 포함하게 되어 회귀계수의 추정이 왜곡될 수 있다. 이를 다중공선성(multicollinearity)이라 하며, 이 경우 회귀계수의 표준오차가 커져 신뢰도가 낮아지고 개별 변수의 영향력을 정확히 해석하기 어려워진다.

39.

 비기봇 해설

향상도(Lift)는 두 사건 A와 B가 서로 독립일 때의 발생 확률과 비교하여 두 사건의 연관성을 나타내는 지표입니다. 공식은 아래와 같습니다.

$$Lift(A \rightarrow B) = \frac{P(A \cap B)}{P(A) \times P(B)}$$

1. 주어진 데이터 확인
- 관광지 A 방문 건수: 10
- 관광지 B 방문 건수: 12
- 관광지 A와 B 모두 방문 건수: 3
- 전체 방문자 수: 25

2. 확률 계산
- P(A): A를 방문한 비율 = 10+3=13

$$P(A) = \frac{13}{25} = 0.52$$

- P(B): B를 방문한 비율 = 12+3=15

$$P(B) = \frac{15}{25} = 0.6$$

- P(A∩B): A와 B를 모두 방문한 비율 = 3

$$P(A \cap B) = \frac{3}{25} = 0.12$$

3. 향상도 계산

$$Lift(A \rightarrow B) = \frac{0.12}{0.52 \times 0.6} = \frac{0.12}{0.312} = 0.38461538 \approx 0.39$$

계산 결과, 향상도는 0.39 입니다.

40. 군집분석은 데이터 간의 유사도(Similarity) 또는 거리(Distance)를 기준으로 비슷한 객체들을 그룹으로 묶는 기법이며, "물품을 동시에 구매할 확률"은 지지도(Support)나 향상도(Lift) 등 연관규칙 분석에서 사용하는 개념이다.

41. 문제는 층화추출(stratified sampling) 구조에서의 확률 계산을 다루고 있다. 100개의 대상을 10개 집단(층)으로 나눈 뒤 각 집단에서 1개씩을 비복원으로 추출하면, 서로 다른 층에 속한 항목들은 동시에 선택될 수 있지만, 같은 층에 속한 항목들은 동시에 선택될 수 없다. 따라서 1번 공과 2번 공이 같은 집단에 속해 있다면 동시에 추출될 확률은 0이 되어야 하며, "동시에 뽑힐 확률이 1/100"이라는 설명은 옳지 않다.

42. 독립 사건 A, B에 대해 동시 발생 확률은 P(A∩B)=P(A)P(B)로 계산된다. 큰 수의 법칙에 따라 상대도수 r/n은 시행 수 n이 커질수록 P(A)에 수렴하며, 베이즈 이론은 조건부확률을 이용해 사전확률과 사후확률을 연결하는 정리이다. 반면, 독립 사건의 교집합은 각 사건의 확률의 곱으로 계산되며, 두 집단의 합과는 다르다.

43. 붓스트랩(bootstrap)은 모집단의 분포를 모르는 경우, 표본 데이터를 반복적으로 재추출하여 통계적 추정을 수행하는 방법이다. 크기가 n=100인 표본에서 각 추출이 복원추출로 이루어진다면, 특정 데이터가 한 번도 선택되지 않을 확률은 각 시행에서 선택되지 않을 확률이 100번 연속 일어날 확률과 같으므로 $\left(1 - \frac{1}{100}\right)^{100}$로 계산된다.

44. 분석 결과에서 잔차 자유도 107과 설명변수 4개(절편 포함)를 합하면 전체 표본 수는 111개임을 알 수 있다. 기온(Temp)의 회귀계수는 양수이고 p값이 유의수준 0.05보다 작으므로, 기온이 높아질수록 오존 농도가 유의하게 증가하는 경향이 있음을 의미한다. Temp의 회귀계수 1.6521은 태양복사량(Solar.R)과 풍속(Wind)이 일정하다고 가정할 때, 기온이 1 단위(예: 1℃) 증가할 때마다 오존 농도가 평균적으로 약 1.65만큼 증가하는 방향의 선형 관계가 있음을 보여준다. 다만 회귀분석은 변수 간 통계적 상관관계를 추정하는 방법일 뿐, 인과관계를 직접적으로 입증하지는 못한다. 따라서 설명변수가 종속변수에 영향을 미친다는 '관계'는 확인할 수 있지만, 이를 원인-결과 관계로 단정하려면 실험 설계나 적절한 통제가 추가적으로 필요하다.

45. Apriori 알고리즘은 연관 규칙 분석에서 자주 사용되는 알고리즘으로, 빈발항목집합(frequent itemset)을 단계적으로 탐색하는 과정이다. 먼저 최소 지지도를 설정하고(가), 개별 품목 중에서 최소 지지도가 넘는 모든 품목을 찾는다(라). 그 후, 찾은 개별 품목을 이용해 2가지 품목을 찾고(다), 반복적으로 수행하여 최소 지지도가 넘는 빈발품목집합을 찾는다(나).

46. 요약 변수는 수집된 정보를 분석에 맞게 종합한 것이며, 고객별, 지역별 합계를 구한 값으로 데이터 마트에서 중요한 변수로 사용되며, 많은 모델에서 공통으로 사용할 수 있어 재활용 가능성이 높다. 특정 조건을 만족하거나 특정 함수에 의해 값을 만들어 의미를 부여한 변수는 파생변수이다.

47. 비모수 검정은 모집단의 분포 형태에 대한 가정 없이 순위나 중앙값 등 비모수적 통계량을 이용하는 방법으로, 정규성을 만족하지 않거나 이상치가 많은 경우에 적합하다. 그러나 모집단이 정규분포를 따를 때는 모수 검정이 더 높은 검정력을 가지므로 통계적으로 더 민감하게 차이를 감지할 수 있다.

48. 계층적 군집 분석에서 군집 병합은 군집 간의 거리나 유사도를 기준으로 이루어지며, 군집의 '크기(데이터 수)'는 병합 기준이 아니다. 군집 수 결정은 덴드로그램의 높이 변화, 와드연결법의 오차제곱합(WSS) 증가, 또는 엘보우 방법의 변곡점을 통해 판단한다. 따라서 군집의 크기로 병합 여부를 판단한다는 설명은 옳지 않다.

49. 일반화(generalization)는 표본을 통해 얻은 분석 결과나 모델의 성능이 해당 표본에만 국한되지 않고, 동일한 모집단이나 유사한 새로운 데이터에도 일관된 결과를 보이는 특성을 의미한다. 즉, 같은 집단 내에서 어떤 표본을 선택하더라도 유사한 결론에 도달한다면 그 모델은 일반화 성능이 높다고 할 수 있으며, 이는 통계적 추론과 머신러닝 모델 평가의 핵심 개념이다.

50. 연관 규칙에서 신뢰도(confidence)는 선행 항목이 발생했을 때 후행 항목이 함께 발생할 조건부 확률이다. 우유→커피의 신뢰도는 우유가 포함된 거래 중에서 커피도 함께 포함된 비율로 계산된다. 주어진 자료에서 {우유, 커피} 거래건수는 30건이고 우유 거래건수는 40건이므로 신뢰도는 30/40으로 0.750이다.

제 45회 기출 복원문제 답안

데이터 분석 준전문가 자격검정 시험

【 객관식 정답 】

1	③	11	②	21	②	31	②	41	④
2	①	12	④	22	③	32	①	42	④
3	④	13	①	23	②	33	④	43	①
4	②	14	②	24	①	34	②	44	④
5	③	15	①	25	②	35	①	45	①
6	②	16	③	26	①	36	④	46	③
7	①	17	①	27	②	37	②	47	②
8	④	18	④	28	②	38	②	48	④
9	①	19	②	29	③	39	④	49	①
10	①	20	②	30	②	40	②	50	②

영역	맞은 개수
데이터 이해	/10
데이터 분석 기획	/10
데이터 분석	/30

모바일로 풀기

1 데이터 이해
10문항

01. DIKW 모델은 데이터(Data) → 정보(Information) → 지식(Knowledge) → 지혜(Wisdom)의 4단계로, 데이터가 의미와 맥락을 더해 고차원적인 형태로 발전하는 과정을 설명한다. 데이터는 관찰이나 측정을 통해 얻은 가공되지 않은 사실·숫자·기호 등 원시적 형태를 의미하며, '지식과 아이디어가 결합된 창의적 산물'이라는 설명은 데이터가 아닌 지식 또는 지혜 단계의 특성에 해당한다.

02. 빅데이터(Big Data)는 방대한 양(Volume), 다양한 형태(Variety), 빠른 생성 속도(Velocity), 그리고 진실성(Veracity) 등의 특성을 지닌 대규모 데이터로, 3V~4V로 요약된다. 이러한 데이터를 분석하여 개인의 선호나 행동 패턴을 파악하고, 개인 맞춤형 서비스를 제공하는 것이 빅데이터의 핵심 활용 목적 중 하나이다.

03. 데이터베이스(Database)는 다수의 사용자나 응용 시스템이 공동으로 사용하고 공유할 수 있도록 설계된 시스템이다. 사용자는 각기 다른 목적과 관점에서 데이터를 활용할 수 있으며, 이는 데이터베이스의 핵심 특징인 공유성(Sharing)과 동시 접근성(Concurrency)을 반영한다. 또한 데이터베이스는 기계 가독성, 검색 가능성, 원격 조작성을 가지며, 데이터를 손쉽게 추가·갱신·삭제할 수 있다. 따라서 모든 사용자가 동일한 목적을 가지고 데이터를 활용한다는 설명은 부적절하다.

04. 데이터의 일관성과 정확성을 유지하고 검증하는 DBMS의 특징은 데이터의 무결성이다. 데이터 무결성은 데이터가 정확하고 일관되게 유지되도록 보장하며, 데이터의 유효성과 신뢰성을 확보하는 데 중점을 둔다.

05. 유전자 알고리즘은 자연 선택의 원리를 모방하여 최적의 솔루션을 찾는 방법으로, 다양한 변수의 조합을 통해 최적의 결과를 도출하는 데 사용된다. 자동차 회사가 엔지니어링과 에너지의 최적 조합을 찾아 연료 효율성을 극대화한 것은 이러한 유전자 알고리즘의 특성과 일치한다.

06. 데이터마스킹은 개인 정보 식별이 가능한 특정 데이터 값을 삭제하는 방법이 아니라, 데이터를 가려서 보이지 않게 하거나 다른 값

으로 대체하여 보호하는 방법이다.

07.

비기봇 해설

빅데이터 분석 및 활용의 최종 목표는 데이터를 통해 새로운 가치를 창출하고, 이를 통해 비즈니스의 성과를 극대화하는 것입니다. 이는 단순히 데이터를 수집하고 분석하는 것을 넘어, 분석 결과를 바탕으로 실질적인 비즈니스 전략을 수립하고 실행하는 것을 포함합니다.

1. 데이터를 분석하여 통찰을 얻고, 이를 기반으로 새로운 비즈니스 가치를 창출하는 것이다.

: 데이터 분석의 궁극적인 목표는 단순한 정보 제공을 넘어, 이를 통해 새로운 비즈니스 기회를 창출하고, 조직의 경쟁력을 강화하는 것입니다. 이는 데이터에서 얻은 통찰을 바탕으로 혁신적인 제품이나 서비스를 개발하거나, 새로운 시장을 개척하는 것을 의미합니다.

2. 데이터를 중심으로 조직을 구성하고 운영 전략을 수립하는 데 활용하는 것이다.

: 데이터 중심의 조직 운영은 중요한 전략이지만, 이는 데이터 활용의 한 부분일 뿐 최종 목표라고 보기는 어렵습니다. 데이터는 조직의 운영 전략 수립에 중요한 역할을 하지만, 궁극적인 목표는 아닙니다.

3. 초고속 데이터 처리 기술을 개발하여 실시간 분석이 가능한 데이터 인프라를 마련하는 것이다.

: 초고속 데이터 처리 기술은 데이터 분석의 효율성을 높이는 데 기여하지만, 이는 수단에 불과합니다. 데이터 인프라의 발전은 중요한 요소이지만, 최종 목표는 데이터로부터 가치를 창출하는 것입니다.

4. 데이터 기반 의사결정을 통해 운영상의 비용을 절감하는 것을 궁극적인 목표로 삼는 것이다.

: 데이터 기반 의사결정을 통해 비용을 절감하는 것은 데이터 활용의 중요한 이점 중 하나입니다. 그러나 이는 데이터 활용의 최종 목표라기보다는 부수적인 결과로 볼 수 있습니다.

08. 데이터 활용 사례는 대개 수집된 대규모 데이터를 분석하여 통계적 패턴, 추세, 예측 등의 객관적인 결과를 도출하고 이를 의사결정에 사용하는 것을 의미한다. 전문가와의 심층 면담은 정성적 연구 방법론의 하나이며, 데이터를 정량적으로 분석하여 활용하는 사례가 아닌 인적 자원의 경험과 지식(Knowledge)에 기반한 개선 활동이므로, 일반적으로 말하는 빅데이터 및 정량 데이터 분석 활용 사례로 보기 어렵다.

09. 빅데이터는 대량의 데이터를 수집·분석하여 새로운 가치와 인사이트를 창출하는 것이 목적이지만, 개인정보 보호와 법적·윤리적 준수는 필수적인 전제 조건이다. 따라서 개인정보를 대규모로 공유하는 행위는 보안 침해와 개인정보 유출 위험을 초래하므로, 빅데이터 활용 방식으로는 부적절하다.

10. 빅데이터 시대의 주요 위기 요인은 데이터 오용, 프라이버시 침해, 알고리즘의 불투명성 등으로, 이에 대한 해결 방안은 책임 원칙 확립, 알고리즘 투명성 확보, 비식별화 기술 적용 등 사후적 관리와 기술적 보호 조치에 초점을 두어야 한다. 개인정보 활용 동의를 강화하는 것은 위기 요인의 근본적인 해결책이라기 보다는, 데이터 활용의 효율성을 저하시키는 행정적 조치에 불과하므로, 적절한 대응 방안으로 보기 어렵다.

2 데이터 분석 기획
10문항

11. 분석방법은 알고 있으나 그 대상을 모를 때는 '통찰'이 적합하다. 통찰은 주어진 데이터나 상황에서 숨겨진 패턴이나 의미를 발견하는 데 중점을 두기 때문이다. 이는 분석의 방향성을 제공하고 새로운 인사이트를 얻는 데 유용하다.

12. 상향식 접근(Bottom-Up Approach)은 작은 단위의 세부 요소나 데이터에서 출발하여 전체적인 구조나 결론을 도출하는 방식이다. 주로 문제의 정의가 모호하거나 명확하지 않은 상황에서 유용하며, 탐색적·실험적 접근을 통해 점진적으로 문제를 구체화한다. 따라서 4번의 '문제가 명확히 정의되어 있는 경우'라는 설명은 상향식 접근이 아닌 하향식(Top-Down) 접근의 특징에 해당한다.

13. 전사 차원의 모든 데이터 관리 정책, 프로세스, 운영 조직 등을 포함하는 표준화된 관리 체계는 데이터 거버넌스이다. 데이터 거버넌스는 조직 내 데이터의 품질, 보안, 사용 등을 체계적으로 관리하고 통제하기 위한 프레임워크를 제공한다. 데이터 모델링, 데이터 마스터 플랜, 데이터 아키텍처는 각각 데이터 구조 설계, 데이터 관리 계획, 데이터 시스템 설계에 중점을 둔다.

14. 기업의 분석 업무 및 기법은 부족하지만 조직과 인력의 준비도가 높아 데이터 분석을 바로 시행할 수 있는 상태는 '도입형'이다. 도입형은 분석을 시작할 준비가 되어 있는 초기 단계로, 분석 역량을 키워나가는 과정에 해당한다.

15. 필요성은 분석 과제의 우선 순위를 판단할 때 핵심 기준 중 하나로, 해당 과제가 기업의 비전·전략·핵심성과지표(KPI)와 얼마나 연관되는지, 그리고 해결하지 않았을 때 발생할 위험이나 손실이 어느 정도인지를 평가한다. 반면 시급성은 즉각적인 대응 필요 여부, 기술 용이성은 기술적 구현 난이도, 투자 용이성은 예산 및 자원 확보 가능성을 의미한다.

16. 하향식 접근법에서 분석 과제 도출 단계는 문제를 먼저 탐색한 후, 문제를 정의하고 해결방안을 탐색하며 마지막으로 타당성을 검토하는 순서이다. 따라서 올바른 순서는 나-가-다-라이다.

17. 분석 성숙도 진단은 주로 비즈니스, 조직역량, IT 부문을 고려한다. 비용 부문은 직접적인 분석 성숙도와 관련이 없으므로 고려 대상이 아니다.

18.

비기봇 해설

데이터 분석 과제에서 고려해야 할 5가지 요소는 데이터 복잡성, 데이터 크기, 처리 속도, 정확도, 정밀도입니다. 이 요소들은 각자의 특성과 중요성에 따라 분석의 방향과 우선순위를 결정하는 데 사용됩니다.

1. 데이터의 양에 상관없이 분석 정확도는 일정하게 유지된다.

: 일반적으로 데이터의 양이 증가하면 분석의 정확도는 향상되는 경향이 있습니다. 이는 데이터 규모가 클수록 표본의 우연한 변동이 줄어들어 편향(치우침)의 영향을 완화하고, 모집단의 특성을 보다 정확하게 설명할 수 있기 때문입니다.

2. 분석 방법을 고를 때 속도보다 정확도를 고려해야 한다.

: 분석 방법을 선택할 때는 정확도와 속도 모두 중요한 요소입니다. 그러나 상황에 따라 어느 요소가 더 중요한지는 달라질 수 있습니다. 따라서 분석 목표에 맞춰 적절한 균형을 찾는 것이 중요합니다.

3. 활용적 측면에서 정밀도, 안정적 측면에서 정확도가 중요하다.

: 활용적 측면에서는 정확도가 중요합니다. 이는 전체 데이터에서 결과가 실제와 얼마나 일치하는지를 나타내기 때문입니다. 반면에 안정적 측면에서는 정밀도가 중요합니다. 이는 분석 결과가 얼마나 일관성 있고 신뢰할 수 있는지를 나타내기 때문입니다.

4. 정확도를 높이면 복잡도가 상승할 수 있다는 것을 고려해야 한다.

: 정확도를 높이기 위해서는 데이터 처리와 성능이 좋은 복잡한 모델을 활용할 필요가 있습니다. 신경망 모형과 같은 복잡한 모델은 성능이 좋지만 해석이 어려운 단점이 있고, 로지스틱 회귀모형과 같은 간단한 모형은 신경망에 비해 상대적으로 성능이 낮을 수 있습니다.

19. 보기에서 설명하는 두가지 과정은 탐색적 데이터 분석(EDA)의 특징이다. 탐색적 데이터 분석은 데이터의 구조와 특성을 이해하고, 분석에 필요한 인사이트를 얻기 위해 수행하는 초기 단계의 분석이다.

20. 최신 분석 기법을 무조건 사용하는 것은 분석 기획 시 고려사항에 해당하지 않는다. 분석 기법은 문제의 특성과 목적에 맞게 선택해야 하며, 무조건 최신 기법을 사용하는 것이 중요하지 않다.

데이터 분석
30문항

21.

비기봇 해설

데이터 척도는 명목척도, 서열척도, 간격척도, 비율척도로 나뉘며, 명목척도는 분류만 가능하고, 서열척도는 순서가 있는 데이터, 간격척도는 차이를 측정할 수 있는 데이터, 비율척도는 절대적인 0이 존재하여 비율 계산이 가능한 데이터를 의미합니다.

1. 몸무게(kg)는 이산형 척도이다.
: 몸무게는 연속형 데이터로, 비율척도에 해당합니다. 비율척도는 절대적인 0이 존재하며, 비율 계산이 가능합니다. 따라서 몸무게는 이산형 척도가 아닌 연속형 데이터인 비율척도입니다.

2. 고향이 수도권/비수도권인지는 명목척도이다.
: 고향이 수도권인지 비수도권인지는 명목척도로, 이는 단순히 분류를 위한 척도입니다. 명목척도는 데이터 간의 순서나 크기를 비교할 수 없으며, 단순히 구분만 가능합니다.

3. 정수 0~5 중에 선택하는 것은 연속형 척도이다.
: 정수 0~5 중에 선택하는 것은 이산형 데이터로, 연속형 척도가 아닙니다. 연속형 척도는 연속적인 값을 가지며, 이산형 데이터는 특정한 값만을 가집니다.

4. 교통사고의 확률은 순서형 척도이다.
: 교통사고의 확률은 비율척도에 해당합니다. 확률은 0과 1 사이의 값을 가지며, 비율 계산이 가능합니다. 순서형 척도는 데이터 간의 순서만을 나타내며, 확률과는 다릅니다.

22. 적합도 검정은 관찰된 도수 분포가 특정 이론적 분포에 얼마나 잘 맞는지를 검정하는 방법이다. 따라서 적합도 검정은 도수의 분산을 비교하는 것이 아니라, 관찰 도수와 기대 도수 간의 차이를 검정하는 것이다.

23. 결측치를 모두 0으로 변환하여 계산하는 것은 기술통계의 일반적인 방법이 아니다. 결측치는 분석에 영향을 미칠 수 있으므로 적절한 방법으로 처리해야 한다.

24. 시계열 데이터에서 정상성이란 평균과 분산이 시간에 따라 변하지 않는 성질을 말한다. 데이터에 추세나 계절성이 존재하면 평균이 일정하지 않게 되므로 정상성을 잃게 된다. 이때 차분을 적용하면 인접한 시점 간의 변화를 계산해 추세를 제거할 수 있어, 평균이 일정해지고 정상성을 확보할 수 있다. 반면 결측값 제거나 이상치 제거는 데이터 정제 과정일 뿐 정상성과 직접적인 관련이 없다.

25.

비기봇 해설

시계열 분해는 시간에 따른 데이터의 변동을 이해하기 위해 데이터를 여러 구성 요소로 나누는 방법입니다. 주로 추세, 계절, 순환, 불규칙 요인으로 나누어 분석합니다.

1. 시간 흐름에 따라 이차함수 형태로 변하는 요인을 추세요인이라 한다.
: 추세 요인은 시계열 데이터가 장기적으로 증가하거나 감소하는 경향을 보이는 요소입니다. 이는 데이터의 전반적인 방향성을 나타내며, 선형, 이차식, 지수적 형태 등 다양한 형태를 가질 수 있습니다.

2. 고정된 주기에 따라 변하는 요인을 계절요인이라 한다.
: 계절 요인은 일년 중 특정 시기에 반복적으로 나타나는 패턴을 의미합니다. 이는 주로 날씨, 휴일, 계절에 따른 소비 패턴 등과 관련이 있습니다.

3. 경제나 자연현상으로 설명되는 주기를 가지고 변하는 요인을 순환요인이라 한다.
: 순환 요인은 경제적이나 자연적인 이유 없이 알려지지 않은 주기를 가지고 변화하는 자료를 의미합니다.

4. 추세, 계절, 순환 요인으로 설명 불가능한 요인을 불규칙 요인이라고 한다.
: 불규칙 요인은 예측할 수 없는 외부 요인으로 인해 발생하는 변동입니다. 이는 다른 세 가지 요소로 설명되지 않는 변동으로, 전쟁, 자연재해, 비정상적인 사건 등이 이에 해당합니다.

26. 회귀식은 일반적으로 'y = 절편 + 기울기x' 의 형태를 가진다. 출력 결과에서 절편(Intercept)은 96.04, 독립변수 Mg의 계수(기울기)는 1.97이므로 식은 f(x) = 96.04 + 1.97x가 된다. 이는 Mg가 1 단위 증가할 때, y가 평균적으로 약 1.97단위 증가함을 의미한다.

27. 선형회귀분석에서 독립성 가정은 '독립변수 간의 관계'가 아니라 '오차항(잔차)들 간의 독립성'을 의미한다. 즉, 한 관측치의 오차가 다른 관측치의 오차에 영향을 주지 않아야 한다는 뜻이다. 반면, 독립변수들 간의 상관이 높을 경우 발생하는 문제는 다중공선성이라고 하며, 이는 독립성 가정과는 구별된다.

28. 후진 제거법은 처음에 모든 독립변수를 포함한 상태에서 출발하여, 통계적으로 의미가 적은 변수부터 하나씩 제거해 가는 방식이다. 이렇게 하면 불필요한 변수를 줄여 모형의 단순화와 해석력 향상을 동시에 얻을 수 있다.

29. 주성분 분석(PCA)은 여러 변수의 분산을 가장 잘 설명하는 새로운 축(주성분)을 찾는 방법으로, 분산이 큰 주성분일수록 데이터의 정보를 많이 담고 있어 더 중요하게 다뤄진다. 반면 분산이 작은 주성분은 데이터의 정보가 적고, 노이즈에 가깝기 때문에 비중을 작게 둔다.

30.

비기봇 해설

주성분 분석(PCA)은 데이터의 차원을 축소하면서도 최대한의 분산을 유지하는 기법입니다.

1. 2개의 주성분으로 7개의 변수를 80% 이상 설명이 가능하다.

: 주성분의 중요도(Importance of components) 표를 참고하면 Comp.2의 Cumulative Prop가 0.80 임을 확인할 수 있습니다. 이를 통해 Comp.2까지의 주성분 2개가 7개의 변수를 80% 이상을 설명한다고 볼 수 있습니다.

2. Javelin 변수의 영향력이 가장 크다.

: 주성분 분석에서 특정 변수의 영향력은 로딩값을 통해 확인할 수 있습니다. 로딩값은 각 주성분이 원래 변수의 어떤 조합으로 구성되는지를 나타내며, 로딩값이 클수록 그 변수는 해당 주성분에 큰 영향을 미칩니다. Javelin 변수의 영향력이 크다고 주장하려면 Comp.1 또는 Comp.2에서 Javelin의 로딩값이 다른 변수들보다 커야 합니다. 하지만 Comp.1의 Javelin 변수의 값은 NA 이기 때문에 영향력을 평가할 수 없습니다.

3. Comp.1의 로딩값이 큰 변수가 Comp.1에서 중요한 변수이다.

: Comp.1의 로딩값이 큰 변수는 Comp.1에서 중요한 변수라는 것은 로딩값의 크기가 변수의 상대적 중요성을 나타내기 때문입니다. 로딩값이 크면 그 변수는 해당 주성분에 대하여 더 큰 설명력을 가집니다.

4. 첫 번째 주성분의 고유값은 약 5.90이다.

: 주성분의 고유값은 해당 주성분이 설명하는 데이터의 변동을 나타내며 주성분의 고유값은 해당 주성분의 분산을 의미합니다. 첫 번째 주성분의 표준편차가 2.43으로 표기되어 있는 것을 확인할 수 있습니다. 이 값을 제곱하면 분산을 구할 수 있으며 5.905로 계산되므로 첫번째 주성분의 고유값은 약 5.90이 라는 표현은 정확합니다.

31. Q1은 데이터의 하위 25% 지점을 의미하는 제1사분위수로, 전체 값 중 아래에서부터 25%가 이 값보다 작다는 뜻이다. 따라서 "Sales의 25%는 Q1보다 크다"는 잘못된 해석이다. 실제로 Sales의 25%는 Q1인 5.39보다 작으며, Q1 아래 구간에 위치한다.

32. 상관계수가 -1일 때는 두 변수 간의 완전한 음의 선형 관계를 의미하므로 상관관계가 가장 약한 것이 아니다. 상관계수는 -1에서 1 사이의 값을 가지며, 절대값이 클수록 강한 선형 관계를 나타낸다.

33. education과 balance의 상관계수는 -0.5321, education과 census의 상관계수는 -0.8173이다. 상관계수의 절댓값이 클수록 두 변수의 관계가 더 강하다는 뜻이다. -0.8173의 절댓값(0.8173)이 0.5321보다 크므로, education은 balance보다 census와 더 강한 관계를 가진다.

34. Education이 Fertility의 원인이라는 주장은 회귀분석 결과만으로 인과관계를 확정할 수 없으므로 옳지 않다. 특히 설명된 다중회귀분석은 Examination이 통계적으로 유의하지 않아 활용할 수 없는 모형의 결과이므로 Education 이 Fertility의 원인이라고 주장하기는 더욱 힘들다고 볼 수 있다.

35. 이 문제는 모델의 예측 성능을 평가할 때 사용하는 다양한 지표 중에서, '모델이 참이라고 예측한 것 중에서 실제로도 참인 것'에 해당하는 지표는 정밀도이다. 정밀도는 예측의 정확성을 평가하는 데 중요한 역할을 하고 특히, 모델이 양성으로 예측한 사례들 중 실제로 양성인 사례의 비율을 나타내는 것이 핵심이다.

36. 자카드 거리는 이산형 변수 간의 유사성을 측정하는 데 사용되며, 연속형 변수 간의 유사성 측정에는 적절하지 않다. 반면 마할라노비스 거리, 맨하탄 거리, 유클리드 거리는 모두 연속형 변수 간의 거리를 측정하는 방법이다.

37. ROC 곡선에서 가장 효율적인 도형은 좌상단의 (0, 1) 지점이다. 이 지점은 거짓 양성 비율이 0이고 참 양성 비율이 1인 완벽한 분류기를 나타낸다.

38. 부스팅은 오분류된 표본의 가중치를 높여 다음 약한 학습기가 이를 더 잘 학습하도록 한다. 배깅은 부트스트랩(재표본추출)을 사용하지 않으며, 단일 모형보다 항상 정확하지 않다. 부스팅은 과적합을 방지하기보다 오히려 과적합 위험이 있다.

39. 인공신경망 모형에서 가중치는 학습을 통해 자동으로 조정되는 값으로, 설명력을 직접적으로 제공하지 않는다. 따라서 '설명력 있는 가중치를 선출할 수 있다'는 설명은 옳지 않다.

40. 로지스틱 회귀분석은 이진 또는 다중 범주형 결과를 예측하는 데 사용된다. 마케팅의 성공여부 예측은 성공 또는 실패라는 이진 결과를 예측하는 문제로, 로지스틱 회귀분석의 적절한 적용 사례이다.

41. 가지치기(Pruning)는 일반적으로 모델의 복잡성을 줄여 과대적합을 방지하고 일반화 성능을 향상시키기 위한 방법이다. 따라서 가지치기를 통해 학습 데이터 세트에서의 정확도를 높이는 것이 아니라, 오히려 테스트 데이터에 대한 일반화 성능을 높이는 것이 목적이다.

42. K-means 알고리즘은 사용자가 군집 개수 K를 직접 지정해야 하며, 자동으로 결정되지 않는다. 따라서 "군집 개수 K는 알고리즘이 데이터에 따라 자동으로 결정한다"는 설명은 틀렸다.

43. SOM(Self-Organizing Map)은 입력층과 경쟁층이 완전히 연결되어(fully connected) 있어야 하므로, '부분적으로 연결된다'는 설명은 틀렸다. 나머지 선지들은 SOM의 특성을 올바르게 설명하고 있다. SOM은 고차원 데이터를 저차원으로 변환하고, 반복적인 경쟁 과정을 통해 학습하며, 순전파 방식을 사용한다.

44. Height=2에서 덴드로그램을 잘라보면, 클러스터는 총 5개로 나뉜다. 각각의 클러스터는 (3, 10), (1, 4), (6, 7), (9), (8, 2, 5)으로 구성된다.

45.

 비기봇 해설

버터를 구매할 확률 대비 빵을 구매한 사람이 버터를 구매할 확률을 비교하는 수치는 빵을 구매하면 버터를 구매한다는 룰의 향상도를 계산하는 것을 의미한다. 빵과 버터의 지지도 P(A∩B)는 3/50이고, 빵의 확률 P(빵)은 4/5, 버터의 확률 P(버터)은 3/5 이므로 아래와 같이 향상도를 계산할 수 있다.

1. 향상도 1.25

: 향상도는 P(B|A) / P(B)로 계산되며, P(B|A)= P(A∩B)/P(A) 를 의미한다. P(B|A) = (3/5)/(4/5)= 3/4이고 P(B|A) / P(B)= (3/4)/(3/5)=5/4이기 때문에 계산 결과 향상도는 5/4이므로 1.25가 맞습니다.

2. 향상도 0.25

: 향상도는 P(B|A) / P(B)로 계산할 수 있고, 보기 1의 해설과 같이 향상도는 5/4이므로 1.25이기 때문에 보기의 0.25는 잘못된 결과 입니다.

3. 신뢰도 0.75

: 신뢰도는 P(B|A)이고 P(B|A)= P(A∩B)/P(A) 를 의미한다. P(B|A) = (3/5)/(4/5)= 3/4로 계산할 수 있어 신뢰도는 3/4이고 0.75가 맞습니다. 다만, 문제는 신뢰도가 아니라 향상도를 묻고 있으므로 정답이 아닙니다.

4. 신뢰도 0.6

: 신뢰도는 P(B|A)이고 보기 3의 해설과 같이 신뢰도는 3/4 인 0.75입니다. 신뢰도 0.6은 계산이 잘못되었습니다. 또한 문제는 신뢰도가 아니라 향상도를 묻고 있으므로 정답이 아닙니다.

46. 연관분석에서 지지도는 전체 거래 중에서 A와 B를 동시에 구매한 거래의 비율을 의미한다. 따라서 지지도에 해당하는 보기는 '전체 중에 A와 B를 동시에 구매할 확률'인 3번이다. 지지도는 A와 B의 동시 발생 빈도를 전체 거래 수로 나눈 값이다.

47. 군집분석은 유사한 특성을 가진 객체들을 묶는 비지도학습 기법이다. 입력변수가 범주형이라 하더라도 거리 정의나 유사도 측정 방법을 달리하면 군집분석이 가능하다. 따라서 범주형 변수로는 군집분석을 할 수 없다는 설명은 옳지 않다. 반면, 군집이 이미 범주형으로 주어져 있다면 이는 군집을 새로 형성하는 분석 대상이 아니라 분류 결과에 해당하므로, 범주형으로 표현된 군집으로는 군집분석을 할 수 없다는 4번의 설명은 옳다고 볼 수 있다.

48. 다차원척도법은 개체 간의 상대적인 위치를 파악하기 위해 거리 정보를 사용하며, 유사도나 비유사도를 보존하면서 고차원 데이터를 저차원 공간에 표현하는 방법이다. 하지만 다차원척도법은 개체들의 절대적인 좌표 위치를 제공하지 않으며, 상대적인 위치만을 나타낸다.

49. 계통 추출법은 모집단에서 일정한 간격을 두고 추출 단위를 선택하는 확률 표본 추출 방식이다. 다른 선지들은 층화 추출, 비확률 추출, 다단계 추출 등 다른 표본 추출 방법에 대한 설명이다.

50. 스피어만 상관분석은 등간 척도가 아닌 서열 척도에서 비선형 관계를 측정하는 데 적합하다.

제 46회 기출 복원문제 답안

데이터 분석 준전문가 자격검정 시험

【 객관식 정답 】

1	①	11	③	21	④	31	④	41	④
2	②	12	②	22	③	32	①	42	④
3	①	13	①	23	①	33	④	43	③
4	②	14	②	24	①	34	①	44	③
5	④	15	③	25	③	35	③	45	④
6	②	16	③	26	②	36	①	46	③
7	④	17	②	27	②	37	①	47	④
8	②	18	①	28	③	38	②	48	②
9	③	19	①	29	①	39	③	49	②
10	③	20	①	30	④	40	①	50	④

영역	맞은 개수
데이터 이해	/10
데이터 분석 기획	/10
데이터 분석	/30

모바일로 풀기

1 데이터 이해
10문항

01. DIKW 피라미드에서 데이터는 단순한 사실이나 수치로, 'A'는 A마트와 B마트의 가격 정보를 제공하므로 데이터이다. 정보는 데이터를 해석한 것으로, 'B'는 A마트의 연필이 더 싸다는 해석이므로 정보이다. 지식은 정보를 바탕으로 한 결론이나 의사결정 결과이며, 'C'는 A마트에서 연필을 사겠다는 결론이므로 지식이다. 'D'는 단편적인 사실을 넘어 근본적인 통찰을 바탕으로 일반화된 판단을 내린 지혜에 해당한다.

02. 정성적 데이터는 정해진 구조가 없어 일반적인 정량적 데이터에 비해 저장, 처리, 분석에 고도화된 기술과 복잡한 인프라가 필요하다. 따라서 정성적 데이터는 정량적 데이터보다 더 많은 비용과 기술적 발전을 수반하게 된다.

03. 데이터베이스의 일반적인 특징은 통합된 데이터, 저장된 데이터, 공용 데이터, 변화하는 데이터이다. 1번 통합된 데이터는 데이터베이스에서 중복을 최소화하며 일관성을 유지하는 것을 의미하므로 정확한 표현이다. 2번은 공용성, 3번은 공유 대상, 4번은 비휘발성을 잘못 설명하고 있다.

04. OLTP는 데이터베이스에 대한 신속한 거래 입력, 수정, 삭제 등의 실시간 거래 처리를 주 목적으로 한다. 반면, OLAP는 축적된 데이터를 조회하고 분석하여 의사 결정에 필요한 보고서를 생성하는 데 사용되므로, 두 시스템의 역할을 반대로 설명하고 있다.

05. 데이터베이스의 정보 축적과 전달 측면에서 특징은 기계 가독성, 검색 가독성, 원격 조작성이다. 정보 이용성은 정보의 축적과 전달보다는 정보 기술 발전과 관련이 있다.

06.

 비기봇 해설

데이터 처리 기술에는 OLTP와 OLAP가 있으며, OLTP는 주로 트랜잭션 처리에 중점을 두고, OLAP는 다차원 데이터를 대화식으로 분석하여 복잡한 쿼리를 빠르게 처리하는 데 중점을 둡니다.

가. OLTP는 다차원 데이터를 대화식으로 분석하고 복잡한 쿼리를 빠르게 처리하여 사용자에게 통찰을 제공하는 데이터 처리 기술이다.

: OLTP(Online Transaction Processing)는 온라인에서 실시간으로 다수의 사용자가 동시에 거래를 처리하는 시스템입니다. 예를 들어 은행 입출금, 온라인 쇼핑 주문 등의 데이터 처리 방식이 OLTP에 해당합니다. 반면, 보기에 언급된 "다차원 데이터 분석, 복잡한 쿼리 처리, 통찰 제공"은 OLAP(Online Analytical Processing)의 특징으로 기술과 그 내용이 잘못 설명되어 있습니다.

나. ETL은 다양한 DBMS에서 데이터를 가져와 정리한 후, 분석에 적합한 형태로 최종 저장소에 저장하는 프로세스다.

: ETL은 Extract(추출), Transform(변환), Load(적재)의 과정을 거쳐 데이터를 분석하기 좋은 형태로 정리하여 DW(Data Warehouse) 등에 적재하는 프로세스입니다. 여러 원천 시스템에서 데이터를 수집해 통합하는 데 핵심적 역할을 합니다.

다. 데이터 마이닝은 대량의 데이터에서 숨겨진 패턴과 규칙을 찾아내어 의사결정에 활용하는 기법이다.

: 데이터 마이닝은 통계, 머신러닝, 인공지능 기법을 활용하여 데이터 내의 유의미한 패턴, 상관관계, 규칙 등을 추출하는 과정입니다. 이를 통해 기업은 고객 세분화, 이탈 예측, 추천 시스템 등에 활용할 수 있습니다.

07. 빅데이터의 출현은 데이터의 양(Volume), 속도(Velocity), 다양성(Variety)이 폭발적으로 증가한 환경적 변화와, 이를 처리할 수 있는 기술적 기반의 발전에 의해 촉진된 현상이다. 기업의 데이터 활용 인식 확대, 디지털 전환, 분산처리 기술의 발전 모두 빅데이터 등장 배경으로 옳다.

08. 빅데이터 시대의 패러다임 변화는 '표본조사 → 전수조사', '인과관계 → 상관관계', '사전처리 → 사후처리'로 전환되는 특징을 가진다. 특히, 모든 데이터의 질을 완벽히 통제하기 어려워지면서 대량의 데이터를 활용하여 통찰을 얻는 '데이터의 질 → 데이터의 양'의 관점이 중요해 졌다.

09. 분류 분석은 주어진 데이터를 기반으로 특정 범주나 클래스를 예측하는 데 사용된다. 3번 선지의 아파트 매매가격 예측은 연속적인 값을 예측하는 회귀 분석에 해당하므로 분류 분석의 사례로 옳지 않다. 나머지 선지들은 모두 범주형 결과를 예측하는 분류 분석의 사례이다.

10. 빅데이터 시대의 위기 요인은 주로 데이터의 부적절한 사용과 관련된 문제들이다. 사생활 침해, 책임 원칙 훼손, 데이터 오용은 모두 데이터의 부적절한 사용으로 인한 위기 요인이다. 반면, 기업 경쟁력 약화는 빅데이터 활용의 부재로 인한 문제로, 위기 요인에 해당하지 않는다.

2 데이터 분석 기획
10문항

11. 데이터 분석을 도입할 때에는 자원과 목표를 고려하여 해결하고자 하는 핵심 문제에 집중해야 한다. 핵심 분석에 집중하지 않고 여러 분석을 동시에 진행하면 자원이 분산되고 비효율적일 수 있어 성공적인 데이터 분석 도입에 방해가 된다.

12. 분석 주제 유형은 분석 대상(What)과 방법(How) 인지 여부에 따라 구분된다. 분석 대상과 방법을 모두 아는 경우는 '최적화' 유형으로, 분석 목표는 효율 증대나 성능 개선이 된다. 따라서 정답은 2번이다. 나머지 보기들은 분석 대상과 방법의 인지 여부와 주제 유형의 연결이 잘못되었다.

13.

비기봇 해설

CRISP-DM(Cross Industry Standard Process for Data Mining)은 산업 전반에서 활용되는 데이터마이닝 프로세스로, 각 단계가 명확히 정의되어 있으며 실제 프로젝트에서는 순환적·반복적으로 적용됩니다.

1. 업무 이해 – 데이터 이해 – 데이터 준비 – 모델링 – 평가 – 전개 단계로 진행된다.
: CRISP-DM의 단계는 업무 이해에서 시작하여 데이터 이해, 데이터 준비, 모델링, 평가, 전개로 이어집니다. 이 순서는 데이터 마이닝 프로젝트의 전형적인 흐름을 나타내며, 각 단계는 다음 단계의 기초가 됩니다. 따라서 이 선지는 CRISP-DM의 단계적 흐름을 잘 설명하고 있습니다.

2. 분석 과정은 순차적으로 진행되며, 각 단계는 피드백을 통해 반복적으로 수행된다.
: CRISP-DM의 핵심은 '순차적 진행보다는 단계 간의 순환적 구조(Iterative)에 있습니다. 예를 들어, 데이터 준비 단계에서 데이터 이해 단계로 다시 돌아가는 등 단계 간 피드백이 매우 빈번하게 일어나기 때문에, 단순히 순차적이라고 표현하는 것은 이 방법론의 유연한 특성을 충분히 반영하지 못합니다.

3. 전개 단계는 다양한 모델링 기법과 알고리즘을 선택하고 모델링 과정에서 사용되는 파라미터를 최적화해 나간다.
: 전개 단계는 모델을 실무에 적용하기 위한 계획을 수립하는 단계로, 모델링 기법과 알고리즘 선택 및 파라미터 최적화는 모델링 단계에서 이루어집니다. 따라서 이 선지는 전개 단계의 역할을 잘못 설명하고 있습니다.

4. 모델링 단계에서는 프로젝트 목적에 부합하는지 평가하는 단계로 데이터 마이닝 결과를 최종적으로 수용할 것인지 판단한다.
: 모델링 단계는 다양한 기법을 적용하여 모델을 구축하는 단계이며, 평가 단계에서 모델이 프로젝트 목적에 부합하는지 판단합니다. 이 설명은 모델링과 평가 단계를 혼동하고 있습니다.

14. 분석과제 정의서는 분석의 범위와 방법을 명확히 정의하는 문서로, 내부 데이터뿐만 아니라 외부 데이터도 포함할 수 있다. 따라서 내부 데이터만 분석 대상으로 포함한다는 2번 보기는 적절하지 않다. 나머지 보기들은 분석과제 정의서의 일반적인 내용에 부합한다.

15. (ㄱ)은 모델이 실제 값에 얼마나 근접하게 예측하는지를 나타내므로 '정확도'이다. (ㄴ)은 동일한 예측을 여러 번 수행했을 때 결과가 얼마나 일관성 있게 나타나는지를 의미하므로 '정밀도' 이다.

16. 상향식 접근법은 문제 정의가 명확하지 않은 상황에서 시작하여 점진적으로 해결책을 찾아가는 방식이다. 따라서 사전에 명확한 구조와 충분한 데이터가 확보되어 있어야 한다는 3번 설명은 상향식 접근법에 부합하지 않고 하향식 접근법에 해당된다.

17. 하향식 접근법의 문제 탐색 단계에서는 주로 비즈니스 목표와 요구사항을 기반으로 문제를 정의하고 탐색한다. '데이터 기반 탐색'은 하향식 접근법보다는 상향식 접근법에서 주로 사용되는 기법으로, 데이터 자체에서 인사이트를 도출하는 방식이다. 따라서 데이터 기반 탐색은 하향식 접근법의 문제 탐색 단계에서 틀린 기법이다.

18. 과제 1은 시급성이 높고 난이도가 낮아 빠른 실행과 즉각적인 효과 측정이 가능하므로, A 회사가 가장 먼저 해결해야 할 과제이다. 반면, 과제 2는 시급성이 낮고 난이도가 높아 장기적인 계획과 투자가 필요하다. 따라서 A 회사는 과제 1을 우선으로 수행하는 것이 적절하다.

19. 시급성은 일반적으로 과제의 긴급성과 중요성에 의해 결정되며, 전략적 중요도와 데이터 분석 비용은 시급성보다는 과제의 실행 가능성과 효율성을 평가하는 데 사용된다. 따라서 1번 보기는 분석 과제 우선순위 선정 기준으로 적절하지 않다.

20. 분석준비도는 조직이 데이터 분석을 효과적으로 수행할 수 있는 능력을 평가하는 개념이다. 인력 및 조직, IT인프라, 분석 문화와 분석 업무, 분석 기법, 분석 데이터는 분석준비도에 중요한 6가지 요소이지만 재무 상태는 분석준비도와 직접적인 관련이 없다.

3 데이터 분석
30문항

21. 결측값을 대체하는 목적은 데이터의 정보 손실을 최소화하고 데이터셋의 완전성을 유지하여 분석의 신뢰성을 확보하는 데 있다. 이는 결측값을 무작정 삭제하거나 임의의 값으로 대치하는 것보다 데이터의 일관성을 유지하고 분석 결과의 왜곡을 방지하는 데 효과적이다.

22. 가설 검정에서 P-value가 설정한 유의수준(α)보다 작다는 것은 귀무가설이 옳다고 가정했을 때 현재의 결과가 발생할 확률이 매우 낮다는 것을 의미한다. 따라서 유의수준보다 작으면 귀무가설을 기각하고 대립가설을 채택해야 하므로, 3번의 '대립가설을 기각한다'는 설명은 적절하지 않다.

23. 표본평균은 모평균의 불편추정량으로 사용되나, 표본표준편차는 모표준편차의 불편추정량이 아니다. 모표준편차를 추정하려면 표본 크기 등을 고려하여 보정이 필요하며, 특히 표본 크기 30으로는 정확한 추정에 한계가 있다.

24.

비기봇 해설

확률변수 X의 기댓값은 확률질량함수(PMF)를 이용하여 계산할 수 있습니다. 기댓값 E(X)는 각 확률변수 값에 그 값이 발생할 확률을 곱한 후, 이들의 합을 구하는 방식으로 계산됩니다.

1. 기댓값(E[X]) 정의

$$E[X] = \sum_i x_i \cdot P(X = x_i)$$

2. 주어진 확률분포

주어진 확률분포표에서 X의 값은 1, 2, 3, 4이고, 각각의 확률은 0.4, 0.3, 0.2, 0.1입니다.

- X=1,2,3,4
- P(X)=0.4,0.3,0.2,0.1

3. 기댓값 계산

E[X] = 1 × 0.4 + 2 × 0.3 + 3 × 0.2 + 4 × 0.1 = 0.4 + 0.6 + 0.6 + 0.4 = 2.0

계산결과, 기댓값은 2입니다.

25. 결정계수 R^2는 회귀모형이 종속변수의 총 변동(SST) 중에서 회귀로 설명되는 변동(SSR)이 차지하는 비율이다. ANOVA 표에서 회귀 제곱합(SSR)은 x의 Sum Sq인 30이고, 잔차 제곱합(SSE)은 Residuals의 Sum Sq인 20이므로 총 제곱합(SST)은 30+20=50이다. 따라서 R^2=30/50=0.6이다.

26. 출력에서 유의확률 즉, p-value < 0.05이므로 귀무가설(평균은 100과 같다.)은 기각한다. 95% 신뢰구간 [110.2098, 113.1974]도 100을 포함하지 않아 기각 결론과 일치한다.

27. 사분위수 범위는 데이터의 중심에서 50% 데이터가 흩어진 정도를 나타내는 지표이다. 이는 데이터의 1사분위수(Q1)와 3사분위수(Q3) 간의 차이로 계산되며, 데이터의 중간 50%의 분포를 보여준다. 중앙값, 평균, 표준편차는 각각 데이터의 중심 경향이나 전체 분산을 나타내는 지표로, 사분위수 범위와는 다른 개념이다.

28. 다차원척도법(MDS)은 주로 객체 간의 유사성이나 거리 데이터를 시각적으로 표현하는 데 사용된다. 넷플릭스 영화를 본 사람들의 감상평과 댓글, 영화정보를 활용해 영화들의 유사도를 분석하고 이것을 2차원 공간에 시각화하는 것은 제품 포지셔닝 맵(perceptual Map) 기법으로 MDS의 대표적인 사례이다.

29. 상관계수 0.8은 A와 B 간 강한 양의 선형관계를 의미한다. p-값이 0.01로 유의수준 0.05보다 작으므로 귀무가설을 기각하고 상관관계가 통계적으로 유의하다고 판단한다.

30. 표본 공분산은 각 변수의 편차 곱의 합을 자유도로 나눈 값이다. X의 평균은 3, Y의 평균은 5이다. 각 편차곱 (X-3)(Y-5)의 합은 14이고 자유도는 데이터의 개수5에서 1을 뺀 4가 되므로 표본 공분산은 14/4=3.50이다. 즉, X와 Y는 양의 방향으로 함께 증가하는 경향을 보인다.

31. 주성분 개수는 변수 수에 의해 결정되며, 데이터 수와 무관하다. 따라서 주성분 개수가 데이터의 수만큼 생성된다는 설명은 부적절하다. 주성분분석은 원래 변수의 수를 기준으로 주성분을 생성하여 차원 축소를 수행한다.

32. 데이터 마이닝 프로세스는 일반적으로 목적 정의, 데이터 준비, 데이터 가공, 기법 적용, 검증의 순서로 진행된다. 따라서 1번이 데이터 마이닝 프로세스를 가장 잘 설명하고 있다. 목적을 명확히 정의한 후 데이터를 준비하고 가공하여 적절한 기법을 적용한 뒤 결과를 검증하는 것이 핵심이다.

33. 상관 분석은 두 변수 간의 관계의 강도와 방향을 측정하는 것이지, 독립 변수의 변동에 따른 종속 변수의 값을 예측하는 것이 아니다. 예측은 회귀 분석의 영역이다.

34. 정상성 시계열은 평균과 분산이 시간에 따라 일정하며, 공분산은 시차(lag)에만 의존하고 시점자체에는 의존하지 않는다. 따라서 3번 공분산은 시차에 따라 달라질 수 있다. 2번은 추세에 대한 설명이고 4번은 계절성에 대한 설명이며, 추세와 계절성은 모두 비정상 시계열의 특징에 해당한다.

35. 로지스틱 회귀 결과에서 표본 n=10000(9999+1)이며, balance와 income 모두 유의(p<0.05)하다. 계수는 balance 0.005647, income 0.0000208로 양수이므로 income 증가 시 부도 확률은 소폭 증가한다. balance 1 증가 시 오즈는 $e^{0.005647}$배이다.

36. 분류 분석은 주어진 범주에 따라 관측값이 어느 그룹에 속할지를 예측하는 분석 기법이다. 선지 1번이 분류 분석의 정의로 가장 올바르며, 나머지 선지들은 다른 분석 기법에 해당한다.

37. 은닉층이 없는 인공신경망은 활성화 함수에 따라 다른 회귀 모형과 동일한 특성을 가진다. ReLU를 사용한 은닉층 없는 신경망은 선형 변환에 가까워 로지스틱 회귀와는 다른 특성을 가진다.

38. 입력층에서 은닉층으로의 연결 가중치는 20개 노드와 50개 노드 간의 연결로 20 x 50 = 1000개이다. 은닉층에서 출력층으로의 연결 가중치는 50개 노드와 3개 노드 간의 연결로 50 x 3 = 150개이다. 따라서 총 연결 가중치의 수는 1000 + 150 = 1150개이다.

39. 시그모이드 함수는 입력값을 0과 1 사이의 값으로 변환하는 특성을 가진다. 따라서 시그모이드 함수의 출력값 범위는 0 이상 1 이하이다.

40. 부스팅은 여러 개의 약한 학습기를 순차적으로 학습시키면서 이전 모델이 잘 맞추지 못한(오분류/오차가 큰) 데이터에 더 큰 가중치를 부여하여 다음 모델이 이를 보완하도록 하는 앙상블 기법이다. 반면 부트스트랩 표본을 병렬 학습 후 평균/다수결로 결합하는 방식은 배깅의 특징이다.

41. 다층 신경망을 설계할 때 모든 은닉층의 노드 수를 동일하게 구성해야 한다는 것은 옳지 않다. 은닉층의 노드 수는 문제의 특성에 따라 다르게 설정할 수 있으며, 동일하게 구성할 필요는 없다.

42. 단층 퍼셉트론에서 출력층의 결과가 다범주일 때 사용하는 활성화 함수는 Softmax 함수이다. Softmax 함수는 입력값을 확률 분포로 변환하여 각 클래스에 대한 확률을 제공하므로 다범주 분류 문제에 적합하다. Sigmoid는 이진 분류, Tanh, ReLU 함수는 주로 은닉층에서 사용된다.

43. ROC 커브는 x축 1-특이도, y축 민감도로 분류 모델 성능을 평가한다. ROC 커브를 통해 모델의 성능을 상대적 비교가 가능하고 이때는 AUROC(Area Under ROC)를 활용할 수 있다.

44.

비기봇 해설

모델의 성능을 평가하기 위해 혼동 행렬(Confusion Matrix)을 사용합니다. 혼동행렬은 TP, FP, TN, FN 네 가지 요소로 모델 성능을 평가하며, 이를 통해 정밀도(Precision), 재현율(Recall/민감도), F1 스코어, 정확도(Accuracy) 같은 지표를 계산해 모델의 예측 성능을 종합적으로 확인할 수 있습니다.

1. F1 score
: F1 score는 정밀도와 재현율의 조화 평균으로, 두 지표의 균형을 평가하는 데 사용됩니다.

2. 정밀도
: 정밀도는 모델이 참으로 예측한 것 중 실제로 참인 데이터의 비율을 나타냅니다.

3. 재현율
: 재현율은 실제로 참인 데이터 중에서 모델이 참으로 예측한 비율을 나타내며, 민감도라고도 불립니다.

4. 정확도
: 정확도는 전체 데이터 중에서 모델이 올바르게 예측한 비율을 나타냅니다.

재현율은 실제로 양성인 데이터 중에서 모델이 양성으로 올바르게 예측한 비율을 나타내며, 이는 문제에서 요구하는 지표와 정확히 일치합니다. 다른 지표들은 각각의 특성에 따라 모델의 다른 측면을 평가하지만, 문제의 조건에 부합하지 않습니다.

45. 잔차 제곱합은 회귀 분석에서 사용되는 기준으로, 분류 의사결정나무의 노드 분할 기준으로는 적절하지 않다. 분류 문제에서는 주로 지니지수, 엔트로피 지수, 카이제곱 통계량 등이 사용된다.

46. K-Means 군집 분석에서 초기 군집 중심을 선택하는 방법으로는 데이터 집합에서 군집수만큼 데이터 포인트를 무작위로 추출하여 선택하는 것이 일반적이다. 이는 초기 중심이 군집의 결과에 큰 영향을 미치기 때문에 다양한 초기값을 시도하여 최적의 군집을 찾기 위함이다.

47. 최소 지지도를 2로 설정했을 때, 각 항목 집합의 빈도를 계산해야 한다. {a, b}는 2번, {b, c}는 3번, {b, c, d}는 1번, {b, c, e}는 2번 나타나며, 최소지지도가 2 이상인 항목은 {a, b}, {b, c}, {b, c, e}이며 이중 최대 길이의 빈발항목 집합은 {b, c, e}이다.

48. 연관분석에서 지지도는 전체 거래 중 특정 항목 집합이 포함된 거래의 비율을 나타내며, 신뢰도는 조건부 확률로 특정 항목이 주어졌을 때 다른 항목이 발생할 확률을 나타낸다. 연관분석에서는 지지도와 신뢰도 모두 중요하다.

49.

 비기봇 해설

지지도는 연관 규칙 A→B에 대해 아래와 같이 계산됩니다.

$$\text{Support}(A \to B) = \frac{\text{A와 B를 동시에 포함한 거래 수}}{\text{전체 거래 수}}$$

1. A는 커피, B는 우유이므로 커피와 우유가 함께 포함된 거래 수를 찾아야 합니다.

   표에서 커피 + 우유가 들어간 경우:

   - 커피, 우유 = 250
   - 커피, 우유, 녹차 = 50

   합계 = 300 건

2. 전체 거래 수는 1000건 이므로 지지도(Support)는

$$\text{Support}(커피 \to 우유) = \frac{300}{1000} = 0.3$$

계산 결과, "커피 → 우유"의 지지도는 0.3입니다.

50. 덴드로그램에서 거리가 150일 때 군집의 개수는 2개로 구분되었고, "complete"는 최장연결법을 활용한 계층적 군집 분석 방법임을 의미한다. 동일한 연결법을 사용하여 군집분석 할 경우, 데이터가 동일하면 결과도 동일하게 나타난다. Cadillac Fleetwood와 Lincoin Continental 세트와 Chrysler Imperial과의 거리는 약 200이지만 이것은 평균거리가 아니라 최장거리를 의미한다.

제 47회 기출 복원문제 답안

데이터 분석 준전문가 자격검정 시험

【 객관식 정답 】

1	①	11	①	21	④	31	④	41	②
2	③	12	②	22	③	32	④	42	②
3	①	13	①	23	①	33	③	43	②
4	③	14	③	24	①	34	④	44	①
5	④	15	①	25	①	35	③	45	③
6	④	16	④	26	①	36	①	46	④
7	①	17	①	27	①	37	①	47	④
8	③	18	②	28	①	38	④	48	②
9	①	19	④	29	③	39	②	49	④
10	②	20	③	30	③	40	④	50	③

영역	맞은 개수
데이터 이해	/10
데이터 분석 기획	/10
데이터 분석	/30

모바일로 풀기

1 데이터 이해
10문항

01. 암묵지와 형식지의 상호작용은 Nonaka와 Takeuchi가 제안한 SECI 모델에 기반한다. 이 모델은 공통화(Socialization: 암묵지 공유), 표출화(Externalization: 암묵지 명시화), 연결화(Combination: 형식지 체계화), 내면화(Internalization: 형식지 내재화) 순으로 지식 창출의 나선형 과정을 설명한다. 조직 내 지식을 효과적으로 생성하고 전파하는 핵심 이론이다.

02. DIKW 피라미드는 데이터-정보-지식-지혜의 계층 구조이다. 1번, 2번, 4번은 비교·집계 등으로 가공된 정보(Information)이다. 반면 3번은 날씨와 지점 수 증가를 원인으로 들어 매출 증가를 예측하므로 지식(Knowledge)에 해당한다. 정보는 데이터를 정리해 '무엇이 일어났는가'를 설명하고, 지식은 인과를 통해 '왜 일어났고 앞으로 어떻게 될 것인가'를 설명한다.

03. 제시된 설명은 데이터베이스의 기계 가독성(Machine Readable), 검색 가능성(Searchability), 원격 조작성(Remote Access)을 다루고 있다. 이는 정보를 효율적으로 저장하고 필요할 때 언제 어디서나 접근하여 활용할 수 있는 특성으로, 정보의 축적과 전달 측면을 설명한다. 정보 이용 측면은 활용 방식에 관한 것이고, 정보 관리 측면은 품질과 통제에 관한 것이며, 정보기술발달 측면은 기술 진화에 관한 것이므로 적절하지 않다.

04.

 비기봇 해설

개인정보 비식별화는 개인을 식별할 수 있는 정보를 제거하거나 변형하여 개인정보를 보호하는 기술을 의미하며, 이는 개인정보가 포함된 데이터를 분석하거나 활용할 때 개인의 사생활을 침해하지 않도록 하기 위한 방법입니다. 비식별화 기술에는 가명처리, 익명화, 데이터 마스킹 등이 있으며, 각각의 방법은 데이터의 식별 가능성을 최소화하는 데 중점을 둡니다.

1. 정규화(Normalization)
: 정규화는 데이터베이스 분야에서 데이터의 중복성을 제거하고 일관성을 유지하기 위해 테이블을 분해하고 재구성하는 과정을 의미합니다. 개인 식별 정보를 제거하거나 변형하는 것과는 직접적인 관련이 없습니다.

2. 표현화(Representation)
: 표현화는 데이터를 사람이나 기계가 이해하고 처리하기 쉬운 형태로 변환하는 과정을 포괄적으로 의미합니다. 예를 들어, 텍스트를 숫자로 변환하는 것도 표현화의 일종입니다. 이는 개인정보를 알아볼 수 없게 하는 특정 기술 용어는 아닙니다.

3. 익명화(Anonymization)
: 익명화는 개인정보를 타인이 알아볼 수 없도록 식별 정보를 제거하거나 마스킹, 가명처리 등을 통해 변형하는 것을 의미합니다. 예를 들어, 이름이나 주민등록번호 같은 직접 식별 정보를 삭제하거나 암호화하여 특정 개인을 알아볼 수 없게 만드는 행위입니다. 이는 문제에서 제시한 정의에 가장 정확하게 부합합니다.

4. 시각화(Visualization)
: 시각화는 데이터를 그래프, 차트, 지도 등의 형태로 변환하여 쉽게 이해하고 분석할 수 있도록 하는 과정을 의미합니다. 데이터를 보기 좋게 만드는 과정이며, 식별 정보를 제거하거나 변형하는 기법과는 거리가 멉니다.

---

05. 빅데이터의 특징은 3V 또는 5V로 표현된다. Volume(규모)은 데이터의 양, Variety(다양성)는 정형/비정형 등 다양한 데이터 형식의 다양성, Velocity(속도)는 실시간 생성 속도를 의미 한다. 여기에 Veracity(정확성)와 Value(가치)가 추가되어 5V가 되기도 한다. 한편, 가용성(Availability)은 시스템이나 데이터에 접근 가능한 정도를 나타내는 시스템 운영 측면의 지표이므로, 데이터 자체의 본질적인 특징을 설명하는 빅데이터의 특성으로는 적절하지 않다.

06. 연관분석은 항목(item) 간의 연관 규칙을 발견하는 분석 방법으로 장바구니 분석에서 함께 구매되는 상품 조합을 찾아 교차진열이나 추천에 활용되고 주요 지표로는 지지도(Support), 신뢰도(Confidence), 향상도(Lift)가 있다. 반면 상관관계(Correlation) 분석은 연속형 변수 간의 선형 관계를 측정하는 별도의 통계 기법으로 연관분석과 상관분석은 명확히 구분되는 개념이다.

07. 1번 선택지에 제시된 사례는 유전 알고리즘(Genetic Algorithm)의 설명으로, 최적화 기법에 해당한다. 군집분석(Clustering)은 유사한 특성을 가진 데이터를 그룹으로 묶는 비지도 학습 기법이다. 연관분석은 장바구니 분석에 적합하고, 감성분석은 텍스트의 긍정/부정 분류에 사용되며, 사회관계망분석은 네트워크 관계 파악에 활용된다. 따라서 1번 기법과 사례는 불일치한다.

08. 빅데이터 활용의 위기요인과 통제방안에서 '사생활 침해'는 제공자 동의제에서 사용자 책임제로의 전환이 타당하다. 반면 '책임원칙 훼손'은 알고리즘 접근 허용이 아닌 '결과(영향) 기반 책임 강화'가 맞으며, '데이터 오용'은 결과 기반 책임이 아닌, 투명성·감사 가능성을 전제로 한 '알고리즘 접근 허용'이 적절하다. 제시된 나·다는 통제가 서로 바뀌어 연결되었으므로 잘못되었다.

09. OLTP(Online Transaction Processing)는 기업의 일상적인 거래 데이터를 실시간으로 처리하며, 데이터의 입력, 수정, 삭제가 빈번하게 발생하는 운영 시스템의 핵심적인 데이터베이스 응용 시스템으로, 주로 은행의 입출금, 온라인 쇼핑몰의 주문 처리 등에 활용된다. 반면 OLAP(Online Analytical Processing)는 대용량 데이터의 분석과 의사결정 지원에 사용되며, CRM(Customer Relationship Management)은 고객 관계 관리 시스템을, SCM(Supply Chain Management)은 공급망관리 시스템을 의미한다.

10. 데이터 사이언티스트는 통계·프로그래밍·머신러닝 등과 같은 '하드 스킬(Hard Skills)' 뿐 아니라 의사소통·협업·스토리텔링 등 '소프트 스킬(Soft Skills)' 역시 반드시 갖추어야 한다. 분석이 설득과 실행으로 이어지지 않으면 비즈니스 가치를 창출할 수 없으므로, '의사소통·협업은 중요하지 않다'는 2번의 설명은 옳지 않다. 한편, 도메인 지식·문제 해결력·기술과 비즈니스 감각의 균형은 데이터 사이언티스트에게 모두 필수적인 역량이다.

2 데이터 분석 기획
10문항

11. 분석 기획 단계에서는 비즈니스 목적에 맞는 적절한 모형을 선택해야 한다. 무조건 복잡한 모형이 좋은 것이 아니라, 해석 가능성, 구현 가능성, 유지보수 등을 고려해야 하고, 과도하게 복잡한 모형은 과적합(Overfitting)을 유발하고 실무 적용이 어려울 수 있다. 2번의 유즈케이스 활용, 3번의 가용 데이터 조사, 4번의 리스크 관리는 모두 분석 기획의 핵심 활동이다.

12. 정형 데이터는 행과 열로 구성된 구조화된 데이터이다. 반정형 데이터는 XML·JSON처럼 스키마(또는 태그)를 포함하지만 고정된 구조는 아니며, 비정형 데이터는 텍스트·이미지·영상처럼 일정한 구조가 없는 데이터이다. IoT 로그 데이터는 보통 JSON, CSV, 키-값 등으로 기록되어 형식이 다양하고 스키마가 유연한 반정형으로 분류된다. 이메일과 SNS 게시글은 본문이 자유로운 서술형이므로 일반적으로 비정형으로 간주되며, 데이터는 유형에 따라 저장 구조와 처리 방식이 달라지고, 반정형은 정형-비정형의 중간 성격을 가진다.

13. 탐색(Exploration) 단계는 데이터와 문제를 이해하는 초기 단계로, 데이터의 특성 파악, 변수 관계 탐색, 가설 생성에 집중한다. 2번의 외부 참조 모델 활용은 빠른 인사이트 획득에 유용하고, 3번의 데이터 특성과 품질 검토는 EDA의 핵심이다. 4번의 분석 방향 구체화도 탐색 단계의 목표이다. 하지만 상세한 해결 방안 설계는 이후 단계에서 진행하게 된다. 따라서 너무 이른 시점에 상세 설계를 요구하는 1번은 부적절하다.

14. 분석 과제 유형은 목적과 방법의 명확성에 따라 분류되는데, '최적화(Optimization)'는 분석 대상과 방법이 모두 명확한 경우이며, '통찰(Insight)'은 대상은 불명확하나 방법은 명확한 경우이다. '솔루션(Solution)'은 분석 대상은 명확하나 방법이 불명확하여 다양한 기법을 시도하며 최적 방법을 찾아야 하는 경우이며, 마지막으로 '발견(Discovery)'은 대상과 방법이 모두 불명확한 탐색적 분석에 해당한다. 따라서 제시된 상황이 무엇을 분석할지는 알지만 어떻게 분석할지 모르는 경우라면, 이는 솔루션 유형에 해당한다.

15. 상향식(Bottom-up) 접근은 문제가 명확하지 않은 상황에서 데이터를 탐색하며 패턴을 발견하고 인사이트를 도출하는 방식이다. 프로토타이핑은 빠른 시도-피드백-개선을 반복하는 상향식의 대표 방법이고, 비지도 학습 활용 역시 라벨 없이 구조를 찾는 점에서 적절하다. 패턴 발견을 통한 통찰 획득 또한 상향식의 핵심이다. 반면 문제를 처음부터 명확히 정의해 해법을 찾는 것은 하향식(Top-down)에 대한 설명이므로 1번 선택지의 설명은 부적절하다.

16. 분석 마스터 플랜 수립 시 전략적 중요도(Strategic Importance), 비즈니스 성과(Business Performance), 실행용이성(Feasibility) 세 가지를 모두 고려해야 한다. 전략적 중요도는 기업 목표와의 연계성을 평가하고, 비즈니스 성과는 ROI와 가치 창출을 검토하며, 실행용이성은 기술적·조직적 실현 가능성을 판단한다. 이 세 요소를 균형있게 평가하여 우선순위를 결정하고 로드맵을 수립해야 한다.

17. 분석 성숙도 모델은 도입-활용-확산-최적화 단계로 구성된다. 도입 단계는 분석이 막 시작되어 일부 부서에서 제한적으로 활용되고, 기본적인 분석 환경과 시스템을 초기 구축하는 수준이다. 활용 단계에서는 분석이 업무 전반에 적용되기 시작하며, 확산 단계에서는 조직 전체로 확대된다. 최적화 단계는 분석 체계가 고도화되어 지속적 개선이 이뤄진다. 제시된 설명은 초기 구축 단계의 특징이므로 정답은 도입 단계이다.

18. 집중형 조직구조는 중앙 전담조직이 회사 차원의 우선순위에 따라 분석 업무를 총괄 수행하는 방식으로, 자원 효율성과 전문성 축적이 장점이지만, 현업 이해도가 낮을 수 있다. 대조적으로 기능형은 각 부서가 독립적으로 분석하고, 분산형은 각 사업부에 분석가를 배치하며, 혼합형은 중앙 조직과 현업 조직을 병행한다. 제시된 설명은 전담 조직의 일괄 수행을 강조하므로 집중형이 정답이다.

19. 데이터 거버넌스(Data Governance)는 데이터 관리의 정책, 프로세스, 역할을 정의하는 체계로, IT 부서와의 긴밀한 협력이 필수적이다. 독립적 운영은 불가능하며, 시스템과 프로세스가 통합되어야 실효성이 생긴다. 1번의 품질·표준·보안 관리, 2번의 기준 수립과 통제, 3번의 IT 협력은 모두 올바른 설명이라 볼 수 있다.

20.

비기봇 해설

분석 준비도(Analytics Readiness)는 조직이 데이터 분석을 수행할 준비가 얼마나 되어 있는지를 평가하는 과정입니다. 이는 데이터의 양과 품질, 인력과 조직 체계, 비용 및 예산, 기법 및 알고리즘 등 다양한 요소를 고려합니다.

1. 분석에 활용할 데이터의 양과 품질 수준

: 데이터의 양과 품질은 분석의 기초가 됩니다. 데이터가 충분하고 정확해야 분석 결과의 신뢰성을 확보할 수 있습니다.

2. 분석을 수행할 인력과 조직 체계의 구축 정도

: 분석을 수행할 인력과 조직 체계는 분석의 실행 가능성을 결정합니다. 적절한 인력과 체계가 갖춰져야 분석이 원활히 진행될 수 있습니다.

3. 분석에 투입할 비용 및 예산 확보 수준

: 비용 및 예산은 분석 준비도 평가 요소에 포함되지 않습니다. 이는 분석의 실행 가능성을 위한 조건이지만, 준비도 자체의 평가 요소는 아닙니다.

4. 분석에 적용할 기법 및 알고리즘의 종류

: 기법 및 알고리즘은 분석의 방법론적 측면을 다룹니다. 적절한 기법과 알고리즘을 선택하는 것은 분석의 성공에 중요한 역할을 합니다.

3 데이터 분석
30문항

21. 비율척도는 등간척도의 특성을 모두 가지면서 절대적 영점(Absolute Zero)을 가진 척도이다. 절대 영점이란 0이 아무것도 없음을 의미하며, 이로 인해 비율척도에서는 사칙연산이 모두 가능하고 비율 비교도 의미를 갖는다. 반면 명목척도와 서열척도는 범주형 척도로 절대 영점 개념이 적용되지 않으며, 등간척도는 임의 영점만 존재하여 0이 절대적 의미를 갖지 않는다. 거리, 무게, 시간, 키 등이 비율척도의 대표적인 예이다.

22. 탐색적 데이터 분석(EDA)은 데이터를 다양한 각도에서 관찰하고 이해하는 과정으로, 그래프나 요약 통계를 통해 데이터의 특성, 분포, 패턴을 직관적으로 파악하는 것이 목적이다. EDA에서는 변수의 척도 재설정, 이상치·결측치 탐색, 중심 경향 파악 등의 작업을 수행한다. 반면 재현성 검증은 동일한 분석 결과를 얻기 위해 분석 과정을 재현하는 것으로, 이는 본격적인 분석이나 모델링 단계에서 이루어지는 작업이지, 데이터를 탐색하고 이해하는 EDA의 특성이 아니다.

23. 상자그림(Boxplot)에서 상한과 하한은 이상치가 아닌 데이터의 최대·최솟값을 나타내며, 일반적으로 IQR(사분위 범위)의 1.5배를 Q1과 Q3에 각각 더하고 빼서 계산한다. 이때, IQR = Q3 − Q1이므로, 상한 = Q3 + 1.5 × IQR, 하한 = Q1 − 1.5 × IQR로 구한다. 따라서, IQR은 Q3 − Q1 = 12 − 4 = 8이며, 하한은 Q1 − 1.5 × IQR = 4 − 12 = −8, 상한은 Q3 + 1.5 × IQR = 12 + 12 = 24가 된다.

24. 유의수준(α)은 1종 오류가 발생할 최대 허용 가능성을 의미하며, 최소허용확률을 뜻하지는 않는다. 다시 말해, α는 귀무가설이 참일 때 이를 잘못 기각할 확률의 상한을 설정하는 값이다. 나머지 선택지는 1종 오류와 2종 오류의 정의를 올바르게 설명하고 있다.

25. 표본오차는 표본추출 과정에서 필연적으로 발생하는 오차로, 표본의 크기를 늘리거나 확률표본추출법을 사용하면 줄일 수 있지만 완전히 제거할 수는 없다. 반면 비표본오차는 조사 설계, 데이터 수집, 입력, 처리 과정 등 표본 선택 이외의 요소에서 발생하는 오차로, 인간의 실수나 설문 문항의 모호성 등이 원인이며 정교한 조사 설계와 품질 통제를 통해 최소화하거나 없앨 수 있다. 따라서 '표본추출로 비표본오차를 최소화하거나 없앨 수 있다'는 설명은 잘못되었으며, 표본추출은 표본오차를 줄이는 방법이지 비표본오차를 제거하는 방법이 아니다.

26. 그림은 작은 값쪽으로 데이터가 쏠려있고 큰 값쪽으로 꼬리가 긴 형태로 왜도는 양수가 나오게 된다. 왜도가 양수인 분포에서는 최빈값 〈 중앙값 〈 평균 순으로 값이 커지게 분포하게 된다.

27.

비기봇 해설

표본추출 방법은 모집단에서 표본을 선택하는 다양한 방법을 설명합니다. 각 방법은 모집단의 특성과 연구 목적에 따라 다르게 적용됩니다. 이 문제에서는 각 표본추출 방법의 정의와 특징을 이해하는 것이 중요합니다.

1. 계통추출 – N개의 개체에 번호를 부여하고 k 간격으로 나눈 후 각 집단에서 임의로 추출한다.

: 계통추출은 모집단의 개체에 번호를 부여하고, 이를 일정한 간격으로 나누어 표본을 선택하는 방법입니다. 이 방법은 첫 번째 구간에서 임의로 하나를 선택한 후, 매 k번째 항목을 추출하는 방식으로 진행됩니다. 그러나 문제의 설명에서는 '각 집단에서 임의로 추출한다'고 되어 있어, 이는 계통추출의 정의와 맞지 않습니다.

2. 층화추출 – 이질적인 특성을 가진 모집단에서 각 특성을 가진 개체를 골고루 포함시키기 위해 사용한다.

: 층화추출은 모집단을 이질적인 특성을 가진 계층으로 나누고, 각 계층에서 무작위로 표본을 선택하는 방법입니다. 이 방법은 모집단의 다양한 특성을 고루 반영할 수 있도록 설계되어 있으며, 각 계층이 모집단의 특성을 잘 대표할 수 있도록 합니다.

3. 군집추출 – 모집단을 몇 개의 군집으로 나눈 후 그중 임의의 군집을 선택하여 전체 혹은 임의로 몇 개를 추출하여 표본으로 사용한다.

: 군집추출은 모집단을 몇 개의 군집으로 나누고, 그 중 일부 군집을 선택하여 전체를 조사하거나 일부를 표본으로 사용하는 방법입니다. 이 방법은 군집 내의 개체들이 서로 유사하다는 가정 하에 사용되며, 군집을 단위로 표본을 추출합니다.

4. 단순무작위추출 – N개의 개체에 각각 번호를 부여한 뒤 n개의 번호를 무작위로 뽑아 그 번호에 해당하는 개체를 표본으로 사용한다.

: 단순무작위추출은 모집단의 모든 개체가 동일한 확률로 선택될 수 있도록 무작위로 표본을 선택하는 방법입니다. 이 방법은 각 개체에 번호를 부여하고, 무작위로 n개의 번호를 선택하여 표본을 구성합니다.

28. p-value는 귀무가설이 참이라고 가정할 때, 현재 관측된 결과보다 극단적인 결과가 나타날 확률을 의미한다. p-value가 작을수록 귀무가설을 기각할 가능성이 높아지며, 일반적으로 p-value가 유의수준(α, 보통 0.05)보다 작으면 귀무가설을 기각한다. 따라서 'p-value가 클수록 귀무가설을 기각할 가능성이 높아진다'는 설명은 반대로 잘못된 내용이며, p-value가 클수록 귀무가설을 기각하지 못하고 채택할 가능성이 높아진다.

29. 상자그림에서 중앙값(Median, Q2)이 상자의 중앙에 위치하지 않고 어느 한쪽 사분위수(Q1 또는 Q3)에 치우쳐 있을 경우, 자료의 분포는 비대칭이다. 그룹2의 경우, 중앙값이 Q1(제1사분위수)에 더 가깝게 위치하고 있어 자료가 오른쪽(큰 값)으로 치우쳐 있음을 의미하며, 이런 경우 그래프는 오른쪽 꼬리가 긴 형태로 나타나므로, 그룹2가 '왼쪽 꼬리가 길다'고 해석하는 것은 부적절하다.

30. 주성분분석(PCA)은 고차원 데이터를 상관관계를 제거한 직교축(주성분)으로 변환하여 차원을 축소하는 데 목적이 있으며, 이 과정에서 가능하면 정보 손실을 최소화하는 것이 핵심이다. 주성분들은 서로 상관이 없는 축으로 생성되므로, 주성분 간 상관을 높인다는 설명은 PCA의 원리와 반대되는 잘못된 설명이다.

31. 단순회귀모형에서 MSE(평균 제곱 오차)는 SSE(오차 제곱합)를 오차의 자유도로 나눈 값이다. 단순회귀분석에서 오차의 자유도는 n−2이므로, MSE = SSE / (n−2)로 계산된다. 문제에서 SSE = 20, n = 10이므로 MSE = 20 / (10−2) = 20 / 8 = 2.50이다.

32. Ridge, Elastic net, Lasso는 모두 정규화(Regularization) 기법으로 다중공선성 문제를 완화할 수 있다. 이들은 회귀계수에 페널티 항을 추가하여 계수의 크기를 축소시킴으로써 다중공선성으로 인한 문제를 해결한다. 반면 Logistic은 이진 분류 문제를 위한 로지스틱 회귀 모델로, 다중공선성 문제를 직접 해결하는 방법이 아니며, 다중회귀분석과는 다른 목적의 기법이므로 적절하지 않다.

33. 다중공선성이 존재하면 회귀계수의 분산이 커져 추정값이 불안정해질 수 있으므로, 회귀계수의 분산이 항상 같다는 설명은 옳지 않다. VIF 값이 높으면 독립변수 간 상관성이 크다는 뜻이며, 다중공선성은 예측력에는 큰 영향을 주지 않지만 변수 해석에는 어려움을 초래할 수 있다.

34. 제시된 회귀분석 결과에서 사립학교 여부를 나타내는 PrivateYes 변수의 계수(Estimate)는 양수(2.9131163)이며, 이는 다른 모든 변수들이 일정할 때 사립학교가 공립학교(Private No)에 비해 졸업률(Grad.Rate)을 증가시킨다는 것을 의미한다. 계수가 양수이므로 '졸업률이 낮다'는 설명은 부적절하며, 오히려 졸업률이 약 2.91% 높다고 해석하는 것이 정확하다.

35. 주어진 R 프로그램은 독립변수 hp, drat, wt와 종속변수 mpg를 포함한 다중 회귀분석 결과이다. F 통계량에 대한 p-값이 0.05보다 작으므로, 회귀모형은 통계적으로 유의하다고 판단할 수 있다. 또한 결정계수는 0.81로, 해당 회귀모형이 데이터를 약 81% 설명함을 의미한다. 한편, drat 변수의 p-값은 0.198로 0.05보다 크기 때문에 통계적으로 유의하지 않다. 그러나 단순히 유의하지 않다는 이유만으로 해당 변수를 회귀식에서 임의로 제외하는 것은 적절하지 않으며, 변수 제거 여부는 단계적 회귀나 추가 검정 등의 절차를 통해 결정해야 한다. 따라서 선택지 3의 설명은 부적절하다.

36. 백색잡음은 평균이 0이고 분산이 일정하며 자기상관이 없는 가장 이상적인 정상 시계열이므로, 비정상 시계열로 분류하는 것은 잘못된 설명이다. 정상성을 만족하는 시계열은 ARMA 모형 적용이 가능하며, 평균이 일정하지 않은 비정상 시계열은 차분을 통해 정상화할 수 있다. 또한, ACF와 PACF는 시계열의 패턴 및 모형 차수 결정에 유용하게 활용된다.

37. 스피어만 상관계수는 두 변수의 순위를 기반으로 상관관계를 측정하는 비모수적 통계 지표로, 피어슨 상관계수와 달리 비선형 관계도 측정 가능하다. 순위를 사용하기 때문에 단조 관계(한 변수가 증가하면 다른 변수도 일관되게 증가하거나 감소하는 관계)에 민감하며, 데이터 분포에 대한 가정이 필요 없고 이상치에도 상대적으로 덜 민감하다.

38.

비기봇 해설

ARIMA 모형은 시계열 데이터 분석에서 널리 사용되는 방법으로, 자기회귀(AR), 차분(I), 이동평균(MA) 요소를 결합하여 데이터의 패턴을 모델링합니다. 이 모형은 주로 비계절성 데이터에 적용되며, 데이터의 추세와 불규칙성을 제거하여 예측을 수행합니다.

1. ARIMA 모형은 데이터에 나타나는 추세 요인을 차분을 통해 효과적으로 반영하고 제거할 수 있다.

: ARIMA 모형은 데이터의 추세를 제거하기 위해 차분을 사용합니다. 차분은 데이터의 연속된 관측치 간의 차이를 계산하여 추세를 제거하는 방법입니다.

2. 봄, 여름, 가을, 겨울의 계절 패턴이 있는 데이터는 SARIMA 모형을 사용해야 한다.

: 계절 패턴이 있는 데이터는 SARIMA 모형을 사용합니다. SARIMA는 ARIMA에 계절성을 추가한 모형으로, 계절적 변동을 반영할 수 있습니다.

3. ARIMA 모형을 구축하기 위해서는 자기회귀 차수, 이동평균 차수, 그리고 차분 차수를 모두 결정해야 한다.

: ARIMA 모형을 구축하기 위해서는 자기회귀 차수(p), 차분 차수(d), 이동평균 차수(q)를 결정해야 합니다. 이 세 가지 요소는 각각 데이터의 패턴을 설명하는 데 중요한 역할을 하며, 적절한 차수를 선택하는 것이 모형의 성능에 큰 영향을 미칩니다.

4. ARIMA 모형 구축 시 먼저 자기회귀의 차수를 결정한 후에 차분의 차수를 순차적으로 결정해야 한다.

: ARIMA 모형 구축 시 차분의 차수를 먼저 결정하여 데이터의 정상성을 확보한 후, 자기회귀와 이동평균 차수를 결정하는 것이 일반적입니다. 따라서 차분의 차수를 나중에 결정하는 것은 적절하지 않습니다.

39.

 비기봇 해설

회귀 분석은 종속 변수와 하나 이상의 독립 변수 간의 관계를 모델링하는 통계적 방법입니다. 이 문제에서는 신용카드 대금(Balance)을 종속 변수로, 소득(Income)과 학생 여부(Student)를 독립 변수로 사용하여 회귀 분석을 수행했습니다. 회귀 계수는 각 독립 변수가 종속 변수에 미치는 영향을 나타내며, 이 값이 양수이면 독립 변수가 증가할 때 종속 변수도 증가함을 의미합니다. 또한, 교호작용 항이 유의하지 않다는 것은 두 독립 변수 간의 상호작용이 통계적으로 유의미하지 않음을 나타냅니다.

1. 다른 변수가 일정할 때, Income이 1단위 증가하면 Balance는 약 6.22 단위 증가하는 것으로 추정된다.

: 회귀식에서 Income의 계수는 6.21820이고, p-value는 2.26e-16으로 통계적으로 유의미합니다. 이는 다른 변수가 일정할 때, Income이 1단위 증가하면 Balance가 평균적으로 약 6.22 단위 증가한다는 의미입니다. 따라서 이 설명은 적절합니다.

2. Income을 통제한 후에도, 학생 여부와 신용카드 대금의 관계는 독립적이다.

: 회귀식의 StudentYes 계수는 476.6758, p-value는 5.96e-06으로 통계적으로 유의미하며, 학생 여부가 Balance에 유의한 영향을 미침을 나타냅니다. 또한 Income:StudentYes 상호작용항도 계수 -1.9992, p-value 0.0423으로 유의합니다. 이는 학생 여부가 Balance에 독립적인 변수가 아님을 나타냅니다. 즉, Income을 통제해도 Student 변수는 Balance에 유의한 영향을 주며, 상호작용까지 존재하므로 '독립적'이라는 설명은 틀립니다.

3. Income이 증가함에 따라 커지는 Balance의 증가분이 학생과 비학생 사이에 통계적으로 유의적인 차이가 없다.

: Income과 Student 간 상호작용 항의 계수는 -1.99920이며, p-value는 0.249로 유의수준 0.05보다 크므로 학생과 비학생 사이에 통계적으로 유의한 차이가 없다는 표현은 적절합니다.

4. Income이 동일하다고 가정할 때 학생인 경우 비학생인 경우보다 평균적으로 신용카드 대금(Balance)이 약 476.68 만큼 더 높은 것으로 추정된다.

: 회귀계수에서 StudentYes 항의 계수가 476.67580이고, p-value가 작아 유의미하므로, Student=Yes인 경우 Balance가 평균적으로 비학생보다 약 476.68만큼 더 높다는 것은 맞는 해석입니다. Income이 동일하다는 조건도 적절하게 언급하였습니다.

40. 시계열의 정상성을 판단하는 기본 조건은 평균과 분산이 시간에 무관하게 일정하고, 시차 간 공분산이 시간 차이에만 의존한다는 세 가지이다. 자기상관계수의 변화 패턴은 정상성을 판단하는 보조적 지표일 뿐 정상성의 정의 자체가 아니며, 정상 시계열의 ACF는 빠르게 0으로 수렴해야 한다. 따라서 '자기상관계수가 시간의 흐름에 따라 점차 감소한다'는 설명은 느리게 감소하는 비정상 시계열의 특성이므로, 정상성을 판단하는 조건으로는 적절하지 않다.

41. 소프트맥스(Softmax) 함수는 주어진 입력 벡터의 각 클래스별 점수 z_i를 지수 함수 e^{z_i}로 변환한 후, 이 지수값을 모든 클래스의 지수값 총합으로 나누어 각 클래스에 대한 확률값으로 변환하는 정규화 함수이다. 즉, $f(z_i) = \frac{e^{z_i}}{\sum_{j=1}^{k} e^{z_j}}$로 정의되며, 모든 출력이 0과 1 사이의 값을 가지며, 전체 클래스에 대한 확률의 합이 1이 되도록 보장된다. 이는 다중 클래스 분류 문제에서 모델의 출력층(logit 값)을 각 클래스가 정답일 확률로 변환하는 데 사용되며, 이후 예측된 확률과 실제 정답 간의 차이를 측정하기 위해 교차 엔트로피 손실 함수와 함께 사용된다. 따라서 소프트맥스는 분류 결정 및 손실 계산의 핵심 역할을 수행한다.

42. 부스팅은 이전 모델의 오차를 줄이기 위해 틀린 데이터에 더 큰 가중치를 부여하고, 순차적으로 약한 학습기를 결합하여 성능을 향상시키는 방법이다. 따라서 모든 개별 모델에 동일한 가중치를 부여한다는 설명은 틀렸다.

43. 시그모이드 함수는 입력값을 0과 1 사이의 값으로 변환하는 로지스틱 함수로, 로지스틱 회귀 모형에서 활성화 함수로 사용된다. 입력층에서 출력층으로 직접 연결되는 신경망에서 출력층의 노드가 1개이고 시그모이드 함수를 사용하면, 선형 회귀의 결과에 시그모이드 함수를 적용하는 방식으로 로지스틱 회귀와 동일한 작동 원리를 가진다.

44. 민감도(Sensitivity)는 실제 양성(True) 중에서 예측도 양성으로 맞춘 비율로, 식은 TP / (TP + FN)이다. 표에서 TP는 200, FN은 400이므로 200 / (200 + 400) = 0.33이 된다.

45. 혼합 분포 군집은 관측치가 여러 확률분포의 가중합(혼합모형)에서 생성된다고 가정하고, 각 관측치가 각 성분분포에 속할 사후확률을 바탕으로 군집을 형성한다. 이때 성분분포의 모수와 혼합비는 최대가능도추정(MLE)으로 구하되, 직접 최적화가 어렵기 때문에 EM 알고리즘(Expectation - Maximization)을 사용해 E단계(잠재군집 책임도 계산) - M단계(모수 갱신)를 반복 수렴시킨다. 반면 CART와 CHAID는 분류/회귀용 의사결정나무 기법이며, Apriori는 장바구니 데이터의 연관규칙 탐색 알고리즘으로 혼합모형의 MLE와 무관하다.

46. 엘보우 기법에서는 군집 수(k)를 늘려가며 SSE 감소량을 관찰하고, 감소 폭이 급격히 줄어드는 '꺾이는 지점'을 최적 k로 선택한다. 제시된 스크리 플롯에서 그래프가 4에서 뚜렷하게 꺾이므로, 그 이후로는 군집 수를 늘려도 효과가 크지 않다는 의미이다. 따라서 k-평균 분석에서 적절한 군집 수는 4이다.

47. SOM(Self-Organizing Map)은 고차원 데이터를 저차원의 격자 공간(Grid Space)에 매핑하고 시각화하는 비지도 학습 기반 신경망이다. SOM의 출력층 노드 수는 사용자가 학습 전에 미리 고정하여 설정하며, 입력 데이터의 변화에 따라 자동으로 조절되지 않는다. 다른 기법으로, DBSCAN은 군집 개수를 사전에 정하지 않고 밀도를 기반으로 군집과 이상치를 구분하며, 혼합분포모형(GMM)은 데이터를 정규분포의 혼합으로 가정하고 EM 알고리즘을 사용해 각 데이터가 군집에 속할 확률을 추정한다.

48. K-평균 군집화(K-means Clustering)는 군집 개수(K)를 사전에 지정하며, 초기 중심점 설정이 군집의 품질과 수렴 속도에 큰 영향을 미친다. 이는 K-평균이 지역 최적값(Local Optimum)에 수렴하는 성질을 가지기 때문이다. 다른 기법으로, 계층적 군집화는 개별 데이터부터 시작해 유사한 군집을 병합하며, 혼합분포군집(GMM)은 데이터가 각 군집에 속할 확률을 추정하는 확률 기반 기법이다. DBSCAN은 밀도 기반 군집화로, 군집 수를 지정할 필요 없이 밀집 지역을 군집으로, 비밀집 지역을 이상치로 구분한다.

49. 와드연결법은 군집 내 편차들의 제곱합을 최소화하도록 군집을 병합하는 방법으로, 군집 간 결합 시 손실의 증가가 가장 작은 쌍을 선택한다. 다른 연결법인 최단연결법, 최장연결법, 평균연결법은 거리 기반으로 군집 간 유사도를 측정하지만, 군집 내 분산을 직접 고려하지는 않는다.

50. 지지도(Support)는 전체 거래 중에서 해당 항목이 함께 포함된 거래 비율을 의미한다. 우유와 커피가 함께 구매된 거래는 30건이고 전체 거래는 100건이므로, 지지도는 30 ÷ 100 = 0.30이다.

[2026 최신개정] ADsP 데이터분석 준전문가

초판 1쇄 발행 2015년 03월 20일
13판 2쇄 발행 2026년 01월 15일

발행인 윤종식
저자 윤종식
편집디자인 디플 | **인쇄제본** 북앤컬쳐
펴낸곳 (주)데이터에듀
출판등록번호 제2020-000003호
주소 부산광역시 해운대구 센텀북대로 60, 1807호
대표전화 051-523-4566 | **도서 유통** 02-556-3166 | **팩스** 0303-0955-4566
이메일 books@dataedu.co.kr | **홈페이지** www.dataedu.kr

- 잘못된 책은 구입한 서점에서 바꿔 드립니다.
- 이 책은 저작권법에 의해 보호를 받는 저작물로 저작권자나 (주)데이터에듀의 사전 승인 없이 본문의 일부 또는 전부를 무단으로 복제하거나 다른 매체에 기록할 수 없습니다.
- 정오표는 데이터에듀 홈페이지에서 보실 수 있습니다.

ISBN 979-11-93672-38-9
가격 31,000원

자격증 합격부터 데이터 전문가 양성까지 완벽 대비!
데이터에듀 인강 시리즈

01. 데이터분석 초보자/입문자 추천 강의

ADsP 합격패키지

○ **데이터에듀 가장 많은 수강생이 수강하는 BEST 1위 강의**
비전공자도 쉽게 합격하는 출제포인트 제공

○ **이론 + 예상문제 + 핵심요약 강의 + 기출해설강의**
전 범위 최신 기출 경향 분석을 통한 완벽한 합격전략 제시

○ **상세한 개념 설명과 예시로 누구나 이해할 수 있는 강의!**
어려운 3과목도 자세한 설명과 예시로 완벽 대비

○ **나에게 맞는 기간으로 선택하는 맞춤 합격 플랜**
15일·30일·60일·90일 무제한 수강 180일 환급 플랜까지!

빅분기 필기 3주 합격패키지
비전공자 단기 합격 로드맵 제공

- 비전공자도 단기 합격 가능한 3주 학습 로드맵 제공 & 저자와 통계 전문가 과목별 2인 체제
- 눈높이 체크부터 실전 문제풀이까지 5단계 합격 커리큘럼 구성
- 최신 기출 경향 분석을 통한 완벽한 과목별 학습 전략 제시

SQLD 합격패키지
일주일만에 합격하는

- 2024 NEW 교육과정 반영은 기본! 국립금오공대 교수 직강
- 사례를 통한 이론과 코드 설명으로 초단기 합격 완성!
- 기출 분석을 통해 엄선된 문제풀이로 높은 적중률

02. 데이터분석 초보자/입문자 추천 강의

비전공자 눈높이의 데이터 분석 강의	온라인 사수가 알려주는 SQL&Python 스킬	투자 공부의 진짜 시작
가장 쉬운 데이터분석 입문	**도전! 실전 데이터분석 (SQL&Python)**	**금융데이터 분석**

데이터에듀
오프라인 교육

10년 연속 컴퓨터/IT 분야 수험서 1위를 차지한 빅데이터 교육 콘텐츠 기업,
11년 이상의 온/오프라인 교육 노하우로 기업의 DT 전환에 기여합니다.

자격증 강의
데이터분석 전문가 ADP, 데이터분석 준전문가 ADsP, 빅데이터 분석기사, 경영정보시각화능력, SQL 개발자 SQLD

빅데이터, AI 강의
생성형 AI / chat-gpt, AI 데이터 라벨링, 머신러닝 및 딥러닝, 데이터분석기획, 마케팅 전략 수립 강의

오프라인 교육 이력

자격증 강의

- **기업 강의**
  삼성전자, 삼성 SDS, LG CNS, 이니스프리, 포스코건설, 현대홈쇼핑 등
- **공공기관 강의**
  한국표준협회, 중소기업진흥공단, 세종테크노파크 등
- **대학 강의**
  연세대학교, 동국대학교, 건국대학교, 성균관대학교, 부산대학교, 동아대학교 등

빅데이터, AI 강의

- **생성형 AI / chat-gpt**
  부산과학기술대학 한국해양대 동의대, 밀양시청, 한국해양수산데이터산업협회, (사)한국융합인재교육협회, 김포새로일하기센터
- **AI 데이터 라벨링**
  부산과학기술대학, 구미여성인력개발센터 등
- **머신러닝 및 딥러닝**
  삼성SDS, LG CNS, 중소기업진흥공단, KOSTA 등
- **데이터분석기획**
  LG 이노텍, LG CNS, 부산대학교 등
- **마케팅 전략 수립**
  경제진흥원, 동아대학교 산학협력단, 여성인력개발센터 등

기업교육 문의

www.dataedu.kr | ebiz@dataedu.co.kr | 070-4193-0607

완벽한 합격을 위한 선택!

데이터에듀 도서 시리즈

데이터분석 자격증 가장 빠른 합격을 위한 핵심 비법 수험서

국내 최초! 국내 유일! ADP 수험서
데이터 분석 전문가 ADP 필기

- ADP 필기 전범위, 전과목 수록
- 단원별 기출문제 최다 수록, 최신 기출 개념 수록
- 모의고사, 예상문제, 개념문제 풀이 무료 강의 제공

경영정보시각화능력 필기

경영정보시각화능력 실기
Tableau

경영정보시각화능력 실기
파워 BI

빅데이터분석기사 필기

빅데이터분석기사 실기
with Python

파이썬을 이용한
텐서플로우 딥러닝

데이터에듀는 AI Transformation을 통해
확실한 성과를 보장하는 효율적인 학습 경험을 제공합니다.

저희 데이터에듀는 'ADsP 데이터분석 준전문가' 민트책을 필두로 ADP, 빅데이터분석기사 등 빅데이터, AI 관련 자격증 도서와 강의로 많은 사랑을 받고 있습니다.

하지만, 도서와 강의로만 수험생 여러분께 좋은 학습 내용과 경험을 제공하기에는 많은 한계가 있다고 느꼈습니다.

그래서 저희는 이론 기반의 '데이터에듀PT(DataeduPT)' 와 실습 기반의 '코드러닝(Code-learning)을 활용하여 자격증 공부의 AI Transformation을 진행하고 있습니다.

도서보다 다양한 콘텐츠를 제공하여 더 확실한 성과를 볼 수 있었으며, 데이터에듀의 인공지능을 통해 개인 맞춤 교육을 제공하여 수험생 여러분께 더욱 효율적인 학습 경험을 제공할 수 있었습니다.

데이터에듀는 이에 만족하지 않고, 자격증 학습 시장의 디지털 전환을 선도하며 학습자 여러분께 확실한 성과를 보장해드리기 위해 노력하겠습니다.

앞으로 끊임없는 연구와 혁신을 통해
더욱 진보된 개인 맞춤형 학습솔루션을 제공하며
학습의 새로운 기준을 제시할 것을 약속드립니다.

함께 미래를 선도하는 학습문화를 만들어 나가겠습니다.